L'Alliance

La première colonie européenne en Afrique australe est un avant-poste hollandais établi en 1652 au cap de Bonne-Espérance. Parmi les pionniers, Willem Van Doorn, qui sera l'ancêtre des dix générations de Van Doorn dont l'histoire est l'épine dorsale de ce livre. Bientôt commence l'expansion vers l'est. Un peuple naît qu'on appellera plus tard les Afrikaners.

Mais les colons ne sont pas seuls. Les Bochimans ont laissé leur empreinte plusieurs millénaires auparavant. A l'arrivée des Hollandais, les puissantes tribus des Xhosas et des Zoulous occupaient d'immenses étendues. L'empire du Zimbabwe naissait et mourait. Et puis d'autres Européens s'intéressent à l'Afrique du Sud. Les huguenots français réfugiés en Hollande après la révocation de l'édit de Nantes ; les Anglais qui, en 1795, occupent Le Cap, déclenchant un siècle de conflits tragiques qui culmineront dans la guerre des Boers : Blancs contre Noirs, Noirs contre Noirs, Hollandais contre Anglais. Vaincus militairement, les Boers finiront par remporter politiquement la victoire et par instaurer l'apartheid, générateur de nouveaux drames, de nouveaux bains de sang.

Une immense saga qui entrecroise les destins de trois dynasties : celle des Van Doorn hollandais, celle des Saltwood anglais, celle des Nxumalo noirs, et qui nous relate toute l'histoire de l'Afrique du Sud. Une histoire à laquelle l'Histoire n'a pas encore donné sa conclusion.

James A. Michener est né en 1907 à New York. Études de lettres, de philosophie et d'histoire. Il se consacre d'abord à l'enseignement, puis, la guerre ayant éclaté, s'engage dans la marine. Les combats auxquels il prend part lui inspirent son premier livre, Pacifique Sud, *couronné par le prix Pulitzer en 1947. Suivent des œuvres comme* Sayonara, la Source, Colorado Saga, Chesapeake, Pologne, Texas *(en cours de traduction), qui connaissent, partout dans le monde, un immense*

Ouvrages de James A. Michener traduits en français

Retour au paradis
Flammarion, 1954

Sayonara
Presses de la Cité, 1964

La Source
Robert Laffont, 1966

Pacifique Sud
Flammarion, 1970

Les Dériveurs
Stock, 1972

Colorado Saga
Flammarion, 1975
Le Livre de poche, 2 vol., 1977

La Course aux étoiles
Mazarine, 1983

AUX ÉDITIONS DU SEUIL

Chesapeake
roman, 1979
coll. « Points Roman », 1981

Pologne
roman, 1984

James A. Michener

L'Alliance

tome I

roman

TRADUIT DE L'AMÉRICAIN
PAR GUY CASARIL

Éditions du Seuil

TEXTE INTÉGRAL

EN COUVERTURE : illustration Philippe Mitschké

Titre original : *The Covenant*
ISBN original : 0-394-50505-0, Random House, New York

ISBN 2-02-009262-X, tome I
ISBN 2-02-009264-6, édition complète
(ISBN 1re publication : 2-02-006172-4)

Ceci est un roman, et le prendre pour autre chose serait une erreur. Les décors, les personnages et la majeure partie des incidents sont fictifs. Trianon, de Kraal, Venloo, Vrymeer et le Vwarda n'existent pas. Les familles Nxumalo, Van Doorn, de Groot et Saltwood n'existent pas. Quelques rares personnages réels font de brèves apparitions — Van Riebeeck, Shaka, Cecil Rhodes, Oom Paul Kruger et Sir Redvers Buller, par exemple — et ce qui est rapporté d'eux fait partie de l'histoire. La bataille de Spion Kop est fidèlement retracée, ainsi que les principaux épisodes du Grand Trek. Le Grand Zimbabwe est présenté à la lumière d'opinions récentes. Tous les incidents du chapitre sur l'apartheid découlent uniquement des recherches de l'auteur, et il en assume la pleine responsabilité.

Il a été impossible d'éviter certaines expressions autrefois généralement admises, mais que l'on considère comme péjoratives de nos jours : Bochiman (au lieu de San ou de Khoïsan) ; Hottentot (au lieu de Khoï-Khoï) ; indigène, Cafre ou Bantou (au lieu de Noir). L'expression « homme de couleur » est utilisée entre guillemets, car en Afrique du Sud elle désigne une classification légale (*Coloured*).

Ceci est un roman — le prendre pour autre chose serait une erreur. Les décors, les personnages et la majeure partie des incidents sont fictifs. Ladyburg, de Kraal, Venloo, Vrymeer et le Trianon n'existent pas. Les familles Nxumalo, Van Doorn, de Groot et Saltwood n'existent pas. Quelques rares personnages réels font de brèves apparitions — Jan van Riebeeck, Simon van der Stel, Cecil Rhodes, Oom Paul Kruger et Sir Redvers Buller, par exemple — et ce qui est rapporté d'eux fait partie de l'histoire. La bataille de Spion Kop est fidèlement retracée, ainsi que les principaux épisodes du Grand Trek. Le Grand Conseil y est présenté à la lumière d'opinions récentes. Tous les incidents du chapitre sur l'apartheid découlent uniquement des recherches de l'auteur, et il en assume la pleine responsabilité.

Il a été impossible d'éviter certaines expressions autrefois généralement admises, mais que l'on considère comme péjoratives de nos jours : Bochiman (au lieu de San ou de Khoisan), Hottentot (au lieu de Khoi-Khoin), indigènes, Cafre ou Bantou (au lieu de Noir). L'expression « homme de couleur » est utilisée entre guillemets, car en Afrique du Sud elle désigne une classification légale (coloured).

Prologue

C'était l'heure du silence qui précède l'aurore, le long des grèves de ce qui avait été l'un des plus beaux lacs de l'Afrique australe. Depuis près de dix ans maintenant, la pluie manquait à ses rendez-vous. La terre s'était desséchée, les eaux avaient baissé et devenaient de plus en plus saumâtres.

L'hippopotame, une femelle qui gisait dans la boue avec seulement ses narines à l'air, savait au fond d'elle-même qu'il lui faudrait bientôt quitter cet endroit et emmener son petit vers une autre étendue d'eau. Mais où, et dans quelle direction, elle ne parvenait pas à le discerner.

La harde de zèbres qui fréquentait régulièrement le lac obliqua vers les berges nues, en pente raide, et se mit à boire, à contrecœur, l'eau fétide. Un mâle s'écarta des autres, têtu, et gratta de ses sabots la terre dure, à la recherche d'une source plus douce. Il n'y en avait point.

Deux lionnes, qui avaient chassé sans succès toute la nuit, repérèrent ce zèbre individualiste et, par signes occultes, se communiquèrent qu'elles l'attaqueraient, et nul autre, quand la harde quitterait le lac. Pour l'instant, rien à faire, sinon attendre dans l'herbe sèche et jaune.

Enfin, il y eut un bruit. L'horizon dissimulait le soleil pour quelques instants encore lorsqu'un rhinocéros — à peu près semblable, dans son armure grotesque, à son ancêtre, trois millions d'années plus tôt — courut jusqu'au lac en grondant et s'enfonça dans la boue molle, cherchant des racines et aspirant l'eau bruyamment avec sa bouche minuscule.

Quand le soleil fut sur le point de ramper au-dessus des deux collines coniques qui délimitaient le fond du lac vers l'orient, un troupeau d'élans du Cap s'avança pour boire — grosses antilopes pleines de majesté dont tous les mouvements avaient une grâce rare — et, à leur apparition, un petit homme brun, à l'affût dans les hautes herbes depuis le début de la nuit, murmura une prière d'action de grâces : « Tant que l'élan paraît, il y a encore de l'espoir. Tant que le rhinocéros reste, nous pouvons encore manger. »

Gumsto était le type même des hommes de son clan : un mètre quarante-sept, de couleur brune, un peu jaunâtre, mince et extrêmement ridé. En fait, rares étaient les parties de son corps ne comportant pas de plis profonds ; et parfois, sur moins de dix centimètres carrés, douze lignes couraient du haut vers le bas et se croisaient avec huit ou neuf autres. Son visage ressemblait à la carte d'un très vieux marigot, avec les pistes de mille animaux en étoile, et lorsqu'il souriait, montrant de petites dents blanches, les rides s'enfonçaient davantage dans sa peau. On lui aurait alors donné plus de quatre-vingt-dix ans. Il en avait quarante-trois, et ses rides dataient de sa vingt-deuxième année : elles étaient la marque de son peuple.

Le clan dont il était responsable comptait vingt-cinq membres ; davantage se serait avéré trop difficile à nourrir ; mais un nombre inférieur l'aurait rendu trop vulnérable aux attaques des animaux. Ce clan se constituait de lui-même, le chef ; de sa vieille épouse, la rude Kharu ; de leur fils de seize ans, Gao ; et de divers mâles et femelles de tous âges et de toutes parentés possibles ; Gumsto était obsédé par la sécurité de son clan, mais il lui arrivait parfois de penser à autre chose. Quand il leva les yeux pour saluer le soleil — comme chaque matin, car c'était le dispensateur de toute vie —, il vit les deux collines arrondies, exactement comme des seins de femme, et ce ne fut pas à la sécurité de son clan qu'il songea, mais à Naoka.

Elle avait dix-sept ans, et elle était veuve depuis que le rhinocéros — celui qui buvait, là, dans le lac — avait tué son mari, un des chasseurs. Bientôt elle aurait le droit de prendre un nouveau compagnon et Gumsto la suivait souvent des yeux avec désir. Il savait que Kharu, son épouse, s'était rendu compte de sa passion, mais il avait plusieurs plans pour tourner son opposition. Il fallait que Naoka lui appartienne. Ce n'était que juste, car il était le chef.

Un tonnerre de sabots détourna son attention. Les sentinelles des zèbres avaient repéré les deux lionnes et sonnaient la retraite. Comme un vol d'immenses oiseaux rayés, les animaux noir et blanc gravirent en désordre les rives empoussiérées du lac et s'enfuirent vers la sécurité.

Mais le mâle qui avait cru bon de s'écarter, dissocié de la harde, avait perdu sa protection, et les lionnes, suivant fidèlement leur plan, le coupèrent des autres. Une poursuite effrénée, un bond sur la croupe du zèbre, un hurlement pitoyable, des griffes déchirant la trachée-artère. Le bel animal roule dans la poussière, les lionnes sur lui.

Gumsto, qui avait suivi chaque péripétie de l'attaque, murmura : « C'est ce qui se passe quand on quitte le clan. »

Il demeura immobile : sept autres lions s'avançaient pour partager la proie, escortés par une vingtaine d'hyènes, qui attendaient qu'on leur abandonne les os. De leurs énormes mâchoires, elles les broieraient pour se repaître de la moelle. Très haut, les vautours se rassemblaient déjà pour recueillir leur part quand tous les autres seraient partis. Tandis que prédateurs et charognards vaquaient à leurs affaires, Gumsto alla s'occuper des siennes.

Sa responsabilité première était de nourrir son clan et, ce jour-là, il organiserait une attaque contre ce rhinocéros. Il le tuerait ou bien serait tué par lui, puis il gorgerait son peuple d'un unique et gigantesque festin, avant de l'entraîner vers de meilleurs parages. Ayant pris ces décisions fondamentales, il laissa son petit visage brun s'épanouir d'un sourire heureux, car Gumsto était un optimiste : il y aurait forcément un meilleur endroit...

Quittant les rives du lac à l'agonie, il se dirigea vers les quartiers de son clan, qui n'avaient absolument rien de particulier : un simple lieu de halte sous des arbres bas. Le terrain de chaque famille était délimité par des bâtons et quelques pierres entassées, mais il n'y avait ni maisons, ni murs, ni greniers, ni sentiers. Les abris n'étaient que de l'herbe jetée sans soin particulier sur un cadre de rameaux entrelacés. Et l'espace de chaque famille était juste assez grand pour que ses membres puissent s'allonger dans des creux évidés pour leurs hanches. Les rares possessions avaient été méticuleusement choisies au cours de siècles d'errance ; elles étaient essentielles et faisaient l'objet de soins jaloux : pagnes et couvertures pour tout le monde, arcs et flèches pour les hommes, poudres de fard et petits ornements pour les femmes.

La famille du chef avait son abri à la base d'un arbre, et dès que Gumsto prit sa place, le dos contre le tronc, il annonça d'une voix ferme :

— L'antilope s'en va. L'eau est trop amère pour boire. Il faut partir.

Aussitôt, la vieille Kharu se leva d'un bond et se mit à arpenter leur petit domaine. Comme aucune des autres habitations entourées de bâtons n'était close, tout le monde put entendre ses murmures de protestation.

— Il nous faut davantage d'œufs d'autruche. Et nous ne pouvons tout de même pas partir avant que Gao ait tué son antilope.

Et elle ronchonna de plus belle, mégère de trente-deux ans au visage couvert de rides horribles, à la voix cassée, geignarde. Elle ne mesurait qu'un mètre quarante, mais elle exerçait une grande influence. A la fin de sa tirade, elle se jeta sur le sol à moins de vingt centimètres de son mari et elle cria : « Ce serait une folie de partir !

Gumsto, ravi que les lamentations de Kharu soient restées aussi modérées, se tourna vers les hommes des autres demeures. Ils étaient si proches qu'il pouvait s'adresser à eux depuis son arbre.

— Tuons ce rhinocéros, repaissons-nous, puis partons pour les nouvelles eaux.

— Où les trouverons-nous ?

Gumsto haussa les épaules et tendit le bras vers l'horizon. « Combien de nuits ? demanda l'homme.

— Qui sait ?

— Nous savons que le désert continue pendant beaucoup de nuits, dit un homme craintif. Nous l'avons constaté.

— D'autres l'ont traversé, se hâta de répondre Gumsto. Cela aussi nous l'avons constaté.

— Mais au-delà ? Ensuite ? Quoi ?

— Qui sait ?

L'imprécision de ses propres réponses l'alarma autant que les autres, et il aurait peut-être renoncé à cette grande aventure s'il n'avait pas aperçu justement Naoka, paresseusement étendue par terre derrière la ligne mince des bâtons qui délimitaient sa demeure. C'était une fille merveilleuse, à la peau douce, toujours parée de perles taillées dans la coquille épaisse d'un œuf d'autruche. De son visage émanait la joie d'un bel animal plein de jeunesse, et, de toute évidence, elle désirait un mari pour remplacer celui que le rhinocéros avait tué. Consciente du regard avide de Gumsto, elle sourit et hocha légèrement la tête comme pour dire : « Allons-y. » Et il hocha la tête à son tour comme pour lui répondre : « Quelles délices de partager de tels dangers avec toi. »

Il était tout à fait rare qu'une fille nubile comme Naoka soit disponible pour un nouveau mariage ; un clan pouvait passer trente ans ensemble sans qu'un tel accident se produise. En effet, dans cette tribu, la coutume voulait qu'une fille se marie à sept ans, avec un homme de dix-neuf ou vingt ans : cela évitait les ennuis. C'était un bon système, car le mari pouvait élever sa femme comme il l'entendait ; à l'âge de la puberté, lorsqu'elle devenait une véritable épouse, elle était disciplinée comme il convient, et elle savait tout ce qui mettait son homme en colère ou lui faisait plaisir. Quant à lui, forcé de pratiquer l'abstinence pendant que son épouse était encore enfant — il serait banni s'il la molestait sexuellement avant ses deuxièmes règles —, il acquérait la maîtrise de soi sans laquelle aucun homme ne saurait devenir bon chasseur.

Le système avait ses faiblesses. Comme le mari devait être beaucoup plus âgé que la femme, il y avait dans tous les groupes un excédent de vieilles veuves dont les maris étaient morts à la chasse, ou bien par suite de chutes, lorsqu'ils ramassaient du miel dans les grands arbres. Ces femmes âgées restaient sans difficulté avec la bande tant que leurs dents fonctionnaient ; quand elles ne pouvaient plus mâcher, ou bien si elles traînaient à la queue du groupe, on les installait dans l'ombre d'un buisson, on leur donnait un os avec de la viande autour et un œuf d'autruche. Puis le clan poursuivait sa route et elles mouraient avec dignité.

Les vieilles veuves inutiles étaient donc monnaie courante, mais les belles jeunes veuves comme Naoka demeuraient d'une précieuse rareté, et Gumsto se disait que, s'il parvenait d'une manière ou d'une autre à apaiser les fureurs de la vieille Kharu, il aurait une chance raisonnable d'obtenir Naoka comme deuxième épouse. Mais il se rendait compte qu'il lui faudrait manœuvrer avec précaution, parce que Kharu avait percé ses intentions à jour. Et il n'ignorait pas que son fils avait des vues, lui aussi, sur la belle fille — sans parler des autres hommes du clan.

Il s'appuya donc contre l'arbre, le pied droit blotti dans le creux au-dessus de son genou gauche, et il fit l'inventaire de sa propre personne. Il était normal, il avait belle allure, il était même plutôt grand par rapport aux autres mâles de sa harde. Il avait des épaules massives, anguleuses, et des hanches minces comme l'exigeait le désert. De bonnes dents, et bien qu'il fût extrêmement ridé, ses yeux demeuraient puissants, sans taies ni croûtes. Surtout, il était un maître chasseur. A des kilomètres de distance, il pouvait distinguer un troupeau d'antilopes se confondant avec le sable, et il repérait aussitôt la bête qui allait traîner à l'arrière et que l'on pourrait donc détacher des autres et frapper d'une flèche.

Il possédait un sens intérieur qui lui permettait de penser comme un animal, de prévoir l'endroit où l'antilope allait courir, celui où le grand rhinocéros se cachait. En observant des empreintes datant de plusieurs jours et en étudiant la façon dont le sable s'était enfoncé, il pouvait presque raconter toute l'histoire de l'animal. Lorsque quinze pistes se croisaient et se mêlaient, il savait identifier celle de la créature qu'il recherchait et la suivre à travers ce labyrinthe.

La nuit tomba et la femme responsable du feu déposa des branches avec une attention délicate. Assez de bois pour produire une lueur qui éloignerait les prédateurs, pas trop pour économiser le combustible. Les ténèbres brutales de la savane tombèrent sur le campement, et les vingt-cinq petits êtres bruns se pelotonnèrent sous leurs couvertures d'antilope, les hanches logées dans les creux. Deux hyènes, toujours en maraude, lancèrent leurs rires de déments à l'orée de la nuit, puis s'éloignèrent vers quelque endroit moins bien gardé. Un lion rugit au loin, puis un autre, et Gumsto, toujours dans l'émoi de son exode prochain, songeait non point à ces grands animaux mais à Naoka, endormie toute seule à quelques longueurs de là.

Son plan comportait deux parties : ne tenir aucun compte des bêlements de la vieille Kharu tout en l'impliquant de plus en plus dans l'exode, de façon qu'elle ne puisse plus s'y opposer ; et guider ses chasseurs sur la piste de ce rhinocéros pour un unique et dernier festin. A bien des égards, le rhinocéros serait plus facile à manœuvrer que Kharu, car, à l'aurore, elle lui présenta six nouvelles objections, ânonnées de sa voix geignarde. Pourtant, Gumsto fut forcé de le reconnaître, si agaçantes que fussent les manières de la vieille, ses avertissements n'étaient pas sans valeur.

— Où trouverons-nous des autruches, dis-moi ? gémit-elle. Et où pourrons-nous ramasser assez de larves ?

Gumsto fixa le visage enlaidi de sa vieille compagne et son regard exprima l'amour et le respect qu'il ressentait pour elle.

— C'est à toi de chercher les œufs d'autruche et les larves, dit-il en lui pinçant la joue. Tu en as toujours trouvé.

Et il partit réunir ses hommes.

Chaque chasseur était nu, hormis un carquois de flèches fines, un arc et un pagne minuscule auquel il pouvait fixer le réceptacle précieux dans lequel il conservait ses pointes de flèches mortelles — mais uniquement lorsque le rhinocéros serait repéré. Peu de chasseurs dans toute l'histoire sont partis livrer bataille à une bête aussi monstrueuse avec un équipement aussi fragile.

— Nous le verrons peut-être du haut de la prochaine colline, dit Gumsto à ses hommes d'une voix rassurante.

Il suivit les empreintes jusqu'à la crête, mais ils ne virent rien. Pendant deux jours, ne mangeant que des rognures, sans eau pour boire ou presque, ils continuèrent vers l'est ; puis, le troisième jour, comme Gumsto en était certain, ils aperçurent dans le lointain la masse sombre, menaçante, du rhinocéros.

Les hommes retinrent leur souffle, partagés entre le plaisir et la peur, tandis que Gumsto s'accroupissait sur ses talons pour étudier les caractéristiques de leur ennemi.

— Il craint de la patte avant gauche. Regardez, il l'avance avec précaution pour éviter la pression. Il s'arrête pour la reposer. Maintenant il court pour la mettre à l'épreuve. Il ralentit de nouveau. Nous l'attaquerons de ce côté-là.

Le lendemain, les petits chasseurs rattrapèrent le rhinocéros, et Gumsto avait raison : l'énorme animal craignait de la patte gauche.

Il disposa ses hommes de façon judicieuse : partout où la bête déciderait de fuir, elle serait pour l'un d'eux une cible assez facile. Et quand tout fut prêt, il leur fit signe de préparer leurs flèches... Un miracle culturel allait se dérouler, car le clan avait mis au point au cours des siècles une arme d'une complexité et d'une efficacité extraordinaires. Leur flèche ne ressemblait à nulle autre ; elle consistait en trois éléments distincts, réliés l'un à l'autre. Le premier était une hampe fine, fendue à une extrémité pour recevoir la corde de l'arc. Le secret de la flèche résidait dans le deuxième élément, une hampe courte et extrêmement fragile, dotée à chaque bout d'un collier de nerf serrable. La première hampe glissait dans l'un des colliers, et dans l'autre s'adaptait le dernier élément : un petit os d'autruche très acéré et finement poli, enduit avec le poison mortel préparé par la vieille Kharu.

Une fois assemblée, la flèche était si frêle que, par elle-même, elle aurait eu du mal à tuer un petit oiseau, mais elle était conçue avec tant d'intelligence qu'utilisée correctement elle pouvait provoquer la mort d'un éléphant. Elle représentait le triomphe de l'ingéniosité humaine ; tout être possédant les facultés nécessaires à la mise au point de cette flèche pourrait un jour concevoir les moyens de construire un gratte-ciel ou un avion.

Quand l'élément final fut en place — toujours manipulé avec un soin extrême, car la moindre égratignure accidentelle était toujours mortelle —, Gumsto fit signe à ses chasseurs de se rapprocher. Mais pendant leur mouvement, il repéra un dernier espace par lequel le rhinocéros pourrait s'échapper s'il apercevait les chasseurs. Normalement, il aurait placé là-bas un de ses hommes d'expérience, mais leur présence était indispensable ailleurs. En désespoir de cause, il se tourna vers son fils.

— Empêche-le de partir par là, lui dit-il, et sa voix trahissait une appréhension profonde.

Il pria pour que Gao se comporte bien, mais il conservait des doutes. L'enfant deviendrait un excellent chasseur ; il n'en doutait nullement. Mais il était lent à assimiler les règles et Gumsto se demandait parfois avec horreur : « Et s'il n'apprenait jamais ? » Qui, dans ce cas, prendrait la tête de ce clan ? Qui maintiendrait les enfants en vie pendant les longues marches ?

Les craintes de Gumsto étaient justifiées, car, au moment où le rhinocéros prit conscience des chasseurs, il se mit à galoper, pris de fureur, droit sur Gao — qui se révéla parfaitement incapable de détourner la bête. Avec un reniflement de mépris, l'animal franchit le cercle des chasseurs et s'enfuit vers la liberté.

Les hommes ne se privèrent pas de condamner Gao pour son manque de bravoure, car ils avaient faim et le rhinocéros en fuite aurait nourri le clan tout entier ; pourtant ce qui consternait Gumsto n'était pas le piètre exploit de son fils dans cette chasse-là, mais le grave danger qui menaçait son clan. Deux fois, ces derniers temps, il avait senti le poids de l'âge — une respiration plus courte et certains étourdissements qui le prenaient à l'improviste — et la sécurité de son peuple pesait lourdement sur ses épaules. L'incapacité de son fils rejaillissait sur lui, et il avait honte.

Malheureux, irrité, il abandonna le rhinocéros et se concentra sur un troupeau de petits springboks. Reprenant la tête de ses hommes, il les conduisit à un endroit d'où ils pourraient tirer facilement sur deux animaux, mais aucun ne fut touché. Alors Gumsto lui-même se mit à l'affût d'un troisième et planta sa flèche à la base du cou de la bête.

Rien de visible tout d'abord, car le poids de la flèche était bien incapable de tuer l'animal ; mais il suffisait d'enfoncer la pointe sous le cuir, là où le poison pourrait se répandre. Et l'excellence de la flèche ne tarda pas à se manifester, car le springbok, sentant une légère piqûre, chercha un arbre contre lequel se gratter. Si la flèche avait été d'un seul élément, les grattements l'auraient arrachée. Au lieu de cela, elle se sépara à l'un des deux colliers : la hampe tomba dans l'herbe, tandis que la pointe empoisonnée s'enfonçait plus profondément encore dans la blessure.

Le springbok n'allait pas mourir tout de suite, car l'effet de la flèche empoisonnée était un affaiblissement progressif et non une mort brutale ; cela signifiait que les hommes devraient suivre leur proie condamnée à la trace pendant la majeure partie de la journée. Au cours des premières heures, le springbok prit à peine conscience de ses ennuis : il ne sentait qu'une faible démangeaison. Mais à mesure que le poison, lentement, faisait son effet, les forces lui manquèrent et une sorte d'hébétude le gagna.

Au crépuscule, Gumsto prédit :

— Il va bientôt tomber.

Et il ne se trompait pas, car le springbok avait de plus en plus de mal à avancer. Il vit les chasseurs s'approcher, mais il n'avait plus la force de bondir de côté. Il haletait. En chancelant, il se réfugia sous un arbre, contre lequel il s'appuya. D'un cri pitoyable, il appela ses compagnons disparus, puis ses genoux se mirent à trembler et tout ne fut plus que chaos. Les petits hommes se précipitèrent sur lui en lançant des pierres.

Le découpage de la viande était une affaire méticuleuse, car Gumsto devait calculer exactement la quantité de viande empoisonnée à écarter ; même les hyènes n'en mangeraient pas. Le premier souci des chasseurs fut de mettre le sang de côté ; pour eux, tout liquide était précieux. Ils tranchèrent le foie et les rognons, et les mangèrent sur-le-champ, mais les morceaux de viande étaient tabous jusqu'au retour au campement. Ils seraient alors découpés de façon que chaque membre du clan ait sa part.

Gumsto ne pouvait guère se vanter d'un exploit. Au lieu d'un énorme rhinocéros, il n'avait rapporté qu'un pauvre springbok : son peuple allait être obligé de partir avec la faim au ventre. Plus grave encore, il n'avait pas su prédire la direction que prendraient les animaux avant la dernière approche, et c'était de mauvais augure. Comme le clan ignorait tout de l'agriculture et de l'élevage, il ne vivait que du gibier abattu par les flèches empoisonnées : si ces flèches n'étaient pas utilisées efficacement, le régime des petits hommes devait se réduire à des aliments marginaux : racines, tubéreuses, bulbes, melons, petits rongeurs, serpents, et larves d'insectes — la récolte des femmes. Oui, cette bande avait intérêt à former un maître chasseur au plus vite.

Normalement, le fils du chef acquérait les compétences de son père, mais cela ne s'était pas produit dans le cas de Gao, et Gumsto comprenait maintenant qu'il était en partie responsable de cette faiblesse : « Je n'aurais pas dû le laisser faire à sa tête. »

Il se souvenait du comportement de son fils au cours de leur première grande chasse ensemble : tandis que les autres garçons tranchaient la carcasse, Gao se souciait de couper le bout des cornes, et Gumsto avait compris que cela finirait mal.

— Tu les prends pour mettre des couleurs ? demanda-t-il.

— Oui. Il m'en faut sept.

— Gao, notre clan a toujours eu un homme comme toi, qui nous montre les esprits des animaux que nous cherchons. Chaque bande en a et nous apprécions beaucoup ce qu'ils font. Mais cela devrait venir quand tu auras appris à pister et à tuer, pas avant.

Au cours des deux mille années précédentes, chaque fois que les hommes du peuple san avaient migré, ils avaient laissé derrière eux, sur des rochers ou dans des grottes, un témoignage de leur passage : de grands animaux bondissants qui traversaient le ciel, avec des hommes braves qui les poursuivaient. Et une bonne part de la chance dont les chasseurs san avaient joui tenait aux égards et aux attentions qu'ils réservaient aux esprits des animaux.

Mais, avant de prier, avant de vénérer les esprits des animaux, avant toute chose sur terre, la bande devait manger, et, pour un jeune de seize ans, ne pas posséder les compétences nécessaires à l'obtention de la nourriture était inquiétant.

Et aussitôt une pensée honteuse se glissa dans la tête de Gumsto : « Si Gao fait la preuve de son efficacité à la chasse, il aura droit à Naoka. Tant qu'il demeure comme il est à présent, je n'ai aucun ennui à craindre de ce côté-là. Une femme aussi merveilleuse est réservée à un vrai homme, à un maître chasseur » — et il était, lui, Gumsto, le seul disponible.

Aussi, après la distribution des maigres portions de viande, demanda-t-il à son épouse, sur un ton léger :

— As-tu parlé avec la veuve Kusha au sujet de sa fille ?

— Et pourquoi lui aurais-je parlé ? grommela Kharu.

— Parce que Gao a besoin d'une femme.

— Laisse-le donc en trouver une lui-même.

Kharu, fille d'un chasseur renommé, ne s'en laissait conter par personne.

— Et que va-t-il faire ? demanda Gumsto.

C'en était trop pour Kharu. Se précipitant vers son mari, elle se mit à crier pour que tout le monde l'entende :

— C'est ta faute, incapable ! Tu ne lui as pas appris à chasser. Et aucun homme ne peut demander une épouse tant qu'il n'a pas tué son antilope.

Gumsto soupesa longuement sa réponse. Il ne craignait pas sa vieille Kharu, mais il restait sur ses gardes, et il ne savait pas trop comment aborder le problème délicat de l'entrée de Naoka dans son ménage.

Comme elle était belle ! De haute taille — presque un mètre

quarante-cinq —, elle était splendide, allongée dans la poussière. Ses dents blanches se détachaient sur son adorable teint foncé... Voir sa peau parfaite à côté des innombrables rides de Kharu, c'était être témoin d'un miracle, et il était impossible de croire que cette fille d'or deviendrait un jour comme la vieille mégère. Naoka n'avait pas de prix, c'était un être humain magnifique au sommet de sa séduction — la voix d'une antilope timide et la souplesse d'une gazelle. Gumsto la désirait avec une avidité désespérée.

— J'ai pensé à Naoka, dit-il avec précaution.

— Jolie fille, répondit Kharu. Gao pourrait l'épouser s'il savait chasser.

— Je ne songeais pas à Gao.

Il n'eut pas le temps de terminer son raisonnement, car Kharu se mit à crier, dans l'espace restreint :

— Naoka ! Viens ici !

Nonchalamment, avec la lassitude provocante d'une jeune fille qui se sait désirable, Naoka s'arracha à la mélancolie dans laquelle elle se complaisait, remonta ses bracelets, leva les yeux vers l'endroit où Kharu attendait, se redressa lentement et brossa délicatement la poussière de son corps, en prenant un soin particulier pour ses seins, qui luisaient au soleil. Choisissant avec précaution l'endroit où elle posait les pieds, elle franchit les quelques mètres qui la séparaient de la demeure de Kharu.

— Meilleurs vœux, dit-elle, comme si elle achevait un voyage de dizaines de lieues.

— As-tu encore du chagrin ? demanda Kharu.

— Non. Non, Kharu, très chère amie, je vis, c'est tout.

Elle parlait avec une intonation adorable et chacun de ses mots en suggérait d'autres qu'elle aurait pu dire. Elle s'accroupit sur ses hanches, genoux et cuisses très repliés, les fesses au ras du sol.

— C'est une petite vie, chère Naoka. C'est pour cela que je t'ai appelée.

— Et pourquoi ?

Son visage, d'un calme parfait, était le masque de l'innocence.

— Parce que je veux t'aider à trouver un mari.

D'un geste méprisant du bras droit, la jeune femme montra le maigre campement.

— Et où comptes-tu me trouver un mari ?
— Mon fils Gao a besoin d'une épouse.
— A-t-il parlé à Kusha ? Elle a une fille jeune.
— En fait, je ne songeais pas à Kusha... Ni à sa fille.
— Non ? demanda Naoka doucement, en adressant à Gumsto un sourire qui lui donna le vertige.
— Je pensais à toi, dit Kharu, ajoutant très vite : Et si tu épousais Gao...
— Moi ? dit la jeune fille avec une stupeur feinte.
Puis, prenant Gumsto à témoin, elle poursuivit :
« Je ne serais jamais l'épouse qui convient à Gao, n'est-ce pas ?
— Et pourquoi pas ? demanda Kharu en se levant.
— Parce que je suis comme toi, Kharu, dit la jeune femme sans élever la voix. La fille d'un grand chasseur. Et j'étais la femme d'un chasseur, presque aussi bon que Gumsto.
Elle lança au petit homme un regard hautain, avant de conclure :
« Je ne pourrai jamais épouser Gao. Un homme qui n'a pas encore tué son élan.
Pour ce refus catégorique, elle avait choisi un mot lourd de sens : *élan*. Le clan vivait comme en symbiose avec les antilopes, qui satisfaisaient ses besoins économiques et spirituels. L'espèce était subdivisée en une vingtaine de variétés, ayant chacune son unité distincte, ses terrains et ses habitudes. Tout chasseur ignorant les diverses catégories d'antilopes ne connaissait rien de la vie.
Il y avait les élégants petits klipboks, pas plus gros qu'un oiseau de proie ; le petit empala avec ses bandes noires sur la croupe ; et le gracieux springbok qui bondit comme s'il avait des ailes. Il y avait le duiker, roux, aux cornes courtes, et toute une constellation d'animaux de taille moyenne : steenbok, gemsbok, blesbok et bushbuck, chacun avec un différent type de cornes, chacun avec une robe différente.
Les chasseurs poursuivaient en toute occasion ces animaux prolifiques de grosseur intermédiaire qui leur fournissaient beaucoup de nourriture, mais les petits hommes étaient fascinés par quatre espèces d'antilopes plus grandes, car un seul de ces animaux suffisait à nourrir tout un clan : le gnou barbu, qui hantait la savane par millions ; le nyala cornes-de-lyre ; l'énorme koudou à bandes blanches, dont les cornes sont

de véritables torsades ; et le plus grand de tous, l'égocère noir, aux cornes fabuleuses, recourbées vers l'arrière, si magnifiques que certains chasseurs restaient parfois paralysés sur place quand ils en apercevaient un par hasard. Image de beauté, symbole d'émerveillement, l'égocère ne se montrait que rarement et toujours de façon fugitive ; aussi les petits hommes, autour de leurs feux de camp, racontaient-ils souvent leur première rencontre avec l'antilope noire. Il était rare que des égocères soient abattus, car les dieux leur avaient accordé des facultés de perception supérieures à la normale ; ils demeuraient dans les sous-bois les plus sombres et paraissaient rarement près des trous d'eau découverts.

Restait enfin l'animal que les chasseurs mettaient au-dessus de tous les autres, l'élan du Cap, l'élan géant, plus haut qu'un homme, bête remarquable avec ses cornes qui se tordaient trois ou quatre fois entre le front et la pointe, avec sa touffe de poils noirs entre les cornes, son gros pli de peau flasque sous le cou, et la bande blanche caractéristique qui sépare l'avant-train du reste du corps. Et cet animal majestueux offrait aux chasseurs de la nourriture pour le corps, du courage pour le cœur et un enrichissement pour l'âme. Tout élan était la preuve vivante que les dieux existaient : qui d'autre aurait donc pu concevoir un animal aussi parfait ? C'était lui qui avait donné une structure à la vie du peuple san, car pour l'attraper il fallait que les hommes soient habiles et bien organisés. Il servait aussi de symbole spirituel pour ces tribus n'ayant ni temples ni cathédrales ; ses mouvements représentaient l'univers et constituaient un étalon de mesure pour le comportement humain. L'élan n'était pas conçu comme un dieu, mais plutôt comme la preuve que les dieux existaient, et, après la chasse, au moment du partage de la viande de son corps, tous ceux qui en mangeaient participaient à sa quintessence — croyance nullement extraordinaire : des milliers d'années après la mort de Gumsto, naîtraient d'autres religions dans lesquelles manger le corps symbolique d'un dieu selon les rites conférerait la sainteté.

Ainsi donc Naoka, fidèle aux traditions de son peuple, pouvait rire au nez de la vieille Kharu et repousser l'idée d'un mariage avec Gao.

« Qu'il fasse d'abord ses preuves. Qu'il tue son élan.

Kharu s'en rendait compte maintenant : si elle ne faisait pas l'impossible pour que son fils devienne un chasseur qualifié — et donc épouse Naoka —, la jeune femme allait lui dérober son Gumsto, qui ne souhaitait rien tant que de se laisser voler par la belle. La vieille femme avait donc tout intérêt à encourager les chasses ; or, pour cela, il lui fallait préparer du poison en abondance pour les pointes des flèches. Elle avait toujours été responsable du poison, et elle était prête à fournir les quantités nécessaires.

La continuité et la sécurité de son clan la préoccupaient tout autant que son mari, et elle savait que, pour protéger le groupe, il lui fallait enseigner à une autre femme comment on recueille les poisons. Mais aucune n'avait fait preuve d'habileté particulière. De toute évidence, Naoka était la seule sur qui le clan pourrait compter à l'avenir, et Kharu avait le devoir de lui enseigner les secrets — sans tenir compte des craintes que la jeune femme lui inspirait.

— Viens, lui glissa-t-elle un matin, il faut refaire notre provision de poison.

Et les deux femmes, si mal assorties, si soupçonneuses l'une de l'autre, se mirent aussitôt en route.

Elles marchèrent pendant près d'une demi-journée vers le nord, deux femmes seules sur la savane, avec toujours la possibilité de rencontrer un lion ou un rhinocéros, mais poussées par la nécessité de recueillir la substance sans laquelle la bande ne pourrait survivre. Jusque-là, elles n'avaient rien trouvé.

« Ce que nous cherchons, dit la vieille Kharu tout en scrutant la terre aride, ce sont des scarabées. Mais uniquement ceux qui ont deux points blancs.

En réalité, il ne s'agissait pas des insectes adultes mais seulement de leurs larves, et toujours de cette espèce spéciale à taches blanches qui avait, disait Kharu, une paire de pattes en plus.

Nul ne savait comment, au long d'une période de dix mille ans, les femmes san et leurs ancêtres avaient isolé cette petite créature, seul scarabée capable de produire un poison d'une virulence implacable. Comment cette découverte s'était-elle produite ? Nul ne s'en souvenait : elle datait de si longtemps. Mais quand des hommes ne savent ni lire ni écrire, quand rien d'extérieur ne vient distraire leur esprit, ils peuvent passer leur vie à observer minutieusement autour d'eux, et ils ont des milliers d'années pour accumuler une sagesse traditionnelle — qui peut devenir, avec le temps, une connaissance de très haut niveau. Ces hommes découvrent des plantes qui fournissent des drogues subtiles, des minerais dont on fabrioue des métaux, des signes du ciel permettant d'organiser les plantations et les récoltes, et les lois qui régissent les marées. Le peuple san, auquel appartenait Gumsto, avait eu le temps d'étudier les larves de mille insectes différents et de découvrir finalement l'unique scarabée produisant un poison mortel. La vieille Kharu était dépositaire de cette ancienne sapience et, maintenant, elle initiait la jeune Naoka.

« En voilà ! s'écria-t-elle, ravie d'avoir traqué sa proie.

Et sous le regard attentif de Naoka, tout près d'elle, elle s'allongea sur le sol, le visage à quelques centimètres de la terre.

« Cherche toujours les petites marques qu'elle laisse. Elles indiquent sa cachette en dessous.

Avec son bâton à fouir, elle déterra la larve inoffensive. Plus tard, une fois séchée au soleil, réduite en poudre et mêlée à des substances gommeuses prélevées sur des arbustes, elle se transformerait en une des toxines les plus vénéneuses découvertes par le genre humain — un poison à l'action lente, mais toujours mortel.

« Maintenant, mon fils peut tuer son élan, dit Kharu.

Mais Naoka sourit.

Il ne restait que deux choses à faire avant que le clan en péril soit libre de se lancer dans son périple héroïque : Gumsto devait emmener ses hommes tuer un élan rituel pour assurer la survie ; et sa femme devait trouver les autruches. Gumsto s'attaqua le premier à son problème.

Le soir précédant le début de la chasse, il s'assit près du feu et parla à ses hommes.

— J'ai parfois suivi un élan pendant trois jours avant de le frapper de ma flèche, et après je l'ai traqué deux jours de plus. Et quand je me suis trouvé devant son corps allongé par terre, si beau dans la mort, des larmes ont jailli de mes yeux, bien que je n'aie pas touché à une goutte d'eau depuis trois jours.

— Ce que tu as fait ne nous intéresse pas, ronchonna Kharu, détruisant l'effet de ce beau discours. Que vas-tu faire cette fois ? Aider ton fils à tuer son élan ?

Gumsto, sans tenir compte de la question, lança un regard lascif à Naoka et, lorsque la belle lui répondit d'un clin d'œil, il se sentit profondément troublé. Pourtant, au cours de la chasse, son désir de trouver un héritier pour ses compétences le poussa à s'occuper de Gao comme jamais auparavant.

— Quand tu es sur la piste, tu dois tout observer, Gao. Cette marque, là, veut dire que l'animal s'appuie un peu plus sur sa droite.

— C'est un élan ?

— Non, mais c'est une grande antilope. Si nous la trouvons nous serons satisfaits.

— Mais dans ton cœur, dit Gao, tu voudrais bien que ce soit un élan.

Gumsto ne répondit pas. Le cinquième jour, il repéra une empreinte d'élan et la grande poursuite commença. Avide, il suivit avec ses hommes la trace d'une harde de deux douzaines d'animaux environ, et enfin ils les aperçurent. Gumsto expliqua à son fils quel animal entre tous serait la cible la plus facile ; puis, avec mille précautions, ils s'avancèrent.

La flèche délicate vola. Tirée par l'arc de Gumsto. L'élan se frotta contre un arbre et le poison ramassé par Kharu et Naoka commença à exercer son effet subtil. Un jour, deux jours, puis une nuit sans lune envahit la savane et, dans les ténèbres, l'énorme bête fit un dernier effort pour s'échapper, traînant ses pattes tremblantes sur la pente d'une petite colline, lentement, lentement, de plus en plus haut, avec les petits hommes toujours derrière elle, patients, repoussant l'instant de la dernière attaque car ils étaient confiants.

A l'aube, l'élan se balança de gauche et de droite, incapable de maîtriser ses mouvements. Ses belles cornes sont impuissantes, sa tête s'abaisse, une douleur violente attaque ses entrailles. Il tousse pour se débarrasser de ce mal indéfinissable, puis il veut s'enfuir au galop.

Et voici qu'il titube, se redresse et monte sur un tertre sablonneux. Voici qu'il se retourne, face à ses poursuivants. Lorsqu'il voit Gumsto le charger, la massue levée, il bondit en avant pour braver ce défi, mais toutes les parties de son corps l'abandonnent d'un seul coup. Il s'effondre. Il continue pourtant de tenter de se protéger, et ses quatre sabots volent.

Il gisait ainsi, luttant contre des fantômes et les ombres des petits hommes, se défendant jusqu'au dernier instant, lorsque des pierres se mirent à pleuvoir sur sa tête... Il roula dans la poussière.

Pris par sa passion intense, Gumsto voulut pousser un cri exprimant sa joie religieuse d'avoir abattu la noble bête, mais sa gorge était desséchée et il ne put que baisser la main vers l'élan prosterné. Et, à l'instant de ce geste, il vit que Gao avait des larmes dans les yeux à cause de la mort de cette créature ; alors, dans un bond sauvage, il saisit les mains de son fils et dansa avec lui près de l'élan.

— Tu t'es montré bon chasseur aujourd'hui ! cria Gumsto, invitant les autres hommes à se joindre à eux pour célébrer l'élan et la participation courageuse de Gao.

A peine s'étaient-ils mis à danser qu'un homme, debout à l'écart, entonna un chant de louange pour cet élan qui s'était défendu avec tant de bravoure.

Tandis que les autres femmes faisaient sécher au soleil des lanières de viande d'élan qu'elles emporteraient dans leur périlleux voyage, Kharu s'occupa des autruches. Avec Naoka à ses côtés pour apprendre cet élément de survie, elle s'éloigna vers le sud, où parfois les énormes oiseaux établissaient leurs nids. Elle ne s'intéressait pas aux animaux eux-mêmes, à peine comestibles ; ce qu'elle recherchait, c'étaient leurs œufs, surtout les vieux qui n'avaient pas éclos et que le soleil avait desséchés.

Leur contenu s'était depuis longtemps évaporé. Quand elles en eurent ramassé une vingtaine, elles les enveloppèrent avec soin dans des sortes de tabliers qu'elles avaient. Elles les jetèrent sur l'épaule et elles rentrèrent au camp où les hommes accueillirent leur succès avec un grand soulagement.

— Nous sommes presque prêts à partir, dit Kharu, comme si ces bons présages l'avaient satisfaite.

Mais avant que le clan ne se risque sur la piste, elle devait, avec Naoka, s'occuper des œufs. Elles les transportèrent tout au bord de l'eau saumâtre, et là, avec un poinçon de pierre effilé, Kharu fit un trou net dans chaque œuf. Ensuite Naoka l'enfonçait dans le lac, pour le remplir. Lorsque tous les œufs furent pleins d'eau — si mauvaise soit-elle —, Kharu vérifia qu'ils ne perdaient pas et apprit à Naoka à refermer le trou avec un tampon d'herbe tordue.

« Cela suffira à maintenir le clan en vie jusqu'à la seconde nouvelle lune.

Quand vint le moment de rassembler les voyageurs, Gao n'était pas là, et un jeune chasseur dit :

— Il travaille par là.

Très haut sur l'autre face de la colline, dans une sorte de grotte, ils trouvèrent Gao, debout près d'un feu. Il portait sur les hanches une ceinture en peau de rhinocéros, à laquelle pendaient sept cornes d'antilopes contenant ses couleurs. Sur un rocher incliné, il avait gravé, par une série de points piqués, l'image du rhinocéros noir qui s'était enfui par sa propre faute. D'une ligne pure — un seul trait pour la bouche et la corne —, il avait indiqué la tête de la bête ; et une autre ligne continue, de la corne à la queue, suggérait la masse énorme du corps. Il était en train de représenter les pattes de derrière, d'une manière très efficace, car un simple trait révéla à la fois la forme de la croupe et son mouvement dans la course. Quant aux pattes de devant, qui frappaient le *veld** dans un bruit de tonnerre, il les représenta également d'une seule ligne. Et les couleurs qu'il utilisa pour montrer l'animal dans sa fuite rapide au milieu des herbes chantaient sur la teinte neutre du rocher.

Même Gumsto, lorsqu'il regarda l'animal terminé, dut reconnaître que son fils avait bien traduit l'instant de la défaite, l'instant où le rhinocéros avait repris sa liberté — témoignage éblouissant de ce qui aurait été sans cela une journée décevante. Mais il maîtrisa son enthousiasme et avertit son fils :

— Tu l'as pris avec tes peintures. Maintenant, tu dois le prendre avec tes flèches.

Pourquoi les hommes san — les Bochimans comme on les appela plus tard — se donnaient-ils tant de peine à représenter

* Les termes en langue *africaans* sont orthographiés en italique et suivis d'un astérisque. Pour leur signification, voir le glossaire en fin de volume.

les animaux qu'ils chassaient pour se nourrir? Était-ce pour libérer l'âme de la bête, afin qu'elle puisse se reproduire encore? Ou bien était-ce pour expier la culpabilité du massacre? Ou bien encore s'agissait-il d'une invocation à l'animal conçu comme un dieu? Il est impossible de répondre; tout ce que nous savons, c'est qu'en des milliers d'endroits, partout dans le sud de l'Afrique, ces chasseurs ont peint leurs animaux avec un amour qui ne serait jamais surpassé. Toute personne qui regarderait le rhinocéros de Gao sentirait son cœur bondir de joie car c'était un animal palpitant de vie.

En 1980, des experts venus d'autres continents entendraient parler de ce rhinocéros, et la compétence de l'artiste qui l'avait peint les remplirait de stupeur et d'admiration. Un critique, spécialiste de Lascaux et d'Altamira, dirait dans son article :

> Ce splendide rhinocéros, peint par un Bochiman inconnu, est une œuvre d'art aussi parfaite que toute autre conçue dans le monde à ce jour. Par bonheur, quelqu'un fit du feu dans la grotte et cela nous a permis une datation au carbone 14. Cette fresque remonte à 13 000 ans avant notre ère et nous ne pouvons que nous émerveiller devant la qualité technique des pigments, qui semblent bien meilleurs que ceux utilisés de nos jours. Mais l'excellence de l'œuvre réside avant tout dans la puissance avec laquelle l'animal est représenté. Il est réel. Il fuit des chasseurs réels que nous ne voyons pas. Sa tête se relève dans la joie de la victoire. Mais il y a plus encore. Il s'agit d'une évocation de tous les animaux, par un homme qui les aimait — et avec ce rhinocéros sauvage et joyeux, nous galopons dans des mondes que nous n'aurions jamais connus sans lui.

Comme les hommes san ne savaient jamais quand ils tueraient un autre animal, dès qu'ils en abattaient un ils se gorgeaient sans mesure — ils mangeaient, dormaient, mangeaient, tombaient dans un état d'hébétude et mangeaient encore —, après quoi une transformation stupéfiante se produisait : les rides profondes qui striaient leurs corps commençaient à disparaître; leur peau redevenait lisse et leurs chairs dodues; même les vieilles femmes de trente-deux ans comme Kharu se remplissaient et retrouvaient leur beauté d'antan. Gumsto, en voyant son épouse ainsi métamorphosée, songea : « Elle est bien comme dans mon souvenir. » Mais aussitôt il aperçut Naoka, allongée insolemment au soleil, et il eut des pensées plus raisonnables : « Mais Naoka sera comme elle demain, c'est certain... »

Quand tout l'élan fut consommé, Gumsto dit :

— Au matin, nous partirons.

Et toute la nuit il demeura sur les rives du lac qui avait apporté la sécurité à son peuple. Il observa les allées et venues des animaux. Il était heureux de voir le zèbre et l'antilope tout près l'un de l'autre, chacun dans son clan, tous les membres obéissant à une discipline générale qui leur permettait de survivre aux attaques des lions en maraude.

A l'aurore, comme pour saluer le départ des voyageurs, un vol de flamants roses s'éleva à l'extrémité du lac et traça de grands arcs dans le ciel, allant d'un bout à l'autre de l'étendue d'eau, puis rebroussant chemin en de magnifiques arabesques. Ils sillonnèrent le ciel peut-être vingt fois comme une navette tissant une toile rose et or dans la pénombre. Souvent, ils glissaient très bas comme pour se poser, mais seulement pour s'élancer d'un coup d'aile vers l'azur, où ils traçaient les dessins pleins de grâce de leur tapisserie... Les cercles rose clair de leurs ailes éclataient dans l'air, flaques de couleur vive, et leurs longues pattes rouges traînaient à l'arrière tandis que leurs cous blancs semblaient s'étirer sans fin.

Sous les yeux de Gumsto, ils firent un dernier cercle, puis ils prirent la direction du nord. Ils abandonnaient le lac eux aussi.

La file se forma, vingt-cinq personnes l'une derrière l'autre, mais Gumsto ne se mit pas à sa tête. Ce fut la vieille Kharu qui prit cette place, le bâton à fouir à la main. Son vêtement de peau, sur ses épaules, était une sorte de cape flottante dans laquelle elle avait enveloppé quatre œufs d'autruche pleins d'eau. Chaque femme en portait le même nombre, et les fillettes deux.

C'était elle qui avait pris le commandement, parce que le clan se dirigerait franc ouest pendant cinq jours, vers un endroit où, deux ans plus tôt, Kharu avait enterré une réserve d'urgence de neuf œufs, pour le jour où, dans leurs errances, ils arriveraient là-bas à bout de forces. Comme ils quittaient la région, elle voulait récupérer ce dépôt.

A mesure qu'ils s'enfonçaient dans un pays où les lacs et les sources étaient rares, elle devint leur chef spirituel, car elle connaissait les endroits étranges où la rosée s'accumule parfois. Ou bien, en arpentant un sol si desséché qu'il semblait n'avoir jamais reçu d'eau, elle repérait quelque tigelle, si brune et si fripée qu'elle semblait morte ; mais quand, avec son bâton à fouir, elle la suivait très loin vers le bas, elle trouvait au bout du tortillon une racine globuleuse qui, une fois ramenée à la surface et pressée, donnait quelques gouttes de bonne eau.

Elle faisait appliquer une règle inviolable :

— N'utilisez pas les œufs d'autruche.

Elle était responsable de l'eau et ne permettait à personne d'y toucher.

« Trouvez des racines, creusez, buvez-les.

Les œufs d'autruche devaient être réservés pour les jours effrayants où il n'y aurait pas de racines.

Le clan de Gumsto n'était pas le seul à habiter cette vaste région. Il y avait d'autres tribus san disséminées sur la savane, et souvent, quand leurs routes se croisaient, ils se rencontraient. Parfois, une femme d'un clan s'en allait épouser un chasseur dans un autre groupe, ou bien des enfants dont les parents étaient morts étaient adoptés par un autre clan. Et au cours de ces rencontres de hasard, la tribu de Gumsto entendait parler d'autres bandes moins bien loties.

— Ils se sont enfoncés dans le désert sans assez d'eau et on ne les a pas revus.

C'était à Kharu de veiller que cela n'arrive pas à son clan. Souvent au cours de leur marche, elle dépassait de nombreux arbres sans s'arrêter, puis elle en remarquait un qui avait un air légèrement différent, et, quand elle s'avançait vers cet arbre, elle trouvait, enchâssée dans la fourche où les branches rejoignent le tronc, une réserve d'eau douce.

Enfin et surtout, elle partait en avant-garde pendant deux ou trois jours, ses œufs d'autruche brinquebalant dans son dos, convaincue que de l'eau se cachait quelque part — ses yeux balayaient l'horizon en tous sens. Puis elle s'arrêtait pour que les autres la rattrapent, et obéissant à tel ou tel signal qu'ils ne parvenaient pas à percevoir, elle leur indiquait avec son bâton à fouir la direction où ils devaient aller. Ils atteignaient bientôt une légère pente et ils apercevaient au loin une langue de terre couverte de plantes portant des melons *tsama*, tachetés, plus petits qu'une tête d'homme et pleins d'une pulpe molle dont on pouvait extraire d'extraordinaires quantités d'eau.

Un melon tsama, songeait Gumsto, était l'un des plus beaux objets du monde, presque aussi séduisant que Naoka... La façon dont Kharu continuait d'apprendre à sa rivale les grandes règles de survie lui faisait une forte impression ; à la fin de ce voyage, la jeune fille allait être assez compétente pour conduire sa propre bande à travers les déserts, et Gumsto avait bien l'intention de partager cette autorité avec elle.

— Je pense toujours à Naoka, dit-il un soir à Kharu.

— Je pense à elle, moi ausssi, répondit la vieille femme.

— Oui ?

— Elle va bientôt être prête à diriger ce clan. Mais il lui faut un mari, un jeune mari, et si nous ne pouvons en trouver un, nous la donnerons à un autre clan, car elle sera une femme puissante.

Gumsto allait lui répondre qu'il en avait jusque-là, des femmes puissantes, mais Kharu ne lui en laissa pas le temps.

« Les voilà, les buissons d'épines !

Elle se mit à courir, et lorsqu'elle eut déterré les neuf œufs, elle constata que l'eau était encore bonne. Avec un soupir de gratitude, elle s'écria :

« Maintenant, nous pouvons traverser le désert.

Gumsto passa cette nuit-là en proie à deux problèmes agaçants : il ne parvenait pas à comprendre pourquoi la vieille Kharu démantelait tous les projets qu'il avait conçus pour prendre Naoka comme deuxième épouse ; et il ne pouvait cesser de contempler d'un œil avide la belle jeune femme. C'était un supplice de Tantale de voir sa peau douce et ses formes adorables au clair de lune... La poussière sur ses jambes... Si proche de lui et pourtant inaccessible.

Mais à mesure que la longue nuit s'écoulait, il fut contraint d'admettre que, sur un fait fondamental au moins, Kharu avait raison. Si elle-même apprenait à Naoka, une femme qu'elle détestait, les principes de survie, il était obligé d'accélérer l'accession de son fils au monde des hommes adultes. Et si, de ce fait, il permettait à Gao d'épouser Naoka, c'était un faible prix à payer en échange de la sécurité du clan. Il commença donc à étudier le terrain, à chercher des parages où des élans risquaient de paître.

C'était lui qui marchait maintenant en tête de la file, car le clan pénétrait dans un pays qu'il n'avait jamais parcouru dans le passé et il fallait souvent prendre des décisions rapides. Ils formaient un étrange cortège avançant bravement sur ces terres arides : ils possédaient quatre traits particuliers qui ne manqueraient pas d'étonner tous ceux qui entreraient en contact avec eux plus tard.

Leurs cheveux ne poussaient pas comme ceux des autres humains. Ils jaillissaient en petites touffes tordues, séparées l'une de l'autre par des espaces importants de peau vide.

Les femmes avaient des fesses d'une taille énorme, et certaines se projetaient si loin en arrière qu'on asseyait parfois les bébés dessus. On appellerait ce phénomène la *stéatopygie* (fesses de graisse), et il était si prononcé que des voyageurs venus d'ailleurs doutèrent souvent du témoignage de leurs propres yeux.

Leur langue était unique, car aux cent et quelques sons différents à partir desquels les langues du monde se sont constituées — le *ch* de l'allemand par exemple ou le *ñ* de l'espagnol —, la langue san ajoutait cinq *clics* formés avec les lèvres, la langue et le palais, sons que l'on ne retrouve dans aucune autre langue. Un de ces clics était comme un baiser sonore, un autre comme le bruit de langue que l'on fait pour exciter les chevaux, un troisième ressemblait à un raclement de gorge. Ainsi donc, Gumsto utilisait le registre normal des consonnes et des voyelles, augmenté des cinq clics, ce qui faisait de son élocution un crépitement explosif sans équivalent dans aucun autre idiome.

Enfin, le pénis des hommes était continuellement en état d'érection. Quand les premiers observateurs rapportèrent ce fait à un monde incrédule, des explorateurs se précipitèrent pour confirmer ce miracle. Un savant français devait dire : « Ils sont toujours au garde-à-vous, comme une unité d'infanterie bien entraînée. »

Lorsqu'ils furent plus loin dans les étendues désertiques, leur recherche de nourriture devint si accablante que leur progression cessa d'être rapide ; mais même ainsi, leur errance vers l'ouest et le sud demeurait irréversible, et, tandis que les lunes se succédaient, ils s'enfonçaient de plus en plus profondément dans le désert. Ce n'était pas une étendue de sable blanc sans fin, comme le désert du nord de l'Afrique allait le devenir aux temps historiques ; c'était un espace vide et sauvage, accidenté de rochers isolés dressés comme des sentinelles et de buissons d'épines qui s'accrochaient à la surface rouge tannée par le soleil. De petits animaux le sillonnaient dans la nuit et, le jour venu, les grandes antilopes et leurs prédateurs se déplaçaient sans cesse à la recherche de l'eau, sans se montrer jamais. Se risquer sur ces étendues cruelles, dans la chaleur étouffante de midi ou par les nuits glacées, même avec de la nourriture et de l'eau en suffisance, aurait été une véritable aventure. Les traverser, comme tentaient de le faire ces Bochimans, était héroïque.

Un après-midi, Kharu, l'œil affamé toujours à l'affût, bondit dans les airs comme une gazelle. Elle cria « Ooooooooo ! » et s'élança dans le désert, telle une antilope à la robe sale et égratignée. Elle avait repéré une tortue et, lorsqu'elle la captura au milieu des vivats de la bande, un regard de triomphe brilla parmi ses rides. Ses mains minuscules brandirent ce régal au-dessus de sa tête. On alluma aussitôt un feu en frottant deux bâtons, et, quand les charbons furent brûlants, on plaça la tortue au-dessus, ventre en l'air, et elle se mit à griller, répandant parmi le clan son arôme.

La vapeur fendit la carapace et, lorsqu'elle eut refroidi, Kharu partagea la viande et le jus, guère plus d'une bouchée pour chacun des vingt-cinq membres, et une pincée de plus pour Kusha, qui était enceinte. Et bien que chacun eût à peine reçu de quoi aiguiser ses dents, le repas eut un effet fantastique, car il rappela au petit groupe ce que signifiait manger. Nul ne fut rassasié, mais chacun reprit quelques forces.

Le problème de l'eau était très inquiétant lui aussi, car, dans le désert, on n'en trouvait point aux fourches des arbres — souvent il n'y avait même pas d'arbres. Les melons tsama, qui peuvent survivre presque n'importe où, étaient rares et tout ratatinés. Les voyageurs avaient dû se rabattre sur les œufs d'autruche, jusqu'à ce qu'il n'en reste plus que neuf — mais les épreuves du passé avaient appris à Kharu que l'eau de ces neuf derniers œufs devait être conservée pour la dernière extrémité. Or ils n'en étaient pas encore là, il s'en fallait. De son bâton elle déterrait des racines contenant à peine une ou deux gouttes de liquide, et elle les donnait à ses compagnons qui les mâchaient jusqu'à ce que leur bouche en soit humectée. Elle examinait la moindre plante grasse susceptible d'avoir accumulé de la rosée, et elle recherchait à tout instant le moindre signe trahissant la présence d'un filet d'eau profondément enfoui sous le sable rocailleux.

Lorsqu'elle repérait un de ces endroits, elle creusait avec ses mains aussi profondément que possible, puis elle enfonçait un long roseau sous la surface. Si elle avait deviné juste, elle arrivait péniblement à aspirer, goutte par goutte, de petites quantités d'eau. Elle les prenait dans sa bouche, mais elle ne les buvait pas. Le long d'un autre roseau, qu'elle tenait au coin de ses lèvres, elle laissait l'eau glisser dans un œuf d'autruche ; plus tard, ses compagnons menacés la boiraient.

Deux jours s'écoulèrent sans une goutte d'eau, et de toute évidence elle allait devoir se rabattre sur les neuf œufs de réserve. Selon une tradition ancienne, elle entama d'abord les sept œufs portés par les autres, réservant les siens pour ce que l'on appelait « les jours de la mort ». Chaque jour à midi, quand le soleil était le plus brûlant, elle allait de l'un à l'autre et encourageait tout son monde.

— Nous trouverons de l'eau bientôt.

Elle leur refusait une ration, mais, en fin d'après-midi, quand ils avaient survécu au pire, elle ordonnait que l'on fasse passer un œuf de main en main, non pas pour boire mais pour s'humecter les lèvres. A mesure que l'eau diminuait, un phénomène mystérieux survenait aux femmes qui portaient les œufs. Tant que les œufs étaient pleins, ils constituaient une charge qui tirait sur leurs épaules, mais, malgré ce poids, elles avançaient d'un pas léger, conscientes de porter la sécurité de tous ; en revanche, dès que l'eau était bue et que les œufs n'étaient plus une charge, les femmes avaient soudain du mal à marcher : leurs épaules regrettaient le poids perdu, leurs esprits ressassaient leur impuissance et leur inutilité, maintenant que les coquilles étaient vides.

Kharu, sentant encore la pesanteur réconfortante des œufs, savait que, tant qu'elle pourrait les conserver, le clan vivrait. Mais l'après-midi vint où elle dut entamer un de ses œufs, l'avant-dernier. Lorsque la marche reprit, elle put déceler la différence de poids, et la terreur commença.

En tant que première femme du clan, elle avait une autre obligation inéluctable : elle se présenta lorsque Kusha entra en travail, forçant la bande à s'arrêter sur une étendue de sable nu. La coutume voulait que la femme enceinte sur le point d'accoucher s'écarte des autres et cherche une gorge ou une clairière entourée d'arbres ; là, sans aucune aide, elle mettrait au monde le nouveau-né. C'est donc ce que fit Kusha, mais au bout d'un certain temps elle appela Kharu et la vieille femme usée passa derrière la colline pour découvrir que Kusha avait accouché de jumeaux : un garçon et une fille.

Elle savait exactement ce qu'elle devait faire. Déposant la minuscule femelle contre les seins de Kusha, elle emmena le mâle non loin et, avec son bâton à fouir, elle prépara une tombe peu profonde. Avec douceur, elle plaça le garçon au fond. Il se mit à pleurer... La vieille femme dut faire taire son cœur : très vite, elle calma le nouveau-né en repoussant la terre pour combler le trou. En effet, on avait toujours besoin d'enfants pour maintenir le clan en vie, mais les jumeaux étaient des augures de malheur et, lorsqu'un choix aussi pénible que celui-là devenait obligatoire, c'était toujours le mâle que l'on sacrifiait. Même un seul enfant de plus, pendant la traversée d'un désert, consommerait une quantité d'eau qui risquait de se révéler vitale.

Ayant rempli ses obligations, Kharu exigeait maintenant que Gumsto accomplisse les siennes.

— Nous devons prendre les mesures les plus hardies pour assurer de l'eau et de la viande. Et tu dois laisser Gao tuer sa bête, car il ne peut pas diriger le clan sans femme.

Gumsto acquiesça. Il avait utilisé tous les stratagèmes pour retarder cet instant, mais il était content à présent que son fils se prépare pour les responsabilités du commandement.

— On a du mal à l'imaginer à la tête des chasseurs, dit-il. Ou d'imaginer Naoka en train de ramasser les larves.

Kharu lui sourit.

— Tu es un vieil homme à présent. Il est temps que tu renonces à tes rêves stupides.

Elle se rapprocha de lui et lui prit la main.

« Nous n'avons jamais souffert dans ce clan pendant que tu

en étais le chef, reprit-elle. Maintenant, enseigne à Gao à être comme toi.

Il entraîna son fils à part et lui dit d'une voix sombre :

— Nous sommes sur le point de périr si nous n'avons pas le courage de prendre des mesures risquées. Ces montagnes, à l'ouest, abritent des élans et de l'eau, j'en suis sûr. Mais elles abritent aussi des lions. Es-tu prêt ?

Gao acquiesça, et Gumsto entraîna la file vers l'ouest. Chacun survivrait tant bien que mal, avec les quelques gouttes d'eau du dernier œuf de Kharu.

Tandis qu'ils se dirigeaient vers le pied des collines, on avait commencé à les épier : très haut dans le ciel brûlant, tournoyant sans fin pour repérer tout ce qui bougeait dans le désert, un vol de vautours observait, impassible, la petite bande. Il semblait très improbable que ces errants pitoyables parvinssent à se sauver, et les vautours attendaient. Des hyènes se mirent en marche en divers endroits du désert, car, si les vautours se regroupaient très haut dans le ciel, cela signifiait qu'une chose vivante était sur le point de mourir. Les mange-charogne se rapprochèrent, persuadés que tel ou tel vieux allait bientôt rester à la traîne.

Cette fois, leurs espérances furent déçues — par la vieille Kharu dont les rides étaient si profondes que même la poussière ne pouvait pas pénétrer. Ce fut elle qui répartit la dernière eau du dernier œuf, puis qui s'élança à grands pas, déterminée à entraîner son peuple à tout prix. Ce fut elle, et non son mari, qui aperçut les élans exactement à l'endroit où Gumsto l'avait prédit.

La chasse allait être décevante. A demi morte de soif et de faim, la petite bande regarda, impuissante, les élans échapper l'un après l'autre à ses manœuvres ; l'intelligence des animaux neutralisait les talents combinés de Gumsto et de son fils. La deuxième nuit, les hommes épuisés entendirent un rugissement de mauvais augure et, pendant longtemps, nul ne parla. Enfin Gao, qui comprenait les animaux, prononça les paroles fatidiques :

— Nous devons nous servir des lions.

En général, on évitait cette stratégie, car elle impliquait de si grands dangers qu'aucun chasseur n'avait envie de s'y résoudre, mais la vieille Kharu, qui voyait son clan se désintégrer sous ses yeux, n'hésita pas à encourager les hommes. Elle savait qu'en matière de chasse toutes les décisions leur appartenaient. Pourtant, lorsque personne n'appuya la proposition de son fils, elle rompit l'ancienne tradition et se jeta au milieu des chasseurs.

— Gao a raison, s'écria-t-elle d'une voix ferme. Si nous ne nous servons pas des lions, nous mourrons.

Gumsto adressa à sa vieille épouse usée par le temps un regard plein de fierté, conscient de tout le courage qu'il lui avait fallu pour intervenir dans le débat.

— Demain, nous utiliserons les lions, dit-il.

Cette tactique, employée uniquement à toute extrémité, exigeait la participation de tous, même des enfants, et il y avait de grandes probabilités pour qu'un ou plusieurs membres du clan perdent la vie ; mais lorsque la pérennité de la bande était en jeu, il n'y avait pas d'autre choix.

— Allons-y ! dit Gumsto à mi-voix.

Et tout son petit monde s'écarta en demi-lune et rampa vers les élans. Gao quitta le groupe pour s'assurer de l'endroit exact où les lions somnolaient et, lorsqu'il signala leur position, Gumsto et un autre chasseur se mirent à avancer en faisant du bruit pour que les élans les entendent et s'éloignent. Comme prévu, les gros animaux les aperçurent, devinrent nerveux et s'enfuirent — tout droit sous les griffes des fauves. Une lionne saisit le plus gros élan à la gorge et ne le lâcha plus. L'élan s'abattit.

Le moment de l'audace et de l'exécution précise était proche. Gumsto et Gao maintenaient tout le clan dissimulé, et les mains se crispaient sur les massues et les pierres, dans l'attente de l'instant héroïque. Ils regardèrent les lions se repaître, et même les plus braves avaient les lèvres sèches ; les cœurs des femmes battirent plus vite à la perspective de ce qu'elles devraient faire ; et les enfants qui n'avaient jamais participé à une chasse savaient qu'il fallait réussir ou mourir.

« Maintenant ! cria Gumsto.

Et dans un élan soudain, tout le monde bondit en avant en poussant des cris fous, en brandissant les massues et en lançant des pierres pour éloigner les lions de leur proie.

C'était une manœuvre très périlleuse, car les lions auraient pu massacrer sans peine un, deux ou même trois membres du clan san, mais en voyant un si grand nombre d'hommes se précipiter vers eux dans un tel tumulte, les animaux, surpris, s'écartèrent à quelques dizaines de mètres, sans pourtant renoncer. C'est alors que Gumsto bondit vers les plus grands lions et les frappa à la tête avec sa massue.

Il s'était porté volontaire pour cette mission suicidaire, parce que la survie de son clan était plus importante que la sienne propre, mais au moment où tout se jouait — un homme seul contre les lions — il fut sauvé par l'apparition soudaine de Gao à ses côtés : son fils se mit à frapper en hurlant et força les lions à prendre la fuite.

Mais une fois l'élan tombé aux mains des San — avec une bonne dizaine d'hyènes non loin, ricanant déjà de plaisir —, ce ne furent ni Gumsto ni Gao qui dirigèrent l'opération, mais Kharu. Elle fouilla de ses mains ensanglantées les entrailles mises à l'air, jusqu'à ce qu'elle trouve la partie la plus précieuse de la carcasse : le rumen, première poche de tous les ruminants. Lorsqu'elle sentit son poids, son vieux visage resplendit d'un sourire, car c'est là que l'élan mort avait entreposé l'herbe qui serait digérée plus tard — et avec l'herbe, de grandes quantités d'eau pour l'assouplir.

Kharu ouvrit le rumen, puis pressa la masse herbeuse, dont elle put extraire assez de liquide pour remplir ses œufs. A certains égards, ce liquide, astringent, amer et dépuratif, était meilleur que l'eau ; et lorsque Kharu donna à chacun quelques gouttes, cela suffit à étancher leur soif. Ce nectar miraculeux permettrait à la bande de survivre.

Au terme de leurs joyeux festins, les gloutons épuisés s'allongèrent autour de la carcasse — hébétés, leurs ventres distendus ; dès qu'ils revinrent à la vie, Kharu prit la parole :

— Comme Gao a trouvé l'élan et chassé les lions, proclamons-le chasseur et donnons-lui une épouse. Naoka, avance-toi.

Un homme, chasseur émérite lui aussi, protesta à bon droit que Gao n'avait pas abattu l'élan en réalité et qu'il n'avait donc pas qualité de chasseur. Ce fut la consternation. Mais Kharu, à coups de coude, força son mari à intervenir. Gumsto prit son fils par la main et le présenta fièrement au clan.

— Un lion est aussi important qu'un élan, dit-il. Et ce jeune homme a repoussé quatre lions sur le point de me tuer. C'est un chasseur.

Puis, déchiré par des émotions contradictoires, il plaça la main de son fils dans celle de Naoka.

— Ahh-Yiihii ! cria Kharu en sautant en l'air. Il faut danser...

La calebasse retentit, les mains battirent le rythme, et le petit peuple se mit à tournoyer de joie pour célébrer sa victoire sur les lions et la bonne nouvelle des enfants qui allaient naître de Naoka et de Gao pour perpétuer le clan. Ils tournèrent et tournoyèrent en psalmodiant des paroles anciennes et en frappant du pied pour soulever une poussière sanctifiante. Toute la nuit ils dansèrent, tombant parfois d'épuisement mais continuant de proférer, de l'endroit même de leur chute, leurs paroles d'oracle : on attraperait d'autres antilopes ; on trouverait d'autres sources pour remplir les œufs ; d'autres enfants viendraient à l'âge adulte ; et leurs errances ne cesseraient jamais. Ils étaient les hommes de la chasse et de la cueillette, le peuple sans foyer, sans responsabilités fixes hormis la conservation de nourriture et d'eau pour les jours de péril ; et lorsque les lunes prévues seraient venues puis reparties, les danseurs partiraient eux aussi, et d'autres traverseraient ces étendues désolées et danseraient leur joie pendant de longues nuits.

Et Gumsto, en regardant la célébration du rite, se disait : Kharu avait raison, comme toujours. La jeunesse à la jeunesse. La vieillesse à la vieillesse. Tout a une règle. Voyant son épouse danser avec ardeur avec les femmes, il bondit et se joignit aux hommes. Kharu, qui l'observait, remarqua qu'il boitait légèrement, mais ne dit rien.

Les festivités seraient forcément brèves, car le clan devait poursuivre son chemin vers des parages plus sûrs. Mais tandis qu'ils prenaient tous la route, Kharu remarqua une chose qui ne laissa pas de l'inquiéter : Gumsto s'était mis à traîner à l'arrière, abandonnant sa place habituelle, en tête, à leur fils Gao. A la troisième fois que cela se produisit, elle vint lui parler.

— Tu as du chagrin pour Naoka ? Tu sais bien qu'elle méritait un mari plus jeune.

— C'est ma jambe.

— Quoi ?

La simplicité de sa question dissimula la terreur qu'elle ressentait, car en voyage une jambe malade était le pire qui puisse arriver.

— Quand nous avons chargé les lions...

— Ils t'ont griffé ?
— Oui.
— Oh, Gumsto ! gémit-elle. Et c'est moi qui t'ai envoyé dans cette mission...
— Tu es venue, toi aussi. Les lions auraient pu te tuer.
Il s'assit sur un rocher et Kharu examina sa plaie. A la façon dont le visage du petit homme se crispait lorsqu'elle touchait certains nerfs, elle compris qu'il était dans un piteux état.
— Dans deux jours, nous regarderons encore, dit-elle.
Mais lorsqu'il s'éloigna en boitant, avec sa jambe gauche qui traînait, elle sentit que ni deux jours ni vingt jours ne guériraient sa blessure. Et elle remarqua, très haut dans le ciel, trois vautours en train de le suivre avec cette même attention obstinée dont Gumsto faisait preuve lorsqu'il poursuivait une antilope blessée.
Chaque fois que le clan se mettait en marche, elle demeurait près de lui. Et une fois, comme la douleur surgissait avec une violence inaccoutumée et qu'il mordait ses lèvres pour ravaler ses larmes, elle le conduisit vers un lieu de repos, et ils évoquèrent le jour où il avait tué l'élan à la place du père de Kharu — alors premier chasseur du clan.
— Tu avais sept ans, dit Gumsto, et tu savais déjà tout.
— Ma mère possédait la science du désert.
— Tu étais une bonne fille.
— J'étais fière de toi. Tu étais plus grand et plus fort que les maris de toutes les autres filles.
— Quelles belles journées, sur les terres autour du lac.
— Mais l'eau a baissé. L'eau baisse toujours.
— Le rhinocéros, les troupeaux de gnous, les zèbres...
Il recompta les victoires de l'époque où sa bande mangeait à satiété.
— Tu étais aussi habile que mon père, avoua-t-elle.
Puis elle l'aida à rejoindre la bande qui s'éloignait, toujours vers le sud. Et quand il devint manifeste que Gumsto ne pourrait plus jamais diriger la chasse, elle dit à Gao :
« C'est à toi de trouver de la viande à présent.
L'accident de Gumsto eut un résultat imprévu qui le ravit et le déconcerta à la fois. Quand la bande s'arrêta huit jours, à la fois pour regarnir ses œufs d'autruche et pour donner à son chef le temps de se remettre, Gao quitta aussitôt le campement pour se diriger vers une grande dalle de pierre, sur

laquelle il travailla avec une énergie farouche pendant toutes les heures du jour. De l'endroit où il reposait, Gumsto pouvait voir son fils, et il se doutait qu'il créait une stèle commémorant la capture d'un animal de grande taille. Et lorsque, plus tard, Kharu l'aida à gagner le rocher, il ne s'attendait guère à la merveille qui lui fut révélée.

Sur la vaste surface, Gao n'avait pas représenté un élan mais trente-trois, chacun mieux composé que tous ceux qu'il avait dessinés jusque-là, mais exécutés avec une telle rage qu'ils semblaient jaillir de leur savane de pierre. Ils bondissaient, palpitaient, exultaient, s'élançaient vers des buts invisibles, farandole de cornes et de sabots qui étonnerait le monde lorsqu'on la découvrirait.

Mais il y avait un défaut, et Gumsto le remarqua aussitôt :

— Tu n'as pas mis les couleurs avec soin.

Il avait raison. Gao avait travaillé avec tant de fébrilité pour terminer cette scène épique avant que la bande ne reparte qu'à la fin il avait simplement étalé les couleurs ici et là, essayant de terminer tel ou tel animal, se contentant d'indiquer la teinte de la robe de certains autres. Le résultat était une confusion de mouvement et de couleurs, mais qui donnait vraiment à la composition d'ensemble un équilibre étrange — et l'impression d'élans réels, en fuite sur ce rocher sans âge.

Mais pourquoi le jeune homme avait-il travaillé avec aussi peu de soin ? Le temps pressait, mais il aurait pu réclamer deux jours de plus. Les pigments étaient précieux et peut-être s'était-il rendu compte qu'il n'en aurait pas assez pour colorer comme il convenait chacun des trente-trois élans, mais il aurait pu demander à un autre chasseur de l'aider à en trouver davantage.

Il y avait peut-être une douzaine d'autres explications logiques pour la façon étrange dont les couleurs étaient étalées, mais aucune n'approchait de la vérité : Gao avait créé les élans de cette manière arbitraire parce qu'au sommet de ses pouvoirs, quand ses sens étaient en feu, il avait vécu une révélation — il avait reconnu soudain qu'il ne traduirait pas au mieux la réalité des élans en étalant la couleur dans les limites de leurs formes, mais par un éclaboussement libre qui saisirait la spiritualité des animaux sacrés. C'était un hasard, le genre de hasard auquel parviennent les artistes inspirés, et Gao aurait été bien incapable de l'expliquer à son père.

Gumsto n'aima pas ce côté peu soigné, vraiment pas. Il condamnait cette façon de traiter, avec insolence, les élans dont les couleurs devaient être comme ci et comme ça — tous les hommes le savent. Mais au moment même où il préparait ses récriminations, il vit dans l'angle de la fresque, à droite, la représentation par son fils d'un guerrier san : un homme rempli d'admiration craintive par l'élan mais l'affrontant avec sa flèche frêle — et il sut que ce petit être était lui-même. C'était la quintessence de sa vie, le rappel de tous les élans qu'il avait abattus pour assurer la survie de son peuple et donner un sens à sa présence sur terre. Il se tut.

Trois fois, il demanda à son fils de le porter là-bas, pour qu'il puisse étudier la fresque et revivre avec les animaux qui avaient tellement compté dans sa vie. Et chaque fois, en se voyant si petit dans l'angle inférieur, il sentit davantage que Gao avait raison. Car ainsi va la vie : un homme existe à jamais par ses grands problèmes, non par les larves qui se cachent sous l'écorce des buissons d'épines. Être sur la savane avec une minuscule pointe de flèche, telle était la différence entre la mort et la vie; se jeter au milieu des antilopes les plus puissantes — non parmi les klipboks et les duikers —, puis les combattre quand elles vous chargent, telle était la grandeur de l'homme. Et c'était son fils qui lui avait montré cette vérité.

Quand les autres se rendirent compte que Gumsto en était arrivé au terme de son temps — car il avait à présent quarante-cinq ans, un très grand âge pour ces tribus —, ils comprirent que le jour approchait où ils ne pourraient plus l'attendre. Une après-midi, ils le regardèrent d'un œil indulgent ramper de son coin à celui de Gao et de Naoka. La jeune épousée paressait dans le sable.

— Je t'ai désirée pour épouse, lui dit-il. Nous aurions pu...

Elle sourit.

— C'est mieux ainsi, répondit-elle sans bouger. Gao est jeune et tu es un vieillard à présent.

— Plus de chasse.

— Mais comme ton fils a bien suivi tes leçons !

— Oui, oui... murmura le vieil homme.

Il aurait voulu dire une infinité de choses à cette fille

splendide au visage sans une ride, mais elle ne semblait pas intéressée. Pourtant, lorsqu'il repartit en rampant vers son coin, elle lui adressa l'un de ses ravissants sourires.

— J'aurais aimé t'avoir pour mari, Gumsto. Tu étais un homme, soupira-t-elle. Mais mon père était un homme lui aussi, et un jour Gao sera un aussi grand chasseur que mon père et que toi. Tout est pour le mieux...

Et elle poussa un second soupir.

Tout le monde dans la tribu savait qu'il fallait prendre une décision. Gumsto traînait tellement à l'arrière qu'il devenait un obstacle à leur avancée — cela ne pouvait durer. Pendant deux jours encore, la vieille Kharu lui servit de béquille, lui permettant de s'appuyer sur elle tandis qu'elle-même se courbait sur son bâton à fouir : deux vieux faisant l'impossible pour rester à la hauteur du groupe. Et le troisième jour, au moment où il sembla inévitable d'abandonner Gumsto, Kharu s'étonna de voir Naoka revenir sur ses pas pour presser le vieux chef.

— Laisse-le s'appuyer à moi, lui dit la jeune femme.

Ce fut elle qui supporta le plus lourd de son poids et, au plus fort de la chaleur, quand Kharu elle-même commença à chanceler, Naoka continua toute seule à le traîner. Au crépuscule, tous les autres étaient loin en avant.

— C'est la dernière nuit, dit alors Gumsto aux deux femmes.

Naoka acquiesça et laissa le vieux couple près d'un buisson d'épines.

Le matin venu, Kharu rattrapa les autres et demanda un œuf d'autruche plein et un os avec un peu de viande. Ce fut Gao qui les donna mais Naoka qui les apporta à l'endroit où Gumsto s'était installé, adossé au tronc de l'arbuste.

— Nous t'apportons nos vœux, dit la jeune femme.

Et ce fut de ses douces mains qu'il prit ses dernières ressources.

— Nous devons partir à présent, dit Kharu.

Si elle pleurait, Gumsto ne put le déceler, car ses larmes tombaient dans des rides si profondes qu'elles devenaient aussitôt invisibles. Gumsto se pencha en arrière, épuisé, incapable de s'intéresser à la viande ou à l'eau. Au bout d'un moment, Naoka s'agenouilla, lui caressa le front, puis s'en fut.

— Il faut que tu les rattrapes, dit Gumsto à la femme qu'il avait eue pour compagne à l'âge de sept ans.

Kharu s'appuya sur son bâton à fouir, songea un instant aux jours qu'ils avaient passés ensemble, puis poussa l'os plus près de lui et s'éloigna à grands pas.

Pendant une minute, Gumsto leva les yeux vers les vautours en train de se rassembler, puis son regard s'abaissa vers la file des petits hommes qui disparaissait à l'horizon. Et en les voyant s'éloigner vers une meilleure terre, il se sentit pleinement satisfait. Gao était un chasseur. Naoka apprenait où se cachent les larves et les tubercules juteux. Avec Kharu pour les diriger pendant un certain temps encore, tout irait bien. Le clan avait de nouveau vingt-cinq membres, le nombre idéal : lui-même s'en allait, mais le bébé de Kusha rétablissait l'équilibre. Le clan avait survécu à de bien mauvais jours et, à l'instant où il disparut, il lui souhaita bonne chance. Sa dernière pensée, avant que les prédateurs ne se rapprochent, fut l'image de ce zèbre entrevu un matin : il avait voulu s'écarter de son clan et les lions l'avaient abattu.

Kharu, marchant d'un pas décidé, dépassa Naoka, puis rattrapa le gros de la file et prit enfin sa place en tête. Là, son bâton levé, elle entraîna sa bande, non pas plein ouest — leur direction depuis quelques jours —, mais plus vers le sud-ouest, comme si elle savait par quelque instinct immortel que de l'autre côté de l'horizon se trouvait le Cap — avec ses réserves inépuisables de bonne eau, d'animaux errants et de plantes sauvages produisant des choses succulentes que l'on pourrait cueillir.

Zimbabwe

L'histoire de l'Afrique australe a débuté en fait en l'an de grâce 1453 — et par des événements qui se déroulèrent dans un endroit fort improbable. Au cap Saint-Vincent, à la pointe sud-ouest de l'Europe, un prince-moine du Portugal âgé de cinquante-neuf ans se réfugia dans son monastère sur le promontoire dénudé de Sagres et réfléchit à la tragédie qui venait d'accabler son univers. Il allait être connu dans l'histoire sous le nom d'Henri le Navigateur, ce qui insultait toute logique car il n'entendait rien à la navigation et n'avait jamais mis le pied sur l'un des vaisseaux de ses explorateurs.

Son génie était celui d'un visionnaire. En un temps où son univers étroit était circonscrit par la peur et l'ignorance, ces deux servantes du désespoir, il leva les yeux bien au-delà des confins de l'Europe et imagina des mondes attendant d'être découverts. Il avait étudié de très près les récits de Marco Polo et il savait que des civilisations existaient au loin, vers l'Orient, mais il était convaincu que partout où les hommes blancs de l'Europe — rebaptisée « chrétienté » — n'avaient pas posé les pieds, ces terres demeuraient à tous égards non découvertes, païennes et damnées.

Son objectif était l'Afrique. Il s'était rendu par deux fois sur ce continent sombre et menaçant, si proche du Portugal : une fois en grand triomphe, à Ceuta, à l'âge de vingt et un ans ; la seconde fois à quarante-trois ans, à Tanger, pour une défaite honteuse. Ces terres l'avaient fasciné. Il avait déduit de longues études que ses vaisseaux — arborant tous son étendard, portant en blason la croix rouge du Christ — pourraient faire voile vers le sud le long de la côte occidentale de l'Afrique, contourner l'extrémité méridionale et remonter le long des côtes orientales pour atteindre les richesses de l'Inde, de la Chine et du mystérieux Japon. Il avait poursuivi cet objectif pendant quarante ans avec obstination et il continuerait jusqu'à sa mort, sept ans plus tard. Il n'était pas écrit qu'il réussirait de son vivant.

Sa défaite fut l'Afrique. Il eut beau talonner ses capitaines, jamais ils ne firent de coups d'éclat. Certes, ils redécouvrirent Madère en 1418, mais il leur fallut seize années de plus avant de franchir les premiers caps du Sahara. Ils contournèrent le cap Blanc en 1443, et l'un des bateaux d'Henri s'aventura même un peu plus loin vers le sud, mais le problème restait entier. L'énorme masse de l'Afrique n'avait pas encore été contournée et, à la mort du prince, en 1460, les résultats étaient bien minces. Les remarquables voyages de Bartolomeu Dias et de Vasco de Gama ne se produiraient que longtemps après le trépas du Navigateur.

Son triomphe fut l'Afrique. Car même si Dieu ne permit point qu'il assiste à un seul des succès qu'il avait rêvés, ce furent cependant ses rêves qui lancèrent les caravelles vers le sud. Et s'il ne vit jamais un seul coffre de marchandises des Indes ou de Chine arriver dans ses ports sur l'un de ses bateaux, il instaura la réalité de l'Afrique dans les esprits de la Renaissance, il stimula son exploration et sa conversion à la religion du Christ. Ce dernier objectif était à ses yeux le plus important, car il vivait une existence monastique, évitant les pompes de la cour et les intrigues qui auraient pu le faire couronner roi. Servir Dieu suffisait à son bonheur. Bien entendu, dans sa jeunesse, il avait engendré une fille illégitime et, plus tard, il avait guerroyé avec les armées, mais la principale tâche de sa vie demeurait l'évangélisation de l'Afrique — et c'est la raison pour laquelle l'année 1453 devait lui causer tant de chagrin.

Les musulmans, ces ennemis redoutables et perpétuels du Christ, s'étaient emparés de Constantinople, halant leurs bateaux à travers les terres pour briser les défenses. L'avant-poste qui protégeait depuis si longtemps la chrétienté contre l'infidèle venait de tomber. Toute l'Europe pouvait désormais être envahie par les sectateurs de Mahomet, et il était plus urgent que jamais de trouver une route contournant l'Afrique pour écarter cette menace. C'était ce problème qui préoccupait Henri avant tout lorsqu'il étudiait ses cartes et tirait les plans de nouvelles explorations.

Que connaissait-il de l'Afrique ? Il avait réuni la plupart des documents disponibles à l'époque, et il les avait complétés par les rumeurs et les conjectures enthousiastes des capitaines et des voyageurs de la mer. Il savait que, des milliers d'années plus tôt, les Égyptiens s'étaient aventurés sur de grandes distances le long des côtes orientales, et il avait parlé à des marins ayant fait escale dans des ports de cette région. Il avait souvent lu l'affirmation stupéfaite d'Hérodote selon laquelle un bateau aurait quitté la mer Rouge plein sud, avec le soleil se levant sur sa gauche, et aurait navigué si loin le long des côtes qu'un jour le soleil s'était levé sur sa droite. Ce bateau avait probablement contourné tout le continent, mais Hérodote ajoutait qu'il ne croyait pas ce récit. Plus exaltants étaient les quelques passages de l'Ancien Testament évoquant les immenses réserves d'or d'Ophir, quelque part en Afrique.

Ah ! cette phrase joyeuse : « La colline d'or d'Ophir !... » Elle chantait dans la tête d'Henri et lui faisait imaginer les vastes mines dont la reine de Saba avait extrait ses présents au roi Salomon. Mais d'autres versets le hantaient aussi : le roi Salomon construisit un navire à Ezion-geber ; ses vaisseaux effectuèrent des voyages de trois années puis rentrèrent au port avec des cargaisons d'or et d'argent, de l'ivoire, des singes et des paons ; et une fois le roi Jéhosaphat rassembla une flotte pour aller chercher l'or d'Ophir, « mais ils n'y allèrent pas, car les vaisseaux se brisèrent à Ezion-geber ».

Tout était si réel : les flottes, les voyages, l'or. « Et où se trouvait cet Ezion-geber ? » demandait le prince Henri à ses sages. « C'était la ville que nous connaissons sous le nom d'Elath, répliquaient-ils, tout en haut de la mer Rouge. » Et Henri consultait ses cartes : de toute évidence, les vaisseaux bibliques avaient dû faire voile vers le sud, vers l'Afrique : comment auraient-ils pu pénétrer dans la Méditerranée ? Ainsi donc, quelque part sur cette côte orientale de l'Afrique gisait cette colline d'or d'Ophir, d'une richesse incommensurable — et sans nul doute enfoncée dans le paganisme. Sauver ce monde était donc un devoir de chrétien.

Et en cette année 1453, l'obligation devenait triple : Constantinople venait de tomber aux mains des musulmans, les routes commerciales très profitables avec l'Orient se trouvaient définitivement coupées, et il était impératif de sauver l'Afrique pour que les vaisseaux de la chrétienté puissent, en la contournant, accéder directement aux ports des Indes et de la Chine. Que les soldats de Jésus-Christ arrachent Ophir aux musulmans et transforment son or en civilisation !... Mais où donc se trouvait Ophir ?

Tandis que le prince Henri ressassait ses projets à Sagres, incitant sans cesse ses capitaines récalcitrants à chercher le cap qui — il en était certain — marquait l'extrémité méridionale de l'Afrique, les choses prenaient un tour assez intéressant, non loin d'un petit lac de cette même région. Près d'un village tout à fait banal, formé de cases de banco recouvertes de chaume, une bande d'enfants turbulents courait en criant :

— Il arrive ! Il arrive ! Le Vieux Chercheur revient !

Et tous les habitants noirs sortirent pour saluer le vieil homme chargé de rêves.

Quand la file des arrivants atteignit la limite du village, elle s'arrêta pour permettre au Vieux Chercheur d'arranger son costume et de prendre dans un étui porté par l'un de ses serviteurs une hampe de fer surmontée par une belle touffe de plumes d'autruche. Il la prit noblement dans sa main gauche, avança de deux pas, puis se prosterna à terre et, dans cette position, s'écria :

— Grand Chef, je te souhaite une bonne matinée !

Un homme d'une cinquantaine d'années se détacha de la masse des habitants du village et hocha la tête.

— Vieux Chercheur, je te souhaite une bonne matinée !

— Grand Chef, as-tu bien dormi ?

— Si tu as bien dormi, j'ai bien dormi.

— J'ai bien dormi, Grand Chef.

Le chef et les gens du village sentaient peut-être toute l'ironie de ses paroles, car il n'était en aucune façon un grand chef, mais le protocole exigeait qu'on le désigne ainsi, surtout si l'homme entrant dans le village désirait obtenir des faveurs.

— Tu peux te relever, dit le chef.

Le Vieux Chercheur se redressa, saisit sa hampe de fer d'une main, plaça l'autre sur le poignet de la première et posa sa tête grise de poussière sur ses deux mains jointes ainsi.

« Que viens-tu chercher, cette fois ? demanda le chef.

— La qualité du sol, des secrets de la terre... répondit le vieux de manière évasive.

Le chef hocha cérémonieusement la tête : les salutations de rigueur étaient terminées.

— Comment s'est passé ton voyage vers le sud ? demanda-t-il.

Le vieil homme remit sa hampe à un serviteur.

— Chaque année plus difficile, répondit-il dans un murmure. C'est mon dernier voyage dans tes territoires.

Le chef Ngalo éclata de rire, car le vieil homme avait fait la même remarque trois ans plus tôt, et même quatre ans avant. C'était un vieux gredin génial et sans scrupule qui avait travaillé autrefois comme contrôleur des mines, dans un grand royaume du nord, et qui voyageait maintenant bien au-delà des terres de ses maîtres, à la recherche de nouvelles mines, observant les villages reculés et essayant d'établir de nouveaux liens commerciaux. C'était un ambassadeur itinérant, un explorateur, un découvreur.

— Pourquoi viens-tu dans mon pauvre village ? demanda le chef Ngalo. Tu sais bien que nous n'avons pas de mines.

— Je viens pour une mission très différente, cher ami. Du sel.

— Si nous avions du sel, répondit Ngalo, nous pourrions faire commerce avec le monde entier.

Le vieil homme soupira. Il s'attendait à une réponse négative, mais en fait son peuple n'avait pas besoin de sel... Ils avaient, certes, d'autres besoins — dont certains restaient mystérieux.

— Ce qui pourrait également faire mon affaire, dit-il en confidence, ce sont des cornes de rhinocéros. Au moins seize.

Il expliqua qu'elles étaient demandées par des hommes âgés qui désiraient épouser des femmes jeunes.

« Ils ont besoin d'être sûrs de ne pas les décevoir au lit, ajouta-t-il.

— Mais ton roi est un homme jeune, répondit le chef. Pourquoi a-t-il besoin de la corne ?

— Pas lui ! Les riches vieillards aux yeux en amande qui vivent dans un lointain pays.

Du pied de l'arbre sous lequel ils s'étaient installés, les deux hommes posèrent les yeux sur le lac et Ngalo dit :

— Ce soir, tu verras beaucoup d'animaux se rendre à cette eau. Des buffles, des lions, des hippopotames, des girafes, des antilopes aussi nombreuses que les étoiles.

Le Vieux Chercheur hocha la tête et Ngalo poursuivit :

« Mais tu ne verras pas un seul rhinocéros. Comment pourrions-nous en découvrir huit ?

Le vieil homme réfléchit à la question et répliqua :

— Dans cette vie, le genre humain se voit assigner des tâches difficiles — trouver une bonne épouse, trouver seize cornes —, il a le devoir de les accomplir.

Le chef Ngalo sourit. Comme bavarder avec ce vieillard était donc agréable ! Chaque fois qu'il désirait vraiment une chose, il le justifiait par des sentences morales.

— Le genre humain n'a pas besoin de seize cornes de rhinocéros, railla-t-il. C'est toi qui en as envie.

— Je suis du genre humain.

Le chef ne savait pas résister à ces manières enjôleuses, mais il ne pouvait guère offrir ce qu'il ne possédait point.

— Écoute, mon ami. Nous n'avons pas de rhinocéros, mais nous avons quelque chose de beaucoup mieux.

Il claqua dans ses mains pour appeler un serviteur.

« Dis à Nxumalo d'aller chercher la terre lourde !

Un instant plus tard, un jeune homme de seize ans apparut, le sourire aux lèvres. Il avait dans les mains trois lingots à peu près rectangulaires, faits d'une sorte de métal. Il les posa par terre devant son père. A l'instant où il se retournait pour partir, le Vieux Chercheur lui demanda :

— Sais-tu ce que tu m'as apporté, petit ?

— Du fer de Phalaborwa, répondit Nxumalo sur-le-champ. Quand les hommes de mon père sont allés troquer ces lingots, je les ai accompagnés. J'ai vu l'endroit où des hommes travaillent dans la terre comme des fourmis. Et ils l'ont fait, m'ont-ils dit, depuis aussi longtemps qu'un homme se souvienne, et de nombreuses générations auparavant.

— Et qu'as-tu donné en échange ?

— Du tissu. La toile que nous tissons.

Le Vieux Chercheur sourit. Il était content que ce garçon connaisse la provenance des choses et il tenait à le montrer. Mais aussitôt après, il fit la moue.

— Si j'avais voulu du fer des mines de Phalaborwa, je serais allé directement là-bas. Thaba ! cria-t-il. Apporte-moi la hampe.

Et lorsque son serviteur revint en courant avec sa hampe de

fer soigneusement enveloppée, le vieillard la mit à nu et la tendit au jeune homme.

« Voilà du vrai fer. Provenant de nos mines, au sud de Zimbabwe. Nous avons tout ce qu'il nous faut.

Il écarta avec mépris les lingots grossiers de Nxumalo. Puis il sortit de sa robe un petit objet ovale comme Nxumalo n'en avait jamais vu auparavant. Il était d'un jaune chatoyant qui luisait quand la lumière le frappait, et il pendait au bout d'une chaîne dont chaque maillon avait été fabriqué à grand soin dans la même substance. Quand le vieil homme la posa brusquement dans la main de Nxumalo, celui-ci s'étonna de son poids.

— Qu'est-ce que c'est ? demanda-t-il.

— Une amulette.

Le silence se prolongea.

« Venue de Perse, ajouta-t-il.

Puis, après un autre temps d'arrêt lourd de sous-entendus :

« De l'or.

— Qu'est-ce que l'or ? demanda le jeune homme.

— Ça, c'est une question ! s'écria le vieillard en s'accroupissant de nouveau sur ses hanches, les yeux tournés vers le lac. Pendant quarante voyages de la lune parmi les étoiles, j'ai eu pour tâche de trouver de l'or. Eh bien, comme toi, je n'ai jamais su ce que c'était. C'est la mort au fond d'un puits profond. C'est le feu avalant les réceptacles de fer quand l'orfèvre fait fondre le minerai. Ce sont des hommes passant des jours entiers à forger ces maillons. Mais sais-tu ce que c'est avant tout ?

Nxumalo secoua la tête. Le contact du métal lourd lui plaisait.

« En définitive, petit, c'est le mystère. C'est la magie qui prend au piège des hommes de pays dont tu n'as jamais entendu parler, qui les pousse à venir sur nos côtes, à franchir à gué nos fleuves, à gravir nos montagnes, à faire des voyages longs de plusieurs lunes jusqu'à Zimbabwe, pour obtenir notre or.

Doucement, presque avec amour, il reprit l'amulette, repassa la chaîne autour de son cou et dissimula le pendentif d'or sous sa robe de coton :

« Ce que tu dois faire, petit, c'est trouver huit rhinocéros et prendre leurs cornes, puis suivre ma piste jusqu'à Zimbabwe...

— Qu'est-ce que Zimbabwe ? lui demanda le jeune homme le lendemain soir.

— Quelle tristesse ! dit le vieillard avec un regret sincère. Pas une seule personne de ce village n'a vu Zimbabwe !

— Qu'est-ce que c'est ?

— Des tours et de hautes murailles.

Il s'arrêta et tendit le bras vers le muret de pierres entourant le *kraal** du bétail.

« Des murs dix et vingt fois plus hauts que ça, dit-il d'une voix extasiée. Des bâtisses qui touchent le ciel.

Quelques anciens secouèrent la tête, incrédules, et se mirent à glousser entre eux, mais le Vieux Chercheur n'en fit aucun cas.

« Notre roi, seigneur de mille villages plus grands que le tien, et Celui-à-qui-les-esprits-parlent, demeurent dans un kraal entouré de murailles plus hautes que des arbres.

Il posa la main sur le bras de Nxumalo et conclut.

« Qui n'a pas vu Zimbabwe vit dans les ténèbres.

Chaque fois qu'il parlait ainsi, évoquant devant le jeune homme la magnificence de la ville dont il venait, il relançait le problème des seize cornes de rhinocéros : il fallait que le jeune homme les apporte là-bas... Puis un matin, tandis qu'il bavardait avec Nxumalo et son père, il s'écria soudain :

— Ngalo, cher ami de bien des voyages, je te quitte aujourd'hui pour chercher la Crête-des-Blanches-Eaux et je veux que Nxumalo me conduise.

— Il connaît le chemin, répondit Ngalo en tendant le bras vers l'ouest, où se détachait la crête.

C'était un voyage de quatre jours qui comportait quelque danger, mais la piste était agréable.

« Pourquoi veux-tu aller là-bas ? demanda le chef.

— En mon temps, Ngalo, j'ai recherché bien des choses. Des femmes, un poste élevé, le chemin de Sofala, les bonnes grâces du roi. Mais la meilleure chose que j'ai cherchée demeure l'or. Et je suis convaincu que, sur ta terre, il doit y avoir de l'or quelque part.

Il repoussa avec mépris les lingots de fer qui étaient restés sous l'arbre et il se tourna vers Nxumalo.

« Le fer donne un pouvoir temporaire. On peut en faire des

pointes de lance et des massues. Mais l'or donne un pouvoir permanent. On peut le transformer en rêves, et les hommes font beaucoup de chemin pour satisfaire leurs rêves.

Le troisième jour de leur voyage vers l'ouest, quand ils eurent traversé de nombreux petits villages que le vieil homme semblait connaître, Nxumalo se rendit compte que le Chercheur savait très bien où se trouvait la Crête-des-Blanches-Eaux. S'il avait insisté pour avoir un compagnon, c'était uniquement parce qu'il voulait persuader le jeune homme de quelque chose. Ce soir-là, tandis qu'ils reposaient en bordure d'un kraal misérable, le vieillard surprit Nxumalo debout à l'écart, fixant les étendues vides du sud avec dans les yeux un mélange de tristesse et de joie anticipée.

— Qu'y a-t-il, mon jeune ami ?

— C'est mon frère, *mfundisi,* répondit-il en utilisant un terme de respect. L'an dernier, il est parti vers le sud, et il faudra que je parte à mon tour, quand viendra le moment.

C'était une coutume qu'il devait honorer : son frère aîné succéderait à son père comme chef, et tous les autres frères devraient franchir la frontière et établir leurs propres villages. Il en avait été ainsi depuis que ces Noirs étaient descendus du nord, des siècles plus tôt.

— Non, non ! protesta le Vieux Chercheur. Trouve-moi les cornes de rhinocéros. Apporte-les-moi à Zimbabwe.

— Et pourquoi le ferais-je ?

Le vieillard lui prit les mains.

— Si un garçon plein de promesses comme toi ne tente pas de faire ses preuves à la ville, où donc passera-t-il sa vie ? Dans un misérable village comme celui-ci.

Le quatrième jour, ces discussions s'interrompirent, car la troupe du Vieux Chercheur fut attaquée par une bande de petits hommes bruns qui s'abattirent sur eux comme une nuée de mouches bien déterminées à repousser un envahisseur. Dès que leurs flèches minces se mirent à siffler, Nxumalo cria :

— Attention ! Poison !

Et il entraîna le Vieux Chercheur en sécurité au milieu du cercle de porteurs dont les boucliers repoussèrent les flèches.

Le combat se poursuivit pendant une bonne heure. Les petits hommes criaient des ordres de bataille en une série invraisemblable de sons cliquetants, mais peu à peu les Noirs, plus grands et plus puissants, les repoussèrent. Les vaincus battirent en retraite dans la savane, sans cesser de pousser leurs clics.

— Ah ! cria Nxumalo, exaspéré, au moment où les petits hommes disparurent. Pourquoi nous attaquent-ils comme des chacals ?

— Parce que nous traversons des terrains de chasse qu'ils considèrent comme les leurs, répondit doucement le Vieux Chercheur, qui avait été en relation avec les petits hommes bruns dans le nord.

— Des chacals ! répliqua le jeune homme avec mépris.

Mais il savait que le vieillard avait raison.

Le matin du cinquième jour, comme prévu, la file des hommes atteignit la Crête-des-Blanches-Eaux, que les colons devaient appeler plus tard Witwatersrand. Le Vieux Chercheur espérait trouver des indications de la présence de l'or, mais plus il explorait ces parages — une belle région de hautes collines, depuis lesquelles Nxumalo pouvait voir à des kilomètres —, plus il semblait déçu. Il n'y avait ici aucun des signes révélateurs qui, près de Zimbabwe, trahissaient des gisements d'or. Non, il n'y avait pas d'or ici, et il dut se rendre à l'évidence : son exploration était infructueuse. Mais le soir de la dernière journée passée à arpenter la montagne, le Vieux Chercheur découvrit enfin ce qu'il cherchait. C'était une fourmilière de près de quatre mètres de haut. Il se précipita vers elle, la brisa avec un long bâton et se mit à fouiller au milieu de la terre très fine.

— Que cherches-tu ? demanda Nxumalo.

— De l'or, répondit le vieil homme. Ces fourmis creusent à plus de soixante mètres pour construire leurs tunnels. S'il y a de l'or, elles en ramènent des parcelles à la surface.

Mais, sur ce site-là, il n'y en avait pas et, à regret, le Vieux Chercheur dut avouer qu'il avait entrepris ce long voyage pour rien.

« Je n'étais pas venu voir ton père. Je n'étais pas venu pour les cornes de rhinocéros. Petit, quand tu as une multitude de cibles, vise toujours celle qui a le plus de mérite. J'étais venu chercher de l'or, et je suis convaincu qu'il y a de l'or ici.

— Mais tu n'en as pas trouvé.

— J'ai eu la joie de la chasse... As-tu écouté ce que je t'ai dit, tous ces jours-ci ?

Il entraîna Nxumalo à quelque distance de l'endroit où les

porteurs attendaient, et il parcourut des yeux la vaste étendue désolée, visible depuis la crête stérile.

« Ce n'est même pas de l'or que je cherche, dit-il. C'est ce que l'or permet de réaliser. Des hommes de toutes les parties du monde viennent à Zimbabwe. Ils nous apportent des présents que tu ne peux pas imaginer. J'ai descendu quatre fois les pistes de Sofala. Deux fois j'ai fait voile sur les felouques jusqu'à la puissante Kilwa. J'ai vu des choses que nul homme ne pourrait jamais oublier. Quand on cherche, on trouve des choses auxquelles on ne s'attendait pas.

— Que cherches-tu ? demanda Nxumalo.

Le vieil homme ne donna pas de réponse.

Réunir seize cornes de rhinocéros se révéla beaucoup plus difficile que Nxumalo l'avait escompté quand il avait relevé le défi. Peu après le départ du Vieux Chercheur vers d'autres tribus susceptibles de connaître éventuellement des mines d'or, le jeune homme aborda son père.

— Je veux pister les rhinocéros.

— Alors, le vieux bavard t'a empoisonné ?

Nxumalo baissa les yeux sur ses pieds, refusant d'avouer qu'il s'était laissé prendre au piège des flatteries et des paroles de miel... Il partit donc. Il creusa pour trouver du fer et il en trouva. Mais lorsqu'il rentra à la maison avec des lingots... Que signifiaient-ils pour lui en fait ? Rien.

— Je veux voir la ville, dit Nxumalo à son père.

— Mais bien sûr. Et quand tu rentreras à la maison, tu me diras : « Ce n'était pas grand-chose. »

Les frères de Nxumalo qui restaient au kraal lui souhaitèrent bonne chance dans sa recherche des cornes de rhinocéros, mais ne témoignèrent nulle envie de se joindre à lui. La tribu était essentiellement sédentaire, avec des villages fixes — de robustes cases de banco — et une agriculture bien organisée. Les femmes savaient cultiver les champs, les hommes s'occupaient du gros bétail et élevaient les moutons à queue grasse. Un des frères commandait les forgerons qui fournissaient les outils de la région et un autre s'était acquis une certaine réputation pour sa connaissance des herbes et ses dons de divination.

Mais c'était Nxumalo qui incarnait les arts anciens de la

chasse et du pistage en brousse et, pour cette raison, sa silhouette semblait plus royale. C'était lui qui conservait le mieux la gloire historique de la tribu. Il était le seul à avoir de grandes chances de pister huit rhinocéros et d'apporter les seize cornes aphrodisiaques à Zimbabwe. Et par un beau matin d'été, avec six aides, il prit la direction de l'est vers les étendues très boisées qui s'étendaient jusqu'à la mer.

C'était un jeune homme magnifique, pas tout à fait adulte mais plus grand déjà que la plupart des autres ; et ce qui frappait le plus ceux qui le voyaient pour la première fois, c'était sa puissance : des bras et des jambes bien musclés, un torse beaucoup plus large que ses hanches. Il avait un bon gros visage paisible, comme si la colère lui était inconnue. Quand il souriait, tous ses traits participaient à son contentement et ses épaules s'avançaient, donnant l'impression que tout son corps ressentait intensément ce qui avait provoqué ce sourire ; lorsque ses lèvres s'écartaient, ses dents blanches semblaient redoubler sa joie. De toute évidence, quand il atteindrait l'âge de dix-huit ans, il pourrait épouser la femme qu'il lui plairait, car il était non seulement le fils du chef, mais un jeune prince parmi les hommes.

Il était si totalement différent des petits chasseurs bruns qui habitaient jadis la région qu'il semblait sans aucune parenté avec eux et, en un sens, c'était la vérité. Le tout premier homme, l'australopithèque, s'était répandu autrefois sur une grande partie de l'Afrique et il avait évolué jusqu'à l'apparition de l'homme moderne, dont un rameau s'était établi près de l'équateur, où le soleil donnait un avantage certain aux peaux noires mieux adaptées à ses rayons impitoyables ; aucune tribu primitive au teint blanc pâle n'aurait pu survivre longtemps dans les fournaises qui avaient servi de berceau au peuple de Nxumalo — de même que la peau fortement pigmentée du jeune homme aurait constitué un handicap certain dans le nord glacé, où il fallait mettre en réserve les rayons parcimonieux du soleil.

Lentement, au cours des siècles sans nombre, les ancêtres noirs de Nxumalo, poussant leur bétail devant eux et transportant leurs semences dans leurs paniers et dans leurs sacs de peau, avaient migré vers le sud. Ils avaient atteint le lac environ quatre siècles après la naissance du Christ. Ils étaient arrivés non point en héros conquérants, mais comme des femmes et des hommes à la recherche de pâturages et de terres sûres ; certains avaient poursuivi vers le sud, mais la tribu de Nxumalo s'était plu dans les collines roulant à perte de vue autour du lac.

Dès qu'ils s'établirent, ils entrèrent en contact avec les petits hommes bruns et progressivement ils les repoussèrent vers le sud ou dans les chaînes de montagnes de l'est. Depuis ces refuges, les petits chasseurs insoumis lançaient des attaques sur les kraals du peuple de Nxumalo et les conflits étaient inévitables. Mais certaines tribus vécurent tout de même en paix avec les envahisseurs et échangèrent les produits de leur chasse contre des outils et la liberté de vivre sur leurs terrains. Des milliers d'autres devinrent des serfs ou furent envoyés dans les mines.

Ces contacts se poursuivirent sur des siècles et, parfois, dans le kraal de Nxumalo, une femme de la tribu naissait avec d'énormes fesses, qui trahissaient l'influence du petit peuple. Il se produisait entre les grands Noirs et les petits hommes bruns de violentes escarmouches, mais jamais de bataille rangée. Si cela avait été le cas, le résultat final aurait été plus humain, parce que, de toute façon, les hommes bruns étaient progressivement étouffés sans tapage.

C'était un groupe très capable qui s'était déplacé vers le sud au cours de cette grande migration noire : des artisans expérimentés connaissaient le secret de la fonte du cuivre et faisaient de beaux outils et des armes à pointe de fer. Dans certains villages, des femmes tissaient des toiles, où elles entremêlaient parfois des fils de cuivre. Et chaque famille possédait des poteries conçues et modelées par des femmes habiles, avant d'être passées au feu dans des fours creusés à même la terre.

Leur langue ne ressemblait en rien à celle du petit peuple. Quelques tribus, qui se déplaçaient vers le sud le long des côtes de l'océan oriental, avaient adopté les clics de la langue san, mais le peuple de Nxumalo conservait une langue pure, avec un vocabulaire étendu capable d'exprimer la pensée abstraite et tout à fait apte à se fixer de façon vivante dans la mémoire de la tribu.

Deux attitudes spécifiques plaçaient les hommes de ces tribus au-dessus de tous leurs prédécesseurs : ils avaient mis au point des systèmes de gouvernement élaborés, dans lesquels un chef détenait le pouvoir civil, tandis qu'un griot, intermédiaire avec les esprits, faisait office de guide religieux ; et ils avaient maîtrisé le milieu, de telle sorte que l'élevage du bétail, l'agriculture et l'établissement de villages permanents étaient devenus possibles. Mais il faut ajouter un trait plus important encore : sur toute cette vaste région, le commerce était florissant, et les communautés pouvaient donc avoir des relations suivies entre elles ; le peuple du chef Ngalo pouvait aisément importer des lingots de fer des grandes mines de Phalaborwa, à deux cent soixante-dix kilomètres de là, puis envoyer les fers de lance forgés dans des villages à plus de trois cents kilomètres au sud-ouest, de l'autre côté de la Crête-des-Blanches-Eaux.

En d'autres termes, le jeune Nxumalo, qui partait à la recherche des cornes de rhinocéros qui lui ouvriraient les portes de Zimbabwe, était l'héritier d'une culture importante, qu'il avait bien l'intention, déjà à son âge, de faire progresser et de protéger. Il supposait qu'à la mort de son père l'un de ses frères plus âgés hériterait des pouvoirs du chef ; à ce moment-là, il prendrait sûrement femme et s'en irait plus à l'ouest établir un village de frontière bien à lui — et cette perspective lui plaisait. Il considérait son voyage à Zimbabwe comme une exploration, non comme un changement de vie.

Le sixième jour de leur marche, après avoir croisé de grands troupeaux de buffles et de gnous, Nxumalo dit à ses compagnons :

— Il doit y avoir des rhinocéros parmi ces arbres.

Mais quand ils parvinrent à l'endroit où la savane faisait place à la vraie forêt, ils ne trouvèrent rien.

— Je n'ai jamais vu de rhinos dans un coin où les arbres sont si nombreux, fit remarquer un homme plus âgé.

Et il tendit le bras en arrière, vers la savane arbustive.

Nxumalo faillit reprendre l'homme, car il avait accompagné une fois des chasseurs qui avaient trouvé un rhinocéros dans des bois épais, mais il se domina et demanda :

— Tu as trouvé des rhinos là-bas ?

— Oui.

— Dans ce cas, allons voir.

Et ils découvrirent les traces impossibles à confondre de l'énorme bête. Mais ces Noirs n'étaient pas des Bochimans, et la maîtrise dont le peuple brun avait fait preuve pour le pistage des animaux leur était étrangère ; il était évident que des rhinocéros s'étaient trouvés là, mais où étaient-ils partis ? Les chasseurs étaient bien incapables de le déterminer. Ils chassaient donc selon la méthode des essais et erreurs, en se déplaçant en vastes cercles — et en faisant un vacarme qui aurait scandalisé le dernier des Bochimans. Mais ils eurent de la chance et, avec le temps, ils tombèrent sur un rhinocéros noir au mufle pointu qui portait deux cornes énormes, l'une derrière l'autre.

Abattre une bête aussi formidable exigeait à la fois de l'habileté et du courage. La première serait le fait des six chasseurs aux lances à pointe de fer ; le second était réservé à Nxumalo, le chef de l'expédition. Il plaça ses hommes le long de l'itinéraire qu'il avait l'intention de faire suivre à l'animal, puis il se mit en position sans bruit à quelque distance en avant de la bête. Il bondit soudain hors des herbes hautes et se montra à l'animal surpris, qui, saisi par une impulsion destructrice instantanée, se précipita, enragé, vers le jeune homme, comme un énorme cuirassé lancé sur une trajectoire impossible à dévier.

Les cornes basses pour empaler, les petites jambes martelant le sol avec force, le mufle soufflant et la gorge proférant des grondements rauques, le rhinocéros chargeait de toute sa puissance colossale, tandis que le jeune homme courait à reculons avec une agilité magnifique. C'était un instant qu'aucun chasseur ne pourrait oublier, l'instant de la relation sublime entre la bête et l'homme, l'instant où la moindre erreur de ce dernier signifie la mort immédiate. Et comme l'animal pouvait courir beaucoup plus vite que Nxumalo, il était manifeste que le jeune homme serait forcément tué sans l'intervention d'une autre force... Et la voici qui survient juste au moment où il semble que les cornes puissantes vont effleurer Nxumalo : les six chasseurs surgissent des herbes et lancent leurs armes pour détourner l'animal.

Quatre lances à pointe de fer atteignent leur but, et l'énorme bête commence à se frotter aux buissons des bords de la piste, oubliant le jeune homme pour se tourner vers ses nouveaux adversaires. L'un d'eux s'est baissé pour ramasser son arme. D'une charge sauvage, la bête se précipite sur l'homme, qui bondit de côté, abandonnant sa lance. Le rhinocéros la brise en plus de vingt morceaux. Aussitôt

Nxumalo s'approche de lui avec une hache, et frappe de toutes ses forces les pattes de derrière de la bête. Au même instant, un homme projette sa lance dans le cou de l'animal...

La bataille n'est pas encore terminée, mais son issue ne fait plus de doute. Au lieu de suivre la bête blessée à la trace pendant des jours entiers, comme l'auraient fait les Bochimans, ces hommes résolus, dotés d'armes supérieures, font cercle autour de l'animal et l'abattent à coups de couteau, sans lui laisser un seul instant de répit. La grande bête noire tente de se défendre à coups de pattes et de cornes, mais les sept hommes sont trop acharnés, et elle meurt.

— Deux de nos cornes, dit Nxumalo tandis que ses hommes détachent de la carcasse ces marchandises précieuses.

Comme elles étaient bizarres, ces cornes ! Ce n'étaient pas des cornes du tout, mais de lourdes masses compactes de poils, et leur existence menaçait d'extinction cet animal magnifique parce que des vieillards stupides, dans la lointaine Chine, croyaient que la corne de rhinocéros, dûment administrée sous forme de poudre, rétablissait la virilité. Or la Chine, à l'époque, était assez riche pour rechercher la corne magique dans le monde entier...

Les hommes de Nxumalo, si sages à tant d'égards, ne coupèrent sur ce rhinocéros mort que les deux cornes, les cachèrent sous un arbre marqué de nombreuses entailles et abandonnèrent plus d'une tonne de viande de choix pour se lancer à la recherche d'une nouvelle proie...

Ils tuèrent trois rhinocéros de plus au cours de cette chasse, en les poussant vers des fosses armées de pieux taillés en pointe. Ils ramenèrent les huit cornes au village, laissant les carcasses aux vautours, aux hyènes et aux fourmis. A chaque fois, le jeune Nxumalo avait couru dans l'ombre des cornes aiguës et des pattes meurtrières de la bête.

— C'est un chasseur habile, dirent les hommes du chef Ngalo. Il peut faire n'importe quoi.

Et en entendant ce rapport, le jeune homme sourit. Son beau corps noir luisait lorsqu'il se pencha en avant pour montrer sa joie.

Le village de Nxumalo ne ressemblait en rien, ou presque, aux lieux de résidence des petits hommes bruns qui avaient précédé les Noirs dans le pays : il était constitué maintenant par de grandes cases, au lieu des espaces ouverts délimités sur le sol. Il subsistait grâce à des céréales et des légumes cultivés avec soin, et non en fonction des hasards de la cueillette. Il s'agissait à présent d'une communauté sédentaire. Mais sur un point la vie était tout à fait semblable : femmes et hommes ne portaient presque pas de vêtements.

Il était donc remarquable que l'une des principales industries du village fût le tissage d'une toile de coton. Et quand le jeune Nxumalo rentra avec ses huit cornes de rhinocéros pour être accueilli en héros, son regard se posa sur une des filles assises dans un bâtiment bas, au toit d'herbe, construit près du lac — c'était là que les femmes lançaient leurs navettes et faisaient basculer les peignes de leurs métiers.

Souvent, tout en filant leur coton, elles ralentissaient un instant pour observer les animaux en train de paître à l'autre bout du lac, et si un zèbre ruait, si une gazelle dansait dans les airs, les filles s'arrêtaient. Et quand le hasard voulait qu'un troupeau d'éléphants survienne, ou bien un vol de grues, ce n'étaient plus que cris de plaisir, et le travail n'avançait guère.

Parmi les tisseuses se trouvait Zéolani, âgée de quinze ans, et fille de l'homme qui savait faire des fils de cuivre avec des lingots apportés au sud depuis les rives du Limpopo. Avec les petits bouts qui lui restaient de plusieurs commandes, son père lui avait forgé les sept bracelets minces qu'elle portait à son poignet droit. Et quand elle lançait la navette, ils faisaient une musique douce qui lui plaisait — et qui la distinguait des autres.

Le travail n'était pas accablant ; rien de ce que faisait la tribu n'exigeait un effort soutenu et il y avait de longues périodes où les filles passaient le plus clair de leur temps dans une oisiveté nonchalante. Zéolani profitait de ces moments pour se glisser derrière les métiers : elle tissait pour elle des fils de coton de deuxième qualité, qu'elle ornait de bouts de cuivre venant des réserves secrètes de son père. Cette toile n'était pas d'un blanc pur comme celle tissée pour le troc ; elle était couleur de miel, bien assortie à son teint de jais, et quand les paillettes de cuivre prenaient le soleil, le tissu semblait danser.

Avec cette toile elle se fit une jupe, la première que l'on ait vue dans ce village, et quand elle la drapait autour de sa taille fine pour aller gambader près du lac, ses seins noirs luisant dans le soleil, elle devenait une fille différente de toutes les autres.

— On dit que tu as été brave à la chasse, dit-elle à Nxumalo.

Il traînait près de l'atelier de tissage désert.

— Les rhinos sont durs à trouver.

— Et durs à tuer ?

Tout en posant sa question, elle pivota un peu à l'écart, consciente que sa jupe, en volant, la mettait à son avantage.

— Ce sont les autres qui ont tué, dit-il, ensorcelé par les doux mouvements de la jeune fille.

— Je n'ai pas cessé de regarder vers l'est, murmura-t-elle. J'avais peur.

Il lui prit la main et ils s'assirent, les yeux fixés au loin, de l'autre côté du lac où des animaux isolés venaient s'abreuver en plein midi : quelques antilopes, deux ou trois zèbres, rien d'autre.

— Au crépuscule, dit-il, la berge sera envahie.

— Regarde ! s'écria-t-elle.

Un hippopotame paresseux se dressa à moitié hors des eaux, bâilla puissamment, puis se renfonça.

— J'aimerais bien que les étrangers des pays lointains aient envie de dents d'hippos au lieu de cornes de rhinocéros, dit Nxumalo. Ce serait beaucoup plus facile.

Zéolani ne répondit pas. Au bout d'un moment, le jeune homme toucha sa jupe puis, presque comme si quelque chose le forçait à parler, il s'écria :

« Quand je serai parti, je me souviendrai de cette toile.

— C'est donc vrai ? Tu as décidé de partir ?

— Oui.

— Le vieil homme a parlé, parlé, parlé... Et tu l'as cru ?

— Je partirai. J'irai voir la ville. Et je reviendrai.

Il lui prit les mains et dit avec ferveur :

« Quand j'ai voyagé avec le Vieux Chercheur, nous avons rencontré une belle terre, et j'ai pensé : « Nous laisserons le lac à mes frères.... Qu'ils s'occupent de leur bétail et de leurs champs. Nous trouverons quelques bons chasseurs, Zéolani et moi, et nous... »

Elle était trop réservée pour répéter ce « nous », mais elle savait très bien à quoi Nxumalo avait pensé, parce qu'elle avait envisagé elle aussi de quitter le village et d'en fonder un nouveau avec son mari. Au lieu de parler, elle lui serra la main, la posa contre sa poitrine nue, et murmura :

— Je t'attendrai, Nxumalo.

Après la chasse suivante, qui valut à Nxumalo quatre rhinocéros de plus, les jeunes amoureux eurent plus d'une occasion de discuter de leur avenir incertain.

— Ne puis-je aller à Zimbabwe avec toi ? demanda Zéolani.

— Si loin ! La route n'est pas sûre. Non. Non.

Le parti qu'ils prirent n'était pas exempt de dangers, mais leur amour avait mûri à une vitesse si étourdissante qu'ils étaient prêts à courir tous les risques, à supporter tous les châtiments. Au signal de Zéolani, ils s'éloignèrent par des chemins différents dans la savane à l'est du village, jusqu'à un endroit dissimulé par les deux petites collines en forme de seins de femme. Là, ils firent l'amour à maintes reprises ; et pourtant, si Zéolani était enceinte, ce serait pour Nxumalo la fin de son voyage à Zimbabwe. Si le bruit de la grossesse se répandait, la tribu la condamnerait pour avoir connu un homme sans la sanction du village, et tout le monde saurait qui était cet homme : les deux coupables seraient sévèrement punis.

Là, entre les collines, ils eurent cependant leur grand rendez-vous et la chance fut avec eux, car il n'y eut pas de grossesse. Mais cela ne fit qu'approfondir leur amour, et lorsque le jour approcha où Nxumalo devait partir vers le nord avec son butin, leurs dernières rencontres prirent une allure de deuil impossible à dissiper.

— Je partirai sur tes traces, dit Zéolani, et je viendrai à Zimbabwe comme par hasard.

— Non, c'est une affaire d'homme, dit l'adolescent de seize ans.

— Je t'attendrai. Tu es le seul avec qui je vivrai.

Ils allèrent hardiment jusqu'à l'une des collines au sud du village et ils regardèrent vers l'ouest, vers l'endroit que Nxumalo avait choisi de nombreux mois auparavant.

— C'est très loin par là-bas. Il y a un ruisseau et beaucoup d'antilopes. Pendant que je dormais là-bas, j'ai entendu un petit bruit et j'ai ouvert un œil. C'était peut-être un ennemi. Et que crois-tu que j'aie vu ?

— Des babouins ?

— Quatre antilopes noires, des égocères. Avec des cornes plus longues que ça...

Il étendit ses deux bras au maximum — Zéolani se blottit entre eux et ils s'enlacèrent pour la dernière fois. Les yeux de la jeune fille s'emplirent de larmes tandis que le bout de ses doigts fins dessinait les muscles des bras de Nxumalo.

— Nous sommes destinés l'un à l'autre, dit-elle. Par tous les signes de la terre.

Et elle compta tous les présages qui devaient forcément les réunir. Chacun d'eux comprit que jamais en cette vie ils ne pourraient trouver un partenaire aussi fondamentalement assorti.

« Je t'attendrai, dit Zéolani.

Et avec cette promesse enfantine et futile chantant dans ses oreilles, Nxumalo partit.

C'était un voyage que n'importe quel jeune homme aurait désiré faire : huit cents kilomètres plein nord à travers le cœur de l'Afrique, la traversée de larges fleuves, la piste partagée avec des animaux sans nombre et, à la fin de l'odyssée, une ville connue uniquement par les légendes ou les récits mensongers du Vieux Chercheur. Seize hommes allaient accompagner leur jeune chef et, comme seul le guide Sibisi avait déjà fait ce voyage, les autres étaient au moins aussi excités que Nxumalo.

Il fut surpris de voir à quel point les hommes étaient légèrement chargés ; au cours d'une de ses expéditions de chasse, chacun portait trois fois le même poids.

— Voyage léger est beaucoup plus sûr, lui expliqua Sibisi. Profitez des premiers jours pour durcir vos muscles. Oui, profitez bien de votre liberté et cultivez votre force, parce que le vingt-septième jour...

Sa voix tomba, lourde de menaces :

« Nous arriverons au Champ-de-Granit.

Le chargement aurait été plus simple si l'on avait pu réduire des cornes de rhinocéros en poudre : on l'aurait répartie avec le reste des bagages des hommes. Mais c'était interdit. Les cornes devaient rester intactes jusqu'à leur livraison, à Sofala, aux felouques qui attendaient : elles les transporteraient en

Chine, et les apothicaires aux yeux bridés seraient certains de recevoir de la corne véritable et non quelque mélange à base de poussière, qui aurait grossi les paquets.

La file s'éloigna à l'aurore, par une journée lumineuse d'automne, à l'époque où les crues de printemps et d'été des rivières devaient être passées et où les animaux de l'année seraient assez gros pour être mangés. Sibisi détermina une allure qui n'épuiserait pas les hommes dès le début, tout en leur permettant de couvrir plus de trente kilomètres par jour. Pendant deux semaines, ils traverseraient une savane ressemblant en tout point à celle qu'ils connaissaient déjà, sans aucun trait remarquable ou exceptionnel.

Deux hommes qui ne portaient rien se révélèrent très précieux, car ils patrouillaient en tête et fournissaient la viande nécessaire aux voyageurs.

— Je veux que vous mangiez beaucoup et que vous deveniez très forts, disait Sibisi, parce qu'à notre arrivée au Champ-de-Granit nous aurons besoin d'être au mieux de notre forme.

Le matin du sixième jour, la cadence s'accéléra nettement, et la file se mit à couvrir quarante kilomètres par jour, jusqu'aux abords du premier site remarquable de leur voyage.

— Nous voici près de la gorge, dit Sibisi, et il régala les novices de récits relatifs à cet endroit spectaculaire. Le fleuve hésite, regarde le mur de rochers, puis bondit en avant en criant : « Tout est possible ! » Puis, mystérieusement, il trouve un chemin à travers les falaises rouges... Attention où vous mettrez les pieds, ajouta Sibisi. Vous n'êtes pas aussi malins que le fleuve.

La gorge était si étroite — à peine quelques mètres de largeur — que le fleuve s'y précipitait avec une violence fabuleuse. Ses tourbillons léchaient les énormes murailles rouges. Le passage exigea la plus grande partie de la journée : les porteurs suivaient un sentier en surplomb, accroché à la rive orientale du torrent, et qui les ramenait parfois jusqu'au lit même du fleuve. Au milieu de la gorge, les crêtes des falaises étaient si rapprochées que le ciel demeurait invisible. Des oiseaux de toutes les espèces, parés de toutes les couleurs, sillonnaient la pénombre en jouant à foncer sur les murailles pour les éviter au dernier instant.

— Les insectes ! dit Sibisi.

Il montra aux autres comment les tourbillons de l'eau créaient des courants d'air ascendants qui entraînaient les insectes vers le haut, où les oiseaux les attendaient. Pendant un long moment, Nxumalo s'arrêta pour se laisser imprégner par le merveilleux de l'endroit — un fleuve perçant un mur de rocher — et il eut l'impression que son voyage ne pourrait lui offrir d'instant plus intense. Il se trompait. La véritable grandeur de son périple était plus loin, car, dès que les voyageurs sortirent de la gorge, ils pénétrèrent dans un endroit de rêve.

Le paysage était ouvert de toutes parts comme les vastes oreilles d'un éléphant et parsemé des arbres les plus extraordinaires qui soient.

— Ils ont la tête en bas ! s'écria Nxumalo.

Il se précipita vers une chose massive, beaucoup plus grosse que tout ce qu'il avait déjà vu : cinq mètres du pourtour au centre, avec une écorce douce et pelucheuse comme la peau d'un vieux chien. Quand il appuya son pouce, celui-ci s'enfonça profondément. Mais ce qui était le plus remarquable, c'étaient les branches, car cet arbre puissant qui s'élevait à vingt mètres dans les airs ne portait que de minuscules ramilles ressemblant aux racines d'une plante frêle arrachée du sol et plantée à l'envers.

— Oui, la tête en bas, acquiesça Sibisi. Les dieux l'ont fait ainsi.

— Pourquoi ?

— Ils avaient créé un arbre excellent, parfait à tous égards. De grosses branches comme un arbre ordinaire. Mais il était paresseux et, quand les dieux sont revenus pour ramasser ses fruits, ils n'ont rien trouvé. Alors, pris de colère, ils l'ont arraché du sol et ils l'ont replanté la tête en bas, comme tu peux le voir à présent.

Et comme Nxumalo éclatait de rire devant cette monstruosité, Sibisi lui attrapa le bras.

« Ne te moque pas, dit-il. Plus d'un homme doit la vie à cet arbre, car lorsque tu meurs de soif tu viens ici, tu perces l'écorce et tu recueilles un peu d'eau.

Et le baobab ne donnait pas seulement de l'eau : ses feuilles une fois bouillies étaient comestibles ; on pouvait sucer ses graines ou les écraser pour faire une boisson piquante ; et avec les fibres de son bois spongieux, on tissait des étoffes.

C'était un arbre qui couronnait vraiment le paysage, avec ses grands piliers d'écorce épaisse et luisante et ses branches hirsutes dressées très haut dans le ciel. Partout où Nxumalo posait les yeux au nord de la gorge se dressaient ces arbres, comme pour crier : « Nous sommes les sentinelles d'un nouveau pays. Vous entrez dans la terre que nous gardons. »

Et c'était vraiment un nouveau pays. La savane se parait d'herbes différentes, les oiseaux n'étaient pas les mêmes et c'étaient d'autres petites bêtes qui couraient entre les rochers. Mais, dans le lointain, on apercevait toujours les mêmes grands animaux : l'éléphant, l'élan du Cap et les zèbres galopants. C'étaient les mêmes dieux qui accompagnaient donc les hommes dans leur voyage vers le nord et, la nuit, lorsqu'ils allumaient leur feu de camp, Nxumalo pouvait entendre les lionnes rôder tout près, attirées par l'odeur de l'homme mais repoussées par les flammes, tandis que dans le lointain ricanaient doucement les hyènes. C'était comme si un homme voyageant à travers la savane emmenait avec lui toute une escorte de bêtes, belles, sauvages et utiles. Nxumalo, en scrutant les ténèbres, pouvait entrevoir parfois leurs yeux qui réfléchissaient les flammes, et il était toujours surpris de constater à quel point elles s'approchaient. Les nuits où c'était son tour de maintenir le feu en vie, il le laissait tomber dangereusement bas et, dans la pénombre, il voyait les lions se rapprocher, plus près, plus près, les yeux à quelques mètres des siens, leurs silhouettes douces, magnifiques, nettement distinctes. Puis, avec un air grave, il remuait les braises et jetait une brassée de bois. Aussitôt les animaux se retiraient sans bruit, intrigués par ce comportement malséant, mais toujours fascinés par les flammes vacillantes.

Le matin du dix-septième jour, Nxumalo fut témoin de deux curiosités dont il se souviendrait toujours ; elles étaient aussi étranges pour lui que les baobabs la tête en bas, et elles étaient prémonitoires, car une bonne partie de sa vie désormais serait consacrée à affronter ces mystères.

Du haut d'une colline, à trois journées de marche au nord de la gorge, il aperçut pour la première fois un fleuve puissant, le Limpopo, qui traversait le paysage en grondant, lourd de toutes les crues collectées très loin en amont et alourdi davantage encore par les boues. Les eaux se tordaient et tourbillonnaient, et les traverser était tout à fait impossible.

— Elles vont baisser, dit Sibisi. Dans deux jours, nous pourrons traverser à gué.

Il n'aurait pas pu dire la même chose au printemps, mais il savait que cette crue hors de saison ne devait provenir que d'un seul orage isolé et ne tarderait pas à prendre fin.

Pendant l'attente, Nxumalo visita la seconde curiosité : les vastes gisements de cuivre juste au sud du Limpopo, où il s'étonna de voir des femmes, certaines de l'âge de Zéolani, passer leur vie à creuser la roche et à la remonter, morceau par morceau, sur des échelles branlantes, jusqu'aux fourneaux dont les fumées âcres contaminaient l'atmosphère et abrégeaient la vie de tous ceux qui étaient contraints à les respirer.

La tribu qui détenait les mines avait accumulé de gros écheveaux de fil de cuivre, et Nxumalo accepta de les faire transporter par ses hommes jusqu'à Zimbabwe. Les deux chasseurs qui ne portaient rien jusque-là furent mis à contribution. Nxumalo lui-même, dont la charge était légère, prit quatre mesures de cuivre, car les mineurs payaient bien ce service.

— Nous avons toujours fait commerce de notre cuivre avec Zimbabwe, lui dit le contrôleur de la mine, et quand tu arriveras là-bas, tu verras pourquoi.

Ces paroles enflammèrent Nxumalo et il fut tenté de demander plus de détails, mais il garda le silence, préférant découvrir par lui-même ce qui l'attendait au bout du voyage.

Quand les eaux du Limpopo baissèrent et que son lit de roches rouges devint guéable, les dix-sept hommes reprirent leur marche, plus passionnés que jamais, car ils se trouvaient maintenant au cœur d'une savane si vaste qu'auprès d'elle tout ce qu'ils avaient déjà vu semblait minuscule. Les distances étaient formidables. C'était une véritable mer aux vagues figées, parsemée d'euphorbes arbustives, de baobabs et de gommiers à cime plate, peuplée de grands animaux et d'oiseaux majestueux. Pendant des kilomètres, la plaine s'allongeait, interminable, plissée de collines basses et coupée de rivières sans nom.

Au soir du premier jour de marche après le Limpopo, ils rencontrèrent l'avant-poste extrême, vers le sud, du royaume Zimbabwe, et Nxumalo eut du mal à dissimuler sa déception.

Il y avait bien un kraal, et il était entouré par un mur de pierre, mais ce n'était pas la construction colossale que le Vieux Chercheur avait promise.

— Il est plus grand que le mur de mon père, dit Nxumalo à mi-voix, mais je m'attendais à quelque chose de haut comme ça...

Il tendit le bras vers un arbre de taille modeste.

— Patience, jeune homme. Ce n'est pas la ville, lui dit un des pâtres attachés à l'avant-poste. Veux-tu avoir une idée de la grandeur de Zimbabwe ? ajouta-t-il en voyant le scepticisme de Nxumalo.

Il l'entraîna le long d'une piste jusqu'à un endroit dominant une vallée. De là, Nxumalo aperçut un vaste troupeau s'étendant à perte de vue entre les collines.

« C'est le plus petit des troupeaux du roi, lui dit l'homme.

Nxumalo, qui avait été élevé dans une culture où le statut social d'un homme est déterminé par son troupeau, comprit que le roi de Zimbabwe devait posséder un pouvoir extraordinaire.

Lorsque Sibisi et le chef de l'avant-poste s'installèrent avec leurs gourdes de bière, Nxumalo, ne connaissant rien des sujets dont ils discutaient, s'éloigna du kraal. Il découvrit une chose qui le stupéfia : l'un des pâtres, ayant peu de travail à faire chaque jour, s'était emparé d'un jeune élan et l'avait élevé comme animal de compagnie. Il venait d'atteindre l'âge adulte ; il était plus lourd que les vaches du père de Nxumalo et ses cornes tordues étaient deux fois plus longues et plus dangereuses, mais on aurait dit un enfant gâté courant derrière sa mère — dans ce cas le pâtre le gourmandait comme un enfant indocile.

L'élan adorait jouer, et Nxumalo passa presque un jour entier à se bagarrer avec lui : il le poussait en s'appuyant contre son front, luttait avec ses cornes et évitait les ruades rapides avec lesquelles l'animal cherchait à neutraliser les ruses du jeune homme. Lorsque la file repartit vers le nord, l'élan suivit Nxumalo longtemps. Ses beaux flancs blancs luisaient sous le soleil du matin. Puis son maître siffla, l'appela par son nom, et le grand animal s'immobilisa sur la piste, regarda son nouvel ami, tourna la tête en arrière en direction de sa maison, puis piaffa, contrarié, et retourna vers son maître. Nxumalo, figé au milieu de la savane, suivit des yeux l'animal qui s'éloignait. Comme il aurait aimé emmener avec lui une bête aussi aimable ! Puis l'élan s'arrêta, se retourna et pendant un long moment fixa à son tour le jeune homme. Ils demeurèrent ainsi pendant plusieurs minutes, brûlant l'espace qui les séparait, puis l'animal donna un coup de tête, ses belles cornes scintillèrent et il disparut.

Nxumalo ne portait plus que deux écheveaux de fil, car Sibisi avait dit, de sa voix tranquille :

— Je prendrai les autres. Il faut te préparer pour le Champ-de-Granit.

Au milieu des plaines, comme une ligne bleue à l'horizon lointain, se dressaient les montagnes. La piste semblait balisée par une chaîne de fourmilières, certaines aussi hautes que les arbres, d'autres plus basses mais grosses comme des troncs de baobab. Elles étaient de couleur rougeâtre et dures comme du roc partout où les pluies les avaient mouillées avant que le soleil ne les cuise.

Le vingt-neuvième jour de leur marche, tout près de Zimbabwe, ils virent devant eux deux puissants dômes de granit entourés par des euphorbes à tiges multiples. Ils s'avancèrent, les dômes se rapprochèrent, et Sibisi tendit le bras vers l'ouest où un gigantesque affleurement de granit ressemblait trait pour trait à un éléphant monstrueux en train de se reposer avec ses pattes de devant repliées sous son corps.

— Il garde le rocher que nous cherchons, dit Sibisi.

Et les hommes hâtèrent le pas pour atteindre cette étape cruciale de leur voyage.

Entre les dômes jumeaux et l'éléphant endormi s'étendait un vaste champ de rochers de granit, gros et ronds, comme des œufs à demi enfouis dans la terre. Nxumalo avait souvent vu des rochers ressemblant à ceux-là, mais jamais d'une taille aussi magnifique et certainement pas de même nature. Car tous ces rochers s'exfoliaient, comme s'ils voulaient engendrer des blocs prêts pour la construction, qui permettraient de réaliser de splendides bâtisses. Ils constituaient une carrière dans laquelle les neuf dixièmes du travail étaient faits par la nature : ils ne laissaient à l'homme que la taille finale et le transport.

Les dômes arrondis, de seize et de vingt mètres de haut, s'étaient formés un milliard d'années plus tôt à partir de couches sédimentaires ; et maintenant, l'action de la pluie et du soleil ainsi que les changements de température avaient commencé à « peler » les couches. C'étaient comme des oignons gigantesques, faits de rocher, dont les peaux successives se débitaient. Le résultat semblait incroyable : d'immenses dalles de granit de choix, toutes de quinze centimètres d'épaisseur, étaient libérées chaque année. Les hommes qui les ramassaient pouvaient les découper en bandes ayant pour largeur l'épaisseur d'un mur et plusieurs mètres de longueur. Quand d'autres hommes tranchaient ces bandes en éléments de vingt-cinq centimètres, ils obtenaient les briques les meilleures et les plus résistantes qui aient jamais été conçues.

Il n'y avait qu'un seul écueil dans cette opération : le Champ-de-Granit se trouvait au sud, et le site où l'on avait besoin des briques, à huit kilomètres au nord. Pour résoudre ce problème, le roi avait, longtemps auparavant, décrété une règle simple : aucun homme, aucune femme se dirigeant vers Zimbabwe depuis le sud n'avait le droit de traverser ce champ sans prendre au moins trois blocs de construction, qu'il transporterait jusqu'à la capitale. On exigeait que les hommes forts, comme Sibisi, en portent huit, et même des messagers comme Nxumalo, fils d'un chef, devaient en apporter trois. Si leurs autres fardeaux étaient trop lourds, ils devaient les laisser, car aucun homme ne pouvait monter vers le nord sans ses briques de pierre.

Les maçons qui travaillaient sur le site groupaient ces pierres par paquets de quatre, qu'ils attachaient avec des lianes de la forêt. Ces paquets attendaient les voyageurs du sud à leur arrivée. Quand les maçons apprirent qu'un fils de chef se trouvait dans le groupe, ils préparèrent aussitôt un paquet de trois briques seulement et, avec cette nouvelle charge, Nxumalo repartit.

Au début, les pierres ne semblaient pas trop lourdes, mais, à mesure que les heures passaient, les hommes ahanaient, surtout ceux qui portaient déjà le cuivre. Cette nuit-là, quatre hommes durent se partager la garde, pour veiller sur le feu sans se laisser aller à l'épuisement, et, quand Nxumalo prit son tour, il ne s'intéressa qu'aux étoiles, dont le mouvement marquait le passage du temps — et la fin de sa veille.

A l'aurore, les hommes au supplice gravirent la dernière colline et, à son sommet, ils reçurent une récompense qui justifiait toutes leurs peines, car au milieu d'une charmante vallée, près d'un étang, se dressait la ville de Zimbabwe — fabuleuse, telle qu'aucun homme de la tribu de Nxumalo n'aurait pu l'imaginer, avec ses puissants édifices construits par couches successives de granit vert et gris.

— Regarde ! s'écria Sibisi, saisi d'admiration. C'est là que le roi se prosterne !

Et Nxumalo se tourna vers le nord où une colline de belle taille était couronnée par une citadelle dont les murs de pierre brute brillaient au soleil levant. Les hommes du petit village gardèrent le silence, bouche bée devant une telle merveille. Dans un millier de cases, à l'ombre des murailles et des remparts puissants, les travailleurs de la ville saluaient l'aurore d'une nouvelle journée.

— Voilà Zimbabwe, dit Nxumalo en s'essuyant les yeux.

Et nul ne parla.

Aucun groupe de voyageurs venant d'au-delà du Limpopo ne pouvait espérer pénétrer dans l'une des belles enceintes de pierre. Quand ils eurent dûment remis les cornes de rhinocéros aux autorités, Nxumalo et ses hommes furent conduits dans la section de la ville occupée par les gens du commun, et ils s'y reposèrent pendant quinze jours avant de prendre le chemin du retour. Le jour du départ, Nxumalo quitta ses quartiers avec une certaine tristesse, car cette ville et ses mille possibilités lui avaient beaucoup plu. Au moment où il parvenait à l'endroit où ses hommes se rassemblaient, il sentit une main ferme lui saisir le bras.

— Nxumalo, fils de Ngalo, ici sera ta demeure.

C'était le Vieux Chercheur, venu sauver le jeune homme. N'avait-il pas porté un profond intérêt à son avenir ?

« Il faut que tu travailles aux murailles, ajouta-t-il.

— Mais je suis fils de chef !

— Depuis quand les petits veaux courent-ils avec les taureaux ?

Nxumalo ne répliqua pas, car il se rendait compte à présent que ce vieil homme était beaucoup plus qu'un songe-creux errant, à la recherche de l'or sur la Crête-des-Blanches-Eaux. A Zimbabwe, il était conseiller à part entière auprès de la cour du roi.

« A Zimbabwe, ce n'est pas déchoir, Nxumalo, dit-il à son

jeune protégé. Nos murs sont construits par les meilleurs hommes de la ville. Ils ne toléreraient pas des idiots à leur côté. Satisfais-les, et tu obtiendras l'accès.

Il lui montra les tours de pierre dans la vallée, puis les murailles de la citadelle sur le haut de la colline.

En l'an 1454, Zimbabwe ne ressemblait nullement à une ville européenne comme Gand ou Bordeaux. Son architecture était beaucoup plus grossière ; elle n'abritait aucune cathédrale gothique ; et son palais était infiniment plus simple. Bien que les principaux lieux royaux et culturels fussent construits en pierre, les maisons particulières demeuraient des cases de banco recouvertes de chaume. Personne dans la ville ne savait lire ; l'histoire du peuple n'était pas écrite ; il n'y avait aucun système de monnaie uniforme ; et la société était à bien des égards moins complexe que la chrétienté en Europe.

Mais c'était cependant une communauté prospère, organisée de façon logique, possédant une capacité commerciale de premier ordre, comme le montrait bien l'existence d'une place de marché bourdonnante autour de laquelle gravitait tout un réseau de producteurs et de marchands. C'était un endroit au climat doux et sain, avec des réserves d'eau abondantes, et qui jouissait des équipements les plus avancés de l'époque — notamment un système d'égouts. Sa main-d'œuvre était très spécialisée, et son gouvernement demeurait plus stable que la plupart de ceux d'Europe. Mais au moment même où elle dominait de sa splendeur la plus éclatante le cœur de l'Afrique australe, de dangereux courants souterrains menaçaient déjà son avenir, car elle exploitait son pouvoir et ses ressources jusqu'à l'extrême limite de ses possibilités, en un temps où d'autres forces régionales se mettaient en mouvement. Nul n'aurait pu prédire pendant combien de temps encore cette grande capitale continuerait de prospérer.

C'était au cœur même de ce tourbillon de grandeur et d'incertitude que Nxumalo se trouvait projeté et, tout en travaillant à la muraille, ajustant des blocs de granit semblables à ceux qu'il avait transportés, il observa tout ce qui se passait autour de lui.

Il vit le flot des porteurs arrivant sans relâche des quatre points cardinaux, chacun transportant toutes les marchandises de valeur que son district adressait à la capitale, et il commença à discerner les différences d'une région à l'autre. Il y avait, par exemple, des nuances diverses de noir entre les hommes : ceux du nord, où coulaient les grands fleuves, étaient plus sombres ; ceux de l'ouest, où il y avait davantage de petits hommes bruns avec qui s'accoupler, avaient une teinte plus brune. Une tribu de l'est envoya même des hommes nettement plus grands que tous les autres, mais tous de la même force.

Quand ils parlaient entre eux, les langues non plus n'étaient pas les mêmes, mais les différences restaient mineures et tout le monde pouvait se débrouiller dans la langue de Zimbabwe, avec d'amusantes variantes dialectales trahissant que tel venait des marais et tel autre des plaines désertiques. C'étaient pourtant les habitants de la ville qui attiraient le plus l'attention de Nxumalo, car ils se déplaçaient avec une belle assurance qu'il n'avait jamais vue auparavant — son père mis à part. Dans l'ensemble, c'était un beau peuple ; mais il y avait parmi eux un groupe de responsables tout à fait remarquables. En général plus grands que les autres habitants, ils étaient vêtus d'uniformes taillés dans les toiles importées les plus chères, où l'on avait tissé des fils d'or et d'argent. Ils ne transportaient jamais rien, en dehors des hampes indiquant leur charge. Ils ne s'en servaient pas comme cannes mais plutôt comme insignes officiels, et les gens ordinaires s'écartaient sur leur passage. L'un de ces responsables venait chaque jour inspecter le travail accompli par les bâtisseurs.

C'était un homme plein d'égards, toujours prêt à apprécier la construction qu'il surveillait ; il était rare qu'il ordonne d'abattre et de reconstruire une section quelconque. Un jour où il inspectait Nxumalo, en sondant de sa hampe le travail du jeune homme, il éclata soudain de rire, sans que personne sache pourquoi.

— C'est à lui que nous devrions confier le gros travail, dit-il.

Et il agita sa hampe en direction d'un babouin qui traînait non loin, sur ses pattes de derrière et les phalanges de ses mains ; le singe s'arrêta et se mit à fouiller la terre devant le poste du chef bâtisseur, qui avait trouvé l'animal abandonné peu après sa naissance.

L'inspecteur observa le babouin apprivoisé pendant quelque temps, puis frappa l'épaule de Nxumalo avec sa hampe. « Et ton travail serait de lui donner des leçons.

Riant de sa plaisanterie, il partit inspecter une autre partie du mur.

Ayant reconnu Nxumalo comme l'un des résidents temporaires venus de très loin pour travailler aux murailles avant de retourner chez eux, cet inspecteur prit l'habitude de lui demander chaque jour :

— Eh bien, où en es-tu avec le babouin ?

Toujours avec un grand rire. Puis un jour, il lui dit :

— N'es-tu pas le fils d'un chef ?

Et quand Nxumalo acquiesça, il ajouta :

« Le Vieux Chercheur veut te voir. Il dit qu'il est temps.

Il ordonna à Nxumalo de poser la planche sur laquelle il portait du torchis.

A l'instant même où le jeune homme descendait de l'échafaudage, il aperçut au-dessous de lui un spectacle qui le stupéfia : deux hommes d'apparence incroyable se dirigeaient vers la place du marché. Ils n'étaient pas noirs ! Comme le tissu que Zéolani faisait blanchir au soleil, la peau de ces hommes n'était pas noire du tout, mais d'une teinte de miel, presque blanche, et ils étaient vêtus de robes flottantes plus blanches encore que leur peau, avec des espèces de filets qui protégeaient leur tête.

Il les regardait toujours, bouche bée, quand le Vieux Chercheur parut, toujours affairé et imbu de son importance.

— Qu'y a-t-il, petit ? demanda-t-il.

Et quand il vit les étrangers dont l'apparence avait tellement étonné Nxumalo, il éclata de rire.

« Des Arabes, venus de la mer. Si nous les suivons, tu pourras gaspiller la fortune que tu as gagnée sur les murs, ajouta-t-il d'un ton taquin, en lui prenant le bras.

Nxumalo et son mentor prirent la direction du marché, vers lequel les deux hommes blancs s'avançaient, royaux, suivis par les trente esclaves noirs qui avaient transporté leurs marchandises depuis la côte. Partout où le cortège paraissait, il était salué par des vivats, et des centaines d'habitants de la ville se mirent à le suivre jusqu'à une enceinte fortifiée où les étrangers furent accueillis avec effusion par un Noir de petite taille, tout rondelet, qui dirigeait le marché.

— Je vous ai mis de côté des trésors magnifiques ! cria le petit homme rond quand les Arabes s'avancèrent pour le saluer.

Il allait en révéler davantage et leur assurer que, comme par le passé, il avait caché un lot de marchandises personnelles pour l'échanger à son propre compte, mais, en apercevant le Vieux Chercheur, sa voix perdit son animation — le vieillard était un des grands de la cour qui rendaient la justice sur ces opérations commerciales illégales. Le châtiment était le bannissement à vie, aussi le petit marchand, perdant tout enthousiasme soudain, acheva d'une façon boiteuse :

« Je suis sûr que vous avez apporté beaucoup de belles choses.

— Je suis sûr que le roi sera satisfait de nos présents, répondit le plus grand des Arabes.

Cette simple allusion à ce personnage auguste et mystérieux fit trembler Nxumalo, car, au cours des mois qu'il avait passés à Zimbabwe, il n'avait aperçu le roi que deux fois ; et même pas de façon précise, car, selon la loi, lorsque le grand seigneur de Zimbabwe passait, tout le monde devait se prosterner à terre et détourner les yeux.

— Il serait sage de votre part de doubler vos présents, dit le Vieux Chercheur aux Arabes quand il les vit mettre de côté les marchandises qu'ils avaient l'intention d'offrir au roi. La saison dernière, vos dons étaient à peine dignes de ce gros lard de marchand.

Il remarqua des signes de panique sur le visage du petit bonhomme.

Quand les Arabes eurent préparé leurs présents, le Vieux Chercheur, à la grande surprise du jeune homme, tendit à Nxumalo la hampe de fer, emblème de sa charge.

« Aujourd'hui, petit, tu entreras dans le grand palais avec moi.

Le jeune chasseur qui avait si vaillamment défié les rhinocéros sembla sur le point de défaillir, mais le vieillard posa une main rassurante sur son épaule.

« Voici venu le moment de la grandeur que je t'ai promise, Nxumalo, fils de Ngalo.

Il n'y avait pas de gardes à l'entrée nord, très étroite, de l'Enceinte Sublime, car aucun mortel n'aurait osé franchir ce seuil s'il n'en avait pas le droit. Comme la coutume voulait que les conseillers parrainent des jeunes gens d'avenir, le Vieux Chercheur avait obtenu la permission de présenter le jeune homme déluré venu du sud.

Ils s'arrêtèrent tous juste avant l'entrée, car c'était là que les esclaves devaient remettre leurs fardeaux aux serviteurs de la cour. Les Arabes eux-mêmes n'eurent pas le droit d'avancer de plus de trois pas à l'intérieur des murailles austères. Mais, tandis que les visiteurs se figeaient, le Vieux Chercheur poursuivit son chemin et entraîna Nxumalo dans une sorte de salle plus petite, délimitée par des murs au cœur de l'Enceinte.

« Nous attendrons ici, dit le vieil homme. Nous devons suivre tous les ordres avec soin.

Et il murmura à Nxumalo.

« Fais exactement comme moi.

Le jeune homme ne dit rien, frappé d'étonnement et de crainte par ce qui lui était révélé. Il avait travaillé à la construction de murs identiques à ceux qui l'entouraient maintenant ; mais jamais il n'avait imaginé la magnificence qu'ils dissimulaient. L'espace circonscrit par le granit grossier semblait s'étendre jusqu'aux cieux, et c'était bien la vérité, car on n'avait pas tenté de recouvrir d'un toit les murs et les pièces.

Un groupe de conseillers pénétra dans la salle de réunion et se tint debout d'un côté. Puis vinrent les trois griots, intermédiaires avec les esprits, attachés à la personne du roi. Ils s'accroupirent contre un mur, avec l'air de désapprouver tout. Lorsqu'une silhouette imposante, vêtue d'une robe bleue, arriva de l'intérieur, Nxumalo supposa que c'était le roi et voulut tomber à genoux, mais le Vieux Chercheur le retint.

— Le voici, il vient ! cria la silhouette.

Et toutes les personnes présentes répétèrent le message.

— Le voici, il vient !

Ce fut le signal pour tout le monde, et en particulier les Arabes, de se prosterner sur le sol lisse de terre battue, Nxumalo se baissa très vite et appuya son front contre la surface dure, les yeux fermés, les genoux serrés pour réprimer son tremblement.

Il était encore dans cette position lorsqu'il entendit un éclat de rire, mais il n'osa pas bouger.

Aux premiers rires succéda une véritable cascade. Tout le monde dans l'espace de réception semblait au comble de la joie. Puis il entendit une voix calme dire :

— Allons, petit oiseau, sur tes pattes !

C'était une voix aimable et elle semblait s'adresser à lui. Un coup de coude du Vieux Chercheur lui fit lever les yeux, et il se trouva en train de fixer le beau visage mince du roi, qui éclata de rire à nouveau.

Aussitôt, tout le monde dans la salle l'imita et, de l'extérieur des murs, montèrent les échos de centaines de rires, car la loi voulait, à Zimbabwe, que chacun dans la ville reproduise tout ce que faisait le roi. Un rire, une quinte de toux, un raclement de gorge — tout devait être répété.

Ravi par les rires, le roi fit signe aux Arabes de se relever. Nxumalo remarqua alors une chose étrange : tous les hommes au service du roi portaient des tissus très chers décorés de fils de métaux, mais le roi lui-même n'avait que du coton d'un blanc immaculé, sans le moindre ornement. Ses gestes étaient empreints d'une grâce royale, sans la moindre timidité comme ceux des autres.

En arrivant devant les Arabes, il hocha la tête et parla avec eux d'un ton très libre. Il s'informa de leur voyage depuis la mer et leur demanda de lui répéter tous les renseignements en leur possession sur les troubles du nord. Il apprit avec intérêt que les marchands de Sofala ne jugeaient plus profitables les voyages entrepris dans cette région agitée, et il écouta attentivement les Arabes lui raconter la victoire stupéfiante remportée par leur peuple en un lieu appelé Constantinople. Mais cette information ne pouvait guère lui servir — sauf sur un point : il s'aperçut que les Arabes jugeaient ce triomphe comme un élément renforçant leur position dans leurs négociations avec lui.

— Et maintenant, les présents, dit le plus grand des Arabes.

Il se mit à défaire ses ballots l'un après l'autre, aidé de son compagnon, dépliant le tissu protecteur avec des gestes pleins de grâce, jusqu'à ce que les trésors paraissent enfin.

« Ce céladon, roi puissant, nous a été apporté par un bateau venant de Chine. Regardez son vert délicat, sa forme exquise.

Les céramiques, d'une beauté éblouissante, venaient de Java, où l'on enverrait de l'or. Les toiles, plus fines que tout ce que l'on pouvait tisser, ou même imaginer, à Zimbabwe, arrivaient de Perse ; l'argent filigrané, d'Arabie ; la lourde poterie vernissée, d'Égypte ; les tables basses d'ébène, de Zanzibar ; et les prodigieux ustensiles de métal, des Indes.

A la fin de la présentation, le Vieux Chercheur se pencha vers le roi, écouta ses désirs, puis se tourna vers les Arabes.

— Le Puissant est satisfait. Vous pouvez commercer sur la place du marché.

Ils s'inclinèrent avec respect et s'éloignèrent à reculons. Nxumalo se prépara à les suivre, supposant que sa visite à Zimbabwe venait de se terminer. Il prendrait bientôt le chemin du retour vers son village.

Mais le roi avait d'autres projets pour ce jeune homme plein de promesses et, à l'instant où Nxumalo s'écartait, un ordre royal l'arrêta.

— Reste. On m'a dit que tu travailles bien. Nous avons besoin de toi ici.

Le Vieux Chercheur ne put dissimuler sa joie de voir les qualités de son protégé reconnues. Mais Nxumalo demeura abasourdi. L'ordre du roi signifiait-il qu'il ne reverrait jamais ses frères ? Et Zéolani devant son métier à tisser ?

Ce fut le roi qui répondit à ces questions informulées :

« Montre ces bâtiments au jeune homme, dit-il au Vieux Chercheur, et trouve-lui un endroit convenable où s'installer.

Et sur ces paroles il se retira, tandis que le Vieux Chercheur et vingt autres plongeaient dans la poussière pour saluer le passage du souverain.

— Eh bien ! s'écria le vieil homme en s'époussetant. Des honneurs pareils ne sont pas donnés à tout le monde, crois-moi.

— Qu'est-ce que cela signifie ?

— Que tu vas vivre ici, à présent... Devenir l'un de nous.

— Mais Zéolani...

Le vieil homme ignora cette question, qui n'avait pas de réponse honorable.

— Tu vas voir des choses que les mortels ordinaires...

Ses yeux brillaient comme s'il s'agissait de son propre triomphe et, à pas rapides, affairés, il entraîna Nxumalo dans leur visite de l'Enceinte Sublime.

Ils passèrent dans une sorte de couloir étroit parallèle au grand mur extérieur et Nxumalo crut qu'il n'en sortirait jamais : il était très long et courbe. Mais il déboucha enfin dans une cour, si magnifique que, machinalement, en même temps que le vieillard, il tomba à genoux. Ils étaient en présence d'un puissant sceptre royal, différent de tous les symboles de majesté ayant existé en Afrique avant et après. C'était une haute tour conique de six mètres de diamètre à la base, de dix mètres de haut, dont la pointe s'effilait progressivement. Tout en haut, elle s'ornait d'un motif à chevrons, incrusté dans la pierre. L'ensemble représentait la majesté du roi. Près de la tour, sur une plate-forme surélevée, se trouvait une collection de beaux monolithes décorés, symbolisant chacun une réalisation remarquable du roi ou de ses ancêtres.

« De l'autre côté se trouvent les demeures du roi, lui dit le Vieux Chercheur. C'est là que vivent ses femmes et ses enfants.

Puis il se hâta vers la sortie, faisant signe à Nxumalo de le suivre.

« Nous devons aller voir ce que font les Arabes sur la place du marché.

Lorsqu'ils retrouvèrent les marchands, Nxumalo examina les deux étrangers d'aussi près que possible et observa tous leurs gestes. Il n'en croyait pas ses yeux. Leurs mains et leurs chevilles étaient blanches et il supposa que, s'il pouvait voir leur peau au-dessous de leurs cols, elle serait blanche aussi. Ils avaient des voix graves avec un accent différent de tous ceux qu'il avait entendus, même dans la bouche de travailleurs venus de régions très lointaines. Mais ce qui impressionna le plus Nxumalo, ce fut leur belle assurance : ils étaient aussi fiers que les conseillers du roi ; c'étaient des hommes d'importance, des hommes habitués à commander. Même lorsqu'ils flânaient dans la cour du dépôt, comme en ce moment, en attendant l'échange des marchandises, c'étaient eux qui décidaient de tout.

— Étalez l'or ici, dans la lumière, ordonna le plus grand des deux.

Les serviteurs apportèrent les précieux paquets et, lorsqu'ils dénouèrent les coins du tissu, tout le monde se laissa aller à l'excitation, sauf les deux Arabes. Ils s'attendaient à un or de grande qualité, et ils s'attendaient à des quantités importantes.

— Regardez ça ! cria l'homme tout rond, avec sa voix de fausset.

Les paquets enfin ouverts révélèrent une vingtaine de lingots d'or pur, arraché à des mines distantes de plus de cent cinquante kilomètres, ainsi que des anneaux minutieusement travaillés, des pendentifs de hauts personnages et une grande plaque représentant un rhinocéros rampant.

— A propos, intervint le chef arabe en poussant l'or de côté, avez-vous trouvé la corne de rhinocéros ?

— Certainement, dit l'homme tout rond.

Il frappa dans ses mains et des serviteurs apportèrent trois gros colis. Ils les ouvrirent : il y avait trois douzaines de cornes. Les Arabes les soupesèrent et hochèrent la tête. Leur cupidité s'était réveillée.

— Très bien. Sincèrement très bien.

Interrompant l'échange de politesses, le principal Arabe lança un ordre à l'un de ses esclaves qui attendait.

« Veille à ce que tout soit fait avec soin.

Et, à la façon dont ils traitaient tous les cornes, il était manifeste qu'elles avaient une grande valeur.

« Quoi d'autre ? demandèrent les Arabes.

Suivit un petit défilé d'hommes de Zimbabwe qui apportèrent aux Arabes tout un trésor de défenses d'ivoire, des fils de cuivre et des objets sculptés dans de la stéatite. A chaque nouvelle offre, les Arabes hochaient la tête et ordonnaient que l'on enlève les marchandises, pour que leurs hommes les emballent. Puis le chef toussa et dit d'une voix égale :

« Et maintenant, vous voulez voir ce que nous vous avons apporté ?

— Bien sûr ! s'écria l'homme rond, d'un ton qui trahissait son impatience.

Puis il fit une chose imprévue : il prit Nxumalo par la main et le présenta aux Arabes.

« C'est le jeune chasseur qui nous a apporté les meilleures cornes, dit-il.

Nxumalo sentit la main du Blanc toucher la sienne. Il était face à face avec l'étranger. Il sentit les doigts blancs lui presser son épaule et il entendit ces mots prononcés avec un fort accent :

— Ce sont d'excellentes cornes. Elles seront appréciées en Chine.

Fièrement, comme s'ils étaient les propriétaires des marchandises, les esclaves défirent les ballots : de fines soies des Indes et des milliers de petites perles de verre, rouges, d'un bleu opalescent, vertes, jaune d'or et violettes. Elles seraient cousues en motifs complexes pour orner des vêtements, des colliers et autres bijoux. Les Arabes étaient enchantés de recevoir l'or, qu'ils consacreraient à la parure de leurs femmes ; les Noirs étaient tout aussi ravis d'obtenir ces perles pour parer les leurs. Sur le plan de l'utilisation, l'échange était équitable.

Les Arabes avaient également apporté toute une gamme d'articles spéciaux à échanger avec les chefs vassaux et, parmi eux, se trouvait un petit disque de métal sur lequel étaient gravés un éléphant et un tigre. Il provenait du Népal et n'avait pas grande valeur. Le chef arabe le prit dans sa main, le soupesa, puis le lança à Nxumalo.

« Pour les belles cornes que tu nous as apportées.

Ce disque, avec sa chaîne en filigrane, Nxumalo allait l'envoyer dans le village du sud où Zéolani attendait. Cinquante ans plus tard, à la mort de Zéolani, le disque serait enterré avec elle. Et cinq cents ans plus tard, il serait découvert par des archéologues qui écriraient :

> Incontestablement, ce disque a été fabriqué au Népal, car plusieurs autres du même genre ont été découverts en Inde. On peut le dater sans risque d'erreur aux environs de l'année 1390. Bien plus, le tigre qu'il représente de façon si vivante n'a jamais existé en Afrique. Mais la façon dont un objet pareil a pu échouer sur une colline reculée, à l'est de Pretoria, dépasse l'entendement. Un explorateur anglais dont la famille avait des relations en Inde a dû l'emporter dans ses bagages pendant une expédition dans la région et le perdre. Quant à la théorie fantaisiste selon laquelle le disque serait parvenu, vers les années 1390-1450, dans un site du centre comme Zimbabwe, en tant qu'article de troc, avant de dériver mystérieusement à l'endroit où nous l'avons trouvé, c'est une hypothèse manifestement absurde.

Les mines de Zimbabwe étaient dispersées sur un immense territoire, du Zambèze vers le nord au Limpopo vers le sud ; et d'est en ouest, des côtes jusqu'au désert. Mais Nxumalo était chargé d'inspecter chaque mine pour assurer une production maximale. L'or, le fer et le cuivre devaient affluer à Zimbabwe et sur les marchés de moindre importance du royaume pour que les Arabes continuent de juger profitable la poursuite de leur commerce. Le travail du jeune homme n'était guère pénible : à son arrivée dans une mine, il se bornait à vérifier la quantité de métal accumulée ; il descendait très rarement au fond de la mine proprement dite, car c'étaient des installations petites et dangereuses n'ayant qu'une seule finalité : envoyer à la surface suffisamment de minerai pour le fonctionnement des fourneaux. La façon dont on y parvenait ne concernait nullement Nxumalo.

Mais, un matin, au terme d'un voyage de plus de trois cents kilomètres à l'ouest de la capitale, il arriva dans une mine d'or où toute production semblait avoir cessé, et il exigea des explications sur cette négligence.

— Les travailleurs sont morts et je ne peux pas en trouver d'autres, lui dit le surveillant d'une voix plaintive.

— J'ai vu beaucoup de femmes...

— Mais pas de petites.

— Si la mine est si petite, prenez des jeunes filles. Il nous faut cet or.

— Mais les jeunes filles ne peuvent pas faire le travail. Seules les plus petites.

— Je vais voir par moi-même, répondit Nxumalo, irrité. Mais dès qu'il arriva à l'entrée de la mine, il se rendit compte qu'il ne pourrait jamais passer par cette crevasse. Insistant pour savoir comment la production d'une mine pouvait s'achever de façon si brusque, il ordonna au surveillant de convoquer des hommes pour élargir l'entrée en brisant suffisamment de rocher pour qu'il puisse descendre.

Quand il atteignit le niveau du travail, une torche brandie au-dessus de sa tête, il comprit ce que voulait dire le surveillant : au pied du rocher aurifère gisaient sept petites formes brunes, mortes depuis si longtemps que leurs corps étaient desséchés — ombres de leur ancienne humanité. Quatre hommes, deux femmes et un enfant étaient morts, l'un après l'autre, sur une période de plusieurs mois ou même de plusieurs années, et, après le trépas du dernier, le minerai avait cessé de parvenir à la surface.

Il resta longtemps dans la mine, s'efforçant d'imaginer la vie de ces sept petits êtres. La mine était si exiguë qu'ils étaient les seuls à pouvoir y travailler. On les faisait pénétrer de force par l'orifice étroit et ils étaient condamnés à vivre sous la terre jusqu'à leur mort. Ils mangeaient ce qu'on leur jetait, ils enterraient leurs morts en tas sous des roches. Et ils mouraient comme ils avaient vécu, dans des ténèbres perpétuelles.

Nxumalo se souvint de ce que le Vieux Chercheur lui avait raconté des bandes errantes de petits hommes bruns aux flèches empoisonnées. Et lui qui les avait traités de chacals ! Avant de visiter cette mine, il ne les avait jamais vus parqués et réduits à la servitude. Très certainement, à Zimbabwe, les conseillers n'auraient pas approuvé ce genre de choses, mais, sur cette frontière lointaine, sans le moindre contact avec la capitale, le surveillant de la mine incarnait en fait la loi.

— Combien de temps survivent-ils ? demanda Nxumalo en ressortant.

— Quatre à cinq ans.

— Et les enfants ?

— Si les parents vivent assez longtemps, les enfants apprennent le travail de la mine. Une famille tient jusqu'à quinze, dix-huit ans.

— Et si les parents meurent plus tôt ?

— Les enfants meurent en même temps.

— Que proposes-tu de faire, pour la mine ?

— Nos hommes sont partis chasser de nouveaux mineurs bruns. S'ils en trouvent, nous pourrons reprendre le travail.

— En trouveront-ils ?

— C'est une chasse dangereuse. Ils utilisent des flèches empoisonnées...

— Envoyez vos femmes travailler au fond. C'est comme cela que nous procédons dans d'autres mines.

— Nos femmes préfèrent le soleil et les champs, répliqua le surveillant.

Et, dans un murmure de connivence, il ajouta :

« Tu es un homme, Nxumalo. Tu sais à quoi servent les beautés aux formes généreuses.

— Tu as agrandi l'entrée pour que je descende. Agrandis-la un peu plus et elles pourront s'y glisser.

— Et à quoi seront-elles bonnes, pour nous, les hommes, si elles rentrent à la maison épuisées par leur travail sous la terre ? Réponds-moi.

— Quand vous avez faim d'elles, laissez-les se reposer un jour ou deux.

— Je vais te dire, maître, nos femmes refuseront de

travailler à la mine. Il faut que tu m'amènes des gens d'ailleurs.

— Je reviendrai la saison prochaine, lui répondit Nxumalo d'un ton ferme, et j'espère que cette mine travaillera à son plein rendement. Nous avons besoin d'or.

Cet ultimatum serait satisfait, car, tandis que Nxumalo reprenait la piste de Zimbabwe, le surveillant de la mine — qui adorait ses cinq épouses — aperçut avec soulagement une bande de ses guerriers rentrant du désert avec neuf petites créatures brunes. Elles tiendraient à l'aise dans la mine. Elles mangeraient ce qu'on leur jetterait. Et plus jamais elles ne reverraient la lumière du jour.

Tandis que Nxumalo allait inspecter les mines lointaines, il se souvenait souvent du jour où, pour la première fois, il avait vu le Limpopo, du jour où, pour la première fois, il était descendu dans une mine : c'était un présage. « J'ai passé ma vie à traverser des fleuves et à descendre dans des puits... » Partout où il allait dans les vastes domaines de Zimbabwe, il tombait sur de vieilles mines précieusement entretenues et, avec le temps, il apprit à prédire où de nouvelles mines pourraient être découvertes. Neuf fois sur dix, ses prévisions se révélaient sans fondement, mais la dixième payait toutes les peines. A chaque nouvelle découverte, à chaque vieille mine dont la production s'accroissait, sa réputation augmentait.

Il avait appris à connaître des milliers de kilomètres carrés du royaume, mais il y avait encore un endroit qu'il n'avait jamais visité : la citadelle sur la crête de la Colline-des-Esprits, à Zimbabwe même. Et ce jour-là, au retour de son dernier voyage, il fut convoqué à la résidence du roi, pour faire son rapport en personne au souverain et à ses conseillers. Il mesura ses paroles sur l'esclavage des petits hommes bruns dans la mine de la frontière, mais il parla hardiment des problèmes du nord, et, quand il eut terminé, le premier conseiller lui apprit que le roi désirait lui parler seul à seul.

Lorsque l'assemblée se retira, ce conseiller conduisit Nxumalo à travers un dédale de couloirs jusqu'à la cour intérieure où, dans une petite enceinte sans toit, il attendit son audience privée. Bientôt le roi parut, dans son austère robe blanche, et se dirigea vers Nxumalo d'un pas vif.

— Fils de Ngalo, du pays que mon peuple ne connaît pas, lui dit-il, je ne t'ai jamais vu à la citadelle.

— Aller si haut n'est pas permis, maître.

— C'est permis, répondit le roi. Allons-y ensemble et interrogeons les esprits.

Et sous des ombrelles de palmes, le roi et son inspecteur des mines suivirent le principal couloir traversant la ville, dépassèrent l'endroit où habitaient les menuisiers et les maçons, puis les lieux où le menu peuple apportait les pierres pour les murailles. Nxumalo avait l'impression que toute une vie s'était écoulée depuis qu'il avait contribué à la réparation de ces murs, et marcher à leur pied aux côtés du roi lui-même était comme un rêve.

Ils avancèrent d'un pas vif le long de la voie royale qui conduisait à la citadelle ceinte de rochers, et bientôt le chemin ne fut plus qu'une sente d'à peine un mètre vingt de large ; mais, deux fois par jour, quarante femmes le balayaient pour qu'aucun brin d'herbe ni caillou ne souille sa surface. Pour atteindre la piste raide qui permettait d'accéder au sommet, il leur fallut passer entre les fosses où des femmes creusaient l'argile humide servant à enduire les murs. Au passage du roi, elles se prosternèrent toutes sur le sol détrempé, mais il n'y prêta pas attention.

Le sentier serpentait au milieu d'un bosquet d'arbres puis traversait des pentes rocheuses, dénudées, avant d'atteindre enfin une sorte de couloir très étroit entre des blocs de granit. Le roi était hors d'haleine et, bien que Nxumalo fût bien entraîné à la suite de ses longs voyages, il jugea plus prudent de feindre l'essoufflement, de peur de paraître manquer de respect. Enfin, ils débouchèrent sur un espace plat, découvert, et Nxumalo vit une splendeur qu'il n'avait guère imaginée, même de façon très vague, lorsqu'il regardait la citadelle depuis le bas.

Il se trouvait au milieu d'un vaste ensemble de murailles et de cours, parmi les énormes blocs de granit qui donnaient à ces lieux toute leur majesté. Ces rochers massifs avaient déterminé les endroits où passeraient les murs et où se dresseraient les cases, d'une facture pleine d'élégance. Des souverains venaient de très loin négocier avec le roi et, tant que les palabres se tenaient en bas, dans la ville, ces invités étrangers, souvent aussi riches que le roi, pouvaient accueillir avec un certain dédain ses arguments temporisateurs ; mais, dès qu'on les conviait à gravir ce sentier difficile pour voir la citadelle, ils étaient forcés de reconnaître qu'ils traitaient avec un authentique monarque.

Les couleurs vives qui décoraient les murs, les bas-reliefs qui soulignaient les remparts et le symbolisme présent partout ne laissèrent pas d'étonner Nxumalo. Mais ce qui l'intéressa le plus, ce furent les petites forges où les métallurgistes travaillaient les lingots d'or qu'il envoyait de ses mines, et il regarda avec admiration façonner des bijoux délicats par des procédés si secrets qu'on n'en parlait jamais hors de la citadelle.

Malgré son intérêt pour l'or, Nxumalo fut entraîné vers le flanc ouest de la citadelle et, de nouveau, il fut pris de cette crainte intérieure qui avait marqué sa première rencontre avec le roi, car il savait qu'il se dirigeait vers la demeure du grand *mhondoro,* l'homme à qui les esprits parlaient et que les ancêtres animaient. Il jeta un coup d'œil furtif au visage du roi et il constata que lui aussi avait un air solennel.

L'enceinte du mhondoro semblait déserte quand Nxumalo entra, mais il aperçut presque aussitôt une silhouette d'ombre se déplacer dans les recoins obscurs d'une case dressée dans un angle de la cour. Le principal élément du décor était une plate-forme, à hauteur de la taille, sur laquelle s'élevaient quatre piédestaux de stéatite, chacun surmonté par un oiseau sculpté qui semblait planer au-dessus du lieu sacré. Un autre mur embrassait une plate-forme plus basse où l'on voyait divers monolithes et des objets sacrés d'une grande beauté. Chacun d'eux racontait un grand moment de ce peuple, de sorte que cette enceinte contenait toute l'histoire et la mythologie de Zimbabwe, relation suggestive du passé que le mhondoro et son roi pouvaient lire avec la même facilité que les moines européens déchiffraient les écrits de leurs chroniqueurs.

La coutume autorisait le roi à marcher jusqu'à la plate-forme de la rencontre, mais Nxumalo dut ramper sur les genoux, et, tout en s'avançant, il s'aperçut qu'au moment où les discussions commenceraient il serait assis au milieu de sculptures en forme de crânes, d'animaux d'argile décorés de plumes d'autruche et de toute une collection de perles et de galets servant aux guérisons, mêlés à des touffes nouées d'herbes précieuses. Mais aucun objet ne fixa son attention autant qu'un crocodile de deux mètres de long, sculpté dans du bois dur avec un tel réalisme qu'il semblait capable de dévorer le saint homme ; quand Nxumalo prit son siège à côté de ce monstre, il vit que ses écailles étaient faites de centaines de feuilles d'or très fines qui bougeaient et scintillaient au moindre souffle d'air.

Puis, sortant de sa case, le mhondoro parut, vêtu d'une cape jaune et portant une coiffure de fourrure. Ce fut le roi qui lui rendit hommage.

— Je te rends visite, Mhondoro de mes pères.

— Je te reçois, Roi Puissant.

— Voici celui qui a été envoyé, dit le roi.

Le mhondoro indiqua que Nxumalo devait regarder droit devant lui, sinon ses yeux tomberaient sur les symboles des rois défunts et mettraient leurs esprits en colère. Le jeune homme osait à peine respirer, mais le mhondoro s'adressa à lui.

— Quelles nouvelles des mines ?

— L'or de l'ouest est en déclin.

— Il y en avait beaucoup autrefois.

— Il y en a encore beaucoup dans le nord, mais nos hommes ont peur de s'y rendre.

— Des troubles, des troubles, dit le mhondoro, et il se tourna vers le roi pour évoquer les problèmes qu'affrontait leur ville.

Nxumalo comprenait leur inquiétude, car, parfois, pendant ses récents voyages, il avait eu l'impression que toute l'hégémonie de Zimbabwe ne tenait qu'à des fils très fragiles, à des intérêts en cours de décomposition. Il sentait une sorte d'agitation et soupçonnait certains chefs provinciaux de nourrir des idées d'indépendance, mais il avait très peur de mentionner ses craintes en présence des deux hommes les plus puissants de la ville. Il y avait aussi d'autres sujets de mécontentement : le bois, les droits de pacage, le manque de sel. Et l'on disait même que les Arabes allaient peut-être inaugurer des liens commercieux dans des régions échappant au contrôle de Zimbabwe.

L'après-midi torride se déroula et, quand les premiers feux apparurent dans la ville, à leurs pieds, le mhondoro se mit à psalmodier d'une voix chargée de rêve :

— Bien des générations avant nous, nos ancêtres courageux ont élevé cette citadelle. Mhlanga, fils de Notapé, fils de Chuda...

Il déclama des généalogies remontant jusqu'à l'an 1250, où les premières murailles avaient été édifiées sur le site de Zimbabwe.

« C'est l'arrière-grand-père du roi qui a fait construire cette tour, là-bas, il n'y a pas si longtemps, et mon cœur souffre à la pensée que nous devrons peut-être un jour rendre ces nobles lieux aux herbes et aux arbres.

Dans le silence qui suivit, Nxumalo prit conscience qu'il était censé répondre.

— Pourquoi dis-tu cela, maître révéré ?

— Parce que la terre est usée. Parce que nos esprits s'amollissent. Parce que d'autres peuples se lèvent dans le nord. Parce que je vois d'étranges bateaux accoster à Sofala.

Ce fut en cet instant solennel que Nxumalo prit conscience pour la première fois du fait que son destin serait peut-être de rester toujours à Zimbabwe, d'aider Zimbabwe à survivre. Mais, alors même qu'il formulait cette pensée, il regarda ces deux hommes assis sous les beaux oiseaux sculptés et il ne parvint pas à imaginer que ces chefs et cette ville puissent être réellement en danger.

Lorsqu'il accompagna le roi vers la ville, des serviteurs avec des torches les précédèrent et demeurèrent avec eux tout le long du chemin. Par déférence à l'égard du roi, Nxumalo voulut demeurer près de lui jusqu'à l'entrée de l'enceinte royale, mais le roi s'arrêta au milieu de la ville et lui dit :

— Il est temps que tu rendes visite au Vieux Chercheur.

— Je le vois souvent, maître.

— Mais, ce soir, je crois qu'il a un message particulier.

Nxumalo s'écarta et se rendit dans la demeure de son mentor, de l'autre côté du marché. Et il put constater que le vieillard avait vraiment une nouvelle très spéciale.

— Fils de Ngalo, il est temps que tu apportes la nouvelle cargaison d'or et de cornes de rhinocéros à Sofala.

C'était un voyage d'importance que seuls avaient l'autorisation d'entreprendre les citoyens de confiance. Il fallait du courage pour descendre les pistes raides où guettaient les léopards et les lions ; il fallait une bonne santé pour survivre aux marais pestilentiels ; et il fallait un jugement sans faille pour défendre ses biens contre les Arabes qui commerçaient là-bas.

« Les Arabes qui gravissent les pistes de la montagne jusqu'à Zimbabwe sont forcément des hommes de probité, l'avertit le vieux sage. Mais ceux qui se glissent jusqu'à un port de mer et y demeurent peuvent être mauvais.

— Comment me protéger ?

— L'intégrité est un bon bouclier. (Il marqua un temps.) Suis-je jamais venu armé dans le kraal de ton père ? N'aurait-il pas pu me tuer au moment où il le désirait ? Pourquoi ne l'a-t-il pas fait ? Parce qu'il savait que, s'il tuait un homme d'honneur, il aurait très vite sur son dos des hommes sans honneur. Et alors tout s'écroule.

— Tu sais sans doute que mon père riait toujours de tes histoires. Les miracles dont tu parlais, les mensonges.

— Un homme ne peut pas voyager sur de grandes distances sans échafauder des idées. Et j'en ai justement une de mes meilleures à te soumettre.

Il tapa dans ses mains et, quand le serviteur parut, il lui fit signe. Aussitôt, les rideaux qui isolaient les lieux de séjour s'écartèrent et une fillette de quatorze ans, noire et brillante comme de l'ébène poli, avança respectueusement dans la pièce. Elle baissa les yeux et se figea. On eût dit l'une des statues que les Arabes avaient offertes au roi ; et elle était offerte en présent elle aussi — à Nxumalo, l'inspecteur des mines. Au bout d'un long moment, elle leva les yeux et fixa le jeune homme.

« Ma petite-fille, dit le vieillard.

Les deux jeunes gens continuèrent de se contempler.

« Du premier jour où je t'ai vu près du lac, Nxumalo, avoua le Vieux Chercheur, j'ai su que tu étais fait pour cette fille. Tous mes actes après cela ont eu pour fin de t'amener ici et que tu la voies. Les cornes de rhinocéros ? J'avais tout ce qu'il me fallait en réserve dans l'entrepôt. Le trésor que je cherchais, c'était toi.

A cause de la souffrance qui accompagne toute manifestation de la vie, Nxumalo resta sans voix. Il était parfaitement conscient de la beauté de cette fille, mais il ne pouvait oublier Zéolani et la promesse qu'il lui avait faite. Finalement, il balbutia :

— Père bien-aimé, je suis fiancé à Zéolani.

Le vieil homme prit une respiration profonde avant de répondre.

— Les jeunes gens font des promesses, puis ils partent bâtir leur destinée et l'antilope près du lac ne les revoit plus. Ma petite-fille s'appelle Hlenga. Montre-lui le jardin, Hlenga.

Ce fut en 1458 que Nxumalo rassembla une file de soixante-sept porteurs pour son périlleux voyage vers la côte. La route de Sofala était effroyable, avec des marais, des bas-fonds où régnaient les fièvres, des descentes vertigineuses et des rivières en crue barrant le chemin. En écoutant les récits d'hommes qui avaient participé à de précédents voyages, il comprenait ce que voulait dire l'adage du Vieux Chercheur : « Le sage ne va à Sofala qu'une fois. » Et pourtant, les marchands arabes venaient régulièrement à Zimbabwe et ils devaient suivre cette route infernale.

Ce fut, une fois encore, le Vieux Chercheur qui lui expliqua cette contradiction :

— Les Arabes n'ont pas de problèmes. Ils partent de Sofala avec cinquante porteurs et ils arrivent ici avec trente.

— Comment se fait-il qu'ils soient toujours parmi ceux qui arrivent ?

— Les hommes blancs se protègent, répondit le vieux conseiller. Je suis descendu à Sofala avec le père de l'homme qui t'a donné le disque. A chaque rivière, il disait : « Va devant voir la profondeur. » Alors, à un gué, je lui ai dit : « Cette fois, c'est toi qui vas devant », et il m'a répondu : « Ton devoir est d'aller devant. Mon devoir est de protéger l'or. »

Nxumalo éclata de rire.

— C'est ce que dit l'un de nos surveillants des mines quand il envoie un groupe de petits hommes bruns au fond du puits : « C'est ton devoir d'aller au fond. C'est mon devoir de garder l'or quand tu le remontes. »

— Autre chose, Nxumalo. Dans une caverne, les Arabes seront tes amis les plus sûrs. Ils partageront leur nourriture avec toi, ainsi que le coin où ils dorment. Mais, arrivé à Sofala, méfie-toi. Ne monte jamais à bord d'un bateau avec un Arabe.

Nxumalo toussa, un peu gêné.

— Dis-moi, Vieux Chercheur, qu'est-ce qu'un bateau ? Le roi en a parlé et j'ai honte de te poser la question.

— Une case qui se déplace sur l'eau.

Et tandis que le jeune homme réfléchissait à cette invraisemblance, le vieillard ajouta :

« Parce que, si tu montes à bord de son bateau, l'Arabe te vendra comme esclave, tu seras enchaîné et tu ne reverras jamais tes amis.

Cette allusion presque fortuite à des amis emplit Nxumalo de tristesse, car la personne qu'il chérissait le plus était Zéolani, et la possibilité de ne plus la revoir le mettait au désespoir. Et, en même temps, il était forcé d'avouer que tout ce qui se passait à Zimbabwe conspirait pour l'empêcher de retourner dans son village, et il supposait que, si son expédition à Sofala était couronnée de succès, sa situation à Zimbabwe s'améliorerait. Pourtant, le souvenir de Zéolani et de leur amour passionné derrière les collines jumelles continuait de le hanter et il avait une envie folle de retourner près d'elle.

— Je veux rentrer chez moi, dit-il d'un ton résolu.

Le Vieux Chercheur éclata de rire.

— Tu es comme tous les jeunes du monde. Tu te souviens d'une fille adorable en un pays lointain, tout en étant hanté par une autre, tout aussi adorable, mais qui est à portée de la main... Comme Hlenga.

— A ton prochain voyage dans mon village...

— Je crois que je n'irai plus jamais aussi loin.

— Tu iras. Tu es comme moi. Tu aimes les baobabs et les lions qui rôdent près de ton campement, la nuit venue.

De nouveau, le vieillard éclata de rire.

— Oui, je suis peut-être comme toi. Mais tu es comme moi. Tu aimes les rivières qu'il faut franchir à gué et les sentiers traversant les forêts obscures. Je ne suis jamais retourné en arrière. Et tu feras comme moi.

Le lendemain, avec un baiser de Hlenga sur les lèvres, le jeune homme, âgé de vingt et un ans, partit avec ses porteurs pour livrer aux vaisseaux de la mer tout un assortiment d'or, de défenses d'ivoire et d'autres marchandises. La cargaison était si lourde que, de toute façon, le voyage aurait été pénible ; à travers les forêts et les marais qui séparaient

Zimbabwe de la mer, il était épuisant. Nxumalo, en tant que représentant personnel du roi, marchait en tête de la file, mais il était guidé par un homme qui avait déjà accompli cette traversée difficile. Ils ne parcouraient pas plus de seize kilomètres par jour et des rivières turbulentes ou de très fortes pentes les obligeaient souvent à quitter les pistes tracées. Les insectes les tourmentaient et il leur fallait prendre garde aux serpents, mais ils ne manquaient jamais d'eau ni de nourriture, car la pluie était généreuse et les animaux abondants.

A la fin du sixième jour, tout le monde s'était abandonné à une sorte de résignation maussade ; les heures passaient sans un mot échangé, dans l'accablement constant de la chaleur, de la sueur et de la boue du sentier. C'était le voyage dans toute son horreur, infiniment plus éprouvant qu'un périple de grande distance à travers la savane de l'ouest ou vers le sud dans le pays des baobabs. Ils étaient dans la terre des lianes, où toutes sortes de plantes parasites tombent de chaque arbre et s'enchevêtrent, où l'on peut rarement franchir trois mètres sans obstacle, dans n'importe quel sens.

Mais au bout du chemin se trouvait le leurre fascinant de Sofala, avec ses bateaux et ses étrangers venus de Chine, avec toutes les splendeurs de l'Inde et de la Perse. Comme un aimant miroitant, Sofala attirait les hommes et, la nuit, quand les insectes étaient les plus ardents, les porteurs échangeaient des murmures sur les femmes qui fréquentaient le port et sur les Arabes qui enlevaient tous les Noirs rendant visite à ces femmes. Les voyageurs ne comprenaient le commerce des esclaves que de façon imparfaite ; ils savaient que des hommes à l'allure d'étrangers remontaient le Zambèze pour capturer tous ceux qui leur tombaient entre les mains, mais ces envahisseurs n'avaient jamais osé se lancer contre Zimbabwe et provoquer une interruption des livraisons de l'or. Leurs habitudes étaient donc mal connues. Et les Noirs qui chuchotaient dans la nuit n'avaient donc pas la moindre idée de l'endroit où on les emmènerait si on les capturait. Ils ne connaissaient de l'Arabie que ses sculptures, de l'Inde que ses soieries.

Après la descente des grands escarpements, quand on atteignait les basses terres, il restait encore à parcourir plus de cent cinquante kilomètres de plat pays marécageux, avec des rivières en crue à traverser, et la vitesse de progression demeura très faible. Ce fut à ce moment-là que le jeune Nxumalo affirma son autorité : il renvoya son guide à l'arrière et obligea ses hommes à traverser des lieux qu'ils auraient préféré éviter. Il était parvenu à une piste bien tracée qui devait conduire à la mer et, tandis que ses hommes peinaient derrière lui, incapables de soutenir le train qu'il imposait avec sa charge plus légère, ils commencèrent de rencontrer d'autres porteurs rentrant de Sofala, et ils furent bientôt dépassés par des files plus rapides qu'eux se dirigeant vers le port. Une animation enthousiaste se répandit dans le groupe.

— Il ne faut pas monter dans un bateau, répéta le guide la dernière nuit, et tout le marchandage doit être fait par Nxumalo, parce qu'il sait ce que désire le roi.

— Nous attendrons que les Arabes nous fassent de bonnes offres, dit Nxumalo, et elles devront être meilleures que ce qu'ils nous proposent chez nous, parce que cette fois c'est nous qui faisons le transport, pas eux.

Il était prêt à rester à Sofala pendant des mois pour vendre ses marchandises avec soin et ne se faire donner que les choses dont sa communauté avait le plus besoin.

« Ce que nous cherchons en fait, leur rappela-t-il, c'est du sel.

Il aurait même échangé ses barres d'or contre du sel, poids pour poids.

Lorsque ses porteurs reprirent leurs fardeaux le lendemain matin, des passants leur confirmèrent qu'ils atteindraient Sofala vers midi et ils hâtèrent le pas. Enfin ils sentirent le sel dans l'air et ils se mirent à courir — jusqu'à ce que l'homme de tête crie : « Sofala ! Sofala ! » Tous le rejoignirent pour regarder le port et la grande mer au-delà.

— Une rivière qu'aucun homme ne peut traverser, murmura un des hommes, partagé entre l'admiration et l'effroi.

Le port de mer, très animé, ne pouvait décevoir, car il abritait des choses surprenantes. Les entrepôts où les Arabes effectuaient leur négoce atteignaient une taille que les hommes de Zimbabwe n'avaient jamais imaginée, et les felouques qui roulaient sur les vagues de l'océan Indien étaient une pure merveille. Les beautés de la côte ravirent les hommes de la savane : arbres-casoars mêlés aux palmiers, vagues remontant sur le sable pour vous lécher les pieds puis repartant aussitôt. Comme la mer était immense ! Quand ils aperçurent des enfants en train de nager, leur enchantement fut à son comble et ils voulurent courir eux aussi dans l'eau, mais Nxumalo, étourdi par cette multitude d'expériences nouvelles, le leur interdit. Il sentait qu'il devait affronter un seul problème à la fois, et le premier qui se présenta lui prouva à quel point il avait raison de se montrer prudent. Quand il s'enquit d'un marché pour ses richesses et que les marchands apprirent qu'il avait quarante défenses d'éléphant en sa possession, tous ceux qui faisaient commerce avec la Chine, où l'ivoire était très apprécié, voulurent les acheter. On lui fit des offres stupéfiantes ; mais, n'ayant pas l'intention de vendre tout de suite, il les refusa. Il se laissa entraîner jusqu'à un bateau arabe, dans lequel, toutefois, il refusa de monter. Depuis le quai, il aperçut l'intérieur — enchaînés à des bancs, une douzaine d'hommes d'âges divers, qui ne faisaient rien et ne bougeaient même pas.

— Qui sont-ils ? demanda-t-il.

Le marchand expliqua qu'ils aidaient à faire avancer le bateau.

« Pendant combien de temps restent-ils ainsi ?

— Jusqu'à leur mort, répondit le marchand.

Comme Nxumalo fronçait les sourcils, il ajouta :

« Ils ont été capturés à la guerre. C'est leur destin.

Leur situation, songea Nxumalo, ressemblait beaucoup à celle des petits hommes bruns que l'on enfermait au fond des mines pour les faire travailler jusqu'à la mort. Eux aussi avaient été capturés à la guerre ; et c'était également leur destin.

Partout où il allait dans Sofala, il avait sous les yeux des choses étonnantes, mais il était vraiment subjugué par les felouques, ces cases flottantes dont il ne pouvait comprendre qu'elles traversent la mer, mais dont la magie était manifeste. Un après-midi, alors qu'il admirait un vaisseau à trois mâts avec de hautes voiles, il fut ravi de voir que le Blanc commandant (semblait-il) le bateau était le même Arabe de grande taille qui faisait régulièrement commerce avec Zimbabwe.

— Ho ! cria-t-il.

L'Arabe se retourna lentement pour identifier l'origine de ce trouble et Nxumalo lui cria, dans la langue de Zimbabwe :

« C'est moi. Celui à qui tu as donné le disque.

L'Arabe avança vers le bastingage et fixa le jeune homme.

— Bien sûr ! L'homme des cornes de rhinocéros.

Pendant plusieurs heures, ils demeurèrent sur les quais à échanger des nouvelles et l'Arabe lui dit :

« Tu devrais transporter tes marchandises à mon frère, à Kilwa. Il en aura l'emploi.

— Où est la piste de Kilwa ?

L'Arabe éclata de rire. C'était bien la première fois que Nxumalo le voyait se départir de son flegme.

— Il n'y a pas de piste. Elle ne pourrait pas traverser les fleuves et les marais. Et il faudrait marcher pendant plus d'un an.

— Alors pourquoi me dis-tu d'y aller ?

— Tu ne marcheras pas avec tes hommes sur une piste. Tu navigueras... dans une felouque.

Nxumalo songea aussitôt que c'était une ruse pour le réduire à l'esclavage, mais il avait aussi une envie dévorante de savoir ce qu'était une felouque, et où se trouvait la Chine, et qui tissait la soie. Et, après une nuit de réflexions agitées, il chercha l'Arabe et lui dit simplement :

— Je déposerai toutes mes marchandises ici, avec mes hommes. J'irai avec toi à Kilwa et si ton frère veut mon or...

— Il aura envie de ton ivoire.

— Il l'aura, à condition de me ramener ici pour en prendre livraison.

Tout fut arrangé, mais, en apprenant sa décision téméraire, ses hommes protestèrent violemment. Ils avaient vu, eux aussi, les esclaves enchaînés aux bancs et ils prédirent à Nxumalo que tel serait son destin. Mais le jeune homme avait envie de croire le marchand arabe et, par-dessus tout, il désirait voir Kilwa et découvrir ce qu'était la navigation.

Vers la fin de 1458, il embarqua dans la felouque à Sofala, pour la traversée de près de deux mille kilomètres jusqu'à Kilwa. Quand on remonta les voiles latines et que le bateau prit le vent, il connut la joie que tous les jeunes gens éprouvent pour leur premier départ sur les océans. Le roulis de la felouque, les bonds des dauphins qui suivaient le sillage, les couchers de soleil magnifiques derrière la côte de l'Afrique — tout l'enchanta. Et lorsque après bien des jours les marins crièrent : « Kilwa ! La mosquée d'or ! », il courut vers la proue pour admirer enfin ce port fantastique où accostaient les bateaux venus de toutes les villes du monde oriental.

Il fut écrasé par la variété des vaisseaux dans le port, par la hauteur prodigieuse des mâts et par la diversité des hommes qui y grimpaient. Il s'aperçut que l'Arabe était troublé lui aussi et, tandis que la felouque se glissait lentement dans le port pour trouver un accostage, le marchand lui montra un endroit de la côte où de vastes bâtiments de pierre resplendissaient sous le soleil.

— Le père du grand-père de mon grand-père, dit-il d'une voix chargée d'émotion. Nous vivions en Arabie à l'époque, et il venait à Kilwa avec sa felouque. Il étalait ses marchandises sur cette plage. Ah, les belles perles et les tissus magnifiques qu'il apportait ! Ensuite, il se retirait sur son bateau avec tous ses hommes et, quand la plage était vide de notre race, les commerçants à peau noire venaient inspecter les marchandises. Au bout d'un long moment, ils laissaient de petits tas d'or et d'ivoire. Ensuite, ils se retiraient, et mon aïeul revenait à terre et estimait l'offre. Si elle était mesquine, il ne touchait à rien et remontait dans sa felouque. Alors les Noirs revenaient et augmentaient leur dépôt. Après de nombreuses allées et venues, sans qu'un seul mot soit prononcé, le marché était conclu... Regarde Kilwa à présent !

Nxumalo succomba à ses charmes et, pendant neuf jours, il ne se soucia même pas de négocier ses trésors. Il visita la mosquée reconstruite depuis peu — l'une des plus nobles de l'Afrique — et il songea : « Cette tour qu'ils appellent minaret ressemble beaucoup à celle à laquelle j'ai travaillé à Zimbabwe. Mais la nôtre était construite de façon très différente. Peut-être quelqu'un comme moi était-il venu ici à Kilwa, avait admiré cette belle ville et était rentré à Zimbabwe pour faire sa tour. »

Il visita tous les bateaux dans le port et les centres de commerce sur la terre ferme ; au bout de quelque temps, il commença à comprendre ce monde complexe où des hommes noirs, des hommes jaunes et des hommes à la peau de miel comme les Arabes se rencontraient et commerçaient pour leur profit mutuel, chacun possédant une chose précieuse pour les autres. Parce que Nxumalo avait de l'or et de l'ivoire, il pouvait négocier sur un pied d'égalité avec des Égyptiens, des

Arabes, des Perses, des Indiens, ainsi qu'avec le peuple doux et rusé de Java.

Il aurait aimé partir avec n'importe qui à l'autre bout de la mer ; il aurait pris passage sur le premier bateau venu à destination de n'importe où. Mais il finit par accepter l'offre du frère de l'Arabe, qui le ramènerait à Sofala et achèterait tout son lot de marchandises. Il aurait pu négocier à des conditions un peu plus avantageuses avec d'autres marchands, mais agir ainsi aurait manqué de dignité pour un représentant officiel de la cour de Zimbabwe.

Le retour à Sofala, contre les vents dominants, était forcément long et, au cours d'un voyage d'une telle durée, tout pouvait arriver, mais la traversée fut calme et sans histoire. Nxumalo eut l'occasion de parler longuement avec les marchands arabes et il apprit de leur bouche les vastes changements qui se produisaient dans le monde. On lui expliqua l'importance de Constantinople et, sans même savoir ce que signifiait ce nom, il conclut que les Arabes devaient jouir désormais d'un avantage énorme. Mais ce qui l'intéressa le plus, ce fut que les Arabes lui apprirent des changements survenus dans la vallée du Zambèze.

— De nombreux villages ont de nouveaux maîtres. On a découvert du sel et les tribus bougent.

Quand leur bateau s'approcha de l'embouchure de ce grand fleuve, le capitaine lui montra le petit comptoir de commerce de Chine, et Nxumalo se mit à réciter les noms mélodieux de cette côte enchanteresse : Sofala, Chinde, Quelimane, Mozambique, Zanzibar, Mombasa. Et les marins lui parlèrent des ports lointains avec lesquels ils négociaient : Jeddah, Calicut, Mogadiscio, Malacca.

Tandis que ces noms de rêve le contaminaient de leur doux poison, Nxumalo, debout sur le pont, regardait la lune scintiller parmi les vagues d'un océan dont il ne saisissait pas encore la nature. Non sans regrets, il dut reconnaître qu'il était tombé amoureux de ce nouvel univers — les tours de Zimbabwe, ses courses de mine en mine à travers le pays, les flottilles à Sofala et à Kilwa, le grand mystère de l'océan... Non, jamais plus il ne pourrait se contenter du village de son père et de ses hommes nus sur la piste d'un rhinocéros. Il était lié à la ville, non point pour quelque destinée grandiose, mais pour le simple devoir honorable de faire au mieux le travail déterminé qu'on lui confierait. Il contrôlerait ses mines avec davantage d'attention et il négocierait leur or au meilleur profit. Il se consacrerait à consolider les forces de Zimbabwe et il contribuerait à sa survie en face des nouvelles hégémonies en gestation dans la vallée du Zambèze. Se livrer à ces tâches signifiait qu'il ne pourrait jamais revenir dans le sud épouser Zéolani et, tandis que la nuit prenait fin, la lune sombrant dans la mer du côté du couchant évoqua pour lui l'effacement lent de la belle jeune fille dans sa mémoire. Au moment où le disque d'or plongea enfin dans les vagues, n'était-il pas semblable au disque népalais qu'il lui avait envoyé ? Il songea à leurs instants d'amour et au chagrin qui ne le quitterait jamais tout à fait.

A l'aurore, il chercha son ami arabe et lui dit :

— Il faut que j'achète quelque chose de spécial... Pour envoyer dans le sud... A une fille de mon village.

— Tu ne le lui apporteras pas toi-même ?

— Jamais.

— Alors prends quelque chose de précieux, pour un long souvenir.

L'Arabe plaça divers objets merveilleux devant Nxumalo, qui se mit à choisir son présent. Mais, en levant les yeux de ces parures, il vit les esclaves enchaînés pour toujours à leurs bancs, et il ne sut que penser.

Quand Nxumalo rentra à Zimbabwe avec ses porteurs, vers la fin de l'année 1459, il ramenait des marchandises provenant de lointains pays et de nombreux renseignements sur ce qui se passait dans la vallée du Zambèze, où Séna et Tété devenaient des marchés importants. Il rapportait des rumeurs sur des régions beaucoup plus en amont du fleuve où l'on avait trouvé du sel et où la terre n'était pas épuisée. Et il dissimulait dans son sac personnel un collier de jade venant de Chine, qu'il envoya dans le sud lorsque le Vieux Chercheur entreprit son voyage — que, comme toujours, il qualifia de « dernier ».

Pendant plusieurs jours, il se rendit à la citadelle et discuta avec le roi et le mhondoro des événements de la vallée du Zambèze. Il rapporta tout ce que les Arabes lui avaient dit et il se lança dans un exposé passionné des dispositions à prendre pour protéger et développer Zimbabwe. Il n'alla pas très loin, car le roi lui coupa la parole pour une déclaration stupéfiante.

— Nous avons décidé d'abandonner cette ville.

Nxumalo en eut le souffle coupé.

— Mais c'est une noble ville, plaida-t-il. Plus belle même que Kilwa.

— Elle l'était. Elle l'est. Mais ne peut plus l'être.

Le roi demeura inébranlable dans sa résolution : le Grand Zimbabwe, comme on l'appela dès lors, devait être rendu à la jungle, car il était impossible de l'habiter plus longtemps.

Il répéta ce verdict douloureux et les trois hommes baissèrent les yeux sur la plus belle ville au sud de l'Égypte, combinaison subtile d'enceintes de granit et de cases de banco, où onze mille travailleurs jouissaient d'une vie agréable et variée. C'était un lieu de paix permanente, de grande richesse pour quelques-uns, de modeste bien-être pour tous. Ses erreurs ? Elle avait dépensé trop d'énergie à la recherche de l'or et les revenus qui en résultaient s'étaient gaspillés en dépenses ostentatoires. Elle n'avait pas su voir les signes manifestes indiquant que l'accumulation des hommes dans la capitale saccageait l'environnement. L'équilibre délicat entre l'homme et la nature, qui durait depuis si longtemps, était désormais bouleversé. Sa stabilité économique et la présence constante de l'or avaient comblé d'aise les Arabes et les princes hindous à l'autre bout du monde, mais, avec l'épuisement de ses ressources naturelles, son existence même était condamnée. Les longues files d'esclaves qui importaient les marchandises précieuses n'avaient rien fait pour nourrir la ville véritable et, au sommet même de sa gloire, il fallait l'abandonner.

Cette décision n'accabla personne avec autant de violence que Nxumalo. Au cours d'une nuit sans sommeil, dans la felouque, ne s'était-il pas engagé à se consacrer à la pérennité de cette ville ? Et au moment où il revenait pour exécuter sa promesse, on lui apprenait que la ville allait cesser d'exister... Pendant deux semaines, il fut inconsolable, puis il comprit qu'un homme de valeur ne se consacre pas à telle ou telle chose qui le séduit, mais à tous les devoirs. Quand viendrait le moment du transfert de la ville sur son nouveau site, il s'attacherait de toutes ses forces à en assurer le succès — et, avec l'aide de Hlenga, à construire une nouvelle cité supérieure à l'ancienne.

Il est difficile, cinq siècles après l'événement, de déterminer sans risque d'erreur les lignes directrices de la pensée des hommes qui ont pris la décision d'abandonner Zimbabwe. Mais leur résolution a été si cruciale dans l'histoire de l'Afrique australe que nous ne pouvons éviter de l'évoquer, en essayant de nous en tenir à la réalité des faits, sans les gonfler ni les minimiser. Le roi n'était pas Charlemagne ; il n'entendait rien aux bibliothèques et aux systèmes monétaires ; mais il avait un sens très aigu de la façon dont on peut maintenir fonctionnel un empire en expansion. S'il ne connaissait ni les armées ni la police, c'était seulement parce qu'il avait conservé sa nation en paix durant un long règne. Il ne parlait qu'une langue, qui n'avait jamais été écrite, et il n'avait aucun peintre de cour pour exécuter son portrait à l'intention de princes étrangers ; pourtant, il savait entretenir la beauté de Zimbabwe, et les bâtiments qu'il avait fait édifier dans la ville basse et dans la citadelle étaient remarquables. C'était un monarque.

Le mhondoro ne peut certainement pas se comparer à Thomas d'Aquin spéculant sur la nature de Dieu et de l'homme ; mais il était tout de même un peu plus qu'un chaman apaisant de vagues esprits qui, sans lui, auraient détruit la ville. Il ne disposait pas, pour consoler son peuple, d'une théologie systématique à l'image de celles de la chrétienté ou de l'islam, mais il était remarquablement habile à bannir leurs craintes les plus accablantes, à maîtriser leurs passions les plus sauvages et à leur prêter l'assurance dont ils avaient besoin pour continuer de travailler. C'était un grand prêtre.

La situation de Nxumalo était plus déconcertante encore. Issu d'une société réduite à sa plus simple expression, enfant d'une famille aux horizons extrêmement limités, il avait vécu des aventures qui l'avaient entraîné à chaque fois vers des conceptions plus vastes. Il était un de ces merveilleux pragmatistes qui savent additionner un « deux » hypothétique à un « trois » problématique — et qui obtiennent un « cinq » sûr et certain. Il avait vu Zimbabwe exactement comme elle était, une ville luttant pour sa survie dans un monde en évolution rapide ; mais il avait également vu en imagination les villes des Indes et de Chine, et il se doutait qu'elles aussi étaient obligées de lutter. Il avait compris que, s'il existait une chose aussi magnifique que l'océan, il ne pouvait y avoir de limite raisonnable aux merveilles que ses côtes devaient receler. Il ne savait ni lire ni écrire ; il ne savait pas s'exprimer en discours académiques ; il ne savait rien de Giotto, qui était mort, ou de Botticelli, qui était vivant, mais, du premier instant où il avait vu les oiseaux sculptés qui décoraient la citadelle, il avait su qu'ils étaient de l'art et non des objets quelconques de la place du marché. C'était un homme d'action.

Chacun de ces trois hommes (ou tous les trois ensemble) aurait pu faire son chemin dans n'importe quelle société de l'époque, avec du temps et une instruction adaptée. Le roi était certainement aussi capable que les souverains aztèques du Mexique ou les Incas du Pérou, et largement supérieur aux frères sans gloire du prince Henri, qui gouvernaient alors le Portugal de façon honteuse. Si le mhondoro avait été cardinal à Rome, il aurait su tirer son épingle du jeu dans le Vatican de son temps. Et si Nxumalo, avec sa curiosité insatiable, avait eu la chance d'être capitaine d'une caravelle, il aurait laissé loin derrière lui les navigateurs récalcitrants du prince Henri. On peut traiter ces trois hommes de « sauvages », mais on ne saurait douter de leur degré élevé de civilisation.

Mais justement, Henri le Navigateur en doutait, sur son lit de mort, dans son monastère isolé sur un promontoire perdu tout au bout de l'Europe. Il était assis au milieu de ses coussins, environné par les livres et les documents de toute une vie d'étude, et il cherchait par quel stratagème il pourrait inciter ses capitaines à contourner l'extrémité méridionale de l'Afrique pour « découvrir et civiliser » des endroits comme Sofala et Kilwa. Il fallait avoir un esprit d'une arrogance fantastique pour estimer que ces grands ports étaient encore « à découvrir », sous prétexte qu'aucun Blanc de religion chrétienne n'avait encore longé la côte orientale de l'Afrique sur un océan que des milliers d'Arabes sillonnaient en tous sens depuis plus de mille ans.

L'année 1460 s'achevait. Zimbabwe était toujours la capitale d'une hégémonie vaste, quoique gouvernée de façon assez lâche, et les appartements royaux s'ornaient encore de céladons de Chine. Mais le prince Henri pouvait déclarer à ses capitaines rassemblés :

— Notre plus grand devoir est d'apporter la civilisation aux côtes enténébrées de l'Afrique. Le fait que les mines d'or d'Ophir puissent être occupées par des Nègres sauvages soulève le cœur, et que leur or puisse tomber dans les mains des sectateurs de Mahomet est intolérable.

Ainsi donc, aux derniers jours de sa vie, tandis que Nxumalo et son roi se débattaient avec des problèmes complexes de « gestion », le prince Henri mettait ses capitaines au défi de contourner l'Afrique. Deux générations de ces hommes mourraient avant qu'un bateau occidental croise au large du Cap, mais Henri avança vers la mort persuadé que la découverte d'Ophir était imminente.

« Mes livres m'affirment, dit-il à ses marins, qu'Ophir a été construite par les mêmes Phéniciens qui édifièrent Carthage par la suite. Elle est très ancienne, antérieure même au roi Salomon.

Cette croyance était pour lui d'un grand réconfort.

— On m'a dit qu'elle avait été construite par les Égyptiens, répliqua un des capitaines.

— Jamais ! ricana le prince. Peut-être les juifs de l'Ancien Testament, partis d'Elath, ou peut-être les grands bâtisseurs de Sidon ou d'Arabie.

Jamais, même au plus fort de sa fièvre, il ne put imaginer que des Noirs aient construit un Ophir, travaillé dans ses mines et envoyé leur or dans toutes les régions de l'Asie.

Et même s'il avait survécu assez longtemps pour voir l'un de ses capitaines accoster à Sofala, même si cet homme avait envoyé une expédition dans les terres jusqu'à Zimbabwe et s'il avait décrit cette ville, ses tours miroitantes sous le soleil et ses oiseaux sculptés muets sur ses remparts — tout cela, l'œuvre des mains et des esprits d'hommes noirs —, le prince aurait peut-être refusé les faits, car, dans sa pensée, il ne pouvait exister de Noirs capables de constituer et faire vivre une nation.

Il y avait des musulmans à la peau sombre qui menaçaient le monde chrétien et des Chinois jaunes sur lesquels Marco Polo avait écrit des lignes si passionnantes ; il y avait aussi des Javanais à la peau d'un brun doux, qui faisaient commerce avec tous — mais il n'y avait pas d'autres Noirs que les sauvages inqualifiables rencontrés par ses capitaines sur la côte occidentale de l'Afrique.

« Notre seul adversaire, disait-il à ses capitaines, est l'islam, qui met notre monde en danger. Nous devons donc aller droit au sud, contourner la pointe du continent qui se trouve là-bas, je le sais, puis naviguer franc nord vers les terres qui ont vu naître notre Sauveur. Nous affronterons les infidèles, nous offrirons un monde au Christ, et vos soldats pourront jouir de l'or d'Ophir.

Le prince Henri avait soixante-six ans en ce mois de novembre, c'était un homme usé — et l'une des contradictions suprêmes de l'histoire. Il n'avait navigué presque nulle part, mais il avait donné des fortunes à ses capitaines — au risque de ruiner le royaume de son frère — dans sa croyance farouche que le monde entier pouvait être parcouru par voie de mer, qu'Ophir se trouvait où la Bible l'avait dit et que, si seulement il pouvait lancer ses bateaux jusqu'aux Indes et en Chine, ses prêtres pourraient évangéliser l'univers.

Henri de Portugal fut un explorateur sans égal car il n'eut d'autre stimulation que ce qu'il lisait dans les livres. Il déduisit des livres toutes ses intuitions. Quelle tristesse que ses capitaines n'aient pas touché Sofala avant sa mort, pour qu'il puisse lire leurs rapports sur une Zimbabwe florissante ! S'il avait eu la preuve de l'existence de cette civilisation noire, peut-être aurait-il tout de même balayé ses préjugés, car c'était après tout un homme intègre. Et si les quelques tribus errantes qui restaient avaient accepté le christianisme, il leur aurait sûrement réservé une place respectable dans sa cosmogonie. Mais ses hommes n'atteignirent pas Zimbabwe et n'imaginèrent même pas son existence.

Et quelle tristesse plus grande encore le fait qu'après l'arrivée de Vasco de Gama à Sofala en 1498 — enfin ! — les Portugais considérèrent ces ports comme de simples lieux de pillage et la porte de plus vastes richesses à l'intérieur des terres. En 1512, cinquante-deux ans après la mort du prince Henri, les Portugais inauguraient un commerce actif avec les chefferies qui s'étaient établies dans l'ombre du Grand Zimbabwe et un prêtre composa un long rapport sur ses négociations avec le représentant d'une communauté, qui était descendu à Sofala à la tête de soixante Noirs portant des charges d'or, d'ivoire et de cuivre, exactement comme la Bible l'avait prédit :

> Son nom était Nxumalo, troisième chef d'une ville que je n'ai pas eu le privilège de voir, mais sur laquelle je l'ai interrogé minutieusement. Il était très âgé, très noir, avec des cheveux du blanc le plus pur. Il parlait comme un jeune homme et ne portait ni ornement ni insigne, hormis une hampe de fer couronnée de plumes. Il semblait capable de parler plusieurs langues et il s'entretenait avidement avec tous. Mais quand je lui ai demandé si sa ville était l'ancienne Ophir, il m'a adressé un sourire évasif. Je savais qu'il essayait de m'induire en erreur, alors j'ai insisté et il m'a répondu, par le canal de notre interprète arabe : « D'autres m'ont déjà posé cette question. » Rien de plus, aussi ai-je insisté. Il a dit : « Notre cité avait des tours, mais elles étaient de pierre. » Je lui ai dit qu'il mentait, que notre Bible affirme qu'Ophir était faite d'or. Alors il m'a pris par le bras et il m'a dit à mi-voix, dans un portugais impeccable — ce qui m'a stupéfié : « Nous avions aussi de l'or, mais il provenait de mines éloignées de la ville et il était difficile à obtenir; et maintenant les mines se sont taries. » Je remarquai qu'il avait toutes ses dents.

Une haie d'amandes amères

Rien n'est comparable au miracle qui s'est produit au cap baptisé « de Bonne-Espérance ».

En 1488, le capitaine Bartolomeu Dias contourna dans une caravelle portugaise ce cap qu'il prit pour la pointe extrême de l'Afrique vers le sud. Il se proposait de poursuivre sa route vers les Indes, mais, comme d'autres capitaines avant et après lui, il recula devant la frayeur de son équipage, et une mutinerie le força à rebrousser chemin.

En 1497, le capitaine Vasco de Gama toucha terre près de ce cap, resta huit jours et prit contact avec un grand nombre de petits hommes bruns parlant avec des clics.

Au cours du siècle suivant, les Portugais atteignirent tous les points extrêmes de l'océan Indien : Sofala et sa poussière d'or, Kilwa l'entrepôt magnifique, Aden et ses silhouettes voilées, Ormuz avec ses joyaux de métal provenant de Perse, Calicut qui offrait les soieries de l'Inde, et Trincomali, le port de la cannelle de Ceylan. Tout un monde de merveilles et de trésors que les Portugais dominèrent à tous égards : ils ramenaient leurs cargaisons d'épices en Europe, où elles seraient vendues avec un énorme profit, et ils laissaient dans leurs comptoirs des prêtres pour évangéliser et des fonctionnaires pour gouverner.

Dès 1511, l'un des plus grands aventuriers portugais, Alfonso de Albuquerque, s'aventura au-delà de l'océan Indien et établit à Malacca un fort puissant qui allait être la clef de voûte des possessions portugaises. Qui contrôlait Malacca avait accès aux îles magiques qui s'étendaient à l'est de Java comme une chaîne de joyaux. C'étaient les fabuleuses îles des Épices, et leurs richesses relevaient désormais du Portugal.

Tout au long du XVIe siècle, ce petit pays de marins transporta de cette vaste région des trésors incalculables, ce qui compensa largement le fait que les musulmans tenaient Constantinople. Ce n'étaient plus les routes chamelières à travers les terres qui assuraient le meilleur profit, mais le transport par voie de mer. Mais ce ne fut pourtant pas cette explosion de richesses qui provoqua le miracle du Cap.

Durant les premières années du XVIIe siècle, deux autres pays européens aux horizons très limités décidèrent de se tailler une part dans le monopole des Portugais, par la force si besoin était. En 1600, l'Angleterre fonda sa Compagnie des Indes orientales, connue dans l'histoire sous le surnom de *John Company ;* très vite, elle prit pied en Inde et s'y établit solidement. Deux ans plus tard, les Hollandais lançaient son homologue, la Vereenigde Oostindische Compagnie (Compagnie unifiée des Indes orientales), qui allait porter le sobriquet de *Jan Compagnie ;* elle entra en lice avec des troupes obstinées et des marchands qui l'étaient davantage encore.

Les mers de l'Orient devinrent un vaste champ de bataille : chaque prêtre catholique était un agent du Portugal et chaque pasteur protestant un défenseur des intérêts néerlandais. Et l'on n'en resta pas à une simple rivalité commerciale et religieuse. On n'hésita pas à faire parler les armes. Par trois fois — en 1604, 1607 et 1608 —, des flottes hollandaises géantes tentèrent de capturer la forteresse portugaise qui dominait l'île de Mozambique. Les sièges auraient dû se solder par une victoire facile, car l'île était minuscule (3 200 mètres de longueur, 320 mètres de large) et défendue par soixante malheureux soldats portugais, alors que les Hollandais auraient pu en faire débarquer près de deux mille.

Mais les défenseurs étaient portugais, et les Portugais comptent parmi les êtres humains les plus coriaces de la terre. Une fois, alors qu'ils n'avaient guère plus d'espoir de résister au nombre, ils organisèrent une sortie, jaillirent des murailles de leur forteresse et battirent les assaillants. Le commandant portugais put lancer avec mépris : « La compagnie défendant ce fort est un chat qu'il ne fait pas bon caresser sans gants. » Au cours d'un autre siège, quand tout parut perdu, les Portugais proposèrent que le conflit soit résolu par cinquante soldats hollandais combattant en bataille rangée contre vingt-cinq soldats portugais, « rapport correspondant à la valeur respective des armées en présence ».

Les Hollandais essayèrent le feu, les sapes, les tours, les

assauts à l'improviste et l'accablement sous le nombre, mais jamais ils ne pénétrèrent dans cette forteresse. Comme l'histoire de l'Afrique du Sud aurait été différente si les défenseurs portugais s'étaient montrés un peu moins courageux ! Si, en 1605, les soixante soldats s'étaient rendus aux deux mille, en 1985 les ports stratégiques du Mozambique seraient probablement encore entre les mains des descendants des Hollandais, toutes les terres au sud du Zambèze seraient passées sous leur loi. Et tout au long de l'histoire, l'Afrique du Sud — et non Java — aurait constitué le point focal de leur politique d'expansion. Mais jamais les Hollandais ne purent lancer l'assaut final qui leur aurait assuré une victoire totale en Afrique.

Au cours de ces années, lorsqu'un soldat portugais débarquait d'un des bateaux de son pays pour servir à Mozambique ou à Malacca, sur les détroits proches de Java, il pouvait s'attendre, au cours de sa période de service, à au moins trois sièges pendant lesquels il mangerait de l'herbe et boirait de l'urine. Certaines des résistances les plus courageuses de l'histoire du monde ont été le fait de ces défenseurs portugais.

Un facteur saillant distinguait les efforts colonisateurs des trois pays européens : la manière dont cet effort était lié au gouvernement central. L'opération portugaise était un amalgame trouble de patriotisme, de catholicisme et de profits ; le gouvernement de Lisbonne décidait ce qui devait être fait et l'Église régnait sur les esprits des exécutants. Quand les Anglais avaient fondé leur Compagnie des Indes orientales, ils entendaient rester libres de toute intervention gouvernementale ; mais, très vite, ils s'aperçurent que c'était impossible, car, si la John Company ne se comportait pas selon les règles générales de la morale, le bon renom du pays risquait d'en souffrir ; on assista donc à une oscillation constante entre liberté commerciale et contrôle moral. Les Hollandais n'avaient pas ce genre de scrupules. Leur compagnie fut confiée à des hommes d'affaires dont le but avoué était de réaliser des profits grâce à leur investissement, de préférence quarante pour cent l'an, et ni le gouvernement ni l'Église n'eurent le droit d'intervenir dans leur conduite. Tout « prédikant » qui prenait la mer sur un vaisseau appartenant à la Jan Compagnie apprenait très vite que la Compagnie elle-même déterminait quels étaient ses devoirs religieux et comment ils devaient être accomplis.

Comment des positions de base aussi radicalement différentes ne se seraient-elles pas heurtées ? Les Anglais assaillirent les Hollandais pour le contrôle de Java, tandis que les Hollandais poignardaient le Portugal pour le contrôle de Malacca, et que les trois adversaires s'attaquaient à l'Espagne qui régnait encore sur les îles des Épices. Or les vaisseaux de ces nations en conflit passaient tous au cap de Bonne-Espérance, où ils restaient souvent pendant des semaines d'affilée — sans aucun effort réel pour occuper ce point crucial ou y fonder une base armée susceptible de piller le commerce des ennemis. Il est inconcevable que ces nations maritimes aient contourné le Cap en partant pour la guerre et l'aient repassé au retour sans jamais s'arrêter pour établir une base. Et il est encore plus difficile à croire que des centaines de vaisseaux marchands transportant pour des millions de florins et de cruzados d'épices aient pu naviguer dans ces eaux difficiles sans la moindre opposition. Mais ce fut pourtant le cas. Au cours de deux cents années de rivalité commerciale intense en Asie et de guerres en Europe, il n'y eut qu'un seul exemple de bateau coulé au large du Cap par suite d'une action hostile.

L'explication, comme c'est le cas pour plus d'une contradiction apparente, tenait à la géographie. Un bateau portugais quittant Lisbonne faisait une longue traversée vers le sud-ouest jusqu'aux îles du Cap-Vert, où il se réapprovisionnait. Puis il poursuivait presque jusqu'à la côte du Brésil avant de virer au sud-est pour contourner le cap et se réfugier dans la rade accueillante de l'île Mozambique — avant de mettre le cap à l'est vers Goa et Malacca. Les vaisseaux hollandais et anglais passaient aussi du côté du cap Vert, mais, conscients que les Portugais ne les recevraient pas à bras ouverts, ils continuaient vers le sud jusqu'à l'escale cruciale de Sainte-Hélène, dont ils assuraient conjointement le gouvernement. Après avoir quitté ce port, ils filaient d'une seule traite jusqu'aux Indes. De là, les Anglais pouvaient mettre le cap sur leurs entrepôts des îles des Épices, tandis que les Hollandais allaient jeter l'ancre dans leurs petits comptoirs de Java. Il n'existait en fait aucune raison pour que quiconque interrompe son voyage au cap de Bonne-Espérance.

Donc, depuis 1488, date à laquelle Dias le « découvrit »,

jusqu'à 1652 — cent soixante-quatre années cruciales dans l'histoire du monde —, ce promontoire magnifique, dominant les routes commerciales et capable de fournir tous les aliments frais et toute l'eau potable nécessaires à la navigation, demeura complètement négligé. N'importe quelle nation maritime du monde aurait pu en revendiquer la possession. Aucune ne le fit, parce-que le site n'était pas considéré comme vital par rapport à leurs objectifs.

Bien que jamais revendiqué, il fut souvent accosté. Au cours de cette période vide, cent cinquante-trois expéditions connues ont abordé au Cap et, comme la plupart d'entre elles comprenaient de nombreux bateaux, parfois dix ou douze, on peut affirmer avec certitude qu'en moyenne au moins un vaisseau important s'arrêtait chaque année, souvent pour de longues périodes. En 1580, Sir Francis Drake, qui rentrait en Angleterre à la fin de son tour du monde avec une fortune en clous de girofle, fit écrire ceci sur son journal de bord :

> De Java, nous avons fait voile vers le cap de Bonne-Espérance. Nous avons très bien marché au large du Cap, jugeant des plus faux les rapports des Portugais selon lesquels ce serait le cap le plus dangereux du monde, jamais sans tempêtes insoutenables et dangers réels pour les voyageurs qui l'approchent. Ce cap est une chose des plus majestueuses et la plus belle que nous ayons vue sur toute la circonférence de la terre.

En 1601, quand Sir James Lancaster arriva avec une petite flotte — deux cent neuf jours après avoir quitté Londres ! —, cent cinq de ses hommes étaient morts de scorbut et les autres étaient trop faibles pour manœuvrer les voiles. Il n'y avait qu'une exception : le bateau du général Lancaster lui-même, où les marins étaient tous en forme.

> Et voici la raison pour laquelle les hommes du général étaient en meilleure santé que les hommes des autres bateaux : il avait emmené en mer avec lui plusieurs bouteilles de jus de citron, dont il donna à chacun, aussi longtemps qu'il y en eut, trois cuillerées à café par jour...

Lancaster laissa ses hommes à terre pendant quarante-six jours et il demeura à l'ancre dans la rade pendant cinq jours de plus. Au cours de ce séjour, il constata avec étonnement le niveau social élevé des petits hommes bruns qui occupaient le pays :

> Nous leur avons acheté un millier de moutons et quarante-deux bœufs ; et nous aurions pu en acheter davantage si nous l'avions désiré. Ces bœufs sont aussi gros que les nôtres et les moutons beaucoup plus gros pour la plupart, gras et tendres, et [à notre goût] bien meilleurs que nos moutons d'Angleterre. [...] Quant à leur parler, ils claquent avec leur langue d'une telle manière qu'en sept semaines où nous sommes restés dans ces lieux le plus malin d'entre nous n'a pas pu apprendre un seul mot de leur dialecte ; et pourtant eux-mêmes comprenaient très vite les signes que nous leur faisions. [...] Tant que nous restâmes là, dans cette baie, nous eûmes une nourriture si royale que tous nos hommes recouvrèrent leur santé et leurs forces, à quatre ou cinq exceptions près.

Chaque année, les bateaux s'arrêtaient, les marins descendaient à terre et les officiers écrivaient des rapports sur tout ce qu'ils apprenaient, si bien que la documentation sur le Cap inoccupé est aujourd'hui plutôt meilleure que celle d'autres régions où s'étaient installés des soldats illettrés. Les caractéristiques des petits hommes bruns à la langue cliquetante sont particulièrement bien rapportées — « ils parlent du fond de la gorge et semblent sangloter et pousser des soupirs » —, si bien que, partout en Europe, les érudits connurent parfaitement le Cap longtemps avant que leurs gouvernements commencent à s'y intéresser de façon sérieuse. Un éditeur entreprenant de Londres compila même un livre en quatre volumes traitant essentiellement des voyages au large du Cap : *Purchas his Pilgrimes*, entrant ainsi sans le savoir dans l'histoire de la littérature comme source principale de la *Ballade du vieux marin* de Coleridge.

Les marins aimaient particulièrement le Cap pour deux traditions agréables. Selon une coutume bien établie, lorsque le navigateur sentait qu'il approchait du Cap, il alertait l'équipage et chaque matelot de pont cherchait à être le premier à crier : « *Table Mountain !* » Et, après vérification, le capitaine lui remettait en grande cérémonie une pièce d'argent et tous les hommes, officiers comme matelots, se pressaient au bastingage pour voir ou revoir cette montagne extraordinaire.

Ce n'était pas un pic ; comme si un menuisier géant l'avait raboté, son sommet semblait aussi plat qu'un dessus de table — et pas une petite table ! Elle était immense. Ses flancs étaient raides et elle possédait une particularité qui ne cessait jamais d'étonner : à de fréquents intervalles, par des journées sans nuages où le plateau du sommet était clair, un vent soudain, soufflant vers le nord depuis l'Antarctique, soulevait une masse de brouillard très dense et l'on pouvait voir de ses yeux cette brume se répandre comme un écran dissimulant la Table Mountain. « Le diable étale sa nappe », disaient alors les marins, car le haut de la montagne était caché, avec les bords du « tissu » retombant sur les côtés.

La seconde tradition était celle des pierres-poste. Dès 1501, le capitaine d'un vaisseau portugais passant par le Cap vint à terre avec une lettre de recommandation pour aider les futurs voyageurs et, après l'avoir enveloppée dans de la toile goudronnée, il la plaça sous un rocher bien visible, sur lequel il grava sommairement une note invitant à regarder en dessous. Ce fut ainsi que la tradition s'instaura et, au cours des années suivantes, les capitaines faisant escale au Cap cherchaient des pierres-poste, ramassaient les lettres laissées là parfois dix ans plus tôt et les livraient à leurs destinataires, en Europe ou à Java. En 1615, par exemple, le capitaine Walter Peyton de l'*Expedition*, qui commandait toute une flottille, trouva des pierres-poste avec des lettres déposées par plusieurs vaisseaux : le *James*, le *Globe*, l'*Advice* et l'*Attendant*. Chacun parlait des dangers passés et de ses espoirs pour l'avenir.

Il y a peu d'exemples de lettres détruites par des ennemis. Un bateau sillonnait l'océan Indien pendant une année en combattant de port en port, mais, quand il passait au Cap et postait ses lettres sous quelque pierre, elles devenaient inviolables, et les mêmes soldats qui auraient attaqué ce bateau prenaient ces lettres avec déférence, s'ils descendaient à terre pour refaire leurs réserves, et les emportaient vers leur destination, souvent par des itinéraires faisant intervenir deux ou trois nations hostiles.

Quel fut donc le miracle du Cap ? Qu'aucune nation maritime n'en avait envie.

Le Jour de l'An 1637, un marin aux tempes grises de Plymouth, en Angleterre, prit une décision capitale. Le capitaine Nicholas Saltwood, âgé de quarante-quatre ans et vétéran des mers de l'hémisphère nord, dit à sa femme :

— Henrietta, j'ai décidé de risquer nos économies et d'acheter l'*Acorn.*

Sur quoi il l'entraîna sur les quais de la ville ; là, à l'endroit même qu'occupait le vaisseau de Sir Francis Drake en juillet 1588 quand il attendait que l'Invincible Armada espagnole remonte dans la Manche, se trouvait un petit bâtiment à deux mâts, jaugeant cent quatre-vingt-trois tonneaux.

« Ce sera dangereux, avoua-t-il. Quatre années d'absence dans les îles des Épices et Dieu sait où. Mais si nous ne prenons pas de risque à présent...

— Si vous achetez le bateau, comment vous procurerez-vous les marchandises ?

— Sur notre réputation, répondit Saltwood.

Une fois l'*Acorn* bien à lui, il fit le tour des marchands de Plymouth avec sa femme pour leur offrir des parts de son entreprise téméraire. Il ne leur demanda pas d'argent, uniquement les marchandises avec lesquelles il se proposait de bâtir sa fortune et la leur. Le 3 février, jour où il avait espéré prendre la mer, son bateau était bien chargé.

— Et si le shérif tient sa parole, dit-il à sa femme, nous emporterons quelque chose de plus.

Ils allèrent ensemble chez le ferronnier et, comme auparavant, leur garantie était leur bonne mine et ce que l'on savait d'eux. C'étaient des gens opiniâtres et honnêtes.

— Matthieu, je voudrais que ton garçon surveille mon mât de misaine. Si je monte un drapeau bleu, envoie-moi ces dix-neuf caisses. Je te donnerai l'argent de sept. Tu en engageras douze et, si le voyage échoue, tu auras tout perdu. Mais il n'échouera pas.

A la porte de l'atelier du ferronnier, il fit ses adieux à sa femme.

« Il vaut mieux que tu ne sois pas là pour le shérif. Ce ne serait pas convenable. Je crois qu'il viendra. Surveille le drapeau bleu toi aussi.

Et il partit.

Trois heures sonnaient quand une charrette de la prison de Plymouth apparut. Elle transportait dix hommes enchaînés, gardés par quatre soldats en uniforme et un shérif à la panse rebondie qui, en arrivant sur l'appontement, s'écria :

— Capitaine Saltwood, vous êtes prêt ?

Saltwood vint près du bastingage et le shérif produisit un document légal, qu'il tendit à l'un de ses soldats, car il ne savait pas lire lui-même.

« Vaisseau *Acorn*. Capitaine Saltwood. Acceptez-vous d'embarquer ces hommes condamnés à mort, vers quelque endroit salubre des îles du Sud, où ils seront mis à terre pour établir une colonie en l'honneur du roi Charles d'Angleterre ?

— Je l'accepte, répondit Saltwood. Et maintenant, puis-je savoir si l'argent de la traversée a été voté ?

— Il l'a été, répliqua le gros représentant de la loi.

Il monta à bord de l'*Acorn* et compta cinq pièces d'argent pour chaque condamné.

« La livraison, maintenant, dit-il. Capitaine Saltwood, je veux que vous sachiez à quoi vous en tenir sur les gredins qui vous échoient.

Tandis que les prisonniers sous les fers montaient à bord du mieux qu'ils pouvaient dans un cliquetis de chaînes, le soldat donna lecture de leurs crimes :

« Celui-ci a volé un cheval. Un coupeur de bourses. Celui-là est coupable de meurtre, deux fois. Celui-ci a pillé une église. Celui-ci a mangé les pommes d'un autre. Celui-là a volé un manteau...

Chacun d'eux avait été condamné à mort, mais, sur la requête du capitaine Saltwood, qui avait besoin de l'argent versé pour leur traversée, on avait sursis à leur exécution.

— Leur avez-vous accordé le matériel nécessaire à la fondation de leur colonie ? demanda Saltwood.

— Jetez-les à terre n'importe où, dit le shérif. S'ils survivent, c'est tout à l'honneur du roi ; s'ils crèvent, on n'aura pas perdu grand-chose.

Les quatre soldats grimpèrent dans la charrette et halèrent derrière eux le shérif asthmatique.

— Monte la flamme bleue, dit Saltwood à son maître d'équipage.

Et, lorsqu'elle claqua dans la brise, le ferronnier se hâta de descendre jusqu'au bateau avec ses dix-neuf caisses d'outils — indispensables dans les îles lointaines.

Dès que l'*Acorn* eut quitté le port, Saltwood ordonna à son charpentier de briser les fers et, quand les forçats furent libres, il les rassembla au pied du grand mât.

— Au cours de ce voyage, je détiens sur vous un pouvoir de vie et de mort. Si vous travaillez, vous mangerez et vous serez traités avec justice. Si vous complotez contre ce bateau, vous nourrirez les requins.

Il allait renvoyer ces malheureux, mais il se rendit compte qu'ils devaient être épouvantés à la perspective de ce qui allait leur arriver et il ajouta, d'une voix rassurante :

« Si vous vous conduisez bien, je chercherai la côte la plus clémente de toutes les mers. Et quand viendra le moment de débarquer, je vous fournirai tout le matériel de survie dont nous pourrons nous priver.

— Où ? demanda l'un des hommes.

— Dieu seul le sait, répondit Saltwood.

Pendant les quatre-vingt-dix jours qui suivirent, l'*Acorn* fit voile lentement vers le sud, sur des mers qu'il n'avait jamais traversées, et les cieux révélèrent des étoiles que personne à bord n'avait jamais vues. Les prisonniers travaillèrent et partagèrent la nourriture que recevait l'équipage régulier, mais Saltwood avait toujours ses pistolets à portée de la main et, en cas de mutinerie, il était prêt à sévir...

Le quatre-vingt-dixième jour après son départ, l'*Acorn* arriva en vue de Sainte-Hélène, où les condamnés supplièrent qu'on les débarque, mais il était hors de question de les laisser dans un port aussi britannique et l'on maintint les forçats sous bonne garde pendant que le bateau se réapprovisionnait. Après quatre jours d'escale, l'*Acorn* repartit vers le sud.

Le 23 mai, par gros temps, le petit bateau, à peine visible à côté de la masse de l'Afrique, jeta l'ancre au large de la plage de sable au nord de la Table Mountain, car c'était là que le capitaine Saltwood se proposait de déposer ses forçats à terre. Avant de les abandonner, il leur donna un choix d'outils provenant de l'une des caisses, et ses hommes distribuèrent des vivres et des vêtements de réserve aux colons saisis de crainte.

— Ayez bon espoir, dit Saltwood aux forçats. Choisissez

l'un d'entre vous comme chef, pour pouvoir dominer rapidement le pays.

— Vous ne vous approcherez pas davantage de la côte ? demanda l'un des hommes.

— Elle semble dangereuse, répondit Saltwood, mais vous aurez cette petite barque.

Et lorsque les forçats descendirent dans le frêle esquif, il leur cria :

« Fondez une bonne colonie, pour que vos enfants prospèrent sous le drapeau anglais.

— Où trouverons-nous des femmes ? s'écria le meurtrier, d'un ton impertinent.

— Les hommes trouvent toujours des femmes, répliqua le capitaine Saltwood.

Il regarda les criminels saisir les avirons et se mettre à ramer maladroitement vers la côte. Puis une énorme lame survint. Ils ne purent pas la négocier, l'embarcation se renversa et ils furent tous noyés. Le capitaine Saltwood hocha la tête : ils avaient eu leur chance. Et il regarda avec un regret sincère sa barque se briser sur cette plage inhospitalière.

Mais ce n'est pas à cause de la perte des dix forçats que l'on se souvient encore de ce voyage de l'*Acorn,* parce que les accidents de ce genre étaient monnaie courante et on ne prenait même pas la peine d'en rendre compte à Londres. Lorsque la tempête se calma un peu, des hommes du bateau descendirent à terre au Cap même et l'une des premières choses qu'ils firent fut de vérifier la zone des pierres servant de bureau de poste. Ils en trouvèrent cinq, chacune avec son paquet de lettres, certaines pour Amsterdam, d'autres pour Java. Les premières furent réenveloppées dans de la toile et placées sous une pierre ; on prit les autres à bord pour les apporter au fin fond de l'Orient. Sous une pierre spéciale gravée au nom de l'*Acorn,* le maître d'équipage déposa une lettre à destination de Londres expliquant en détail l'escale heureuse à Sainte-Hélène, mais sans un mot sur la perte des dix prisonniers.

Les marins descendus à terre étaient sur le point de rembarquer pour la longue traversée vers Java lorsqu'un groupe de sept petits hommes bruns apparut du côté de l'est, avec à sa tête un jeune homme à l'esprit vif, d'une vingtaine d'années. Il leur proposa des moutons — ce qu'il indiqua en imitant habilement ces animaux — si les marins lui donnaient certaines longueurs de fer et de cuivre — en s'exprimant de nouveau par gestes, de sorte que même le marin le plus obtus pouvait comprendre ce qu'il voulait dire.

Ils lui demandèrent son nom, et il essaya de dire Horda, mais comme ce nom contenait trois clics, ils ne purent rien en tirer.

— Jack ! Ça, c'est un beau nom ! dit le maître d'équipage.

Et c'est sous ce nom qu'on le conduisit à bord pour le présenter au capitaine Saltwood.

— Nous avons besoin d'hommes pour remplacer les forçats, dit alors le capitaine. Donne-lui une couchette dans le gaillard d'avant.

Il était nu, hormis un pagne en peau de chacal et un petit sac noué à la taille, dans lequel il portait ses rares objets précieux, notamment un bracelet d'ivoire et un couteau de pierre grossier. Ce qui étonna le plus les marins, ce furent les clics qu'il faisait en parlant.

— Parole de Dieu, s'écria un matelot, il pète entre les dents.

Après avoir observé pendant une semaine le voilier avec ses alènes et ses aiguilles, Jack se fit lui-même un pantalon, qu'il porta pendant le reste du long voyage. Il se fabriqua également une paire de sandales, un chapeau et une chemise très ample, et ce fut dans cet accoutrement qu'il s'accouda au bastingage de l'*Acorn* lorsque le capitaine Saltwood fit glisser doucement son petit navire dans les eaux portugaises de Sofala.

— Vous ne manquez pas d'audace d'entrer ici, lui dit un marchand portugais. Si vous aviez été hollandais, nous vous aurions coulé.

— Je suis venu pour l'or d'Ophir, répondit Saltwood.

Sur quoi le Portugais éclata d'un rire fort irrespectueux.

— Tout le monde vient pour ça. Il n'y en a pas. Je me demande même s'il y en a jamais eu.

— Que vendez-vous ?

— C'est selon l'endroit où vous allez.

— Malacca. Les îles des Épices.

— Oh, non ! s'écria le marchand. Nous vous acceptons ici, mais tout bateau qui tente de se lancer dans le commerce des îles des Épices... Non, on mettra le feu à votre bateau à

Malacca ! Mais si vous n'avez pas froid aux yeux, ajouta-t-il en claquant des doigts, et si vous voulez vraiment faire des affaires, j'ai quelque chose de plus précieux, pour lequel les Chinois donnent n'importe quoi.

— Amenez-le, dit Saltwood.

Avec une fierté manifeste, le Portugais lui apporta quatorze objets étranges, coniques, de couleur sombre, d'environ vingt centimètres carrés à la base.

— Qu'est-ce que c'est que ça ?

— Des cornes de rhinocéros.

— Oui ! Oui !

Sur les pages de son livre de bord où il avait pris des notes pour sa grande aventure, il avait effectivement écrit que la corne de rhinocéros pouvait être vendue avec profit dans tous les ports fréquentés par les Chinois.

« Où pourrai-je les négocier ? demanda-t-il.

— A Java. Les Chinois viennent à Java.

Une fois le marché conclu, le Portugais lui dit :

« Avertissement : les cornes doivent être livrées telles quelles. Jamais en poudre, car les vieux qui ont envie d'épouser des gamines doivent voir de leurs yeux que la corne est authentique, sinon ça ne marche pas.

— Est-ce que ça marche vraiment ? demanda Saltwood.

— Je n'en ai pas encore eu besoin, répondit le Portugais.

Partout où l'*Acorn* jetait l'ancre, Jack étudiait les habitudes des gens et s'émerveillait de leur diversité. Comme ils étaient différents des marins anglais qu'il connaissait bien maintenant et dont il parlait de mieux en mieux la langue ! Dans la somptueuse Kilwa, il remarqua la couleur noire de la peau des indigènes. A Calicut, il vit des hommes à mi-chemin entre sa propre teinte et celle de ses amis matelots. Dans la resplendissante Goa, où tous les bateaux s'arrêtaient, les temples l'émerveillèrent.

Il éprouvait un profond respect pour le capitaine Saltwood, qui non seulement possédait l'*Acorn*, mais le commandait avec audace et sagacité. Pendant des journées et des journées de rêve, le petit vaisseau dérivait sur des mers houleuses puis se dirigeait résolument vers quelque port dont l'équipage n'avait jamais entendu parler auparavant. Là, Saltwood descendait à terre sans fanfare, parlait et écoutait, et, après une journée d'étude prudente, il faisait signe à ses hommes d'apporter sur la place du marché leurs ballots de marchandises, qu'ils dépliaient avec un soin infini pour faire impression sur les acheteurs. Et toujours, à la fin du négoce, Saltwood ramenait quelque nouveau produit pour remplir ses cales.

Comme tous les petits hommes bruns, Jack adorait chanter. Souvent, le soir, quand les marins tuaient le temps en entonnant quelque chanson de mer, sa voix claire et douce, sonore comme une cloche pure, se joignait aux leurs. Ils la trouvaient belle. Ils lui enseignèrent leurs chants préférés et souvent ils lui demandaient même de chanter seul. Il se levait au milieu de tous ces Anglais paresseusement allongés, petit homme de moins d'un mètre cinquante, il fermait ses yeux en amande et son visage n'était plus qu'un immense sourire tandis qu'il entonnait des refrains composés à Plymouth ou à Bristol. A ce moment-là, il se sentait membre à part entière de l'équipage.

Mais ils avaient une autre habitude et, celle-là, il la détestait. De temps à autre, les marins anglais lui criaient :

— Baisse ton froc !

Et quand il refusait, ils dénouaient la corde qui soutenait le pantalon qu'il avait cousu et ils le baissaient. Puis ils se rassemblaient autour de lui, stupéfaits, car il n'avait qu'un seul testicule. Quand ils l'interrogeaient à ce sujet, il leur expliquait :

— Trop de gens. Pas assez à manger.

— Qu'est-ce que ça a à voir avec ton berlingot manquant ? lui demanda un homme de Plymouth.

— Chaque bébé garçon, on lui en coupe une.

— Mais qu'est-ce que ça a à voir avec la bouffe ? Merde, vous bouffez tout de même pas...

L'homme de Plymouth en était suffoqué.

— Quand on grandit, qu'on trouve une femme, on ne doit jamais avoir des jumeaux.

Et sans rime ni raison, chaque fois que la traversée se faisait monotone, les marins criaient :

— Jack, baisse ton froc !

Par un après-midi torride, dans l'océan Indien, ils firent descendre le capitaine Saltwood.

— Ça va drôlement vous étonner ! lui dirent-ils, les yeux brillants.

Ils cherchèrent le petit homme, le trouvèrent et le juchèrent sur un tonneau.

« Baisse ton froc, Jack !

Mais il refusa et se pelotonna pour protéger la corde qui lui serrait la ceinture.

« Jack, crièrent les marins agacés, le capitaine Saltwood veut voir.

Mais Jack en avait assez. Têtu, les dents serrées, il refusa de baisser son pantalon et, lorsque deux gros matelots s'approchèrent, il les frappa en criant :

— Vous pas baisser ton froc, hein ? Pas vous !

Et il continua de résister sur son tonneau jusqu'à ce que Saltwood règle le problème.

— Il a raison, matelots. Fichez-lui la paix.

De ce jour-là, il ne baissa plus jamais son pantalon et son obstination eut une conséquence imprévisible : il était jusque-là le jouet des marins, il devint leur ami.

La partie du voyage qu'il aima le plus fut le moment où, après s'être glissé sous le grand fort portugais de Malacca, l'*Acorn* s'enfonça plus à l'est entre les îles où se fait le commerce des épices. Là, pour la première fois, il vit les toiles tissées avec de l'or et le travail des orfèvres des îles. C'était un monde dont il ne pouvait guère évaluer la richesse, mais, à voir le respect avec lequel ses mains manipulaient ces trésors, il en concevait un peu la valeur.

— Le poivre ! Ça, ça fait des sous ! lui disaient les marins.

Et quand ils écrasèrent les petits grains noirs pour répandre l'arôme, il renifla et fut émerveillé.

« Noix de muscade, macis, cannelle ! répétaient les marins tandis que les sacs pesants étaient hissés à bord. Curcuma, casse, cardamome ! poursuivaient-ils.

Mais c'étaient les clous de girofle qui lui plaisaient le plus. Cette épice précieuse était toujours surveillée par des gardes, mais il parvint à en voler quelques-uns, qu'il écrasa entre ses dents et maintint sous la langue. Quelle brûlure, mais quel parfum ! Pendant plusieurs jours, il arpenta le bateau en soufflant dans les visages des marins son haleine embaumée — et ils se mirent à l'appeler Jack la Schlingue.

Comme l'Orient était magnifique ! Quand l'*Acorn* eut terminé ses trocs, le capitaine Saltwood lança enfin l'ordre tant attendu :

— Cap sur Java et les Chinois qui attendent nos cornes.

Et pendant de longs jours, le petit voilier longea la côte de Java, les marins pressés contre le bastingage pour admirer cette île auréolée de rêve, où les montagnes se redressent pour toucher les nuages et où la jungle rampe furtivement pour tremper ses doigts dans la mer.

Le capitaine Saltwood n'avait guère le temps de jouir de ses splendeurs, car deux problèmes graves le préoccupaient : il avait mené son négoce de façon si brillante que son bateau contenait maintenant une fortune d'une ampleur réelle, qu'il fallait protéger contre les pirates. Et cette fortune ne pourrait être transformée en espèces que si son bateau passait sans encombre le fort de Malacca, traversait les mers, contournait le cap de Bonne-Espérance, franchissait les tempêtes de l'équateur et accostait enfin à Plymouth. C'est avec ces appréhensions qu'il jeta l'ancre dans la rade de Java et se fit conduire à terre pour négocier ses cornes de rhinocéros avec les marchands chinois.

Tandis que l'*Acorn* demeurait à l'ancre, attendant que se constitue la prochaine flottille à destination de l'Europe, Jack eut l'occasion de visiter le comptoir que les Hollandais avaient établi à Java. Il traînait souvent près du front de mer et apprenait à reconnaître les divers bâtiments qui sillonnaient ces eaux de l'Asie : caraques avec leurs canons brillants, flûtes rapides de Hollande, praos étonnants des îles malaises (en déplaçant leurs mâts, ils pouvaient naviguer dans un sens ou dans l'autre à la même vitesse) et les plus beaux de tous : les énormes vaisseaux des mers orientales, les *east indiamen*.

Il était en train d'observer le déchargement de l'un de ces monstres lorsqu'il aperçut près de lui un grand Hollandais très mince, qui semblait toujours acheter les meilleures cargaisons pour son entrepôt, situé très près du port. Les marchands l'appelaient *Mijnheer** Van Doorn, et il faisait l'effet d'une personne très austère, excessivement imbue de sa position, bien qu'il n'eût guère plus de vingt-trois ans.

— D'où es-tu ? lui demanda le Hollandais en le toisant d'une hauteur souveraine.

Impressionné par sa dignité rigide, Jack lui répondit aussitôt dans le jargon anglais des marchands, que Van Doorn devait forcément connaître.

— Beaucoup de jours.

— Tu n'es pas noir. Tu n'es pas jaune. D'où ?

— Soleil couchant.

L'interrogatoire était si peu satisfaisant que Van Doorn fit venir un marin de l'*Acorn*.

— D'où vient ce garçon ? demanda-t-il.

— Ramassé au cap de Bonne-Espérance.

— Hummm !

Van Doorn recula, baissa son long nez vers le petit homme brun et lui demanda.

« C'est un bon endroit, le Cap ?

Jack, qui ne comprit pas, éclata de rire. Il était sur le point de se retirer lorsqu'il remarqua un Blanc d'à peu près la même taille que lui — un enfant de treize ans que Van Doorn traitait avec beaucoup d'affection.

— Ton garçon ? demanda Jack.

— Mon frère, répliqua Van Doorn.

Et pendant les deux derniers mois que le capitaine Saltwood attendit à Java, Jack et le jeune Blanc jouèrent ensemble. Ils étaient de même taille et de même niveau mental, et ils tentaient tous les deux de comprendre le monde complexe de Batavia. Ils formaient une belle paire : un petit homme brun très svelte aux jambes arquées et un jeune Hollandais trapu aux épaules larges et aux cheveux blonds. On les voyait souvent ensemble dans tous les quartiers attribués aux diverses nationalités : Malais, Indiens, Arabes, Balinais ; ainsi que dans le petit secteur où les Chinois industrieux achetaient presque tout ce qui s'offrait à la vente, mais seulement aux prix qu'eux-mêmes déterminaient.

Un jour, le jeune Van Doorn expliqua que les enfants hollandais avaient deux noms. Son autre était Willem.

— Quel est le tien ? demanda-t-il.

— Horda, répondit son compagnon de jeu au milieu d'une tornade de clics. Et son nom ? ajouta-t-il en montrant du doigt Van Doorn l'aîné.

— Karel.

Et tandis que Jack répétait les deux noms, Willem sortit de sa surprise. Il avait remarqué que Jack possédait uniquement ce qu'il avait sur le dos, et il lui avait procuré, aux entrepôts de la Compagnie, une paire de pantalons et une chemise de rechange. Quand Jack les enfila, il eut l'air ridicule : ils avaient été coupés pour de gros Hollandais, non pour des hommes bruns à peine plus grands que des nains.

— Je sais coudre, lui dit Jack pour le rassurer.

Mais quand les vêtements furent repris, il songea qu'à bord de l'*Acorn*, chaque fois qu'un homme donnait un objet à un autre, le bénéficiaire était supposé donner quelque chose en retour. Il aurait bien voulu faire un présent à Willem Van Doorn, mais il ne parvenait pas à imaginer quoi. Puis il se rappela le bracelet d'ivoire caché dans son petit sac. Il l'offrit à Willem, mais il était trop petit pour s'adapter à son gros poignet. Ce fut l'austère Karel qui résolut le problème. Prenant une chaîne d'argent au magasin de la Compagnie, il la fixa au cercle d'ivoire, puis la passa autour du cou de son frère. L'association de l'argent, de l'ivoire et du teint clair du garçon faisait plaisir à voir.

Ce soir-là, le capitaine Saltwood, plus riche qu'il ne l'avait jamais rêvé par suite de la vente des cornes de rhinocéros, apprit à son équipage qu'aucun autre vaisseau ne se préparant à rentrer en Europe l'*Acorn* se voyait contraint de remonter seul les détroits de Malacca pour se joindre à quelque flottille anglaise réunie sur les côtes des Indes.

— Ce sera une rude équipée, dit-il à ses hommes.

Cette nuit-là, ils fourbirent leurs mousquets et leurs lances.

A l'aube, Jack voulut se glisser à terre pour dire adieu à son ami hollandais, mais le capitaine Saltwood le lui interdit, car il voulait éviter toute intervention des autorités néerlandaises, et il avait l'intention de faire voile sans les prévenir ni réclamer leur approbation. Jack resta donc accoudé au bastingage de l'*Acorn*, cherchant en vain des yeux son jeune compagnon. Willem ne savait rien de ce départ, mais, vers onze heures, un marin hollandais se précipita dans l'entrepôt de la Compagnie en criant :

— Le bateau anglais s'en va !

Willem, serrant entre ses doigts le bracelet d'ivoire, courut vers les quais pour voir disparaître le navire et son jeune ami à la peau brune...

L'*Acorn* mit deux semaines à quitter les eaux de Java, à remonter la côte de Sumatra et à dépasser la myriade d'îles qui font de ces eaux une merveille de beauté autant que de richesse ; mais bientôt les marins purent voir que la terre commençait à se refermer de chaque côté du bateau, et ils surent qu'ils approchaient du moment critique de leur traversée. A bâbord s'étendait Sumatra, un vrai nid de pirates. A tribord se dressait la forteresse massive de Malacca, défiant toute tentative de piège, avec près de soixante-dix gros canons sur ses remparts. Et à la proue et à la poupe se précipiteraient bientôt de dangereux petits bateaux pleins d'hommes audacieux qui se lanceraient à l'abordage pour voler la prime.

Le combat, s'il avait lieu, serait assez égal, car l'*Acorn* serait défendu par des hommes de Plymouth, les petits-fils des marins valeureux avec lesquels Drake avait mis en déroute l'armada de Philippe d'Espagne. Ils n'avaient pas l'intention de se laisser aborder ou couler.

La stratégie du capitaine Saltwood consistait à demeurer caché derrière une des nombreuses îles en attendant que souffle un vent favorable, puis à franchir le goulot la nuit, quand les Portugais seraient moins attentifs. Son plan faillit réussir, mais un marin malais, qui se promenait sur la côte nord, aperçut le bateau qui tentait de passer et déclencha l'alarme.

La bataille commença à minuit. Sur les murs du fort, les canons de longue portée tonnèrent. Les petits bateaux s'élancèrent du port pour tenter d'incendier le vaisseau anglais, tandis que de plus gros navires cherchaient à l'éperonner ou à l'aborder. Jack comprit ce qui se passait, et la conversation des marins lui apprit à quelles tortures il serait soumis, comme tous les autres, si leur bâtiment était pris, mais il n'était guère préparé à montrer le même héroïsme farouche que ses camarades anglais. Ils se battirent comme des démons, tirant avec leurs pistolets, embrochant et déchirant avec leurs lances.

Au lever du jour, ils étaient en sécurité, loin de la forteresse menaçante. Seules deux ou trois embarcations tentaient encore de leur faire obstacle. Tel un scarabée scintillant ignorant les fourmis, l'*Acorn* prit son essor, tandis que les marins criaient des insultes et des railleries à leurs attaquants confondus. La passe dangereuse était franchie.

En Inde, le capitaine Saltwood alla de déception en déception : aucune flottille anglaise ne rentrerait cette année-là. Donc, une fois de plus, il continua seul. Cet homme audacieux transportait avec lui une fortune suffisante pour fonder une famille et peut-être même acheter une résidence dans quelque évêché. Rentrer au pays devint pour lui une obsession, et il dirigea l'*Acorn* en fonction de cette idée fixe.

A Ceylan, des pirates tentèrent de l'aborder ; au large de Goa, il fallut repousser des aventuriers portugais. Au sud d'Ormuz, les hommes de Plymouth faillirent sombrer et, à Mozambique, deux caraques insensées leur donnèrent la chasse dans l'espoir peu probable de gagner une prime, mais quand l'*Acorn* montra toute sa toile et prit le large, serein, elles abandonnèrent la poursuite. Enfin, on laissa Sofala par tribord et le capitaine Saltwood salua le marchand invisible qui lui avait vendu les cornes de rhinocéros. La côte méridionale de l'Afrique les attira vers l'ouest et bientôt un marin cria :

— Table Moutain !

Le capitaine Saltwood lui remit lui-même la pièce d'argent en disant :

— Nous avons franchi une nouvelle étape vers le pays.

On arriva dans la baie, on mit la chaloupe à la mer et Jack dit adieu à ses amis de rencontre — debout sur la pointe des pieds pour les embrasser. Une fois à terre, il partit lentement vers l'intérieur, s'arrêtant de temps à autre pour regarder le bateau dont il avait partagé les victoires et les tribulations pendant près de quatre ans. Mais vint l'instant où la colline suivante lui dissimulerait l'*Acorn* à jamais. Lorsqu'il la dépassa, il commença à voir les rochers familiers et les traces d'animaux qu'il avait toujours connus. Une chose étrange se passa : il ôta l'uniforme de marin anglais qu'il avait porté tous ces nombreux mois. Finie la chemise, fini le pantalon cousu avec amour, finies les chaussures de cuir. Il ne les jeta pas et il ne se débarrassa pas non plus de la tenue de rechange que le jeune Hollandais lui avait donnée à Java. Il les noua en un petit balluchon qui frottait de façon rassurante contre sa jambe tandis qu'il marchait vers les siens.

Quand il atteignit son village, il suçait un clou de girofle dérobé à Java et, lorsque ses vieux amis se précipitèrent pour lui souhaiter la bienvenue, il leur souffla au visage une odeur étrange. Il dénoua son balluchon pour montrer ce qu'il rapportait et il donna un clou de girofle à chacun, en souvenir de toutes les fois où il avait pensé à eux au cours de ces quatre longues années.

En 1640, les Hollandais au visage sévère qui se proposaient de régner à l'est de Java en avaient assez supporté :

— Ces damnés Portugais de Malacca doivent être détruits.

Dans leurs rapports incendiaires aux XVII Seigneuries (les hommes d'affaires qui dirigeaient la Compagnie néerlandaise des Indes orientales depuis leurs sombres bureaux d'Amsterdam), ils ne cessaient de se plaindre :

— Les larrons catholiques de Malacca ont coulé nos vaisseaux pour la dernière fois. Nous sommes prêts à assiéger leur forteresse pendant sept ans s'il le faut.

Les XVII Seigneuries auraient peut-être repoussé cette proposition audacieuse sans le soutien passionné d'un gentilhomme dont le grand-père avait fini ses jours sur le bûcher pour avoir tenté de défendre le protestantisme des Pays-Bas contre la fureur du duc d'Albe, envoyé par l'Inquisition espagnole.

— Nos fortunes sont en jeu. Malacca doit être détruite.

Son éloquence porta ses fruits, et le projet d'écraser les Portugais fut approuvé — non par le gouvernement néerlandais, mais par la Jan Compagnie. Les citoyens des Pays-Bas, dont l'obstination était légendaire, savaient entre quelles mains remettre les responsabilités : quand des marchands ont des biens à défendre, ils trouvent les moyens de les protéger.

L'autorisation parvint à Java et les Hollandais installés là-bas saluèrent la nouvelle avec enthousiasme. On libéra des fonds. On construisit de nouveaux bateaux. On enseigna à des indigènes javanais en sarong les manœuvres du bord. Tout aussi important, on dépêcha des ambassadeurs dans tous les royaumes, grands et petits, pour leur assurer qu'en attaquant Malacca les Hollandais n'avaient aucune visée territoriale.

— Nous n'avons l'intention de prendre aucune terre appartenant à d'autres. Mais nous devons faire cesser la piraterie portugaise.

Parmi les ambassadeurs choisis pour cette entreprise délicate se trouvait Karel Van Doorn, alors âgé de vingt-cinq ans et possédant une solide réputation de loyauté à l'égard de la Compagnie. Il était austère, honnête, sans humour et doté d'un talent particulier pour la finance et pour l'organisation profitable du travail des esclaves de la Compagnie.

Les promotions dont Karel avait bénéficié étaient dues en grande partie à sa mère, veuve courageuse et robuste d'un agent de la Compagnie qui avait trouvé la mort en tentant de développer les possessions de ses maîtres dans les îles des Épices. Il avait déployé une énergie énorme : par l'arrogance, le bluff, le courage et l'expropriation, il avait défendu la Compagnie ; par la chicane, le vol, l'usage de faux et le détournement de fonds, il avait construit parallèlement son propre empire commercial clandestin — chose rigoureusement interdite. Il avait accumulé des richesses considérables et, au moment de sa mort, il essayait de les rapatrier en contrebande dans sa Hollande natale — opération, elle aussi, particulièrement proscrite. Sa veuve, Hendrickje, se retrouva soudain avec une fortune en plein essor, qu'elle ne pouvait dépenser qu'à Java.

Par bonheur, elle aimait les tropiques et, dès que les Hollandais détruisirent la ville javanaise de Jacatra et commencèrent à édifier en face de ses ruines leur propre capitale, Batavia, elle s'appropria un des meilleurs emplacements sur le Tijgergracht (le canal du Tigre) et se fit construire une demeure. Curieusement, elle serait passée complètement inaperçue dans n'importe quelle rue d'Amsterdam, car elle était bâtie dans le style massif des Hollandais : énormes murs de pierre et toit de tuiles rouges pour la protéger de neiges qui ne tomberaient jamais. D'épaisses cloisons séparaient les pièces, éclairées par de très petites fenêtres, et, partout où le moindre courant d'air aurait pu s'infiltrer, un meuble lourd lui fermait le passage.

La seule concession trahissant le fait que cette demeure massive se situait sous les tropiques était un jardin d'une beauté sans pareille, garni de fleurs somptueuses de Java, qui mettaient en valeur de belles statues importées de Chine. Ce fut dans ce jardin, au son aigrelet des xylophones joués par onze musiciens, que devaient être prises de nombreuses décisions orientant le destin des Hollandais en Orient.

*Mevrouw** Van Doorn, blonde voluptueuse qui aurait pu être peinte par Frans Hals — il avait effectivement exécuté le portrait de sa mère —, était arrivée en 1618, à l'époque où Jan Pieterszoon Coen, administrateur remarquable, dirigeait les affaires dans son style agressif mais compétent. Très vite, elle s'était entichée de lui et, quoi qu'il fît, elle le soutenait avec passion. Elle l'entendit avertir la populace que les actes d'immoralité avec les domestiques devaient cesser et, lorsqu'une de ses servantes tomba enceinte, elle traîna en personne la pauvre fille apeurée jusqu'au quartier général de Coen ; elle était présente sur la place lorsqu'on la décapita. Le jeune homme impliqué fut sévèrement réprimandé.

Sa vie se partageait entre deux obsessions : les affaires et la religion. C'était elle qui avait poussé son mari à se lancer dans toutes ses opérations illégales. C'était elle qui contrôlait le trafic, réalisant un profit de soixante pour cent l'an, alors que les XVII Seigneuries devaient se contenter de quarante. Et c'était elle enfin qui recelait les fonds volés lorsqu'ils arrivaient à Batavia. De fait, les affaires de son mari étaient maintenant si complexes qu'elle n'osait pas prendre le risque de rentrer en Hollande, de peur que tout s'écroule. Comme elle l'écrivait à sa sœur cadette, à Haarlem :

> Je pense souvent rentrer au pays vivre avec toi dans notre maison sur le canal, mais ces hivers glacés me font peur. D'autre part, je suis maintenue prisonnière ici par les soixante-neuf esclaves qui travaillent pour moi et qu'il me faut surveiller. Selon les normes de Haarlem, je sais que cela paraît beaucoup, mais la réalité est différente. Quand je sors dans Batavia pour m'occuper de mes affaires, huit esclaves m'accompagnent pour veiller à ce que les voitures, les parapluies et les chaussures soient toujours prêts. Sept filles s'occupent de mes toilettes, six autres de mes appartements privés. J'ai besoin de six cuisiniers, de neuf valets de table, de onze musiciens pour mon orchestre, de douze hommes pour les jardins et de dix autres pour les divers services. Comme tu vois, je suis toujours sur la brèche.

Sa dévotion religieuse ne contenait pas la moindre parcelle d'hypocrisie, et c'était bien normal étant donné l'histoire de sa famille. Son grand-père, Joost Van Valkenborch, avait été exécuté en 1568 par les Espagnols quand le grand comte Egmont avait été condamné à mort. Ces deux patriotes avaient donné leurs vies pour la défense de la Hollande et du calvinisme. Son père était mort de la même façon, en combattant les catholiques espagnols ; c'était lui, Willem Van Valkenborch, qui avait fondé la première assemblée calviniste de Haarlem, communauté clandestine dont les membres savaient qu'ils mourraient s'ils étaient pris. L'un des premiers souvenirs de Mevrouw Van Doorn restait ces assemblées secrètes, la nuit, où son père parlait avec éloquence de Dieu et de la nature de l'homme. La religion était plus réelle à ses yeux que les étoiles au-dessus de Java, plus enveloppante que les canaux desservant Batavia.

Avant la mort de son mari, elle avait partagé avec lui le plaisir de recevoir des XVII Seigneuries une Bible protestante imprimée en hollandais, un énorme in-folio publié en 1630 par Henrick Laurentz d'Amsterdam. Ensemble, ils avaient lu dans leur langue maternelle les histoires prodigieuses qui avaient soutenu son père et son grand-père au cours de leurs martyres. Et malgré toute la fortune que son mari lui avait laissée, elle tenait cette Bible pour son principal trésor : c'était la lumière qui éclairait et orientait sa vie.

Ses deux autres trésors étaient ses fils, qui vivaient avec elle et dont elle surveillait étroitement les destinées. Quand elle estimait que Karel méritait un avancement, elle donnait chaque fois un léger coup de coude aux directeurs locaux. C'était elle qui l'avait proposé pour l'ambassade aux gouvernements voisins à propos de Malacca, et pendant les préparatifs du voyage, ce fut elle qui suggéra que le jeune Willem l'accompagne, pour voir de ses yeux la vaste étendue des intérêts commerciaux de la Compagnie.

— Il n'a que quinze ans, protesta Karel.

— C'est le bon âge pour apprendre ce que sont les bateaux et les batailles, lança sa mère.

Par un après-midi brûlant où les mouches bourdonnaient dans l'air étouffant, les membres de la mission diplomatique reçurent leurs dernières instructions de la bouche des hauts responsables de la Compagnie, assis comme des gargouilles dans la salle du conseil aux murs immaculés. Ils hochèrent gravement la tête et un vieillard qui avait combattu les Portugais pendant trois décennies laissa tomber d'une voix caverneuse :

— Un instant solennel approche. Nous allons écraser Malacca.

Karel se pencha en avant :

— Assaillir la forteresse ?

Le vieillard, les poings crispés, rêvait encore des défaites lointaines.

— En 1606, nous avons tenté de nous emparer de cette place maudite et nous avons échoué, poursuivit-il sans tenir compte de la question de Van Doorn. En 1608, nous avons essayé de nouveau, ainsi qu'en 1623. En 1626 et en 1627, j'étais à la tête des troupes de débarquement. Nous sommes allés jusqu'aux murs, mais ils nous ont repoussés. Pendant les quatre dernières années, nous avons cherché à bloquer les détroits, pour les faire mourir de faim, et toujours ils se sont ri de nous. A présent, cria-t-il en frappant la table de sa main frêle, nous allons les détruire.

— Quand nous lancerons-nous ?

— Tout de suite.

Lorsque Karel exprima la déception qu'il ressentait de n'être pas au siège, où les promotions seraient sûrement rapides, le vieillard le rassura.

« Vous serez de retour pour les combats. Nous n'attaquerons pas avant au moins un an. Et souvenez-vous de l'importance de votre mission. Convaincre tous nos voisins qu'en capturant Malacca nous ne cherchons aucun territoire pour nous-mêmes.

Un autre dignitaire ajouta sentencieusement :

— Nous ne nous intéressons qu'au droit de faire du commerce. Nous prendrons le fort, mais laisserons les terres.

Puis un homme immense, avec une voix tonnante pour avoir beaucoup prêché, ajouta :

— Expliquez-leur que s'ils font des affaires avec nous ce sera seulement des affaires. Des transactions honnêtes pour tous. Nous ne chercherons pas à les évangéliser comme l'ont fait les Portugais avec leur catholicisme oppressif. Retenez mes paroles, Van Doorn, votre arme la plus décisive sera peut-être la religion. Dites-leur de bien regarder ce que nous ferons quand nous prendrons Malacca.

— Si nous prenons Malacca, corrigea quelqu'un.

— Non ! s'écrièrent une dizaine de voix. Le Dr Steyn a raison. Quand nous prendrons Malacca.

Le prédikant toussa et poursuivit :

— Quand nous occuperons la ville, rien ne changera. Le sultan continuera d'exercer son pouvoir, libre de toute influence portugaise. Mahomet continuera d'être leur Dieu, libre de toute pression des prêtres catholiques. Les Chinois, les Arabes, les Perses, les Cinghalais, les Anglais — et les marchands portugais eux-mêmes —, tous ceux qui possèdent des intérêts à Malacca les conserveront et les géreront selon leurs désirs. La seule chose que nous imposerons, c'est la liberté de faire du commerce, pour tous les hommes. Dites-le aux divers souverains.

En quatre journées de discussions acharnées, cette doctrine fut forgée sans relâche jusqu'à ce que Van Doorn comprenne mieux que la plupart des XVII Seigneuries, là-bas à Amsterdam, la politique effective de la Jan Compagnie. Les Seigneuries, qui représentaient toutes les régions et tous les aspects de la vie hollandaise, devaient prendre des précautions, conscientes que tout ce qu'elles promulguaient avait force de loi ; en réalité, leurs décisions étaient même plus fortes qu'une loi ordinaire, parce qu'elles étaient absolument sans appel. Mais, sur le terrain, les gouverneurs, qui devaient attendre deux ans les réponses aux questions qu'ils posaient, étaient amenés à faire preuve de davantage d'audace. Ils pouvaient de leur propre chef déclarer la guerre, s'approprier une île ou mener des négociations avec une puissance étrangère. Le gouverneur général, à Java, pouvait ordonner l'exécution de n'importe qui, esclave ou homme libre, Anglais ou Chinois : « Pour le larcin de biens appartenant à la Compagnie, il sera traîné au port de Batavia et immergé trois fois à la profondeur de la quille du plus grand vaisseau. S'il est encore en vie, il sera brûlé et ses cendres seront dispersées. »

Le gouverneur général, habitué à exercer ce genre de pouvoirs, fixa Karel et lui dit :

— Nous attendons de vous que vous convainquiez les nations qu'elles n'ont aucune raison de s'opposer à nous quand nous lancerons notre attaque.

— Je les convaincrai, lui affirma Van Doorn.

Il y avait dans le port de Batavia à ce moment-là un navire lourdement chargé de produits à destination de la Chine, du Cambodge et de l'entrepôt hollandais de Formose, avec encore un peu d'espace libre pour les épices et les métaux précieux que l'on risquait toujours de trouver au cours d'une aussi longue traversée. C'est à bord de ce bateau qu'embarquèrent Karel, son frère Willem et leurs seize serviteurs. En raison de l'importance de cette mission, le capitaine s'était privé de sa cabine, qu'il avait assignée aux deux frères. Et c'est entouré de livres et de cartes marines qu'ils commencèrent leur long voyage vers les anciens ports de l'Orient, sillonnant des eaux que Marco Polo avait connues, dépassant des îles qu'aucun homme blanc n'accosterait pendant encore un siècle.

A chaque escale, ils affirmaient aux chefs locaux que les Hollandais n'avaient aucune visée sur leurs territoires et que Java comptait sur leur neutralité pendant l'attaque de Malacca.

— Ces gens ne vont-ils pas avertir les Portugais ? demanda Willem.

— Les Portugais sont déjà au courant. Nous attaquons régulièrement Malacca tous les dix ans. Ils nous attendent, c'est certain.

— Ne vont-ils pas préparer leur défense ?

— Bien sûr. C'est ce qu'ils font en ce moment.

— Alors pourquoi ne pas les attaquer tout de suite ? demanda le jeune homme.

— L'an prochain fera aussi bien l'affaire. Notre mission en ce moment est de nous faire des alliés.

Mais, plus tard, alors que les Hollandais dînaient seuls, Karel eut l'idée de lever son verre aux marins et aux soldats qui participeraient au siège.

— Au brave, parmi nous, qui pourrait bien être gouverneur de Malacca avant que l'année ne s'achève.

Et tous les Hollandais burent en silence, rêvant de toutes les possibilités : dans leur armée, on n'avait pas besoin d'être noble de naissance pour devenir amiral ou gouverneur.

Fin avril 1640, quand les Van Doorn rentrèrent à Batavia avec l'assurance qu'aucun voisin n'interviendrait dans les opérations des détroits de Malacca, la flotte de guerre était déjà rassemblée. Le gouverneur général Van Diemen décida de lancer la grande offensive.

— Karel, dit-il à l'ambassadeur qui venait d'arriver, vous accompagnerez la flotte. Vous prendrez le commandement dès que la forteresse sera entre nos mains.

— Mise à sac ?

— Ce sera un combat long et dangereux, Karel. Laissez trois jours aux hommes pour qu'ils s'emparent de ce qu'ils voudront. Ensuite, vous rétablirez l'ordre. Après quoi plus personne ne sera molesté, musulman ou chrétien.

— Le sultan ?

— Protégez-le par tous les moyens. Les soldats pilleront probablement ses palais et prendront un certain nombre de ses femmes. Mais faites-lui savoir qu'il survivra, avec notre bénédiction... et seulement à cause de notre bénédiction. Il sera notre meilleur allié.

On mit à la voile. La mer parut recouverte d'une courte-pointe de dentelle blanche, et les espions partirent aussitôt vers l'extrémité de l'île lancer des petits bateaux pour gagner Malacca au plus vite et prévenir les Portugais de l'imminence du siège. Il fallut treize jours à la flotte néerlandaise pour atteindre les détroits au sud de la forteresse et, lorsque le jeune Willem Van Doorn leva les yeux vers les fortifications de plus de dix mètres de haut et de huit mètres d'épaisseur, le souffle lui manqua.

— Personne ne pourra les abattre.

Il avait raison de se montrer sceptique, car la forteresse était beaucoup plus importante maintenant qu'au moment du premier assaut des Hollandais. Il y avait dans l'enceinte cinq grandes églises, deux hôpitaux, des greniers, de nombreux puits profonds et de quoi loger quatre mille combattants. La ville extérieure abritait vingt mille hommes, le port et la rivière plus de mille petits bateaux. Depuis les cinq tours, soixante-neuf canons de longue portée contrôlaient tous les axes d'approche. Surtout, la défense était entre les mains d'un homme ayant soutenu d'autres sièges et qui était bien déterminé à triompher de celui-là.

Pendant cinq longs mois d'horreur, il réussit. Il vit deux mille hommes mourir de faim dans ses rangs, puis deux mille autres, et enfin trois mille de plus. Mais il imposa aux assaillants hollandais un tribut effrayant : plus de mille hommes parfaitement entraînés trouvèrent la mort en tentant de s'avancer jusqu'à ces puissantes murailles.

Ils n'obtinrent qu'un succès limité : au prix de luttes héroïques, ils débarquèrent leurs canons, les protégèrent par des levées de terre et se mirent, avec ordre et méthode, à percer de vastes trous dans les fortifications. Tout ce qu'il leur fallait à présent, c'était envoyer une bonne charge d'infanterie par les brèches, et le fort serait à eux.

— Les Portugais mangent des rats et rongent le cuir de leurs chevaux, leur affirmaient les déserteurs.

Mais, pour atteindre les brèches, il fallait que les Hollandais pataugent jusqu'aux aisselles dans des marais infestés de malaria, puis traversent à la nage des courants turbulents, tout en servant de cibles aux Portugais à l'affût sur les murs. On comprend qu'ils aient hésité. Une sorte de guerre d'attente s'installa, au cours de laquelle on envoya régulièrement des yachts à Java pour réclamer des renforts et des conseils. En décembre, Willem Van Doorn partit sur l'un d'eux. Il portait des messages :

> Notre pasteur Johannes Schotanus fut un excellent homme pendant que se déroulait le premier combat, mais, en cette période d'attente, il s'est de nouveau révélé très difficile et il a fallu le suspendre de son office. Nous en sommes désolés, car il possède des dons merveilleux. Ses enseignements sont exemplaires, il lui suffirait de les pratiquer. Il pourrait réaliser tant de choses si seulement il buvait moins, mais nous ne pouvons pas le laisser exercer comme prédikant quand nous aurons pris Malacca, parce que son insobriété manifeste porterait ombrage au renom de la Compagnie.

Au sixième mois du siège, le jeune Willem revint se joindre à la flotte dans un grand navire qui apportait des vivres frais, beaucoup de poudre à canon et l'ordre de prendre la forteresse sans tarder. Dans la nuit d'un dimanche de janvier 1641, tous les Hollandais valides descendirent à terre, franchirent les marais à gué et lancèrent l'assaut avant l'aube. Par un formidable barrage de grenades à main, ils chassèrent les Portugais des brèches des murailles. A dix heures du matin, la clef de voûte de l'empire du Portugal en Orient était tombée.

L'un des vainqueurs les plus enthousiastes fut le jeune Willem, qui avait découvert qu'il ne craignait ni le feu du canon ni celui qui tombait des hautes murailles. De fait, il était plus résolu que son frère aîné et beaucoup plus enclin à aller de l'avant, que les autres l'accompagnent ou non. Il fut parmi les premiers à entrer dans la ville. Quand on hala des canons à l'intérieur, il les accueillit avec des cris de joie farouches. On les mit en batterie, on les pointa vers les étroites ruelles, et les boulets — grosses sphères de fer —

jaillirent des bouches, détruisant tout devant eux. Willem applaudit quand l'incendie fit rage et il était à l'avant-garde des soldats cupides qui pillèrent les bâtiments pleins de trésors qui avaient échappé au feu.

Ce fut une victoire sanglante, mais, dès que la mise à sac prit fin, les Hollandais firent preuve de leur magnanimité coutumière : on rendit hommage au commandant portugais pour sa bravoure et on lui donna un bateau pour qu'il puisse emmener sa famille, ses esclaves et ses biens à l'endroit de son choix ; les courageux capitaines qui avaient défendu les tours eurent le loisir de l'accompagner avec tout ce qu'ils possédaient. Et quand un navire portugais, au courant de rien, pénétra dans le chenal avec une cargaison de tissus indiens, on l'invita à se mettre à quai. En effet, les îles sous la domination néerlandaise produisaient peu de tissus en excédent, et le commerce avec l'Inde portugaise devait donc être non seulement permis, mais encouragé.

Ainsi donc, le vaste empire portugais d'Orient, né des efforts de Magellan et d'Albuquerque, était en train de se dissoudre. Seuls se maintiendraient le village de Macao au seuil de la Chine, une partie de la petite Timor dans les eaux du nord de l'Australie, la minuscule enclave de Goa, en Inde, et l'arrière-pays sauvage derrière l'île de Mozambique — c'étaient des reliefs. Tout le reste allait s'envoler : Ceylan, Malacca, Java, les îles des Épices. Des terres aussi magnifiques ! C'était un crève-cœur.

Alors même que les incendies rougeoyaient encore, les vainqueurs rendirent compte aux responsables de la Compagnie, à Batavia : « Nobles, vaillants, sages et honorables gentilshommes, Malacca est tombée et sera dorénavant considérée comme territoire et possession privée de la Compagnie néerlandaise des Indes orientales. »

Les Hollandais s'étaient enfin assurés du monde oriental, et il fallait maintenant songer sérieusement à établir entre Amsterdam et Batavia un point d'escale bien à eux, où leurs marins pourraient se rétablir du scorbut. La logique dictait qu'ils choisissent le cap de Bonne-Espérance, et pourtant la fondation du Cap n'eut rien à voir avec la logique. Ce fut un pur hasard.

Batavia ! Cette minuscule enclave sur la côte nord-ouest de Java, cette capitale glorieuse d'un empire vaste et maintenu par des liens très lâches, avait emprunté son nom aux Bataves, tribus farouches et insoumises que les premiers empereurs romains avaient affrontées dans les marais qui deviendraient plus tard la Hollande.

Ce serait toujours un lieu plein de contradictions, une ville forteresse entourée de murs, perchée à l'orée d'une jungle, totalement néerlandaise dans son plan, son aspect et ses coutumes — mais en même temps une évasion totale par rapport à la Hollande, une cité tropicale garnie de jardins, couronnée de fleurs merveilleuses et où s'entassaient des fruits étranges. C'était un endroit divin, un endroit mortel, et plus d'un Hollandais devait y mourir avant le dixième anniversaire de son arrivée, abattu par l'indolence, la gloutonnerie et l'ivresse. Ce fut vers cette époque que les hommes de la Compagnie, retournant à Batavia après les privations forcées des lointaines îles des Épices, inventèrent la fête qui resterait toujours associée au nom de Java.

On pouvait l'observer sous son meilleur jour dans la spacieuse salle à manger d'Hendrickje Van Doorn, où quinze ou vingt invités se rassemblaient au son des musiciens de la maîtresse de maison. Des esclaves javanais en sarong présentaient d'énormes plats de riz blanc à la vapeur, sans aromates, et chaque hôte formait une petite montagne dans son assiette. Puis le premier groupe de domestiques se retirait et, après un silence lourd d'attente, Mevrouw faisait tinter une clochette chinoise. Une chaîne de seize serveurs apparaissait alors dans le jardin, devant la porte des cuisines (on avait demandé à plusieurs jardiniers de prêter leur concours). Chacun portait sur ses paumes ouvertes, à la hauteur de la taille, deux plats, trente-deux mets différents au total : poulet découpé, émincés d'agneau, poisson séché, poisson bouilli, les huit condiments rares, les dix fruits, des noix, des raisins, les légumes et une demi-douzaine de préparations savoureuses que nul n'aurait pu identifier.

Les seize serviteurs tournaient autour de la table et chaque invité faisait des petits tas autour de son riz jusqu'à ce que son assiette ressemble à un volcan s'élevant au-dessus de la mer. Mais ce n'était pas tout, car, après le départ de ces serviteurs, d'autres apparaissaient avec des carafes de gin transparent, dont on versait de copieuses rasades. Après ce réconfort, les dîneurs se lançaient dans leur repas, réclamant de temps en temps l'un des trente-deux petits plats dès que son assiette semblait moins remplie. C'était le « riz aux seize boys » de Java, et il comptait pour beaucoup dans le fait que de nombreux Hollandais, hommes et femmes, qui avaient vécu des vies plutôt austères dans leurs Pays-Bas calvinistes, n'envisageaient pas avec enthousiasme de rentrer au pays natal lorsqu'ils avaient connu Batavia.

Néanmoins, deux fois par an, les navires marchands hollandais qui faisaient commerce dans tout l'Orient se réunissaient à Batavia pour préparer le long voyage de retour à Amsterdam. Chaque flottille demeurerait en mer la moitié d'une année, roulant et tanguant au gré des longues houles de l'océan Indien, avant de faire voile de conserve à travers les tempêtes de l'Atlantique. Parfois, un tiers de la flottille se perdait, mais, dès qu'un bateau semblait condamné, il hissait le drapeau de panique, sur quoi tous les autres se serraient autour de lui. On attendait une éclaircie et on transférait la cargaison dans leurs cales : le plus souvent, les précieuses épices continuaient leur périple jusqu'au port d'Amsterdam.

La première flottille prenait la mer aux environs de Noël ; la seconde attendait le temps qu'il fallait pour recueillir les « cargaisons des moussons », venues du Japon et de Chine. La traversée de Noël était particulièrement en faveur parmi les Hollandais de Java, car c'était l'époque où ils commençaient à avoir le mal du pays — la nostalgie des canaux saisis par l'hiver —, et le spectacle des grands vaisseaux à l'ancre était une tentation douloureuse. En 1646, il n'y eut pas d'exception à la règle : une immense flottille se rassembla dans les eaux de Batavia sous le commandement d'un amiral et, au matin du 22 décembre, elle hissa ses voiles.

A la dernière minute, trois bateaux, dont la taille plus petite et la voilure plus efficace permettraient de meilleures allures que les autres, reçurent l'ordre de se détacher et d'attendre trois semaines de plus pour servir d'arrière-flotte et transporter d'importants messages de dernière minute, ainsi que certains responsables de la Compagnie désireux de partir seulement après les fêtes de Noël. Il s'agissait du *Haerlem*, du *Schiedam* et de l'*Olifant*. Ils accostèrent pour que leurs marins puissent festoyer à terre — ce qui provoqua d'énormes bagarres, parce que les matelots des deux premiers bateaux, qui portaient des noms honorables, se mirent à houspiller ceux de l'*Olifant* (en hollandais : éléphant).

Cette année-là, Noël fut une période tapageuse, mais, dans la spacieuse demeure de Mevrouw Van Doorn, la fête conserva toute sa grâce hollandaise. Ses musiciens étaient vêtus de batik de Jogjakarta et ses serveurs de sarongs de Bali. Il y eut des danses et de longues harangues d'agents subalternes en poste dans les îles aux Épices, mais, vers la fin de la journée, tandis que les énormes quantités de mangeaille finissaient de disparaître arrosées par des fûts de bière et d'arak, le gouverneur général en profita pour prendre Mevrouw Van Doorn à part et lui donner un conseil concernant ses fils.

— Ils devraient partir avec la flottille de queue, lui dit-il à mi-voix, tandis que ses collaborateurs digéraient, en ronflant, leur bière et leur ripaille.

— Pour me priver de mon appui le plus sûr ? demanda-t-elle en indiquant d'un signe aux esclaves comment agiter les éventails pour faire davantage d'air.

— Vos fils ne peuvent être un appui plus sûr pour vous que moi-même, dit-il en s'inclinant vers elle.

Et lorsqu'elle eut favorablement réagi à ce compliment, il poursuivit :

« Karel est né en Hollande, et c'est un avantage permanent. Mais il n'a jamais servi là-bas, et les XVII Seigneuries ne peuvent se faire une idée juste de ses talents.

— Karel fera son chemin en toutes circonstances, répondit-elle d'un ton vif. Il n'a pas besoin des attentions particulières d'Amsterdam.

— C'est vrai, Karel est un jeune homme admirable, et il parviendra à des situations importantes, j'en suis certain.

Il baissa la voix et lui prit la main.

« Des situations éminentes, corrigea-t-il, comme moi-même dans des circonstances semblables.

— Jan Pieterszoon Coen nous a souvent dit que vous étiez l'un des plus grands. Et vous savez que Karel est de votre trempe.

— Mais souvenez-vous du conseil d'un homme prudent en ce qui concerne l'autorité : « Il faut se tenir assez près du feu pour être chauffé, mais pas assez près pour être brûlé. » Karel doit vraiment se faire voir au quartier général de la Compagnie. C'est la seule solution, Hendrickje.

Pendant quelques instants, elle réfléchit à son conseil. Elle savait qu'il était bon. La Jan Compagnie était une bête étrange : dix-sept hommes tout-puissants qui ne connaissaient pas l'Orient par eux-mêmes prenaient des décisions ayant des répercussions sur la moitié du monde. Elle n'avait nulle envie que ses fils deviennent membres de ce groupe très exclusif de calculateurs à l'esprit mesquin, mais elle tenait à ce qu'ils parviennent à des postes élevés à Java ou à Ceylan — des postes que seules les XVII Seigneuries pouvaient attribuer. Il était vraiment temps que Karel fasse une apparition au pays natal.

— Mais Willem ? demanda-t-elle doucement, d'une voix qui trahissait son amour pour ce garçon aux cheveux en broussaille. Il est trop jeune. Sincèrement, il devrait rester avec moi.

Le gouverneur éclata de rire.

— Hendrickje, vous me stupéfiez. Willem est allé à Formose, au Cambodge. Il a vaillamment combattu à Malacca. C'est un homme, pas un gamin.

Puis il devint sérieux et demanda aux serviteurs de se retirer.

— Gardons les boys des éventails. Ils ne parlent pas hollandais.

— Hendrickje, pour Karel, se faire voir à Amsterdam est de bonne politique. Pour Willem, c'est une question de survie. Tout son avenir peut en dépendre.

— Que voulez-vous dire ?

— Vous le savez mieux que moi. Peu de jeunes gens nés hors de Hollande peuvent prétendre à des situations de responsabilité au sein de la Compagnie. Et sûrement pas un garçon né à Java.

Mevrouw Van Doorn se leva brusquement, ordonna aux boys des éventails de quitter la pièce et se mit à marcher de long en large.

— Scandaleux ! s'écria-t-elle. Mon mari et moi sommes venus ici aux jours les plus sombres. Nous avons contribué à incendier Jacatra et à construire cette nouvelle Batavia. Et maintenant, vous me dites que parce que notre fils est né pendant notre séjour ici...

— Ce n'est pas moi qui vous le dis, Hendrickje. C'est la Compagnie. Tout homme né à Java souffre d'un stigmate terrible.

Il ne continua pas, car c'était inutile. Peu importait la colère de Mevrouw Van Doorn devant ce rappel, dénué de tact, d'une vérité toute simple : son fils Willem souffrait d'un handicap qui risquait de se révéler fatal dans le cadre de la politique de la Compagnie. Elle savait que le gouverneur avait raison : la colonisation hollandaise en Orient provoquait des contradictions absolument insolubles. Les Hollandais étaient des calvinistes sincères qui prenaient leur religion au sérieux et, dans les demeures somnolentes de Batavia, se trouvaient de nombreuses personnes dont les ancêtres étaient morts en défendant leur religion. C'était de la graine de martyrs, des hommes prêts à mourir si le calvinisme se trouvait menacé. Mais ils n'en étaient pas à un paradoxe près. Ils croyaient que Dieu, dans Sa miséricorde, avait séparé les élus des damnés, et ils étaient convaincus que les Hollandais étaient élus. Pas tous peut-être, mais la plupart... Ils croyaient fermement en la sobriété, mais ils buvaient jusqu'à l'étourdissement cinq jours sur sept. Ils croyaient en un comportement sexuel très strict — beaucoup plus strict que celui des Portugais ou des Anglais ; ils en parlaient ; ils lisaient les passages de la Bible qui condamnent la vie de débauche ; et leurs prédikants fulminaient contre le péché charnel du haut de leurs chaires. Oui, ils croyaient en la chasteté...

Et c'était là la difficulté. Car quelle bande de paillards c'était ! Peu d'hommes en Europe avaient un œil aussi vif que les Hollandais d'Amsterdam pour un jupon retroussé. Ils prenaient les bordels à l'assaut et pourchassaient les filles — ramenées du Brésil, de Bali et de Dieu savait où. Mais ils n'agissaient ainsi qu'après de solennelles déclarations de vertu et avant des prières de contrition. Peu d'hommes au monde se sont comportés de façon aussi licencieuse entre deux épisodes de dévotion absolutoire.

Et à Java, la difficulté était triplée. Car les jeunes gens les plus virils de Hollande débarquaient à Batavia pour un séjour de cinq à dix ans, mais sans aucune femme hollandaise pour leur servir de compagne — ou très peu, et de la pire espèce. Hendrickje Van Doorn avait écrit à plus de cent jeunes femmes de Haarlem et d'Amsterdam pour les supplier de venir épouser ces splendides jeunes gens en train de faire fortune, mais elle n'en avait attiré aucune : « La traversée est trop longue. Je ne reverrai jamais maman. Le climat est trop chaud. C'est un pays de sauvages. » Cent jeunes filles à marier pouvaient réciter chacune cent bonnes raisons de ne pas aller à Java, ce qui signifiait que les jeunes gens devaient travailler là-bas sans épouses jusqu'au jour où ils rentreraient au pays avec leur pécule.

Sans épouses mais non sans femmes. Les filles de Java étaient parmi les plus jolies du monde — minces, réservées, parlant toujours dans un murmure : des beautés donnant l'impression d'en savoir plus long sur l'amour qu'elles ne voulaient bien l'avouer. Les filles de Bali semblaient plus séduisantes encore, et les étonnantes femmes de la Chine n'étaient pas seulement belles, mais robustes et capables. Il fallait être un Hollandais d'un naturel fort résolu pour écouter son prédikant à l'église le dimanche et s'abstenir des femmes somptueuses des quartiers réservés pendant les six autres nuits.

Les XVII Seigneuries et leurs subordonnés étaient des hommes d'affaires à l'esprit dur, ne s'intéressant qu'à un profit rapide. Mais, en certaines occasions, il leur fallait bien s'occuper des autres problèmes, et aucun n'était plus agaçant que celui du mélange des races. Et tandis que les directeurs de conscience tonitruaient contre le métissage, deux écoles de pensée opposées se firent jour : les « éclairés », qui estimaient tout à fait méritoire d'encourager leurs employés à épouser des Orientales pour constituer une colonie permanente ; et les « obscurantistes », qui y voyaient la dégénérescence de leur propre race. L'opinion puritaine prévalut — bien qu'en pratique cela signifiât peu de chose chaque fois qu'un homme solitaire avait besoin de la chaleur d'une concubine ou d'une esclave.

Le débat devait faire rage pendant des siècles, non seulement à Java, mais dans les autres possessions hollandaises. Pendant un certain temps, les mariages mixtes furent même encouragés, au point que la Compagnie offrit une prime à ses employés lorsqu'ils épousaient des filles de l'endroit et s'installaient de façon permanente. Mais, pris entre deux philosophies contradictoires, les directeurs ne furent jamais capables de trouver une solution satisfaisante. Tandis qu'ils sondaient leurs âmes à la recherche des justes réponses, un nombre infini d'enfants illégitimes virent le jour.

Bien entendu, les femmes locales les plus adorables ne voulaient rien avoir en commun avec les envahisseurs ; un grand nombre d'entre elles étaient musulmanes et elles auraient préféré mourir plutôt que de se convertir ou de porter l'enfant d'un *kafir*, d'un incroyant, comme elles appelaient les Hollandais. Des milliers d'autres, moins pieuses ou moins concernées, dormaient avec leurs maîtres, et les Hollandais les plus libéraux saluaient la nouvelle génération à la peau brune comme un appoint charmant : la combinaison d'un beau Hollandais blond à la peau blanche très claire et d'une belle Javanaise menue au teint d'orchidée produisait en effet des garçons métis intelligents et des Eurasiennes irrésistibles.

Mais de tels sentiments étaient rares. La plupart des Hollandais qui régnaient sur les tropiques étaient convaincus que les races devaient être maintenues à part, sinon l'intelligence supérieure des hommes venus d'Europe risquait d'être contaminée. C'était ce sentiment qui animait l'une des XVII Seigneuries dans cette diatribe contre les sang-mêlé :

> Cette engeance bâtarde est la descendance du diable, la graine de la luxure pécheresse, elle n'a pas de place dans notre société. Il ne faut pas employer les hommes aux écritures et l'on doit interdire aux femmes d'épouser nos agents. Ils représentent un accident infâme dont nous ne pouvons pas être fiers et contre lequel nous devons nous protéger.

Les XVII Seigneuries, dont plus d'un était fils de prédikant, s'étendaient avec complaisance sur toutes les ramifications de ce sujet, soulignant immanquablement que les métis étaient une plaie de l'ordre social. Ils ne se rendaient pas compte que la plupart des hommes envoyés en Orient se trouvaient jetés dans une société où ils avaient à peine besoin de lever le petit doigt — et sûrement pas de peiner comme ils l'avaient fait en Hollande. Dans ces circonstances, tout le monde se corrompt très vite. Mais les directeurs se consolaient en attribuant la menace non à la paresse des fils de la

Hollande, mais à la lascivité des femmes avec lesquelles ils entraient en contact.

Pour cette raison, les Seigneuries se montraient toujours prêtes à aider un jeune homme à leur solde qui désirait rentrer au pays pour se trouver une honnête épouse hollandaise. Et les hommes rentraient : ils demandaient la main de jeunes filles d'Amsterdam et, bien entendu, on la leur refusait. Alors ils retournaient à Batavia tout seuls, et le volume des Eurasiens se multipliait. Java acquérait une réputation pestilentielle, et la découverte d'une épouse n'en était que plus malaisée. Les contrôleurs envoyés de Hollande pour rendre compte des mœurs envoyaient des rapports accablants

> Java est un véritable cloaque, et les femmes blanches sont souvent pires que les hommes. Elles passent toutes leurs journées dans le libertinage ou l'oisiveté, elles mangent jusqu'à s'abrutir, boivent à l'excès, s'acoquinent avec la lie des îles et ne se consacrent jamais à rien. Je connais trois femmes mariées qui, en Hollande, seraient des paroissiennes exemplaires et qui, ici, ne font strictement rien d'un bout de la semaine à l'autre, sauf manger, forniquer avec des inconnus et se plaindre de leurs esclaves, dont elles ont une multitude.

Les XVII Seigneuries établirent donc comme principe d'airain que tout homme né dans les îles ne pourrait occuper dans la Compagnie une situation de responsabilité. Comment s'en étonner ? Ces hommes manqueraient de la rigueur morale que conférait de manière automatique une éducation en Hollande ; leur jugement serait perverti par leur contact avec les Javanais, leur force érodée par les effets délétères de l'Orient.

« Il n'y a qu'une issue pour un jeune homme comme Willem, dit le gouverneur en rappelant les boys des éventails, car l'air devenait étouffant. S'il part en Hollande dès maintenant, avant tout contact avec les femmes de l'Orient, et s'il entre à l'université de Leyde, il a une chance de se laver de sa naissance javanaise. S'il reste ici, il se condamne à des situations de troisième ou même de quatrième plan.

Découragée, Mevrouw Van Doorn se laissa tomber dans un fauteuil. Elle n'avait que cinquante et un ans et elle avait envie de garder ses fils avec elle dans sa grande demeure, avec la multitude des domestiques, mais elle mesurait très bien les dangers que le gouverneur venait d'évoquer. La carrière de Karel risquait de souffrir s'il ne rentrait pas en Hollande, mais surtout Willem serait condamné à végéter. Il fallait qu'elle envoie ses fils au pays.

« L'arrière-garde de la flottille prendra la mer courant janvier, dit le gouverneur. Je peux leur trouver deux passages sur le *Haerlem*.

La voyant encore hésiter, il ajouta :

« Dieu m'est témoin, Hendrickje, ils n'ont à Java qu'un avenir très sombre. Au mieux épouser une fille de réputation douteuse. Au pire tomber dans l'ornière.

Elle poussa un soupir, se leva et se dirigea vers la double porte pour contempler les fleurs de son jardin.

— Occupez-vous de leur départ, dit-elle.

Et aussitôt, elle consacra toute son attention à ses festivités du Nouvel An : elles seraient ouvertes librement à tous, comme celles que son mari avait offertes de son vivant aux gens de la Compagnie. Tout le monde serait invité.

Elle commença par emprunter des musiciens dans des maisons amies, et c'est avec un sourire approbateur qu'elle vit les esclaves à la peau brune transporter leurs gamelans de bronze et leurs tambours de bambou dans les diverses pièces où se passerait la danse. Puis elle enrôla des cuisiniers de ces mêmes maisons : il lui fallait plus de quarante serviteurs dans les cuisines et pour la plonge. Elle décora les murs avec ses propres tissus qu'elle suspendait en grands festons, en faisant danser les couleurs. Vingt-quatre laquais enturbannés veilleraient sur les voitures et un nombre égal de servantes s'occuperaient des invités à leur entrée dans les salons.

Les fêtes durèrent trois jours et elles furent particulièrement animées, car de nombreuses personnalités de la société de Batavia étaient parties avec la flottille de Noël : ceux qui restaient se sentaient contraints de faire preuve d'un surcroît d'enthousiasme pour remplacer celui qui s'en était allé. Les gens mangeaient et buvaient jusqu'à en perdre conscience, puis ils dormaient, affalés sur des lits ou par terre, en attendant que la musique douce les réveille pour qu'ils puissent chanter, danser et de nouveau manger et se plonger dans une nouvelle hébétude. Parfois, une femme amoureuse qui rêvait de cette soirée depuis des semaines, ou bien une épouse dont le mari venait de s'en aller avec la flottille, accrochait tel ou tel gaillard au moment où il songeait à aller au lit, et elle l'accompagnait dans l'une des petites chambres — gardant souvent le boy à l'éventail pour diminuer un peu la moiteur.

Les deux fils de Mevrouw Van Doorn observèrent les festivités du Nouvel An avec un intérêt détaché ; l'austère Karel avait assisté à tous ces débordements au cours des années précédentes et il les tenait pour l'inévitable relâchement des esprits qui se produit chez des êtres obligés à vivre loin de chez eux au milieu d'indigènes qu'ils ne respectent pas. Il n'avait pas encore de femme et n'avait nullement l'intention d'en trouver une pour l'instant, et, chaque fois que quelque dame prise de boisson voulait l'entraîner dans un coin, il souriait d'un air triste et s'éloignait. Au cours des années précédentes, le jeune Willem avait été, en règle générale, tenu à l'écart de ces festivités tapageuses. Mais c'était maintenant un ambassadeur émérite et un soldat de première ligne : il aurait été malséant de le séquestrer. Il errait donc au milieu des invités, écoutait la musique et regardait avec une attention toute nouvelle les jolies petites esclaves.

« Il est temps qu'il parte ! » se dit sa mère en le voyant suivre l'une des serveuses dans les cuisines.

Quand la fête se termina et que les musiciens empruntés regagnèrent leurs maisons respectives, elle fit avancer sa voiture avec ses six laquais et elle traversa Batavia jusqu'au quartier général de la Compagnie.

— J'aimerais prendre deux passages sur le *Haerlem,* dit-elle d'un ton tranchant.

On lui remit les documents.

Comme les trois vaisseaux rapides ne partiraient pas avant le 17 janvier et rattraperaient le gros de la flottille quelque part du côté de Sainte-Hélène, où l'on prendrait des provisions fraîches à bord, les frères avaient deux semaines entières pour leurs adieux. Le jeune Willem rendit visite à de nombreux amis, mais Karel passa toutes ses journées aux bureaux de la Compagnie, pour enregistrer les détails des ventes et des achats prévus pour l'année qui commençait. Il prit note des différentes flottilles qui partiraient vers l'est et le nord, et des capitaines qui les commanderaient. Parfois, tandis qu'il étudiait ainsi ces opérations complexes, il avait l'impression d'être comme une araignée au cœur de sa toile, en train de contrôler les destinées de la moitié du monde. Il n'y avait plus de Portugais à Malacca, les détroits étaient hollandais. Il n'y avait pas d'autres Européens à Nagasaki non plus : le Japon était maintenant une concession exclusivement hollandaise. Des vaisseaux anglais s'arrêtaient encore à leur petit entrepôt de Batavia, mais ils n'avaient plus le droit de se rendre aux îles des Épices. Et même les navires marchands français qui se présentaient parfois, voiles en lambeaux après la longue traversée, devaient se soumettre aux réglementations dictées par les Hollandais.

— Nous régnons sur les mers, s'écria-t-il un matin, lorsqu'il prit conscience de toute la puissance de la Jan Compagnie.

— Non, l'avertit un homme plus âgé. Les Anglais commencent à s'imposer aux Indes. Et les Portugais détiennent toujours Macao et le commerce avec la Chine.

— Qu'ils gardent le thé et le gingembre, concéda Karel, du moment que nous conservons les épices...

Quand les deux frères se dirigèrent vers les trois bateaux, ils purent sentir les épices de très loin, car les cales étaient pleines à craquer de sacs et de ballots venus des îles orientales à la dernière minute. Avec leur parfum de fortune et leur promesse d'or, les bateaux étaient comme nimbés d'une auréole de splendeur. Ils emportaient le cœur de l'Asie au centre de l'Europe, et chacun d'eux représentait plus de richesses que bien des petits pays n'en produisaient au cours de toute une année. La Jan Compagnie contrôlait Java, et Java contrôlait les mers.

Le quatrième jour, après la traversée du détroit de la Sonde, une redoutable tempête se leva, avec une visibilité presque nulle. Les vents se déchaînèrent pendant trois jours et, lorsque les nuages bas se dissipèrent, le *Haerlem* était seul. Le capitaine tira plusieurs coups de canon, attendit des réponses et, n'entendant rien, suivit la règle de base de toute navigation de conserve : « En cas de séparation, se diriger vers le point de rendez-vous. » Sans grande crainte sur les destinées du *Schiedam* et de l'*Olifant*, il mit le cap sur Sainte-Hélène et le gros de la flotte.

Il leur faudrait plus de deux mois pour couvrir cette distance et, tandis que le *Haerlem* faisait voile franc ouest, soleil levant dans le dos, soleil couchant sur l'étrave, espars craquant et voiles pleines d'un vent rassurant, les frères s'interrogeaient sur le sort des deux bateaux frères.

— Ils sont pourvus de bons capitaines, dit Karel. Je les connais. Ils ont l'expérience des océans. Ils doivent être là, quelque part, parce que si nous avons survécu ils ont fait de même.

— Les verrons-nous ? demanda Willem, sans quitter l'horizon des yeux, comme si deux minuscules navires pouvaient se rencontrer accidentellement sur une aussi vaste étendue.

— Peu vraisemblable. Ils ont peut-être pris beaucoup d'avance. Ou beaucoup de retard. Nous les retrouverons à Sainte-Hélène.

— Tu crois qu'ils sont intacts ?

— J'en suis certain.

A la longue, il devint manifeste que les frères Van Doorn se dirigeaient vers la Hollande dans des états d'esprit très différents et avec des motivations contradictoires. Pour Karel, né là-bas et qui se souvenait vaguement de la maison de sa mère à Haarlem et de celle de son père à Amsterdam, c'était simplement un retour au siège du pouvoir et l'occasion de se faire reconnaître par les XVII Seigneuries en attendant le jour où il deviendrait gouverneur général de Java. Pour Willem, c'était une tout autre histoire. La Hollande l'effrayait. Oh, il n'avait rien contre elle — mais il adorait tellement l'Orient ! Les jours passés avec le petit homme brun à errer à travers les différents quartiers, au milieu des marchands de toutes les nations, l'avaient émerveillé ; le voyage langoureux à Formose avait fait naître en lui le sens de la grandeur de son Orient natal. Il n'était pas assez âgé pour comprendre les limitations que lui imposait sa naissance à Java et il se refusait tout simplement à croire qu'un homme ayant vu le jour à Amsterdam était, de ce fait même, supérieur à un homme né à Batavia.

Lorsqu'il l'interrogea à ce sujet, Karel, toujours très austère, fronça les sourcils.

— Les Hollandais de Java sont en majorité de la racaille. Pourrais-tu songer à épouser une fille issue de l'une de ces familles ?

Le jeune Willem en resta pantois, car non seulement il avait songé à épouser la fille Van der Kamp, mais il avait rêvé, avec plus de passion encore, d'épouser la petite Balinaise qui servait de femme de chambre à sa mère.

Le lendemain matin, pour des raisons qu'il aurait eu bien du mal à expliquer, il fouilla dans ses affaires, retrouva le bracelet d'ivoire de Jack encore fixé à la chaîne d'argent et le passa autour de son cou, comme par défi.

— Enlève ça tout de suite ! lui dit Karel d'un ton sec sitôt qu'il le vit. Tu as l'air d'un Javanais.

— Mais je *veux* avoir l'air d'un Javanais.

Et dès lors le bracelet ne le quitta plus.

Au milieu du mois de mars, ils rencontrèrent des vents contraires et, bien que l'équipage demeurât en excellente santé, le capitaine commença à craindre pour sa réserve d'eau et annonça son intention de relâcher au cap de Bonne-Espérance, où l'on pourrait certainement trouver de l'eau douce et peut-être même troquer du bétail avec les petits hommes bruns.

Et, par un crépuscule rougeoyant, Willem demeura sur le pont pour admirer enfin le célèbre rocher. Même après la disparition du soleil sous l'Atlantique aux teintes froides, la courbure de la terre permettait à ses derniers rayons d'illuminer la vaste cime plate. Et le jeune homme remarqua que les marins se détendaient, car ils considéraient le Cap comme une sorte de point médian — non pas en jours, parce que la remontée vers Amsterdam serait longue et pénible, mais en esprit, car tout le dépaysement, le caractère exotique des pays des épices, était maintenant derrière eux. Ils avaient traversé l'océan Indien ; restait la traversée de l'Atlantique.

Le 25 mars à l'aube, Willem ne vit pas la Table Mountain, car, comme très souvent dans ces eaux froides, le vent s'était levé, chassant des nuages sans pluie. Le sommet plat restait caché. Mais le vent tomba soudain et, vers midi, la vigie cria : « Voile, droit devant ! » Niché à l'autre bout de la baie se trouvait un petit navire marchand. Le maître d'équipage et quelques matelots partirent dans le youyou pour jeter un coup d'œil de plus près. Ils s'éloignèrent et brusquement le temps se reboucha. Un fort vent du sud-est força le capitaine du *Haerlem* à naviguer au plus près. On perdit l'autre bateau de vue. Le vent fraîchit et bientôt souffla en tempête, poussant le *Haerlem* vers la côte.

Il n'y avait encore aucun danger réel, mais le vent tourna

brusquement et les voiles mises en place pour maintenir le bateau au large l'entraînèrent soudain vers la terre.

— Coupez la civadière ! cria le capitaine.

Mais il était trop tard. De nouvelles rafales saisirent la voilure et le petit bateau toucha très dur. Quand le capitaine tenta de le faire pivoter sur sa quille, dans l'espoir qu'un autre coup de vent le libérerait, d'immenses lames l'assaillirent. Les fonds tremblaient. Les mâts craquaient. Les voiles libérées des écoutes donnaient des coups de fouet dans le vent. Quand la nuit tomba, le *Haerlem* échoué sans espoir donnait de la bande. Il serait probablement réduit à l'état d'épave avant le matin.

— La chaîne d'ancre s'est brisée !

Le cri d'alarme de la vigie transperça la nuit, et les frères Van Doorn s'attendirent à voir sombrer le bateau. Le capitaine ordonna de tirer quatre coups de canon, espérant avertir ainsi l'autre bateau du danger qu'il courait. Son message ne fut pas compris.

Comme l'écrivit le capitaine dans son livre de bord : « Par la grâce de Dieu, notre seul Appui, la puissance des vagues diminua. Nous ne fûmes pas mis en pièces. Et quand l'aube parut, nous vîmes que, si la situation du bateau demeurait désespérée, nous nous trouvions assez près de la côte pour sauver les personnes à bord. » Dans les brumes du petit matin, le youyou revint rendre compte que le navire dans la baie était l'*Olifant*. On mit une chaloupe à la mer pour se diriger vers la berge, mais les hommes du *Haerlem* virent avec stupeur l'embarcation couler dans le ressac, noyant un matelot qui ne savait pas nager.

— Nous devons aller à terre ! cria Karel au capitaine.

— Il n'y a aucun moyen, lui répondit ce dernier.

Mais Karel estima que deux tonneaux vides attachés ensemble pourraient les faire flotter jusqu'à terre — et ce fut sur cet esquif improvisé que Karel et Willem Van Doorn abordèrent au cap de Bonne-Espérance.

Les jours suivants furent un cauchemar. Avec les Van Doorn à leur tête, l'équipage de l'*Olifant* tenta par trois fois d'atteindre le *Haerlem* en train de sombrer. Par bonheur, deux navires marchands anglais parurent dans la baie, rentrant en Angleterre au retour de Java. Une chaloupe du *Haerlem*, manœuvrée avec audace, parvint à les aborder avec une requête d'assistance. A la surprise des Hollandais, les équipages britanniques acceptèrent de collaborer au transbordement sur l'*Olifant* des petits articles de la cargaison du *Haerlem* — et pendant quelques jours ils travaillèrent comme s'ils étaient à la solde d'Amsterdam : « ... Cent boisseaux de macis, quatre-vingt-deux tonneaux de camphre brut, quatre-vingts balles de cannelle de premier choix, bien sèche, et cinq grandes caisses de robes japonaises décorées d'or et d'argent. » Et quand ce travail épuisant s'acheva, les capitaines anglais offrirent de prendre à leur bord jusqu'à Sainte-Hélène quarante marins du *Haerlem*. Ils se joindraient là-bas au reste de la flottille hollandaise faisant voile vers Amsterdam.

Mais, avant que ces bons Samaritains ne s'en aillent, on chargea Willem d'une mission qu'il n'était pas près d'oublier :

— Allez chercher toutes les lettres des pierres-poste, lui dit-on.

Et, avant qu'il ait eu le temps de demander de quoi il s'agissait, l'officier lui cria :

« Et vite, s'il vous plaît !

A terre, il demanda à quelques loups de mer ce qu'il devait faire. On lui expliqua le système et on désigna deux jeunes marins pour le protéger pendant qu'il sillonnerait la grève jusqu'au pied même de la Table Mountain, à la recherche de gros rochers sur lesquels des équipages faisant relâche auraient gravé des indications. Certains ne dissimulaient rien, mais la plupart abritaient de petits paquets de lettres enveloppés de diverses manières pour les protéger. Quand il eut entre les mains ces fragiles documents, il tenta d'imaginer les villes auxquelles les lettres étaient adressées : Delft, Bristol, Lisbonne, Nagasaki. Ces noms étaient les échos de tout ce qu'il avait entendu jusque-là pendant son voyage, des noms sacrés dans les mémoires des marins. Une lettre adressée à une femme de Madrid était restée sous son rocher pendant sept ans et, tout en la regardant, il se demanda si cette femme serait encore en vie quand elle arriverait enfin ou si elle se souviendrait encore de l'homme qui la lui avait « postée ».

Il rapporta dix-neuf lettres aux vaisseaux anglais, mais six étaient adressées à Java ou à d'autres îles de l'Orient. Gravement, comme si c'était une partie du rituel de la mer, les marins britanniques acceptèrent la responsabilité de transmettre les treize lettres européennes à leurs destinataires, puis

Willem ramena les autres à terre pour les « reposter » sous un rocher bien en évidence.

Lorsque les bateaux anglais s'en furent, les Hollandais eurent tout le temps d'étudier leur situation — et elle était sinistre. Il leur était impossible, en cet endroit reculé du monde, de fabriquer l'outillage indispensable pour remettre le *Haerlem* à flot. Il fallait l'abandonner. Mais le fond de ses cales contenait encore des richesses si énormes que ni l'*Olifant* ni le *Schiedam*, s'il relâchait dans Table Bay, ne pourraient les ramener en Hollande. Il fallait construire à terre une forteresse provisoire et y transporter le reste de la cargaison. Et un certain nombre d'hommes devait rester en arrière pour protéger le trésor, tandis que le plus gros de l'équipage ferait voile vers Amsterdam sur l'*Olifant*.

Presque aussitôt, on se mit à l'ouvrage, et les fondations du fort avaient à peine été esquissées que les travailleurs entendirent tonner le canon : le *Schiedam* entra dans la rade naturelle. Bien que l'échouage désastreux du *Haerlem* jetât un voile sur la rencontre, les trois équipages se retrouvèrent avec joie, et il y eut bientôt tellement de marins travaillant à la construction du fort que les capitaines durent en supprimer bon nombre : ils se gênaient mutuellement.

Puis vint la tâche épuisante de transporter à terre le plus gros de la cargaison du *Haerlem*. Il fallait faire vite, de peur que le navire ne s'éventre. Les Van Doorn travaillèrent sur le pont, au contrôle des cabestans qui hissaient les précieuses balles. Et quand trois marins descendirent à fond de cale pour mettre en sac les grains de poivre en vrac, Karel leur indiqua :

— Pas un seul sac ne doit rester en bas. C'est une marchandise de prix.

Mais les hommes remontèrent presque aussitôt sur le pont, le souffle court, et, lorsque Karel voulut savoir pourquoi ils avaient quitté leurs postes, ils tendirent le bras vers l'écoutille :

— Impossible !

Une fortune gisait sous le pont ! Karel descendit dans la cale. Les marins avaient raison. L'eau salée, s'infiltrant dans le poivre, avait provoqué une fermentation si puissante que des gaz mortels se dégageaient. Suffoquant, se tenant la gorge à deux mains, Karel tenta de remonter sur le pont, mais ses pieds glissèrent sur le poivre huileux et il tomba. Sa tête heurta une cloison.

Il aurait été asphyxié si le jeune Willem ne l'avait pas vu tomber. Sans hésiter, il sauta dans la cale en criant au secours. On lança des cordes et l'on hissa le corps inerte de Karel. Willem, un mouchoir sur le visage, remonta aussitôt, les yeux rouges et les poumons en feu.

Pendant quelque temps, il demeura près du bastingage, essayant de vomir, mais le corps du pauvre Karel gisait, inerte, sur le pont. Les frères se rétablirent enfin, et Willem ne devait jamais oublier la réaction de son frère : ce fut comme s'il avait été personnellement offensé par ce poivre, comme si son honneur avait été blessé. Dans un sursaut de vitalité, les yeux encore pleins de larmes, il revint au bord de la cale, incapable de croire que les exhalaisons étaient trop puissantes pour être supportées par un marin.

— Ouvrez les autres écoutilles ! cria-t-il.

Et comme le résultat ne répondait pas à ses attentes, car la cale était vaste et la cargaison très compacte, il ordonna que l'on fasse des trous dans le pont supérieur. Cela se révéla également sans effet et, au comble de la rage, il commanda que l'on mette un canon du bateau en batterie pour tirer dans la coque à travers l'écoutille.

« Feu ! cria-t-il.

Le boulet arracha deux mètres de bordage, permettant à l'air frais d'entrer.

« Tournez le canon !

Et d'un angle différent, un deuxième boulet creusa un trou gigantesque de l'autre côté de la coque. On tira trois boulets de plus et les gaz purent s'échapper. Quand la cale redevint respirable, Karel fut le premier à descendre pour sauver le poivre précieux.

Le 1er avril, la situation était bien en main. Les travaux du fort de banco avançaient et ces hommes entreprenants avaient creusé un puits de vingt mètres de profondeur, qui donnait de l'eau douce. Le transport de la cargaison de l'épave se poursuivait sans problèmes et les responsables des trois bateaux se réunirent à bord du *Schiedam* pour échafauder leurs derniers plans.

Le capitaine était d'avis que l'*Olifant* et le *Schiedam* devaient repartir en Hollande en emmenant autant de marins du *Haerlem* que possible. Il demanda quel en serait le nombre, mais Karel l'interrompit en disant que le principal objectif demeurait le sauvetage de la cargaison et qu'avant de parler des marins à envoyer au pays natal il fallait déterminer combien d'hommes seraient nécessaires à l'occupation du fort jusqu'à l'arrivée de la prochaine flottille à destination d'Amsterdam. Le capitaine se rangea à cette recommandation logique et le conseil décida que soixante à soixante-dix hommes, sous les ordres d'un officier capable, suffiraient à protéger le poivre et la cannelle jusqu'à l'arrivée de la prochaine flottille de Java.

Les membres du conseil se tournèrent vers Karel, dans l'espoir qu'il se porterait volontaire pour rester à terre et garder la cargaison, mais il se rendait bien compte que son avenir l'attendait en Hollande et il ne voulut pas risquer de le compromettre par un séjour prolongé en cet endroit désert. On décida donc que deux officiers de marine confirmés demeureraient au fort avec un détachement de soixante marins, tandis que les frères Van Doorn gagneraient Sainte-Hélène, où ils prendraient le navire le plus rapide à destination d'Amsterdam. Mais, le 12 avril, quand l'*Olifant* et le *Schiedam* partirent, le jeune Willem Van Doorn resta à terre.

— Je sens que l'on aura besoin de moi au fort, dit-il.

C'était le genre d'affirmation pleine d'assurance que les vieux combattants respectent, et ils acceptèrent.

— Tenez bon ! crièrent-ils lorsque les deux petits voiliers prirent la mer, laissant seul au Cap le premier détachement de Hollandais de l'histoire.

Douze jours plus tard, à la fin du mois d'avril, quand vinrent les plus beaux jours de l'automne, Willem surprit les commandants du fort en leur annonçant :

— J'aimerais être le premier à gravir la Table Mountain.

Permission lui fut accordée. Il entraîna avec lui deux amis et ils partirent d'un bon pas vers la montagne radieuse, à une quinzaine de lieues vers le sud. Quand ils arrivèrent au pied, Willem s'écria :

— Nous ne nous arrêterons que là-haut.

Ce fut une escalade harassante et les jeunes gens tombèrent souvent sur des précipices qu'il leur fallut contourner, mais ils parvinrent enfin à ce vaste plateau très beau qui forme la cime de cette montagne. De là, ils purent contempler leur empire.

Vers le sud, rien, hormis le pôle pris dans les glaces. A l'ouest, l'Atlantique désert et les territoires du Nouveau Monde possédés par l'Espagne. Vers le nord, ils ne virent que des dunes balayées par le vent, s'étendant à perte de vue. Mais l'est leur offrit des prairies engageantes, les courbes de quelques collines et, au-delà, les contreforts de montagnes, puis d'autres montagnes et d'autres encore, sans fin, jusqu'à un horizon qu'ils ne pouvaient qu'imaginer. En silence, les trois hommes étudièrent la terre qui se prélassait sous le soleil d'automne et, souvent, ils pivotaient sur eux-mêmes pour plonger les yeux sur les mers solitaires que les vents pouvaient balayer en hurlant sur des milliers de lieues. Mais toujours leurs regards retournaient à ces vertes vallées tentatrices du levant, à ces montagnes accueillantes.

Or, tandis qu'ils regardaient vers l'est, ils ne remarquèrent pas les nuages qui s'étaient formés presque instantanément sur l'océan, à l'ouest, et, quand ils voulurent redescendre de la montagne, le diable étendit sa nappe et chaque pas devint dangereux.

— Que faisons-nous ? demandèrent à Willem ses deux compagnons.

Sa réponse fut celle du bon sens :

— Nous grelottons jusqu'à l'aube.

Ils savaient que cela susciterait des inquiétudes au fort, mais ils n'avaient pas le choix. Et, quand le soleil se leva enfin et dispersa le brouillard, ils s'émerveillèrent de nouveau au spectacle du paradis qui les attendait à l'est.

Dès les tout premiers jours de leur isolement, les marins avaient remarqué la présence de petits hommes bruns dans la région du Cap. C'était une horde pitoyable, « à peine humains, écrivit l'un d'eux, sales, menant une existence misérable et se nourrissant des coquillages qu'ils pouvaient ramasser ». Ils leur donnèrent le nom de *Strandloopers* (les arpenteurs de plage). Au grand dépit des marins, ils n'avaient rien de valeur à troquer, tout en ayant envie de chaque objet qui leur tombait sous les yeux. Les rapports avec eux restèrent sommaires, marqués par de nombreuses échauffourées et plusieurs morts.

Mais, le 1er juin, alors que les hommes abandonnés

croyaient avoir fait le tour de tout ce qu'il y avait à voir dans leur résidence temporaire — les rhinocéros en train de manger dans les marécages, les hippopotames dans les rivières, les lions en maraude dans la nuit et des antilopes inouïes —, un incident se produisit. Un incident si bizarre que tous ceux qui écrivirent par la suite sur le naufrage du *Haerlem* ne manquèrent pas de le commenter :

> En ce jour, à environ deux heures de l'après-midi, nous fûmes abordés du côté de l'est par un groupe d'une vingtaine de petits hommes bruns très différents de la horde pathétique que nous appelions les *Strandloopers*. Ils étaient plus grands. Leurs pagnes étaient plus propres. Ils avançaient sans crainte et, ce qui nous mit en joie, ils conduisaient devant eux un troupeau de moutons qui possédaient les plus énormes queues que nous eussions jamais vues. Nous les appelâmes *Huttentuts*, à cause de leur façon de bafouiller avec des sons cliquetants très étranges. Nous essayâmes aussitôt de faire commerce avec eux. Ils étaient tout disposés à nous troquer leurs moutons contre des bouts de cuivre, qu'ils apprécient beaucoup.
>
> Puis il se passa la chose la plus stupéfiante. Un homme d'environ trente ans sortit de leurs rangs, il avait l'air vif et intelligent, et — parole de Dieu — il portait la tenue complète d'un marin anglais. Plus remarquable encore, il parlait un bon anglais sans le moindre clic. Comme aucun de nous ne savait cette langue, je courus chercher Willem Van Doorn, qui l'avait étudiée à Java. Et quand il sortit du fort, après avoir appris l'arrivée d'un *Huttentut* parlant l'anglais, il s'écria : « Serait-ce possible ? » et, en apercevant le petit homme en tenue de marin, il s'élança au pas de course en criant : « Jack ! Jack ! » et ils s'embrassèrent plusieurs fois en se montrant le bracelet d'ivoire que nous avions vu autour du cou de Van Doorn, au bout de sa chaîne. Puis ils se mirent à danser la gigue et s'écartèrent en parlant, dans une langue que nous ne comprenions pas, de choses que nous n'avions pas vues.

En réalité, parmi les Hottentots avec lesquels les Hollandais firent commerce au cours de leur année d'isolement, il y en avait trois qui avaient navigué sur des bateaux anglais : Jack, qui était allé à Java ; un nommé Harry, qui s'était rendu jusqu'aux îles des Épices ; et Coree, qui avait vécu quelques années à Londres. Mais c'était avec Jack que les Hollandais effectuaient leur commerce.

Cela signifiait que Willem était souvent avec les Hottentots quand un troc avait lieu. Comme par le passé, Jack et lui formaient un couple étonnant : Jack semblait encore plus petit, au milieu des immenses Hollandais, et Willem, adulte accompli à vingt-deux ans, avait l'air d'une tour à côté de son ami. On les voyait partout le long de la baie, et ils chassaient et pêchaient ensemble. Vers la mi-juillet, Jack proposa à Van Doorn de l'accompagner au village où vivaient les Hottentots éleveurs de moutons. Le commandant de la forteresse soupçonna une ruse, mais Willem, se souvenant de la conduite irréprochable du petit homme brun à Java, le supplia de lui accorder l'autorisation.

— Vous risquez d'être tué, l'avertit le commandant.

— Je ne crois pas.

Et, sur cette affirmation simple, le jeune Van Doorn devint le premier Hollandais qui se soit aventuré à l'est vers les montagnes accueillantes.

Ce fut un voyage d'environ trente-cinq lieues, à travers un pays qui ne semblait promettre aucune fertilité. Il dépassa plusieurs endroits où des villages avaient été édifiés dans le passé, et Jack lui apprit que le bétail avait détruit l'herbe.

— Vous avez du gros bétail ? demanda le Hollandais, faisant signe avec ses mains qu'il songeait à des animaux plus gros que des moutons.

— Oui, répondit Jack en riant.

Avec son index, il forma des cornes sur ses tempes et se mit à meugler comme un bœuf.

— Il faut les conduire au fort, s'écria Willem enthousiaste.

— Non, non ! répondit Jack d'un ton définitif. Nous ne vendons pas...

Il expliqua qu'on était en hiver, que les vaches portaient leurs petits et qu'il était interdit de vendre ou de manger des bovins avant l'été. Mais, à leur arrivée dans le village, Willem eut l'eau à la bouche en voyant les animaux magnifiques. Il avait bien l'intention de raconter ce miracle au fort dès son retour.

Son séjour dans le village fut une révélation. Les Hottentots occupaient, sur l'échelle de la civilisation, une place infiniment plus basse que les Javanais ou que les riches marchands des îles des Épices, et les comparer avec les Chinois, si bien organisés, aurait été ridicule. Mais ils étaient déjà au-dessus des Strandloopers primitifs qui hantaient les plages, car ils élevaient des moutons et des bovins selon des systèmes rationnels, et ils habitaient dans des kraals constitués. Il fallait reconnaître qu'ils vivaient presque nus, mais leur nourriture était de grande qualité.

Les cinq jours qu'il vécut au milieu du petit peuple encouragèrent Willem à penser qu'un établissement permanent serait peut-être intéressant. Des paysans hollandais feraient pousser les légumes nécessaires aux flottilles de la Compagnie qui passaient, et ils subsisteraient grâce aux moutons et aux bœufs élevés par les Hottentots. Il discuta de cette éventualité avec Jack.

— Vous élevez davantage de bétail ? lui demanda-t-il.

— Non. Nous en avons déjà beaucoup.

— Mais si nous voulions en troquer ? Vous nous donneriez beaucoup de bêtes ?

— Non. Nous en avons juste assez.

— Mais si nous en avions besoin ? Tu as vu le bateau anglais. La nourriture est mauvaise. Pas de viande.

— Alors, que les Anglais élèvent des moutons ! Que les Anglais élèvent des vaches !

Il n'aboutit à rien avec les Hottentots, mais, à son retour au fort, lorsqu'il parla aux officiers de la richesse de l'arrière-pays, ils eurent envie de viande de bœuf et songèrent à organiser une expédition pour capturer certains animaux. Van Doorn leur répliqua qu'agir ainsi risquait d'envenimer les relations avec les hommes bruns, mais tout le monde tomba d'accord avec les officiers : s'il y avait du bétail dans les collines, il fallait le manger — tôt ou tard.

Le problème fut résolu au début d'août, lorsque Jack, escorté d'une cinquantaine de Hottentots, amena au fort non seulement des moutons, mais trois beaux taureaux dont ils estimaient pouvoir se séparer.

— Vous voyez, dit Van Doorn quand l'affaire fut conclue, nous avons obtenu ce que nous désirions sans faire parler les armes.

Mais, lorsque les officiers ordonnèrent à Jack de livrer du bétail de façon régulière, il s'y opposa.

— Pas assez.

Les officiers crurent qu'il voulait dire que les marchandises offertes en échange n'étaient pas suffisantes, et ils tentèrent de lui expliquer qu'avec le naufrage du *Haerlem* ils avaient perdu leur pacotille normale de troc. Ils n'avaient au fort que des épices et des tissus précieux. Jack les regarda avec méfiance, comme s'il ne parvenait pas à déchiffrer ce qu'ils disaient. L'un des officiers fit mettre une barque à la mer et, avec six Hottentots et Van Doorn, il se rendit près de la carcasse du navire en train de se désintégrer, pour que les petits hommes se rendent compte par eux-mêmes et pour qu'ils ramassent tous les bouts de métal qu'ils voudraient en échange de leurs bœufs.

Ce fut une promenade sans objet. Il ne restait à bord de l'épave que les lourds canons, les ancres et la charpente brisée. Rien qui eût un certain attrait pour les Hottentots, à qui Coree avait appris, à son retour de Londres : « Le bois n'est rien, le cuivre est tout. » Le cuivre avait depuis longtemps disparu.

Mais, tandis que les autres redescendaient dans la barque, Willem trouva par hasard un tiroir négligé qui contenait un objet d'une valeur inestimable. En entendant l'officier longer la coursive à sa recherche, il referma le tiroir et raccompagna les Hottentots sur la côte.

Cette nuit-là, quand les autres furent endormis, il dit à la sentinelle :

— J'ai envie d'aller encore faire un tour sur le *Haerlem*.

Il rama sans bruit jusqu'à l'épave, enfoncée à présent de plus de trois mètres dans le sable. Il fixa son amarre à un clou, monta à bord, se dirigea tout droit à la cabine du capitaine et ouvrit le tiroir. Elle était là, avec ses angles et ses fermoirs en cuivre épais.

Ouvrant les fermoirs avec précaution, il tourna la couverture et vit les mots extraordinaires : *Biblia. Les Saintes Écritures traduites en hollandais, Henrick Laurentz, libraire, Amsterdam, 1630*. C'était la même édition de la Bible, celle que sa mère avait tellement choyée, et il savait qu'il aurait été parfaitement inconvenant de laisser sombrer en mer un objet aussi sacré. Il l'enveloppa dans sa chemise et le rapporta au fort où il le cacha parmi ses rares affaires personnelles. De temps à autre, pendant les jours qui suivirent, quand personne ne regardait, il ouvrait délicatement sa Bible et lisait tel ou tel passage de la Parole sacrée. C'était *son* livre et, pour la Nouvelle Année, il emprunta une plume, et, sur la première ligne de la page réservée à l'inscription des faits mémorables de la vie de famille, il écrivit : « Willem Van Doorn, son livre, 1er janvier 1648. »

Les marins hollandais de Table Bay n'étaient pas oubliés. Au cours des douze mois où ils demeurèrent au fort, près de cent bateaux hollandais engagés dans le négoce de Java firent la traversée dans les deux sens entre Amsterdam et Batavia, mais en contournant le Cap en haute mer. Plusieurs navires anglais pénétrèrent dans la baie, offrant l'aide dont on pouvait avoir besoin, et, au mois d'août, trois bâtiments de la Compagnie jetèrent l'ancre près du fort, apportant de Hollande du courrier, des nouvelles et des outils.

Le capitaine du *Tiger*, qui commandait la flottille, mit Willem dans un sérieux embarras. En effet, la veille de son départ pour Java, il annonça au fort que tout marin désireux de retourner dans cette île pour une nouvelle période de service serait le bienvenu. Trois se portèrent volontaires.

— Nous ferons voile demain à midi, dit le capitaine.

Et, pendant toute la nuit, Willem lutta avec le problème. Intuitivement, avec une violence qu'il n'oublierait jamais au cours des années ultérieures, il se dérobait à la décision de sa mère de l'envoyer en Hollande. Il ne connaissait pas le pays et n'éprouvait pour lui aucun attachement. S'il ne s'embarquait pas tout de suite sur le *Tiger*, la flotte suivante l'emmènerait à Amsterdam et il ne reverrait peut-être jamais Java.

Vers minuit, il réveilla le commandant du fort.

— Tout mon cœur m'attire vers Java, lui dit-il.

— Le mien aussi, lui répondit l'officier.

En quelques phrases, il expliqua que tout homme de caractère, après avoir vu une seule fois les îles des Épices, n'aurait jamais envie de travailler ailleurs.

« C'est un monde à la mesure de l'homme. C'est un monde de couchers de soleil flamboyants. Java, Formose la belle ! Mon Dieu, je mourrais si je savais que je n'y retournerais jamais.

— Ma mère prétend...

— Mon petit, si je n'étais pas commandant de ce fort, je m'embarquerais sur le *Tiger* comme ça !

Il fit claquer ses doigts.

— Ma mère affirme qu'aucun Hollandais ne peut avoir sa chance dans la Jan Compagnie s'il est né à Java — à moins de rentrer en Hollande pour recevoir une éducation et une formation religieuse convenables.

— Eh bien, dit l'officier à la lueur de la chandelle. C'est-à-dire... Mevrouw Van Doorn est la femme la plus intelligente de toutes les îles et si elle dit que...

Non sans agacement, il lança son poing fermé sur la table, et la chandelle vacilla.

« Elle a raison, Dieu me damne ! Elle a raison, répéta-t-il. La Jan Compagnie n'a de respect que pour ces messieurs d'Amsterdam. Je suis de Groningue, et c'est comme si je n'étais que du bétail.

A ce dernier mot il sourit, et il coupa court à ses conseils, car il avait l'intention de profiter du départ de Willem pour envoyer un groupe d'hommes armés chercher le bétail hottentot.

Quand l'aube auréola la Table Mountain, le jeune Willem Van Doorn prit sa décision : le *Tiger* ferait voile sans lui. Il obéirait aux ordres de sa mère et partirait en Hollande avec la flotte de mars. Mais, à l'instant où le voilier était sur le point de jeter l'ancre, il poussa un cri :

— Capitaine ! Capitaine !

Et le commandant de la forteresse crut qu'il avait changé d'avis et qu'il voulait maintenant retourner à Java.

Pas du tout. Il courait vers la pierre-poste sous laquelle il avait enterré les six lettres adressées à Java. A bout de souffle, il rejoignit la chaloupe du *Tiger*, et les documents partirent.

Quand le bateau s'éloigna, il ressentit un pincement de regret, mais, en son for intérieur, il avait la curieuse sensation que son destin n'était ni Amsterdam ni Batavia.

— Ce que j'aimerais, c'est rester ici. Voir ce qu'il y a derrière ces montagnes.

Ce soir-là, il relut longuement dans sa Bible les douces phrases qui brûlaient dans sa mémoire :

> Et Moïse les envoya observer le pays de Canaan et leur dit : « [...] montez dans la montagne et regardez le pays [...] et les gens qui y demeurent, s'ils sont forts ou faibles,

épars ou nombreux ; et ce qu'est la terre dont ils vivent, si elle est bonne ou mauvaise... »

Et en étudiant les autres textes évoquant les réactions des Israélites à l'égard du nouveau pays dans lequel ils avaient reçu l'ordre de se rendre, il se sentit réellement l'un d'entre eux. Il avait escaladé la montagne pour observer le pays ; il avait voyagé à l'intérieur pour voir comment vivaient les gens et si la terre était bonne ou stérile. Il était écrit qu'il appartiendrait à ce pays magnifique au-delà des montagnes et, quand, trois jours plus tard, la petite flûte rapide *Noordmunster* s'en fut dans le sillage des deux vaisseaux plus lents vers les eaux de Java, il la vit s'éloigner sans regret. Mais comment parviendrait-il à rester au Cap ? Il l'ignorait encore, car les Hollandais étaient bien décidés à abandonner le fort dès que la flottille à destination des Pays-Bas paraîtrait dans la baie.

Dans les jours vides qui suivirent, Van Doorn s'absorba dans la routine du fort. Dans un marais voisin, il tua un rhinocéros. Dans une rivière de l'arrière-pays, il abattit un hippopotame. Il monta à bord du trois-mâts anglais *Sun* pour remettre des lettres que le capitaine transmettrait vers leur destination à son arrivée à Londres, puis il aida deux marins hollandais malades à s'embarquer pour la longue traversée vers l'Europe. Détail intéressant, il organisa une partie de chasse à l'île Robben, toute proche, où ses hommes tuèrent environ deux cents pingouins. Il trouva personnellement que la chair de ces oiseaux avait un goût de poisson trop prononcé, mais les autres estimèrent qu'elle était bien meilleure que le lard de Hollande. Deux fois, il partit à la tête d'un groupe faire l'ascension de la Table Mountain.

Il ne se produisit, au cours de cette période calme, qu'un seul événement sortant de l'ordinaire. Un après-midi, peu avant la tombée de la nuit, un petit groupe de Hottentots s'avança vers le fort, du côté de l'est, avec du gros bétail. Les marins exultèrent en voyant cette viande fraîche se diriger vers leur table — des animaux beaucoup plus gros que ceux de Hollande —, mais la négociation n'allait pas être facile, car c'était Jack qui commandait le groupe.

— Pas de vente, dit-il dans son anglais sommaire. Nous venons vivre au fort. Avec vous.

Les officiers n'en croyaient pas leurs oreilles. Comment !

Ces primitifs leur proposaient de s'installer dans le fort! Quand Willem leur répéta que c'était exactement cela que Jack suggérait, ils éclatèrent de rire.

— Nous ne pouvons pas laisser vivre des sauvages avec nous. Dites-leur de laisser le bétail et de partir.

Mais Jack avait une vision moins étroite, qu'il tenta d'exposer aux Hollandais :

— Vous avez besoin de nous. Nous travaillons. Nous élevons du bétail pour vous. Nous faisons des légumes. Vous nous donnez des vêtements, du cuivre, tout ce qu'il nous faut. Nous travaillons ensemble.

Ce fut la première proposition sérieuse invitant des indigènes et des Blancs à collaborer au développement de cette merveilleuse pointe du continent. Jack savait comment cela pourrait être accompli, mais ses avances furent brutalement repoussées.

— Dites-lui de laisser son foutu bétail et de disparaître!

Seul Van Doorn, parmi les Blancs, comprit l'importance de la proposition et il eut le courage de discuter avec ses officiers.

— Il dit que nous pourrions travailler ensemble.

— Ensemble? explosèrent les officiers comme si, d'une seule voix, ils parlaient au nom de toute la Hollande. Mais en quoi pourraient-ils donc nous aider?

D'un geste grandiloquent, l'un des officiers montra les fusils hollandais, les échelles, les caisses de bois et tout l'équipement de leur culture supérieure.

— Ils peuvent nous aider à élever du bétail, risqua Van Doorn.

— Dites-leur que nous ne voulons que leur acheter leurs bêtes.

Mais, lorsque les officiers tentèrent d'engager la négociation, ils découvrirent que Jack et les petits hommes refusaient de traiter.

— Nous venons. Nous vivons avec vous. Nous vous aidons. Nous vous donnons ces bêtes. Et beaucoup d'autres. Mais plus de troc.

C'était incompréhensible! Une bande de primitifs dictait ses conditions et les officiers auraient toléré une telle folie! Dans l'île de Banda, à l'est de Java, quand le sultan s'était opposé aux marchands hollandais sur une affaire de clous de girofle, toute la population — quinze mille personnes — avait été massacrée. En apprenant la nouvelle, les XVII Seigneuries avaient manifesté des scrupules, mais le vieux Jan Pieterszoon Coen avait répliqué vertement, dans des lettres qui devaient parvenir à Amsterdam quatre ans après l'événement : « En Hollande, vous suggérez ce que nous devrions faire. A Java, nous faisons ce qui est nécessaire. » Quand le sultan d'une autre île refusa de coopérer, il fut déporté d'autorité à Amboine avec dix mille sujets. Si la Compagnie ne tolérait aucune opposition de la part des habitants des îles des Épices, qui après tout étaient à demi civilisés bien qu'ils suivissent Mahomet, elle n'allait certainement pas permettre à ces sauvages de lui dicter des conditions d'échange.

— Reprenez votre bétail ! ordonnèrent les officiers.

Van Doorn protesta :

— Dans les villages au-delà des collines, les Hottentots sont nombreux. Si nous commençons à faire des histoires...

— C'est lui qui commence à faire des histoires. Dites-lui de reprendre ses foutues bêtes et, si jamais il remet les pieds ici, il sera abattu. Dehors !

Les officiers ne voulurent entendre parler d'aucune négociation et les Hottentots furent renvoyés. Lentement, tristement, ils rassemblèrent leur bétail gras et repartirent à travers la plaine, incapables de comprendre pourquoi leur proposition raisonnable avait été repoussée.

Willem ne devait revoir Jack que dans des circonstances très tristes. Un groupe de six marins demanda l'autorisation d'aller chasser pendant huit à neuf jours dans la région au nord du fort. Comme il n'était plus possible de troquer avec les Hottentots et que la viande manquait, on les encouragea à chercher un hippopotame ou un rhinocéros, qui fournissaient l'un comme l'autre une nourriture excellente. Le pays qu'ils exploraient étant plus aride que les terres du sud et de l'est, ils durent aller assez loin et ils demeurèrent absents plus longtemps que prévu. A leur retour, ils n'étaient plus que cinq.

— Des Hottentots nous ont attaqués et Van Loon a été tué par une flèche empoisonnée.

Ils avaient ramené la flèche, un objet remarquable consistant en trois segments réunis par des colliers de nerf réglables. Elle était conçue de façon qu'à l'entrée de la pointe empoisonnée dans le corps le reste se détachât. Retirer le projectile devenait impossible.

« Nous avons incisé pour l'arracher, expliquèrent les hommes. Il a vécu trois jours, en s'affaiblissant peu à peu, puis il est mort.

Les officiers, indignés, jurèrent de se venger des Hottentots, mais Van Doorn se souvint d'une chose que Jack lui avait dite pendant son séjour au village :

— Nous ne chassons jamais au nord. Les San... C'est leur terre.

C'était tout ce dont il se souvenait. Un avertissement qu'il avait négligé et, maintenant, un de ses compagnons était mort.

Il proposa d'aller à l'est discuter de cette tragédie avec Jack. Au départ, les officiers tournèrent cette idée en ridicule, mais, à la réflexion, ils comprirent qu'il serait mal avisé de s'engager dans une guerre ouverte avec les petits hommes bruns si ces derniers, outre leur supériorité numérique, possédaient une arme aussi redoutable. Ils donnèrent leur accord et Van Doorn s'en alla parlementer avec Jack. Il était escorté par deux marins armés et il emportait la flèche.

Dès que les Hottentots virent l'objet, ils trahirent leur frayeur.

— Les San. Les petits hommes qui vivent dans la brousse. Nous ne devons jamais aller sur leurs terres.

Ils montrèrent à Van Doorn comment opérait la flèche et ils lui expliquèrent qu'ils redoutaient fort ces petits hommes qui n'avaient ni vaches, ni moutons, ni kraals.

« Ce sont des ennemis terribles si nous allons sur leurs terres. Si nous restons sur nos terres, ils nous laissent tranquilles.

Willem sourit en entendant les Hottentots qualifier ces vagues ennemis de « petits hommes », mais Jack le convainquit que les San étaient réellement beaucoup plus petits.

« Nous gardons notre bétail vers l'océan. Les petits hommes ont plus de mal à s'infiltrer.

Une guerre ouverte entre les Hottentots et les Hollandais était donc évitable. Mais un des hommes rédigea un rapport à Amsterdam expliquant que le Cap était inhabitable, ne valait positivement rien et serait incapable de fournir les provisions nécessaires aux flottilles de la Compagnie :

Mieux vaut continuer de nous approvisionner à Sainte-Hélène. Il n'y a aucune raison pour que les bateaux de la Compagnie pénètrent à l'avenir dans cette baie dangereuse, d'autant que trois ennemis distincts menacent tout établissement éventuel : les Strandloopers, les Hottentots et les petits sauvages qui vivent dans la brousse avec leurs flèches empoisonnées.

A l'instant où cet homme écrivait ces phrases, un officier traversait les jardins de la forteresse et remarquait qu'avec les semences sauvées du naufrage du *Haerlem* son équipe spéciale de jardiniers avait fait pousser des citrouilles, des pastèques, des choux, des carottes, des radis, des navets, des oignons et de l'ail — tandis que les bouchers préparaient pour les cuisiniers de bonnes quantités d'élan, de steenbok, d'hippopotame, de pingouins de l'île Robben et de moutons volés dans les prairies hottentotes.

En janvier, les marins du fort purent observer l'un des grands mystères de la mer. Le 16 septembre 1647, deux splendides vaisseaux de la Compagnie avaient quitté Amsterdam avec l'intention de faire l'aller et retour à Java. Il leur faudrait peut-être deux années, en tenant compte d'éventuelles traversées annexes aux îles des Épices ou au Japon. La *Blanche-Colombe* était une petite flûte rapide, manœuvrée à l'économie par un équipage limité à quarante-huit hommes et commandée par un capitaine qui croyait que la propreté et la lutte contre le scorbut étaient aussi importantes qu'une bonne navigation. A son arrivée au Cap pour refaire ses réserves, tous ses hommes étaient en excellente santé, grâce au jus de citron et au chou conservé dans le vinaigre, et il avait hâte de poursuivre sa traversée vers Java.

Il dit au personnel du fort que les XVII Seigneuries ne les oubliaient pas et les remerciaient tout particulièrement pour avoir sauvé le poivre, qui aurait une valeur énorme quand il arriverait enfin à Amsterdam.

— Nous apprécions ces remerciements, grogna le commandant du fort, mais quand partirons-nous d'ici ?

— Par la flottille qui quittera Batavia à Noël, répondit le capitaine. Elle vous prendra, c'est certain.

Il demanda si des marins désiraient rentrer à Java avec lui. Aucun n'accepta, mais son invitation rouvrit une plaie dans le cœur de Willem.

Mais ce n'était pas comme auparavant. Il n'hésitait plus entre la Hollande et Java. Toute son attention s'orientait vers une question plus précise : que pouvait-il faire de plus efficace pour assurer son retour au Cap ? Il découvrait que ce coin de terre recelait tout l'attrait de Java, toutes les responsabilités de la Hollande, plus l'immensité d'un nouveau continent à découvrir. C'était un défi d'une telle ampleur que son cœur battait à tout rompre quand il se représentait ce que serait la naissance d'un comptoir en ces lieux : organiser des accords de travail avec les Hottentots, explorer le monde des dangereux petits San et surtout s'élancer plus à l'est, au-delà des montagnes bleues qu'il avait entrevues du haut de la Table Mountain. Nulle part, il ne pourrait servir Amsterdam et Batavia plus efficacement qu'au Cap.

Il ne trouva aucune solution à son problème et il était dans la confusion la plus complète lorsque la *Blanche-Colombe* se prépara à mettre à la voile : il ne savait plus s'il valait mieux monter à son bord ou non. L'arrivée de la *Princesse-Royale* dans la baie détourna son attention. C'était un immense bateau neuf spécialement conçu pour les Indes orientales, un *indiaman* d'une allure pleine de majesté, avec son gaillard d'arrière à l'image d'un château fort. Il n'y avait pas à son bord quarante-neuf personnes comme sur la *Blanche-Colombe*, mais la bagatelle de trois cent soixante-huit hommes. Son capitaine était un vieux loup de mer grincheux qui ricanait quand on lui parlait de jus de citron et de tonnelets de choucroute.

— Je suis capitaine au long cours et je veille à ce que mon bateau traverse les tempêtes.

Conséquence directe, il avait déjà vingt-six morts et soixante-dix malades à l'agonie, avant même que ne commence la moitié tropicale de la traversée.

La façon dont les deux capitaines se présentèrent aux officiers du fort indiqua clairement à Willem à quel point ils étaient dissemblables. L'homme qui commandait un énorme bateau pompeux se devait d'être énorme et pompeux. Celui qui dirigeait une petite flûte rapide pouvait se permettre d'être vif et curieux. Willem ne s'étonna pas de voir la *Blanche-Colombe* se hâter de lever l'ancre le lendemain à l'aube, comme si elle voulait éviter tout contact avec la *Princesse-Royale* si mal commandée. Et il ne s'étonna pas non plus d'apprendre que la *Blanche-Colombe* avait emporté une fraction importante des légumes verts et de la viande fraîche disponibles. Après soixante-huit journées de chaleur étouffante, la flûte arriverait à Java sans avoir perdu un seul homme.

Au moment du chargement des provisions à bord de la *Princesse-Royale,* Willem découvrit non sans épouvante que plus de quatre-vingt-dix passagers gisaient sur leurs couchettes crasseuses, trop faibles pour descendre à terre. Un grand nombre d'entre eux étaient visiblement au seuil de la mort. Et il put se rendre compte par lui-même des différences de commandement entre les deux bâtiments. Ils avaient pris le large le même jour, dans le même port, avec des officiers de formation et de milieu comparables, et ils avaient traversé les mêmes mers aux mêmes températures. L'un était en pleine santé, l'autre un charnier où le nombre des morts ne pourrait que se multiplier. Mais, lorsqu'il interrogea les hommes du fort à ce sujet, ils lui répondirent :

— C'est la volonté de Dieu.

Il pensait beaucoup à Dieu en cette période de perplexité, et il se tournait en secret vers sa Bible au fermoir de cuivre, cherchant, comme ses ancêtres, une confirmation de ce que Dieu désirait qu'il fasse. Et un soir, à la lueur vacillante de sa chandelle, il lut un passage qui le galvanisa : les versets où Dieu a ordonné à son peuple élu d'entreprendre une mission déterminée :

> Et j'établirai mon Alliance entre moi et toi [...]. Et je te donnerai, ainsi qu'à ta semence après toi, la terre au sein de laquelle tu es un étranger, tout le pays de Canaan, et tu le posséderas sans fin...

Dieu offrait ce nouveau pays comme le sceau de l'Alliance avec son peuple élu, et la façon dont une poignée de Hollandais ardents avait résisté pendant des générations à l'énorme puissance de l'Espagne démontrait qu'ils faisaient partie des élus. Willem était convaincu que les XVII Seigneuries reconnaîtraient très vite l'obligation que Dieu leur imposait. Ils occuperaient alors hardiment le Cap, comme Dieu le voulait. Où prendraient-ils la main-d'œuvre pour accomplir cette tâche ? A Java, bien sûr, où travaillaient des hommes qui comprenaient ces eaux. Il fallait qu'il se hâte de rentrer à Java sur la *Princesse-Royale* pour être prêt au moment où retentirait l'Appel.

Quand il informa ses officiers de cette décision, l'homme de Groningue le félicita.

— Exactement ce que j'aurais fait.

Mais il n'en aurait pas cru ses oreilles si Willem lui avait exposé ses raisons !

La veille de son départ, Van Doorn se demanda comment sauver sa Bible. S'il l'emmenait à bord du bateau, elle serait reconnue comme une propriété de la Compagnie et confisquée. Il ne pouvait le tolérer, car il sentait d'une manière pour ainsi dire mystique qu'il avait sauvé cette Bible pour un dessein grandiose. C'est ce qui lui dicta son comportement. Dans la soirée, quand chacun dans le fort rentra dans ses quartiers, il l'emporta. Tout en marchant dans la nuit tombante, il se souvint des pierres-poste où l'on déposait des messages d'une importance capitale. Un instant de réflexion suffit à le persuader que, si des lettres soigneusement enveloppées dans de la toile étanche pouvaient résister à l'humidité, un livre comme cette Bible n'y survivrait pas. Il se souvint alors qu'au cours d'une de ses ascensions de la Table Mountain il était tombé sur une série de grottes peu profondes. Bien que la montagne fût éloignée, il partit d'un pas vif, chargé de son trésor. Avant minuit, avec la lune pour guide, il retrouva la grotte et dissimula la Bible enveloppée de toile cirée presque au fond, sous un monticule de pierres. Il était convaincu que ce serait l'aimant qui l'attirerait de nouveau en ces lieux. A midi, quand la *Princesse-Royale* fit voile, il était à son bord.

Ce fut une traversée dans les entrailles de l'enfer. Avant même que le Cap soit hors de vue, les marins jetaient des cadavres par-dessus bord, et pas un jour ne s'acheva sans qu'un passager, attaqué soudain par les fièvres, ne se mît à frissonner jusqu'à la mort. La première fois que Willem vit la bouche d'une femme atteinte par le scorbut — les gencives tellement gonflées qu'on ne voyait plus ses dents —, il demeura sans voix. Il avait fait la traversée avec le *Haerlem* sans être témoin de cette maladie et il ne comprenait pas encore pleinement pourquoi ce bateau était frappé à ce point.

Quand ils descendirent les détroits de Malacca, on jetait par-dessus bord deux ou trois cadavres par jour et, lorsque Van Doorn voulut, dans son enthousiasme, expliquer comment les Hollandais avaient capturé la forteresse portugaise qui bloquait autrefois ces eaux, il ne trouva personne en assez bonne santé pour l'écouter. Le grand indiaman craquait de tous ses bordages et roulait dans la mer : plus de cent trente morts et la plupart des survivants si malades que les chaleurs de Java les tueraient certainement en quelques mois.

A l'entrée du bateau charnier dans la rade de Batavia, ils retrouvèrent la *Blanche-Colombe*, en parfait état de propreté et prête à partir pour Formose. La rencontre des deux capitaines fut très brève :

— Comment était-ce ?

— Comme d'habitude.

— Quand rentrez-vous en Hollande ?

— Quand on me le dira.

Pendant la traversée de retour, la *Princesse-Royale* devait perdre cent quinze personnes de plus.

Mevrouw Van Doorn ne fut guère enchantée de voir son fils cadet rentrer à Java. Elle redoutait qu'une certaine faiblesse de caractère l'ait poussé à se réfugier au plus vite dans un pays facile qu'il connaissait, plutôt que de tenter ses chances dans le climat intellectuel hivernal de la Hollande. Ce serait, pensait-elle, le premier pas vers une dégradation irrémédiable.

Willem avait prévu les appréhensions de sa mère, mais il craignait de paraître prétentieux s'il étalait ses motifs réels devant elle : une vision depuis le haut d'une montagne ; une amitié avec un petit sauvage ; l'appel impératif d'une Bible enterrée. Gardant ses grandes idées pour lui-même, il s'isola pour rédiger un long rapport à ses supérieurs de Batavia, espérant qu'ils le transmettraient aux XVII Seigneuries.

Il y faisait une estimation raisonnable des avantages que les Hollandais pourraient retirer d'une base établie au cap de

Bonne-Espérance. Il l'intitula : *Une étude prudente.* Il reconstitua tout ce dont il avait été le témoin au cours de ses mois d'isolement sur la côte et il mit les marchands responsables de la Compagnie au courant du potentiel de richesses de ce nouveau pays :

> Trois vaisseaux différents nous ont donné des semences, deux venant de Hollande, un venant d'Angleterre, et chaque graine que nous avons mise en terre a produit de bons légumes, parfois plus gros que ceux que nous trouvons dans nos pays. Des marins qui connaissaient de nombreuses contrées nous ont dit : « C'est la meilleure nourriture que nous ayons jamais mangée. » Au cours de mon voyage au village indigène, j'ai vu des melons, des plantes grimpantes ressemblant à de la vigne et d'autres fruits.

Il établit les listes minutieuses de ce qui avait poussé dans les jardins du fort, évalua le nombre de têtes de bétail que possédaient les Hottentots et parla de toutes les espèces d'oiseaux que l'on pouvait chasser sur l'île Robben. C'était un catalogue de grande valeur et il aurait dû encourager toute personne songeant à établir une base d'approvisionnement. Mais des lecteurs méfiants risquaient de s'attarder sur les passages où il décrivait en détail la vie des Hottentots :

> Ils restent presque nus, avec un petit morceau de cuir devant leurs parties honteuses. Pour protéger leurs corps, ils s'enduisent d'un mélange de bouse de vache et de sable, renouvelant les couches mois après mois, si bien qu'on sent leur odeur de très loin. Les hommes coiffent leurs cheveux avec du crottin de mouton et ils les font sécher jusqu'à ce qu'ils deviennent raides comme des baguettes. Très souvent, les femmes mettent autour de leurs jambes, en guise d'ornement, des boyaux de bêtes sauvages séchés.

Il expliqua méticuleusement à la Compagnie les différences entre les Strandloopers, groupe dégénéré de bannis vivant de charognes, les Hottentots, pratiquant l'élevage, et les Bochimans, qui vivaient sans bétail dans l'arrière-pays.

Il calcula combien de bateaux pourraient s'approvisionner en légumes frais si la Compagnie établissait au Cap des fermes pour les faire pousser. Puis il montra que, si l'on parvenait à définir des relations stables avec les Hottentots, on pourrait également compter sur des ressources en viande fraîche presque illimitées. Il conseilla d'abandonner l'escale de Sainte-Hélène, en avançant, non sans logique, que, si les Hollandais ne se retiraient pas de façon pacifique, les Anglais les en chasseraient un jour les armes à la main.

C'était une étude remarquable, et prudente sur tous les points importants. Elle n'eut aucun résultat. Les responsables de Batavia se dirent qu'un endroit aussi lointain ne les regardait en rien ; et les XVII Seigneuries estimèrent impudent qu'un jeune homme à peine plus qualifié qu'un marin s'occupe de ce genre de problèmes. Pour autant que Willem pouvait s'en rendre compte, rien ne se produisit.

Mais les mots jetés sur le papier mènent souvent, au gré des hasards, une vie que personne ne peut soupçonner. Ils gisent au fond d'un tiroir et on les oublie — sauf que, parfois, au moment où on s'y attend le moins, quelqu'un s'écrie au cours d'une discussion : « Mais n'est-ce pas ce que Van Doorn disait il y a quelques années ? » Le passage de l'*Étude prudente* qui ne cessait de revivre dans les deux villes néerlandaises séparées par la moitié du monde se rapportait aux bateaux :

> Comment se fait-il que deux navires de qualité tout à fait comparable, avec à bord des hommes de santé et de formation égales au départ, puissent, sur une traversée d'Amsterdam à Batavia, arriver l'un avec tous ses hommes prêts à travailler à Java et l'autre avec le tiers de son équipage si malade qu'il mourra dans l'année, frappé par nos fièvres, tandis qu'un autre tiers a déjà été enseveli en mer ? Il n'y a pas des bateaux qui ont de la chance et des bateaux qui n'en ont pas. Il n'y a que nourriture fraîche, repos, propreté et tout ce qui contribue à chasser le scorbut. Une halte de trois semaines au cap de Bonne-Espérance avec des légumes frais, des citrons et de la viande fournie par les Hottentots épargnerait à la Compagnie mille vies chaque année.

La majorité des XVII Seigneuries estimait que la santé des marins ne faisait pas partie des responsabilités de la Compagnie.

— Quand le boulanger fait cuire sa brioche, il tombe toujours un peu de croûte par terre, dit l'un d'eux.

Et tout le monde d'applaudir. N'avait-on pas infligé un blâme à un subordonné de Java pour avoir envoyé à des travailleurs mourant de faim à Ceylan deux bateaux de provisions appartenant à la Compagnie ?

« Nourrir les déshérités du monde n'entre pas dans nos attributions.

Mais, pour d'autres membres de cette instance suprême, les observations de Van Doorn sur le Cap avaient porté et, de temps en temps, ils rappelaient à l'attention de leurs collègues le problème des décès trop nombreux. On estimait que le transport d'un homme à Batavia coûtait à la Compagnie la somme coquette de trois cents florins et que, si cet homme ne travaillait pas au moins cinq ans, cette mise de fonds ne pouvait pas être amortie... Mais là s'arrêtaient les débats. Aucune décision n'était prise.

Mevrouw Van Doorn, désespérée, vit son fils cadet glisser dans la routine sans intérêt des employés subalternes — sous les ordres de jeunes gens beaucoup moins capables, mais formés en Hollande. La vivacité de Willem se ternit et ses épaules commencèrent à se voûter. Il portait souvent autour du cou une chaîne assez féminine avec un bracelet d'ivoire et, plus douloureux que tout, il commençait à se laisser entraîner dans l'orbite des quelques veuves hollandaises qui demeuraient à Batavia, mais sans la fortune que Mevrouw Van Doorn possédait au moment où elle avait décidé de rester. C'était un groupe de grosses bonnes femmes assez pitoyables, « des éléphants de mer que chevauchait le premier taureau qui en avait envie », et, dans peu de temps, à coup sûr, Willem viendrait lui apprendre qu'il se proposait de prendre l'une ou l'autre pour épouse. Après une chose pareille, plus rien ne pourrait être sauvé.

Puis, un jour de 1652, alors que Mevrouw Van Doorn, toute joufflue sous ses cheveux blancs, organisait ses festivités du Nouvel An, la nouvelle stupéfiante parvint à Batavia : un poste d'approvisionnement venait d'être fondé au cap de Bonne-Espérance sous le commandement de Jan Van Riebeeck. Et l'on se demandait ce qui était le plus sensationnel dans l'affaire : la décision elle-même ou bien le nom du commandant désigné. Mais comme Hendrickje le déclara très fort, à la grande joie de son public :

— Un homme qui n'est pas assez malin pour voler la Compagnie n'est pas non plus assez malin pour voler *pour* la Compagnie.

Willem Van Doorn était dans le jardin quand sa mère prononça ces mots, mais, en entendant le nom de Van Riebeeck, il franchit la double porte.

— Van Riebeeck ? dit-il. Je l'ai rencontré. Qu'est-ce qu'il lui arrive ?

— Il a été choisi pour diriger un nouvel établissement au Cap.

Willem n'avait pas plus de vingt-sept ans, mais il s'était déjà ramolli. Il demeura sur le seuil, encadré de fleurs printanières, et ses mains se mirent à trembler. La longue traversée du désert s'achevait pour lui. Il se reprit aussitôt et il était déjà en train de poser des questions sur la façon dont il pourrait se faire nommer au Cap, lorsqu'un collaborateur du gouverneur général le prit à part :

— Van Doorn, on nous a demandé d'envoyer à la nouvelle colonie quelques hommes expérimentés. Pour les aider à démarrer.

Willem allait aussitôt se porter volontaire, mais l'autre ajouta :

« De très jeunes gens, bien entendu, et le conseil se demandait si vous ne pourriez pas nous recommander certains hommes des échelons subalternes. Pour les échelons supérieurs, nous déciderons nous-mêmes.

Ainsi donc, Willem Van Doorn, qui n'était plus jugé assez jeune pour un poste aventureux, se consacra à la sélection du premier contingent d'hommes de Batavia qui s'installerait au Cap — et ce fut une tâche détestable, car personne n'avait envie d'abandonner le luxe de Java pour ce désert battu par les vents.

La flottille fit voile et Willem resta sur le quai. Son étude demeura dans des coffres, à Amsterdam et à Batavia, et l'homme qui avait contribué plus que quiconque à l'établissement de ce nouveau poste fut empêché de s'y rendre. Les mois passèrent et, à chaque bateau qui arrivait, Willem courait s'informer des affaires du Cap. Un jour enfin, le conseil reçut un message du commandant Van Riebeeck demandant quelques esclaves de Java, qu'il avait l'intention d'utiliser pour la culture de ses légumes personnels, et le même collaborateur du gouverneur général qui avait ruiné d'un mot tous les espoirs de Willem vint lui faire une proposition éblouissante :

— Van Riebeeck achète quelques esclaves pour le Cap. Et comme vous avez fait ce rapport... Je veux dire : comme vous connaissez le pays, là-bas, nous avons pensé que vous pourriez vous occuper de ce petit service.

Willem s'inclina. Une fois, deux fois.

— Cette confiance est un honneur pour moi.

Et, après le départ du fonctionnaire, il se précipita dans le salon de sa mère en criant :

— Je pars pour le Cap.

— Quand ? lui demanda-t-elle d'un ton calme.

— Avec la flottille de Noël.

— Si tôt !

Elle qui avait attendu si longtemps le jour où son fils lui annoncerait qu'il partait en Hollande, « pour se sauver » comme elle disait ! Elle était consternée de le voir se condamner à un lieu encore plus avilissant que Java. Jamais plus il n'obtiendrait une situation dans la Compagnie et Dieu seul savait ce qui pouvait lui arriver. Mais même le Cap valait mieux que paresser à Batavia et épouser une traînée de l'endroit. Que sa volonté soit faite !

La veille du départ, elle l'entraîna dans son vaste salon de réception.

— Quand tu penseras à moi, lui dit-elle, je serai dans cette maison. Je ne la vendrai jamais. Si je rentrais en Hollande, je serais tourmentée par le souvenir de mes musiciens en train de jouer dans le jardin.

Elle semblait l'image même de ces Hollandais acharnés qui contrôlaient alors le monde — Java, la Guyane aux portes du Brésil, l'île de Manhattan, Formose — et Willem savait qu'elle n'attendait aucune tendresse particulière de sa part. Elle prit sa Bible hollandaise et lui dit :

« J'en ai appris des passages par cœur, la nuit, quand les Espagnols condamnaient à mort tous ceux qui possédaient une Bible.

L'amour qu'il ressentit soudain triompha de sa résolution et il lui avoua :

— Quand notre bateau était sur le point de sombrer, j'y suis revenu en cachette et j'ai trouvé une Bible abandonnée à la mer. Quand j'ai vu que c'était la même que la vôtre, j'ai su que j'avais été envoyé pour la sauver et que, si je la montrais à quiconque, on me la prendrait. Alors, je l'ai enterrée dans une grotte, et elle exige mon retour.

— Jamais je n'ai entendu une meilleure raison d'aller où que ce soit, répondit sa mère.

Quand la flottille de Noël s'en alla, le 20 décembre, elle était sur les quais pour lui souhaiter bon voyage. Ce soir-là, de retour dans sa grande demeure, elle commença ses préparatifs pour ce qu'elle appelait « la fête de l'année qui meurt ». Elle emprunta les orchestres, surveilla la cuisson des porcelets, hocha la tête avec approbation chaque fois que les esclaves apportaient des alcools. Et quand l'année s'éteignit, au milieu de ses pairs, elle chanta à tue-tête elle aussi les vieux refrains du pays lointain. Ils firent ripaille jusqu'à en perdre conscience, puis chassèrent les vapeurs de la fête par le sommeil. Java serait toujours la reine de l'Orient et Batavia son plus beau fleuron.

Le conseil avait décidé que les esclaves de Van Riebeeck viendraient non de Java, dont les indigènes étaient intraitables, mais de Malacca, où les Malais, plus doux, s'adaptaient mieux à la servitude. Et, tandis que la flotte traversait les détroits, le bateau de Willem fit escale dans cette belle rade. Willem descendit à terre informer le commandant du port qu'il devait lui livrer quatre esclaves. Un sergent et trois hommes partirent aussitôt dans les forêts derrière la ville et rentrèrent peu après avec deux hommes et deux femmes à la peau brune. Avant la tombée de la nuit, le bateau de Willem avait rattrapé la flottille et la longue traversée vers le Cap commençait.

Une des esclaves était une jeune fille nommée Ateh, âgée de dix-sept ans, et de la beauté basanée caractéristique de la plupart des femmes malaises. Elle fit la moue quand les marins l'enfermèrent avec les autres dans une section grillagée de l'entrepont et elle protesta lorsqu'on leur jeta de la nourriture. Elle exigea de l'eau pour sa toilette et les marins l'entendirent ordonner aux autres de bien se tenir. A un moment ou un autre de la journée, même si elle s'était mal passée, Ateh se mettait à chanter, susurrant les paroles qu'elle avait apprises pendant son enfance dans son village baigné de soleil. C'étaient des chansons banales, les divagations d'enfants et de jeunes femmes amoureuses, mais, quand elle chantait, la cale obscure devenait plus acceptable.

Au milieu du voyage, cette Ateh était si bien connue de tous que même le capitaine l'avait remarquée. Ce fut lui qui lui donna le nom qu'elle devait porter par la suite.

— Ateh est un nom païen, lui dit-il. Si tu veux chanter dans une église chrétienne, il te faut un nom chrétien.

Il feuilleta sa Bible, en s'en tenant à l'Ancien Testament comme le faisaient en général les Hollandais, et il tomba sur le passage lyrique du Livre des Juges qui semblait prédestiné pour cette fille qui chantait : « Réveille-toi, réveille-toi, Déborah, réveille-toi, réveille-toi et entonne un chant... »

Et on l'appela ainsi désormais.

Comme les esclaves étaient sous la responsabilité de Willem et qu'il désirait autant que possible les conserver en vie — dans ces eaux, un tiers de morts à chaque traversée était monnaie courante —, il passait souvent dans l'entrepont pour veiller à ce qu'on s'occupe bien d'eux. Et, à chaque visite, il rencontrait évidemment Déborah. Avant l'apparition de Willem sur l'échelle, elle était le plus souvent pelotonnée dans un coin, en train de ressasser la malchance qui l'avait conduite en ces lieux, mais, dès qu'elle le voyait arriver, elle s'avançait jusqu'aux barreaux de la cage et se mettait à chanter. Elle feignait d'être surprise par son apparition : elle interrompait son chant au milieu d'une note et lui lançait des regards timides en se voilant la face.

La flottille venait d'entrer dans la partie de l'océan Indien où les températures sont le plus élevées et les esclaves parqués à l'étroit commençaient à souffrir. La nourriture, l'eau, l'air — tout manquait. Un jour, à midi, au plus fort de la chaleur, Willem trouva Déborah allongée par terre dans un état voisin de l'inanition. De sa propre autorité, il ouvrit la grille qui enfermait les esclaves, il la transporta sur le pont supérieur, où il y avait plus d'air, et il s'agenouilla près d'elle tandis qu'elle revenait lentement à la vie.

La légèreté de son corps l'avait émerveillé. Elle gisait dans l'ombre... Son visage merveilleusement paisible, avec ses pommettes hautes et ses paupières légèrement allongées, le fascina sur-le-champ. Il demeura avec elle longtemps. Quand elle reprit conscience, il s'aperçut qu'elle parlait la langue indigène de Java, avec sa curieuse manière de former les pluriels en redoublant le nom singulier. Le mot *saté*, par exemple, désigne des dés d'agneau rôtis sur une brochette de bambou et servis avec une sauce aux arachides. Plusieurs de ces brochettes n'étaient pas *des satés* comme dans de nombreuses langues, mais *saté-saté*. Entendre les indigènes parler très vite donnait l'impression de voix douces en train de bégayer de façon adorable. Et Willem commença à adorer le son de la voix de Déborah — qu'elle chante ou qu'elle parle.

La plupart du temps, il inventait quelque prétexte pour la faire sortir de la cage, traitement de faveur qui irritait à la fois les marins hollandais et les autres esclaves. Un soir, quand vint le moment de rendre la jeune Malaise à sa servitude, il lui proposa de ne pas retourner dans la cale, mais de rester sur le pont avec lui et, tout au long de la nuit humide, tandis que les étoiles dansaient à la cime du mât, ils demeurèrent ensemble. Après cet épisode, tout le monde sut qu'ils étaient devenus amants.

Cela ne posait pas de problème grave, car des centaines de Hollandais travaillant à Java avaient des maîtresses indigènes. Il y avait même tout un rituel réglementant la situation des petits bâtards et ce n'était donc pas une affaire. Mais Mevrouw Van Doorn avait chargé le capitaine de veiller sur son fils et, quand il vit que le jeune Hollandais prenait au sérieux son aventure avec la petite esclave, il se sentit obligé de lui faire des remontrances, à la manière d'un père. Un matin, les marins lui rapportèrent que « Mijnheer Van Doorn avait de nouveau gardé dans ses quartiers la jeune Malaise » et le vieil homme convoqua Willem dans sa cabine, où il trônait dans un vaste fauteuil de rotin derrière une table où se trouvait une autre grosse Bible reliée de cuivre jaune.

— Monsieur Willem, on m'a informé que la petite Malaise vous a tourné la tête.

— Tourné la tête ? Non, monsieur.

— Et que vous avez agi à son égard comme si elle était votre épouse.

— Certainement pas, monsieur.

— Votre mère m'a charge de votre sauvegarde, monsieur

Willem, et je crois nécessaire de vous demander, comme un père, si vous avez lu le Livre de la Genèse.

— Je connais ce Livre, monsieur.

— Mais l'avez-vous lu récemment ? demanda le capitaine.

Il ouvrit le gros livre à une page marquée par un brin de palme et il lut au chapitre vingt-quatre le serment formidable qu'Abraham imposa à son fils Isaac quand ce dernier était impatient de prendre femme :

> Et je te ferai jurer par le Seigneur, le Dieu du ciel et le Dieu de la terre, que tu ne prendras pas une épouse [...] parmi les filles des Cananéens [...] mais tu iras jusqu'à mon pays et ma parenté, et tu prendras une épouse...

Lentement, le capitaine tourna les pages jusqu'à un autre passage, marqué avec une autre brindille de palmier. Il posa les deux mains sur les pages et dit d'une voix sinistre :

« Et Isaac obéit à son père Abraham et, beaucoup plus tard, quand son fils Jacob a voulu prendre femme, que lui a-t-il dit ?

Il leva les mains en un geste théâtral et tendit un index court vers le verset révélateur :

> Et Isaac appela Jacob et le bénit, puis le conjura et lui dit : *Neemt geene vrowe van de dochteren Canaans.*

Willem, voyant la volonté de Dieu exprimée de manière si stricte, se sentit contraint d'affirmer au capitaine qu'il n'avait aucune intention sérieuse avec la fille de Malacca, mais le vieil Hollandais ne s'en laissa pas conter.

« C'est toujours le même problème. De tout temps à Java et bientôt au Cap. Où un noble Hollandais peut-il trouver une épouse ?

— Où ? répéta Willem en écho.

— Dieu a prévu ce problème, comme Il prévoit tout.

D'un geste plein de panache, il fit basculer les pages de l'in-folio jusqu'au premier verset et posa son index gauche dessus :

« Rentrez dans votre propre pays et soyez patient. Ne vous perdez pas avec les femmes de l'endroit, comme le font tous ces idiots à Java... Ni avec des esclaves, ajouta-t-il en tendant l'index droit vers l'entrepont, au-dessous.

— Devrai-je attendre éternellement ?

— Non. Lorsque vous débarquerez avec vos esclaves au Cap, cette flottille continuera vers la Hollande. Et, quand nous arriverons à Amsterdam, je parlerai à votre frère Karel et je le chargerai de vous trouver une épouse entre toutes les femmes de Hollande, comme Isaac et Jacob ont trouvé leurs épouses dans leur pays natal. Et je vous la ramènerai.

Willem fit un pas en arrière, manifestement froissé à la pensée d'avoir sa vie organisée par d'autres que lui-même. Le capitaine referma le gros livre et posa ses deux mains à plat sur la reliure du cuivre.

« Ce qu'il faut faire est écrit là, dit-il. Obéissez à la parole du Seigneur.

Cette entrevue avec le capitaine ne changea rien. Willem continua de garder son esclave dans sa cabine et ce fut elle qui obéit à la Bible : comme la première Déborah, elle ne cessait de chanter, en se pelotonnant toujours plus près du cœur de Willem.

Puis, brusquement, tout se précipita. Un après-midi, alors qu'on approchait de la côte africaine, Déborah s'assit sur le pont inférieur en fredonnant un vieux chant pour elle-même, mais, quand Willem s'approcha, elle s'arrêta au milieu d'une phrase et lui dit :

— Je vais avoir un enfant.

Avec une grande tendresse, il la souleva dans ses bras et lui demanda en javanais :

— Es-tu bien sûre ?

— Pas sûre, répondit-elle à mi-voix, mais je crois.

Elle ne se trompait pas. Très tôt, un matin, en quittant le lit de Willem, elle eut des vertiges. Elle monta sur le pont et elle s'accroupit, les bras serrés autour des chevilles. Elle allait dire à Willem qu'elle était certaine de sa grossesse, lorsque la vigie du grand mât se mit à crier : « Table Mountain ! » et tous les marins montèrent sur le pont pour admirer le merveilleux spectacle.

Willem fut au comble de la joie quand il aperçut la grande montagne plate se détacher dans la lumière du soleil, car elle symbolisait toutes ses aspirations. Des années s'étaient écoulées depuis qu'il l'avait quittée et il se doutait que d'importants changements avaient dû se produire à ses pieds — telles étaient ses pensées quand Déborah se glissa près de lui.

Consciente de l'emprise que cette montagne exerçait sur lui, la jeune Malaise ne parla pas. Elle se mit à fredonner doucement, laissant échapper une parole de temps à autre. Quand il prit conscience de sa présence, elle posa sa main gauche, très petite et très brune, sur le bras droit de Willem et elle lui dit :

— Nous aurons un enfant.

La montagne, la grotte qui l'attendait et l'avenir impossible à déchiffrer se mêlèrent en une sorte de vapeur dorée; il n'avait pas la moindre idée sur ce qu'il devait faire.

Willem débarqua aussitôt — Déborah était restée à bord, car elle devait attendre qu'on lui attribue une tâche. Il trouva la colonie beaucoup plus petite qu'il ne s'y attendait. Cent vingt-deux personnes seulement. Un petit fort avec des murs de banco menaçant de se dissoudre à la première pluie et, à l'intérieur, un fouillis d'édifices grossiers. Mais quel site! En 1647, quand les marins naufragés s'étaient installés à terre, leur quartier général se trouvait à huit lieues plus au nord, sur la plage, et Willem n'avait vu que de loin l'admirable vallée au pied de la Table Mountain. Et, ce jour-là, en voyant à ses pieds cette belle langue de terre protégée par des contreforts de trois côtés, il comprit que, lorsqu'un nombre suffisant de colons arriveraient, ce serait l'une des plus belles villes du monde.

Il fut accueilli par le commandant, un petit homme énergique qui approchait de la quarantaine. Son teint était si basané que les Hollandais blonds le soupçonnaient d'avoir des ancêtres italiens. Il portait une moustache assez fournie et il était vêtu de la manière la plus affectée que le permettaient les conditions de ce bout du monde. Il parlait d'une voix plus haut perchée que la plupart des hommes mûrs, mais à une telle vitesse et avec une telle violence qu'il forçait l'attention et le respect.

C'était Jan Van Riebeeck, chirurgien de marine, qui avait servi dans la plupart des ports des épices puis était monté au Japon et avait abandonné la médecine pour devenir négociant. Il avait si bien maîtrisé cet art que les bénéfices avaient décuplé à la fois pour la Compagnie et pour lui-même. Pour chaque heure passée à défendre les intérêts de la Compagnie, il passait une heure à s'occuper des siens et ses profits atteignirent une telle ampleur que la Compagnie ne manqua pas de s'en rendre compte. Accusé de commerce privé, il fut rappelé à Batavia. On le traita avec clémence, mais on le renvoya en Hollande par mesure de discipline. Contraint à une retraite prématurée, il aurait très bien pu finir ses jours dans l'obscurité si une circonstance particulière ne l'avait pas rejeté dans le flot de la vie — pour lui offrir une place dans l'histoire.

Quand les XVII Seigneuries décidèrent d'établir au Cap un poste permettant aux marins malades de se rétablir, ils choisirent pour le commander un des hommes qui avaient assuré la garde des marchandises après le naufrage du *Haerlem*. On l'avait désigné parce qu'il connaissait bien la région, mais il déclina la proposition.

— Écoutez ! dit alors un des vieux sages. Ce qu'il nous faut, en réalité, c'est un marchand ayant fait la preuve de ses capacités.

— Qui ?

— Van Riebeeck.

— Pouvons-nous lui faire confiance ? demandèrent plusieurs des Seigneuries.

— Je crois que ce sera un cas de « droiture à retardement », répondit le vieillard.

Et Jan Van Riebeeck obtint la mission.

En fait, ses instructions étaient simples. « Établir un poste d'approvisionnement pour les bateaux, mais sans que cela coûte un sou à la Compagnie. » Cette charte, qui aurait force de loi pendant les deux cent cinquante années suivantes, allait déterminer les conditions dans lesquelles le pays se développerait : ce serait toujours une opération mercantile, jamais une véritable colonie libre. Et c'est ce qui expliquait déjà ce que Willem avait sous les yeux, tandis qu'il s'avançait avec Van Riebeeck vers le fort.

Le jeune homme eut le bon sens de garder ses observations pour lui : « C'est beaucoup plus beau que Batavia, mais où sont les gens ? Le pays derrière ces collines ! Il pourrait abriter un million de colons et je suis sûr qu'il n'a même pas été encore exploré. »

— J'ai souvent rencontré votre frère Karel à Amsterdam, lui dit Van Riebeeck.

— Comment va-t-il ?

— Marié à une femme merveilleuse. Et très riche.

Willem, remarquant que le commandant évaluait même le mariage en termes de commerce, changea de sujet.

— D'autres gens vont-ils venir bientôt ? demanda-t-il.

Van Riebeeck s'arrêta brusquement, puis se retourna, comme s'il voulait régler une fois pour toutes ce problème du peuplement, et, à la manière sèche dont il parla, Willem se douta qu'il avait dû répéter maintes fois le même discours :

— Il vous faut bien comprendre une chose, Van Doorn (il n'avait que six ans de plus que Willem, mais il affectait un ton très protecteur), il s'agit d'un comptoir commercial, pas d'un État indépendant. Nous sommes ici pour aider la Compagnie et nous n'agrandirons la colonie que sur son ordre. Tant que nous vous permettrons de demeurer à terre, vous travaillerez pour la Compagnie. Vous ferez ce que la Compagnie dira.

Et, dans les heures qui suivirent, Willem apprit sa leçon. On lui indiqua où poser son sac, où faire son lit, où manger et où travailler. Il découvrit qu'un fermier pouvait faire valoir une parcelle de terre, mais jamais la posséder, et que tout ce qu'il cultivait devait rapporter à la Compagnie. Bien entendu, il connaissait trop bien Java pour que ces règles l'offensent, mais il se souvenait aussi qu'à Batavia régnait une joyeuse liberté (représentée par sa mère, par exemple), tandis qu'ici, au Cap, tout n'était que contrainte et tristesse. Pire que tout, le minuscule établissement avait à supporter deux maîtres : Amsterdam, où les XVII Seigneuries définissaient les grands principes, et Java, qui imposait les règles pratiques. Le gouverneur général de Batavia était un empereur ; le commandant du Cap un proconsul lointain. A Java, on pouvait rêver de grands desseins ; au Cap, on se souciait de « radis, laitue et cresson ».

Trois jours plus tard, quand Willem parut devant le commandant du fort, Van Riebeeck crut voir en lui une mauvaise copie de son frère : Karel était grand et mince, Willem, courtaud et bien en chair ; Karel avait des manières vives et engageantes, Willem, une méfiance têtue ; Karel avait manifestement l'ambition d'une promotion au sein de la Compagnie, alors que Willem se contentait de travailler à n'importe quoi, pourvu qu'il ait la liberté d'explorer le Cap. Et la différence était encore plus stupéfiante quand on comparait les femmes qu'ils avaient choisies : s'il fallait en croire le capitaine du bateau, Willem s'était allié à une esclave musulmane, tandis que Karel avait épousé la fille d'un des plus riches marchands d'Amsterdam.

— Un parti admirable, lui dit Van Riebeeck. La fille de Claes Danckaerts... Très riche, ajouta-t-il.

— J'en suis heureux pour lui, répondit Willem.

En fait, il se souvenait à peine de son frère et il n'aurait guère pu imaginer la façon dont Karel avait changé au cours des huit années depuis son départ du *Haerlem* naufragé pour rentrer en Hollande. D'après les paroles du commandant, il devait être prospère.

— Ce que nous avons en tête pour vous, reprit Van Riebeeck, c'est le vignoble. Avez-vous déjà cultivé de la vigne ?

— Non.

— Alors vous êtes comme les autres.

Van Doorn prit un air consterné et l'énergique petit commandant lui saisit le bras et l'entraîna vers une butte d'où l'on apercevait les vallons au pied de la Table Mountain.

« Tout pousse dans cette terre, dit-il avec enthousiasme. Mais parfois nous nous y prenons très mal.

Il fronça les sourcils au souvenir d'une catastrophe de la première année.

« Dès le début, je voulais de la vigne. J'avais apporté des semences, mais notre jardinier les a semées comme du blé, à la volée, puis il les a hersées et, six mois plus tard, il a moissonné les plants !

— Comment cultive-t-on la vigne ?

— On met les plants en pépinière jusqu'à ce qu'ils aient de bonnes racines, puis on les transplante séparément. On les taille chaque année...

— On les taille ?

Patiemment, Van Riebeeck expliqua les techniques complexes qui permettraient à de minuscules plants importés d'Europe de se transformer en tonneaux de vin à destination de Java.

« Pourquoi nous en soucier ? demanda Willem, conscient

que les légumes et les arbres fruitiers donneraient des récoltes abondantes.

— Java demande du vin, répondit le commandant d'un ton vif.

Il ramena Willem dans son bureau grossier et lui montra une grande carte indiquant les routes maritimes entre Amsterdam et Batavia.

« Chaque bâtiment qui navigue dans ces eaux veut du vin. Mais ils ne peuvent pas le prendre en Hollande : le vin est si mauvais qu'il se pique avant l'équateur. Quand il nous arrive, c'est du vinaigre. Votre mission, c'est de faire du vin ici.

Et Willem Van Doorn, alors âgé de trente ans, se vit confier une parcelle de terre appartenant à la Compagnie avec neuf paniers de petits plants de vigne déjà racinés, importés de Rhénanie.

« Faites du vin, lui dit Van Riebeeck d'un ton péremptoire, parce que, si vous réussissez, vous pourrez rentrer dans vingt ans en Hollande.

— Vous aussi ? demanda Willem.

— Non, non ! Je ne suis ici que pour une période brève. Après, je rentre à Java.

Son regard s'éclaira.

« C'est là que se trouvent les vraies responsabilités.

Willem eut envie de dire qu'il préférait le Cap à tout endroit au monde, mais, comme il n'avait jamais vu la Hollande, il décida que ses paroles pourraient paraître présomptueuses. Mais le fait que Van Riebeeck pensait du bien de Java lui rendit cet homme beaucoup plus sympathique.

Pour un novice en la matière, la culture de la vigne présentait des difficultés, mais Van Riebeeck montra à Willem comment on plante les précieux sarments racinés, comment on leur donne des tuteurs et des fils sur lesquels s'appuyer, et comment on les attache bien en ligne. Willem apprit à utiliser les engrais animaux et l'irrigation, mais surtout il apprit à connaître les terribles vents du sud-est qui soufflent sans relâche à certaines saisons, détruisant tout ce qui pousse sur les hautes terres au pied de la montagne.

— Il ne soufflait pas comme ça quand nous étions ici l'autre fois, se plaignait-il.

Mais les jardiniers de la Compagnie lui riaient au nez, car ils étaient fatigués de l'entendre rabâcher ses souvenirs.

« Nous étions par là-bas, répétait-il en montrant, à huit lieues vers le nord, des terres où les vents étaient plus cléments.

Mais les hommes ne l'écoutaient pas : à leur avis, sur cette terre perdue, il n'y avait aucun lieu où les vents ne hurlaient pas. Mais ils lui apprirent à planter des arbres pour protéger les plants, s'ils survivaient, et ils lui offrirent tous leurs encouragements — car eux aussi avaient envie de vin.

Willem comprit qu'on l'avait chargé d'une mission sans espoir, condamnée selon toute probabilité à l'échec, mais elle lui offrait un avantage qu'il appréciait beaucoup : alors que tout le monde au Cap habitait entre les murs de la forteresse dans des logements surpeuplés et sans attrait, il avait le loisir de vivre dans une cabane pour lui seul, près de ses vignes. Bien entendu, il lui fallait marcher jusqu'au fort pour sa nourriture ou pour parler à quelqu'un, mais c'était un prix très modeste à payer en échange de la joie que lui donnait sa vie relativement libre.

Mais sa propre liberté accentuait la servitude dans laquelle se trouvait Déborah et, souvent, la nuit, quand il aurait le plus désiré se trouver avec elle, il était dans sa hutte et elle dans le fort, enfermée dans la maison d'arrêt.

C'était Van Riebeeck qui avait réparti les esclaves malais :

— Un homme et une femme travailleront pour ma femme. Le plus fort des deux hommes sera affecté aux corvées des bateaux. L'autre femme fera des menus travaux pour la Compagnie.

Cette « autre femme » était Déborah et, en la voyant aller et venir dans le port, Van Riebeeck remarqua qu'elle était enceinte. Cela était loin de lui déplaire, car, comme tout propriétaire avisé, il espérait un accroissement naturel. Déborah était la plus intelligente de ses esclaves et il supposait qu'elle produirait des enfants de valeur. Ce qui le désespérait, c'était que le père du bébé à naître s'appelait Van Doorn.

— Comment est-ce arrivé ? demanda-t-il à Willem.

— Sur le bateau... après Malacca.

— Les femmes nous manquent. Terriblement. Mais de vraies femmes hollandaises, pas des esclaves.

— Déborah est belle...

— Je m'en suis aperçu. Mais elle est malaise. Elle est musulmane. Et la Bible dit...

— Je sais. Le capitaine m'a lu les versets : « Tu ne prendras pas d'épouse parmi les Cananéennes. Tu iras dans ton propre pays chercher une épouse. »

— Excellent conseil.

Van Riebeeck quitta son bureau et arpenta la pièce pendant un moment. Puis il leva les bras au ciel et s'écria :

« Mais que devons-nous faire, ici, au Cap ? Au dernier rapport, nous avions cent quatorze hommes et neuf femmes. Hommes blancs et femmes blanches, je veux dire. Que peut donc faire un homme dans ces circonstances ?

Il aurait voulu empêcher Van Doorn de revoir son esclave, mais il ne le fit pas, car il savait qu'arracher à un homme une promesse de ce genre dans un espace aussi limité ne serait pas raisonnable.

« Ne songez pas au mariage, Van Doorn, lui dit-il. Ce qui se passe à Batavia ne sera pas encouragé ici. Cet enfant sera un bâtard et un esclave de la Compagnie.

« Ce qui a force de loi maintenant sera modifié plus tard », se dit Van Doorn. Il s'inclina et garda le silence.

Mais quand la grossesse de Déborah fut plus avancée, il sentit un désir pressant de demeurer près de la jeune Malaise et de faire d'elle son épouse. Sa vie passée à Java lui avait appris que ce genre de mariage finissait souvent assez mal, mais ces mauvais souvenirs étaient effacés par les exemples d'unions exceptionnelles, où des femmes javanaises avaient créé des foyers de joie paisible, mi-chrétiens, mi-musulmans — les maris abandonnaient alors tout rêve de retourner dans la froide Hollande et sa société austère.

Déborah, à la grande surprise de Willem, ne semblait pas se soucier de son avenir, comme si les problèmes de sa grossesse lui suffisaient. Son beau visage calme ne trahissait aucune angoisse et, quand il lui posait des questions, elle souriait.

— Je suis esclave. Je ne reverrai jamais mon village.

Il pensait que c'était une réponse sincère et qu'elle n'accordait pas à la liberté autant de prix que lui.

— Je veux prendre soin de toi, dit-il.

— Quelqu'un le fera.

Enflammé par l'émotion, il fut tenté de la voler au fort, mais elle éclata de rire et lui dit que, le moment venu, le commandant Van Riebeeck lui trouverait un homme.

— Vraiment ?

— Bien sûr. A Malacca, les propriétaires portugais trouvent toujours des hommes à leurs esclaves. Ils veulent des enfants.

— Je serai cet homme.

— Peut-être toi, peut-être un autre.

Quand leur enfant fut sur le point de naître, Willem passa le plus de temps possible auprès de Déborah et tout le monde sut qu'il en était le père. Elle se rendait parfois avec lui jusqu'à la vigne, songeant avec amusement qu'un noble Portugais de Malacca aurait méprisé tout compatriote travaillant la terre de ses mains. Mais elle connaissait bien la culture et elle s'écria un jour :

— Willem, ces plants sont en train de mourir.

— Pourquoi ? Pourquoi meurent-ils ?

— Les rangs sont dans le mauvais sens. Le vent les frappe de plein fouet.

Elle lui montra comment, s'il plantait sa vigne dans le sens du vent et non perpendiculairement, seuls les ceps du bout des rangs souffriraient, alors que le soleil toucherait tout le rang de la même façon.

Elle était dans les vignes, en train de chanter de sa voix extraordinaire, un jour où Van Riebeeck inspecta les plants allemands. Il vit lui aussi que les ceps se mouraient.

— C'est le vent, dit-il d'un ton lugubre. Pas de vin de cette vigne-là.

Mais il affirma à Willem que des plants de remplacement allaient arriver de France. Il avait résolu de produire du vin pour la Compagnie, même s'il lui fallait importer de nouveaux plants tous les ans.

Quand les femmes du fort emmenèrent Déborah pour sa délivrance, Willem fut bouleversé à l'idée qu'il allait devenir père. Conséquence inattendue, il eut envie d'aller récupérer sa Bible pour pouvoir y inscrire cette naissance, comme s'il pouvait, par ce geste, confirmer la présence des Van Doorn en Afrique. Ayant une cabane à l'écart des autres, il pourrait garder le livre sans qu'on lui pose de questions sur la façon dont il l'avait acquis. Et, le soir des couches de Déborah, il se glissa sur la plage jusqu'à la hauteur de la grotte. Après avoir vérifié que personne ne l'épiait, il y entra et reprit sa Bible.

Quelques jours plus tard, le commandant Van Riebeeck se rendit au vignoble. Il ne parla pas de la naissance du garçon, mais demanda le concours de Willem pour un problème épineux.

— C'est ce Hottentot, Jack. On me dit que vous le connaissez.

— Jack ! s'écria Willem sans dissimuler son affection. Où est-il ?

— Où ? Vraiment ?

Le commandant révéla sa version de l'histoire : duplicité, vaches volées, promesses jamais tenues et connivence probable avec les redoutables Bochimans qui étaient descendus vers le sud, attirés par les moutons et le gros bétail de la Compagnie.

— Tout cela ne ressemble pas à mon Jack, protesta Willem.

— C'est pourtant lui. Un scélérat.

— Je suis sûr que si je pouvais lui parler...

Les plaintes continuèrent.

— A notre arrivée dans la baie, il était là avec son uniforme de soldat anglais, chaussures et tout.

— C'est bien Jack, dit Willem.

— Et nous avons passé des accords avec lui, poursuivit le commandant sans l'entendre. Il devait nous servir d'interprète. Nous devions lui donner des outils et des objets de métal.

— Il parle bien anglais, n'est-ce pas ?

— Mais c'est un vrai fantôme au clair de lune : une seconde ici, la seconde d'après disparu. Et absolument aucun sens de la propriété. Tout ce qu'il voyait, il mettait la main dessus.

— Il vous a sûrement donné du bétail en échange.

— C'est justement pour cela que je viens. Il nous doit beaucoup de bétail et nous ne savons plus où il est.

— Je pourrai le retrouver.

A cette offre pleine de confiance, le commandant joignit le bout de ses doigts et les approcha de ses lèvres.

— Attention, dit-il. Nous avons eu des morts, vous savez.

— Certains de nos hommes tués par les Hottentots ? demanda Willem sans y croire.

— Des provocations. Le genre de choses que Jack était censé...

— J'irai le voir, répondit Willem d'un ton ferme.

Van Riebeeck lui offrit une escorte de trois tireurs d'élite qui l'accompagneraient jusqu'aux villages que Jack et son peuple occupaient au moment du naufrage du *Haerlem*, mais Willem refusa.

« J'ai dit que j'irai. Mais pas avec une armée.

Ce fut le début de ses difficultés avec la Compagnie. Les responsables ne pouvaient pas croire qu'un Hollandais sans protection osât se risquer dans l'arrière-pays ni qu'il pût survivre dans ces conditions, mais Willem était sûr de pouvoir joindre Jack et régler toutes les difficultés. Il insista. Finalement, on lui ordonna d'accepter les trois soldats. Après une protestation violente qui irrita tout le monde, il céda.

C'était lui qui avait raison. Dès que les Hottentots aperçurent les hommes armés venir vers eux, ils se replièrent dans les collines les plus éloignées, avec leurs moutons et leur bétail. En neuf jours d'errance, Van Doorn ne parla pas à un seul Hottentot. Contraint et forcé, il prit le chemin du retour. Mais, tandis que les quatre hommes quittaient les collines, l'un des soldats lui dit :

— Je crois que quelqu'un nous suit.

On prit un surcroît de précautions et l'on reconnut qu'un ou plusieurs hommes bruns avançaient sur leurs traces, à l'abri des replis de terrain et des arbres.

— C'est certainement Jack, dit Willem.

Et, lorsqu'ils arrivèrent aux douces collines d'où l'on pouvait voir le fort hollandais du Cap — l'endroit où tout ennemi prudent ferait demi-tour —, Willem dit à ses trois compagnons :

— Je sais que c'est mon ami. Je vais lui parler.

Sa décision provoqua de vives protestations, mais il demeura intraitable.

« J'irai sans fusil, pour qu'il puisse bien voir que c'est moi, son ami.

Il s'éloigna, les mains ouvertes, écartées de son corps, tout droit vers la petite butte de terre derrière laquelle il savait que l'homme était aux aguets.

— Jack ! C'est moi, dit-il en anglais. Van Doorn.

Rien ne bougea. Si la ou les personnes derrière le monticule étaient des ennemis, il ne tarderait pas à voir voler des sagaies mortelles, mais il était certain que, si un homme avait eu le courage de suivre à la trace quatre Blancs armés jusqu'aux dents, ce ne pouvait être que Jack. Il appela de nouveau, assez fort pour que sa voix porte au loin.

De derrière le tertre lui parvint le bruit doux d'un mouvement. Lentement, très lentement, une forme humaine parut. Celle d'un Hottentot. Sans armes et portant l'uniforme d'un marin anglais. Pendant quelques instants, les deux hommes se firent face, sans un mot. Puis Van Doorn laissa tomber ses mains vides et s'avança. Aussitôt le petit Jack s'élança vers lui et les deux vieux amis tombèrent dans les bras l'un de l'autre.

Ils s'assirent sur un rocher.

— Comment en est-on arrivé là ? demanda Willem.

C'était trop difficile à expliquer. De part et d'autre, il y avait eu des promesses non tenues, des menaces qui n'auraient jamais dû être proférées et de misérables malentendus qui se transformaient très vite en conflits. Il y avait eu des morts. Il y en aurait encore. Toute possibilité de réconciliation semblait perdue.

« Je ne le crois pas, dit Willem.

Son affection pour l'esclave Déborah avait modifié ses attitudes et il lui était beaucoup plus facile de considérer ce Hottentot comme un allié.

— Nous parlons trop, dit Jack.

— Mais nous allons rester ici, Jack. Pour toujours. Nous sommes peu nombreux aujourd'hui, mais d'autres viendront. Devrons-nous toujours vivre en ennemis ?

— Oui. Vous volez nos bêtes.

— On m'a dit que vous voliez nos outils. Nos moutons européens.

Le Hottentot n'ignorait pas que cette accusation était fondée, mais il ne savait pas comment la justifier. On avait laissé une hostilité s'installer et on ne pouvait plus l'exorciser.

Une des accusations était si grave que Willem tenait à en avoir le cœur net.

« Avez-vous tué le soldat blanc ?

— Des Bochimans, répondit Jack.

De ses doigts agiles, il esquissa la flèche en trois tronçons.

— Veux-tu m'accompagner ? supplia Willem.

— Non.

Ce fut un adieu douloureux pour le petit homme brun et pour le grand Blanc. Puis ils se séparèrent. Quand les deux silhouettes furent éloignées — Van Doorn revenant vers son escorte —, l'un des soldats épaula son arme et tira sur Jack. Le petit homme brun devait avoir prévu cette éventualité, car, dès qu'il vit le fusil bouger, il bondit à l'abri d'un tertre et ne fut pas touché.

Par un beau matin de février 1657, neuf soldats et marins se rassemblèrent devant le bureau de Van Riebeeck et tout le monde dans le fort s'arrêta de travailler et se rapprocha pour entendre une proclamation qui allait modifier l'histoire de l'Afrique.

— Leurs Honneurs, les XVII Seigneuries, en la ville d'Amsterdam, toujours désireux de promouvoir les intérêts de la Compagnie, ont gracieusement décidé que vous pourrez tous les neuf prendre des champs en deçà de la Table Mountain et les cultiver sous votre propre autorité, mais sans vous éloigner à plus de cinq lieues du fort.

Les hommes saluèrent par des cris de joie cette libération de leurs travaux forcés et, en entendant les vivats, Willem Van Doorn s'avança pour écouter avec envie Van Riebeeck énoncer les conditions minutieuses établies par les Seigneuries. Les hommes libres ne travailleraient pas individuellement mais en deux groupes, l'un de cinq, l'autre de quatre, et recevraient en toute propriété autant de terres qu'ils pourraient labourer, bêcher ou préparer de toute autre manière pendant trois années. Leurs récoltes seraient achetées par la Compagnie à des prix fixés par la Compagnie. Ils pourraient pêcher dans les rivières, mais uniquement pour leur propre table. Ils n'avaient pas le droit d'acheter des vaches et des moutons aux Hottentots ; ils devaient les acquérir auprès de la Compagnie et remettre à la Compagnie le tiers des veaux et des agneaux. Et la réglementation mesquine s'allongeait sans fin — ainsi que les pénalités :

« En cas de contravention à l'une de ces règles, tous vos biens seront confisqués.

Les hommes acquiescèrent et Van Riebeeck conclut :

« Leurs Seigneuries vous permettront de vendre tous vos

excédents de légumes aux vaisseaux de passage, mais vous ne serez admis à bord pour le faire que trois jours après l'arrivée desdits vaisseaux dans le port, car la Compagnie doit avoir l'occasion de vendre sa production en premier. Il vous est interdit d'acheter de l'alcool sur ces bateaux. Et vous devez vous souvenir que les XVII Seigneuries ne vous accordent pas ces terres pour votre propre loisir, mais dans l'espoir que vous rapporterez des bénéfices à la Compagnie.

En écoutant ces restrictions, Van Doorn ne put s'empêcher de murmurer entre ses dents :

— Il affirme qu'ils sont libres, mais les règles disent le contraire.

Van Riebeeck, désireux de conférer une certaine solennité à ce moment important — sans même se rendre compte qu'il avait imposé des conditions déraisonnables —, demanda aux hommes de courber la tête.

— Sous l'œil attentif du Seigneur, notre Dieu, vous êtes désormais francs-bourgeois.

Et pour sanctifier leur nouveau statut, il lut dans la Bible la magnifique déclaration de l'Alliance avec Dieu, qui avait empli Willem d'enthousiasme :

> Et je te donnerai, ainsi qu'à ta semence après toi, la terre au sein de laquelle tu es un étranger, tout le pays de Canaan, et tu le posséderas sans fin...

Sur cette bénédiction, les neuf hommes devinrent les premiers Blancs libres de l'Afrique du Sud, les ancêtres de la nation qui se développerait par la suite. Des vivats pour le commandant rompirent soudain le silence, puis les deux groupes partirent pour délimiter leurs futures fermes.

Un des Hottentots avait écouté toute cette cérémonie et, en fin d'après-midi, il se glissa hors du fort par le chemin conduisant aux champs que les francs-bourgeois arpentaient. Près d'un petit torrent, il s'arrêta pour admirer deux antilopes s'avancer vers l'eau vive. Puis il s'éloigna pour annoncer la nouvelle à son peuple :

— Ils prennent la terre.

La joie avec laquelle les neuf francs-bourgeois avaient salué leur libération fut de courte durée, car ils eurent l'occasion d'apprendre, dès la première année d'efforts acharnés, comment la Compagnie interprétait le mot « liberté ». Deux des hommes les plus aventureux, inquiets de voir s'accroître leurs dettes aux magasins de la Compagnie, se mirent à commercer clandestinement avec les Hottentots : défenses d'éléphant, cornes de rhinocéros et plumes d'autruche. Ils furent aussitôt sévèrement châtiés, mais Van Riebeeck dut accepter à regret qu'ils achètent leurs vaches aux indigènes, à condition qu'ils ne paient jamais plus cher que la Compagnie.

Une dispute éclata au sujet de leur droit à tuer leurs propres moutons pour leur usage personnel : le commandant considérait que c'était une menace pour la boucherie de la Compagnie, mais il accepta un compromis.

— Vous pouvez abattre une bête de temps en temps, mais à condition de payer auparavant une redevance à la boucherie.

Le soir, dans leurs cabanes grossières, les francs-bourgeois se plaignaient, et parfois Van Doorn était là, car il comprenait la mauvaise humeur de ces hommes. Aucune récrimination n'était plus souvent sur les lèvres que celle concernant leur servitude.

— Est-ce bien la liberté ? demandait un fermier. Nous sommes des serfs travaillant huit jours par semaine.

— Les Hottentots vivent mieux que nous, disait un autre. Ils possèdent leurs troupeaux et toute la terre libre du pays. Nous sommes libres... d'être esclaves, voilà tout.

Les relations avec les Hottentots s'étaient encore dégradées : très peu amenaient encore des animaux à troquer et presque aucun ne voulait travailler pour les bourgeois. La plupart gardaient leurs troupeaux à la limite du poste, regardant tristement le bétail des Hollandais gagner du terrain.

— A Java, aucun homme ne travaillerait comme ça, se plaignit un des plus robustes du groupe. Je crois que je vais me cacher sur le prochain bateau et rentrer en Hollande.

Et c'est précisément ce qui arriva : plusieurs hommes libres partirent. On posta donc des sentinelles sur tout bâtiment faisant escale dans la Table Bay...

Or, un matin de 1658, le guetteur du fort réveilla tout le monde en frappant à coups de marteau sur une longue plaque de métal suspendue à une poutre.

— Vaisseau de guerre à l'horizon !

Le petit groupe de colons fut saisi d'appréhension ; à leur connaissance, la Hollande était encore en guerre avec l'Angleterre et, comme cet intrus risquait de transporter une troupe de débarquement, on ordonna un rassemblement rapide et Van Riebeeck déclara :

— Nous nous battrons. Jamais nous ne livrerons les biens de la Compagnie.

Mais à peine les hommes avaient-ils préparé leurs mousquets que le guetteur cria :

— C'est un navire hollandais !

Et tous sortirent du fort en courant pour accueillir le petit bâtiment, qui paraissait dans un état parfait.

Quand la chaloupe du bateau accosta le long de la jetée que les hommes du fort étaient en train de construire, Van Riebeeck l'attendait. Le capitaine annonça la bonne nouvelle en sautant à terre :

— Au large de l'Angola, nous sommes tombés sur un navire marchand portugais faisant voile vers le Brésil. Un combat très bref. Nous l'avons capturé. Un peu d'or, un peu d'argent, mais surtout des vingtaines de beaux esclaves.

Van Riebeeck n'en croyait pas ses oreilles. Pendant des années, il avait supplié ses supérieurs de Java de lui envoyer des esclaves pour travailler au Cap, et voici que le capitaine lui disait :

— Nous en avons trouvé deux cent cinquante sur le bateau portugais, mais soixante-seize sont morts dans nos cales.

Le nombre des malades graves était important et il y avait aussi des garçons et des filles très jeunes.

— On ne pourra rien en faire ou presque avant quatre ou cinq ans, se plaignit Van Riebeeck.

— Allez me chercher le grand, cria le capitaine. Vous le voulez pour vous, commandant ?... En échange d'un supplément de bœuf, ajouta-t-il en baissant la voix.

Quand la chaloupe revint, elle ramenait, debout à la proue, lourdement enchaîné, le premier Noir d'Afrique que Willem et les autres Hollandais eussent jamais vu. Jusque-là, tous les esclaves avaient été des achats privés à Madagascar, en Inde ou en Malaisie.

Cet homme devait provenir d'une famille de quelque importance en Angola, car il avait ce que l'on ne peut appeler autrement qu'un port royal. Il était grand, puissant des épaules, avec un visage large. C'était le genre de jeune homme qu'un général nomme lieutenant après trois jours de campagne et, dès que Van Riebeeck le vit, il songea à lui confier une mission importante. Il semblait destiné à être le chef des milliers d'esclaves qui se joindraient bientôt à la communauté.

— Comment s'appelle-t-il ? demanda-t-il.

— Jango.

C'était un nom invraisemblable, sans doute la corruption d'un mot angolais ayant un sens particulier, et Van Riebeeck lui dit dans le dialecte portugais connu de tous ceux qui bourlinguaient dans les mers de l'Orient :

— Jango, viens avec moi.

Soulevant ses chaînes, le grand Noir suivit le commandant dans le fort. « Comme il est magnifique ! songea Willem. Plus puissant que deux Malais ou trois Hindous. »

Pendant les quelques jours suivants, le commandant Van Riebeeck s'occupa d'assigner des corvées à ses nouveaux esclaves. Il en réserva onze parmi les meilleurs pour l'usage personnel de son épouse et, avec l'arrivée des Noirs en force, il estima qu'il valait mieux régler au plus vite le statut des esclaves déjà au Cap. Il convoqua donc Willem dans ses appartements et lui demanda :

— Van Doorn, qu'allons-nous faire au sujet de cette Déborah ?

— Van Valck veut épouser sa Malaise. Je veux épouser Déborah.

— Ce serait déplorable.

— Pourquoi ?

— Parce que vous êtes le frère d'un responsable important de la Compagnie.

— Elle attend un autre enfant.

— Bon Dieu !

Le petit homme préoccupé se mit à faire les cent pas.

« Pourquoi ne pouvez-vous pas vous maîtriser ? Vous êtes des hommes de rien.

Il avait emmené son épouse avec lui, avec deux nièces, et la compagnie féminine ne lui manquait pas. Il estimait que des hommes comme Van Doorn et Van Valck devraient attendre patiemment que des Hollandaises arrivent d'Amsterdam. Et si cela devait prendre neuf ou dix ans, qu'ils patientent !

— J'ai trente-trois ans, dit Willem. Et je sais que je dois me marier tout de suite.

— Mais c'est bien d'accord, répondit Van Riebeeck en pivotant soudain pour faire face à son vigneron. Vous serez marié avant la fin de l'année, ajouta-t-il en prenant les mains de Willem dans les siennes.

— Pourquoi pas tout de suite ? demanda Van Doorn.

Il vit Van Riebeeck se raidir.

— Vous êtes impossible. Vous gâchez tout.

Il sortit de son bureau la copie d'une lettre qu'il avait envoyée environ dix mois plus tôt aux XVII Seigneuries pour leur demander de trouver sept Hollandaises robustes, non catholiques, et de les envoyer au sud sur le bateau suivant. Il donnait les noms des maris proposés et, en tête de liste, se trouvait : « Willem Van Doorn, âgé de trente-deux ans, né à Java, frère de Karel Van Doorn de cette Compagnie, homme sûr, en bonne santé, vigneron au Cap. »

« Votre femme est déjà en route, dit le commandant. Je suppose en tout cas, ajouta-t-il entre ses dents.

— Je préférerais épouser Déborah, répondit Willem avec la franchise flegmatique qui caractérisait tous ses actes.

Un homme plus subtil aurait senti qu'il offensait le commandant en refusant — et pour une esclave ! — la femme que celui-ci avait pris la peine de lui faire venir. Mais Willem n'en eut pas conscience et, quand Van Riebeeck lui fit observer que ce serait extrêmement blessant, pour une femme chrétienne et hollandaise envoyée aussi loin, de se voir éconduire au profit d'une esclave musulmane, Willem lui répondit :

« Mais je suis déjà pour ainsi dire marié à Déborah.

Van Riebeeck se leva, très raide, alla à sa fenêtre et tendit le bras vers la cour du fort. Willem suivit la direction de son index, mais ne vit rien.

— Le cheval, dit Van Riebeeck.

— Je ne vois pas de cheval, répondit Willem sur un ton bien calculé pour irriter le commandant.

— Le chevalet ! cria Van Riebeeck.

Il était bien là, sur la place : un chevalet de bois semblable à ceux dont les menuisiers se servent pour scier, sauf que ses deux jambages en croix étaient si longs qu'il se dressait beaucoup trop haut pour qu'on l'utilise à la menuiserie.

Willem avait souvent entendu parler de cet instrument cruel, mais c'était la première fois qu'il lui semblait appartenir à la réalité.

Van Riebeeck frappa dans ses mains et un domestique parut :

« Va dire au capitaine de commencer.

Dans la cour, un détenu qui avait transgressé tel ou tel édit banal de la Compagnie fut conduit vers le chevalet. On lui attacha à chaque cheville un sac de grenaille de plomb. Puis on le hissa en l'air, on l'immobilisa jambes écartées au-dessus du chevalet et on le laissa tomber dessus. Sous son propre poids et celui des sacs de plomb pendant à ses chevilles, le corps de l'homme faillit se briser. Il hurla.

« Laissez-le deux jours ! dit Van Riebeeck à son ordonnance.

Et quand celui-ci eut quitté la pièce, il ajouta à l'intention de Willem :

« Voilà comment nous punissons les travailleurs qui désobéissent aux ordres de la Compagnie. Willem, je vous ordonne d'épouser la fille que je vous ai fait venir.

L'horreur du châtiment bouleversa Van Doorn et, cette nuit-là, quand les sentinelles furent endormies et que tout le monde le crut dans sa cabane près des vignes, il se glissa dans la cour du chevalet, donna un peu d'eau au malheureux et le souleva dans ses bras pendant plusieurs heures pour adoucir un peu ses meurtrissures. L'homme s'évanouit dès que le soleil le frappa et il demeura inconscient jusqu'à la tombée du jour. La nuit suivante, une sentinelle postée pour surveiller la victime empêcha Van Doorn de lui porter secours. Debout dans l'ombre, les yeux fixés sur l'affreux instrument, Willem comprit pourquoi les jambages en croix du chevalet étaient si haut : c'était pour que les deux sacs de plomb ne reposent jamais sur le sol.

Van Riebeeck réfléchit quelques jours au problème de Willem et de Déborah et parvint finalement à une conclusion qui mit Van Doorn aux abois. Le commandant donna à Jango le lit voisin de celui de la jeune Malaise. « Jour après jour, ils se verront, et je n'aurai plus de problème avec Van Doorn. »

Mais il en eut. A l'insu des sentinelles, Willem se glissa dans les quartiers des esclaves, au-dessous du grenier à céréales. Il s'assit près de Déborah et de Jango, et, en jargon portugais, ils discutèrent tous les trois de leur situation. Jango écouta un instant puis répondit :

— Je comprends. Ton enfant, quand il vient, j'en prends soin.

— Jango, ne fais rien qui mette les officiers en fureur, lui dit Willem en joignant les mains.

Il ne donnait cet avertissement qu'à l'intention de Jango, car il ne pouvait supposer que Déborah songe à encourir les foudres de la Compagnie. Tandis que Willem mettait Jango au courant du chevalet et des autres tortures appliquées aux rebelles, la jeune femme chantait une berceuse à l'enfant déjà né.

Enfin, Willem dit avec une confiance qui fit beaucoup d'effet sur le Noir :

« Quand le prédikant arrivera avec la flottille, je suis sûr que Van Valck aura l'autorisation d'épouser sa Malaise et je sais que j'obtiendrai la permission moi aussi. Jango, protège-la jusqu'à ce moment-là.

L'énorme Noir tira sur ses chaînes et acquiesça.

Van Riebeeck avait d'autres problèmes que ceux des esclaves. Les Hottentots ne lui laissaient aucun répit ; un jour souriants et sociables, le lendemain sinistres et hostiles. Et quand un petit homme brun entreprenant, affamé à la fin d'une longue journée de travail, se glissa dans le kraal de la Compagnie et tua un mouton, la guerre qui couvait éclata.

Ce ne fut pas une vraie guerre, bien sûr, mais, dans la mesure où la population blanche était très restreinte et les indigènes très nombreux, la perte d'un seul Blanc posait de graves problèmes. On oublia vite le mouton volé, mais, quand vint le tour du gros bétail, la colère monta dans les deux camps : on lança des sagaies et les mousquets parlèrent. Bientôt plusieurs nouveaux esclaves s'enfuirent — ce qui représentait une lourde perte financière pour la Compagnie — et la situation s'aggrava.

Au cours de l'escarmouche finale, quatre hommes furent abattus, et la raison prévalut. Des messagers hottentots se présentèrent devant le fort en criant : « Van Doorn ! Van Doorn ! » On trouva Willem en train de jouer avec son fils et, quand il se présenta enfin, hors d'haleine, Van Riebeeck était en fureur.

— N'est-ce pas la bande de voleurs de Jack ? demanda le commandant en montrant sept Hottentots sous un grand drapeau blanc.

— Je ne vois pas Jack, répondit Willem.

— Parlementons, dit Van Riebeeck. Faites-les entrer.

Willem sortit du fort sans armes et s'avança lentement vers les Hottentots. Jack n'était pas parmi eux.

— Où est-il ?

— Il est resté, répondit un des Hottentots, qui avait travaillé au fort.

— Dis-lui de venir me voir.

— Il veut savoir s'il sera en sécurité.

— Bien entendu.

— Il veut que ce soit *lui* qui le dise, répliqua l'homme en montrant le fort.

Et un nouveau conflit s'éleva entre Van Doorn et le commandant lorsque Willem, à son retour dans les murs après avoir quitté les Hottentots, informa Van Riebeeck que Jack exigeait une garantie personnelle du commandant. Comme cela avait tout l'air d'une accusation de mauvaise foi, Van Riebeeck refusa.

— Puis-je le faire en votre nom ? demanda Willem.

A regret, le commandant acquiesça.

On invita les Hottentots à s'avancer dans la cour extérieure du fort, où Van Doorn leur assura que Jack pourrait se joindre à eux sans crainte, mais les petits hommes bruns continuèrent d'exiger l'aval du commandant lui-même. Willem revint donc affronter Van Riebeeck et, après une discussion hargneuse, celui-ci finit par accepter la rencontre.

Quand Jack reçut le sauf-conduit, il se souvint de Java et de la façon dont se comportaient les hommes importants. Paré de son uniforme déteint et monté sur son plus beau bœuf, il enfonça sur sa tête son chapeau à cocarde et « chevaucha » à la rencontre de cet homme que certains, parmi son peuple, appelaient déjà l'Exalté.

Les négociations de paix — selon l'expression grandiloquente de Van Riebeeck dans son rapport aux XVII Seigneuries — traînèrent en longueur.

— Vous prenez trop de notre terre, dit Jack.

— Il y a de la place pour tout le monde.

— Depuis aussi longtemps que puisse remonter la mémoire, cet endroit est à nous. Et maintenant, vous vous emparez du meilleur.

— Nous ne prenons que ce dont nous avons besoin.

— Si j'allais chez vous en Hollande, j'aurais le droit de faire de même ?

Van Riebeeck ignora cette question de pure rhétorique.

— Pourquoi ne nous avez-vous pas ramené nos esclaves quand ils se sont enfuis ? dit-il.

— Nous nous occupons de notre bétail, pas de vos hommes.

— Alors pourquoi volez-vous nos bêtes ?

— Nous venions dans cette vallée chercher des amandes amères, dit Jack. Nous avons besoin de manger.

— Vous trouverez d'autres amandiers.

— Ils sont très loin.

Et ainsi de suite jusqu'à ce que Van Riebeeck, lassé, dise enfin :

— Faisons un traité établissant que nous vivrons toujours en paix.

Ce soir-là, quand Jack fut parti en grande pompe sur son bœuf, Van Riebeeck s'assit en face de son journal. Comme il l'avait fait chaque jour depuis son arrivée au Cap, il rédigea soigneusement son texte, qui rassurerait aussi bien Amsterdam que Java :

> Nous leur avons dit qu'ils avaient perdu les terres par suite de la guerre et ils furent contraints d'admettre qu'elles ne leur appartenaient plus, d'autant qu'ils ne purent être convaincus de restituer le bétail volé, dont ils s'étaient emparés illégalement pendant notre guerre défensive. Une fois les terres gagnées par l'épée, nous avions bien l'intention de les conserver.

Mais le Cap oublia bientôt les esclaves et les Hottentots, car un beau matin de décembre réservait, pour la colonie à son réveil, un spectacle fantastique. Les vaisseaux d'une grande flotte marchande avaient pénétré dans la baie au cours de la nuit : six navires de taille moyenne escortaient le *Groote-*

Hoorn, un magnifique indiaman à destination de Java. Haut et fier, il offrait aux regards ses beaux ouvrages de bois et ses bastingages de cuivre poli, comme pour se rengorger de la présence à son bord, dans la cabine d'apparat, d'un personnage de marque : l'Honorable Délégué, émissaire personnel des XVII Seigneuries. Il arrivait avec tous pouvoirs pour s'informer des conditions régnant au Cap, avant de poursuivre son voyage vers Java, où il deviendrait gouverneur général : c'était le marchand Karel Van Doorn.

Il débarqua à grands renforts de précautions, non sans un regard hautain à l'adresse des esclaves qui maintenaient sa chaloupe. Il était tout de noir vêtu, avec un large col blanc, des chausses bouffantes et des chaussures cirées à miroir. Il portait un chapeau à larges bords, tenait un mouchoir de dentelle à la main et s'appuyait délicatement sur une canne à pommeau d'argent. Ses cheveux bouclés tombaient en cascade par-dessus son col et sa barbe était taillée en pointe fine — un bel homme, de grande taille, toujours très raide. Dès qu'il fut sur la terre ferme, il se retourna pour prêter assistance à une dame parée avec encore plus d'élégance et d'affectation que lui-même. En la voyant, Willem songea à sa mère, car elle semblait avoir le même sens inné d'autorité royale — il l'imagina aussitôt en train de prendre possession de la grande maison de Batavia.

Karel, bien entendu, ne vit pas son frère ; toute son attention se concentrait sur Van Riebeeck, représentant officiel de la Compagnie. Et même quand les deux hommes eurent échangé les salutations d'usage, Willem ne fut pas appelé. Il demeura perdu au milieu de la petite foule qui escortait de ses vivats les hauts personnages s'éloignant vers le fort. Et Karel se garda bien de demander à voir son frère, car, en tant que Délégué, il jugeait nécessaire d'imposer son autorité sur la colonie aussi rapidement que possible.

— Quels sont vos principaux problèmes ? demanda-t-il à Van Riebeeck dès que la porte se referma sur les subordonnés.

— Quatre, Mijnheer.

Karel avait quarante-trois ans cette année-là et il occupait une situation de haute responsabilité ; comme Van Riebeeck, âgé seulement de trente-sept ans, était plus petit et moins imposant, Karel aurait de toute façon posé au grand seigneur en face du commandant de la place, mais il détenait de surcroît pleins pouvoirs pour contrôler tous les aspects de la situation au Cap et pour rédiger toutes les nouvelles directives qu'il jugerait prudent d'imposer.

Il posa une feuille de papier de luxe devant Van Riebeeck et demanda :

— Voyons ces quatre points.

— Il n'y a pas eu de prédikant ici depuis la fondation. Nous avons besoin de procéder à des mariages et à des baptêmes.

— Le Dr Grotius va à Batavia. Il descendra à terre sans tarder.

— Les esclaves s'enfuient constamment.

— Il vous faut les garder avec plus de soin. Souvenez-vous, ce sont les biens de la Compagnie.

— Nous les gardons, et nous les châtions si nous les retrouvons. Nous les enchaînons. Mais ils ne pensent jamais qu'à leur liberté.

— Cela doit cesser et sans délai. La Compagnie n'achète pas des esclaves pour les voir disparaître.

— Mais comment les arrêter ?

— Tout homme et toute femme doit assumer la responsabilité de la surveillance des esclaves. Et vous en particulier. Le troisième problème ?

— Nous avons un besoin désespéré de femmes. Mijnheer, les hommes ne peuvent pas vivre ici seuls... pour toujours.

— Ils connaissaient les conditions quand ils ont signé avec nous. Un coin pour dormir. De la bonne nourriture. Et, à leur retour en Hollande, assez d'argent économisé pour prendre une épouse.

— Je commence à croire qu'un grand nombre de nos hommes risquent de ne jamais rentrer en Hollande.

— Ils le doivent. Il n'y a pas d'avenir ici pour un homme de la Compagnie.

— C'est là, justement, le quatrième problème. Je sens une certaine agitation diffuse parmi les francs-bourgeois.

— Une rébellion ? Contre la Compagnie ?

Karel se leva et se mit à arpenter la pièce.

« Cela ne saurait être toléré, dit-il. Vous devez l'écraser sans délai.

— Pas une rébellion, s'écria Van Riebeeck aussitôt en invitant le Délégué à reprendre son siège. Ce que je veux dire,

Mijnheer, poursuivit-il dès que Karel se fut assis, c'est que les hommes se plaignent du prix que nous payons leur blé. Et leurs dépenses sont...

Au regard que lui lança Van Doorn, il s'arrêta soudain.

« Voyez-vous, reprit-il au bout d'un instant, on a parfois l'impression qu'ils ont envie d'essayer plus à l'est — pour leur propre compte, pas pour les affaires de la Compagnie. Comme si le cœur sombre de l'Afrique les appelait.

Karel Van Doorn s'enfonça dans son fauteuil. Par trois fois, les XVII Seigneuries, à Amsterdam, avaient décelé à travers les volumineux rapports de Van Riebeeck que les francs-bourgeois du Cap commençaient à lancer des regards au-delà du périmètre qui leur avait été imposé au moment de leurs concessions d'origine. Tel boulanger avait voulu une parcelle supplémentaire pour lui-même. Tel fermier avait proposé d'aller en un endroit où il y avait davantage de terres arables. Van Riebeeck lui-même avait réclamé cent arpents de plus pour agrandir son jardin personnel. Sur cette hérésie, le Délégué Van Doorn connaissait l'attitude de la Compagnie et ses propres inclinations. Il se pencha soudain en avant, pour donner plus de poids à ses paroles.

— Commandant, vous et vos hommes devez comprendre une fois pour toutes que l'on ne vous a pas envoyés ici pour coloniser un continent, mais pour faire marcher un poste de commerce.

— Mais je le comprends ! lui répliqua Van Riebeeck. Vous avez vu à quel point je veille sur le moindre sou. Ce poste n'a pas gaspillé un seul florin.

— Il n'a pas gagné un seul florin non plus.

Le regard austère de Van Doorn ne se radoucit pas.

« Quand le *Groote-Hoorn* reprendra la mer, nous comptons amener à bord d'importantes réserves de légumes, du mouton, du bœuf et des tonneaux de vin. Et j'espère que nous ne serons pas déçus sur ces quatre points comme nous venons de l'être sur vos quatre questions.

— Attendez de voir nos choux-fleurs.

— Le vin ?

— Les vignes viennent mal, Mijnheer. Les vents, vous comprenez. Mais nous avons planté une haie pour les protéger, et si les Seigneuries pouvaient nous envoyer des plants plus robustes...

— Je les ai apportés.

Jardinier passionné, Van Riebeeck ne dissimula pas sa joie devant cette aubaine inespérée, mais une question insolente de Van Doorn le ramena à la réalité :

« Le mouton et le bœuf, bien entendu, vous n'en aurez pas ?

— Les Hottentots nous fournissent très peu de bêtes. En fait, je m'interroge parfois sur les voies du Seigneur, qui permet à des gens aussi indignes de posséder autant de beaux animaux.

Karel se balança sur son fauteuil sans répondre, puis il pointa les articles de son dossier.

— Vous avez des choux-fleurs, mais rien d'autre.

Van Riebeeck esquissa un rire angoissé.

— Quand je dis choux-fleurs, je parle évidemment de toutes sortes de légumes. Mijnheer sera étonné de ce que nous avons accompli.

Puis, sans laisser au Délégué le temps de rabaisser son enthousiasme, le petit homme nerveux ajouta :

« Et bien entendu, Mijnheer, il y a un cinquième problème, mais il est personnel.

— En quelle façon ? demanda Karel.

— Mes lettres. Mes trois lettres.

— A quel sujet ?

— Ma nomination à Java. Quand j'ai accepté ce poste — et ce n'a pas été une mission facile, je vous assure —, il était entendu que, si je faisais du bon travail ici pendant une année, je serais promu à Java. A la fin de l'année, j'ai donc demandé ma mutation, mais les Seigneuries ont répondu que l'on avait besoin de moi au Cap. Alors je suis resté une deuxième année et j'ai déposé une nouvelle demande. Même réponse. Je suis resté une troisième année. Et cela fait maintenant sept ans.

Il s'arrêta et fixa le Délégué dans les yeux :

« Vous savez, Mijnheer, ce n'est pas un endroit où l'on peut laisser un homme sept ans.

Et comme Van Doorn ne répondait pas, le commandant ajouta :

« Pas un homme qui a connu Batavia. Je vous en supplie, Mijnheer. J'ai un besoin désespéré de Java.

— Les Seigneuries m'ont donné des instructions précises sur ce point, répondit Van Doorn.

Il sortit une liasse de lettres d'un portefeuille de cuir fabriqué en Italie, il les feuilleta rapidement et trouva ce qu'il cherchait. Il poussa la note vers Van Riebeeck avec dédain, puis s'accouda, les pouces sur les lèvres, tandis que le commandant lisait à haute voix : « Vos efforts résolus au Cap ont été remarqués, ainsi que vos requêtes successives de mutation à Java. Pour le moment, vos compétences sont requises là où vous vous trouvez. »

— Combien d'années ? demanda Van Riebeeck d'une voix sans timbre.

— Jusqu'à ce que vous produisiez assez de viande et de vin pour nos bateaux, répliqua Van Doorn d'un ton brusque. N'oubliez pas, commandant. Vous n'êtes pas ici, vos hommes et vous, pour construire un village pour vos plaisirs personnels, mais pour mettre sur pied une ferme capable d'approvisionner nos bateaux. Tout ce que je vois autour de moi atteste que vous gaspillez vos forces pour vos propres desseins et négligez vos responsabilités à l'égard de la Compagnie.

Il chercha une nouvelle note et se mit à énumérer les veto et les décisions des XVII Seigneuries. Aucun d'eux n'avait jamais vu l'Afrique australe, mais ils avaient tous étudié méticuleusement les rapports détaillés envoyés par Van Riebeeck.

> Item : Hendrick Wouters n'est pas autorisé à avoir un porc.
>
> Item : Léopold Van Valck ne doit pas semer son blé dans le champ au-delà de la rivière.
>
> Item : Henricus Faber paiera dix-neuf florins pour l'utilisation de la charrue.
>
> Item : le riz emporté de Java ne doit pas être donné en nourriture aux esclaves achetés en Angola, mais seulement à ceux qui en ont pris l'habitude quand ils vivaient à Malacca.

Et les instructions n'en finissaient pas : le maréchal-ferrant ne pouvait ferrer le cheval du jardinier que si l'animal devait être utilisé pour les affaires de la Compagnie ; on encourageait le consolateur des malades à célébrer des offices le dimanche, mais il ne devait jamais prêcher de sa propre inspiration : il fallait qu'il se borne à lire des sermons déjà prononcés par des prédikants dûment ordonnés en Hollande ; la femme Sibylla

Van der Lex ne devait pas porter des parures somptuaires; il ne devait y avoir aucun chant à haute voix le soir après huit heures et le dimanche toute la journée; les noms des quatre marins en escale qui avaient été pris en train de danser tout nus avec des esclaves aussi nues qu'eux-mêmes, lors du précédent Jour de l'An, devaient être envoyés par les soins du Délégué Van Doorn aux autorités de Java, où ils seraient châtiés pour immoralité, si on pouvait les retrouver.

« Vous devez étouffer toute frivolité, conclut Van Doorn.

Et c'est seulement à ce moment-là qu'il demanda :

« Est-ce que mon frère travaille bien ?

— Nous l'avons chargé des vignes.

— Vous avez dit qu'elles étaient en mauvais point.

— C'est la vérité, Mijnheer, mais ce n'est pas de sa faute. Les plants nous sont arrivés en piteux état. Ils avaient été emballés en Allemagne. Très mal.

— Ceux que j'apporte viennent de France, répondit Van Doorn sèchement. Je peux vous garantir qu'ils ont été emballés comme il convient.

Puis, en souriant à Van Riebeeck, il ajouta :

« J'aimerais voir mon frère. N'en dites rien, mais j'ai une surprise pour lui.

Willem attendait patiemment devant la porte — un homme de trente-trois ans assis bras croisés comme un écolier réfractaire.

— Le commandant veut vous voir, lui dit un domestique.

Willem bondit de son banc, inclina la tête comme si le domestique détenait une grande autorité et entra dans le bureau. Son frère avait l'air resplendissant.

— Comment vas-tu, Willem ?

— Je suis très heureux d'être ici. Et très heureux de te voir, Karel.

— Je suis Délégué, maintenant. A Java, je vais prendre la place du gouverneur. En attendant...

— Mère ?

— Elle va bien, à ce que nous en savons. Je voudrais te présenter ma femme.

Une sorte de pitié ou peut-être d'amusement erra sur son visage tandis qu'il prenait son frère par le bras.

Ils se dirigèrent vers la partie du fort que l'on avait spécialement nettoyée et aménagée pour la visite. C'était une bâtisse de belles briques, fabriquées depuis peu dans la colonie. Le sol en terre battue avait été enduit de bouse de vache liquide qui, une fois séchée, lui donnait un lustre agréable. La pièce contenait cinq beaux meubles d'acajou sombre sculptés à l'île Maurice par un esclave malais : une table, trois chaises et une imposante armoire-penderie qui occupait presque tout un mur. Assise sur une des chaises se trouvait la noble dame que Willem avait vue débarquer quelques heures plus tôt.

— Voici ta belle-sœur Kornélia, dit Karel.

La femme inclina la tête sans daigner tendre la main. Mais elle sourit, du même sourire sibyllin qui avait erré sur le visage de Karel quelques instants plus tôt.

« Et voici le Dr Grotius, continua Karel, qui célébrera les mariages et les baptêmes.

C'était un homme redoutable, d'une cinquantaine d'années, taillé à coups de serpe dans un bloc de vertu. Il était vêtu de noir, hormis un col blanc de dimensions énormes, et il saluait toute personne qui l'approchait par une inclination de tête glaciale que ne réchauffait aucun changement d'expression.

« Le Dr Grotius a été envoyé à Batavia pour revigorer les pratiques religieuses, expliqua Karel.

Le prédikant regarda Willem droit dans les yeux et s'inclina de nouveau, comme pour l'inclure au nombre des personnes à revigorer.

Le mariage que le Dr Grotius célébra ne présenta aucune difficulté, dès que le prélat fut convaincu que l'esclave épousée par Léopold Van Valck comprenait le catéchisme chrétien et acceptait d'abjurer le « paganisme » de l'islam. Mais, quand on en vint au baptême des enfants, une tempête s'éleva, et le Délégué Van Doorn eut l'occasion de voir Van Riebeeck sous un jour nouveau. Jusque-là, il s'était toujours montré obséquieux.

Le baptême des enfants qui étaient nettement blancs ne posa aucun problème : leurs parents avaient foi en Jésus-Christ et en la véracité de l'Église des Pays-Bas. Mais, quand l'esclave Déborah, sans mari, présenta son fils à la peau sombre — Adam —, le Dr Grotius la repoussa fermement.

— Les enfants nés hors des liens conjugaux ne sauraient être baptisés. C'est une insulte à la sainteté du Sacrement.

Aussitôt Kornélia, qui ne songeait jamais qu'à elle-même, perdit tout intérêt pour les disputes théologiques et demanda qu'on la ramène au bateau. Dès qu'elle fut partie, Van Riebeeck reprit son plaidoyer :

— *Dominee**, nous vivons au bord du désert. Une poignée d'hommes solitaires. Au bout de six ans, nous ne sommes que cent soixante-six. Et avec seulement neuf femmes. Nous avons besoin de ces enfants d'esclaves. Baptisez-les, je vous en prie.

— Nul ne peut négliger les traditions de la Bible, tonna Grotius, simplement parce que l'endroit est un désert. Plus encore que dans une ville civilisée les règles doivent être suivies à la lettre, sinon nous tomberons dans la contamination.

Il n'en voulut pas démordre et la cérémonie s'acheva dans la confusion.

Les cinq principaux acteurs du drame réagirent de manière fort différente. Le Dr Grotius partit en fureur vers le bateau, refusant de rester plus longtemps dans un fort où de telles profanations avaient lieu. Déborah ne montra pas la moindre inquiétude ; son visage, grave et placide, demeura insensible à la tempête qu'elle avait provoquée : ce baptême n'était pas son idée mais celle de Willem, venu la rejoindre en secret dès que l'on avait annoncé la nouvelle de la cérémonie. Quant à Willem, il était bouleversé et il envisagea même un instant de révéler le fait que l'enfant était à lui et qu'il avait insisté pour le faire baptiser. Jan Van Riebeeck était tout aussi inflexible que le Dr Grotius — sauf qu'il était résolu à ce que les deux enfants esclaves fussent baptisés, pour le bien de sa petite colonie. Le Délégué Van Doorn, enfin, savait que tôt ou tard il serait amené à trancher la question et il était moralement très troublé : tout simplement, il voulait prendre la décision la plus juste. Il désirait être un bon patriarche chrétien et, quand tout le monde fut parti, il se mit en prières.

Au dîner, ce soir-là, Van Riebeeck et Willem discutèrent avec lui de ce qu'il convenait de faire au sujet du baptême et Van Riebeeck insista pour que l'on accède à sa requête. Ses arguments étaient très forts :

— Nous sommes une Compagnie, Mijnheer Van Doorn,

pas une Église. C'est vous et moi qui déterminons ce qui se passe au Cap, non tel ou tel prédikant. A Java, comme vous le savez... (Chaque fois qu'un Hollandais prononçait ce mot magique, il s'attardait sur lui, *Yaaaa-wa*, comme s'il possédait des pouvoirs occultes. Tout ce qui avait été fait à *Yaaaa-wa* était forcément juste.) A Java, comme vous le savez, nous baptisions les enfants des esclaves et nous les élevions en bons chrétiens. Ils nous aidaient à faire marcher la Compagnie.

— Je ne voudrais pas contredire un docteur en théologie...

— Il le faut, tonna Van Riebeeck.

Soudain, il parut plus grand.

— S'il écrit à Amsterdam que nous avons profané la Bible...

Van Riebeeck lança son poing sur la table.

— La Bible dit...

Et sur ces mots, les trois hommes partirent vers la cabane de Willem pour consulter la Bible que celui-ci avait sauvée du naufrage du *Haerlem*. Il ouvrit les fermoirs de cuivre, tourna la lourde couverture et offrit le livre à son frère, qui se mit à feuilleter les pages avec révérence, sondant les nobles versets qui évoquaient la façon dont Abraham avait établi les lois de son peuple vivant dans un nouveau pays — tout comme les Van Doorn et les Van Riebeeck devaient déterminer des principes pour leurs successeurs sur cette vaste terre nouvelle. Quelle serait la décision juste ?

A la lueur de la chandelle, ils scrutèrent les textes, mais sans trouver de guide. Karel, qui devait résoudre le conflit en dernier ressort, se refusait à reposer le Livre. Il tournait et retournait les pages, il lisait, ici et là, tel ou tel verset qui semblait en rapport avec leur présence dans le désert, puis il passait à un autre. Il ne trouva rien. Les trois hommes étaient perdus.

— Prions, dit-il.

Ils s'agenouillèrent tous les trois sur le sol de terre battue, leurs visages sombres illuminés par la chandelle, et Karel implora l'inspiration divine. Dieu avait guidé les Israélites parmi de dures traverses et Il guiderait également les Hollandais.

Puis Willem, se souvenant vaguement des passages où Abraham affronte des décisions difficiles, feuilleta de nouveau les chapitres de la Genèse. Au bout de quelques instants, il tomba sur les passages où Dieu lui-même, et non Abraham, indique les mesures que les Fils d'Israël devront prendre pour sauvegarder leur identité en pays étranger.

> Ceci est mon Alliance, pour que vous l'observiez, entre moi et vous, et votre semence après vous. Tout enfant mâle parmi vous sera circoncis [...]. Celui qui est né dans ta maison, et celui qui est acheté avec ton argent, devra être circoncis [...].
>
> Et Abraham prit [...] tous ceux qui étaient nés dans sa maison et tous ceux qui étaient achetés avec son argent, tous les mâles parmi les gens de la maison d'Abraham ; et il circoncit la chair de leur prépuce le jour même, comme Dieu le lui avait dit.

— C'est ce que nous cherchions ! s'écria Willem.

Dans la lumière clignotante, les deux hommes responsables de la petite colonie se penchèrent au-dessus de l'épaule du vigneron pour trouver une justification de ce qu'ils proposeraient.

— C'est tout simple ! dit Van Riebeeck, ravi. Leur Alliance était la circoncision et Dieu a ordonné de circoncire les esclaves. Notre Alliance est le baptême et Il ordonne donc que les esclaves soient baptisés.

Il était tellement soulagé qu'il s'écria :

« Délégué, nous devons aller sur le bateau tout de suite faire baptiser les enfants par le Dr Grotius.

Et comme Van Doorn protestait qu'il était très tard, Van Riebeeck répliqua, l'index tendu vers la Bible :

« Dieu n'ordonne-t-il pas que cela soit fait le jour même ?

Karel se pencha sur le Livre et, quand il lut les mots *le jour même*, il sut qu'il était obligé de faire baptiser ces enfants avant minuit.

— Je crois qu'il nous faut remercier Dieu de nous avoir guidés, dit-il.

Et les trois hommes s'agenouillèrent derechef.

A grand renfort de lanternes, ils partirent vers la grève, transportant leur Bible. Ils réveillèrent les marins et se firent conduire au *Groote-Hoorn*. Ils se présentèrent à la cabine du Dr Grotius.

— Dominee, s'écria Karel quand le prédikant apparut dans sa robe de chambre, Dieu a parlé.

Ils étalèrent le texte sous ses yeux.

Le Dr Grotius étudia longuement les versets, réfléchit, puis se tourna enfin vers les trois hommes.

— Mijnheeren, j'avais tort. Prions...

Et, pour la troisième fois, ils s'agenouillèrent, tandis que le Dr Grotius, étreignant la Bible des deux mains, remerciait Dieu pour Son intervention et implorait Son inspiration incessante. Mais Willem remarqua que le docteur traînait sur chaque prière, si bien qu'au moment où le commandant Van Riebeeck proposa de retourner sur la grève pour pouvoir baptiser les enfants dans la journée, Grotius put lui répondre, d'un ton presque triomphant :

« Ce jour est maintenant passé. Nous procéderons à la cérémonie avant la fin de la nouvelle journée.

Il referma la Bible, mais un coin de la nappe sur laquelle elle était posée demeura pris entre les pages. Il voulut le dégager et, en rouvrant le Livre, il tomba sur l'endroit où Willem avait inscrit la naissance de son aîné : « Fils, Adam Van Doorn, né le 1er novembre 1655. »

« Vous avez un fils ? demanda Grotius.

— Oui, répondit Willem franchement.

— Mais...

Il y eut un silence pénible, puis le prédikant demanda :

« Adam... Cet enfant à la peau sombre ne devait-il pas être baptisé « Adam » ?

— C'est mon fils.

L'horreur de cet aveu laissa le Dr Grotius et Karel sans voix : le frère d'un marchand éminent, Délégué plénipotentiaire des XVII Seigneuries, s'était commis avec une esclave païenne. Deux fois le prélat essaya de formuler des paroles de condamnation :

— Vous êtes... Vous êtes un...

Mais il ne parvint pas à trouver de qualificatif à la hauteur d'un tel crime. Il n'avait jamais été en Orient et il comprenait mal les angoisses et les appétits que pouvaient ressentir les Hollandais hors de la Hollande. Mais Karel connaissait Java et les malheurs qui survenaient quand des hommes d'avenir épousaient des femmes qui...

— Oh, mon Dieu ! s'écria-t-il soudain.

Il regarda Grotius, bouleversé, fit un signe vers la cabine voisine et s'écria :

« Elle est là !

Il pivota brusquement vers son frère.

« Es-tu marié ?

— J'aurais bien voulu, mais...

— Je ne l'ai pas permis, coupa Van Riebeeck.

Karel serra avec ferveur la main du commandant.

— Vous avez fait preuve de beaucoup de sagesse.

— Mais Déborah... insista Willem.

Karel l'interrompit, plein d'exubérance soudain.

— Je voulais que ce soit une surprise...

D'un geste théâtral, il tendit l'index vers la cloison de droite.

« Ta future femme est ici, endormie... Elle attend de faire ta connaissance, demain matin.

— Ma femme ?

— Oui. La cousine de Kornélia. Une fille d'excellente famille, qui a fait tout le chemin d'Amsterdam...

Et, dans l'impulsion du moment, Karel se précipita hors de la cabine, fit quelques pas dans le couloir et frappa à une porte.

« Katje ! Venez !

Katje n'apparut pas, mais bien Kornélia, immense et redoutable dans sa tenue de nuit.

— Qu'est-ce que tout ce bruit ?

— Recouchez-vous ! lui répondit Karel en la bousculant à l'intérieur. C'est Katje que j'ai appelée.

La jeune fille s'avança bientôt : petite, peu à son avantage dans son demi-sommeil, des cheveux frisottés et des joues rouges.

— Qu'est-ce que c'est ? demanda-t-elle d'un ton geignard.

— Vous allez rencontrer Willem.

— Pas dans cette tenue ! cria Kornélia depuis la cabine.

— Venez !

Et Karel, ne maîtrisant plus son impatience, entraîna dans la coursive la jeune fille qui protestait, jusqu'à la cabine du prédikant. Pour sa première rencontre avec son futur mari, elle avait les yeux rouges et elle reniflait.

« Willem Van Doorn, voici votre fiancée, Katje Danckaerts.

C'était une fille de la campagne et, parmi les Danckaerts, son père faisait figure de parent pauvre. Mais elle demeurait tout de même une cousine à part entière de Kornélia et il fallait donc s'en occuper. Un an plus tôt, quand Kornélia avait demandé : « Qu'allons-nous faire de Katje ? », son mari lui avait répondu impulsivement : « Nous l'emmènerons avec nous au Cap. Willem a besoin d'une épouse. »

C'était donc une affaire conclue, et la jeune fille, à vingt-cinq ans passés, se retrouvait soudain en chemise dans une minuscule cabine pleine d'hommes — plus gauche que jamais. Prenant Van Riebeeck pour son fiancé, elle s'avança vers lui.

« Pas lui, dit Karel d'un ton sec. Celui-là !

Et même le prédikant ne put s'empêcher de rire...

Drapée dans une cape, Kornélia apparut et exigea qu'on lui dise ce qui se passait.

« Rentrez dans votre chambre ! tonna Karel, espérant éviter que sa femme apprenne le scandale.

Mais Kornélia avait assez reçu d'ordres ce soir-là et elle se glissa d'autorité aux côtés de sa cousine.

— Qu'est-ce qu'ils t'ont fait, Katje ? demanda-t-elle à mi-voix.

— Ils me présentent à Willem, gémit la jeune fille.

Kornélia fixa les hommes et comprit aussitôt qu'ils étaient en train de tout gâcher. Willem avait l'air complètement abasourdi, aussi dit-elle doucement :

— Eh bien, si l'on te présente à ton mari, qu'on le fasse au moins dans les règles.

Elle poussa sa cousine. Willem s'avança maladroitement pour saluer Katje, mais elle recula. Détail prophétique, la deuxième phrase qu'il lui entendit prononcer était encore une plainte.

— Je ne veux pas me marier.

A peine avait-elle terminé de parler qu'elle sentit la main ferme de Kornélia au creux de ses reins : elle reçut une poussée si brusque qu'elle faillit tomber dans les bras de Willem. Il la regarda un bref instant. Quelle différence avec Déborah ! songea-t-il. Mais, dès qu'il lui prit la main, il sentit sa féminité et il comprit qu'il serait responsable d'elle pour le restant de ses jours.

— Je serai un bon mari, dit-il.

— J'en suis certain, murmura Karel.

Puis Kornélia, pleine de bon sens — et de confiance en elle, étant donné ses relations avec les meilleures familles d'Amsterdam —, prit la parole d'une voix impérieuse.

— J'exige de savoir ce que vous tous étiez en train de comploter.

Le Dr Grotius, comprenant que toute dissimulation serait vaine, attira son attention sur la page de garde révélatrice. Elle lut la ligne avec soin, leva les yeux vers Willem, sourit, puis se repencha sur la Bible. Elle appela Katje près d'elle et lui montra le texte offensant.

« Il semble bien que votre mari ait eu une autre épouse, dit-elle doucement. Mais cela n'a pas grande importance.

— Elle est de nouveau enceinte, balbutia Willem.

— Oh, Jésus ! s'écria Karel — ce qui provoqua aussitôt une réprimande du Dr Grotius.

— Cela n'a guère d'importance non plus, dit Kornélia.

— Il n'est pas réellement marié à l'esclave, intervint Van Riebeeck, d'une voix rassurante.

— Mais ils vont être mariés tout de suite, dit Karel.

Et quand tout le monde tourna vers lui des regards stupéfaits, il ajouta, contrit :

« Willem et Katje, bien sûr !

— Absolument, enchaîna Kornélia.

Et ce fut elle qui proposa que la cérémonie soit célébrée tout de suite, à une heure du matin. Le prédikant objecta que ce serait illégal de procéder à un mariage avant que les bans ne soient lus trois fois.

« Lisez-les ! répliqua Kornélia.

Karel lut à toute vitesse la formule et la répéta deux fois.

— Katje Danckaerts d'Amsterdam et Willem Van Doorn de Batavia, tous deux célibataires.

— Du Cap, corrigea Willem.

— Mariez-les, ordonna Karel au prédikant.

La Bible fut ouverte et trois témoins vérifièrent la sainteté du rite que l'on allait accomplir. Dans la lumière vacillante, tandis que Katje et Willem gardaient leurs mains posées sur le Livre ouvert, les phrases solennelles du sacrement furent prononcées.

A la fin de la cérémonie, à la surprise de tous, Willem demanda une plume. Quand on la lui remit, il ouvrit la Bible à la page qui lui avait valu cette scène et, dans les petits rectangles décorés de Cupidons et de tulipes, réservés pour les mariages, il inscrivit : « Katje Danckaerts, Amsterdam. Willem Van Doorn, Kaapstad, 21 décembre 1658. »

Par ce mystérieux système de communication qui avait toujours existé dans une région frontière comme celle du Cap, les Hottentots apprirent qu'un Honorable Délégué était arrivé pour prendre des décisions importantes et qu'il s'agissait du frère aîné de l'homme qui s'occupait des vignes. Cette nouvelle n'avait pas d'importance spéciale pour la plupart des petits hommes bruns, mais pour Jack elle était capitale, car elle signifiait qu'il pourrait poursuivre son objectif principal avec quelqu'un ayant suffisamment de pouvoir pour donner son accord. Il prit donc sa tenue de marin dans la caisse d'écorce où il la gardait, il épousseta les chaussures à larges bords et prit le chemin de l'ouest, vers le fort, avec un gros bourdon taillé dans une branche de laurier.

Sur la muraille de banco, une sentinelle montait la garde, regardant tantôt vers les terres, en cas d'ennuis avec les Hottentots, tantôt vers la mer, où des vaisseaux anglais ou portugais risquaient toujours d'attaquer la petite colonie hollandaise. Comme le fort lui-même ne contenait maintenant que quatre-vingt-quinze hommes en âge de combattre, plus neuf femmes, onze enfants et les esclaves, il était improbable qu'ils puissent résister, avec l'aide des cinquante et un francs-bourgeois, à un ennemi venu d'Europe, mais on conservait cependant une sentinelle et ce fut elle qui vit avancer Jack au milieu de la poussière.

— Hottentot !

Le commandant Riebeeck courut au rempart et vit aussitôt que c'était Jack — son épine dans le pied — avec sûrement une nouvelle chicane en perspective.

— Prévenez le Délégué, dit-il à son ordonnance.

Dès que Karel, conduit à terre, aperçut le visiteur, il s'écria, au grand désespoir de Van Riebeeck :

— Mais c'est Jack !

— Comment le connaissez-vous ?

— Nous nous sommes rencontrés à Java.

Il se précipita à la rencontre du petit homme brun, mais ils ne s'embrassèrent pas — Karel était trop soucieux de son prestige pour cela. Ils se saluèrent pourtant avec une chaleur manifeste.

« Je vais prendre mes pouvoirs à Java, dit Karel.

— Cannelle, noix muscade, étain, clous de girofle, récita Jack, évoquant les jours où il avait connu les frères Van Doorn dans les entrepôts de la Compagnie.

— Tout cela et davantage, répondit Karel fièrement.

— Tu as des clous de girofle ? demanda Jack en soufflant son haleine.

— Non, répondit Karel avec un petit rire.

Ils se dirigèrent ensemble vers le fort et Jack demanda que Willem se joigne à eux. Puis, en présence de Van Riebeeck, il répéta la proposition qu'il avait formulée bien des années plus tôt.

— Il est temps que vous et nous, les Hottentots, nous nous mettions à travailler ensemble.

— Très bien, dit Karel, assis très raide dans son grand fauteuil. Si vous nous vendez du bétail, nous...

— Non. Pas ça, dit Jack. Nous avons besoin de notre bétail.

Il parlait anglais avec un fond important de portugais et, de temps à autre, quelques mots hollandais acquis depuis peu — un mélange étonnant, en train de devenir une langue fabuleuse. Tout le monde, dans la pièce, le comprenait et était capable de lui répondre dans le même idiome.

— Quoi, dans ce cas ? demanda Karel.

— Je veux dire : nous venons ici. Vivre avec vous. Nous avons des pâturages ici, des cases, nous soignons votre bétail, notre bétail.

— Personne ne sait mieux s'occuper du bétail que les Hottentots, intervint Willem.

Karel fixa son frère avec hauteur :

— Vivre ici ? Tu veux dire... Des Hottentots vivant dans ce fort ?

— Ils apprennent tout très vite, Karel. Ceux qui deviendraient charpentiers vivraient dans le fort. Et les boulangers, les cordonniers. Regarde, il a fait ses chaussures lui-même.

Karel regarda dédaigneusement les chaussures : des choses grossières et difformes. Vraiment l'image même de ce qu'il pensait des Hottentots : capables de singer quelques traces extérieures de la civilisation, mais ne valant guère la peine qu'on s'y intéresse sérieusement. Il était atterré par le tour que la réunion avait pris et, sans même répondre sérieusement à la proposition de Jack, il sauta au problème des esclaves en fuite.

— Ce que tu peux faire pour nous, Jack, c'est organiser ton peuple pour traquer nos esclaves en fuite. Nous vous donnerons un certain poids de métal pour chaque esclave que vous nous ramènerez.

Jack songea : « Quand nous chassons, nous chassons des animaux, non des hommes. Nous sommes de bons pasteurs pour nos brebis et nos vaches et nous pourrions vous aider... » Mais il ne dit rien.

« Quant à la possibilité de vous installer près du fort, reprit Karel avec un rire qui excluait toute réplique, je crains bien que cela ne se produise jamais.

— Commandant...

— C'est lui le commandant, dit Karel en montrant Van Riebeeck, je suis Délégué.

— Délégué... Vous avez besoin de nous, vous les Blancs. Peut-être pas aujourd'hui. Ni demain. Mais le jour viendra...

— Mais nous avons déjà besoin de vous maintenant, répondit Karel, magnanime. Nous avons besoin de votre aide pour les esclaves. Nous avons besoin de votre bétail.

— Vous aurez besoin de nous, Délégué, pour vivre avec vous. Pour faire beaucoup de choses.

— Suffit !

Van Doorn se leva, très digne, s'inclina cérémonieusement devant son ami d'autrefois et quitta la pièce. Il sortit du fort et retourna dans sa cabine du *Groote-Hoorn*, où il écrivit deux recommandations aux XVII Seigneuries — textes qui eurent bientôt force de loi dans la colonie du Cap.

> Il ne doit y avoir aucun contact social avec les Hottentots. L'accès facile à la forteresse, accordé jusqu'ici à certains, doit cesser. En tout ce qui sera accompli, on veillera à respecter trois distinctions strictes : le Hollandais, qui est le maître ; l'esclave importé, qui est à son service ; et le Hottentot, qui n'aura aucun contact avec l'un ou l'autre. On ne les utilisera pas comme esclaves, on ne les prendra en aucune circonstance dans les familles. Je propose que l'on édifie une clôture autour des domaines de la Compagnie. Elle ne serait peut-être pas assez forte pour

repousser des envahisseurs, mais elle remplirait un objectif salutaire : rappeler à nos gens qu'ils sont différents des Hottentots et rappeler de façon contraignante aux Hottentots qu'ils ne pourront jamais être nos égaux. Elle imprégnerait également nos hommes de la conviction que leur objectif est l'approvisionnement des vaisseaux de la Compagnie et non l'exploration de territoires inconnus. Si l'on ne dispose pas de matériel pour construire une palissade, on pourrait envisager une haie d'épines. Elle empêcherait nos hommes de sortir et les Hottentots d'entrer.

Facteur déjà sérieux en ce moment et qui représente pour l'avenir un très grave danger en puissance, nos Hollandais commencent à utiliser la langue portugaise bâtarde adoptée par les esclaves, les aventuriers et les petits marchands des mers de l'Orient. Au cours de mon séjour, j'ai remarqué l'introduction de nombreux mots non usités en Hollande. Certains venus de Madagascar, d'autres de Ceylan, beaucoup de Malacca ; la plupart d'entre eux étaient portugais. Si cela devait se poursuivre, notre langue hollandaise serait perdue, submergée par une marée étrangère — à notre détriment et au grand dam de l'expression. Les agents de la Compagnie du Cap doivent s'adresser à leurs esclaves en hollandais. Toutes les affaires doivent se traiter en hollandais. Et surtout, dans la vie de famille, toutes les conversations doivent se tenir en hollandais ; on doit interdire aux enfants de parler la langue de leur *amah*.

Quand ces nouvelles règles furent proclamées au fort, le Délégué Van Doorn jugea sa mission remplie et donna l'ordre à son capitaine d'appareiller le bateau pour le long voyage jusqu'à Java.

La veille du départ, Van Riebeeck et sa femme Maria offrirent une fête à l'occasion du Nouvel An. Leurs deux nièces y assistèrent, parées des robes neuves que Kornélia leur avait apportées. Des esclaves de Malacca avaient constitué un orchestre. Chaque plat provenait du Cap : morue, gigot de mouton, choux-fleurs, choux, maïs, bettes et potiron. Le vin, bien entendu, provenait du bateau — des tonneaux que l'on transportait de France à Java —, mais, comme le dit Karel aimablement en levant son verre :

— Avant longtemps, même le vin viendra du Cap.

Et il fit un signe entendu à l'adresse de son frère.

— Maintenant le dessert ! s'écria Van Riebeeck, le visage épanoui par le bon vin.

Il tapa dans ses mains et Déborah, déjà bien avancée dans sa grossesse, sortit de la cuisine en portant à deux mains un grand plat de terre cuite dorée, aux côtés verticaux et sans anses. Elle tourna instinctivement vers Willem son visage grave, dénué de toute expression, attendant une indication de sa part ; d'un léger mouvement de la tête, il lui fit signe de poser le plat devant Kornélia. Quand ce fut fait, on apporta une grande cuillère avec neuf petites assiettes et tout le monde vit avec délices que c'était le plus beau des gâteaux de pain, croustillant et marron sur le dessus, et garni de raisins, de peaux de citron et d'écorces d'orange. Les invités applaudirent.

« C'est notre Willem qui l'a fait, dit fièrement Van Riebeeck.

— Vous avez vraiment fait ce gâteau ? demanda Kornélia en enfonçant sa cuillère dans la croûte gonflée.

— On apprend, dit Willem.

— Mais avec quoi l'avez-vous fait ? insista-t-elle.

— On met de côté les bouts de pain, les restes de gâteau et de biscuits. Il faut des œufs et de la crème. Du beurre et toutes espèces de fruits que l'on peut trouver. A la fin, bien entendu...

Il hésita avant de poursuivre.

« Vous n'apprécierez pas, Kornélia, n'ayant jamais vécu à Java... Mais vous, les hommes de Java, vous comprendrez, conclut-il maladroitement en se tournant vers son frère et Van Riebeeck. Après le sucre et le jus de citron, je saupoudre d'un peu de cannelle et de beaucoup de noix de muscade. Pour nous rappeler Batavia.

— Vous êtes bon pâtissier, Willem.

— Il fallait bien que quelqu'un apprenne. On ne peut pas manger du poisson et du mouton quatre cents jours par an.

A cet étrange nombre, les dîneurs se regardèrent, mais nul ne songea à corriger Willem Van Doorn. Dans certains coins du monde, l'année a vraiment quatre cents jours, et même une aussi petite chose qu'un gâteau de pain aide à faire passer l'ennui de ces longues journées solitaires.

Quand le dernier carafon de vin fut vidé, deux conversations mirent un terme à la soirée. Deux monologues, en fait, car les deux interlocuteurs sermonnèrent leurs deux auditeurs sans être interrompus.

— Il vous faut redoubler d'efforts, Jan, dit Karel Van Doorn au commandant Van Riebeeck, pour appliquer tous les règlements de la Compagnie. Ne gaspillez pas le moindre sou. Obligez vos gens à parler hollandais. Clôturez le domaine de la Compagnie. Forcez vos esclaves à la discipline. Trouvez davantage de bœufs et faites couler le vin à flots. Parce que, si vous prenez mieux soin de nos bateaux, je peux vous affirmer que les Seigneuries vous récompenseront par un poste à Java.

Avant que Van Riebeeck ait pu répondre, Karel ajouta d'un ton songeur :

« Les épices du gâteau de Willem... Ne vous ont-elles pas rappelé les merveilleuses journées de Ternate et d'Amboine ? Il n'y a pas un seul endroit au monde comme Java.

Au même instant, Kornélia Van Doorn disait à sa cousine aux joues rouges :

— Katje, aide Willem à faire pousser ses raisins. Parce que, s'il réussit, il sera sur la liste des promotions. Et vous pourrez venir à Java.

Dans un élan de gentillesse et d'affection, elle la prit dans ses bras.

« Nous ne t'avons pas amenée dans un paradis, Katje, lui avoua-t-elle. Mais c'est un mari, et sa cabane est provisoire. Si tu le tiens au travail, vous viendrez bientôt tous les deux à Java, j'en suis certaine.

En voyant comment les plants français avaient été emballés avec soin et avec quel amour on s'était occupé d'eux pendant le voyage, Willem eut bon espoir que ces nouveaux cépages revigoreraient le vignoble du Cap. La haie de jeunes arbres était maintenant assez haute pour briser la violence des inlassables vents d'été et il savait à présent comment planter ses rangs dans le bon sens. Avant même que Karel reparte à Java, ses vignes étaient plantées, et bien plantées. L'une des dernières notes du Délégué dans son rapport aux XVII

Seigneuries signala que Willem prenait la viticulture très à cœur et prédisait : « La colonie enverra bientôt des tonneaux de vin à Java. »

La dernière recommandation de Karel était assez étonnante et elle fut souvent citée à Amsterdam et à Batavia, mais sans jamais y être comprise — non plus qu'en Afrique australe, d'ailleurs. Elle se rapportait aux esclaves et à leur tendance à s'enfuir. Au cours de son séjour au Cap, il avait entendu pendant trois jours des témoignages détaillés sur la fréquence avec laquelle des esclaves de toute sorte — d'Angola, de Malacca, de Madagascar — ne cessaient de prendre la fuite. Il en conclut qu'il s'agissait d'une folie qu'aucune mesure accessible aux Hollandais ne pourrait éliminer, et il écrivit aux XVII Seigneuries :

> Ni la faim, ni la soif, ni la flèche meurtrière du Bochiman, ni la sagaie du Hottentot, ni le désert sans eau, ni la montagne infranchissable ne retiennent l'esclave de rechercher sa liberté. J'ai donc ordonné aux responsables du Cap d'appliquer une série de châtiments qui feront comprendre aux esclaves qu'ils appartiennent à la Compagnie et qu'ils doivent obéir à ses lois. A la première tentative de fuite, perte d'une oreille. A la tentative suivante, marque au fer rouge sur le front et deuxième oreille. A la troisième, nez coupé. Et à la quatrième, la potence.

Quand le *Groote-Hoorn* reprit la mer pour Java, on décida, étant donné l'urgence de produire du vin, que Willem bénéficierait de plus d'assistance dans les vignes et l'on exempta l'esclave Jango de ses travaux dans le fort. Ce fut une décision heureuse, car il fit preuve aussitôt d'une aptitude particulière à la culture de la vigne. Dès qu'il vit les nouveaux plants prendre racine, Van Riebeeck sentit que les tonneaux de vin passeraient bientôt du rêve à la réalité.

Mais Jango avait la faiblesse de tout homme de cœur : il voulait être libre. Et quand Willem recommanda que l'on ôte les chaînes de son esclave « pour qu'il puisse se déplacer plus aisément dans les vignes », Van Riebeeck — à contrecœur — accepta.

— Vous cherchez les ennuis, dit-il à Willem.

Mais celui-ci était certain que Jango apprécierait sa chance de travailler hors du fort et qu'on pouvait lui faire confiance.

Il avait en partie raison. Sans chaînes, Jango travailla plus vite et mieux, mais, dès que les nouvelles vignes furent taillées, il s'enfuit dans le désert. Willem attendit deux jours, puis rendit compte de son absence. La nouvelle fit beaucoup de bruit. Furieux que Willem ait donné l'alarme en retard, Van Riebeeck, sur un mouvement de colère, envoya un détachement traquer l'évadé. Quand on fit l'appel, on s'aperçut que trois autres esclaves s'étaient joints à Jango. Leurs traces indiquaient qu'ils se dirigeaient tout droit vers le pays bochiman, où ils seraient probablement abattus.

— Et autant de perdu pour la Compagnie, conclut Van Riebeeck.

Mais, au bout de trois jours de recherches, Jango et les autres furent découverts, glacés et affamés, tapis au pied d'une petite falaise. On les attacha et, sur le chemin de retour au fort, les soldats commencèrent à se demander comment on allait appliquer les nouvelles lois draconiennes du Délégué Van Doorn sur la fuite des esclaves.

— Vous allez perdre les oreilles, dirent-ils aux esclaves. Vous comprenez ?

Un des Hollandais saisit l'oreille gauche de Jango et fit de la main le geste de la trancher.

« Et elle tombe !

Quand la sentinelle du fort signala le retour des prisonniers, tout le monde se rassembla pour assister aux mutilations. Mais tout le monde fut déçu, car Van Riebeeck se refusa à couper les oreilles.

— Je ne défigurerai pas mes esclaves.

Deux de ses lieutenants discutèrent avec lui, faisant valoir à la fois la nouvelle loi et la nécessité d'un châtiment exemplaire, mais le petit homme, têtu, repoussa leur conseil. Les esclaves furent fouettés avec modération, jetés dans un coin de la forteresse qui servait de prison et laissés sans nourriture pendant trois jours.

Cinq jours plus tard, on les libéra. Jango s'enfuit de nouveau et l'on convoqua Willem au fort.

— Nous avons des raisons de croire que les esclaves s'entendent de nouveau avec les Hottentots. Allez trouver Jack et prévenez-le que cela ne doit pas continuer.

— Et Jango ?

— Nous nous occupons de Jango.

Willem partit donc vers l'est pour conférer avec Jack, tandis que le détachement habituel de chasseurs suivait les traces de l'Angolais. Cette fois, il n'avait emmené que deux compagnons. Willem trouva Jack dans un village éloigné. Le petit homme refusa de reconnaître qu'il s'entendait avec les esclaves et écarta toute forme de coopération.

— Mais que veux-tu donc ? demanda Willem, exaspéré, à son vieil ami.

— Ce que j'ai dit au fort. Travailler ensemble.

— Tu as entendu mon frère. Cela ne pourra jamais se produire.

— Il viendra davantage de bateaux, insista Jack. Il faudra davantage de bétail.

Un froncement de sourcils de Willem mit fin à la conversation. Il n'existait aucun espoir de voir entrer dans les faits l'union proposée par Jack. Les hommes blancs et les hommes bruns étaient destinés à mener des existences différentes : pour les uns, une vie de maîtres, pour les autres, une vie de bannis. Et toute tentative de combler le fossé serait à jamais vouée à l'échec par le caractère même des êtres impliqués. Les hommes blancs seraient lourds et têtus comme Willem, ou bien vains et arrogants comme Karel ; les hommes bruns seraient fiers et rétifs comme Jack...

Willem frissonna soudain, car, pendant un instant, une vision fulgurante de l'avenir venait de lui être accordée. Les yeux fixés sur le long corridor de l'histoire du Cap — par-delà le fort et le fer rouge des esclaves —, il avait perçu avec une lucidité tragique la disparition totale de Jack et de ses Hottentots. Ils étaient destinés à être engloutis, avalés par les bateaux et les chevaux. Des larmes de pitié lui montèrent aux yeux et il voulut prendre dans ses bras l'ami avec lequel il avait partagé tant d'aventures étranges. Mais Jack s'était détourné. Il n'essuierait pas une rebuffade de plus... Dans son uniforme anglais en haillons, avec les gros souliers nés entre ses doigts, il s'éloigna, solitaire, vers les montagnes. Jamais plus il ne ferait de propositions aux Van Doorn.

Au retour de Willem au fort, Jango avait été repris et les lourdes chaînes de fer reliaient de nouveau ses chevilles. Il travaillait donc dans les vignes plus lentement que jamais, en traînant derrière lui un poids monstrueux. Mais, malgré cet horrible handicap, il s'enfuit une troisième fois, très loin vers le nord, où il survécut trois semaines avant d'être capturé de nouveau. Cette fois, dirent les lieutenants, ses oreilles devaient vraiment tomber. Mais Van Riebeeck refusa obstinément d'appliquer les mesures sauvages que le Délégué Van Doorn avait autorisées. L'un des subordonnés du commandant envoya un message secret à Batavia pour informer Karel de ce refus d'obtempérer.

La cabane de jardin dans laquelle Katje Van Doorn vécut les premiers jours de sa vie conjugale devait entendre une cascade incessante de jérémiades. Trois plaintes revenaient plus souvent que les autres :

— Pourquoi sommes-nous obligés de vivre dans cette cabane ? Pourquoi ne pouvons-nous pas habiter au fort ?

« Pourquoi ne puis-je avoir quatre esclaves comme la femme du commandant ?

« Dans combien de temps rejoindrons-nous Kornélia et votre frère à Java ?

Patiemment, Willem essayait de répondre à chaque récrimination.

— Vous ne vous plairiez pas au fort. Tous ces gens... Que feriez-vous de tant d'esclaves personnels ?... Et on ne nous laissera pas partir à Batavia tant que nous n'aurons pas prouvé qu'on peut produire du vin ici.

Mais, sur ce dernier point, il la trompait : il n'avait nul désir de retourner à Java ; il avait trouvé son foyer en Afrique et il était bien décidé à rester.

Ses arguments ne convainquirent guère Katje, mais elle apprécia qu'il construise un petit appentis à la cabane, pour qu'elle ait un espace à elle. Bien entendu, quand vint le moment de finir le sol, il lui apporta des seaux de bouse de vache diluée dans l'eau pour qu'elle lisse la terre battue. L'opération était longue et elle se mit à pleurnicher. Il s'agenouilla donc et fit le travail à sa place. Avec le temps, il parvint à donner à la surface une dureté et un poli rappelant un plancher de sapin bruni par les ans. Et l'odeur était rafraîchissante : l'odeur propre des étables et des prairies.

Il apprit avec stupéfaction que Katje était allée voir Van

Riebeeck pour lui réclamer une servante. Le commandant lui fit observer que la seule femme disponible était Déborah, ajoutant avec délicatesse qu'il ne serait guère convenable que cette fille emménage dans leur cabane, étant donné qu'elle était sur le point d'accoucher d'un enfant de Willem. A son plus grand étonnement, Katje ne vit rien de mal à cela.

— A présent, c'est moi sa femme. Et j'ai besoin d'aide.

— Tout à fait impossible, répondit Van Riebeeck.

Les plaintes redoublèrent.

En revanche, elle travaillait avec acharnement dans les nouvelles vignes : c'était elle qui arrosait patiemment les jeunes plants et qui tressait les coupe-vent pour les protéger. Elle surveillait leur croissance avec plus de passion qu'une mère suit celle de son enfant et, quand les vignes les plus âgées produisirent enfin une récolte importante de raisins d'un blanc très pâle, elle fit la vendange avec joie, les déposa presque avec révérence dans le pressoir à main et regarda avec ravissement le moût incolore sortir du godet.

Willem et Katje n'avaient que des idées très vagues sur la fabrication du vin, mais ils mirent le moût à fermenter et il produisit finalement quelque chose ressemblant à du vin. Quand on le transporta fièrement au fort, Van Riebeeck le goûta et inscrivit dans son rapport aux XVII Seigneuries :

> Aujourd'hui, Dieu soit loué, du vin a été fait avec des raisins mûris au Cap. A partir de notre moût vierge, venant des plants de muscadet que vous nous avez envoyés de France, nous avons produit trente quarteaux d'un vin très riche. Les bonnes années ont commencé.

Mais, l'année suivante, quand une récolte importante permit l'exportation, le vin reçut à Java un accueil désespérant.

— C'est davantage du vinaigre que du vin, pour ne pas dire de la piquette. Nos Hollandais n'en veulent pas, nos esclaves ne pourraient pas l'avaler et même les gorets le refusent.

Et parce que les marins à bord des gros trois-mâts des Indes le rejetaient eux aussi, le vin du Cap ne contribuait même pas à diminuer le scorbut.

En conséquence, Willem connut au fort une nouvelle disgrâce ; son incapacité mettait à mal toutes les chances de

Van Riebeeck — et les siennes propres — de mutation à Java. Katje, qui en était parfaitement consciente, ne cessait de le houspiller pour qu'il apprenne les secrets de la fabrication du vin. Mais qui aurait pu les lui enseigner ? La récolte de 1661 fut tout aussi imbuvable que celles du début.

Willem avait accompli scrupuleusement sa tâche dans les vignes et il estimait qu'il méritait sa liberté. Mais la Compagnie conservait de droit la mainmise absolue sur tous ses actes. Trois fois, humblement, il demanda au commandant la permission de se proclamer bourgeois et, trois fois, Van Riebeeck refusa, car sa propre libération de cette semi-prison dépendait en grande partie du succès de Willem.

— On a besoin de vous où vous êtes.

— Alors, donnez-moi un autre esclave pour développer les vignes.

— Vous avez Jango.

— Ôtez-lui ses chaînes... pour qu'il puisse travailler vraiment.

— Ne s'enfuira-t-il pas de nouveau ?

— Il a une femme à présent...

Quel crève-cœur pour Willem ! Car les jours où Katje l'accablait le plus de jérémiades, il ne pouvait s'empêcher de rêver à ce qu'aurait pu être sa vie si la Compagnie l'avait autorisé à épouser Déborah. Quand il allait au fort, il la voyait, avec ses deux fils métis, aller et venir au gré de son travail, toujours aussi douce et souriante, toujours chantonnant à mi-voix. Il rentrait alors dans sa cabane et, à la lueur des chandelles, il feuilletait sa grande Bible pour trouver le passage des Juges que le capitaine lui avait lu pendant la traversée de Malacca au Cap : « Réveille-toi, réveille-toi, Déborah, réveille-toi et entonne un chant. » Il baissait le front, le posait sur ses mains et rêvait de ces jours dorés.

Puis un jour il apprit, au fort, que Déborah était de nouveau enceinte — non de ses œuvres, mais de celles de Jango. S'il avait réclamé qu'on libère Jango de ses fers, c'était par pitié pour elle. Le lendemain, Jango, Déborah et leurs enfants prirent le chemin de la liberté.

Pour les soldats, c'était incompréhensible. Comment ces esclaves — dont une femme enceinte et deux enfants en bas âge — osaient-ils prendre de tels risques ? Mais ils s'étaient dirigés vers le nord, où se trouvaient les terrains de chasse des

Bochimans les plus dangereux, avec leurs flèches empoisonnées. Van Riebeeck, furieux de s'être laissé convaincre de déchaîner Jango, ordonna à un détachement de le ramener coûte que coûte. Pendant sept jours, le fort n'eut pas d'autre sujet de conversation.

Personne n'était plus inquiet que Willem. Il voulait que Déborah survive. Il voulait voir ses fils parvenir à l'âge adulte pour pouvoir connaître ce pays. Enfin, il espérait que Jango pourrait accéder à la liberté qu'il avait si courageusement recherchée tout au long de sa captivité. A vrai dire, il se sentait des liens particuliers avec cet esclave qui avait si bien travaillé les vignes, en traînant ses chaînes derrière lui. Et Willem lui aussi aspirait à la liberté, à l'évasion loin des limites amères du fort et des idées étriquées de la Compagnie. Il ne désirait plus devenir seulement franc-bourgeois. Maintenant, il lui fallait la liberté absolue, là-bas, sur les plaines, du côté des collines verdoyantes qu'il avait aperçues pour la première fois quatorze longues années plus tôt, du haut de la Table Mountain. Il avait faim d'espace découvert et d'immensité — et, la nuit, il priait pour que Jango et Déborah ne soient pas repris.

— Ils les ont attrapés ! exulta Katje un matin, à son retour du fort.

A contrecœur, Willem se laissa entraîner vers le rempart pour assister au retour des fugitifs. Jango avait un regard de défi paisible. Déborah, dont la grossesse ne se remarquait pas encore, tenait la tête haute et son visage n'exprimait ni colère ni défaite. Ce fut Van Riebeeck qui réagit de manière inattendue : il interdit rigoureusement à ses soldats de mutiler les esclaves. Tant qu'il demeurerait commandant du poste, il n'y aurait ni oreilles coupées, ni fer rouge, ni nez tranché. Jango se retrouva dans les fers, ainsi que Déborah, mais ce fut tout. Physiquement, Van Riebeeck était plus petit que tous ceux à qui il donnait des ordres ; moralement, il devait être l'un des plus grands chefs que la Compagnie enverrait jamais au Cap.

Plus Willem observait Van Riebeeck et plus il appréciait les capacités de cet homme. Les XVII Seigneuries lui avaient assigné une mission impossible. Comme les anciens Fils d'Israël, il était censé construire de grands édifices avec les briques défectueuses. On lui donnait cent choses à faire, mais non les moyens financiers de les réaliser. On lui rognait même sa main-d'œuvre. En incitant des marins à quitter leurs bateaux pour rester au Cap, il avait réussi à accroître sa garnison jusqu'à cent soixante-dix hommes, mais les Seigneuries lui ordonnèrent aussitôt de la réduire à cent vingt, sous le prétexte « logique » qu'ils avaient fondé un entrepôt commercial, non une communauté civile en expansion.

Mais Willem n'était pas au bout de ses surprises.

— Je veux, lui dit Van Riebeeck, qu'avec trente esclaves et tous les francs-bourgeois vous plantiez une haie tout autour de notre domaine. J'ai reçu l'ordre de couper la colonie de la terre vacante, par là...

D'un geste de sa main gauche, il indiqua toute l'Afrique.

« Nous maintiendrons les esclaves à l'intérieur et les Hottentots dehors. Nous protégerons notre bétail et ferons de ce petit coin de terre notre paradis hollandais.

A la tête des francs-bourgeois et de Willem, il se mit en quête d'un arbuste ou d'un arbre susceptible de faire une haie convenable. Ils trouvèrent finalement la solution idéale :

— Cette espèce d'amande amère a des piquants très forts. Rien ne peut passer à travers ces épines quand l'arbuste grandit.

Et l'on planta donc une haie d'amandes amères pour séparer Le Cap de l'Afrique.

En 1662 survint enfin le jour glorieux où un bateau d'Amsterdam apporta la nouvelle que le commandant Van Riebeeck était muté à Java. Katje Van Doorn voulut aussitôt savoir pourquoi Willem et elle ne pouvaient pas partir eux aussi. Elle apprit avec consternation que Willem n'en avait jamais fait la demande. Et, au milieu des reproches dont elle le harcela, elle découvrit qu'il n'avait nulle intention de quitter Le Cap.

— Je me plais ici. Il n'y a pas de place pour moi à Java, avec Karel en poste.

— Mais nous devons partir et forcer Karel et Kornélia à nous donner de l'avancement.

— Je me plais ici, répondit Willem, têtu.

Et il refusa de discuter de mutation avec Van Riebeeck.

Le nouveau commandant était un homme peu ordinaire —

pas du tout hollandais : un des nombreux Allemands qui s'engageaient depuis très longtemps dans la Compagnie. Il avait été en poste à Curaçao, à Formose, à Canton, dans la plupart des îles des Épices et surtout au Japon où il était ambassadeur plénipotentiaire l'année où plus de cent mille personnes étaient mortes au cours du vaste incendie qui avait ravagé la capitale, Edo. A son arrivée au Cap, c'était un homme affaibli, maladif, irascible, souffrant beaucoup de la goutte, et d'une humeur toujours chagrine. Pendant la période d'« interrègne » où Van Riebeeck faisait ses adieux, mais sans que son remplaçant ait pris ses pouvoirs, l'Allemand se comporta avec circonspection. Son épouse, allemande comme lui, dominait parfaitement toutes les complexités du règlement de la Compagnie et ils étudièrent ensemble la situation qui prévalait au Cap. Dès le départ de leur prédécesseur, ils étaient donc prêts à prendre tout en main. Et, avant toute chose, ils entendaient bien mettre un terme à la fuite des esclaves, qui représentait un mauvais exemple et une lourde perte. Ils ne reculeraient pas devant les châtiments.

Le jour même où Van Riebeeck fit voile, les yeux brillants de visions javanaises, le nouveau commandant dut résoudre le problème d'un esclave qui s'était enfui vers un campement des Hottentots, mais que des cavaliers avaient pu rattraper en galopant à travers les plaines. Dès que l'évadé fut ramené entre les murs de la forteresse, le commandant ordonna qu'on lui coupe l'oreille gauche et qu'on lui marque les deux joues au fer rouge.

Quelques jours plus tard, on prit un esclave en train de manger un chou venant des jardins de la Compagnie. On le fouetta sur-le-champ, on le marqua au fer rouge, puis on lui trancha les deux oreilles et on lui posa de lourdes chaînes aux chevilles « pour n'être point ôtées avant la fin de ses jours ». Tous les Noirs récalcitrants furent accablés de châtiments du même ordre et Willem se glissa dans le fort pour parler à Jango et à Déborah en secret.

— Je sais que vous aspirez toujours à la liberté. Pour l'amour de Dieu, ne prenez pas de risques.

Jango, les deux fils de Willem sur ses genoux, répondit par un rire paisible.

— Le moment venu, nous partirons.

— Les chaînes ! Jango, ils vous rattraperont avant le coucher du soleil.

— Mais nous partirons quand même, répondit doucement Déborah.

Willem la regarda, consterné. Il avait vécu avec elle, il lui avait donné deux enfants et, pourtant, il ne savait d'elle pour ainsi dire rien. Il avait supposé que, si son visage était calme, sa démarche nonchalante et sa voix douce, son cœur devait être tout aussi placide. Il ne lui était jamais venu à l'esprit qu'elle détestait la servitude autant que Jango. Il frissonna à la pensée qu'elle allait risquer, simplement pour être libre, de perdre ses oreilles et d'avoir les joues marquées.

— Déborah ! Songe à ce qu'ils te feront ! supplia-t-il.

Elle le fixa d'un regard résolu, le visage immobile. Puis elle posa sa main brune sur celle du Blanc.

— Je ne resterai pas esclave, dit-elle.

Sur le chemin de retour vers sa cabane, il pria : « Ô Jésus, aide-les à retrouver leur bon sens... » Une nuit où les gardes s'endormirent, les quatre esclaves s'enfuirent de nouveau.

Quand on les ramena, le commandant allemand ordonna que tout le monde se rassemble pour le châtiment :

— Jango, c'est la cinquième fois que vous tentez d'échapper à votre soumission, privant la Compagnie de son bien.

Willem avait la gorge nouée, hésitant encore à croire en la chose horrible qui allait s'accomplir ; mais, quand il tourna vers Katje son visage décomposé, il s'aperçut qu'elle tendait le cou pour mieux voir la cérémonie.

« Jango, vous aurez les oreilles coupées. Vous aurez le nez tranché. Vous aurez le front et les joues marquées au fer et vous porterez vos chaînes pour le restant de vos jours. Déborah, vous vous êtes enfuie deux fois. Vous aurez le front et les joues marqués au fer, et vous porterez des chaînes pour le restant de vos jours. Adam et Crisme, vous êtes esclaves...

— Non ! cria Willem.

Le commandant se tourna pour prendre le nom de la personne qui l'avait interrompu. Un de ses subalternes lui souffla que c'était le père des deux enfants, ce qui redoubla la fureur de l'Allemand.

— ... Vous êtes esclaves et vous serez marqués au front.

— Non ! cria Willem de nouveau, bien déterminé à ce que ses enfants ne subissent pas un châtiment aussi horrible.

Mais deux soldats lui saisirent les bras et la sentence fut exécutée.

Une semaine plus tard, l'esclave Bastiaan vola un mouton appartenant à la Compagnie et fut pendu. Le nouveau commandant avait eu tout loisir entre-temps d'étudier le cas de Willem Van Doorn. Il avait appris qu'il s'agissait du frère cadet du puissant Karel Van Doorn, mais il avait également appris que Karel avait peu d'égards pour son frère et savait qu'il était indiscipliné. Il avait constaté que Willem avait déposé quatre requêtes pour devenir franc-bourgeois, en disant qu'il n'avait nul désir de travailler sans fin pour la Compagnie. Et, bien entendu, lors de la séance de châtiment, il s'était comporté de façon scandaleuse. C'était un homme qui cherchait à se faire punir et le commandant était bien décidé à ne rien lui passer.

— Willem Van Doorn, dit-il en sentence publique, vous avez exercé une influence perturbatrice. Vous avez fait cause commune avec des esclaves. On vous a vu, pas plus tard que la semaine passée, vous glisser dans leurs quartiers. Des sanctions sont nécessaires. Le chevalet, deux jours.

— Oh, non ! supplia Katje.

Mais la condamnation avait été prononcée. On se saisit de Willem, on l'attacha et on fixa deux sacs de grenaille de plomb à ses chevilles. On amena le grand chevalet de bois en un lieu où tout le monde pouvait le voir et quatre hommes soulevèrent Willem, tandis que deux autres écartaient ses jambes. Dès qu'il fut suspendu à l'instrument de torture, on traîna les esclaves mutilés Jango et Déborah sur la place pour qu'ils puissent le voir et, pour la première fois, Willem aperçut le visage hideux du Noir et les cicatrices profondes sur les joues et le front de la femme qu'il avait aimée.

— Non ! hurla-t-il.

Tous ceux qui l'entendirent, sauf Jango et Déborah, supposèrent qu'il protestait contre le châtiment cruel qu'il allait subir.

— Maintenant ! cria le commandant.

On le lâcha. La douleur fut si horrible qu'il s'évanouit.

Quand il revint à lui, il faisait nuit et il était seul, enchaîné au chevalet dont les arêtes vives meurtrissaient sans cesse son aine, l'écartelaient, le déchiraient, lui mettaient les chairs à vif. S'il bougeait pour soulager sa douleur, d'autres parties de son corps le brûlaient. Des plaintes sourdes sortaient malgré lui de ses lèvres et, quand il essayait de se relever un peu, les poids suspendus à ses jambes le tiraient de nouveau vers le bas.

Deux fois, cette nuit-là, il perdit conscience, en partie à cause de la douleur, en partie à cause du froid glacial qui montait de la baie. Quand il s'éveilla, tout son corps frissonnait et, au lever du jour, il était enfiévré.

Les habitants du fort vinrent se moquer de lui, ravis car ils estimaient sa punition méritée. Ils l'avaient envié pour sa maison dans les vignes, pour avoir une épouse alors qu'ils en étaient privés, pour être le frère d'un des puissants de Java. Ils remarquèrent qu'il tremblait.

— Il a la fièvre, dit une femme. C'est toujours comme ça après la première journée.

Dans l'après-midi, quand le vent se leva, sa fièvre devint plus violente et, le soir, sous la pluie battante, sa santé fut en danger. Sa femme, qui s'était refusée à venir le voir quand les autres se moquaient de lui, se glissa jusqu'au chevalet.

— Comment vous sentez-vous, Willem ? murmura-t-elle.

— Je vivrai, répliqua-t-il entre ses dents.

Le fait qu'il ait dit cela convainquit Katje du contraire. Elle entra de force dans le bureau du commandant.

— Vous allez le tuer, dit-elle. Et Karel Van Doorn l'apprendra.

— Est-ce une menace ?

— Certainement. Je suis la nièce de Claes Danckaerts et c'est un homme puissant à Amsterdam. Libérez mon mari.

Le commandant connaissait assez les mœurs de la Compagnie pour évaluer les pressions qui s'exerceraient contre lui si une famille hollandaise résolue déclarait la guerre à un aventurier allemand — et, au ton de Katje, il se douta qu'elle mettrait sa menace à exécution jusqu'au bout. A son corps défendant, il prit une cape et sortit sous l'orage.

Il trouva Willem sans conscience, le corps frissonnant de fièvre. Par deux fois, il essaya de le soulever, mais en vain.

— Coupez les cordes ! ordonna-t-il aussitôt.

On transporta le corps raide dans la cabane près des vignes et on l'allongea sur le sol ciré à la bouse de vache. Katje parvint non sans effort à lui faire reprendre ses esprits.

— Vous êtes à la maison, Willem. C'est fini.

Leur amour, maladroit et guindé comme il le resterait toujours, data de cet instant.

L'épreuve du chevalet devait avoir pour Willem Van Doorn des conséquences déterminantes. Tout d'abord, il en sortit infirme; il marcherait toujours le corps légèrement tordu, la jambe gauche fonctionnant moins bien que la droite. Il serait sensible au rhume et souffrirait de bronchites graves chaque hiver. Mais surtout, il se mit à fréquenter la forge du fort, où il déroba des outils qu'il dissimulait derrière l'appentis où il greffait les plants de vigne.

Un soir, quand il eut réuni un lourd marteau, un ciseau à froid et une sorte de levier, il entraîna Jango qui rentrait à la maison en tirant sur ses chaînes. Sans un mot, il écarta du pied les herbes qui recouvraient la cachette. Jango ne dit rien, mais il adressa à Willem un regard de gratitude.

Jango était horrible à voir. A la place des oreilles, des cicatrices boursouflées. Son visage sans nez n'avait plus de forme. Et les trois marques du fer rouge sur son front et ses joues paralysaient le regard de tous ceux qui posaient les yeux sur ce visage repoussant de laideur. Willem ne vit que ses yeux. Ils brillaient.

Les deux hommes ne se confièrent jamais l'un à l'autre. Jango refusa de dire à Willem quels étaient ses plans précis ni comment il exécuterait sa tentative définitive. Les instruments de sa liberté étaient là, sous les sarments, et il s'en servirait le moment venu, mais où et comment il couperait ses chaînes et celles de Déborah, nul ne le savait.

Puis, un après-midi, une demi-heure avant le coucher du soleil, Jango quitta tranquillement son travail et traîna ses chaînes vers l'appentis du greffage. Il ôta les herbes qui couvraient la cachette et enveloppa le ciseau dans un sac de toile. En quelques coups bien assourdis, il coupa les chaînes qui liaient ses jambes, puis il les remit en place de façon que personne ne remarque rien. Il dissimula les outils sous sa chemise trempée de sueur et passa devant Willem d'un air indifférent, comme chaque jour en fin de journée. Pendant un bref instant, les deux hommes se regardèrent — l'un avec le visage défiguré, l'autre avec le cœur en émoi. C'était la dernière fois qu'ils seraient en contact — le Noir et le Blanc —

et des larmes montèrent aux yeux de Willem. Jango refusa à toute émotion de paraître. Serrant ses outils, il partit vers le fort.

— Vous êtes très nerveux, dit Katje quand son mari s'avança en traînant la jambe vers la table du dîner.

Il demeura longtemps devant sa Bible, et elle dut lui dire : « Willem, venez vous coucher.

Comme il aurait voulu aller jusqu'au fort, monter sur le rempart, voir comment Jango, Déborah et les enfants s'évaderaient, où les chaînes seraient coupées !... Mais il savait qu'il ne devait rien laisser transparaître. Il n'avait pas peur du châtiment que le commandant lui ferait subir s'il découvrait son rôle dans cette évasion ; il n'avait peur que pour Jango, Déborah et ses fils. A neuf heures, quand Katje s'endormit, son mari était toujours penché sur sa Bible, la tête baissée, comme en prière.

Ils s'enfuirent dans les terres désertes au nord-est du fort — Jango le Noir d'Angola, Déborah la Brune de Malaisie, Adam et Crisme, à moitié bruns, à moitié blancs, et la petite Ateh, à moitié noire, à moitié brune. Quand ils eurent franchi la haie d'amandes amères, Jango coupa les chaînes de sa femme puis ôta les siennes, mais il les ramassa, persuadé qu'elles lui seraient utiles pour faire commerce avec les Hottentots ou les Bochimans.

Cette fois-là, ils réussirent. En pénétrant dans un désert inconnu, inexploré, ils traduisirent dans les faits la phrase sonore de Karel Van Doorn :

> Ni la faim, ni la soif, ni la flèche meurtrière du Bochiman, ni la sagaie du Hottentot, ni le désert sans eau, ni la montagne infranchissable ne retiennent l'esclave de rechercher sa liberté.

Ils survécurent. Le temps passant, les descendants d'Adam et de Crisme et de milliers d'autres comme eux ne s'enfuiraient plus vers la liberté avec des chaînes aux pieds : ils vivraient dans des villes comme Le Cap — où ils connaîtraient une servitude plus grande encore, car ils seraient stigmatisés comme *Coloured,* « hommes de couleur ». Les prédikants tonneraient contre eux, car ils seraient le témoignage vivant du fait qu'au début de la colonisation les Blancs avaient cohabité avec les Bruns, avec les Noirs, avec les Jaunes : « Ils sont la malédiction de Dieu sur nous pour le mal que nous avons fait. » La terre de leur naissance serait la terre de leur souffrance. Ils n'auraient droit à aucune place dans la société, à aucun avenir sur lequel tout le monde puisse s'accorder — mais ils seraient à jamais un témoignage vivant.

Le commandant allemand n'éprouva aucun regret à la disparition de Jango et de la jeune Malaise. S'ils avaient été repris, il aurait dû les pendre, et cela aurait posé la question douloureuse des trois enfants, dont deux avaient déjà des cicatrices sur le front.

Il ne s'inquiéta guère non plus quand ses espions lui apprirent que Willem Van Doorn semblait se préparer à quitter la colonie pour établir, vers l'est, une ferme bien à lui.

— Il construit un chariot, lui dit-on. Il met de côté tout ce qui lui tombe sous la main. Et il a réuni beaucoup plus de plants de vigne qu'il n'en a besoin pour ses champs.

— Quand viendra le moment, nous le laisserons partir. C'est un fauteur de troubles et il ne vaut pas mieux que les Hottentots.

En 1664, quand une des flottilles à destination d'Amsterdam amena au Cap un visiteur inattendu, le commandant allemand se félicita de sa modération dans l'affaire de Willem, car ce visiteur n'était autre que Karel Van Doorn, rappelé en Hollande pour devenir l'une des XVII Seigneuries.

— Mon beau-père n'est pas étranger à cette promotion, dit-il avec modestie. C'est Claes Danckaerts, vous savez, le riche marchand.

Il fit son entrée dans le fort en grande pompe, suivi par Kornélia et leurs deux enfants, vêtus de dentelle et de satin. Les fêtes durèrent cinq soirs de suite et le commandant avoua qu'il était las de ce fichu Cap : Karel pourrait-il intervenir pour le faire muter à Java ?

— Je sais ce que vous ressentez, répondit Karel. Van Riebeeck m'a dit la même chose à mon dernier passage. Ce n'est certainement pas un endroit rêvé pour un homme d'ambition.

— Que fait Van Riebeeck ?

— Comme tout le monde, il aurait voulu le poste suprême ! répondit Karel en esquissant un sourire. Mais c'est impossible en venant du Cap.

— Que fait-il ?

— Gouverneur de Malacca. Et il n'ira pas plus loin.

— Au moins, il est près de Java.

— C'est ce qui vous attend. Et pas près de Java. A Java.

Le commandant soupira et se mit à rêver au jour béni où il retrouverait enfin la civilisation. Karel interrompit ses pensées.

« Qu'ai-je donc appris au sujet de mon frère ?

Le commandant supposa que Karel faisait allusion à l'incident du chevalet :

— Comme vous le savez, pris de compassion, je l'ai fait descendre avant...

— Je voulais dire : est-il vrai qu'il songe à se faire franc-bourgeois ?

— Nous n'avons jamais permis à quiconque de le devenir de son propre chef, répondit aussitôt le commandant.

— Mais ne serait-ce pas une bonne idée que de l'envoyer hors d'ici ?

Ayant servi dans des capitales étrangères, le commandant reconnut une proposition détournée : « Bon Dieu, se dit-il, il essaie de se débarrasser de son frère. Pourquoi ? »

Jamais il ne découvrit la raison pour laquelle Karel proposait de permettre à Willem de quitter le fort et même de l'y encourager. Pour quelque complication de famille inavouée, Karel avait avantage à éloigner Willem. L'envoyer affronter les sagaies des Hottentots était peut-être le moyen le plus pratique. On sortit des cartes, esquisses grossières qui ne réprésentaient presque rien avec exactitude, et les deux hommes choisirent une région où l'on pourrait établir un avant-poste efficace, à supposer que Willem survive au redoutable voyage initial et aux menaces des Bochimans et des Hottentots.

C'était vers l'est, à l'endroit où une rivière aux eaux vives débouchait de la première chaîne de montagnes. Des missions d'exploration avaient fait des rapports favorables. Karel délimita une aire d'environ soixante *morgen* *.

« Qu'il essaie de faire pousser sa vigne là-bas. Dieu sait que nous pourrons utiliser le vin.

— Comment le dernier envoi est-il arrivé à Java ?

— A peine acceptable pour l'hôpital. Mais chaque année la qualité s'améliore un peu.

Quand toutes les dispositions furent prises, les deux représentants de la Compagnie convoquèrent Willem, qui entra dans le fort en boitant.

« Willem. Nous avons une grande nouvelle !

— Comment va Mère ?

— Oh, elle est morte il y a deux ans.

— Sa maison ? Le jardin ?

— La Compagnie a tout repris. Tout lui appartenait, tu sais.

— Est-ce qu'elle a... Est-ce qu'elle a souffert ?

— Elle a eu une mort très douce. Bon, voici ce pourquoi nous voulions te voir... Dites-le-lui, commandant.

— Nous allons vous autoriser à devenir franc-bourgeois, commença l'Allemand. Au bout des plaines. Ici.

— C'est à peu près où j'avais décidé de m'installer, dit Willem à mi-voix.

Les deux puissants ignorèrent ce mépris de leur autorité.

— Regarde ! dit Karel. Nous te donnons soixante morgen.

— On n'a pas besoin de soixante morgen pour cultiver la vigne. Vingt me suffiront.

— Willem ! dit Karel d'un ton sec. Chaque fois que la Compagnie t'offre quelque chose gratuitement, prends-le.

— Mais je ne pourrai pas tout cultiver.

— Prends-le ! cria Karel.

Une des XVII Seigneuries offrait à un paysan soixante morgen de bonne terre et le paysan soulevait des objections ! Ce Willem était incorrigible. La seule bonne chose de cette visite, c'était la nouvelle que les deux petits bâtards de son frère avaient disparu quelque part dans le désert. Cela lui rappela Agar — mais ses bâtards étaient-ils morts ?

La rencontre entre Katje et sa cousine Kornélia fut tout aussi fraîche ; et Katje, fine mouche, prévint son mari.

— Leur attitude n'est pas normale, Willem. Ils ont fait quelque chose de mal et ils ont honte de nous voir.

Elle ressassa tout cela pendant plusieurs jours, puis, un soir à dîner, la vérité jaillit sous ses yeux.

— Willem, ils ont vendu la maison de votre mère et ils gardent l'argent pour eux.

— Qu'ils le gardent, répondit Willem.

Mais Katje était la nièce d'un marchand et elle ne pouvait pas supporter la pensée d'être dépouillée d'un bien qui lui appartenait — ou du moins à son mari. Elle se rendit sur le bateau et affronta l'aîné des Van Doorn.

— Avez-vous vendu la propriété de votre mère ?

— Non, répondit Karel, gêné.

— Qu'est-elle devenue ?

— Elle appartenait à la Compagnie. Vous le savez. Comme la maison où vous habitez...

— C'est une cabane.

— Mais elle appartient à la Compagnie.

— Je crois que vous avez vendu...

— Katje ! s'écria Kornélia vivement. Vous vous oubliez ! Vous oubliez que vous n'étiez qu'une pauvre fille de ferme...

— Kornélia, vous êtes une voleuse. Vous êtes en train de voler la part de Willem.

— Nous n'entendrons pas une parole de plus !

Sa Seigneurie n'avait pas l'intention d'écouter un membre de sa propre famille — de la branche la plus pauvre d'ailleurs — l'accuser de détournement.

« Ramenez-la à terre ! ordonna-t-il aux marins.

Et, pendant le reste de son séjour, il refusa de rencontrer son frère.

Il y eut un gala d'adieu. Le commandant allemand et ses lieutenants prononcèrent des discours flagorneurs, Karel et son épouse y répondirent avec grâce. La nouvelle Seigneurie — la première à posséder une expérience étendue de l'Orient — assura à ses auditeurs que l'avenir du Cap lui tiendrait toujours à cœur, ainsi qu'à la Compagnie :

> Nous allons vous trouver de nouveaux colons, pas trop, car jamais plus de deux cents personnes ne vivront ici. C'est moi qui avais proposé la haie, et il me semble bien que c'est une idée marquante. Elle fait de ce petit coin de terre un établissement confortable avec assez d'espace pour votre bétail et vos légumes. On me dit que mon frère Willem, que vous appréciez tous, va partir vers l'est pour voir s'il peut faire du véritable vin, au lieu de

> vinaigre. (Rires.) Mais cela ne constituera pas un précédent. Vos devoirs sont ici, dans ce fort, que les XVII Seigneuries ont décidé de reconstruire en pierre. De même qu'Abraham a conduit son peuple à sa nouvelle demeure et en a fait un endroit prospère, vous avez établi votre foyer ici, au Cap. Rendez-le prospère. Faites en sorte qu'il rapporte à la Compagnie. Afin qu'à votre retour en Hollande vous puissiez tous dire : « Mission bien remplie. »

Trois jours après le départ de Karel vers Amsterdam et ses devoirs de Seigneurie, Willem commença à charger son chariot. Après avoir réservé de l'espace pour Katje et leur fils Marthinus, il entassa ses plants de vigne, les outils qu'il avait pris à la forge, tous les ustensiles dont Katje avait besoin et deux objets qui avaient pour lui une suprême importance : la Bible reliée de cuir et le plat de terre cuite dorée dans lequel il faisait cuire ses gâteaux de pain. Sans eux, sa maison du désert serait invivable.

Tout au long des préparatifs, il dut subir la litanie des plaintes de Katje :

— Vous emportez trop de plants... Jamais vous ne vous servirez de ce ciseau...

Et il aurait témoigné son irritation devant cette cascade de mots, s'il ne s'était pas produit une chose : il en était venu à aimer cette femme difficile et susceptible, car il s'était aperçu qu'elle se transformait en lionne dès que les intérêts de la famille étaient en jeu. Il savait qu'au bout du monde — où ils allaient — elle se révélerait magnifique. Comme un morceau de chêne dur qui en vient à estimer la râpe qui le ronge pour le rendre utilisable et poli — il appréciait désormais sa femme.

Avant d'atteindre la piste, il fallait que le chariot chargé traverse la haie d'amandes amères. Normalement, Willem aurait dû suivre le chemin des champs et passer devant le fort pour gagner la sortie, mais il n'avait pas l'intention de soumettre Katje et Marthinus aux railleries de la foule. Au lieu de cela, il coupa quatre arbustes et se fraya un passage. Quand les espions rapportèrent au commandant cet acte de vandalisme, ils s'attendaient à le voir ordonner l'arrestation de Willem. Mais le commandant savait une chose que les espions ignoraient : l'Honorable Seigneurie Karel Van Doorn voulait que son frère indiscipliné se perde dans le désert.

— Laissez-les ! dit l'Allemand avec dégoût.

Et Willem et sa famille poursuivirent leur route vers des terres où l'on respirait mieux.

Les huguenots

En l'an de grâce 1560, au petit village de Caix, dans une région vinicole du nord de la France, au temps où Marie Stuart, la future reine des Écossais, était encore reine à Paris, la société s'organisait selon des règles traditionnelles : il y avait le marquis de Caix, propriétaire des vignes — le plus insignifiant des gentilshommes que la France pouvait offrir alors, mais insignifiant uniquement en terres et en argent, car, pour l'esprit et le courage, c'était un grand seigneur. Il avait survécu à trois guerres et il était prêt à en livrer une quatrième, ou quatre autres. Il était grand, mince, portant belle moustache et le genre de barbiche caractéristique de la France de cette époque. Il n'avait pas les moyens d'offrir des vêtements élégants à sa personne, ni des caparaçons à ses deux chevaux, mais il tirait quelque fierté de ses épées et de ses pistolets — et n'était-ce pas ce qui habillait vraiment un gentilhomme ? Sa grande faiblesse — pour un homme de sa position —, c'était qu'il lisait des livres et s'occupait d'affaires survenant en des lieux aussi lointains que Paris, Madrid et Rome. Cela le détournait de ses responsabilités locales et ses vignes dépérissaient.

L'abbé Desmoulins, le curé de Caix, avait des défauts presque aussi déplorables. Les conflits religieux d'Allemagne et de Genève avaient affecté profondément cet homme déjà âgé, qui avait vu passer plus d'une bataille. La prédication de ces deux catholiques « difficiles » qu'étaient Martin Luther et Jean Calvin le troublait. Il voyait dans les fulminations du premier un défi justifié à la dégradation de l'Église, qu'il avait pu constater de ses yeux ; et la logique trancendante du second lui paraissait une réponse valable aux confusions qu'il découvrait dans la religion telle qu'on la pratiquait dans la France de son temps. S'il était tombé dans une paroisse ayant pour chef temporel un gentilhomme illettré, bien ancré dans sa foi, l'abbé Desmoulins serait sûrement resté dans le droit chemin : il aurait prêché une religion « moyenne » et il serait mort sans s'être jamais empoigné avec les doctrines de Luther ou de Calvin. Il eut la malchance d'échouer dans un village dominé par un marquis dont la foi était aussi inconstante que les exploits militaires ; et, de manière insensible, les deux phares de la petite communauté s'excitèrent mutuellement, si bien que le village de Caix se trouva bientôt dans une situation plutôt délicate.

Le régisseur des vignes était un demi-paysan résolu, taciturne, conservateur, nommé Giles de Pré, âgé de trente ans et père de trois enfants qui travaillaient déjà avec lui aux champs, bien que le plus jeune n'eût pas plus de cinq ans. De Pré était un homme d'une robustesse étonnante, qui possédait un compréhension aiguë de l'agriculture.

— Tu es toi-même un chêne, lui disait souvent sa femme. Si les cochons grattaient à tes pieds, ils trouveraient des truffes.

Comme plus d'un fermier des environs de Caix, les de Pré savaient lire, et ils éprouvaient beaucoup de plaisir à parcourir la Bible en français que le marquis leur avait offerte — remarquant avec satisfaction qu'un grand nombre des nobles personnages du Livre étaient liés d'une manière ou d'une autre à la vigne. Mais tout en lisant — surtout l'Ancien Testament —, ils acquirent peu à peu la conviction que la vie des hommes était autrefois manifestement mieux organisée qu'en leur propre temps. A l'époque d'Abraham, de David ou de Jérémie, la société avait connu une sainteté désormais disparue. Oui, en ces jours bénis, les hommes vivaient dans une certaine intimité avec Dieu, et les souverains restaient proches de leurs sujets. Les prêtres étaient fidèles aux grands principes et le respect régnait partout. Aujourd'hui, pensaient-ils, les choses sont bien différentes. Le marquis avait beau se poser en seigneur de l'endroit, son bras demeurait bien tremblant.

Tel était donc le village de Caix en l'année 1560 : un marquis sur lequel on ne pouvait pas compter, sauf dans la bataille ; un curé qui avait perdu les assurances de sa jeunesse ; et un paysan que la lecture de la Bible avait acculé à la confusion... Ce fut à des hommes de ce genre, dans toute la

France, que Jean Calvin, depuis Genève, envoya ses émissaires.

— Le Dr Calvin est un Français, vous comprenez, expliqua l'un de ces austères visiteurs au marquis de Caix. C'est un Français loyal, et il vivrait ici, n'était un malheureux discours...

— Pourquoi s'est-il enfui à Genève ?

— Parce que cette ville s'est remise entre ses mains. Elle aspire à être régie par les institutions de Dieu.

A ces mots, l'émissaire s'écria :

« Bien entendu, vous avez lu le texte remarquable où le Dr Calvin résume ses croyances ?

Le marquis ne l'avait pas lu et ce fut ainsi que les *Institutions de la religion chrétienne* de Jean Calvin, l'un des plus grands livres de l'histoire de l'homme en quête d'une vérité religieuse, parvint enfin à Caix.

C'était une œuvre profonde, écrite avec des éclairs de génie, alors que Calvin n'avait que trente-six ans. Un an plus tard, elle était largement répandue. La langue en était très belle, un français si clair dans sa logique que même l'esprit le plus modéré pouvait éprouver un plaisir immense à cette admirable construction de la pensée. Martin Luther, en Allemagne, avait lancé des accusations farouches, explosives, qui rebutaient les hommes réfléchis, tandis que John Knox, en Écosse, avait rugi et tempêté de manière souvent ridicule dans la forme. Mais, à Genève, Calvin dispensait les principes de sa pensée avec la patience et la douceur de la raison, et invitait ses lecteurs, avec une lucidité irréfutable, à le suivre sur le chemin de la nouvelle lumière qui prenait sa source dans l'ancienne révélation.

Mais c'était aussi une voie révolutionnaire :

« ... Comme neuf coups de tonnerre dans une nuit sans nuage, dit l'homme de Genève en tendant le livre, avant d'énumérer les neuf refus choquants de Calvin. Tout d'abord, il rejette la messe, rajout qui n'est lié en rien avec Notre-Seigneur. Ensuite, il rejette la confession obligatoire, qui est un empiétement impie dans la vie privée de chacun. Troisièmement, il récuse tous les saints. Quatrièmement, leurs reliques. Cinquièmement, leurs images. Sixièmement, il nie tout net que la Vierge Marie jouisse de relations spéciales avec Dieu ou avec l'homme. Septièmement, il a aboli tous les monastères et les couvents, qui sont des abominations. Huitièmement, il rejette les prêtres, qui ne sont que des fonctionnaires avides de puissance. Et neuvièmement, il est bien évident qu'il refuse le pape de Rome, qui n'est d'aucune nécessité pour l'action de l'Église de Dieu en France.

Le marquis hésitait beaucoup à accepter une doctrine aussi radicale, mais, quand il remit les *Institutions* à l'abbé, il lui avoua :

— Ce qui me plaît dans le système de ce Calvin, c'est la façon dont il s'associe avec le gouvernement civil pour créer un ordre social juste et stable. Les désordres de notre pays commencent vraiment à me donner sur les nerfs.

Il ne se trompait pas en supposant que Calvin défendait l'ordre civil, car, à Genève, il enseignait que la direction de son Église devait être confiée à quatre groupes d'hommes responsables : tout d'abord, un corps de docteurs savants pour exposer la théologie et prescrire comment les hommes et les femmes devaient se conduire ; ensuite, un clergé de pasteurs pour interpréter cette théologie à l'intention du grand public ; troisièmement, un corps d'« anciens » tout-puissants pour assumer la responsabilité de la survie de l'Église et servir de gardiens vigilants du comportement de la communauté : quand ils découvraient un mécréant, homme ou femme, ils devaient le remettre aux magistrats de la ville pour qu'il subisse un châtiment civil ; enfin, tout un éventail de diacres pour accomplir les œuvres insignes de Dieu : recueillir les aumônes, diriger les orphelinats, éduquer les enfants et consoler les malades.

« J'aime son sens de l'ordre, dit le marquis.

— Et où vous situeriez-vous ? demanda le prêtre.

— Sûrement pas parmi les docteurs. Je suis un homme stupide, sincèrement. Jamais je ne pourrais apprendre le grec et encore moins l'hébreu. Et je ne serais pas non plus pasteur, c'est certain.

Il haussa les épaules et le curé de rire, au souvenir des fredaines que ce bel homme avait manigancées.

« Je ne crois pas que j'aimerais être un ancien, poursuivit le marquis. Les femmes, vous comprenez... Et je n'ai pas l'intention de devenir le chien de garde de la moralité d'autrui. Mais je pourrais être diacre. Oui, je pourrais travailler pour les nécessiteux dans un système comme celui de Calvin.

Il s'arrêta, songeant soudain que toute sa vie, en fait, avait été justement celle d'un homme portant secours partout où le besoin s'en faisait sentir.

« Oui, je pourrais être diacre, répéta-t-il, et il éclata de rire. Mais je veillerais de très près au choix des anciens. Je ne veux pas exécuter les règlements de tel ou tel cagot fouinard.

Quand l'abbé Desmoulins rapporta les *Institutions* au marquis, il était profondément ébranlé.

— Je comprends bien les quatre ordres dont nous avons parlé. Ils sont nécessaires à assurer la paix dans la cité et la discipline dans l'Église. Mais la doctrine selon laquelle, dès avant la naissance, tous les hommes sont divisés en de rares élus et une majorité de damnés pour l'éternité... Ce n'est pas du tout catholique !

— Je savais que vous achopperiez là-dessus, lui dit le marquis d'un ton vif. Moi aussi, j'ai tiqué.

Il entraîna le prêtre dans un coin du jardin et, sous les arbres, près d'un muret de pierre construit trois siècles plus tôt, les deux hommes analysèrent cette doctrine fondamentale de la religion naissante. Le marquis présenta l'interprétation simplifiée de la pensée de Calvin qui commençait à avoir cours dans les milieux peu versés en théologie.

« C'est une idée conforme à l'expérience humaine, l'abbé. Tenez, dans ce village, nous pouvons, vous et moi, nommer des hommes qui étaient sauvés de naissance et d'autres qui étaient maudits dès le sein de leur mère. Ces hommes-là n'ont aucun espoir. Dieu les a montrés du doigt et ils sont damnés. Vous le savez aussi bien que moi.

— Oui, répondit lentement le prêtre. Ils sont damnés et la preuve de leur damnation est manifeste. Mais ils peuvent être sauvés par la foi.

— Non ! répondit vivement le marquis. Cette forme de salut par la foi n'existera plus.

— Vous parlez comme si vous acceptiez les enseignements de Calvin.

— Je crois que je les ai acceptés. C'est une religion de l'homme. C'est une religion pour tous ceux d'entre nous qui veulent aller de l'avant. Il y a les élus, qui accomplissent l'œuvre du monde. Il y a les damnés, qui ne font que patauger dans la vie jusqu'à la tombe qui les attend.

— Et vous êtes l'un des élus ?

— Oui.

— Comment le savez-vous ?

— Parce que Dieu a donné des signes. Mes vignes. Mon château. Ma position élevée dans le village. M'aurait-Il donné ces choses-là, s'Il n'avait pas l'intention de m'assigner quelque grand dessein ?

Mais quand l'abbé étudia les *Institutions* avec son bagage de spéculation religieuse, il découvrit que Calvin ne prêchait pas une doctrine aussi fataliste. Seul Dieu, dans le secret de Sa sagesse et de Sa compassion, savait qui était élu et qui ne l'était point. Et l'élévation sur terre n'était nullement liée à l'élévation dans le ciel. Tous les enfants devaient être baptisés, parce que tous avaient un espoir égal de salut.

— Mais je pense que, selon le Dr Calvin, la plupart ne seront pas sauvés.

Sur ces entrefaites, un incident allait encourager le marquis à croire qu'il faisait vraiment partie des élus. En effet, quand le roi, à Paris, apprit les progrès du calvinisme dans les villes proches de la frontière des Flandres, il plaça un général catholique à la tête de douze cents hommes d'armes catholiques, puis il les lâcha sur toute la région pour ramener au sein du troupeau — par la torture et la mort si besoin était — les brebis protestantes égarées. A la fin de l'année 1562, le jeune roi était mort et Marie repartie vers l'Écosse consommer son veuvage ; le marquis de Caix rallia deux cents de ses hommes, qui n'avaient jamais entendu parler de Jean Calvin, ni d'ailleurs de Genève, et partit en bataille. Il aurait dû subir une déroute cuisante — douze cents contre deux cents —, mais le marquis était si compétent dans le métier des armes, si respecté et admiré par ses hommes, qu'ils repoussèrent les agresseurs, les pourchassèrent jusqu'à quinze lieues vers le sud et leur infligèrent de lourdes pertes.

Parmi la piétaille qui avait mis en déroute les catholiques se trouvait le vigneron Giles de Pré. A son retour à la maison, épuisé mais triomphant, il annonça à sa femme qu'il était désormais un « huguenot ». Quand elle lui demanda le sens de ce mot, il fut bien en peine de le lui expliquer ou de lui exposer les préceptes de la religion nouvelle, car il n'avait pas entendu parler plus que les autres des *Institutions* ou de Genève. Mais il savait avec une clarté tranchante ce que sa décision impliquait :

— C'est la fin des curés. Plus d'évêques pour nous crier ce que nous devons faire. Le grand monastère ? Fermé. Les gens se tiendront comme il faut et il y aura de l'ordre.

Peu à peu, le village de Caix devint un centre huguenot, mais sans aucun des changements prédits par de Pré. Le bon abbé Desmoulins continua comme par le passé à discuter passionnément avec le marquis contre la théorie de la prédestination. Quand l'évêque arriva d'Amiens en tournée pastorale, il tempêta toujours de la même manière — sauf que ses fulminations étaient maintenant dirigées contre Calvin et les huguenots. En 1564, Jean Calvin, le Français le plus remarquable de son temps, mourut à Genève ; mais son influence ne cessa pas de se répandre.

En 1572, après neuf batailles rangées livrées par les huguenots contre les armées royales, le marquis de Caix décida de se rendre à Genève pour constater de ses yeux les changements provoqués par le calvinisme lorsqu'il gouvernait réellement une société. En compagnie de son régisseur Giles de Pré, il partit à cheval pour la ville lointaine. En ces temps troublés, un huguenot traversant la France devait se tenir sur ses gardes, car Catherine de Médicis, cette vieille tigresse, était en guerre perpétuelle contre eux, bien qu'elle eût cessé depuis longtemps d'être reine en titre. Et si un protestant jouissant de la réputation militaire du marquis de Caix se risquait hors de ses terres, il se retrouvait à tous coups pourchassé par une compagnie du roi et abattu sur-le-champ. Les deux voyageurs se déplacèrent donc avec précaution, comme deux paysans errant à l'aventure — vers l'est jusqu'à Strasbourg, puis vers le sud jusqu'à Besançon, enfin à travers les montagnes du Jura jusqu'à Genève.

Leur séjour fut un désastre. Notre marquis désinvolte trouva les successeurs de Calvin terrifiés à la pensée que leur Rome protestante — comme certains l'appelaient — soit renversée par des princes catholiques venus du sud. Le soupçon régnait dans la ville et des synodes condamnaient les hommes au bûcher pour des transgressions théologiques. Quand le marquis, épuisé par son long voyage, chercha quelque auberge où il puisse utiliser les bons offices d'une soubrette pour détendre ses nerfs et le réconforter, le visage du gargotier devint d'une pâleur mortelle.

— Je vous en supplie, monsieur, le moindre murmure...

— Vous devez bien avoir quelques jeunes personnes qui...

L'aubergiste posa les deux mains sur le poignet de son hôte et lui dit :

— Messire, si vous parlez de nouveau ainsi, les magistrats...

Il fit un geste désignant partout et nulle part : nul ne savait jamais où se trouvaient des oreilles indiscrètes.

« Les catholiques essaient de détruire notre ville, ajouta-t-il. Les protestants sont toujours prêts à se saisir d'hommes comme vous.

— Je ne cherche qu'un peu de distraction, dit le marquis.

— A Genève, pas de distractions. Mangez, dites vos prières et allez vous coucher. Comme nous.

Partout où ils allaient, les deux Français rencontraient cette lourde censure, et c'était bien compréhensible. La ville, animée d'un côté par la crainte d'une attaque catholique et de l'autre par le protestantisme sévère de Calvin, avait évolué vers ce que des historiens postérieurs ont défini comme « un despotisme de terreur morale ».

— Ce n'est pas du tout ce que j'imaginais, avoua le marquis à son vigneron. Je crois que nous ferions bien de quitter les lieux tant qu'il nous reste nos quatre jambes. Ces maniaques sont capables de couper un gentilhomme en morceaux... uniquement pour un sourire à un joli minois.

Ils s'enfuirent donc de Genève avant même d'avoir déclaré leur arrivée aux autorités et, au cours de leur longue chevauchée de retour, ils s'arrêtèrent souvent à la limite de quelque ferme nichée parmi les collines et discutèrent à l'ombre des châtaigniers de tout ce qu'ils avaient constaté.

— Ce qui ne va pas est lié à Genève, c'est forcé, disait le marquis. Nous ne sommes pas comme ça, en France. Pas d'espions et de bûchers.

— Le bon contrebalance largement le mauvais, répliquait de Pré. Peut-être sont-ils obligés d'agir ainsi jusqu'à ce que les dangers soient écartés.

— J'ai bien eu l'impression qu'ils faisaient ça parce qu'ils y prenaient plaisir...

Les deux voyageurs ne parvinrent à aucune conclusion.

Mais les soupçons du marquis firent leur chemin et il aurait peut-être changé d'avis sur l'efficacité du protestantisme à résoudre les maux du monde s'il n'avait pas aperçu sur les routes de France un va-et-vient considérable de messagers officiels fort pressés. Il commença à se demander si, par hasard, ce n'était pas lui-même qu'on recherchait.

— Que chassent-ils donc ? demanda-t-il à de Pré, mais le vigneron fut bien en peine de faire la moindre conjecture raisonnable.

Comme on était au milieu du mois d'août, les deux hommes n'avaient pas besoin d'entrer dans les villes et les bourgs en quête d'un logis : ils dormaient à la belle étoile, loin des itinéraires fréquentés. Ils parvinrent bientôt aux environs de Reims. Le matin du 25 août, ils se risquèrent dans un petit village au nord de cette ville et ils trouvèrent la populace tout en émoi. Plusieurs maisons étaient en feu et personne ne tentait de les sauver. Deux cadavres, les tripes à l'air, pendaient à des gibets improvisés. Des forcenés pourchassaient une femme. Ils l'attrapèrent et la piétinèrent à mort. D'autres incendies se déclaraient, le village était plongé dans le chaos intégral.

— Que se passe-t-il ? cria le marquis quand l'un des émeutiers passa près de lui, un brandon à la main.

— On tue tous les protestants ! répondit l'homme en courant vers une maison dont les habitants lui déplaisaient.

— Attention, prudence ! murmura le marquis en poussant doucement son cheval vers le centre du tumulte.

— Pourquoi voulez-vous pendre cet homme ? cria-t-il à un groupe.

La corde était déjà lancée par-dessus les branches basses d'un arbre.

— Huguenot.

— Sur les ordres de qui ?

— Messagers de Paris. On les tue tous, partout. Le grand nettoyage.

— Messire, murmura de Pré. Je crois que nous ferions mieux de poursuivre notre chemin.

— Moi, je ne crois pas, répondit le marquis.

Il éperonna soudain sa monture, fonça sur les manants, les renversa et saisit par les épaules le malheureux condamné, essayant, mais en vain, de l'arracher à son supplice. Les pieds de l'homme étaient ligotés et il ne pouvait faire un geste. Il aurait été piétiné à mort par la meute si de Pré, s'élançant aux côtés du marquis, ne l'avait saisi par les cuisses. Ils s'éloignèrent au galop.

Dans la campagne, ils s'arrêtèrent et le gentilhomme demanda au malheureux ligoté ce qui s'était produit.

— A minuit, à l'improviste, ils nous sont tombés dessus. Je me suis caché dans ma grange.

— Huguenot ?

— Bien sûr. Ils ont pendu ma femme. Ils avaient une liste de tous les protestants et ils ont essayé de nous tuer jusqu'au dernier.

— Qu'allez-vous faire ?

— Que puis-je faire ?

— Venir avec nous. Nous sommes huguenots nous aussi.

L'homme effrayé monta en croupe derrière de Pré. Quand ils arrivèrent devant une ferme isolée des environs, le marquis demanda :

— Est-ce une ferme de bons catholiques ?

— Absolument, répondit le propriétaire.

— Très bien. Nous prendrons ce cheval. Nous sommes huguenots...

L'histoire ne devait pas oublier cette nuit de la Saint-Barthélemy, cet horrible massacre que la reine mère italienne, Catherine de Médicis, avait fomenté pour détruire le protestantisme une fois pour toutes. Dans les villes et les bourgs de France, les fidèles de Calvin furent poignardés, égorgés, pendus ou brûlés. Des hommes, des femmes et des enfants périrent par dizaines de milliers et, quand la joyeuse nouvelle parvint à Rome, le pape Grégoire XIII fut transporté d'allégresse et un cardinal remit au messager, épuisé après la traversée des Alpes, une récompense de mille ducats d'or. On frappa une médaille montrant le pape sur une face et, sur l'autre, un ange vengeur châtiant les hérétiques à coups d'épée. En Espagne, le roi Philippe II, qui allait bientôt perdre son invincible Armada sous les coups des marins protestants d'Angleterre et de Hollande, envoya des félicitations à Catherine de Médicis pour son action méritoire : « C'est une des plus grandes joies de ma vie entière. » Les gens plus modestes célébrèrent l'événement de façon évidemment plus modeste.

Même dans un village aussi reculé que Caix, le massacre fit rage et, si le marquis et son régisseur s'étaient trouvés chez eux pendant cette nuit fatale, ils auraient été abattus. Les granges du marquis furent incendiées, ses vignes ravagées. L'épouse de Giles de Pré avait été découpée en quatre morceaux. Une horreur. Une des pires abominations de l'histoire de France, et son souvenir empoisonné demeurerait gravé dans l'âme de tous les huguenots qui survécurent.

Car certains survécurent. Le marquis de Caix reprit sa résidence dans le village, toujours prêt à se lancer dans chaque nouvelle bataille engagée par les protestants. Giles de Pré se remaria et prit pour assistant, dans les vignes remises en état, l'homme qu'il avait contribué à sauver près de Reims. Et, avec le passage du temps, le bon abbé Desmoulins s'aperçut qu'il était plus proche des préceptes austères de Jean Calvin que des imprécations pompeuses, mais vides, de son évêque d'Amiens. Comme des centaines de prêtres dans les régions huguenotes, il changea de religion et devint un défenseur acharné de sa nouvelle foi.

Ainsi donc, sans tapage, le village de Caix redevint un foyer huguenot et, en 1598, on y célébra dans l'allégresse l'octroi de l'édit de Nantes par le bon roi Henri, qui accordait aux huguenots la liberté de conscience et même le droit de pratiquer leur culte en public, en certains endroits spécifiés, à l'extérieur des villes. Pour le cas de Paris, pas à moins de vingt lieues.

La famille de Pré continua de travailler les vignes au service des marquis de Caix, de père en fils, jusqu'à l'année fatale de 1627, où le dernier marquis se porta au secours de la ville huguenote de La Rochelle, assiégée par les armées catholiques de Richelieu. Il combattit vaillamment et mourut au milieu d'un cercle d'épées ennemies. Son titre s'éteignit avec lui et Caix cessa de posséder un marquis.

Au cours des années ultérieures, la famille de Pré conserva les vignes, ainsi que la foi suscitée par Calvin, mais jamais ces gens de la terre ne s'abaissèrent jusqu'à l'austérité pratiquée à Genève ni ne dressèrent de bûchers comme là-bas. Le calvinisme français était une religion calme, stable, souvent très belle, dans laquelle un être humain, dès l'instant de sa conception, était inscrit dans le Grand Livre de Dieu, soit comme élu, soit comme damné. Jamais il ne le saurait, mais, si la vie lui souriait et si ses champs prospéraient, il y avait tout lieu de supposer qu'il comptait parmi les élus. Donc, chacun était poussé à travailler avec diligence, car cela indiquait une présomption de salut.

A Caix, cette théorie fort curieuse eut un effet salutaire : toute personne qui s'estimait parmi les élus devait bien se comporter, et pour deux raisons. Si elle était sauvée, quelle honte ce serait de s'être mal comportée, car cela infléchirait le jugement de Dieu ; et si Dieu constatait ses déportements, Il pourrait inverser Sa décision et placer le pécheur parmi les damnés. Prière le mercredi, temple le dimanche à dix heures, prière le dimanche soir à sept heures, telle était la routine hebdomadaire, interrompue dans les seules occasions où quelque prêtre catholique fanatisé d'une ville voisine se rendait à Caix pour tempêter contre les libertés dont jouissaient les huguenots hérétiques. Il y avait toujours des risques d'insurrection, des soldats se révoltaient et offraient de massacrer tous ces protestants. Mais le gouvernement y mettait vite un terme et le prêtre incendiaire était dépêché discrètement vers une région moins inflammable.

En 1660, quand ces éruptions sporadiques elles-mêmes ne furent plus qu'un souvenir lointain et que la France entière resplendit des gloires attachées à la personne du Roi-Soleil, la famille de Pré célébra la naissance d'un fils nommé Paul. A l'extinction du titre, la famille du marquis de Caix — des cousines lointaines — avait vendu les vignes et les de Pré avaient racheté les meilleures parcelles. A dix ans, le jeune Paul savait greffer les plants sur pied et surveiller la vendange quand on l'amenait au pressoir. Les vignes des de Pré produisaient un vin blanc sec, sans comparaison avec les grands crus, mais d'assez bonne qualité pour se faire estimer parmi les vins de pays. Paul apprit vite tout ce qui contribuait à assurer la réputation de ce vin.

C'était un jeune homme calme, qui avait à quinze ans la carrure d'un adulte. Il portait toujours un foulard autour du cou, comme les vieillards, et il était excessivement soigneux de ses vêtements, qu'il brossait plusieurs fois par jour, et plus souvent encore le mercredi et le dimanche. A seize ans, à la surprise de ses parents, il devint diacre de fait. Il n'en portait pas le titre, mais aidait à organiser la vie de la communauté et rendait visite aux familles ayant besoin de secours matériels.

— J'aimerais être un ancien un jour, dit-il à ses parents cette année-là.

Il paraissait si sérieux qu'ils n'osèrent pas en rire.

Et ils ne s'étonnèrent pas lorsque à dix-huit ans il leur annonça qu'il avait décidé d'épouser Marie Plon, la fille d'un fermier du voisinage. Ils lui proposèrent de l'accompagner quand il alla demander aux anciens l'autorisation de se marier, mais il refusa. Il se présenta seul devant les chefs de la communauté.

— Marie et moi, nous avons décidé d'unir nos vies, leur dit-il d'une voix grave. Nous irons travailler à la vieille ferme Montelle.

Les anciens l'interrogèrent. Ils découvrirent que le jeune homme avait tout prévu : quand le mariage aurait lieu, comment ils paieraient la ferme Montelle et même combien d'enfants ils se proposaient d'avoir.

« Trois : deux garçons et une fille.

— Et si Dieu ne vous les accorde pas ?

— J'accepterai la volonté de Dieu, répondit Paul.

Certains anciens éclatèrent de rire, mais ils approuvèrent le mariage, et l'un d'eux combla Paul de joie en lui disant, à la fin de l'entretien :

— Un jour, tu siégeras à notre place, Paul.

Il eut du mal à se retenir de répondre : « Telle est bien mon intention. »

Le mariage eut lieu en 1678. Ce fut le point de départ d'une de ces familles rurales solides qui ont fait de la France la nation la plus stable de l'Europe. Tout de suite, conformément au projet du maître, Marie de Pré donna naissance à son premier fils, puis à un deuxième. Il ne manquait plus que la fille, et Paul était certain qu'au moment venu — puisque Dieu approuvait manifestement ses desseins — une fille lui naîtrait.

Mais, une fois de plus, des signes de mauvais augure se faisaient jour dans la société française. Les catholiques dévots tonnaient contre les libertés blasphématoires accordées aux protestants par l'édit de Nantes et réclamaient sa révocation à cor et à cri. Avec l'appui des favorites qui exerçaient le pouvoir de fait par-dessus la tête du roi — Henri IV en eut cinquante-six dont la chronique a retenu le nom —, le parti dévot allait parvenir à annuler les unes après les autres toutes les libertés dont jouissaient les calvinistes.

A Caix, le pasteur expliqua à sa congrégation les restrictions imposées désormais à leurs vies.

— Vous ne pouvez plus être maîtres d'école, ou médecins, ou échevins, bien que la majorité des habitants de Caix partage notre foi. Il vous faudra prouver à la police que vous assistez une fois par mois à une réunion où les représentants du gouvernement attaquent notre religion. Quand vos parents meurent, les obsèques protestantes ne peuvent avoir lieu qu'après le coucher du soleil, pour ne pas provoquer les catholiques. Si l'on vous entend prononcer en public un seul mot contre Rome, vous irez en prison pour une année. Et si, en tant que personnes privées ou moi-même en tant que pasteur, nous tentons de convertir un catholique à notre foi, nous serons pendus.

Aucune de ces nouvelles lois ne touchait Paul de Pré et il vécut une existence heureuse, sans égards aux pressions exercées sur sa communauté. Mais en 1683 survinrent deux événements qui le terrifièrent. Un matin, deux soldats du roi cognèrent à la porte, montrèrent à Marie leurs billets de logement, la bousculèrent, parcoururent la ferme en tous sens, choisirent la meilleure chambre et déclarèrent que ce serait désormais leurs quartiers.

Marie courut à la vigne appeler son mari. A son arrivée à la maison, il demanda d'une voix égale :

— Que se passe-t-il ?

— Dragonnade, dirent les soldats.

— Qu'est-ce que cela signifie ?

— Nous vivons ici désormais. Pour garder un œil sur vos séditions.

— Mais...

— Une chambre. Nous prendrons celle-là. Deux lits. Vous pourrez installer le bleu, là-bas, près de celui-ci. La nourriture. Trois bons repas par jour, avec de la viande. La boisson. Nous voulons que ces bouteilles ne se vident jamais.

C'était une charge très lourde, qui ne fit qu'empirer quand les dragons esseulés essayèrent d'entraîner les filles du village dans leurs chambres. Le prêtre catholique d'un village voisin leur ayant interdit de se comporter de façon aussi grossière, ils se vengèrent en invitant des dragons d'autres fermes dans la maison des de Pré et ils firent du tapage toute la nuit, réclamant davantage de nourriture et de boisson, et allant jusqu'à rudoyer Marie lorsqu'elle les servait.

Mais, malgré tout cela, les de Pré ne purent évaluer le danger réel qu'un dimanche matin, en découvrant, derrière la grange, les soldats en train de parler sérieusement aux deux garçons. Quand Paul s'avança, les soldats parurent gênés et, dans l'après-midi, le père demanda conseil au pasteur calviniste.

— J'aurais pu les tuer, avoua-t-il, car cela m'a semblé dangereux.

— Plus que vous ne l'imaginez, lui répondit l'homme de Dieu. Vous êtes menacé, de Pré. Les soldats interrogeaient vos enfants pour les inciter à dire quelque chose contre notre religion ou en faveur de la leur. Un seul mot de trop et les dragons vous prennent vos enfants pour toujours. Il leur suffit d'affirmer qu'ils désiraient être catholiques et que vous vous opposiez à leur conversion.

C'est ce qui se passa dans plusieurs foyers. Les dragons poussaient les enfants à dire des choses auxquelles ils ne comprenaient rien et on les emmenait dans une autre ville, dans une autre région. Jamais plus on n'entendait parler d'eux.

« Recommandez à vos fils une extrême prudence, lui dit le pasteur.

Et, au cours de longues nuits angoissées, la mère et le père enseignèrent en secret à leurs enfants ce qu'il leur fallait répondre.

— Vos parents vous font des sermons la nuit ? demandèrent les soldats aux garçons.

— Non.

— Est-ce qu'ils vous ont pris des images de saints que vous aimiez ?

— Non.

— Vous n'avez pas envie d'aller à la messe avec les autres garçons et les autres filles ?

— Nous allons à notre temple.

Les nuits devinrent sacrées, car, dès que la famille était seule dans la partie de la maison qu'elle occupait, tandis que les soldats faisaient ripaille dans leurs quartiers, Paul sortait du tiroir sa Bible de Genève et lisait patiemment, dans le Livre des Psaumes, les cinq ou six chants d'allégresse chers aux cœurs de tous les huguenots :

> Comme un cerf haletant désire l'eau vive, mon âme brûle pour Toi, mon Dieu. Mon âme a soif de Dieu, du Dieu vivant. Quand me présenterai-je devant mon Seigneur ?

Et toujours le père faisait répéter à ses fils les réponses qui écarteraient le danger menaçant.

— Nous perdrions la vie si l'on vous arrachait à nous. Faites bien attention, bien attention à tout ce que vous dites.

En 1685, l'épée de Damoclès suspendue au-dessus des huguenots tomba. Le roi Louis XIV, se jugeant infaillible, décida de se débarrasser des protestants à jamais. En grande pompe, il révoqua toutes les concessions que leur accordait encore l'édit de Nantes et annonça que désormais la France serait un pays catholique où les huguenots n'avaient pas de place. On envoya les dragons dans les Cévennes et le Languedoc — anciens refuges de l'hérésie — et des villes entières furent dépeuplées. Le massacre de la Saint-Barthélemy se serait renouvelé dans toute la France si le Roi-Soleil n'avait pas redouté la honte morale qui avait rejailli sur le nom de ses prédécesseurs.

A la place, une série de décrets répressifs modifia la vie de la France : « Tous les livres protestants, et en particulier les Bibles en français, seront brûlés. Aucun artisan ne pourra travailler nulle part en France sans un certificat prouvant qu'il est bon catholique. Tous les pasteurs huguenots quitteront la France dans les quinze jours et à jamais, sous peine de mort en cas de retour. Tous les mariages célébrés selon les rites protestants sont déclarés nuls et les enfants nés de ces unions tenus pour bâtards. Les lavandières protestantes ne travailleront pas sur les bords des rivières, de peur d'en souiller les eaux. »

Sans parler d'une autre règle que les de Pré ne pouvaient en aucun cas accepter : « Tous les enfants de familles protestantes seront convertis sans délai à la vraie foi et tout père qui tentera d'inciter ses enfants à quitter la France passera le reste de sa vie sur les bancs de nos galères. »

Que signifiaient ces lois extraordinaires dans un village comme Caix où la population était en majorité huguenote ? Comme l'endroit était très bien organisé de longue date, il n'y eut pas de panique. Le pasteur convoqua les anciens et, quand les diacres se joignirent à eux, un pourcentage important des hommes adultes du village était présent.

— En premier lieu, dit l'homme de Dieu, nous devons nous assurer que la rumeur est vraie. C'est probablement un mensonge, car nous avons connu la liberté sous trois règnes.

Mais les textes officiels arrivèrent bientôt, démontrant que les nouvelles lois prenaient effet. Quelques familles se convertirent sur-le-champ : parents comme enfants se rallièrent à grand bruit à la foi traditionnelle. D'autres familles tinrent conseil et les pères jurèrent qu'ils mourraient avec leurs enfants plutôt que de les abandonner au catholicisme.

— Nous partirons jusqu'au bout de la terre. Jusqu'à ce que nous trouvions un refuge, s'écria de Pré avec feu.

Et quand le pasteur lui rappela que les nouveaux édits interdisaient à tout le monde, parents et enfants, de quitter la France, de Pré stupéfia l'assemblée en s'écriant :

« Alors, les nouvelles lois peuvent aller au diable.

Dès cet instant, certains s'écartèrent de lui. Le pasteur annonça qu'il partirait en exil à Genève et les Plon proclamèrent à grands cris qu'ils n'avaient jamais vraiment approuvé Jean Calvin. Paul observa ces attitudes sans le moindre commentaire. Ils pouvaient abandonner leur religion et leurs devoirs à l'égard de Caix, mais pas lui. Et ce fut à ce moment-là que survinrent les assauts qui devaient ébranler sa confiance dans l'avenir.

Un matin, les soldats qu'il logeait réunirent une meute de gens pour saccager sa ferme, sous prétexte de chercher des livres huguenots. D'une voix triomphante, les soldats clamèrent :

— *Les Institutions* ! La Bible de Genève !

Et Paul de Pré, dans la tristesse et le désarroi, vit ces textes sacrés jetés dans le feu purificateur. Puis, tandis que les flammes consumaient les livres au milieu des hurlements approbateurs de la foule, l'un des soldats le prit par le bras et lui dit :

— Demain, quand les exempts arriveront d'Amiens, nous prendrons tes enfants.

Cette nuit-là, Paul réunit la famille dans une pièce sans chandelles et dit à ses fils :

— Nous devons partir avant le matin. Nous ne pouvons rien emporter. Nos vignes iront à d'autres. Nous abandonnons la maison.

— Même les chevaux ? demanda Henri.

— Nous en prendrons deux, mais les autres...

Marie expliqua les choses aux enfants à sa manière :

— Demain, si nous ne partons pas, les soldats vous emmèneront. Nous ne vous abandonnerons jamais à d'autres. Vous êtes le sang de nos veines.

— Où irons-nous ? demanda Henri.

— Nous ne savons pas, dit-elle sincèrement en se tournant vers son mari.

— Nous partirons vers le nord, dit-il. Il nous faudra traverser des terres dangereuses, que possède l'Espagne.

— On ne nous arrêtera pas ? demanda Marie.

— Certainement, si nous sommes imprudents.

Il ne savait pas mieux que ses enfants vers où ils s'enfuyaient. Mais il était sûr d'une chose : il fallait fuir l'oppression. Ayant vécu le rationalisme calme de Jean Calvin, il se refusait à abandonner cette vision d'un monde bien réglé.

« Je suis certain, dit-il à ses fils, que Dieu nous conduira jusqu'au port auquel nous sommes prédestinés.

Et jamais il ne s'écarta de cette conviction.

Après minuit, quand tout le bétail fut endormi et longtemps avant que les coqs ne se mettent à chanter, il abandonna tout ce qu'il avait accumulé et entraîna sa famille vers le nord. Où trouva-t-il le courage d'emmener une femme et deux enfants en bas âge à travers des forêts peu sûres, vers des terres qu'il ne connaissait pas ?

Le calvinisme soulignait fortement le fait que Dieu passe souvent des Alliances avec les hommes qu'il élit. L'Ancien et le Nouveau Testament abondent en exemples et Paul aurait pu citer de nombreux versets renforçant sa croyance que Dieu l'avait personnellement choisi pour une « Alliance » de cet ordre. Sans Bible, il ne pouvait compter que sur sa mémoire, et son esprit se fixa sur un passage de Jérémie que les huguenots citaient souvent comme preuve de leur prédestination :

Ils demanderont le chemin de Sion [...] en disant : « Venez et joignons-nous au Seigneur dans une Alliance perpétuelle qui ne sera pas oubliée. »

A chaque coucher de soleil, quand les voyageurs se levaient de leur journée de sommeil pour se lancer dans une nouvelle étape vers le nord, Paul affirmait à ses fils :

— Le Seigneur nous guide vers Sion, il a conclu son Alliance avec nous.

Quand de Pré arriva à Amsterdam, à l'automne 1685, il n'avait avec lui que sa femme, ses deux fils et un tas de haillons. Il avait vendu les deux chevaux à Anvers, où il avait reçu en échange des deux montures beaucoup plus que leur équivalent en florins : un crypto-protestant lui avait donné l'adresse d'un de ses compatriotes qui avait émigré en Hollande quelques années plus tôt et ce fut à cet homme que la famille de Pré se présenta.

Il se nommait Vermaas et il avait deux emplois, qui se révélèrent l'un et l'autre déterminants pour de Pré. Pendant la semaine, il travaillait dans un « poids public », une vaste salle sombre et pleine de courants d'air où l'on pesait les cargaisons de bois, de grain et de harengs avant de les envoyer dans les entrepôts spécialisés. Et, le dimanche, il servait de bedeau dans un petit temple près des canaux, où l'on ne parlait que le français. Là, les protestants des Pays-Bas espagnols et les huguenots de France se réunissaient pour honorer le Seigneur selon la tradition calviniste. Peu de temples dans toute la chrétienté pouvaient se flatter d'avoir des fidèles aussi pieux. Chaque personne qui venait prier le dimanche était un authentique héros de sa religion, qui avait sacrifié sa position sociale, sa sécurité et ses biens — et souvent la vie de plusieurs membres de sa famille — pour persévérer dans sa foi calviniste. Certains, comme de Pré, s'étaient glissés la nuit à travers deux ou trois pays hostiles, pour pouvoir chanter, le dimanche, le psaume cher à tous les cœurs huguenots :

J'ai invoqué le Seigneur dans ma détresse. Le Seigneur m'a répondu et m'a accordé une grande place.

Avec ses fortunes en expansion et ses nombreuses flottilles marchandes, Amsterdam était vraiment une « grande place », vaste en richesse et en liberté, et Vermaas représentait bien l'esprit de la ville, car c'était un gros bonhomme large d'épaules, aux yeux très écartés.

Paul de Pré lui plut d'instinct. Quand il apprit comment cette famille résolue avait fui la tyrannie française, il les embrassa.

— J'ai de grandes chances de vous trouver du travail au poids public, affirma-t-il à Paul, avant de se tourner vers Marie : Je connais une petite maison sur les quais de l'Y. Pas grand-chose, mais c'est un départ.

Vermaas était maître peseur et Paul comprit aussitôt l'importance de sa position. C'était la première fois qu'il voyait des balances de ce genre : d'énormes constructions de bois avec des plateaux aussi lourds qu'un homme, mais si délicatement équilibrés qu'elles pouvaient peser une poignée de blé. Sur ces balances, deux fois plus hautes que le huguenot, passaient tous les trésors de la Baltique. De petits vaisseaux trapus, avec des équipages hollandais, sillonnaient en tous sens cette mer intérieure, vendant et achetant à des prix qui auraient fait tourner la tête à un homme d'affaires français. Tantôt le poids public était envahi par les bois de Norvège ; tantôt le cuivre, le fer et l'acier de Suède dominaient ; mais il y avait toujours des caques de harengs de la mer du Nord attendant d'être fumés par un procédé que seuls connaissaient les Hollandais. Ils seraient ensuite renvoyés dans tous les ports de l'Europe.

« De l'or avec des nageoires ! » — c'est ainsi que les hommes du poids public baptisaient leurs harengs. Et de Pré apprit à deviner quand un bateau de harengs était prêt à décharger. C'était important, car, lorsque les travailleurs du port halaient les caisses d'« or », ils avaient le droit de mettre de côté pour leurs familles quelques poissons de leur choix.

De Pré avait installé sa femme et ses enfants dans le misérable taudis sur les berges de l'Y, comptant bien, avec le temps, pouvoir leur trouver un meilleur logis. C'était un vain espoir, car Amsterdam était surpeuplé de réfugiés venus de tous les coins de l'Europe. Baruch Spinoza, l'illustre juif portugais, y avait vécu et y avait étudié les mystères de Dieu ;

il n'était mort que depuis peu d'années. René Descartes avait choisi lui aussi cette ville pour y rédiger son œuvre mathématique et philosophique, et des dizaines de théologiens de tous les pays considéraient Amsterdam comme le seul endroit sûr pour poursuivre leurs spéculations. Les pèlerins anglais avaient séjourné non loin avant de faire voile vers le Massachusetts, et la capitale hollandaise était encore le principal centre de refuge pour les juifs de vingt pays différents.

Les maisons étaient difficiles à trouver, mais, à l'aide de quelques planches achetées sur le port et avec des chiffons pour garnir les fentes qui restaient, Paul et Marie transformèrent leur hangar en un foyer vivable. L'humidité provoqua plus d'un rhume, mais la famille survécut. Les enfants — Henri, six ans, et Louis, cinq ans — se prirent de passion pour les canaux qui sillonnaient la ville et pour le trafic incessant sur le fleuve, que remontaient les bateaux de la Baltique.

« Le Marais d'or », tel était le nom d'Amsterdam autrefois, car la ville était occupée aux quatre cinquièmes par les eaux. Mais les ingénieurs avaient su combler les étangs peu profonds pour construire des terres. Et le commentaire du petit Henri sur sa nouvelle patrie était tout à fait justifié :

— Je pourrais monter sur une barque, si j'en avais une, disait-il, et ramer, ramer, sans jamais revenir.

Chaque année, les hommes creusaient de nouveaux canaux et la ville devenait un réseau dont chaque maison communiquait par eau, semblait-il, avec toutes les autres.

Le temple français, situé sur l'un des petits canaux les plus coquets, avait été édifié en 1409. C'était alors un cloître catholique, mais, au moment de la Réforme, il s'était converti en refuge pour plusieurs générations de dissidents en fuite. Reconstruit à plusieurs reprises, il était devenu un monument à la gloire non seulement du protestantisme, mais de la générosité fondamentale des Hollandais, car ses pasteurs, de courageux Wallons francophones pour la plupart, des hommes qui avaient risqué gros en venant dans cette ville, avaient toujours reçu des pensions du gouvernement hollandais, pour la bonne raison que « nous recherchons la vérité et nous sommes plus riches du fait que vous vous trouvez parmi nous ». Aucune autre nation, à ce qu'en dit l'histoire, n'a accordé des pensions à ses immigrants dès leur arrivée — ni n'a profité autant de leur présence.

C'était avec fierté que Paul conduisait sa famille à ce temple tous les dimanches et qu'il montrait à ses fils tous les autres Français travaillant sur les quais. C'était une congrégation appauvrie, dont de nombreuses familles ne subsistaient que grâce à la générosité de protecteurs hollandais. Mais, immanquablement, quelqu'un dans le groupe apportait des fleurs pour l'autel, et ce fut parce que de Pré s'en félicitait tout haut qu'un jour la chance lui sourit enfin.

Un lundi matin, Paul était en train de placer des balles de tissu sur l'énorme balance, lorsque Vermaas lui dit :

— Vous aimez les fleurs, n'est-ce pas, Paul ?

— Oui. Où le temple trouve-t-il toujours tous ces bouquets ?

— Ce sont les veuves Bosbeecq qui les envoient. Justement, elles cherchent quelqu'un pour tenir leur jardin.

— Qui sont ces veuves ?

— Eh, les gars ! s'esclaffa Vermaas. Il ne connaît pas les veuves Bosbeecq.

Tous les autres travailleurs du poids public éclatèrent de rire.

— Quel bateau as-tu déchargé ?

Quand de Pré le leur montra, les hommes s'écrièrent :

« Il est à elles. Et puis celui-là.

Sept des meilleurs bateaux naviguant sur la Baltique appartenaient aux deux veuves.

— Ce sont deux filles de la campagne qui ont épousé les frères Bosbeecq, expliqua Vermaas. De bons capitaines qui ont sillonné la Baltique pendant de nombreuses années. Avec le temps, ils ont acheté sept bateaux comme celui-ci.

— Et ils sont morts ?

— En combattant les Anglais, bien sûr.

En 1667, l'aîné des Bosbeecq avait accompagné la flotte de guerre hollandaise jusque dans l'embouchure de la Tamise, menaçant de s'emparer de Londres même ; il avait été coulé avec son bateau l'année suivante. Le plus jeune frère avait contribué à trois victoires mémorables sur les Anglais, mais il était mort lui aussi, aux mains de l'ennemi, et le commerce de la famille avec la Russie se serait éteint si les deux veuves n'avaient pas mis la main à la pâte. Choisissant, avec leur ruse de paysannes, les capitaines qui protégeraient le mieux leurs intérêts, elles continuèrent d'envoyer leurs vaillants petits bateaux pansus dans tous les coins de la Baltique.

Parfois, les veuves faisaient une apparition du côté des entrepôts, toujours ensemble et avec des parasols importés de Paris. Elles inspectaient soigneusement tous les bateaux leur appartenant qui se trouvaient dans le port, hochant sentencieusement la tête à l'adresse de leurs capitaines et approuvant la manière dont on s'occupait des cargaisons. Elles avaient la soixantaine, l'air plutôt fragile, tout de noir vêtues. Elles marchaient à petits pas craintifs, précédées par une servante qui écartait les badauds de leur chemin. L'une était grande et très mince. L'autre, rondelette, affichait toujours un large sourire. Elles ne se plaignaient jamais de rien en public, mais Vermaas affirma à de Pré qu'en tête à tête avec leurs capitaines, dans le bureau de la famille, elles pouvaient se montrer très dures.

Quelques jours après leur conversation, Vermaas courut vers de Pré avec une nouvelle fantastique :

— Ça s'est passé par hasard. Quand le régisseur des Bosbeecq était là l'autre jour, je lui ai dit que vous aimiez les fleurs. Il a eu l'air très intéressé, parce que les veuves Bosbeecq cherchent encore un jardinier.

On convint que Paul quitterait son travail plus tôt dans l'après-midi et accompagnerait le régisseur des Bosbeecq dans la haute maison étroite de l'Oudezijdsvoorburgwal (littéralement : Vieille-digue-latérale-à-l'avant-de-la-ville), où les veuves l'attendraient.

— Nous avons un grand jardin, expliqua l'une.

Par l'étroite fenêtre, Paul aperçut un jardin si bien tenu qu'il en paraissait irréel.

— Nous aimons qu'il soit impeccable, ajouta l'autre.

Il y avait également beaucoup de travail à faire à l'intérieur de la maison et les veuves demandèrent à Paul s'il était marié.

— Est-elle capable ? A-t-elle des enfants qui vont lui prendre son temps ?

— Nous n'avons que deux garçons. Et ils sont déjà grands, ajouta-t-il aussitôt.

— Quel âge ?

— Six et cinq ans.

— Oh, mon Dieu ! Mon Dieu !

Les deux belles-sœurs se regardèrent, vraiment effrayées, et Paul sentit que tout son avenir allait dépendre de ce qu'il dirait ensuite.

— Ces enfants sont venus à pied depuis...

Il s'arrêta brusquement, comprenant que c'était un argument sans poids.

« Je vous en prie, dit-il d'une voix calme et sûre. Nous n'avions qu'un hangar glacé et humide et ma femme en a fait un palais. Ici, elle accomplira des merveilles.

Les veuves Bosbeecq aimaient que leurs domestiques se mettent à l'ouvrage à cinq heures du matin — pour décourager la paresse. Mais, une fois au travail, chacun jouissait de libertés surprenantes — et l'on était exceptionnellement bien nourri. Les veuves aimaient préparer les repas elles-mêmes, elles laissaient à Marie de Pré le nettoyage des chambres et du *stoep* *, ainsi que le repassage des vêtements que lessivaient les femmes de charge. Les veuves étaient bonnes cuisinières et, comme toutes les femmes de la campagne, elles estimaient que la première des nécessités d'un homme était une table abondante. Quant aux enfants, il convenait de les gaver, pas moins.

— Ce doit être Dieu qui nous a conduits ici, disait Paul très souvent.

Tous les dimanches, il emmenait sa petite famille à la prière dans le temple français, de l'autre côté du canal, et un matin les veuves l'arrêtèrent juste au moment où il sortait.

— Vous devriez aller dans notre temple, à présent. C'est aussi près.

L'idée stupéfia de Pré. Et cela lui parut presque blasphématoire : abandonner le temple de ses ancêtres, l'endroit où l'on parlait français, pour fréquenter un autre lieu, où le culte serait célébré en hollandais ! Jamais il n'avait envisagé une chose pareille, car il était convaincu que Dieu s'adressait à l'humanité en français, et il savait que Jean Calvin, en tout cas, ne s'exprimait pas dans une autre langue. Il aurait été fort surpris d'apprendre que les principales œuvres de Calvin avaient été écrites en latin : le noble tonnerre de la pensée calviniste l'avait touché dans une traduction française et il ne pouvait pas l'imaginer en hollandais.

Il en discuta avec toute sa famille, bien que les enfants fussent un peu jeunes pour comprendre la différence entre le français — langue par excellence de la théologie — et le hollandais — langue accessoire.

— Entre nous, nous devons toujours parler français. Il est poli de notre part de nous adresser aux veuves en hollandais, et vous, les enfants, vous devez toujours leur dire merci dans cette langue quand elles vous donnent des vêtements ou des jouets. Mais, dans nos prières et pendant les services du temple, nous devons parler français.

Et il répondit aux veuves :

— Je suis allé voir votre temple et c'est sûrement le plus beau de la chrétienté, alors que le nôtre est vraiment très modeste. Mais nous avons toujours honoré Dieu dans notre langue maternelle et...

— Bien sûr ! s'écrièrent les veuves. Où avions-nous la tête ?

De Pré vivait dans la maison Bosbeecq et n'avait plus d'obligations au poids public, mais il ne cessa pas pour autant de fréquenter Vermaas. Le dimanche, après le temple, ils se retrouvaient souvent pour discuter des affaires en général et des bateaux des veuves Bosbeecq en particulier. Par un beau matin d'avril, ils étaient ensemble sur le pont, au retour du temple français, lorsque les deux veuves, escortées de leur servante, s'avancèrent sur la rue pavée.

— Dommage que vous soyez marié, dit Vermaas.

— Pourquoi ? Marie est merveilleuse...

— Je veux dire : si vous n'étiez pas marié, vous pourriez prendre une des veuves, et ensuite la maison...

— Une des veuves ?

— Ne vous y trompez pas, Paul, toutes les veuves sont les mêmes. Plus elles sont vieilles, plus elles sont ardentes à se remarier. Et plus elles sont riches, plus c'est amusant de les épouser.

— Elles sont plus vieilles que ma pauvre mère !

— Mais plus riches...

— Qui sont ces gens ? coupa Paul en montrant la horde d'hommes à l'aspect étrange qui semblait toujours s'agglutiner autour d'un bâtiment adossé au temple français.

— Ceux-là ? répondit Vermaas sans dissimuler son mépris. Ce sont des Allemands.

— Que font-ils ici ?

— La queue. Tous les jours. Vous devez les avoir déjà vus, non ?

— Certes. Et je me suis demandé de quoi il retournait.

— Leur pays a été déchiré par la guerre. Cent ans de désordre. Catholiques contre protestants. Des protestants ont même égorgé des bébés catholiques ! Une honte...

— J'ai connu une guerre comme celle-là, répondit Paul.

— Oh non ! Pas comme les guerres allemandes. Vous êtes civilisés, vous les Français.

Il fit un cri de gorge affreux et glissa son doigt sur sa pomme d'Adam comme si c'était un couteau.

« Gorge tranchée, la mort du Français. Mais en Allemagne, ils...

— Pourquoi font-ils la queue ici ?

— Quoi ! Vous ne savez pas ce qu'il y a dans ce bâtiment ? Vous travaillez ici depuis plus d'un an et vous ne l'avez pas encore appris ?

Au comble de la surprise, il fit traverser le pont à de Pré et l'entraîna dans la Hoogstraat (la Grand-Rue), où un édifice trapu entourant une vaste cour portait fièrement sur son écusson les lettres VOC.

— Qu'est-ce que cela veut dire ? demanda Paul.

— *Vereenigde Oostindische Compagnie*, déclama-t-il avec orgueil. C'est la Jan Compagnie. Derrière ces portes siègent les XVII Seigneuries.

Et il expliqua comment cette assemblée puissante d'hommes d'affaires avait commencé, presque cent ans plus tôt, à régner sur l'Orient.

— Mais les Allemands ? demanda Paul en montrant la racaille qui attendait en silence à l'entrée de la cour.

— Il n'y a plus rien en Allemagne, expliqua Vermaas. Ces hommes se sont battus pour tel ou tel comte ou baron. Ils ont perdu. Pour eux, il n'y a plus rien.

— Mais pourquoi ici ?

— La Jan Compagnie a toujours besoin d'hommes solides. Demain matin, le recruteur sortira, les examinera, essaiera de déterminer ceux qui auront le plus de chances de survivre, et clac ! en route pour Java !

— Java ? Où est-ce ?

— Vous n'avez pas vu le grand dépôt extérieur de la Compagnie des Indes orientales ?

— Non.

— Quand nous avons pesé les marchandises et touché les taxes, c'est là que tout est entreposé.

Un dimanche, il entraîna Paul dans une longue promenade nonchalante le long de divers canaux. Ils passèrent devant la maison où Rembrandt avait vécu et celle qu'occupait Baruch Spinoza avant d'être obligé de polir des lentilles pour gagner son pain. Ils traversèrent une passerelle desservant une île artificielle qui contenait un vaste espace à ciel ouvert entouré par des rangées successives d'entrepôts, ainsi qu'une corderie et un somptueux bâtiment de cinq étages où l'on enfermait les importations de prix.

— Le coffre au trésor des XVII Seigneuries, dit Vermaas.

Il appela un gardien, qui les laissa entrer. Dans le noir, les deux hommes passèrent d'un tas de marchandises à un autre, palpant de leurs mains des caisses et des balles valant une fortune.

« Clous de girofle, poivre, noix de muscade, cinnamome...

Vermaas murmurait avec révérence les mots magiques et, en l'écoutant, de Pré sentit son cœur chavirer : il fallait qu'il touche de nouveau la terre, la vraie terre avec des arbres, des vignes et des haies.

« Ces balles-là ne sont pas des épices, lui dit Vermaas. Des tissus d'or du Japon. Des tissus d'argent des Indes. De belles robes de Perse. Et tout ça, là, vient de Chine, je ne sais pas ce qu'il y a dedans.

— D'où arrivent toutes ces richesses ?

— Des jardins de la lune, répondit Vermaas.

Toute sa vie, il avait voulu émigrer à Java, où tout homme résolu pouvait faire fortune. Il avait une idée peu précise de l'endroit où Java se trouvait, mais il se proposait d'y aller un jour. Il saisit de Pré par le bras et lui dit dans un murmure :

« Paul, si vous ne pouvez pas épouser une riche veuve, pour l'amour de Dieu, allez à Java. Vous êtes encore jeune.

La douce promesse de l'entrepôt sombre débordant de parfums était exaltante.

Le lendemain matin, de Pré demanda aux veuves la permission de se rendre aux bureaux de la Jan Compagnie.

— Et pour quoi faire ? demandèrent les femmes.

— Je veux voir ce que cherchent tous ces Allemands. A propos de Java.

— Java !

Les deux femmes éclatèrent de rire et la plus âgée ajouta : « Allez-y ! Allez-y ! Mais ne vous mettez pas à rêver de Java.

Il longea les deux ou trois pâtés de maisons qui le séparaient de la Hoogstraat, où la foule des Allemands s'était décuplée : des hommes très minces, au visage fier, mais qui étaient prêts à se lancer dans la plus redoutable des aventures du moment qu'on leur offrait la subsistance. Il regarda, fasciné, les commis sortir des bureaux de la Compagnie pour inspecter les candidats : ils en sélectionnaient un sur vingt et Paul put constater que les élus sautaient de joie.

Quand il retourna à son travail, les veuves lui dirent qu'elles désiraient lui parler.

— Ne vous mettez pas Java en tête. Pour chaque florin qui nous arrive de Java, il nous en vient six de la Baltique. Oh, oui, vous verrez les grands vaisseaux des Indes orientales ancrés au large de Texel pour transborder leurs épices et leurs tissus d'or et vous entendrez raconter que telle ou telle cargaison a gagné un million de ceci ou de cela. Mais, Paul, faites-nous confiance, la richesse de la Hollande réside dans notre commerce de harengs. En une année, nos sept petits bateaux qui desservent la Baltique rapportent plus d'argent qu'une douzaine de leurs indiamen. Gardez les yeux sur le principal objectif.

Elles parlaient chacune à leur tour, l'une développait un argument et sa belle-sœur un autre. Mais, quand la rondelette répéta : « Gardez les yeux sur le principal objectif », la grande tint à souligner cette idée.

— Nous vous avons bien observés, Paul. Marie et vous avez été élus par Dieu pour un grand dessein.

Jamais personne ne lui avait dit une chose pareille. Depuis un certain temps, il se doutait qu'il faisait partie des élus du Seigneur et la générosité fondamentale de son cœur était bien un signe de sa prédestination. Il manquait pour l'instant de la richesse financière qui aurait démontré sans ambiguïté qu'il faisait partie des élus, mais il était sûr qu'elle viendrait à lui avec le temps. Et il était tellement occupé à se rengorger en son for intérieur qu'il n'entendit pas la phrase suivante des deux veuves, probablement très importante, car l'une d'elles lui demanda d'un ton vif :

— Vous n'êtes pas d'accord, Paul ?

— Je vous demande pardon.

— Ma sœur disait, répéta la plus grande, que, si vous appreniez le commerce maritime, vous pourriez devenir l'un de nos directeurs.

Avec la franchise qui caractérisait la plupart des paysans français et surtout les calvinistes, de Pré s'écria :

— Mais j'ai envie de travailler la terre. Vous avez vu ce que je peux faire, avec votre jardin.

Les veuves apprécièrent sa sincérité et la rondelette lui dit :

— Vous êtes un excellent jardinier, Paul, et nous avons un ancien voisin qui pourrait également utiliser vos services.

— Je n'ai pas envie de vous quitter, répondit-il franchement.

— Et nous n'avons nullement l'intention de vous perdre. Mais c'est un ami, une des XVII Seigneuries, et nous pouvons bien nous priver de vous trois heures par jour. Vous garderez les gages.

Ses mains retombèrent le long de son corps et il dut se mordre les lèvres pour maîtriser son émotion. Il était entré dans ce pays inconnu, sans autre recommandation que sa dévotion à une forme de religion, et, dans ce pays, il avait trouvé un ami solide en la personne de Vermaas, qui s'était mis en quatre pour l'aider, un temple dont on encourageait les fidèles à rendre le culte en français et ces deux veuves si aimables avec sa femme, si douces avec ses fils et si généreuses avec lui. Quand les huguenots fuirent la France, ils cherchèrent refuge dans vingt pays étrangers, où on les accueillit de vingt manières différentes, mais aucun accueil ne fut comparable à la chaleur que leur offrirent les Hollandais.

Le mardi matin à neuf heures, après ses quatre heures habituelles de dur labeur, de Pré se présenta aux veuves Bosbeecq : il devait les accompagner jusqu'à l'élégant Herengracht (le canal des Gentilshommes), où demeurait son nouvel employeur. Les deux femmes frappèrent à la porte d'une maison beaucoup plus grande que la leur. Une servante vêtue de bleu les fit entrer dans un parloir plein de meubles de Chine et les invita à s'asseoir sur des fauteuils tapissés de lourds brocarts. Après une attente assez longue pour laisser à Paul le temps d'admirer la richesse de la pièce, un gentilhomme apparut, vêtu d'une robe chinoise somptueuse, décorée d'or et de dragons bleus.

Il était grand et mince, avec une moustache et un bouc entièrement blancs. Ses yeux perçants n'étaient pas ternis par l'âge et, à soixante-dix ans passés, il marchait d'un pas alerte. Il se dirigea directement vers de Pré et s'inclina légèrement.

— Je suis Karel Van Doorn, et ces bonnes dames me disent que vous désirez travailler pour moi.

— Elles vous ont dit que vous pouviez m'avoir trois heures par jour.

— Si vous travaillez vraiment, cela devrait suffire. Est-ce que vous travaillez vraiment ?

De Pré sentit qu'il était entre les mains d'un être beaucoup plus dur que les veuves. Mais il était si captivé par l'idée de Java qu'il ne risquait guère de s'opposer à une personne liée avec ce pays de cocagne.

— Votre jardin sera en de bonnes mains, dit-il.

Sans un mot d'excuses pour les veuves Bosbeecq, Van Doorn prit Paul par le bras, l'entraîna à grands pas dans un dédale de corridors jusqu'à une vaste pièce et ouvrit toute grande une fenêtre donnant sur un jardin dans un triste état.

— Pouvez-vous y mettre un peu d'ordre ?

— En une semaine.

— Au travail !

Il entraîna Paul par la porte de derrière et lui montra l'appentis où quelques outils l'attendaient.

— Il faut que j'explique aux...

— Je leur dirai que vous êtes déjà à l'ouvrage.

Van Doorn s'éloigna, puis s'arrêta brusquement et lui cria : « Souvenez-vous ! Vous avez dit : une semaine !

— Et que ferai-je après ? demanda Paul.

— Après ? Vous pourrez travailler trois heures par jour pendant dix ans avant d'avoir fini tout ce que j'ai en tête.

Quand de Pré revint à la maison Bosbeecq, où les veuves avaient préparé un festin gigantesque car elles savaient qu'il aurait très faim, les deux femmes lui proposèrent de s'asseoir avec elles dans la pièce de devant, et là, en termes bien nets, elles lui firent la leçon sur son nouvel employeur — parlant tour à tour, comme de coutume, à l'image de deux anges faisant leur rapport à saint Pierre au retour d'une enquête sur la terre.

— Karel Van Doorn vous paiera le moindre sou que vous gagnerez. Il est d'une honnêteté farouche.

— Jusqu'à un certain point.

— Et il peut se permettre de vous payer. Il est très riche.

— C'est la vérité. A Java, la Compagnie avait une loi d'airain : aucun responsable ne pouvait acheter et vendre pour son compte. Uniquement pour la Compagnie.

— Mais la famille a acheté et vendu tant et plus. Et les Van Doorn ont accumulé une fortune.

— Et la Compagnie avait une autre loi d'airain : personne à Java ne pouvait ramener en Hollande l'argent gagné là-bas.

— Elle le sait, parce que son oncle était l'une des XVII Seigneuries.

— Mais quand la mère de Karel est morte à Batavia, dans sa grande demeure près du canal, il s'est hâté de quitter Java et, par un tour de passe-passe qu'il est bien le seul à connaître, il est parvenu à ramener tout l'argent des Van Doorn à Amsterdam.

— Et il aurait dû partager avec son frère, du Cap...

— Le Cap ? demanda Paul.

C'était la première fois de sa vie qu'il entendait parler de cet endroit.

— Rien du tout. Quelques pauvres diables perdus tout au bout de l'Afrique et qui essaient de faire pousser des choux-fleurs.

— Le frère de Mijnheer Van Doorn est là-bas ? demanda Paul très vite.

— Oui. Un garçon pas très brillant. Né à Java, vous comprenez...

— Et Van Doorn aurait dû partager l'argent de la famille avec son frère ?

— Mais il ne l'a pas fait.

— Il l'a ramené à Amsterdam en fraude et cela lui a permis d'acheter un siège à l'assemblée des XVII Seigneuries.

— Il a pris la place de mon oncle.

— C'est un des plus éminents citoyens d'Amsterdam. Vous avez de la chance de travailler pour lui, Paul.

— Mais surveillez-le bien.

— A la Compagnie, vous verrez son portrait par Frans Hals.

— Et dans la grande salle des Arquebusiers, vous le verrez

sur *la Ronde de nuit* de Rembrandt. Il est avec mon mari, debout près de lui.

— Et vous remarquerez que son pauvre mari a la main droite tout près de sa poche, ce qui est une bonne chose quand Karel Van Doorn est dans les parages.

— Mais, pour un homme jeune comme vous, c'est une personne influente qu'il est utile de connaître.

— Si vous veillez sur votre poche.

La relation se révéla profitable. Karel Van Doorn exigeait que son jardinier travaille à une telle vitesse qu'au bout des trois heures Paul était au bord de l'effondrement. Seuls les signes d'un épuisement total ne trahissaient pas de la nonchalance, et Van Doorn était bien capable, vers la fin de la troisième heure, de quitter son bureau de la Compagnie pour jeter un coup d'œil par-dessus le mur de derrière, espérant toujours surprendre son employé en train de souffler un peu. Si c'était le cas, il se précipitait dans le jardin et traitait Paul de paresseux, de vaurien français, qui se révélerait probablement papiste si l'on grattait un peu son vernis huguenot.

Mais un paysan français matois était bien de taille à affronter n'importe quel marchand hollandais près de ses sous et de Pré inventa plus de vingt manières de battre son employeur à son propre jeu ; il finissait ses trois heures quotidiennes dans un état physique satisfaisant. En fait, ce jeu était loin de lui déplaire, car Van Doorn était toujours scrupuleusement honnête dans ses paiements et, s'il arrivait à de Pré de revenir dans les jardins pendant ses heures de liberté pour finir tel ou tel ouvrage, son employeur le remarquait et lui payait du supplément.

— La seule chose qui me surprend, dit Paul aux deux veuves un après-midi, c'est que jamais, depuis le temps que je travaille chez lui, il ne m'a offert quelque chose à manger ou à boire.

— C'est un homme mesquin, répondit l'une des femmes. Un homme qui a volé la Compagnie à Java, le gouvernement à Amsterdam et son propre frère...

— Il ne m'a jamais volé.

— Ah ! Mais vous ne comprenez donc pas ? La Bible dit qu'on doit traiter ses serviteurs avec justice. Si le bruit courait qu'il vous ait traité injustement, toute sa position s'écroulerait. Il ne serait plus parmi les élus et tout le monde le saurait.

— Cela me dépasse, répondit Paul.

— C'est très simple. Un homme peut voler des millions au gouvernement, parce que la Bible ne dit rien à ce sujet. Mais il n'osera pas voler un sou à un serviteur, parce que la Bible et Jean Calvin sont très stricts sur ce point.

— Mais la Bible ne précise pas qu'il faut donner aux serviteurs à manger et à boire ?

— Pas que je me souvienne.

Or, le lendemain même, Karel Van Doorn offrit à boire à son jardinier Paul de Pré, non point dans sa demeure, mais dans les bureaux de la Compagnie. Il était rentré chez lui au début de la troisième heure et il avait dit d'un ton brusque :

— De Pré, allons dans mes bureaux. J'ai besoin de votre opinion.

Ils avaient traversé la ville jusqu'à l'endroit où une nouvelle queue de mercenaires allemands attendait. Ceux-ci implorèrent Karel à son passage, car ils savaient qu'il était l'une des XVII Seigneuries, mais Van Doorn les ignora. Dès qu'il fut assis derrière son bureau, il dit sans préambule :

« J'ai appris qu'en France vous faisiez du vin.

— Oui.

— Que pensez-vous de celui-ci ?

Karel sortit d'un tiroir de son bureau une bouteille de vin blanc et invita le Français à le goûter.

« Comment le trouvez-vous ? demanda Van Doorn.

De Pré plissa les lèvres et cracha le vin par terre.

— L'homme qui l'a fait devrait être pendu.

Van Doorn esquissa un mince sourire puis éclata de rire.

— C'est mon frère qui l'a fait.

— Je suis désolé. Mais c'est un vin très mauvais. Il ne mérite même pas le nom de vin.

— C'est bien mon avis.

— On m'a dit que votre frère est en Afrique.

— Ce vin vient de ses vignes. Voici trente ans qu'il y travaille.

— Ce doit être un bien mauvais vignoble.

— Je me demande s'il ne mélange pas quelque chose au raisin.

— Il n'oserait tout de même pas.

— Mais comment peut-il donc être si mauvais ?

— Pour faire du vin, il y a des tours de main.

— Pourrait-on sauver celui-ci ?

Avec précaution, de Pré prit une autre gorgée — pas assez pour que le mauvais goût le fasse suffoquer, mais suffisamment pour juger le malheureux breuvage.

— La base est solide, Mijnheer, dit-il. Les raisins sont toujours des raisins et je suis persuadé que si un bon caviste prenait les choses en main...

— J'ai reçu un rapport. Il paraît que les vignes sont en bon état.

— Mais s'agit-il de bons cépages ?

— Que croyez-vous que je doive faire ?

De Pré demeura immobile, les deux mains sur ses genoux, les yeux sur le parquet. Il avait une envie désespérée de revenir à la terre, de préférence à Java, où l'or abondait, mais son cœur battit plus vite à la perspective de se remettre à la culture de la vigne et à la fabrication d'un bon vin. Ne sachant que dire pour faire avancer ses plans, il se tut.

« Si la Compagnie envoyait là-bas quelques hommes connaissant bien le vin, poursuivait Van Doorn d'une voix qui sembla lui parvenir de la pièce voisine, et si ces hommes emmenaient avec eux de nouveaux plants de vigne... Ne pourrait-on faire quelque chose ?

Tant d'idées merveilleuses se précipitaient en même temps sur lui que de Pré ne parvenait pas à les absorber.

« Regardons la carte, dit Van Doorn aussitôt.

Il précéda Paul jusqu'à une salle de conseil qui s'ornait d'un portrait de groupe de Rembrandt et d'une vaste carte dessinée par William Blaeu de Leyde. Quatre points se détachaient sur le planisphère : Amsterdam, Batavia, le cap de Bonne-Espérance, et Surinam en Amérique du Sud.

« Nous nous intéressons à ces trois-là, dit Karel en tendant le bras vers Le Cap, à mi-chemin entre Amsterdam et Java. Si nos bateaux qui font voile vers le sud pouvaient s'arrêter au Cap et charger des tonneaux de bon vin rouge et de vinaigre fort, ils parviendraient à maintenir leurs équipages en bonne santé jusqu'à Java. Et nous économiserions le fret représenté par les bouteilles que nous importons de France et d'Italie.

Le point représentant Le Cap prit soudain une importance considérable.

— Mais la terre ? demanda de Pré. Est-ce que de bonnes vignes pourront pousser ?

— C'est ce que nous avons l'intention de découvrir, répondit Van Doorn. C'est la raison pour laquelle je vous ai surveillé d'aussi près.

De Pré recula. Sous couvert de contrôler son travail, Van Doorn l'avait espionné — et depuis ses démêlés avec les catholiques, en France, ce genre de choses lui mettait les nerfs à fleur de peau.

« Vous ne croyez tout de même pas que je vous ai engagé pour nettoyer mon jardin ? s'écria Van Doorn en riant. J'aurais pu prendre cent Allemands pour le faire, il y a de bons jardiniers parmi eux.

Il se leva, s'avança vers de Pré et lui passa familièrement le bras autour des épaules.

« Ce que je voulais, de Pré, c'était me faire une opinion sur vous, les huguenots. Quel genre de personnes vous êtes. Comment vous travaillez. Jusqu'à quel point on peut compter sur vous pour la religion.

— Et vous avez trouvé ?

De Pré était furieux contre cet homme, mais sa propre attitude devant la vie, toute de prudence, l'obligeait à respecter la précaution du Hollandais.

— Mais oui. Et votre réaction sincère à l'égard du vin de mon frère a confirmé ma décision.

Il se mit à marcher nerveusement dans la pièce, galvanisé par la perspective de nouveaux négoces, de nouvelles occasions de rafler un florin, par-ci, par-là.

« De Pré, il faut que vous me juriez le secret, dit-il à mi-voix en reprenant son siège.

— Juré.

— Les XVII Seigneuries vont envoyer trois bateaux de huguenots au Cap. Nous vous apprécions — votre sincérité têtue, votre dévotion au calvinisme. Votre famille sera à bord de l'un de ces bateaux, et vous (il se pencha en avant et donna une claque sur le genou de De Pré), vous emmènerez dans vos bagages une caisse de plants de vigne de premier ordre.

— Où les trouverai-je ?

— En France. Dans une région dont vous connaissez bien les cépages.

— Jamais ils n'enverront de plants à Amsterdam. C'est interdit.

— Personne ne les enverra, de Pré. Vous irez les chercher.

— Je me ferai tuer.

— Pas si vous êtes prudent.

— Le risque...

— ... sera bien payé.

Il se leva de nouveau pour arpenter la pièce, projetant sa tête blanche d'un côté ou de l'autre.

« Bien payé, de Pré, répéta-t-il. Voici un premier sac d'écus. Je vous remettrai un second sac à votre retour à Amsterdam avec les plants. Et, si vous les amenez au Cap, nous les vendrons à la Compagnie, vous et moi, et nous partagerons les bénéfices.

De Pré étudia l'offre et il se félicita que les veuves Bosbeecq l'aient mis en garde contre ce gentilhomme rusé : il achetait les plants avec l'argent de la Compagnie, puis il les revendait à la Compagnie avec profit. Il se souvint d'une chose que les veuves lui avaient dite : « Van Doorn a un esprit qui ne s'arrête jamais de fonctionner. En tant que responsable de la Compagnie, il importe des clous de girofle de Java. Et à qui les vend-il ? A lui-même, en tant que négociant privé. Il gagne des deux côtés et il se permet en plus de tripler le prix du girofle, car il est le seul à en posséder. Il fait des bénéfices de prince. » C'était un homme redoutable, mais de Pré se souvint également d'une autre information des deux femmes : « Il n'oserait pas voler un sou à un serviteur. »

— Me paierez-vous les deux autres fois ? demanda-t-il carrément.

— Comment pourrait-il en être autrement ? Je suis membre du conseil...

Et la sincérité foncière du Français se fit jour :

— Vous n'avez pas partagé avec votre frère.

Van Doorn ignora l'insulte.

— Dans la vie, dit-il, il se produit des accidents. Mon frère était un sot. Il ne m'a pas du tout aidé à faire sortir de Java la fortune de la famille. C'était un homme à oublier. Vous êtes un homme dont on se souvient.

Quand Paul apprit à sa femme qu'il avait l'intention d'emmener son fils aîné en France avec lui, Marie fut aux cent coups — Henri avait alors huit ans. Il lui expliqua que ce serait un subterfuge parfait pour tromper les gardes-frontières : « Un père rentrant dans sa ferme avec son fils », et elle consentit, car elle pensait depuis toujours que les familles françaises ne devaient pas rester trop longtemps aux Pays-Bas. Les enfants commençaient à ne parler que le hollandais et le calvinisme strict des Français se ramollissait sous l'influence des attitudes moins rigoureuses des gens d'Amsterdam. Elle savait aussi que son mari mourait d'envie de se remettre à la vigne et, dans l'occasion qui s'offrait, elle croyait voir la main de Dieu. Elle fit donc le balluchon de son fils, l'embrassa tendrement et le lança dans la grande aventure.

Le père et le fils n'eurent aucun problème tant qu'ils restèrent dans les Pays-Bas : d'Amsterdam à Leyde puis à Shiedam, et par bateau jusqu'en Zélande. Là, un autre bateau, évitant Anvers, les débarqua directement à Gand. Mais, aux environs d'Amiens, il fallait s'attendre à des espions, aussi les deux de Pré prirent-ils à l'est. Par des chemins de traverse, ils se glissèrent dans la campagne au nord de Caix. Au spectacle des belles vignes, les yeux de Paul s'emplirent de larmes. C'était la bonne terre de France et seule une erreur d'immense envergure l'en avait chassé.

Il traversa plusieurs petits villages où autrefois les protestants célébraient librement leur culte. Les temples en ruine lui brisèrent le cœur. Puis, tard dans la nuit, il cogna légèrement à la fenêtre d'une ferme occupée par la famille de sa femme, les Plon.

— Êtes-vous encore de la vraie religion ? murmura-t-il quand une vieille femme vint ouvrir la porte.

— C'est l'homme de Marie ! cria la femme.

— Chut !... Êtes-vous encore de la vraie religion ?

Comme nul n'osait répondre, il comprit qu'ils s'étaient tous convertis au catholicisme, mais il était trop tard pour battre en retraite. Il était obligé de se confier à ces paysans, car ils étaient les maîtres de son destin.

« Voici le fils de Marie, dit-il en faisant avancer Henri pour que sa parentèle l'admire.

— S'ils vous attrapent, dit un vieillard, ils vous brûleront vif.

— Il ne faut pas qu'on m'attrape, répondit Paul. Pouvons-nous passer la nuit ici ?

Au matin, il expliqua aux Plon qu'il lui fallait quatre cents plants des meilleurs cépages.

— On ne vous permettrait pas de les sortir du pays même si vous étiez catholique, lui répondirent-ils.

— Je les emmène dans un pays lointain, leur affirma-t-il pour les rassurer. Ni en Hollande ni en Allemagne, où ils pourraient faire de la concurrence.

Il passa quatre jours avec les Plon, de plus en plus nerveux, empaquetant avec soin les plants qu'on lui apportait. Quand il en eut trois cent vingt, il s'aperçut que son fardeau avait atteint une belle taille et qu'il serait déraisonnable d'espérer en transporter davantage sur ses épaules pendant le long chemin de retour jusqu'à Amsterdam. La dernière nuit, il parla ouvertement aux Plon, rassurés de le voir partir : les exempts ne risquaient plus de briser leurs portes parce qu'ils hébergeaient un huguenot.

— Les choses vont bien mieux, maintenant que tout le monde au village partage la même foi, lui dirent les vieux.

— Il n'y a pas de protestants ?

— Aucun. Certains se sont enfuis, comme Marie et vous. La plupart se sont convertis à la vraie religion. Et quelques-uns ont été pendus.

— Le pasteur s'est enfui à Genève ?

— Il a été pendu, intervint la femme Plon. Il a proposé de se convertir, mais nous ne pouvions pas lui faire confiance, n'est-ce pas ?

— Les Français sont censés être tous catholiques, reprit Plon pour résumer la situation. C'est pour nous la seule voie juste. On ne peut pas diviser un village en deux. Ni un pays.

— Vous verriez comme tout est bien, maintenant que nous ne faisons plus qu'un, renchérit sa femme.

Mais, quand Paul se coucha pour cette dernière nuit dans son pays, il prit vraiment conscience que jamais il ne pourrait tourner le dos au calvinisme. Son émigration était un prix modeste à payer en comparaison de ce qu'il gagnait en demeurant fidèle à sa foi. Le rationalisme paisible d'Amsterdam était une chose que les Plon ne seraient pas capables de comprendre. Comme il aurait aimé leur expliquer à quel point leur fille Marie était heureuse dans son nouveau foyer ! Mais il estima préférable de ne pas essayer. Il était revenu à Caix pour ses bons plants de vigne et il les avait.

Quand il remit les plants à Mijnheer Van Doorn, dans les bureaux de la Compagnie, Karel le paya sur-le-champ, mais Paul remarqua que la somme était légèrement inférieure au prix convenu.

— Nous avions passé marché pour quatre cents plants, souvenez-vous, lui dit Van Doorn quand il commença à se plaindre.

— Mais je n'aurais pas pu les porter, répliqua Paul.

— Un marché est un marché. C'est ce principe qui fait la solidité de la Hollande.

Et Paul, changeant de sujet, montra le large bandeau noir que Van Doorn portait au bras gauche.

— Un deuil ?

— Mon épouse.

Le président des XVII Seigneuries baissa la voix comme pour signifier : « L'incident est clos », puis il se rendit compte que Paul serait intéressé dans ce qui allait se produire par la suite de ce décès.

« C'était une femme merveilleuse, dit-il. Elle est allée à Java avec moi. Elle m'a aidé à tout organiser ici.

Paul se demanda pourquoi le haut personnage lui racontait tout cela — et ce fut comme un coup de tonnerre :

« J'épouse Vrouw Bosbeecq samedi prochain. Au Vieux Temple, ajouta-t-il maladroitement. Vous serez invité.

— Laquelle ? demanda Paul.

— Abigaël, la plus grande.

En lisant l'incrédulité sur le visage de Paul, il expliqua :

« Nous n'aurons qu'un train de maison, cela nous économisera beaucoup d'argent.

— Et l'autre veuve ?

— Elle s'installera sur le Herengracht... avec nous. L'autre grand avantage, c'est que les sept bateaux passeront... (il hésita un instant) enfin... sous ma direction.

Dès lors, Paul ne songea plus qu'à courir à la recherche de Vermaas, qui pourrait peut-être lui expliquer cette absurdité : un homme fortuné de plus de soixante-dix ans se lançant dans des combines pour mettre la main sur quelques bateaux ! Mais Van Doorn avait encore à lui apprendre des nouvelles fort passionnantes.

« Nous sommes en train de réunir une flottille de la Compagnie. Elle fera voile sur Java dans le courant de la semaine et deux cent quatre-vingt-dix huguenots seront à bord des bateaux. Cela tombe bien, Paul, parce que, quand nous fermerons la maison Bosbeecq, votre femme et vous ne serez plus nécessaires...

Paul était écœuré. Il avait risqué sa vie pour trouver trois cent vingt plants de vigne pour une expérience et, pendant son absence, ce Hollandais, petit malgré sa grande taille, s'était plongé dans les manigances. Il enterrait sa femme et il en demandait une autre en mariage avant même que la terre se soit tassée sur la tombe de la première.

— Mijnheer Van Doorn, mon voyage à Caix n'a pu avoir lieu que parce que mon fils Henri m'accompagnait. Il a huit ans et je me demandais si vous n'aimeriez pas lui faire un présent particulier. Pour sa bravoure.

Van Doorn réfléchit un instant, puis répondit judicieusement :

— Je ne crois pas. Le marché était avec vous.

Il raccompagna Paul à la porte, où il lui dit avec chaleur :

« Je suis sûr que vos garçons aimeront beaucoup la vie à bord. C'est un voyage passionnant.

En quittant les bureaux de la Compagnie, Paul courut aussitôt vers le poids public, pour consulter Vermaas.

— J'ai entendu, de mes propres oreilles, la veuve Bosbeecq me prévenir que Van Doorn était un voleur, qu'on ne pouvait pas lui faire confiance...

— Et vous venez me demander pourquoi elle l'épouse ?

— Oui ! Cela passe l'entendement.

— Vous avez oublié ce que je vous ai dit, Paul. Toutes les veuves du monde ne songent qu'à se remarier. Je vous assure, même vous, si vous aviez été célibataire, oui, vous auriez pu épouser n'importe laquelle.

— Mais je sais qu'elles méprisent Van Doorn.

— Si une veuve ne peut pas trouver un vrai homme, elle prend un Van Doorn.

Puis, avec une sorte de ravissement animal, il s'écria :

« Bon Dieu, Paul ! Vous ne voyez donc pas comment ça s'est passé ?

De Pré demeura sans voix.

« Elles vous ont amené chez Van Doorn travailler dans son jardin, parce qu'elles désiraient être proches de lui au cas où sa femme mourrait ! lança le maître peseur. Elles vous ont utilisé comme appât.

Paul réfléchit pendant un instant, puis demanda :

— Croyez-vous, Vermaas, que les Hollandais sont capables d'utiliser n'importe qui pour n'importe quoi ?

— Ils font des affaires, Paul.

Le mariage fut une cérémonie solennelle, la plupart des grands négociants d'Amsterdam y assistèrent, dans le Vieux Temple près du canal. Certains vinrent dans des barques, que leurs serviteurs poussaient à la gaffe, mais la plupart arrivèrent à pied, longues processions noires, comme s'il s'agissait d'obsèques. Le temple était plein et, lorsque les chœurs entonnèrent les psaumes rythmés chers à tous les calvinistes, la nef sembla vibrer. Les veuves Bosbeecq ne versèrent pas de larmes. Elles défilèrent d'un pas ferme jusqu'à l'entrée de l'église, où elles attendirent l'arrivée de Karel Van Doorn, grand, imposant, beau, portant moustache. Le couple fit une excellente impression : deux personnes âgées unissant leurs vies et leurs fortunes pour les années leur restant à vivre.

— Oh non, dit la veuve rondelette ce soir-là, dans l'ancienne maison, après avoir interrogé de Pré sur ses aventures en France. Non, ils n'unissaient pas leurs fortunes. Vous croyez qu'une femme aussi intelligente que ma belle-sœur permettrait à un aigrefin comme Van Doorn de mettre la main sur nos bateaux ?

— Mais Mijnheer Van Doorn m'a dit lui-même...

— Quand ?

— La semaine dernière.

— Aha ! gloussa la femme. C'était la semaine dernière. Eh bien, cette semaine, nous lui avons présenté un contrat qui spécifie tout. Cette maison ? Nous la vendons et nous gardons l'argent. Les terres ? Nous les joignons aux siennes. Les sept bateaux ? Ils sont tous mis à mon nom, pas au sien.

— Et il n'est pas revenu en arrière ?

— Il le voulait. Il a dit que nous le volions. Alors nous avons révisé le contrat pour qu'il soit content.

— Vous lui avez donné les bateaux ?

— Certes non ! Mais nous avons convenu qu'il serait l'agent exclusif de vente des harengs fumés que mes bateaux apporteraient en Suède et qu'il garderait la commission.

Le sang-froid de cette transaction stupéfia Paul et il était sur le point de faire un commentaire quand la vieille dame posa la main sur son bras et lui dit doucement :

« Vous savez, Paul, c'est un peu de votre faute si Abigaël a décidé — si nous avons décidé, en fait — de se marier.

— De ma faute ?

— Parce que Mijnheer Van Doorn est venu nous voir le soir de l'enterrement de sa femme et nous a dit : « Mes bonnes dames, votre de Pré va bientôt partir pour Le Cap. Vous allez vous retrouver seules. Pourquoi n'arrangerions-nous pas quelque chose ? » Et il avait raison. Nous allions de nouveau être seules et vous nous aviez rappelé à quel point il est agréable d'avoir un homme à la maison. (Elle rit.) N'importe quel homme.

Quand la maison Bosbeecq fut vide et les volets clos, les veuves proposèrent que la famille de Pré s'installât avec elles dans la maison Van Doorn pendant les quelques jours qui restaient avant leur départ pour Le Cap. Mais Mijnheer ne voulut rien entendre.

— Qu'ils dorment là-bas, dit-il, on leur laissera quelques couvertures.

Mais les veuves leur apportèrent leurs repas, qu'ils prirent assis à même le sol.

— Assurez-vous bien que Van Doorn vous paie tout ce qu'il vous doit, dirent-elles à Paul.

Et le dernier jour qu'il passa à Amsterdam, il se rendit aux bureaux de la Compagnie et rappela à Van Doorn qu'il lui devait encore le dernier tiers du paiement.

— Je ne l'oublie pas, affirma Mijnheer à l'émigrant. Je remets ce paquet au capitaine de votre bateau et, à l'instant où vous débarquerez les plants de vigne au Cap, vous toucherez le solde. Regardez, c'est écrit ici : quatre-vingt-dix florins.

Mais Paul remarqua qu'il ne lui donnait pas la reconnaissance de dette.

« Je la confie au capitaine de votre bateau, dit-il en la rangeant.

Ce soir-là, au coucher du soleil, les huguenots se rassemblèrent dans le vieux temple français : deux cent quatre-vingt-dix hommes, femmes et enfants, qui avaient bravé les terreurs du siècle pour conserver leur foi. Ils avaient défié les chiens qui les chassaient, les cavaliers qui les poursuivaient et les gardes-frontières qui leur tiraient dans le dos. Ils avaient traversé des terres inconnues et ils étaient venus dans des villes où nul ne parlait leur langue. Mais ils avaient persévéré, ces bûcherons, ces vignerons, ces maîtres d'école. Ils avaient aspiré à la liberté comme très peu d'hommes de leur temps, ils avaient renoncé à leurs fortunes pour pouvoir vivre selon les règles en lesquelles ils avaient foi. Et maintenant, ils s'embarquaient dans l'aventure finale : cette longue traversée dans des vaisseaux peu sûrs, vers une terre dont ils ne savaient rien — sauf qu'à leur arrivée ils pourraient vivre libres.

— Accrochez-vous à votre Dieu, s'écria le pasteur en français. Accrochez-vous aux enseignements inspirés de Jean Calvin. Et surtout, accrochez-vous à votre langue, qui est l'emblème de votre courage. Apprenez à vos enfants à la respecter, comme nous l'avons respectée ici, dans notre exil de Hollande, envers et contre tous. Elle est l'âme de la France, le chant de la liberté. Prions ensemble.

Au matin, Paul quitta la demeure Bosbeecq avec sa femme et ses enfants et les emmena sur le pont du canal.

— Oudezijdsvoorburgwal, dit-il pour la dernière fois. N'oubliez jamais qu'aux jours où nous étions nus les bonnes gens des bords de ce canal nous ont vêtus, comme il est dit dans la Bible. Conservez ce nom au fond de votre cœur.

Ensuite, il les conduisit à la demeure de Mijnheer Van Doorn. Il frappa à la porte et demanda les veuves Bosbeecq. Quand elles apparurent, il dit à ses fils :

« N'oubliez jamais ces deux femmes généreuses. Leur bonté nous a sauvé la vie.

Enfin, il les emmena au temple français, dont les portes étaient ouvertes pour les familles désireuses de dire leurs dernières prières. Entre ces murs chauds et hospitaliers, il pria avec sa famille, en français, renouvelant les vœux qu'ils avaient prononcés la veille.

Au sortir du temple, il se dirigea vers les quais où attendaient les bateaux. Et, comme pour la première fois, Paul de Pré contempla la grandeur paisible de cette ville, les murs solides derrière lesquels se tenaient des marchands solides, les temples robustes qui abritaient des pasteurs robustes et, par-dessus tout, la charité — la bonté toute simple de ces bourgeois qui avaient accueilli des réfugiés du monde entier, parce qu'ils savaient qu'une nation capable de se nourrir et de se gouverner doit être capable de bien traiter des étrangers.

Il regrettait de partir. S'il était arrivé en Hollande plus tôt dans sa vie, il serait devenu hollandais, mais il était français, marqué de façon indélébile par le génie de ce pays. La Hollande n'était pas pour lui.

Sept vaisseaux de la Compagnie allaient conduire les huguenots vers leur nouvelle patrie. Ils partirent à des dates échelonnées et connurent des destins divers. Certains réussirent à faire la longue traversée en quatre-vingt-dix jours ; le pauvre *China*, ballotté pendant tout le trajet par des vents contraires, mit cent trente-sept jours et, à son arrivée, la plupart de ses Français étaient morts. Les de Pré et une soixantaine d'autres huguenots embarquèrent sur le *Java*, mais uniquement par hasard. Deux bateaux étaient à quai ce jour-là, le *Java* et le *Texel*, et Paul avait bien envie de choisir ce dernier, mais son ami Vermaas l'en dissuada.

— Regardez les bordages, Paul.

De Pré les examina et ne remarqua rien de spécial.

« Ils ne sont pas réguliers. Posés n'importe comment. Quand un détail laisse à désirer, tout laisse à désirer.

Et il entraîna ses amis vers l'échelle de coupée du *Java*. Cela n'alla pas sans difficulté, car des relations des de Pré étaient déjà à bord du *Texel* et les enfants voulaient embarquer avec eux. Mais Vermaas avait convaincu Paul que le *Java* était plus sûr et ce furent des adieux éplorés, des baisers lancés du bout des doigts et la promesse de travailler ensemble dans le nouveau pays. Les larmes de cette séparation devaient se trouver justifiées, car, peu après avoir dépassé le cap Saint-Vincent, au bout du Portugal — à l'endroit même où Henri le Navigateur avait rêvé de voyages comme celui-là —, le *Texel* essuya de grosses mers et se perdit corps et biens.

Le *Java* était un bateau de taille moyenne, ni petit et rapide comme une flûte, ni énorme et traînard comme un east-indiaman. C'était un bateau lent. La traversée fastidieuse lui prit cent trente jours et il n'y avait à bord ni citrons ni choux au vinaigre. Pendant quatre longs mois, les passagers ne mangèrent que de la viande salée et le scorbut fit des ravages dans les ponts inférieurs.

Comme ils étaient meurtriers, ces réduits, bas de plafond, au-dessous de la ligne de flottaison ! L'air pur y était inconnu, la propreté impossible. Les hommes vidaient leurs entrailles dans les coins ; les enfants gisaient, blêmes et haletants, sur des grabats sales. A la hauteur de l'équateur, les températures devinrent intolérables et les agonisants mendiaient un peu d'air... Ensuite, aux latitudes plus basses, les morts en sursis pleurèrent pour des couvertures.

Le centième jour, Paul se rendit compte que Marie, son épouse, supportait assez mal la longue traversée. Son séjour dans l'appentis froid et humide des bords de l'Y, à leur arrivée à Amsterdam, avait occasionné une congestion des poumons qui ne s'était jamais vraiment guérie ; et maintenant, dans ces cales insalubres, elle s'était remise à tousser et à cracher du sang. Désespéré, Paul chercha du secours parmi les passagers. En vain : il y avait des maîtres d'école sur le *Java*, un pasteur déchu et quelques excellents fermiers, mais ni médecin ni infirmière. Il assista, impuissant, au déclin de son épouse.

— Marie, supplia-t-il, montons sur le pont. Pour respirer l'air pur.

— Je ne peux pas bouger, murmura-t-elle.

Il la souleva. Quand il vit ses genoux fléchir, il la recoucha sur le grabat puant.

Il demanda conseil aux autres femmes, mais elles ne purent que secouer la tête d'un air lugubre en voyant l'état de la huguenote. Appeler l'équipage n'aurait servi à rien, c'était une bande de misérables. Les marins hollandais compétents préféraient naviguer sur les bateaux de la Baltique, car cela leur permettait de rentrer chez eux de temps en temps. De plus, la solde était meilleure. Pour les longues traversées vers Batavia, les XVII Seigneuries devaient se contenter surtout des Allemands sans expérience que de Pré avait vus faire la queue devant les bureaux de la Compagnie. Ce n'étaient pas des marins. Ils n'avaient aucune discipline. Pendant vingt ans, ils avaient guerroyé pour leur religion d'un bout à l'autre de l'Allemagne, comment auraient-ils pu s'assagir et obéir à des ordres ? Ils comprenaient mal ce que leurs officiers hollandais leur disaient et pas du tout les émigrants français. Ils avaient toutes les peines du monde à maintenir le navire à flot — c'était eux, à coup sûr, les responsables du naufrage du *Texel :* au moment du danger, le capitaine hollandais avait sûrement crié l'ordre qu'il fallait, mais ses marins n'avaient pas réagi.

Ainsi donc, le *Java* roulait et tanguait dans l'Atlantique sud, et tous les marins priaient que le vent reste stable pour qu'on touche terre avant que tout le monde soit mort. Dans ces circonstances, il n'était guère étrange que Marie de Pré ait sombré progressivement dans l'inconscience. Son mari, frappé d'horreur, vit tous les signes de la vie s'éteindre peu à peu.

— Marie, suppliait-il. Il faut monter sur le pont. Tu dois marcher pour retrouver des forces.

Tandis qu'il discutait avec elle, trois marins traversèrent la cale empestée pour ramasser des cadavres. Paul courut vers eux, mendiant un peu d'eau fraîche pour sa femme. Les Allemands le regardèrent, entre deux grognements. On allait arriver au Cap et tous ces passagers encombrants débarqueraient enfin — en tout cas ceux qui survivraient.

Longtemps avant que l'un des marins gagne sa pièce d'argent en criant « Table Mountain », Marie de Pré tomba dans le coma et, comme il n'y avait à bord aucun pasteur digne de ce nom, Paul fit venir le consolateur des malades. C'était un Hollandais de petite taille qui avait essayé de suivre les cours de l'université de Leyde et qui avait échoué. N'ayant pas le droit de prêcher comme ministre de Dieu, il s'acquittait de sa vocation profonde en servant d'homme à tout faire de l'Église hollandaise. Et, notamment, il consolait les malades au moment de la mort.

— Mieux vaut aller chercher ses enfants, dit-il dès qu'il vit Marie.

Quand Henri et Louis apparurent, il leur prit les mains, les attira vers lui et leur dit doucement en hollandais :

« C'est l'heure de se montrer courageux.

— Pouvons-nous prier en français ? demanda Paul, espérant que sa femme serait réconfortée en entendant la langue qu'elle parlait à Caix, aux jours de son enfance.

— Bien entendu, répondit l'homme.

Mais, comme il ne parlait pas un mot de français, il fit signe à Paul de dire les prières.

« Cela la soulagera, murmura-t-il, sachant bien que Marie ne pourrait plus jamais entendre de voix humaine.

— Grand Dieu du ciel, pria Paul, nous sommes venus si

loin, dans le respect de Tes commandements. Sauve Ta fille Marie, afin que ses yeux voient la nouvelle terre où Tu nous as conduits.

Quand il eut terminé, le consolateur des malades serra les deux garçons contre lui et pria avec eux dans sa langue. Après quoi, il dit à voix basse :

— Nous pouvons appeler les marins, à présent. Elle est morte.

— Non ! cria Paul.

Et devant la frénésie avec laquelle il étreignit la femme qui l'avait accompagné si loin et avec une soumission si douce, tous se mirent à pleurer.

— Appelez les marins, dit le consolateur des malades d'une voix ferme. Et vous, mes enfants, embrassez votre mère une dernière fois.

Il les poussa vers le grabat misérable.

Peu après, deux marins allemands se frayèrent un chemin entre les passagers et enlevèrent le cadavre. Ils le soulevèrent à bout de bras et le jetèrent dans la mer. Puis le consolateur des malades fit signe qu'il dirigeait des prières publiques pour tous ceux qui pouvaient encore marcher. Un robuste marchand hollandais qui avait servi comme diacre au Vieux Temple le poussa de côté avec mépris, comme s'il n'en était pas digne, et tout le monde sur le pont courba la tête.

Quand le *Java* jeta finalement l'ancre au large de Table Mountain, Paul de Pré, avec quinze kilos de moins que le jour où il était monté à bord, se présenta au capitaine et lui demanda le dernier paiement correspondant aux plants de vigne. Mais, au lieu de lui remettre de l'argent, le capitaine apprit à Paul que Mijnheer Van Doorn avait prévu pour lui l'octroi de cent vingt arpents de terre du côté des montagnes de l'est. Et il lui montra un document qui disait ceci : « Le commandant représentant la Compagnie à De Kaap reçoit par les présentes l'ordre de concéder à l'émigrant français Paul de Pré soixante morgen de terre de la meilleure qualité, contiguë à la ferme de Willem Van Doorn, à la colonie de Stellenbosch, afin qu'il y cultive de la vigne et qu'il y fasse du vin. »

En payant de Pré avec la terre de la Compagnie plutôt qu'avec son propre argent, Van Doorn avait économisé quatre-vingt-dix florins.

Paul de Pré — l'esprit encore envahi par la mort de sa femme — était au beau milieu des plateaux désolés avant même de recevoir le choc de l'immensité de l'Afrique. Soudain, il fut assailli par la peur que l'énorme continent le repousse, le rejette à la mer. Le pays était si lugubre, le vide immense si menaçant, qu'il se mit à frissonner, comme si sa propre insolence le rappelait à l'ordre. Il serra ses fils contre lui pour les protéger de la solitude qu'il ressentait et il murmura en français :

— Jamais nos vignes ne pousseront dans ce sol maudit de Dieu.

Ce soir-là, avec le Hollandais dont il partageait le chariot, ils dressèrent le campement sur une des étendues les plus désolées des plateaux. Paul demeura éveillé, les oreilles pleines du vent qui hurlait. Du bout des doigts, il ne cessait de tâter la terre dure, stérile. Pris de peur, il se leva pour vérifier si ses plants étaient encore humides. Quand il les replaça dans leurs emballages, il songea : « Ils sont perdus. »

Mais, vers la fin de la deuxième journée, quand le chariot surchargé acheva de traverser les mauvaises terres, il bénéficia d'une vision plus aimable de l'Afrique, car ils s'avançaient à présent sur les berges d'une belle rivière bordée par de vastes prairies protégées par un écrin de collines. Il se dit : « C'est plus beau que tout ce que j'ai pu voir en France et en Hollande ! Un homme peut s'établir ici. »

Il demanda au conducteur de s'arrêter et fit descendre ses fils pour qu'ils puissent toucher la bonne terre qui allait être leur refuge. Il la filtra entre ses doigts, puis leva les yeux vers le Hollandais et s'écria en français :

— Nous ferons un vignoble si grand...

Mais comme le conducteur lui lançait un regard ahuri, car il ne comprenait pas un traître mot de ce que racontait de Pré, Paul cria, en hollandais :

« Bonne, hein ?

— Là-bas, encore meilleure ! répondit l'homme en tendant son fouet vers l'avant.

Cette nuit-là, ils campèrent près de la rivière et, le lendemain, à midi, ils virent une chose qui scella définitivement l'amour de Paul pour son nouveau foyer. C'était une ferme large et basse, construite en briques crues et en banco, si bien tassée au creux des collines qui s'élevaient derrière elle qu'elle donnait l'impression d'être là depuis toujours.

Il remarqua qu'elle était orientée nord-sud, de sorte que la façade ouest s'ouvrait vers Table Mountain, encore visible au fond de l'horizon. A l'avant, s'étendait une vaste pelouse avec de chaque côté quatre petites cabanes pour les outils, les poulets, la réserve de foin. Elles étaient disposées en angle, comme deux bras tendus pour inviter les arrivants. Dès que Paul l'aperçut, il murmura en lui-même : « Mon Dieu ! Comme j'aimerais posséder cette ferme ! »

— Est-ce que le patron a une fille ? demanda-t-il au chauffeur.

— Oui.

— Quel âge ? ajouta-t-il d'un ton neutre.

— Neuf ans, je crois.

— Oh !

Le ton de sa voix exprimait une telle déception qu'il ajouta très vite, de peur de se trahir :

« Parfait. Cela fera de la compagnie pour mes fils.

— Il a aussi des garçons. Neuf ans et huit ans.

— Intéressant.

— Mais, vous comprenez, la ferme appartient en réalité au vieux.

— Quel vieux ?

— Willem Van Doorn. Et à sa vieille épouse, Katje.

— Trois générations ?

— A travailler dans les champs, on vit longtemps.

Quand ils arrivèrent devant la ferme, le long de l'allée entre les huit cabanes, un grand Hollandais au visage large et aux manières ouvertes s'avança à leur rencontre.

— Je suis Marthinus Van Doorn. C'est vous, le Français ?

— Paul de Pré. Et voici mes fils Henri et Louis.

— Annatjie ! cria le fermier. Viens saluer nos voisins !

Une grande femme maigre, aux larges épaules et aux grosses mains, sortit de la maison. Elle avait de toute évidence quelques années de plus que son mari — elle ne devait pas être loin de la quarantaine. On voyait qu'elle avait travaillé très dur. Elle ne souriait pas facilement, comme l'avait fait son mari à l'arrivée des nouveaux colons. Ses souhaits de bienvenue furent très terre à terre.

— Voilà longtemps que nous attendons votre expérience de la vigne.

— C'est vrai ? Vous avez déjà fait du vin ? demanda son mari.

— Beaucoup, répondit Paul.

Pour la première fois, la femme sourit.

— Le père est dehors avec les esclaves, dit Van Doorn. Allons le voir.

Mais, avant qu'ils ne s'éloignent, une plainte aiguë, pleurnicharde, leur parvint de l'arrière de la maison.

— Qui est là, Annatjie ?

— Le Français.

— Quel Français ?

C'était une voix de femme, irritée qu'on ne lui ait pas expliqué les choses.

— Celui d'Amsterdam. Avec les nouveaux plants.

— Personne ne me dit rien !

Un bruit de tissu froissé, une porte qui craque : une femme aux cheveux blancs, toute voûtée, s'avança au soleil en ronchonnant.

« Alors, c'est lui le Français ?

— Oui, répondit patiemment sa bru. Nous l'emmenons dans les vignes pour qu'il fasse la connaissance du père.

— Vous ne le trouverez pas, marmonna la vieille en battant en retraite dans les ombres de la maison.

Ils le trouvèrent. C'était un vieillard infirme de soixante-cinq ans passés, marchant de travers, qui surveillait les esclaves en train de tailler les vignes.

— Père, c'est le Français qui sait faire du bon vin.

— Au bout de trente ans, ils m'envoient tout de même quelqu'un, railla le vieux.

Depuis leur première récolte joyeuse, plusieurs dizaines d'années plus tôt, on avait planté au Cap des centaines de milliers de pieds de vigne, qui assuraient l'approvisionnement local, mais même les meilleurs vins demeuraient très inférieurs à ceux d'Europe.

Le vieil homme glissa son couteau à tailler dans sa ceinture et s'avança de son pas maladroit vers le nouveau venu.

« Eh bien, voyons donc où se trouvent vos terres...

— J'ai une carte...

— Allons la chercher. Il est important de partir d'un bon pied.

Quand la carte fut étalée sur la table de la ferme, le vieil homme parut ravi.

« Jeune homme, on vous a donné la meilleure terre possible. Soixante morgen ! Avec le droit de puisage dans la rivière ! Où allez-vous construire votre maison ?

— Je n'ai pas encore vu la terre, dit Paul d'une voix hésitante.

— Allons la voir ! cria le vieillard, presque avec autant de flamme que si c'était la sienne et qu'il projetait d'y construire sa première maison. Annatjie ! Katje ! Allez chercher les enfants, nous partons voir la terre.

Et toute la colonie Van Doorn — Willem et Katje, Marthinus et Annatjie, et les enfants : Pétronella, Hendrik et le petit Sarel — s'en alla voir la terre du Français. Quand ils l'eurent bien examinée et après avoir évalué ses qualités, tous convinrent qu'il devait construire la maison au pied d'une petite butte qui la protégerait des vents de l'est.

— Je la construirai ici, en bas, s'entêta à dire de Pré.

Il ne divulgua pas la raison de son choix, mais elle était simple : quand les Van Doorn lui avaient indiqué l'endroit qu'ils recommandaient, il avait remarqué aussitôt qu'une ferme en cet endroit n'équilibrerait pas la maison déjà construite et il voulait que sa demeure soit en harmonie avec la leur, car il était convaincu qu'un jour les deux fermes devraient fusionner et il voulait qu'à ce moment-là les divers bâtiments se fassent pendant.

« Nous la construirons ici, dit-il.

Plusieurs des Van Doorn se mirent à protester que le site était manifestement peu propice, mais le vieux Willem les fit taire.

— Écoutez ! S'il met sa maison où il dit, elle fera pendant à la nôtre. La vallée sera plus belle.

— C'est vrai, dit Paul.

La construction commença très vite. Les Van Doorn envoyèrent leurs esclaves bâtir des murs comme si la maison devait être la leur et les trois de Pré travaillèrent au coude à coude avec les Malgaches basanés.

— De Pré est un Français, dit Willem d'un ton approbateur. Quand il veut quelque chose, il fait ce qu'il faut pour l'obtenir.

La maison poussa peu à peu. Les murs de briques crues étaient bien droits et les Van Doorn furent forcés de reconnaître qu'elle n'était pas seulement spacieuse, mais solide et belle.

— C'est une maison qui a besoin d'une femme, dit la vieille Katje.

Le soir suivant, au milieu du repas que le Français prenait avec eux, elle lui demanda carrément :

— Quels sont vos plans pour trouver une épouse ?

— Je n'en ai pas.

— Vous feriez mieux de vous en soucier. Regardez Marthinus — elle braqua l'index vers son fils —, il est né au Cap à une époque où il n'y avait aucune femme, absolument aucune, pour les jeunes gens. Et, quand nous sommes venus ici, à Stellenbosch, sauf qu'à l'époque ça n'avait pas de nom du tout, j'étais la seule femme à des lieues et des lieues. Alors, que faire ?

Paul regarda Marthinus, puis Annatjie, et demanda :

— Comment l'a-t-il trouvée ?

— Très simple, répliqua Katje. C'était une « nièce du roi ».

Cette nouvelle était si stupéfiante que Paul dévisagea d'une façon presque grossière la grande femme aux gestes disgracieux.

« Oui, poursuivit Katje, c'était une nièce du roi et vous feriez bien de demander qu'on vous en envoie une.

— Que voulez-vous dire ?

— Une orpheline. Amsterdam est pleine d'orphelines. Personne ne leur offre le mariage, elles n'ont pas de dot. Alors nous les appelons les « nièces du roi » : le roi leur donne une petite dot et les embarque pour Java ou Le Cap.

— Comment…

— Comment Marthinus a-t-il su que cette Annatjie-là était la sienne ? Quand la nouvelle de l'arrivée du bateau est parvenue ici, nous nous sommes tous dit que les filles se seraient envolées. Mais j'ai encouragé Marthinus : « Mon garçon, il y a toujours une chance », et il est parti au galop. Mais, quand il est arrivé au port, plus une seule fille.

Elle posa sur la table ses mains déchirées par le travail, puis sourit à son mari.

« J'étais moi aussi ce qu'on peut appeler une nièce de roi. Mon oncle m'a envoyée ici pour épouser celui-là ! Je ne l'avais jamais vu avant de débarquer. Cela fait bien trente ans...

— Mais si les filles étaient toutes parties, comment votre fils...

La vieille Katje regarda Marthinus et éclata de rire.

— La tête dure, monsieur ! Il a la tête dure. Comme son père. Vous savez que Willem a coupé quatre buissons d'amandes amères pour que nous puissions quitter Le Cap ? J'avais prédit qu'il serait pendu. « Willem, vous serez pendu », lui avais-je dit.

— Et qu'a fait Marthinus ?

— Il s'est donc rendu au bateau : plus de filles. Mais, avant de rentrer ici les mains vides, il a appris qu'un des hommes du fort n'était pas satisfait de la fille qu'on lui avait envoyée. « Je la prends ! », cria-t-il. L'un des autres hommes lui dit : « Mais tu ne l'as pas vue ! — Je la prends ! », cria Marthinus de nouveau. On alla chercher la fille et la voici.

Paul fut incapable de déceler le fond de la pensée de la vieille femme, qui tendait l'index vers sa belle-fille — de la dérision, parce qu'elle était plus âgée que son fils ? Du dégoût devant son manque de grâce ? Ou bien la fierté de constater qu'elle avait eu la force de surmonter un aussi mauvais début ?

« Voyez les beaux enfants qu'elle a eus ! dit la vieille Katje.

Et Paul remarqua que les trois petits regardaient leur mère avec amour.

Jamais il n'aurait raconté à ses fils une pareille histoire et, sur le chemin du retour dans leur maison, il fut stupéfait d'entendre Henri lui dire :

— Père, j'espère bien que, quand tu iras au bateau, tu nous ramèneras quelqu'un comme Annatjie.

Les deux petits huguenots trouvaient leur nouveau domaine encore plus fantastique que les canaux d'Amsterdam. L'espace les enchantait. Ils adoraient le spectacle fugitif des animaux sauvages dans les herbes hautes, et jouer avec les enfants Van Doorn était une joie. Mais, de tous les Hollandais, celui qu'ils préféraient était le vieux Willem. Il se déplaçait lentement dans ses vignes, sa jambe gauche traînant derrière la droite, et il toussait beaucoup — mais c'était une mine inépuisable d'histoires sur Java, les îles des Épices et le siège de Malacca.

Il leur réservait toujours des surprises : des clous de girofle, qu'ils mâchaient pour parfumer leur haleine, et des jeux avec des cordes. Il les laissait regarder les esclaves des Van Doorn, de grands Noirs d'Angola et de Madagascar... Un beau jour, il leur dit :

— Les enfants, demain soir, j'ai une vraie surprise. Vous pouvez toujours essayer de deviner ce que c'est, mais je ne vous dirai rien.

De retour chez eux, ils en discutèrent avec leur père : peut-être un cheval à eux, ou un jeune esclave qu'ils pourraient garder, ou bien une partie de chasse. Il ne parvinrent pas à imaginer ce que leur réservait le vieillard et ce fut en tremblant d'impatience qu'au coucher du soleil ils partirent à travers champs rejoindre les sept Van Doorn.

La vieille Katje se plaignit qu'on faisait beaucoup trop d'embarras pour bien peu de chose, mais personne ne révéla aux petits Français ce que serait la surprise. Ils étaient presque angoissés lorsqu'ils s'installèrent pour le dîner. Les adultes semblaient vouloir parler sans fin, tandis qu'une esclave et deux Hottentots les servaient.

— Dites-moi en quelques mots simples ce qu'est un huguenot, demanda Marthinus.

— Je suis un huguenot, répondit Paul. Ces deux enfants sont des huguenots.

— Oui, mais qu'est-ce que c'est ?

— Des Français, pour commencer. Ensuite, des protestants. Des fidèles de Jean Calvin.

— Vous avez la même foi que nous ?

— Bien entendu. Vous en hollandais, nous en français.

— J'ai entendu dire que les huguenots étaient injustement traités en France.

— Harcelés, jetés en prison et parfois tués.

— Comment vous êtes-vous échappés ?

— A travers bois, la nuit.

Tout le monde se tut.

« Et quand nous avons été en sécurité, en Hollande, votre frère Karel... C'est un homme important, vous savez, dans la

Compagnie... Il m'a renvoyé en France chercher les plants de vigne que j'ai apportés. J'ai pris mon fils Henri avec moi, pour tromper les autorités catholiques. Ce gosse a rampé dans les bois à mes côtés pour voler les pieds de vignes, et si nous avions été pris par les soldats...

— Que serait-il arrivé ? demanda le jeune Hendrik.

— J'aurais fini ma vie enchaîné au banc d'une galère. Et on aurait envoyé mon fils dans la prison où l'on change les enfants huguenots en enfants catholiques. Son frère ne l'aurait jamais revu.

— Sont-ils vraiment si cruels ? demanda Marthinus.

— Être calviniste, en France, c'est se condamner à mort.

— Nous avons connu la même chose dans notre famille, dit Willem soudain. Mon arrière-grand-père a été pendu.

— Vraiment ? demanda Louis de Pré avec admiration, sans même s'étonner à la révélation de tant de courage familial.

— Et mon grand-père est mort à la guerre, en combattant pour notre religion. Quand elle était enfant, ma mère se réunissait avec sa famille, comme nous ce soir, pour faire une chose qui lui aurait valu la peine capitale...

— Qu'est-ce que c'est ? demanda le jeune Louis.

— Elle aurait été pendue si on l'avait attrapée.

— Et que faisait-elle ?

— Soufflez les chandelles, dit Willem.

Et, quand il n'en resta plus qu'une, il alla chercher la vieille Bible dans la pièce voisine et il l'ouvrit au hasard. Les enfants se turent et il lut quelques versets en hollandais. Puis il posa les mains à plat sur les pages.

« A l'époque, dit-il aux enfants, nos grands-parents mouraient si on les surprenait en train de faire une chose pareille. Mais, parce que nous avons persisté, Dieu nous a prêté secours. Il nous a acccordé cette terre. Ces bonnes maisons. Ces vignes.

Le jeune Hendrik Van Doorn avait déjà entendu maintes fois ces récits et ils ne lui avaient fait aucune impression. Mais, en voyant le Français raconter des mésaventures semblables, il comprit que des choses fantastiques s'étaient produites en France et en Hollande et qu'il était le surgeon d'une tradition puissante. A partir de ce soir-là, à chaque allusion à l'Église réformée des Pays-Bas, il eut sous les yeux un jeune garçon en train de ramper dans un bois, un homme enchaîné à un banc de galère, un de ses ancêtres pendu et surtout un groupe familial blotti autour d'une Bible au milieu de la nuit.

« Rallumez les chandelles ! s'écria le vieux Willem. Et nous aurons la surprise !

— Bravo ! crièrent les deux petits huguenots, tandis qu'Annatjie quittait la pièce, pour réapparaître avec entre les mains un plat de terre cuite dorée, sans anses.

Quand elle s'approcha de la table, elle se tourna instinctivement vers son beau-père, qui lui fit un léger signe de tête en direction du petit Louis. Elle déposa le moule devant l'enfant, qui se pencha pour voir la belle croûte d'or, crevée ici et là par les raisins secs, les pelures de citron et les cerises confites.

— Oh ! s'écria-t-il. Je peux en avoir un peu ?

— Tu peux l'avoir tout, répondit Willem. Je l'ai fait pour toi.

Les trois huguenots le regardèrent, incapables de concevoir que ce vieux paysan tout ridé sache également confectionner de la pâtisserie. On donna le plat à Paul, pour qu'il fasse le service. Il enfonça sa cuillère dans la croûte et tout le monde applaudit.

Tandis que la famille mangeait, Paul étudia le vieux Hollandais à la dérobée. Il était perplexe : Willem s'était montré le plus généreux des voisins, il prêtait ses esclaves en cas de besoin, il riait avec les enfants et il s'avérait maintenant excellent pâtissier. Ce n'était nullement le Hollandais lourdaud et têtu auquel il s'attendait, mais il avait vraiment un défaut capital : il ne savait pas faire du bon vin. En un sens, cela n'avait rien d'étonnant, car aucun de ses compatriotes n'en était capable. Depuis des milliers d'années, les Français avaient fait du bon vin au sud de la Hollande et les Allemands à l'est, mais jamais les Hollandais n'avaient maîtrisé cet art.

— Van Doorn, lui dit Paul un jour, faire du bon vin exige quinze opérations bien précises. Et vous les avez toutes exécutées de travers sauf une.

— Laquelle ? demanda Willem en riant.

— Le sens de vos rangs de vigne. Ils prennent le soleil et se protègent du vent. Comment avez-vous pu trouver ça ?

Et il se produisit alors une chose inexplicable. Le vieillard se redressa entre ses vignes, ses bras tombèrent et des larmes lui montèrent aux yeux. Ses épaules semblaient secouées.

— Une fille me l'a appris, dit-il au bout d'un long moment. Et ils lui ont marqué le visage au fer rouge. Ici, et là. Et elle s'est enfuie dans le désert avec mes fils. Et, par la grâce de Dieu, elle est peut-être encore en vie... quelque part par là.

Il enfouit son visage dans ses mains et sa tête s'inclina.

« Je prie Dieu qu'elle soit toujours en vie.

Tant de choses étaient sous-entendues dans ce que le vieillard avait dit que Paul en conclut qu'il serait plus sage de ne rien demander. Il en revint à la fabrication du vin.

— Vraiment, Mijnheer, vous avez tout fait de travers, mais, parce que vos vignes savent que vous les aimez, elles sont restées en vie et, quand mes bons cépages se joindront à vos raisins, je crois vraiment que le mélange des moûts donnera quelque chose de bon.

— Vous voulez dire que nous pourrons faire du vin dont on ne se moquera pas à Java ?

— C'est pour ça que je suis ici, répondit de Pré, le menton fièrement relevé. Dans deux ans, on se battra pour votre vin, à Java.

Par inadvertance, il provoqua des problèmes dans la maisonnée Van Doorn. Un jour, en écoutant ses fils qui jouaient, il s'aperçut, à son plus grand désarroi, qu'ils criaient depuis plus d'une demi-heure sans avoir utilisé un seul mot de français. Ils s'étaient mis à vivre leurs vies complètement en hollandais. Il s'appliquait à leur parler en français au moment des repas et pour les prières, mais c'était sans effet : ils préféraient répondre en hollandais. Il se souvint du sermon d'adieu du pasteur dans le temple huguenot d'Amsterdam : « Surtout, accrochez-vous à votre langue... C'est l'âme de la France, le chant de la liberté. »

Quand il devint manifeste qu'aucune mesure de discipline de sa part ne permettrait à ses fils de conserver leur langue, il supplia les Van Doorn de lui venir en aide. Ils furent suffoqués de tant d'insolence.

— Vous êtes dans une colonie hollandaise, lui dit Katje carrément. Parlez hollandais.

— Quand vous voudrez enregistrer vos terres, ajouta Willem, il vous faudra le faire en hollandais. Ce n'est pas un pays français.

— Il est tout à fait normal que les services religieux soient célébrés en hollandais, continua Marthinus. Notre temple est un temple hollandais.

De Pré lui fit observer qu'à Amsterdam les Hollandais avaient non seulement autorisé la consécration d'un temple français, mais payé un salaire à un pasteur étranger.

« Il fallait qu'ils soient idiots, grommela Marthinus,

Malgré tous ces arguments, Paul continua d'estimer que la Compagnie devrait renouveler la générosité du gouvernement et accorder aux huguenots un temple bien à eux. Il se mit donc en quête d'autres Français comme lui, mais il n'en trouva aucun — et pour cause. Les XVII Seigneuries, craignant que les immigrants ne se réunissent, exactement comme de Pré se proposait de le faire, pour constituer une masse que la colonie serait incapable d'assimiler, avaient promulgué un édit afin d'éviter cette erreur.

> Les huguenots seront répartis dans la campagne plutôt qu'installés en un seul endroit et l'on mettra tout en œuvre pour déraciner leur langue. Les procédures légales, les relations quotidiennes et surtout l'éducation des enfants devront avoir lieu en hollandais et il ne sera fait aucune concession à leur langue de prédilection.

Les risques de division au sein de la colonie n'étaient pas négligeables. Certes, les huguenots étaient en nombre restreint — cent soixante-seize pour la principale vague d'immigration —, mais les Hollandais n'étaient pas très nombreux non plus. En 1688, quand de Pré et son premier groupe débarquèrent, les registres de la Compagnie ne comptaient que six cent dix Blancs (y compris les enfants en bas âge), dont une proportion effrayante était d'ascendance allemande. A certains moments, on eut même l'impression que les Allemands finiraient par submerger les Hollandais, mais deux facteurs intéressants s'y opposèrent : dans les cas très rares où un Allemand trouvait une femme à épouser, c'était invariablement une Hollandaise ; et les Allemands étaient en général des paysans sans éducation, qui acceptaient d'emblée la langue d'Amsterdam.

Mais ce ne fut pas le cas des huguenots : ils étaient en majorité cultivés et très attachés à leur langue. Si on les laissait s'agglutiner en groupes xénophobes, ils risquaient de former une minorité irréductible. Comme les Hollandais n'avaient nulle envie que cela se produise, les Français furent dispersés, certains à Stellenbosch, certains plus haut en un lieu dit Fransch Hoek et d'autres dans une belle vallée, beaucoup plus au nord. Mais, partout où ils trouvaient refuge, ils rencontraient le même acharnement à déraciner leur langue.

De Pré était bien déterminé à résister. Dans les lettres qu'il adressa aux autres colonies, il écrivit notamment ceci :

> Le bien le plus sacré d'un homme, après sa Bible, est sa langue maternelle. La lui voler, c'est voler son âme. Un huguenot pense différemment d'un Hollandais et exprime mieux cette pensée dans sa langue maternelle. Si nous ne protégeons pas notre magnifique français, au temple, dans les lois et à l'école, nous renonçons à nos âmes. Je dis que nous devons combattre pour notre langue exactement comme nous le ferions pour nos vies.

C'était de la subversion et les autorités du Cap se sentirent obligées d'envoyer des émissaires à Stellenbosch pour enquête. Après un bref interrogatoire, ces hommes proposèrent de jeter de Pré en prison, mais les Van Doorn protestèrent que c'était un bon voisin et qu'on avait besoin de lui pour faire le vin. Ce dernier point convainquit les émissaires de la Compagnie, qui sermonnèrent de Pré en audience publique :

— Vous n'échappez à la prison que grâce à l'intervention de vos amis. Souvenez-vous que votre unique devoir est la loyauté à l'égard de la Compagnie. Oubliez votre français. Parlez hollandais. Et si vous faites circuler une autre pétition incendiaire, vous serez expulsé de la colonie.

Malgré cette censure, de Pré obtint gain de cause sur l'un de ses objectifs : on accorda aux réfugiés la permission de construire un petit temple pour le pasteur huguenot venu d'Amsterdam avec l'une des flottilles suivantes. Entre ces murs blanchis à la chaux, on n'entendit parler que le français. Mais les enfants, Henri et Louis de Pré comme les autres, continuèrent de parler surtout le hollandais, et il fut manifeste que les efforts de la Compagnie pour éliminer le français seraient à la longue couronnés de succès.

Les Van Doorn et les de Pré convinrent que l'on n'aborderait plus à l'avenir le problème de langue. Chaque camp avait exposé clairement son opinion et en discuter davantage n'aurait provoqué que de l'animosité. Bien entendu, personne n'avait supposé qu'un traité de paix de cet ordre puisse être respecté par la vieille Katje et, chaque fois qu'elle donnait une sucrerie aux fils de Pré, elle leur criait :

— Dis merci comme un bon petit Hollandais !

Et les enfants répondaient :

— *Hartelijck bedanckt, Ouma !*

Un soir, elle demanda à Paul :

— Pourquoi êtes-vous venu dans un pays hollandais, si vous ne l'aimez pas ?

— Mais je l'aime ! répondit Paul. Regardez mes champs.

— Et comment êtes-vous venu ici ?

— Le frère de votre mari m'a envoyé voler des plants de vigne, je vous l'ai dit.

— Comment va le vieux brigand ?

— Katje ! protesta Willem.

— C'est bien un vieux brigand, n'est-ce pas ? Un voleur ? demanda-t-elle à de Pré.

— S'il l'est, il est encore plus malin que brigand, répondit Paul. Il a épousé l'une des veuves les plus riches d'Amsterdam.

— Ça ne m'étonne pas, s'écria Katje.

Et, quand de Pré lui révéla la ruse qui avait permis aux veuves Bosbeecq de déjouer les manœuvres de Karel pour s'emparer de leurs sept bateaux, elle éclata de rire.

« Neuf bravos pour les veuves ! s'écria-t-elle.

Elle prit sa petite-fille Pétronella sur ses genoux et lui dit d'un ton solennel :

« Si jamais tu deviens veuve, Pétra, tiens-leur la dragée haute. Garde la tête froide et dame-leur le pion.

— Grand-mère ! s'écria Annatjie d'un ton sec. Ne parlez pas ainsi à une enfant.

— Et vous aussi ! répliqua la vieille Katje. Si vous devenez veuve, ce qu'à Dieu ne plaise, prenez garde. Les femmes sont plus malignes que les hommes, beaucoup plus malignes. Seulement, dans les moments d'émotion...

— Mais vous savez, intervint Paul, les veuves Bosbeecq se méfiaient de Karel. Elles savaient que c'était un rusé compère.

Katje se pencha soudain en avant et saisit le huguenot par le bras.

— Comment le savaient-elles ?

— Elles m'avaient prévenu quand j'étais allé travailler dans sa grande maison. Elles étaient prêtes à l'épouser, vous comprenez, l'une ou l'autre, mais elles savaient que c'était un voleur... à cause de ce qu'il vous avait fait.

Il s'était tourné vers Willem. Katje lui secoua le bras.

— Que voulez-vous dire ?

— Mais... la façon dont il a volé votre mari...

Nouvelle secousse, plus forte, sur son bras.

— Volé quoi ?

— Quand il a vendu la maison de votre mère à Batavia. Tout le monde sait que la moitié de l'argent aurait dû revenir à Willem, mais il l'a gardé pour lui... Tout...

— Je le savais ! Je le savais ! cria la vieille Katje en sautant de sa chaise pour arpenter la pièce de la table à la porte. Je vous l'avais bien dit. C'est un voleur.

A mi-chemin de la table, comme figée au souvenir des jours anciens, elle s'arrêta.

« Je le lui ai dit en plein visage, cria-t-elle. « Vous nous avez volés ! »

Elle n'avait pas oublié les scènes de leur dernière rencontre, où elle avait percé à jour les manigances de Karel et de Kornélia. Elle se laissa tomber sur sa chaise, posa la tête sur la table et pleura.

— Allons, allons... murmura Willem.

— Nous aurions pu avoir cet argent. Nous aurions pu rentrer en Hollande la tête haute. Nous n'aurions pas été forcés de travailler comme des esclaves...

— Jamais je ne serais reparti, dit Willem.

Sa femme le regarda, stupéfaite, puis comprit peu à peu quand il lui demanda :

« Tu échangerais cette vallée contre une maison puante sur le bord d'un canal puant ?

Mais, à l'instant où les de Pré prenaient le chemin de leur maison, il entendit la vieille Katje haranguer encore sa famille :

— Ne l'oubliez jamais, votre oncle était un voleur. Il nous a volé ce qui vous appartenait de droit.

Et ils étaient déjà loin qu'elle tempêtait encore : elle ne s'était pas trompée sur le compte de son beau-frère en 1664.

Les enfants parlaient toujours hollandais quand ils faisaient allusion à Katje et cela finissait par agacer leur père. C'était : « Ouma nous a donné un gâteau », « Ouma a dit que nous pouvions dormir là-bas ». *Ouma* était un terme de tendresse qui voulait dire « vieille mère » et donc « grand-mère ». Et si Ouma faisait passer de mauvais quarts d'heure à son mari pour les diverses fautes qu'il avait commises ou laissé commettre dans sa vie, elle se rattrapait par son amour pour les enfants. Elle comprenait qu'il leur fallait de la discipline et elle était la première à la leur imposer, mais elle savait aussi qu'ils avaient besoin d'amour et elle était aussi indulgente à l'égard des fils de Pré que vis-à-vis de ses petits-enfants.

Un matin où Henri et Louis étaient partis à la ferme Van Doorn pour mendier des bonbons à la vieille Katje, ils rentrèrent aussitôt chez eux, tout en larmes.

— Ouma est morte ! Ouma est morte cette nuit.

Trois jours plus tard, on l'enterra au pied d'une colline et, sur le chemin du retour, Marthinus s'écria :

— Elle a eu le temps de monter au ciel. Elle doit être en train de donner des conseils de sévérité à saint Pierre.

Sa mort eut une conséquence curieuse. Le vieux Willem, se souvenant de l'insistance avec laquelle sa femme l'avait incité à agrandir la maison — peut-être pour compenser à retardement l'exiguïté de leur cabane du Cap —, décida d'accéder enfin à ce désir. Quand il annonça qu'il partait au Cap acheter un charpentier malais, son fils lui en demanda la raison. Ce fut à Annatjie qu'il répondit, comme si elle représentait la vieille Katje.

— Il est grand temps que je fasse cette maison comme elle la désirait.

Il partit de bon matin et chevaucha sans relâche pendant les heures de chaleur, pour pouvoir atteindre Le Cap avant la nuit. Le spectacle le ravissait à chaque fois. La baie s'ornait maintenant d'un quai où pouvaient accoster les bateaux, d'un nouveau fort de pierre grise, de rues bordées de solides demeures et de jardins spacieux où mûrissaient poires, citrons, oranges, prunes et pommes. Plus de la moitié des

Blancs de la colonie vivaient dans la ville, qui présentait tous les aspects d'une communauté florissante — sauf un : il n'y avait pas un seul magasin légal. Pour la Compagnie, la mission du Cap était de nourrir ses marins et de pourvoir ses bateaux de ce qui était nécessaire à Java. Tout le commerce indispensable sur place se faisait par l'entremise de la Compagnie, depuis ses bureaux. Il n'existait pas de marchands au Cap, c'était une classe exclue.

Mais Amsterdam était à l'autre bout du monde. Et les restrictions imposées à la rude colonie installée aux pieds de Table Mountain eurent, comme c'est souvent le cas, un effet diamétralement opposé aux intentions qui avaient présidé à leur adoption. A peu près tout le monde, au Cap, était devenu regrattier sous le manteau et trafiquait directement avec les bateaux de passage. Chaque maison comportait des entrepôts clandestins et les gens vendaient, troquaient et combinaient à tout va. Leur habileté était telle qu'ils vivaient uniquement du produit de ces négoces. De plus, la corruption était monnaie courante au niveau des représentants de la Compagnie, très mal payés et furieux d'être affectés dans ce poste perdu et misérable. La vénalité fleurissait jusqu'au sommet, comme en témoignaient les immenses propriétés privées exploitées par certains hommes de la Compagnie.

Les XVII Seigneuries n'avaient jamais désiré établir une colonie en cet endroit et elles ne cessaient de proclamer que les francs-bourgeois ne devaient pas outrepasser les limites formulées par les autorités, à Amsterdam. La vie matérielle et la vie spirituelle faisaient l'objet de prescriptions minutieuses. La vérité, c'était que les Seigneuries étaient à la fois déconcertées et effrayées par l'immensité de l'Afrique. La Hollande était un petit pays refermé sur lui-même et elle demeurait l'échelle selon laquelle leur entrepôt du Cap serait toujours jugé. Les Seigneuries croyaient que, si elles pouvaient, par l'entremise de leur conseil de police du Cap, imposer ce que l'on pouvait lire, prêcher dans les temples et discuter en public, elles conserveraient éternellement leur mainmise. Et elles lançaient des instructions sur la façon dont les fermiers devaient passer leurs moments de loisir et sur les toilettes que leurs femmes devaient porter; elles décidaient de l'heure à laquelle tous les citoyens devaient se coucher le soir.

Mais ce fut grâce aux règles strictes des XVII Seigneuries

que Willem eut la possibilité d'acheter un charpentier. La Compagnie avait ordonné : « Aucun Hollandais rentrant aux Pays-Bas ne pourra emmener avec lui ses esclaves. » Willem trouva l'homme qu'il lui fallait à un prix raisonnable et se hâta d'aller faire enregistrer son achat au Château — comme on appelait le nouveau fort à cinq bastions. Mais les autorités s'intéressaient davantage à Paul de Pré qu'à la validation du titre de propriété de Van Doorn sur le charpentier.

— Dites-nous... De Pré parle-t-il toujours français ?

— Pas avec nous. Nous ne comprenons pas cette langue.

— Mais avec ses enfants ?

— Quand ses enfants sont avec nous, ils parlent hollandais.

— Fait-il circuler encore des pétitions ?

— Il a trop de travail dans ses vignes.

Même si de Pré avait fabriqué des grenades, jamais Willem ne l'aurait trahi.

Non sans réticences manifestes, la Compagnie accorda l'autorisation d'acheter le jeune charpentier malais, Bezel Muhammad, dont le nom trahissait son origine mêlée — il tenait son premier nom de sa mère, une Malgache noire, et le second de son père, brun, venu de Malacca. Il parlait les jargons « petit-nègre » de cinq langues — d'ailleurs très mal —, mais c'était un maître de la scie et du maillet. Il ne quitta pas sans regret une ville qui abritait de nombreux « hommes de couleur », qu'il aimait fréquenter, mais il voyait aussi des avantages à se rapprocher de l'endroit où des arbres poussaient. Il préférait le bois d'Afrique à l'acajou de l'île Maurice et aux bois plus lourds importés de Java. Et puis les manières directes de Van Doorn lui plurent. Il lui promit :

— Je construis bon.

Au moment où ils quittaient le Château, un commis aux écritures cria à Willem :

— N'oubliez pas, vous êtes responsable de cet esclave ! Veillez à ce qu'il ne s'enfuie pas !

« Comme l'on change ! » se dit Willem en acquiesçant. « Quand Jango a voulu s'enfuir, je l'ai aidé. Mais je dois garder celui-ci, que j'ai payé de mon propre argent. »

Willem n'avait pas prévu l'effet qu'aurait ce Bezel Muhammad sur la vallée. Les enfants adoraient l'aider dans ses tâches. Ils l'accompagnaient dans la forêt à la recherche de « laurier puant », ce bois dur et sombre qui sentait si mauvais quand un arbre pourrissait, mais qui avait si belle allure une fois raboté et ciré. Annatjie, seule maîtresse de maison désormais, apprécia beaucoup son caractère serviable. Mais le plus touché de tous fut Paul de Pré.

Il découvrit très vite que Bezel était un artiste non seulement pour le bois, mais pour tout ce qui concernait le bâtiment. Et ce fut lui qui convainquit Willem d'autoriser l'esclave à remanier la façade ouest de la maison, celle qui s'ouvrait sur Table Mountain.

— Ce que nous devrions faire, Willem, c'est non seulement agrandir un peu la maison, mais l'embellir.

— C'est ce que Katje disait toujours.

— Nous le ferons pour elle, répondit Paul.

Mais souvent, en observant l'énergie déployée par le huguenot, Willem avait l'impression qu'il ne construisait pas pour Katje, mais pour lui-même. Sur les points importants, de Pré se montrait intraitable.

— Il faut garder la façade longue et basse, mais, au-dessus de la porte, nous voulons un beau pignon comme ceux que j'ai vus en Hollande.

Il esquissait les lignes gracieuses de ce fronton, déterminait sa hauteur et, tout en consultant les deux Van Doorn sur les matériaux que Bezel Muhammad utiliserait, il dirigeait en fait toutes les étapes de la construction.

Ce fut également de Pré qui eut l'idée de construire une aile vers l'arrière, à la hauteur de l'entrée principale. La maison prit la forme d'un T, avec la cuisine et les pièces de service dans l'aile de l'arrière. Quand la construction fut achevée, il effectua les finitions de ses longs murs au fumier de vache, qui durcit comme de la pierre. Une fois blanchie à la chaux, la maison fut resplendissante : le mélange de torchis et de fumier produisait une surface inégale et, après l'application de lait de chaux, les plans, les creux et les bosses des murs réfléchissaient la lumière de mille façons différentes. Tel un joyau de cristal parmi les arbres, la blancheur du fronton symbolisait la magnifique alliance hollandaise-huguenote qui était en train de constituer, avec sa forte composante allemande, le cœur d'une société nouvelle.

— Et maintenant, la surprise ! annonça de Pré, tandis que tous regardaient, ravis, leur nouvelle demeure. Ce que j'ai en tête est aussi une chose que Katje aurait aimée.

Il esquissa sur la terre battue le plan d'un *stoep* (un porche) sous lequel se reposer à l'heure où le soleil descend derrière Table Mountain. Tous convinrent que ce porche aurait vraiment plu à Katje et qu'elle s'y serait installée à la fin du jour. Et le souvenir de la courageuse vieille femme, qui avait rarement pris un instant de repos dans toute sa vie, fut donc honoré par un stoep sous lequel ses descendants s'assiéraient à ne rien faire.

— Il ne faut pas qu'il soit très haut, conseilla de Pré, parce que cela gâcherait la façade. Juste deux rangs de pierre et la largeur de deux fauteuils à bascule.

Quand il fut terminé, les Van Doorn applaudirent et, le premier soir où Annatjie essaya les fauteuils, les yeux tournés vers Table Mountain, elle dit à son fils Hendrik :

— C'est à toi qu'il appartiendra de cultiver ces champs quand ton grand-père et ton père ne seront plus là.

Plus tard, elle se souviendrait qu'à ces propos son fils avait tourné le dos au Cap, en disant :

— Grand-père voulait toujours aller par là... N'est-ce pas ?

Et le vieux Willem avait acquiescé.

— Va au-delà des montagnes, avait-il répondu à son petit-fils. Si j'étais plus jeune, je planterais ma ferme par là-bas, et au diable la Compagnie !

Bezel Muhammad réservait à la famille une surprise de son cru. Il avait trouvé plusieurs gros lauriers et une espèce de santal, et il fabriqua une grande penderie de presque trois mètres de hauteur, avec des portes poncées et cirées surmontant une série de quatre tiroirs. Les pieds de devant, sculptés, représentaient des serres d'aigle tenant un globe. Par sa seule ligne, le meuble aurait été très beau, mais l'alternance des deux bois, l'un presque noir et l'autre d'un or brillant, en faisait un objet admirable. C'était un présent à Annatjie, mais tout le monde convint que Katje aurait adoré cette *armoire*. En entendant ce mot dans la bouche de De Pré, les Hollandais le regardèrent de travers. Il en expliqua le sens, mais ils refusèrent de l'adopter.

— C'est une commode haute avec des portes, dit Marthinus.

Et ce que de Pré proposa ensuite n'était pas fait non plus pour leur plaire. Le Français entraîna toute la famille jusqu'à un endroit assez éloigné, vers l'ouest de la maison remaniée, et leur demanda de regarder sa perfection paisible, blottie entre ses collines.

— Voyez comme tout s'harmonise bien. Le fronton n'est pas trop haut, le stoep n'est pas trop large, les murs réfléchissent la lumière. C'est notre palais en Afrique.

L'image déplut aux Hollandais. C'étaient les Espagnols et les Français qui avaient des palais — et ces peuples voulaient la mort des calvinistes.

— Je ne veux pas de palais sur mes terres ! dit Marthinus.

De Pré fit comme s'il n'avait pas entendu.

— On vient de construire un nouveau palais près de Paris. Il s'appelle Trianon. Nous devrions appeler notre palais africain du même nom.

— Ridicule ! s'écria Marthinus.

— Parce que, quand nous commencerons à vendre notre vin, poursuivit de Pré d'une voix égale, nous aurons besoin d'un nom qui frappe. Et, si nous l'appelons Trianon, nous tromperons tout notre monde. Presque personne ne saura qu'il s'agit d'un vin du Cap. Les gens le prendront pour un vin français.

C'était logique et, quand de Pré vit que les Van Doorn hésitaient, il envoya Henri chercher un gros paquet cyclindrique qui se trouvait près de la porte. L'enfant fit rouler l'objet enveloppé. Paul déplia la couverture : c'était un grand fût de chêne de très belle facture, capable de contenir l'équivalent de deux barriques bordelaises. Sur la face, Bezel Muhammad avait gravé une très belle réplique de la maison au fronton et le mot TRIANON.

Le vieux Willem accepta le fût et, après l'avoir examiné sous tous ses angles, il dit :

— Nous l'appellerons Trianon. Parce que mon vin ne valait pas un fifrelin avant que ce gars-là ne vienne ici.

Dans les années qui suivirent, tandis que le vin de Stellenbosch était favorablement accueilli à Java et en Europe, Bezel Muhammad continua de fabriquer, à l'occasion, ses armoires à deux bois contrastés. Il s'attachait toujours à leur donner une ligne harmonieuse et équilibrée — et ce fut la seule forme d'art de niveau élevé qui existât dans la colonie à l'époque —, mais jamais il ne dépassa la beauté de son premier chef-d'œuvre. Il se trouvait dans la chambre de gauche, lorsqu'on entrait à Trianon, et tout le monde l'admirait.

Ses armoires étaient vendues dès qu'il les terminait et elles devinrent très prisées dans les fermes de la région de Stellenbosch. L'esclave qui les faisait était très sollicité chaque fois qu'on voulait construire un pignon ou agrandir une maison, et cela ne plaisait guère à Annatjie. Certes, elle ne voyait aucun mal à ce que sa famille tire profit du travail de leur esclave — Marthinus vendait les armoires et gardait tout, hormis quelques rix-thalers. Ce qui la contrariait, c'était qu'un homme de ce talent reste sans femme. Mais comment aurait-elle pu lui en trouver une ?

Quand elle souleva la question, un soir au dîner, Marthinus lui dit :

— La plupart des hommes qui viennent ici sont sans femme. Regarde de Pré.

— Oui, répondit-elle. Et je m'inquiète aussi pour lui.

— Qu'il prenne une nièce du roi. Comme j'ai fait.

Et, un soir où de Pré vint dîner chez eux, elle prit son courage à deux mains :

— Il est temps que vous demandiez à la Compagnie de vous envoyer une femme, Paul. Vous pourriez écrire à Karel. Il vous trouverait quelqu'un.

— Ça m'étonnerait ! dit Willem d'un ton sombre.

— Mais il ne peut pas vivre toujours seul, insista Annatjie.

Elle se montra si convaincante que de Pré rédigea une lettre déférente pour demander à son ancien employeur de lui envoyer une épouse. Un an plus tard, Trianon apprit que Karel Van Doorn était décédé et que les veuves Bosbeecq héritaient de ses biens.

Et Annatjie consacra donc toute son attention sur Bezel : elle envoya des lettres au Cap, demandant s'il n'y aurait pas à vendre quelque esclave musulmane — ou noire, étant donné que le charpentier était à moitié noir —, mais ce fut sans succès et Bezel continua de vivre seul, construisant les maisons et les meubles qui devaient faire la renommée du bourg élégant de Stellenbosch.

Il y avait un beau temple, à présent, des rues larges bordées de jeunes chênes et une vingtaine de jolies petites maisons, dont les sols étaient lissés et brunis à la bouse de vache. Il ne ressemblait en rien à la Hollande et pas trop à Java. C'était un petit bijou de village, unique en son genre, né de l'expérience sud-africaine. Aucune maison ne surpassait en beauté celle que l'on appelait Trianon.

Puis, une famille de fermiers vint s'installer dans les environs, avec une fille à marier : Andries Boeksma et la jolie Sibylla.

— Elle est la réponse de Dieu à nos prières, dit Annatjie à Paul dès qu'elle apprit la bonne nouvelle.

Sous le bon prétexte d'apporter des épices aux nouveaux venus, elle étudia Sibylla et, quand la carriole revint à Trianon, Annatjie était radieuse.

— Paul, Marthinus ! Elle est exactement le reflet de nos souhaits.

Elle insista pour que les deux hommes s'habillent convenablement, tuent un agneau et aillent l'apporter aux Boeksma. Elle mourait d'envie de se joindre à eux, mais elle sentit qu'en agissant ainsi elle risquait de trahir l'intérêt qu'elle portait à la rencontre de Sibylla et du veuf huguenot.

— Que s'est-il passé ? demanda-t-elle, impatiente, dès qu'elle fut seule avec son mari, après leur retour.

— Je ne comprends vraiment pas, répondit Marthinus. Ils se sont déplu d'emblée. Ils ont été à peine polis.

— Qu'est-ce qui a pu se produire ?

— Eh bien, Boeksma m'a raccompagné jusqu'à la carriole pendant que Paul disait au revoir à Mevrouw et il m'a confié que Sibylla n'épouserait jamais un Français. Ensuite, sur le chemin du retour, Paul m'a avoué qu'il ne s'intéressait pas à cette fille. Il s'est montré catégorique. Il m'a dit : « Jamais. »

Par le plus transparent des stratagèmes, Annatjie tenta de provoquer malgré tout une idylle entre Sibylla et Paul. Elle invita les Boeksma deux fois à sa table et leur prêta Bezel pour la construction de leur maison, mais Paul se refusait à parler de Sibylla et la jeune fille semblait très mal à l'aise en sa présence. Très vite, elle se fiança à un veuf habitant du côté nord de la ville et Paul demeura encore sans femme.

Lorsqu'il confia ses fils à Annatjie pendant deux semaines pour pouvoir se rendre à Fransch Hoek, elle était convaincue qu'il partait à la recherche d'une épouse parmi les autres huguenots, mais il revint seul et elle s'aperçut qu'il ne s'était occupé que d'assemblées et de réunions — ce n'était pas la première fois ! — en faveur de l'ouverture d'une école française. Quand Marthinus lui en fit le reproche, il répéta, têtu :

— Qui perd sa langue perd son âme.

Deux intérêts communs unissaient les deux familles : leur désir de produire du bon vin et leur foi ardente dans le calvinisme. A l'instar de tous les huguenots, Paul était d'une dévotion fanatique et, comme son expérience de la répression était récente, il se montrait souvent beaucoup plus farouche que ses voisins hollandais, dont aucun n'avait connu personnellement les persécutions espagnoles. Si les Hollandais de Stellenbosch avaient désiré assouplir l'austérité de leur calvinisme, les immigrants huguenots auraient protesté. En Hollande même, les Hollandais faisaient des gestes de conciliation à l'égard des catholiques, notamment pour leurs voisins allemands, et, à l'occasion, un écho de ce libéralisme se manifestait au Cap : quand les bateaux français faisaient escale dans la baie, par exemple, leurs officiers et leurs équipages étaient traités avec respect bien qu'ils fussent catholiques. Mais, pour les huguenots, cette religion demeurait inqualifiable et toutes les décisions prises par leur congrégation devaient être diamétralement opposées à Rome.

Cette emprise de la religion apparut clairement lorsqu'une bande de voleurs s'attaqua au bétail des fermiers de Stellenbosch. Il s'agissait d'une horde sauvage de bannis, d'esclaves marrons et de Hottentots renégats. Ils se glissaient dans les kraals des Hollandais et, en quelques nuits, enlevaient les plus belles bêtes des troupeaux.

Les fermiers des environs se rassemblèrent pour riposter, mais leurs efforts n'eurent que peu d'effet sur une frontière de plus de cent lieues et il fallut convoquer la milice bourgeoise pour lancer une offensive sérieuse. Tous les adultes mâles du district se présentèrent à Stellenbosch et ce fut à cette réunion que le fermier Boeksma arriva avec trois de ses serviteurs hottentots équipés et armés pour la guerre.

— De la folie ! s'écrièrent plusieurs anciens de la colonie. Vous avez entendu ce que le gouverneur nous a dit : « Leur permettre de porter les armes, c'est leur offrir le couteau avec lequel ils nous trancheront la gorge. »

— Il parlait des esclaves, leur rappela Boeksma.

Au cours des années, les Hollandais avaient eu tellement

d'ennuis avec leurs esclaves, qui s'entêtaient à préférer la liberté, que l'on avait fini par instituer les châtiments les plus insensés : quand une femme noire provoquait la colère des autorités, le commandant ordonnait qu'elle soit mise à nu, brisée sur la roue, puis attachée au sol pendant qu'on arrachait ses seins avec des tenailles rougies à blanc ; après quoi on la pendait, on la décapitait, puis on l'écartelait. Parfois, certains colons protestaient contre une telle barbarie et le commandant accordait alors sa clémence : la femme était simplement cousue dans un sac de grosse toile et jetée dans la baie, où elle se débattait pendant une demi-heure avant de se noyer.

— Jamais nous ne devons armer des esclaves, prévint un homme prudent.

— Mais ce ne sont pas des esclaves, insista Boeksma. Ils sont loyaux. Ils croient en moi comme mes propres enfants.

Les serviteurs armés gardaient le silence. L'un était manifestement un Hottentot, mais les deux autres étaient des « hommes de couleur » et, quand Boeksma affirmait qu'ils faisaient partie de sa famille, il disait la vérité, car il n'existait plus, dans la région, ni tribus ni chefs à qui ils pussent prêter allégeance, ni territoire ni être humain en dehors de *Groot Baas** Boeksma. Ils avaient accepté son Dieu, son Église et son mode de vie, comme en témoignait tous les jours la langue dans laquelle ils s'exprimaient : un mélange très intéressant de hollandais, de malais, de portugais et de hottentot. C'était un bon patois et il leur rendait tous les services d'une langue, dans les champs comme à la cuisine. Tous les fermiers n'avaient pas les moyens d'acheter de nombreux esclaves, mais le premier colon venu était en mesure d'attirer quelques familles de Hottentots-« hommes de couleur ». Ils travaillaient dans les champs, ils servaient à table, ils s'occupaient des bébés et surveillaient les enfants, ils les grondaient au besoin et ils leur donnaient des conseils — dans la langue qu'ils étaient en train de forger à partir de leurs horizons disparates.

Mais l'idée d'armer des non-Blancs, si placides fussent-ils, demeurait révolutionnaire. Entre Boeksma, qui voulait le faire, et les têtes les plus sages qui s'y refusaient, c'était l'impasse. Ce fut le huguenot de Pré qui trancha le débat :

— Je crois me souvenir d'un passage de notre Bible. Au cours des années où Abraham portait encore le nom d'Abram, son neveu Loth eut des ennuis et l'on discuta pour savoir comment le commando irait le sauver. N'est-il pas dit qu'Abraham a armé ses serviteurs et s'est mis en route pour sauver son neveu ?

Aucun Hollandais ne se souvenait de cet incident, mais tous convinrent que, si Abram avait réellement armé ses serviteurs, ils pouvaient bien faire de même. Ils consultèrent donc Willem, qui offrit sa Bible aux hommes troublés. Au chapitre quatorze de la Genèse, de Pré trouva les instructions précises qui leur traçaient la voie. Mais, comme il avait des difficultés à lire le hollandais, il faillit tout gâcher en disant :

« En français, c'est plus clair.

Jamais ses voisins n'avaient imaginé que la parole de Dieu ait été formulée dans une autre langue que le hollandais.

> Et, quand Abram entendit que son frère était captif, il arma ses serviteurs fidèles, nés dans sa propre maison, au nombre de trois cent dix-huit, et il mena la poursuite [...]. Et il ramena tous les biens et il ramena aussi son frère Loth et ses biens, ainsi que les femmes et les gens...

Mais, ce qui frappa le plus ces hommes pieux, ce fut que, lorsqu'ils réunirent tous les serviteurs de la région de Stellenbosch capables de combattre, ils en comptèrent exactement trois cent dix-huit.

— C'est une révélation, s'écria Andries Boeksma. Une révélation de Dieu lui-même ! Il y a mille ans, non : dix mille ans, prévoyant nos difficultés, Il nous a ordonné d'armer nos serviteurs.

Il demanda aux hommes de prier, d'exprimer leur reconnaissance pour cette inspiration divine. Quand ils se relevèrent, ils organisèrent leur expédition punitive et, pour chaque animal que les Hottentots avaient pris, les Hollandais en ramenèrent trois.

De ce jour-là, aucun commando ne partit en expédition punitive sans son complément de combattants hottentots-« hommes de couleur ». Et rares étaient les fermiers qui s'aventuraient dans le désert sans traîner dans leur sillage des familles à la peau sombre. Pendant des générations, cette alliance se maintiendrait, parfois fortifiée par des liens de sang quand des hommes solitaires éprouvaient le besoin d'une compagnie, mais le plus souvent fondée sur une sorte de servitude acceptée et amicale — car ils étaient, comme l'avait dit Boeksma, « loyaux ». Quand les Hollandais se déplaçaient, ces petits hommes et ces petites femmes à la peau sombre restaient souvent invisibles, et ils ne mangeaient jamais à la table des maîtres, mais ils étaient là, à trois pas derrière le Groot Baas.

Willem n'accompagna pas le commando et il avait une bonne raison pour s'y refuser : il espérait encore qu'une forme de paix pourrait s'instaurer entre les colons blancs et les hommes bruns.

— Vous n'êtes plus un bon Hollandais ! railla Andries Boeksma au retour du commando victorieux. Vous ne pensez pas comme un homme de Hollande et vous n'agissez pas comme un homme de Java.

— C'est aussi mon opinion, répondit Willem. Je crois que je suis un Afrikaner.

— Un quoi ? s'écria Boeksma.

— Un Afrikaner. Un homme de l'Afrique.

Ce fut la première fois dans l'histoire que cette épithète fut utilisée et personne ne la porterait jamais à meilleur droit. Le jour où la maladie chronique de poitrine, aggravée par le nombre d'heures passées à cheval, cloua Willem sur son lit d'agonie, il conseilla à ses petits-enfants de ne jamais se battre contre les Hottentots.

— Partagez l'Afrique avec eux en paix...

Son lit se trouvait dans la chambre de gauche, en face de la première armoire de Bezel Muhammad, et il passa ses dernières heures de souffrance à étudier une fois de plus l'équilibre magnifique entre les deux bois, le sombre et le clair — présage à ses yeux de ce que pourrait devenir ce pays qu'il avait découvert et où il s'était établi.

Aucune glose biblique ne vint en aide aux Van Doorn lorsque survint la grande catastrophe, et les enseignements de l'Église hollandaise réformée ne furent d'aucun secours non plus. Par un matin de printemps où Marthinus travaillait dans les vignes (les trois de Pré étaient plus loin), la cloche de la maison se mit à sonner avec fureur. Il crut à un incendie et il courut vers la grande maison en appelant de Pré à tue-tête.

Mais, quand il arriva, il trouva Annatjie, debout, le visage écarlate, seule dans la cuisine avec Pétronella.

— Les garçons, à la porte ! dit brusquement Annatjie.

Et les deux enfants sortirent. Hendrik, âgé maintenant de treize ans, se douta que l'affaire urgente avait quelque chose à voir avec les bébés.

« Elle veut se marier avec Bezel Muhammad ! gémit Annatjie quand les enfants furent partis.

Marthinus se tourna vers sa fille de quinze ans. Elle hocha si vigoureusement la tête que ses nattes voletèrent. On eût dit une fillette.

Marthinus s'assit.

— Tu veux épouser un esclave ?

Sa fille hocha de nouveau la tête.

« Il le sait ? demanda-t-il, ajoutant sans lui laisser le temps de répondre : Est-ce que vous êtes *obligés* de vous marier ?

Elle secoua la tête et tendit les mains vers son père.

— Je l'aime et c'est un homme bon.

Marthinus parut ne pas entendre.

— Je pourrais te trouver une douzaine de bons maris au Cap.

— Je sais, répondit Pétronella, mais je ne serais pas heureuse avec eux, Père.

Le ton avec lequel elle dit « Père » fit fondre Van Doorn. Il ouvrit les bras.

— Avant de mourir, le vieux Willem m'a dit qu'il avait voulu épouser une esclave. Il m'a avoué qu'il avait regretté de ne pas l'avoir fait tous les jours de sa vie. Oh, il aimait la vieille Katje, tout le monde le voyait, mais...

— Alors, je peux l'épouser ?

Marthinus se tourna vers Annatjie, une femme qui avait contracté un mariage presque aussi bizarre : dans son cas, elle avait accepté un mari blanc qu'elle n'avait jamais vu. Pétronella voulait prendre un mari brun-noir qu'elle connaissait depuis trois ans. Annatjie haussa les épaules et la jeune fille crut que son mariage était accepté. Mais son père lui dit doucement.

— Laisse-nous, Pétronella.

Dès qu'elle eut disparu, il souleva des questions trop délicates pour ses oreilles :

« Vous savez ce que la Compagnie pense des Blancs et des Noirs...

— La Compagnie ne s'occupe que de ses marins et de ses soldats qui se glissent dans les logements des esclaves, répondit Annatjie avec mépris.

— Et des hommes comme Boeksma.

— Nous savons tous ce que fait Boeksma avec ses servantes.

— Pour Pétronella, c'est différent. Elle est amoureuse de son esclave.

Dans sa perplexité, Marthinus se tourna vers sa Bible. Il n'y trouva aucune ligne de conduite. Abraham avait épousé son esclave Agar et leur descendance avait peuplé la moitié de la terre, mais ils ne purent trouver aucun exemple de femme israélite prenant un esclave pour mari. Il y avait, bien entendu, les fulminations répétées contre les Israélites qui épousaient des Cananéennes, mais rien sur l'inverse. Il semblait bien que Dieu se souciait beaucoup plus du sort des jeunes gens que de celui de leurs sœurs. Ils trouvèrent même dans Esdras un texte obscur où Dieu, par la bouche de Son prophète, ordonnait à tous les hommes de répudier leurs femmes étrangères. Et il lut à voix haute cette liste extraordinaire de près de cent hommes qui avaient pris des épouses parmi les filles de Canaan.

> Et parmi les chanteurs aussi, Eliacin; et parmi les portefaix, Shalum, Télem et Uri. [...] Et ils jurèrent qu'ils répudieraient leurs épouses; et étant coupables, ils offrirent un agneau du troupeau pour leur transgression.

En fin de compte, Marthinus comprit que la décision devrait être prise par les seuls Van Doorn et qu'une fois prise il leur faudrait la défendre contre toute opposition que pourrait susciter la communauté. Un après-midi, il demanda à sa femme de s'asseoir près de lui à la table de la cuisine et il fit venir les jeunes amoureux.

— Êtes-vous déterminés à vous marier ? demanda Marthinus.

— Oui.

Les Van Doorn, bras croisés, se tenaient en face du couple et, plus ils regardaient Bezel, plus il leur paraissait acceptable.

— Tu es propre et tu travailles dur, lui dit Marthinus. Tu es un bon charpentier.

— Tu ne chantes jamais de louanges sur ce que tu fais, mais je vois bien que tu aimes ton travail, lui dit Annatjie. C'est comme si tu combinais le meilleur de tes deux races : tu es solide comme les Noirs et poétique comme les Malais.

— Et tu représentes aussi deux problèmes très difficiles, ajouta Marthinus d'un ton de mauvais présage.

Quand Pétronella lui demanda lesquels, il répondit :

« Tout d'abord, il ne peut pas épouser une femme blanche tant qu'il reste esclave.

— C'est simple, dit-elle. Affranchissez-le.

— Oh, pas si simple que cela. Bezel, il faut que tu achètes ta liberté.

L'esclave avait prévu cet obstacle. Il fit signe à Pétronella, qui sortit des plis de sa robe un sac de toile contenant des écus. Elle le vida sur la table.

« Comment les as-tu obtenus ? demanda Marthinus.

— Avec les armoires qu'il fait, expliqua Pétronella. J'ai mis l'argent de côté pour lui.

La tête basse, Marthinus glissa la main sur les pièces, mais ne les compta pas. Au bout d'un instant, il s'éclaircit la gorge et repoussa l'argent vers sa fille.

— Il est libre. Garde les pièces. Mais, ajouta-t-il d'une voix sévère, le mariage reste impossible s'il n'est pas chrétien.

— Il accepte de le devenir, répondit Pétronella.

— C'est à Bezel que je parle.

— Je crois que je suis déjà chrétien, dit Bezel.

On lui posa des questions et tout le monde autour de la table comprit qu'il disait la vérité, mais, quand ils prirent contact avec le prédikant pour qu'il le confirme, Paul de Pré eut vent de la négociation et fut pris d'une rage démente.

Il était si avide de prendre possession du Trianon — une maison qu'il avait presque construite et des vignes qu'il avait sauvées — qu'il avait sans rien dire nourri des projets à l'égard de Pétronella. Certes, elle n'avait que quinze ans et il en comptait trente-quatre, mais, sur une frontière comme celle-là, où les femmes mouraient souvent en couches, il n'était pas rare de voir un patriarche prendre quatre femmes l'une après l'autre. L'épousée avait toujours dix-sept ans et l'homme devenait de plus en plus vieux. Il avait donc songé très sérieusement à Pétronella et voici qu'il apprenait, dans la consternation, qu'elle était sur le point d'épouser un esclave !

Comme un forcené, il courut jusqu'à Trianon et franchit en trombe les portes qu'il avait reconstruites.

— Je viens demander la main de votre fille.

— Elle est déjà prise, dit Annatjie.

— Muhammad ? L'esclave ?

— Oui.

— Mais le mariage n'a pas eu lieu !

— Peut-être non, peut-être oui, répondit Annatjie d'un ton calme.

— Vous ne laisseriez jamais un esclave...

— Peut-être oui, peut-être non, répliqua-t-elle.

Et quand il se mit à jeter feu et flammes, elle lui déclara sans la moindre colère :

« Voisin de Pré, vous vous rendez ridicule.

Paul en appela à Marthinus, mais celui-ci se souvenait trop bien des dernières paroles de son père mourant sur l'importance du mariage à l'orée d'un désert : « Tu diras à Hendrik et à Sarel de se trouver les meilleures femmes possibles et de s'accrocher à elles. Je n'aurais pas pu vivre ma vie sans les chants de Déborah dans mon oreille. Je n'aurais jamais construit ce refuge sans l'aide de Katje. »

— Je crois que nous laisserons les choses se régler d'elles-mêmes, répondit Marthinus à de Pré.

Pendant cinq mois, le huguenot ne remit pas les pieds dans les vignes de Trianon, mais, à l'heure des vendanges, quand il fallut mêler les raisins pour que les moûts plus corsés de Trianon donnent du caractère à la récolte plus souple de De Pré, Paul ne put prolonger son absence. Ce fut lui qui opéra la sélection finale :

— Ce vin en barriques pour les esclaves de Java. Mais la bonne qualité, pour l'Europe.

Ce fut avec cette récolte-là que le nom de Trianon commença à se faire respecter, même à Paris et à Londres.

Annatjie devait être la première à percer le grand dessein de Paul de Pré. Elle avait la tête sur les épaules et, dès son enfance, elle avait appris à calculer ce que les autres avaient envie de lui faire. Plus d'une fille célibataire, à l'orphelinat, avait peur d'émigrer en Guyane ou en Afrique australe, mais elle, non : elle avait bien senti que c'était la seule issue possible et elle ne s'était jamais plainte des conséquences de son acte. Au Cap, quand, après l'avoir choisie, l'homme l'avait rejetée, elle n'avait pas éclaté en sanglots. Elle était sûre que quelqu'un d'autre voudrait bien d'elle, dans cette colonie perdue. Quand Marthinus s'était présenté pour la réclamer, elle n'avait pas montré la moindre surprise.

Elle se souvenait encore de sa première longue chevauchée sur les plateaux. Comme ils semblaient sinistres ! Ils bannissaient tout espoir. Mais, aux pires moments, elle avait compris que quelque chose de beaucoup mieux l'attendait plus loin. Elle avait serré les dents et crispé ses mains sur les rênes. « Il ne se serait jamais installé ici si toute la terre était comme ça », s'était-elle dit, et, quand la rivière était apparue, avec ses grues et ses ibis gracieux arpentant les berges, avec toutes les espèces imaginables de canards sauvages plongeant dans son cours, elle n'avait ressenti ni soulagement ni triomphe : c'était ce à quoi elle s'attendait.

Sa vie avec Katje n'avait pas été toujours facile, car cette femme querelleuse adorait se plaindre en toute circonstance. Elle accusait sa bru d'être trop paresseuse ou trop souillon, mais, après deux ou trois rudes batailles où Annatjie n'avait pas lâché pied, Katje s'était aperçue qu'elle avait une maîtresse femme sous son toit et les deux Hollandaises avaient cherché des compromis. Souvent, quand il fallait qu'une chose soit faite vite et bien (c'est-à-dire à son idée), Annatjie n'hésitait pas à repousser Katje de côté. La première fois, la belle-mère avait explosé, mais Annatjie lui avait crié pardessus son épaule, sans interrompre son travail :

— Hurlez tout votre saoul, mais ne restez pas dans mes jambes !

Plus tard, quand elle eut ses trois enfants, Annatjie devait apprécier beaucoup la présence de Katje, car elle se révéla une grand-mère aimante, qui apprenait les bonnes manières aux enfants tout en les gavant de sucreries.

Les relations d'Annatjie avec Willem avaient été beaucoup plus paisibles. Elle avait pitié du vieux fermier infirme et elle admirait le courage avec lequel il s'occupait de ses vignes, sans jamais se plaindre de la douleur qui l'obligeait à marcher de travers, toujours prêt à assister les nouveaux colons qui s'installaient dans la région de Stellenbosch. Elle l'avait aidé à construire les cabanes qui s'étaient accumulées autour du corps de ferme : un appentis pour les pigeons, un autre pour les outils, un troisième pour conserver le grain. Elle aimait ce dur travail parce que, pour chaque bâtiment qui s'élevait, elle sentait que les Van Doorn affirmaient davantage leur mainmise sur la terre. Plus que Marthinus, elle représentait l'Afrique du Sud telle que l'avait rêvée Willem.

Avec ses trois enfants, c'était une mère sévère. Elle tenait à ce qu'ils travaillent la terre avec les esclaves et les Hottentots pendant la journée, et elle leur faisait répéter leur alphabet le soir, quand la table était débarrassée. Elle avait une peur irraisonnée qu'ils restent illettrés et elle leur faisait lire l'unique livre que possédait la famille : la grosse Bible dont les mots hollandais étaient imprimés en lourds caractères gothiques. Pour un enfant de sept ans, essayer de les déchiffrer, c'était comme percer un code secret. Mais savoir lire était la marque distinctive d'un être humain de qualité et, patiemment, Annatjie faisait ânonner sa progéniture. Sur ce point, elle réussit. Mais, dans sa résolution à faire d'eux des fermiers durs à la tâche comme ceux qu'elle avait connus en Hollande dans sa jeunesse, elle échoua. En effet, avec les années, les Blancs d'Afrique s'habituèrent à voir des dos noirs se courber dans les champs. Le travail était divisé — par l'ordre de Dieu, semblait-il —, de sorte que les Blancs comme les Van Doorn pouvaient superviser le travail pendant que les esclaves et les serviteurs trimaient. L'expression « C'est un travail de Nègre » devint de plus en plus courante.

Mais Annatjie constata bientôt, désespérée, qu'Hendrik ne montrait aucun intérêt réel pour la lecture. Il n'apprenait que par force. Pour une raison qu'elle ne comprenait pas, il était attiré par le désert : il suivait les pistes des animaux, il explorait les vallées encore inoccupées... Elle se demandait souvent ce que serait sa vie, car il n'était pas discipliné comme les petits de Pré. Il avait un caractère vif et un entêtement digne de celui de son grand-père. En fait, le seul aspect positif de son tempérament avait été son affection pour le vieillard. C'était lui qui avait écouté avec le plus de passion ce que Willem racontait du siège de Malacca et de ses voyages jusqu'au Japon. Les petits de Pré écoutaient toujours avec avidité les nouvelles de cette France lointaine que leur père avait connue, mais les enfants d'Annatjie se contentaient de l'Afrique.

Elle avait toujours aimé Pétronella avec une tendresse particulière. La jeune fille lui ressemblait beaucoup : obstinée, serviable, pleine d'égards pour les autres et d'une immense capacité d'aimer. C'était tout cela qu'Annatjie avait en tête lorsqu'elle avait envisagé le mariage de sa fille avec Bezel Muhammad — homme libre et chrétien. Elle avait appris à regarder non la peau d'un homme, mais son âme. Et, lorsque le fermier Boeksma révéla son âme, elle sourit sans rien dire. Cet homme hypocrite faisait de beaux discours au temple, mais, à la maison, il avait trois petites servantes café au lait qui lui ressemblaient comme trois gouttes d'eau. Leurs grands-pères noirs chevauchaient à ses côtés dans les expéditions contre les voleurs ; leurs mères noires le servaient à table. Mais il dénonçait le mariage que se proposaient de célébrer les Van Doorn !

— D'accord, quand un homme est sous pression, il dort avec une esclave. Mais, par Dieu, ça ne s'épouse jamais.

Tout de suite, un autre fermier le corrigea.

— Ce que vous voulez dire, Andries, c'est que les Blancs peuvent dormir avec les Noires. Jamais les Blanches avec les Noirs.

Tout le monde approuva dans l'enthousiasme et Boeksma se crut en mesure d'interdire le mariage. Il y serait peut-être parvenu — sans deux bonnes raisons : les gens de l'endroit avaient besoin du vin de Marthinus et des armoires de Bezel Muhammad. Et l'esclave devint libre, le Noir épousa la Blanche et toute la communauté en profita — de plus d'une manière inattendue.

Peu après la noce, Boeksma alla voir Annatjie pour une requête intéressée :

— Mevrouw, laisserez-vous votre esclave me faire une armoire de laurier ?

— C'est un homme libre. Demandez-le-lui directement.

Bezel accepta la commande et la beauté de cette pièce énorme ravit Annatjie. C'était à son avis la plus belle œuvre de son gendre. Avec une joie secrète, elle le regarda la charger sur la carriole pour la livrer à l'homme qu'il avait eu pour adversaire.

Une fois sa fille mariée, tous les soins d'Annatjie se

reportèrent sur le petit Sarel, dont le côté excessivement taciturne l'avait inquiétée dès sa tendre enfance. Tant qu'elle n'avait pu le comparer qu'à Hendrik, lui-même très silencieux, elle pouvait se dire : « Sarel est un bon petit garçon. Il n'attire pas beaucoup l'attention, c'est tout. » Mais, quand elle put le juger par rapport aux petits de Pré, les déficiences de l'enfant devinrent manifestes. Il parlait plus lentement, il réagissait avec retard aux influences extérieures et jamais il ne se mettait en colère comme tous les garçons. Elle n'était pas prête à reconnaître que Sarel était un peu simple d'esprit et elle se serait battue avec toute personne qui aurait osé le prétendre, mais elle s'inquiétait vraiment. « Il est lent à se développer, se disait-elle. Il ne faut pas le comparer aux autres. »

Annatjie elle-même était sans vanité, ni envie, ni rancune. C'était une femme née sans avenir, qui avait trouvé par hasard une existence infiniment meilleure que tout ce qu'elle escomptait en fait : un mari jeune qui l'appréciait, un fils aîné qui promettait de devenir un homme remarquable et des beaux-parents à tous égards exceptionnels. De plus, elle vivait dans une vallée sans équivalent dans toute l'Afrique australe et dans une maison que le monde entier saluerait plus tard comme un chef-d'œuvre de l'invention des Hollandais du Cap.

Elle était donc tout à fait capable de contrer de Pré, si résolu qu'il fût à vouloir rassembler toutes les terres de cette vallée en un seul vaste domaine, dont la partie essentielle serait les vignes de Trianon. Les Van Doorn possédaient les soixante morgen de leurs débuts, plus cent vingt autres acquis depuis leur installation dans la vallée. Paul de Pré avait seulement les soixante morgen que Karel Van Doorn lui avait concédés au lieu de le payer en espèces, mais il projetait déjà de reprendre une autre ferme et il avait un œil sur plusieurs parcelles de terre non réclamées, situées au-delà.

Il avait voulu épouser Pétronella pour acquérir une sorte de droit sur Trianon et il avait été éconduit. En fait, Annatjie l'avait insulté en lui disant qu'il se rendait ridicule, mais cela ne l'avait pas détourné de son ambition et, un soir, quelques mois après les obsèques du vieux Willem, il vint faire aux Van Doorn une proposition étonnante :

— Pourquoi ne pas fusionner les deux propriétés? Je

donnerai la mienne et nous pourrions cultiver les vignes d'un seul tenant.

— Mais vous ? Que ferez-vous ? demanda Marthinus.

— Je travaillerai avec vous. Nous ferons de Trianon le meilleur vignoble hors de France.

— Vous abandonneriez vos morgen ?

— Nous serions associés. Quelle différence, que l'un possède ce bout de terre et l'autre celui-là ?

— Mais nous avons cent quatre-vingts morgen, répondit Marthinus, et vous seulement soixante. Drôle d'association.

— Si je cesse de m'occuper de vos raisins, que valent vos morgen ?

— Nous ferons venir autre chose. Mais jamais nous ne céderons notre terre.

— Réfléchissez ! répondit de Pré.

Trois semaines plus tard, personne n'ayant abordé de nouveau le sujet, le huguenot annonça un soir :

— J'ai maintenant cent six morgen et j'en aurai bientôt deux cents.

Après son départ, Annatjie envoya les enfants se coucher et parla sérieusement à son mari.

— Je suis sûre que Paul tire des plans pour s'emparer de Trianon. Il a reconstruit notre maison à son goût. Il lui a choisi un nom. Il a dessiné le motif de nos fûts. Et ses esclaves travaillent les vignes mieux que les nôtres. Je me suis souvent demandé pourquoi il n'a jamais planté de haie entre nos propriétés. Maintenant, je le sais.

— Je crois qu'il a simplement envie de meilleures relations entre nous. Comme il l'a dit : cultiver les vignes d'un seul tenant.

— Marthinus, c'est un paysan. Un paysan français. Et les paysans français n'abandonnent pas facilement leurs terres. Jamais.

Comme son mari se mettait à défendre le huguenot, elle l'interrompit :

« Souvenez-vous en quels termes vous avez défendu vos terres quand il nous a proposé cette association. Vous avez dit : « Jamais nous ne céderons notre terre. » Pourquoi ? A cause des sacrifices du vieux Willem pour obtenir cette propriété ? A cause des longues années de labeur de la vieille Katje ici ? Si vous aimez votre terre, Marthinus, Paul de Pré adore la sienne. Et s'il accepte de nous la céder, c'est seulement parce qu'il croit avoir trouvé un moyen de mettre la main sur l'ensemble du domaine par la suite.

Marthinus réfléchit. Annatjie et lui étaient plus âgés que de Pré et donc mourraient probablement avant lui. Mais il y avait les trois enfants Van Doorn pour hériter de Trianon.

« Ne comptez pas là-dessus, le prévint Annatjie. Avec son mari noir, Pétronella ne tentera même pas de conserver le domaine. Et j'ai bien l'impression que Hendrik n'aura pas envie de rester ici. Il est comme son grand-père. Il lorgne vers l'est. Un jour, il nous quittera et nous ne le reverrons plus.

— Il reste Sarel. Il aime la terre.

— De Pré est sûr de pouvoir manœuvrer Sarel. Il sait que Pétronella et Hendrik ne comptent pas. C'est lui contre Sarel et il a bien l'intention de gagner.

— Mais, avant que cela se produise, il risque d'être un vieillard. Nous n'allons pas mourir demain, vous et moi.

— De Pré lui-même sera peut-être vieux, oui. Mais ses fils seront jeunes. Et capables. Et plus âgés que Sarel. Trois huguenots contre un Hollandais qui n'est pas...

— Qui n'est pas quoi ? demanda Marthinus agressif.

Et les lèvres d'Annatjie prononcèrent les mots qu'elle s'était juré de taire :

— Qui n'est pas très malin.

— Que voulez-vous dire ?

Il était furieux de voir sa femme mettre sur le tapis un sujet que depuis quelque temps il essayait d'éviter. Il réagit par la défensive.

« Sarel n'a rien d'anormal.

Une fois le sujet interdit enfin abordé, Annatjie n'en resta pas là.

— C'est un enfant adorable et nous l'aimons beaucoup, tous les deux, mais il est plutôt lent. Pas à la hauteur des de Pré.

Elle se mit à énumérer les déficiences qu'il était désormais impossible de masquer et Marthinus dut convenir que son fils était limité.

— Ce n'est pas un imbécile. Jamais je n'en conviendrai. Devant personne. Mais, parfois, je me rends bien compte qu'il n'est pas... comme vous dites... malin.

Puis il exprima l'espoir qui le poussait à travailler si dur dans les vignes.

« Un de ces jours, dit-il, les yeux d'Hendrik s'ouvriront. A l'heure où il devra prendre les rênes.

— Hendrik a entrevu d'autres horizons, répondit Annatjie. Il a parlé trop longtemps avec le vieux Willem. Un de ses jours, il partira.

— Comment nous protéger de De Pré ?

— Je crois que nous devons faire passer les terres avant tout. Qu'est-ce qui vaut le mieux pour les terres ?

Marthinus demeura longtemps silencieux, les yeux fixés sur la chandelle vacillante.

— Le plus raisonnable, dit-il enfin, serait d'unir les deux fermes, de les cultiver comme une seule et de faire du vin vraiment bon.

— Je le crois aussi, répondit Annatjie.

— Mais vous disiez que vous aviez peur de De Pré ?

— Oui. Mais je crois qu'à nous deux nous pourrons tenir tête.

Et, à l'étonnement de De Pré, les Van Doorn vinrent lui dire de rédiger les papiers nécessaires à l'association des deux propriétés et d'aller lui-même faire officialiser les documents au Cap, car une réunion de terres aussi importantes ne serait jamais autorisée sans la sanction de la Compagnie.

Or ce voyage devait complètement modifier l'avenir de Trianon. En effet, dès qu'Henri et Louis de Pré eurent l'occasion de voir cette ville animée, avec ses mille habitants de toutes les couleurs, ils furent séduits.

Les Malais en turbans, les Javanais sous leurs chapeaux coniques, les Malgaches robustes avec leurs pagnes autour des reins, les belles femmes à la peau brune de Sainte-Hélène, les hauts responsables de la Compagnie dans leurs beaux habits à cols de dentelle — telle était la base de la population du Cap qui défilait sous leurs yeux. Tandis que leur père s'occupait de la réunion des deux fermes, un vaisseau français fit escale dans la baie. Des soirées élégantes se tinrent au fort et, en tant que compatriotes, les huguenots furent invités. Les enfants entendirent leur langue maternelle parlée avec élégance et constatèrent par eux-mêmes à quel groupe supérieur appartenaient les Français.

Le capitaine français, impressionné par les attitudes adultes des deux garçons, les invita à visiter son bateau. Ils mangèrent à bord avec les officiers et parlèrent de la France. Quand le bateau mit à la voile, les deux fils de Pré étaient sur le quai pour le saluer et, dès ce moment-là, ils cessèrent de s'intéresser au travail des champs à Trianon et au grand dessein que leur père mettait sur pied en songeant à leur avenir.

En 1698, Henri annonça qu'il rentrait en Europe. Ce n'était pas exceptionnel. Chaque flottille qui s'arrêtait au Cap sur le chemin du retour incitait quelques francs-bourgeois à abandonner la colonie, dégoûtés par les difficultés du travail de la terre ou terrifiés par la perspective d'être perdus à jamais dans le désert africain. Les soldats en poste au Cap, s'ils n'avaient pas acquis de terres, décidaient en général de rentrer chez eux à la première occasion et plus de quatre-vingt-dix pour cent des responsables et des employés de la Compagnie quittaient Le Cap à la fin de leur contrat de séjour. L'exception, c'étaient les hommes qui, suivant les traces de Willem Van Doorn, choisissaient Le Cap pour foyer une fois pour toutes et se consacraient totalement au développement de la colonie. Le jeune Henri de Pré ne serait pas un pionnier de cette trempe. Il était hanté par le charme mélancolique des canaux d'Amsterdam et par la belle campagne de France. Il avait envie de les revoir.

Quant au jeune Louis, âgé de dix-huit ans, le spectacle du Cap et les aventures de la ville l'avaient corrompu. Il ne voulait ni de cette ferme dans le désert ni des plaisirs paisibles de Stellenbosch.

— J'ai envie de travailler au Cap.

— Mais que peux-tu faire sans terres ?

— Le responsable des vins, à la Compagnie, a besoin d'un assistant. Je vais accepter. Je travaillerai avec les hommes à Groot Constantia et j'apprendrai le commerce du vin. Les huguenots de Paarl auront besoin d'aide.

Avec la vivacité d'esprit qu'Annatjie avait décelée en lui, il avait conçu tout un mode de vie. S'il avait voulu avouer l'ensemble de son rêve, il aurait pu ajouter : « J'épouserai une fille hollandaise, nous aurons de nombreux enfants et notre nom vivra ici à jamais. »

Ce fut ainsi que les huguenots, petit groupe de réfugiés,

laissèrent leur empreinte en Afrique du Sud. Leurs noms, modifiés avec le passage des générations, se retrouveraient tout au long de l'histoire et sembleraient parfois monopoliser les situations d'élite : l'athlète Du Plessis ; le juriste de Villers ; Viljoen, adaptation du nom de la famille de François Villon ; Malherbe ; le poète Du Toit, qui contribuerait à la fixation de la langue afrikaans ; le militaire Joubert ; les Naudé, réputés pour leur ferveur religieuse ; l'immense famille vigoureuse des Du Préez. Tous étaient des calvinistes pieux, qui se consacraient à l'étude — et aux idées conservatrices. Ce ne fut pas par hasard que l'homme à la tête des Afrikaners au moment de leur victoire nationaliste finale appartint à ce groupe : les ancêtres du Premier ministre Malan avaient fui la persécution dans une petite ville du midi de la France.

En 1700, Louis de Pré quitta les vignes, devenues très vastes, de Trianon et s'installa au Cap où, comme il l'avait prévu, il épousa une Hollandaise et prospéra dans tout ce qu'il entreprit. Il aurait sept fils et changerait bientôt son nom en Du Préez.

Les plans de son père devaient connaître moins de succès. A quarante ans, il était le meilleur vigneron de la région et l'associé à part entière du grand vignoble de Trianon. Mais c'était maintenant un homme sans enfants et sans femme. Il vivait seul dans sa petite maison, prenait certains de ses repas à Trianon et s'insurgeait contre les Van Doorn chaque fois qu'ils insistaient pour lui chercher une compagne.

— Pourquoi est-il si obstiné ? demanda Marthinus un soir, après le départ de Paul vers sa petite maison solitaire au bout des vignes.

— Savez-vous ce que je crois ? dit Annatjie à son mari. Je crois qu'il ne s'intéresse qu'à une seule chose — il espère encore qu'Hendrik nous quittera et qu'il pourra ramener Louis et ses fils ici, pour prendre le domaine. Il veut, avant de mourir, voir Trianon devenir une ferme de Pré.

— Il rêve.

— Je l'ai vu l'autre jour tracer des dessins dans la poussière. Il réunissait toutes les petites cabanes en de beaux bâtiments, comme des bras tendus à partir de la maison. Son projet aurait belle allure.

— Laissons-le faire. Bezel n'est jamais aussi heureux que lorsqu'il se met à construire une nouvelle maison.

Les ailes esquissées par de Pré auraient pu très facilement être construites à la morte-saison, mais Annatjie avait bien raison de penser qu'il ne commencerait pas les travaux avant d'avoir mieux assuré sa mainmise sur le domaine.

Trianon comprenait à présent environ cent cinquante hectares, avec accès à l'eau pour toutes les parcelles. Le vignoble possédait plus de trente esclaves de diverses régions d'Afrique, de l'océan Indien et du Brésil. Cinquante Hottentots et « hommes de couleur » travaillaient également de cinq heures et demie du matin à sept heures du soir, sans recevoir de salaires. On leur donnait de la nourriture, du tabac, de temps en temps une couverture, et le droit de faire paître les quelques animaux qui restaient de leurs troupeaux, autrefois immenses. Mais, une fois par jour, ils faisaient la queue avec les esclaves pour une récompense splendide : une pinte de gros vin.

Un soir, le fermier Boeksma arriva à Trianon pour acheter un fût à l'heure où les esclaves et les serviteurs se mettaient en ligne pour leur ration d'alcool.

— Peut-être ont-ils troqué leur liberté, dit-il, mais quel moyen magnifique d'oublier le passé...

Marthinus songea à ce que lui avait dit le vieux Willem sur l'aspiration de Jango à la liberté et sur le prix qu'il avait accepté de payer pour elle. Il ne répondit pas.

Et les Bochimans frappèrent. Les petits hommes bruns avaient observé avec angoisse les fermiers blancs accroître sans cesse leurs possessions aux dépens de leurs terrains de chasse traditionnels. Au début, ils s'étaient bornés à assister à l'invasion, en reculant toujours à dix lieues des charrues. Mais, maintenant, ils commençaient à contre-attaquer. Souvent, le matin à son réveil, tel ou tel fermier de Stellenbosch trouvait son kraal démantelé, son meilleur taureau abattu dans une gorge voisine et la trace des Bochimans se perdant vers le nord, dans le paysage vide.

On avait utilisé toutes les tactiques pour combattre ces brigands faméliques : on leur avait opposé des Hottentots armés, on avait réuni des commandos de cavaliers, on avait posté des sentinelles vingt-quatre heures sur vingt-quatre, mais les petits hommes aimaient à tel point la viande, et les vaches paisibles des Hollandais leur semblaient si tentantes qu'ils défiaient toutes les inventions des fermiers. Les pertes commençaient à être intolérables et, en août 1702, la plupart des fermiers de Stellenbosch décidèrent d'éliminer ces parasites — il le fallait.

Andries Boeksma prit leur tête. Il affirmait que les Bochimans n'étaient pas humains et que l'on pouvait donc les exterminer sans merci. D'autres, sous l'influence de Marthinus Van Doorn, soutenaient au contraire que les Bochimans possédaient une âme et qu'on n'avait pas le droit de les abattre comme des chiens enragés. Il acceptait que l'on punisse les principaux coupables et même qu'on les pende en cas de récidive, mais il ne mettait pas en doute leur qualité fondamentale d'êtres humains. Au début, la communauté était divisée à peu près par moitié : les vieux, plus durs, assuraient que les Bochimans n'étaient guère différents des chiens ou des antilopes ; les jeunes se demandaient en revanche s'ils n'étaient pas malgré tout un peu hommes.

Après une semaine de débats, on convint de recourir à la Bible pour clore la discussion. On n'y trouva pas de solution, et pour cause : jamais les Israélites n'avaient été molestés par de petits hommes ayant des fesses énormes et des flèches empoisonnées. On décida donc de voter. Les partisans de l'extermination l'emportèrent par onze voix contre six : on décida donc que les Bochimans étaient des animaux et non des hommes. Mais, avant que le commando ne prenne la route du nord, le jeune Hendrik Van Doorn, âgé de vingt et un ans, troubla l'assemblée par un témoignage déconcertant :

> Un jour où je chassais avec les Hottentots, nous avons suivi un rhinocéros pendant près d'une semaine. Après l'avoir bien localisé dans une vallée, nous sommes allés nous coucher, espérant l'abattre le lendemain matin, mais, quand nous avons atteint la bauge de la bête, nous avons découvert que les Bochimans l'avaient prise dans une fosse. Furieux, nous nous sommes mis à suivre les Bochimans à la trace et nous sommes arrivés finalement à l'endroit où le clan campait. Nous avons vu qu'ils avaient avec eux des chiens apprivoisés et nous en avons conclu que, s'ils savaient apprivoiser des chiens, ils étaient

forcément des êtres humains comme nous et non des animaux, ainsi que beaucoup l'ont pensé.

Cette déclaration frappa de stupeur les onze hommes qui avaient voté en faveur de l'extermination de tous les petits hommes — comme on détruisait les bandes d'hyènes quand elles s'avançaient trop près des fermes.

— S'ils sont capables d'apprivoiser des chiens, dit Andries Boeksma gravement, ils sont humains et nous ne pouvons pas les tuer tous.

En entendant le chef du commando raisonner ainsi, les autres furent impressionnés et le vote final fut de seize contre un en faveur de l'humanité des Bochimans. Le dissident solitaire s'entêta : « Humains ou pas, s'ils volent le bétail, il faut qu'on s'en occupe. » Il n'ajouta pas un mot de plus au cours de la réunion publique, mais il décida en son for intérieur de tuer tous les Bochimans qu'il verrait au bout de sa ligne de mire.

Les dix-sept cavaliers trouvèrent une piste intéressante à suivre : les traces de cinq ou six Bochimans qui traînaient des quartiers de viande vers leur camp. Pendant plusieurs jours, la distance entre les deux groupes diminua. Le quatrième jour, Andries Boeksma repéra des signes qui le convainquirent de la proximité des Bochimans. Peut-être se dissimulaient-ils derrière des rochers bas.

— Ils savent que nous sommes sur leurs traces. Ils ne nous conduiront donc pas à leur camp. Cela prouve que cette bande n'est composée que de charognards. Nous pouvons tous les tuer.

On en convint. Même ceux qui les avaient défendus jusque-là : les petits êtres pouvaient appartenir au genre humain en principe, mais ce groupe particulier était constitué de voleurs de bétail et devait être éliminé.

Et le commando, avec une précaution extrême, car tous redoutaient la terrible volée de flèches fines qui provoquaient toujours la mort, s'avança vers les rochers, qui dissimulaient peut-être les voleurs. Boeksma vit des buissons bouger.

« Ils sont là ! cria-t-il.

Tout le monde se précipita à l'attaque en poussant des cris.

Le feu des fusils était si nourri qu'aucun des Bochimans n'avait la moindre chance d'en réchapper. Mais, dans le tumulte de la charge, un petit homme, gardant son calme, prit le temps de viser un cavalier déterminé et décocha sa flèche juste avant de s'effondrer, percé de quatre balles. La flèche atteignit Marthinus Van Doorn dans le cou, s'enfonça profondément, puis se brisa.

A la tombée de la nuit, la douleur devint plus vive et il se sentit la tête vague. Il demanda à Andries Boeksma d'inciser la plaie pour retirer la pointe de la flèche.

— Je ne peux pas, Marthinus, lui répondit le gros Hollandais. Je vous trancherais la gorge.

La douleur augmenta. A l'aurore, Marthinus le supplia de nouveau d'extraire la pointe, mais tout le monde convint avec Boeksma que c'était impossible. Ils construisirent un brancard et le suspendirent entre deux chevaux, espérant le ramener à l'*apotheek* de Stellenbosch avant qu'il ne soit trop tard. Mais, à midi, le poison s'était répandu dans tout le corps et, en fin de journée, il mourut.

— Nous l'enterrons ici ? demanda Boeksma à Hendrik. Ou bien ta mère préférera-t-elle l'avoir à Trianon ?

— Enterrons-le ici, répondit le jeune homme.

Les Van Doorn n'avaient jamais eu peur du *veld**. Les hommes du commando se divisèrent en deux groupes, l'un qui creusa la tombe, l'autre qui rassembla les pierres pour marquer son emplacement. Quand le trou fut assez profond pour décourager les hyènes, Marthinus Van Doorn, âgé de quarante-trois ans, fut enseveli. Andries Boeksma, en tant que chef du commando, dit une brève prière, puis noua les rênes du cheval de Van Doorn au pommeau de sa selle et prit le chemin de retour.

Hendrik n'oublierait jamais ce qui se passa à Trianon quand le petit groupe lugubre se présenta à Annatjie pour lui apprendre la perte qu'elle venait de subir. Ce ne fut pas l'attitude de sa mère qui le bouleversa : elle se montra résolue, comme il s'y attendait — une femme grande, osseuse, de cinquante et un ans, avec des mains rugueuses et un visage creusé de rides... Elle hocha la tête, se mit à pleurer, puis enfonça ses poings dans ses yeux et demanda :

— Où avez-vous laissé le corps, Andries ?

— Enterré décemment... Là-bas.

— Merci, dit-elle.

Et ce fut tout.

Non, ce ne fut pas cette réaction impersonnelle qui meurtrit le jeune Hendrik — il savait que sa mère n'était pas du genre à se lamenter —, ce fut ce qui se passa après le départ des hommes du commando. A peine les cavaliers avaient-ils quitté Trianon que Paul de Pré arrivait de chez lui à grands pas en criant :

— Mon Dieu, Marthinus est mort ?

— Pourquoi cette question ? dit Hendrik.

— J'ai vu le cheval, la selle vide. Les rênes attachées au pommeau de Boeksma.

— Et qu'avez-vous pensé ?

— J'ai pensé : « Marthinus doit être mort, il faut que j'aille réconforter Annatjie. »

— Il est mort, répondit Hendrik. Mère est à l'intérieur.

Et il vit avec quelle impatience le huguenot franchissait la porte ! Il n'aurait pas dû écouter, mais il le fit. Oui, il entendit de Pré s'écrier — presque enthousiaste :

— Annatjie. Je viens d'apprendre la terrible nouvelle. Mon cœur souffre pour vous.

— Merci, Paul.

— Comment est-ce arrivé ?

— Les Bochimans. Une flèche empoisonnée.

— Oh, mon Dieu ! Pauvre femme...

— Merci, Paul.

Il y eut un silence qu'Hendrik fut incapable d'interpréter, puis la voix de De Pré, pressante, nerveuse.

— Annatjie, vous allez être seule pour exploiter les vignes. Et je serai seul de mon côté. Ne devrions-nous pas joindre nos forces ? Je veux dire... Enfin, je veux dire... Oui, ne devrions-nous pas nous marier et faire valoir le domaine ensemble ?

L'impudence de cette question, l'horrible indélicatesse de la poser en un moment pareil firent frémir Hendrik. Seule la voix de sa mère l'empêcha de se précipiter dans la pièce et de rosser le Français.

— J'étais sûre que vous viendriez très vite me poser cette question, Paul, répliquait Annatjie. Je sais que vous n'avez jamais cessé de calculer, de combiner et de tirer des plans pour mettre la main sur Trianon. Je sais que vous avez neuf ans de moins que moi et qu'il n'y a pas si longtemps vous vouliez épouser ma fille, pas moi. Et je sais que c'est une honte de me poser cette question ce soir. Vous êtes un pauvre homme avide, Paul, hanté par un seul et unique désir, et j'ai pitié de vous. Revenez dans huit jours.

De Pré passa ces journées à échafauder des projets, à additionner des arpents et à surveiller le travail des esclaves qui commençaient les vendanges. Il n'alla pas à la grande maison et il n'assista pas au service célébré à Stellenbosch à la mémoire de Marthinus Van Doorn — où le prédikant et les membres du commando évoquèrent devant toute la communauté, sauf lui, l'héroïsme de celui qu'il allait remplacer. Il demeura complètement seul, travaillant comme jamais il n'avait travaillé, pour que la récolte du domaine se fasse dans les meilleures conditions. Et, à huit heures du matin, le huitième jour, il se mit sur son trente et un et se rendit à Trianon.

Hendrik n'était pas là. Le jeune homme avait chargé son chariot — en commençant par la Bible de son grand-père, soigneusement enveloppée, et le moule de terre cuite dorée — de tout l'équipement nécessaire pour vivre dans le veld. Accompagné d'un esclave et de deux familles hottentotes, il avait pris le chemin des terres au-delà des montagnes, avec un petit troupeau de vaches et de brebis. Avant de partir, il avait fait ses adieux à Pétronella et à Bezel Muhammad : ils étaient aussi heureux que deux êtres humains ont le droit de l'être sur cette terre — mais à ce moment-là Hendrik ignorait que leurs deux enfants à la peau sombre se perdraient bientôt dans ce désert humain qui porte le nom d'« hommes de couleur ». Pendant quelques décennies, on les reconnaîtrait, ainsi que leurs descendants, comme des Van Doorn, mais bientôt leur histoire — mais non leur lignée — s'éteindrait aussi radicalement que les antécédents des trois petites filles engendrées par Andries Boeksma. Plus tard, il serait de bon ton de prétendre que ces sang-mêlé étaient la descendance de marins lubriques incapables de maîtriser leurs sens au cours d'une escale à mi-chemin entre l'Europe et l'Asie. Qu'un Van Doorn ou un Boeksma aient contribué à la prolifération des « hommes de couleur » deviendrait impensable...

Hendrik n'avait plus d'affection particulière pour son frère Sarel. Le jeune homme ne faisait preuve d'aucun courage et ne se passionnait vraiment pour rien. Les fils de Pré étant loin, Sarel hériterait sûrement des vignes — mais de toute façon les vignes laissaient Hendrik indifférent.

Bien entendu, Hendrik était très attaché à Annatjie. Il se disait qu'à sa place il aurait sûrement agi comme elle. Oui, elle s'était montrée une mère excellente, aimante et compréhensive. Il avait vu avec quelle délicatesse elle s'était occupée de Katje, même quand la grand-mère se montrait désagréable. Et elle avait toujours traité avec une tendresse attentive les deux enfants sans mère de Paul de Pré. Hendrik sentit les larmes lui monter aux yeux quand il dut s'avouer qu'à compter de ce jour il ne reverrait peut-être jamais sa mère, que cette rupture était définitive — Trianon, la belle rivière, les murs blancs, le fronton, étaient perdus à jamais.

Il lança son chariot vers l'est, comme le vieux Willem des années plus tôt. La différence, c'était qu'il partait sans femme.

Le mariage eut lieu au temple de Stellenbosch à onze heures du matin et, à trois heures de l'après-midi, Paul de Pré, maître de Trianon désormais, faisait abattre par ses esclaves les cabanes de devant la maison. Sur l'espace libéré, il détermina avec Bezel Muhammad les dimensions des ailes projetées.

— Il est important, expliqua de Pré, qu'elles s'éloignent de la maison en biais et que de chaque côté l'angle soit le même.

On planta les jalons et les deux hommes s'éloignèrent sur l'allée pour vérifier qu'ils avaient bien déterminé les justes proportions.

« Je crois que c'est ça, dit Paul.

Il visualisait déjà les bâtiments terminés, d'un blanc pur mais avec des ombres jouant sur les surfaces comme la brise sur un étang. Les deux bras tendus en signe de bienvenue formeraient avec la maison principale une sorte de vaste cour de ferme comme on en trouve souvent dans le nord de la France.

« Ce sera magnifique, s'écria-t-il.

Il était profondément heureux. Le soleil qui glissait vers l'horizon lançait des couleurs violentes sur les collines derrière la maison et le huguenot imaginait l'impression que feraient ces bâtiments blancs et ces espaces généreux sur les voyageurs arrivant du Cap.

La construction commença aussitôt. Dix esclaves creusaient les fondations, entassaient des rochers et mélangeaient le torchis pour les murs. Des charrettes ramenaient les chaumes lourds qui formeraient les toits. Et Bezel Muhammad arpentait les forêts à la recherche de bois de santal pour le chevronnage. De Pré harcelait tout le monde et les deux lignes de bâtiments semblèrent jaillir du sol. Quand ils furent presque terminés et que le contrôle permanent de Muhammad devint superflu, Paul le prit à part pour lui expliquer ce qui se révélerait plus tard le détail le plus remarqué de l'édifice.

— Ce que je veux, dit-il à Bezel, c'est, pour chacune des huit divisions, au-dessus de la porte, une plaque ovale dans le laurier le plus sombre que tu pourras trouver. Tu y sculpteras en haut relief l'usage auquel sera réservé cette partie du bâtiment.

Et il se mit à arpenter la cour, suggérant avec de grands gestes les images qu'il avait dans la tête.

« En entrant, première porte à gauche, un pigeon noir sur le mur blanc. Ensuite un cochon, parce que ce sera notre porcherie. Après, une touffe de foin et, au-dessus de la porte la plus proche de la maison, un chien. Bon. Revenons en arrière et voyons de l'autre côté. En premier, un coq. Puis une mesure de grain. Ensuite un pot de fleurs. Et contre la maison, un râteau et une houe.

Bezel hocha la tête ; il calculait déjà comment il allait sculpter certains de ces symboles, mais, comme il s'éloignait vers la maison de deux pièces qu'il avait construite pour Pétronella à quelque distance du bâtiment principal, Paul le rappela.

« Sur la main droite, lui dit-il, les outils au-dessus de l'avant-dernière porte, et les fleurs sur la porte la plus proche de la maison, pour que Mevrouw de Pré ait moins loin à aller.

En tout ce qu'il faisait, il consultait les désirs de Mevrouw. Il aurait pu être tenté de se montrer désagréable avec Annatjie, car elle était à la fois plus âgée et plus ordinaire que lui. Cinquante et une années de travail ininterrompu avaient tiré et durci son visage, tandis qu'à quarante-deux ans il demeurait un bel homme entre deux âges. Les filles des fermes du voisinage, et parfois aussi leurs mères, lui jetaient souvent des regards émus, mais son désir de posséder Trianon était si acharné qu'il acceptait de grand cœur d'en payer le prix : une fidélité toujours attentionnée pour Annatjie. N'avait-il pas reçu le domaine de ses mains ? Jamais il ne la rabaisserait, jamais il ne ferait allusion à leur différence d'âge, jamais il ne faillirait à payer sa dette.

Il donna la preuve de cette attitude le jour où les deux ailes furent terminées, avec chaque porte surmontée de son panneau ovale d'identification. En effet, quand Annatjie eut tout inspecté et approuvé cette belle addition, il lui dit aussitôt :

— Et maintenant occupons-nous de vos besoins.

— Je n'en ai pas, répondit-elle.

— Oh si ! Votre maison est trop petite.

Elle remarqua avec satisfaction qu'il disait souvent « ma ferme, mes vignes » et même « ma propriété de Trianon », mais que c'était toujours « votre maison ». Dans la maison, elle était la maîtresse et il se proposait de la rendre digne d'elle.

Il l'entraîna à l'intérieur et lui montra comment le T pouvait être amélioré en ajoutant simplement deux pièces en barre verticale.

« Ce que nous allons faire, expliqua-t-il, c'est transformer le T en H.

Et il fit observer que cette solution réservait deux jardins dans les parties vides du H.

« Au cours des journées brûlantes de l'été, le vent frais nous viendra de tous les côtés.

Quand le H fut terminé, il apporta la fraîcheur exactement comme le huguenot l'avait prévu et les de Pré eurent dorénavant la plus belle demeure de Stellenbosch, un ensemble harmonieux de bâtiments bas, parfaitement intégrés au paysage de prairies et de collines. Mais un besoin insatiable de construire pressait encore Paul :

— Bezel, je veux que tu me sculptes un ovale énorme, six fois plus grand que les petits.

— Représentant quoi ?

— Des fûts de vin avec des grappes et des vignes.

Et, tandis que le charpentier malais sculptait les symboles, Paul surveilla la construction d'un immense chai, à l'arrière de la maison, mais relié à elle par une sorte de patio à l'espagnole. Trianon possédait maintenant quatre jardins splendides : un très grand devant la façade, deux petits dans les renfoncements de la maison et le dernier, calme et privé, à l'arrière, enserré de murs blancs et parsemé de quelques arbres. Quand Bezel Muhammad fixa sa sculpture à sa place, Paul s'écria :

— Voilà un bâtiment où n'entrera que du vin de qualité.

Sa manie de construire allait bientôt lui passer. Quand les grands foudres de vin, venus de France, furent installés dans le chai, quand pigeons, poulets et cochons furent dans leurs demeures respectives, il déclara à Annatjie qu'il allait lui construire une dernière chose. Elle essaya de deviner, mais il lui répondit d'aller rendre visite aux Boeksma, à Stellenbosch, et d'y rester cinq jours. Quand il vint la chercher à la ferme des Boeksma, elle lui demanda aussitôt ce qu'il avait fait.

— Vous verrez vous-même, dit-il.

Ils remontèrent l'allée, passèrent dans le grand jardin entre les deux ailes accueillantes... Elle ne remarqua rien de nouveau. Mais, dès qu'ils s'avancèrent vers la maison, elle se figea, bouche bée. A chaque bout du *stoep** bas où ils s'asseyaient le soir, Paul avait fait construire deux bancs de céramique perpendiculaires à la façade. Ils étaient recouverts des plus belles faïences blanc et bleu de Delft. Ils représentaient des hommes en train de patiner sur des canaux glacés, des femmes travaillant à la rivière, des vues de vieux bâtiments et parfois simplement les outils en usage dans les fermes hollandaises. Ils transformaient ces bancs ordinaires en joyaux scintillant sous le soleil. La grande demeure de Trianon était terminée.

Elle n'était grande ni par la taille ni par la hauteur. Et elle n'était guère hollandaise. Elle avait emprunté ses principaux traits à Java et ses caractéristiques secondaires à la France. Mais l'esprit qui l'animait et la façon dont elle s'accrochait à la terre étaient purement sud-africains. Sa construction était l'œuvre de paysans hollandais, d'un Français mégalomane, d'un charpentier malais, d'esclaves venus d'Angola, de Madagascar et de Ceylan, avec des Hottentots effectuant la plupart des menues besognes. C'était un amalgame splendide dans sa simplicité — et la première de ses beautés, c'était qu'assis sur les bancs de Delft à la tombée du jour on pouvait voir le soleil se coucher derrière Table Mountain.

L'attitude de Paul à l'égard des cinq enfants serait toujours ambivalente. Pour Hendrik, le fils d'Annatjie qui avait disparu dans le désert, il était ravi de le savoir loin, car il décelait en lui une menace. Il ne se préoccupait guère de son fils Henri, revenu à Amsterdam — jamais Henri n'avait eu envie de travailler à la ferme et il était plutôt soulagé qu'il ait disparu, car il sentait que tôt ou tard il aurait eu des problèmes avec lui. Quant à Sarel, l'autre fils d'Annatjie, il le tenait pour un imbécile et il était ravi de voir que les filles pensaient de même : si Sarel ne se mariait pas, jamais il n'aurait d'héritiers pour prétendre aux vignes — on pouvait donc l'écarter. Mais, pour son fils Louis, il n'en allait pas de même. Paul était convaincu qu'après quelques années au Cap le jeune homme aurait envie de rentrer à la ferme et ce serait à lui que reviendrait Trianon en fin de compte. Souvent, il se consolait en pensant : « Son expérience à la Compagnie fera de lui un meilleur gestionnaire. Il connaîtra les bateaux, les agents commerciaux et les marchés. » Jamais il n'avait douté que Louis revienne un jour à Trianon et il était manifeste qu'en face de lui le pauvre Sarel ne serait pas de force. Le domaine serait en définitive le « Trianon des de Pré » et peu lui importait que le nom français soit submergé par sa version hollandaise Du Préez.

Ce fut son attitude à l'égard de Pétronella qui surprit le plus Annatjie : il s'était opposé de toutes ses forces à son union avec Bezel Muhammad, mais son opinion avait changé radicalement.

— Annatjie, avait-il dit un jour, je ne me sers plus de ma maison et mes fils se sont envolés. Pourquoi ne pas la donner à Pétronella et à Bezel ?

— Je crois que cela leur fera plaisir, répondit Annatjie.

Et quel fut son étonnement quand elle vit Paul non seulement donner la maison au jeune couple, mais aider Bezel à construire un atelier où il pourrait travailler et ranger ses outils. Il accorda même trois esclaves à Bezel pour couper les lauriers et débiter les grumes.

Plus tard, bien entendu, Annatjie découvrit que Paul avait convaincu Bezel de ne fabriquer que des armoires. On les envoyait à Louis de Pré, qui les vendait au Cap à des prix fantastiques. Bezel recevait moins du tiers des bénéfices, mais il occupait sa nouvelle maison avec Pétronella sans aucun loyer et il savait que le parrainage de Paul de Pré représentait une grande valeur pour un ancien esclave.

Puis vinrent les années de conflit. Paul était déterminé à faire revenir Louis pour hériter du vignoble. Annatjie insistait avec la même obstination pour que son fils Sarel se décide enfin à prendre femme et à engendrer les fils Van Doorn qui dirigeraient Trianon dans les temps à venir. Au cours de cette lutte, de Pré ne manqua pas de faire appel à des armes déloyales : il dénigrait Sarel à chaque occasion, il faisait courir dans la communauté des rumeurs sur son imbécillité; il parlait le plus naturellement du monde du jour où Louis reviendrait prendre les rênes.

— Il étudie le marché du vin, vous savez. La Compagnie l'a envoyé en Europe à la recherche de marchands dignes de confiance.

La lutte prenait un tour assez méprisable chaque fois qu'Annatjie parvenait à mettre son fils, toujours très emprunté devant les gens, en présence d'une fille à marier. Aussitôt, Paul s'arrangeait pour rencontrer comme par hasard les parents de la jeune personne et leur instillait quelques gouttes de confidences :

— Oh, je ne crois pas qu'il soit idiot. Il sait lacer ses chaussures.

Et comme Sarel, qui rougissait comme une pivoine à la vue du moindre jupon, ne faisait rien pour s'attirer les bonnes grâces de la future, les rencontres manigancées par sa mère se soldaient toujours par un échec.

Elle ne savait plus à quel saint se vouer. Elle avait cinquante-sept ans et craignait de mourir peu après la soixantaine. Sarel n'était accablé par aucune déficience mentale, elle l'aurait juré. Mais il était très timide et maladroit, et il fallait qu'il se marie au plus tôt : mais où donc pourrait-elle lui dénicher une épouse?

Elle inventa un prétexte pour l'emmener au Cap, mais n'aboutit à rien. En désespoir de cause, elle se tourna vers la Hollande et l'orphelinat d'où elle était venue. Elle aurait bien voulu charger Henri de Pré de prendre contact avec les dames patronnesses qui dirigeaient l'institution, mais ses instincts paysans lui disaient qu'on ne pouvait pas, sur ce point, faire davantage confiance à Henri qu'à son père. Elle s'installa donc dans un coin de sa grande maison et rédigea en secret une lettre à une femme qu'elle n'avait jamais vue : la directrice de l'orphelinat qui hébergeait les nièces du roi.

Chère Mevrouw,

Je suis une ancienne pensionnaire de votre institution, qui vit très loin de tout, en un lieu où il n'y a point de femmes. Trouvez-moi, je vous prie, une fille chrétienne en bonne santé, forte et de confiance, de dix-sept ou dix-huit ans, bien élevée et loyale, à qui je puisse donner les yeux fermés mon fils en mariage. Elle devra travailler dur, mais elle sera la maîtresse de près de quatre cents morgen et d'une très belle maison. Mon fils est un brave homme.

Annatjie Van Doorn de Pré,
Trianon, Stellenbosch, Le Cap.

Elle envoya la lettre à l'insu de son mari et elle vécut près d'une année d'angoisse avant de recevoir la nouvelle qu'un bateau de la Compagnie en provenance d'Amsterdam ferait bientôt escale avec une épouse pour Sarel Van Doorn.

— Qu'est-ce que c'est que cette histoire ? demanda de Pré.

— Quelqu'un qui nous envoie une orpheline, je suppose. Exactement comme moi.

— Mais qui a demandé une orpheline ?

— Tout le monde sait que Sarel a besoin d'une femme.

— Et pour quoi faire ?

Ce fut pour de Pré un moment difficile. Jamais il n'avait passé outre sa résolution de traiter Annatjie avec respect et même avec amour, et il n'avait pas l'intention de faillir à sa règle. Mais il était bien décidé à ce que Trianon reste dans sa famille. Et, si Sarel se mariait et avait des enfants, cet héritage serait remis en question. Or, s'il s'était interdit toute insulte à l'égard d'Annatjie, il ne se sentait aucune obligation en ce qui concernait Sarel et il ne se priva pas de tourner en ridicule le jeune homme timoré.

« Oui, à quoi pourrait bien lui servir une femme ? répéta-t-il.

Annatjie, ulcérée, réprima l'envie qu'elle ressentait de gifler son visage sournois et quitta la pièce.

Elle ordonna aux esclaves d'atteler les chevaux, puis demanda à Bezel Muhammad de l'accompagner au Cap, pour accueillir la jeune fiancée.

— Pourquoi n'emmenons-nous pas Sarel ? lui demanda-t-il.

Et, sans réfléchir, elle répondit :

— Il ne saurait peut-être pas s'y prendre.

Annatjie savait, elle. A leur arrivée au Cap, le bateau attendu n'avait pas encore accosté, mais d'autres navires du même convoi étaient déjà là et les autorités assuraient qu'il ne tarderait pas. Elle attendit. Puis, un matin, les canons tonnèrent et un petit bateau pitoyable se glissa dans le port. La moitié de ses passagers étaient morts, mais, quand les survivants débarquèrent, Geertruyd Steen était parmi eux. Elle avait vingt-deux ans, elle était blonde, carrée à tous égards et souriante. Elle avait un gros visage anguleux, un buste généreux, des hanches larges, des jambes robustes. Les tresses de ses cheveux, remontées autour de sa tête, accentuaient encore le côté cubique de son visage. « Dieu soit loué, songea Annatjie, si jamais une femme a été destinée à porter des enfants, c'est bien celle-là ! »

La jeune fille, qui ne savait au juste à quoi s'attendre, cherchait des yeux un jeune homme en quête d'épouse. Ne voyant que des marins et des Hottentots, elle fit quelques pas hésitants, aperçut Annatjie et sentit d'instinct que cette femme allait être sa protectrice. Il y eut une légère hésitation, puis les deux femmes s'élancèrent l'une vers l'autre et s'enlacèrent presque avec passion.

— Vous arrivez dans un paradis, dit Annatjie à la jeune fille. Mais c'est un paradis qu'il vous faudra construire de vos mains.

— Serez-vous ma belle-mère ?

— Oui.

— Votre fils est ici ?

— C'est une longue histoire, répondit Annatjie.

Obéissant à une impulsion soudaine, elle ordonna à Bezel Muhammad de prendre un des chevaux et de partir devant. Il était important qu'elle parle à cette fille et la longue traversée des plateaux lui en donnerait tout juste le temps.

Elle entraîna Geertruyd hors du Cap le matin même, redoutant qu'elle ne se laisse contaminer comme Louis de Pré, et, dès que la carriole arriva sur les plateaux, elle commença à parler.

— J'ai beaucoup de choses à vous raconter, Geertruyd, mais chaque phrase est importante et l'ordre du récit également. Mon mari, votre beau-père, est un homme remarquable.

Elle lui expliqua comment il avait fui les persécutions en France, le courage avec lequel il s'était réfugié en Hollande, la bravoure dont il avait fait preuve en revenant voler les plants de vigne sur lesquels reposa maintenant la prospérité de Trianon. Elle lui apprit comment le vieux Willem Van Doorn et son épouse querelleuse s'étaient aventurés dans l'inconnu pour bâtir leur ferme et comment Paul de Pré l'avait transformée en un palais rustique.

Les premières heures s'écoulèrent ainsi, mais, lorsqu'elles s'arrêtèrent pour prendre leur repas de midi, Annatjie changea complètement le ton de la conversation.

« Vous verrez des douzaines d'espèces d'antilopes. La nuit, vous entendrez les léopards et il vous arrivera peut-être de surprendre un hippopotame dans la rivière. Nous avons une fleur qui s'appelle protée, huit fois plus grande qu'une tulipe, et des oiseaux qui dépassent toute description. Vous vivrez dans un pays où tout vous surprendra et, même quand vous deviendrez une vieille femme comme moi, vous serez loin d'avoir tout vu.

Elle demanda à Geertruyd de regarder autour d'elle le plateau sans fin.

« Que voyez-vous ?

— Rien.

— Souvenez-vous toujours de cet instant, lui dit Annatjie, car bientôt va paraître un endroit d'une telle beauté que vous n'en croirez pas vos yeux. Si vous êtes à la hauteur de votre tâche, ajouta-t-elle tandis que Geertruyd se penchait en avant, vous construirez ici un petit empire — mais vous êtes la seule à pouvoir le faire.

Tous les gens âgés prétendent que l'avenir se trouve entre les mains des jeunes, mais peu le croient. Annatjie de Pré savait que des possibilités immenses, fabuleuses, dépendaient du comportement de cette jeune fille et du courage avec lequel elle affronterait ses problèmes.

— De quels problèmes s'agit-il ? demanda Geertruyd.

— D'un héritage, dit Annatjie. Hier, vous étiez une orpheline ne possédant que quelques robes. Demain, vous serez un facteur déterminant dans la possession du meilleur vignoble du pays.

Geertruyd écouta et n'aima pas ce qu'elle entendit.

— Je ne suis pas sans le sou, dit-elle. J'ai des florins dans mes bagages.

Cette réponse plut à Annatjie, mais elle continua de la mettre au défi.

— Vous venez les mains vides. Vous n'apportez que votre caractère. On vous offre tout, à condition que vous fassiez la preuve de ce caractère.

— Je ne suis pas une pauvresse ! répéta Geertruyd.

Son visage carré en était tout rouge.

— Je l'étais quand j'ai traversé ces plateaux, répondit Annatjie.

Sans la moindre émotion, elle raconta à la jeune fille comment elle avait quitté le même orphelinat, comment le premier homme l'avait refusée, comment elle s'était échinée à améliorer la ferme.

« Vous dites que vous avez quelques florins cachés. Je n'avais rien.

Puis, brusquement, elle aborda le problème de son fils, le futur mari.

« Sarel est un bon jeune homme, beau et honnête. Mais les quatre autres enfants avec qui il a été élevé lui ont toujours porté ombrage. Mon mari, qui le méprise parce que justement il craint de le voir s'épanouir, vous dira dans les dix premières minutes de votre arrivée que Sarel est un imbécile. Sarel va avoir très peur de vous et, si vous écoutez mon mari, vous vous enfuirez.

Elle s'arrêta et prit les deux mains de Geertruyd.

« Mais on ne sait jamais, n'est-ce pas, ce qu'un homme peut devenir quand on le traite avec amour...

Pas un mot de plus ne fut prononcé.

Elles quittèrent enfin les plateaux et la rivière parut. Les chevaux s'engagèrent sur la longue allée conduisant à Trianon. Geertruyd Steen vit alors pour la première fois le spectacle étonnant des deux ailes ouvertes, la façade nette, toute blanche de la demeure et les deux bancs de Delft qui délimitaient les extrémités du stoep.

— Elle est belle, murmura-t-elle.

— Et n'oubliez pas, répondit Annatjie sur le même ton, que c'est Paul de Pré qui l'a faite ainsi.

— Bonjour tout le monde ! cria Paul en se précipitant hors de la maison pour accueillir sa femme et l'étrangère d'Amsterdam.

Et, dès que Geertruyd s'avança, épanouie comme un fromage d'Edam, il se dit : « Mon Dieu, voici une femme faite sur mesure pour avoir des enfants ! »

« Sarel, cria-t-il, viens faire la connaissance de ta promise !

Rien ne pouvait intimider davantage le jeune homme et Annatjie s'efforça aussitôt de le rassurer.

— Sarel, c'est la fille la plus gentille que j'aie jamais rencontrée.

Il parut sur le seuil. Il avait vingt-six ans. Il était svelte. Immensément timide. Mais, dès qu'il aperçut Geertruyd et la joie sincère qui illuminait son visage, il se sentit attiré vers elle. Il s'avança et, dans sa précipitation, faillit trébucher.

— Regarde où tu mets les pieds, lui dit Paul en tendant le bras.

Mais Sarel écarta la main de son beau-père et salua Geertruyd.

— C'est moi, dit-il. Sarel.

— Je m'appelle Geertruyd.

— Mère m'a dit que vous veniez... du même endroit qu'elle.

— Oui, répondit la jeune fille.

Sa voix était si douce que Sarel se sentit à l'aise. Il se demanda s'il devait se pencher vers Geertruyd et l'embrasser, mais la question se trouva aussitôt résolue : la jeune fille s'avança et l'embrassa sur la joue.

« Nous nous marierons bientôt, n'est-ce pas ? dit-elle.

— Ne précipitons pas les choses..., commença Paul.

— Tout est arrangé, coupa Annatjie. Nous ferons publier les bans.

Paul s'opposa fermement à ce que Pétronella et son mari assistent à la cérémonie. Mais Annatjie insista et l'on parvint à un compromis. Pétronella et Bezel resteraient au fond du temple, sans participer. Annatjie lui fit remarquer l'étrangeté de son attitude : n'avait-il pas donné sa maison au jeune couple ?

— Ce que nous faisons chez nous est une chose, dit-il. Ce que nous faisons en public en est une autre.

Et il se refusa à écouter Annatjie, qui continuait de le supplier d'accepter le couple au banc de la famille.

Quand la noce reprit le chemin de Trianon, Paul dit aimablement :

— N'est-ce pas une chance que nous ayons construit deux autres pièces ? Les jeunes pourront en prendre une.

Le jeune couple s'installa et Paul commença à observer avec un soin jaloux si Geertruyd ne montrait pas des signes évidents de grossesse. En effet, avec la naissance de son premier fils, les Van Doorn auraient un héritier présomptif du vignoble et tout son grand dessein irait à vau-l'eau.

Il savait que c'était inévitable, mais cette éventualité le rendait irascible et, un soir, au dîner, il lança sa cuillère sur la table et cria :

— Merde ! Voila bien quatre mois que je n'ai pas prononcé un mot de français. Tout le monde ici parle hollandais, bien que je sois le maître.

— Vous n'êtes pas le maître, lui rappela Annatjie. Vous ne possédez qu'une partie de Trianon.

— Alors nous devrions parler français en partie.

— Je n'en sais pas un traître mot, dit Geertruyd.

Et cette simple constatation ne fit qu'envenimer la colère de Paul.

— Il paraît même que les sermons en français vont cesser, gémit-il. Chaque fois que je vais à un enterrement, c'est une voix française de moins dans la colonie et personne ne vient la remplacer.

— Paul, lui répondit sa femme non sans rudesse. Taisez-vous, je vous en prie. Il n'est que temps de reconnaître enfin que vous êtes devenu un bon Hollandais.

Le ton de sa voix et surtout le fait qu'elle constatait une évidence mirent de Pré au comble de la fureur. Il quitta la pièce et, cette nuit-là, dormit dans le chai avec ses barriques.

Et là, dans le noir, une pensée honteuse vint se saisir de lui : Annatjie n'était pas éternelle. Elle avait presque soixante ans. Il l'avait respectée pour tout ce qu'elle avait fait pour lui, il avait honoré son obligation de la traiter avec une affection polie... Mais le monde qu'il avait édifié se trouvait menacé

Français retombe sur moi, mais, avec vous, je ferai de Sarel un homme fort. Vous le verrez, Annatjie, diriger le domaine.

— Aurons-nous le temps ? murmura Annatjie.

— Je croyais être enceinte le mois dernier, lui avoua Geertruyd. Je m'étais trompée, mais un de ces jours vous aurez un petit-fils Van Doorn. Il faut que nous défendions les vignes pour lui.

Et, au cours de la deuxième année du mariage de Sarel, les deux femmes intensifièrent leurs efforts pour faire de lui un homme responsable et pour acquérir elles-mêmes toutes les techniques de la vigne et du vin. Elles étudiaient chaque détail pas à pas et comparaient leurs observations, une fois la nuit venue. Mais ce qui leur donnait le plus grand espoir, c'était que Sarel semblait apprendre lui aussi.

— Il n'est pas sot du tout, murmura Geertruyd un soir quand de Pré eut quitté la table. C'est seulement qu'il sait mal exprimer ses pensées.

Elles s'aperçurent qu'il avait des idées très justes sur la façon de cultiver les vignes, de fabriquer les fûts, de soigner le moût, d'organiser avec efficacité le travail des esclaves et, une après-midi, sous un soleil éclatant, Geertruyd s'écria d'un ton joyeux :

— Sarel, tu dirigeras un jour ces vignes mieux que de Pré ne l'a jamais fait.

Sarel la regarda comme si elle venait de prononcer une grande vérité et il tenta d'exprimer sa satisfaction. Mais les mots lui manquèrent, alors il l'enlaça. Et, en sentant contre lui son corps de paysanne, tiède de soleil, il fut submergé d'amour et il dit, de sa voix hachée :

— Je sais... faire du vin.

Ce soir-là, Paul se montra anormalement désagréable, car il sentait bien que Geertruyd, cette orpheline de nulle part, était sur le point de transformer Sarel. Penser que toutes les bonnes choses qu'il avait faites à Trianon — et il en avait fait beaucoup — allaient profiter en définitive à des étrangers le remplissait de plus en plus d'amertume.

— Sarel ! cria-t-il. Je t'avais dit de ne pas te mêler des fûts...

— Monsieur de Pré, le coupa Geertruyd aussitôt, c'est moi qui ai dit à Sarel de s'occuper de ces fûts. Sinon comment pourra-t-il diriger le domaine quand vous serez mort ?

Encore ce mot horrible que cette petite paysanne lui jetait à la figure du haut de ses vingt-trois ans ! Il lança son poing sur la table. Les couverts tremblèrent.

— Je ne veux pas que cet imbécile touche à mes fûts ! cria-t-il.

— Monsieur de Pré, répondit Geertruyd avec un sourire volontairement provocant. Je crois que Sarel est prêt à prendre entièrement en charge le problème des fûts. Vous n'aurez plus besoin de vous en occuper.

— Sarel n'est même pas capable...

Annatjie en avait trop entendu.

— Paul, s'écria-t-elle d'une voix ferme. Faut-il vous rappeler que j'ai encore droit à la parole, ici ? C'est moi qui ai décidé que Sarel devait apprendre à diriger Trianon.

— Sarel commencera demain, dit Geertruyd d'un ton résolu, forte du soutien de sa belle-mère.

— Mais il ne saurait même pas dresser trois douves en ligne, ricana de Pré.

Il était sur le point de lancer d'autres insultes, mais, sous la table, Geertruyd posa doucement la main sur le genou de son mari et, s'appuyant sur le courage de sa femme, Sarel dit lentement :

— Je suis sûr que je... peux faire de bons tonneaux.

La bataille pour Trianon fut interrompue par un événement si injuste que les hommes et les femmes en discutèrent pendant des dizaines d'années : tout se passa comme si Dieu avait frappé Le Cap d'une plaie effrayante qui défiait la raison. Un beau jour de 1713, le vieux navire marchand *Groote-Hoorn* accosta avec, parmi son fret, une toute petite chose qui allait modifier le cours de l'histoire : une panière de linge sale. Elle appartenait à un employé de la Compagnie qui avait séjourné à Bombay. Recevant à l'improviste l'ordre de rentrer à Amsterdam, il avait dû embarquer sans prendre le temps de lessiver ses chemises et ses collerettes. Il les avait jetées dans la panière avec l'intention de les faire laver pendant l'escale du Cap. Par malheur, la panière avait été rangée dans un coin où des hommes allaient souvent uriner et où une chaleur constante maintenait une humidité idéale pour la prolifération des germes. On le fit remarquer à cet homme.

— Une bonne lessive à terre arrangera tout, dit-il en haussant les épaules. Et je veillerai à ce qu'on la mette ailleurs pendant le reste du trajet.

Au Cap, on apporta la panière sur l'Heerengracht, le canal où les esclaves faisaient la lessive. Six jours plus tard, ces esclaves commencèrent à montrer les premiers signes de la maladie : de la fièvre et des démangeaisons. Trois jours de plus et de petites rougeurs apparurent sur leurs visages : elles se transformèrent vite en boutons, puis en pustules. Ceux qui eurent de la chance virent ces plaies suppurantes se muer en croûtes, puis en cicatrices indélébiles. Ceux qui eurent moins de chance périrent, emportés par des accès de fièvre. La petite vérole, maladie alors incurable, frappait sans distinction, et la survie ou le trépas des personnes atteintes ne dépendaient nullement des soins qu'on leur donnait.

Quarante pour cent des esclaves moururent cette année-là. Soixante pour cent des Hottentots périrent et les survivants dépendirent désormais exclusivement des Hollandais. La maladie capricieuse avançait dans les terres à la vitesse de huit lieues par jour, accablant tous ceux qui se trouvaient sur son passage. Une onde traversa les plateaux par petits bonds pour attaquer Stellenbosch. Dans certaines fermes, la moitié des esclaves moururent. Les Hottentots de la région se révélèrent tout particulièrement sensibles au fléau et de nombreux fermiers blancs trouvèrent également la mort.

La maladie frappa Trianon avec une violence particulière. Pétronella succomba dès les premiers jours et plus de la moitié des esclaves moururent. Personne, dans la région, ne tenta de combattre les horribles progrès du fléau avec plus de diligence que Paul de Pré. Il se rendait dans toutes les maisons touchées. Il ordonnait que l'on brûle tous les vêtements ayant appartenu aux morts et, parfois, quand toute une famille avait péri, il mettait le feu à la maison elle-même. Il imposa une quarantaine aux malades et il fit creuser un nouveau puits. Avec le temps, le fléau régressa.

Mais, le seizième jour, il tomba malade. Il se mit à trembler avec tant de violence qu'Annatjie et Geertruyd l'installèrent dans le petit bâtiment extérieur dont la porte s'ornait d'un râteau et d'une houe. Les deux femmes courageuses l'entourèrent de soins et lui promirent de faire venir du Cap son fils — si le jeune homme avait survécu au fléau. Le visage enveloppé de toile, elles allaient et venaient comme des revenants dans l'infirmerie improvisée. Elles le réconfortaient et lui promettaient de protéger ses vignes.

Elles se désolèrent en voyant les pustules de son visage proliférer jusqu'à recouvrir tout son corps. La fièvre s'aggrava. Il tremblait au point de secouer le lit. Ses yeux devinrent vitreux. Elles comprirent qu'il ne survivrait pas. Toujours enveloppées de draps pour se protéger de l'infection, elles ne le quittèrent plus. Dans la nuit, leurs chandelles projetaient des ombres sur les murs blanchis à la chaux. Leurs formes se déplaçaient comme des fantômes venus le hanter pour les mauvaises pensées qu'il avait nourries contre elles.

Il ne délira pas. En rude combattant qu'il était, il affronta chaque étape de son déclin. Au point du jour, il demanda :

— Est-ce que je meurs ?

— Vous avez encore une chance, lui assura Annatjie.

Il se mit à rire comme un fou. Elle tenta de le calmer, mais il ne voulut pas cesser. Puis, regardant les fantômes, il tendit l'index vers Annatjie et s'écria d'une voix caverneuse :

— C'est vous qui deviez mourir, pas moi. Il était normal que vous mouriez, vous étiez tellement plus âgée.

— Paul, calmez-vous.

— Et vous, cria-t-il à Geertruyd. J'espère que vos entrailles resteront vides.

— Paul, taisez-vous... Je vous en prie !

Mais il en était aux affres de la mort. Ses vastes rêves partaient en fumée. Ses fils se trouvaient au loin. Ses esclaves étaient morts. Les vignes dépériraient...

— C'est vous qui auriez dû mourir ! hurla-t-il.

Les plaies de son visage devinrent écarlates lorsqu'il enfonça ses ongles dans sa peau.

« Il n'était pas prévu que je meure. C'est vous qui m'avez infecté, espèces de sorcières !

Il tenta de sauter du lit pour chasser ses persécutrices, mais il s'écroula, épuisé. Il se mit à pleurer et, bientôt, des sanglots pitoyables secouèrent son corps, déchiré par les souffrances de l'agonie.

« Je ne devais pas mourir, balbutia-t-il. Je suis parmi les élus...

Il regarda, accusateur, les silhouettes revêtues de linceuls qui attendaient de recueillir son corps torturé par la fièvre. Puis il mourut.

Geertruyd, bouleversée par tant d'horreur, tenta de jeter un drap sur lui puis éclata en sanglots convulsifs. Annatjie la prit par les épaules et la secoua très fort.

— Il y a des choses dont il vaut mieux ne pas se souvenir, murmura-t-elle.

Puis elles préparèrent le corps pour des funérailles rapides.

Dès que Paul fut enterré et que l'on eut comblé les tranchées où s'accumulaient les cadavres des esclaves, Annatjie et Geertruyd essayèrent d'évaluer leur situation en toute objectivité. C'était la jeune femme qui percevait avec le plus de clarté le danger menaçant Trianon et la seule stratégie qui permettrait de le détourner.

— Au Cap, à Java et dans les bureaux des XVII Seigneuries, les hommes vont dire : « On ne peut pas laisser des femmes s'occuper d'un trésor comme Trianon. » Et ils feront des pieds et des mains pour nous dépouiller.

— Jamais ils ne pourront me faire quitter ces terres, dit Annatjie.

— Ils essaieront. Nous avons deux excellents atouts dans notre jeu. Les vins que de Pré a mis à vieillir depuis trois ans sont encore dans nos fûts. Ils nous protégeront au départ.

— Et quand tout sera vendu ? demanda Annatjie.

— A ce moment-là, nous aurons notre seconde protection.

— Laquelle ?

— Sarel. Oui, Annatjie. Quand Amsterdam nous ordonnera de quitter les lieux, sous prétexte qu'un homme doit diriger le domaine, nous mettrons Sarel en avant. Et nous convaincrons les autorités qu'il peut s'en occuper mieux que toute autre personne qu'ils proposeraient.

— En est-il capable ?

— Nous l'aiderons à le devenir, répondit Geertruyd.

Puis elle ajouta dans un murmure, en détournant la tête : « Chaque soir de ma vie, je prierai Dieu pour qu'il me donne un enfant. Quand Sarel comprendra qu'il est père...

Elle se retourna brusquement vers Annatjie et lui prit les mains.

« C'est un homme bon. Nous lui prouverons qu'il est capable de diriger le domaine.

Geertruyd avait raison : les hommes du système verraient d'un mauvais œil deux femmes prendre en charge une propriété dont les récoltes étaient nécessaires à la Compagnie. Mais elle se trompait tout à fait sur l'origine des attaques. Ce fut leur bon voisin Andries Boeksma — il ne pouvait s'empêcher de fourrer son nez partout, y compris dans les chambres de ses servantes — qui commença à semer le doute à Stellenbosch et au Cap.

— La jeune n'y entend rien, c'est du rebut d'Amsterdam ! Et tout le monde sait que le fils est idiot. La vieille aurait été capable, mais elle se meurt. Oui, je vous demande, que va-t-il advenir de ce domaine ?

Il évoqua son inquiétude devant les responsables du Château et il les encouragea à poser les questions que Geertruyd avait prévues. Puis, un soir, après boire, le gouverneur demanda à Boeksma :

— Mais qui pourrions-nous mettre à la tête du vignoble ?

— Moi, répondit Andries sans hésiter. Je connais les vignes mieux que de Pré. Nous n'avons pas besoin de huguenots pour nous apprendre à faire du vin.

— C'est une idée intéressante dit le gouverneur.

Et, le lendemain, il prépara des lettres dans ce sens pour Java et Amsterdam.

Personne ne prévint Geertruyd que son bon voisin Andries complotait pout lui voler Trianon, mais un jour, en rentrant des vignes où elle était allée surveiller la croissance des jeunes raisins, elle vit le chariot de Boeksma arrêté non loin : il inspectait les grappes lui aussi. En s'avançant pour lui parler, elle s'aperçut qu'il souriait et hochait la tête comme s'il se livrait à des calculs agréables.

Elle se précipita à la maison et appela Annatjie. Cette dernière était au lit, trop affaiblie par la maladie pour se lever. Pendant un instant, le danger de la situation où elle se trouvait accabla la jeune femme. Elle se laissa tomber dans une chaise près du lit et éclata en sanglots. Quand Annatjie lui demanda la raison de ses larmes, elle gémit :

— Je perds votre soutien, ma chère et tendre mère, au moment où j'en ai le plus besoin. Je viens de voir Andries

Boeksma espionner sur nos terres. Annatjie, il a l'intention de nous les prendre ! Exactement comme j'avais dit.

Elle pleura quelques instants, puis éclata de rire, mais non sans amertume.

« J'étais stupide. Je croyais que l'ennemi serait à Java ou à Amsterdam. Il guettait à ma porte.

— Ma fièvre va passer, lui affirma Annatjie. Nous ne pouvons pas battre les XVII Seigneuries, mais nous tiendrons Andries Boeksma en échec.

Et, depuis son lit, où la maladie la cloua beaucoup plus longtemps qu'elle ne s'y était attendue, elle prit tout en main, donnant aux esclaves des ordres précis et expliquant à Sarel les raisons de chacune de ses décisions.

Elle était très impatiente de voir la Compagnie importer de grandes quantités de nouveaux esclaves pour reconstituer la main-d'œuvre décimée. Elle allait être déçue. Un jeune responsable d'Amsterdam qui avait débarqué au Cap pendant les dernières semaines de l'épidémie n'avait pas vu dans ce fléau une destruction, mais une occasion de réforme envoyée par le ciel. Il écrivit dans son rapport aux XVII Seigneuries :

> La petite vérole, qui a eu, certes, des conséquences très douloureuses, nous offre une chance de remettre l'Afrique dans le droit chemin. Nos paysans hollandais installés dans la colonie se sont habitués à une vie facile. Leurs journées se passent non sur leurs terres, mais autour de verres de vin : ils fument des pipes de tabac, bavardent comme des commères, se plaignent du temps et prient sans cesse pour que leurs malheurs s'apaisent. Quelle ironie de les voir se nommer *Boers*, car ils ne sont pas paysans. Tous les travaux que nos paysans ont l'habitude de faire chez nous, ils les tiennent pour besognes d'esclaves.
>
> Je recommande que vous exploitiez ce fléau comme une occasion envoyée par Dieu pour mettre un terme à l'importation d'esclaves et pour restreindre l'utilisation de la main-d'œuvre hottentote et métisse. Ramenons de Hollande des hommes et des femmes honnêtes qui savent travailler, de vrais *Boers* qui créeront en Afrique une classe paysanne authentiquement hollandaise et que la paresse et les privilèges n'auront pas pervertie.

Pendant un bref instant, il y eut une chance que cet avis soit suivi. L'Afrique australe serait alors devenue une colonie de peuplement très semblable à celles de l'Amérique du Nord et du Canada, où, dans des climats tempérés, des hommes libres devaient construire des démocraties puissantes. Mais, avant que les fermiers hollandais aient le temps d'arriver, le problème fut résolu d'une manière peu banale.

Les Hottentots des chefferies indépendantes à l'est de Stellenbosch avaient cruellement souffert de la petite vérole. Une fois leur bétail mort et leurs terrains de chasse traditionnels vides d'animaux sauvages, ils errèrent en groupes pathétiques jusqu'aux portes des fermes, prêts à n'importe quel travail en échange d'un peu de nourriture. C'était leur unique chance de survie, et bientôt Geertruyd en avait tellement recueilli à Trianon que le domaine avait récupéré tout son effectif de main-d'œuvre — preuve évidente que, si le Blanc réussissait dans ses entreprises économiques, le Brun et le Noir trouveraient un moyen de participer à sa prospérité. La seule restriction, c'était que le Noir ne jouait pas son rôle pour un salaire librement consenti, mais sous une certaine forme de servitude.

Quand l'avenir du domaine parut le plus compromis, quand le bruit courut que les femmes allaient en être dépossédées, Annatjie conçut, sur son lit de malade, une stratégie qui exigeait une exécution rapide. Elle fit venir Sarel et sa femme.

— Le moment est venu de racheter les droits des fils de Pré sur la part de Trianon que possédait leur père. Ils croiront qu'elle ne vaut rien. Nous savons, nous, quelle est sa valeur.

A sa plus grande joie, ce ne fut pas Geertruyd qui répondit, mais Sarel.

— Ils doivent connaître nos ennuis... dit-il très lentement. Ils vendront... à bas prix.

— Oh, Sarel ! s'écria sa mère. Tu comprends, n'est-ce pas ?

— Et cette année... nous trois... nous ferons du vin encore meilleur.

Le soir même, Annatjie composa une lettre à Henri de Pré à Amsterdam, où elle lui offrait pour sa part une somme ridiculement basse. Elle aurait voulu porter sa lettre au Cap elle-même, pour pouvoir négocier avec Louis, mais sa santé ne le permettait pas et elle fit la leçon à sa belle-fille.

— Sarel n'est pas encore capable de mener une négociation

comme celle-là. Et quand vous aurez versé à Louis son argent, il vous faudra aller au Château, rencontrer le gouverneur et sonder ses intentions.

— Je ne serai pas à mon aise, dit Geertruyd en posant les yeux sur ses mains usées par le travail.

— On fait ce que l'on doit, répondit Annatjie.

Quand la carriole fut attelée, elle quitta le lit pour saluer le départ de la jeune femme.

La discussion avec Louis se passa beaucoup mieux que Geertruyd ne l'avait escompté, mais elle vécut un moment très pénible. Une fois l'affaire conclue et les papiers signés, Louis conduisit la jeune femme dans une autre partie de la maison où il avait fait préparer du café et des biscuits. Et elle fit la connaissance des quatre fils de De Pré.

— Vous en avez quatre et je n'en ai aucun ! murmura-t-elle, et sa stérilité lui pesa davantage.

Au Château, le gouverneur lui dit que sa présence au Cap était un hasard heureux, car un Honorable Délégué venait d'arriver de Java et attendait un bateau d'Amsterdam qui lui apporterait des instructions des Seigneuries.

— Nous nous intéressons de très près à Trianon, lui dit le gouverneur en l'entraînant vers les appartements officiels où ils devaient dîner.

A son entrée dans la salle à manger de la Compagnie, deux choses frappèrent Geertruyd : la richesse de l'immense table de teck et des assiettes or et bleu, fabriquées au Japon, portant l'auguste monogramme — VOC — de la Compagnie, et entourées par cinq couverts d'argent massif importés de Chine ; et la présence de son voisin Andries Boeksma, qui avait manifestement appris à l'Honorable Délégué de Java sa version des « problèmes » de Trianon.

Ce fut un dîner glacial. Les trois hommes, beaucoup plus âgés, plus avisés et plus compétents qu'elle, regardaient de très haut cette gamine qui prétendait diriger un grand vignoble.

— Quels sont vos plans pour redresser la situation à Trianon ? lui demanda l'homme de Java.

Elle prit une respiration profonde.

— Sarel, mon mari, a déjà remis les vignes en ordre.

— Sarel ? s'écria Boeksma en écho.

— Oui, répliqua-t-elle en le regardant dans les yeux.

Elle hésita. Oserait-elle exprimer le fond de sa pensée ? Elle en trouva le courage. Elle se tourna vers le gouverneur et lui dit, avec la tendresse d'une jeune mariée :

« Je suis sûre que l'on vous a raconté que Sarel est un incapable. Je vous affirme le contraire. Il s'exprime lentement, c'est tout.

— Pourquoi n'est-il pas ici ?

— Parce qu'il est très timide. Mais je fais tout ce que je peux pour le guérir de ce défaut.

— Bien des gens pensent qu'il est simple d'esprit... commença Boeksma.

— Monsieur ! le coupa l'homme de Java. Cette dame...

— C'était une remarque fort grossière, intervint le gouverneur, mais j'aimerais savoir...

— Dans peu de temps, Excellence, vous pourrez amener des visiteurs importants à Trianon... pour leur montrer avec fierté ce que mon mari aura accompli.

Pendant le trajet de retour à Trianon, Geertruyd Van Doorn demeura rigide, les yeux fixés droit devant elle, comme une poupée de bois. A son arrivée près des bras accueillants de sa maison, elle ne les regarda même pas. Sans un mot pour les servantes venues à sa rencontre, elle courut directement dans la chambre d'Annatjie. Elle se jeta sur le lit de la malade et éclata en sanglots convulsifs.

Sa belle-mère la consola et elle se reprit suffisamment pour rendre compte de sa visite désastreuse au Château.

— Ils m'ont humiliée. Ces trois hommes qui me regardaient et se moquaient de vous et de moi ! Ils m'ont forcée à dire si Sarel était, oui ou non, un idiot ! Oh, Annatjie, j'ai eu tellement honte ! Et ils ont l'intention de nous prendre Trianon.

Elle bondit du lit et arpenta la pièce en proférant les injures qu'elle avait apprises dans les conciliabules secrets des fillettes de l'orphelinat.

« Je ne les laisserai pas faire. Sarel Van Doorn tiendra tête et leur fera perdre leur morgue. Il dirigera le domaine à la perfection et, dans un mois, je serai enceinte du fils qui héritera de Trianon.

— Cela ne dépend que de Dieu, dit Annatjie.

— Et moi j'ordonne à Dieu : « Fais-moi enceinte du fils dont j'ai besoin. »

— Vous blasphémez, Geertruyd !

— Je mets Dieu de mon côté, Annatjie. Nous avons deux mois, tout au plus. Ils attendent des instructions des Seigneuries...

Annatjie, contre l'avis des jeunes, se leva pour surveiller les travaux des champs, tandis que Geertruyd travaillait avec Sarel dans le chai.

— Tout dépend de vous, mon très cher ami. Quand les hommes viendront nous inspecter, il faut que vous les rencontriez et que vous les persuadiez que tout va bien.

— Des hommes ?

— Oui. Trois hommes. Grands, âgés, puissants, dit-elle avant de préciser le rôle que chacun jouerait. L'Honorable Délégué est un gentilhomme, mais il peut se montrer très sévère. C'est lui qui posera les questions difficiles. Le gouverneur ?... Ma foi, il sait tout. Andries Boeksma...

Elle chercha comment qualifier cet homme méchant, désagréable.

« C'est un ver de terre, dit-elle. Mais si vous essayez de l'attaquer, Sarel, les autres prendront sa défense. Laissez-le vous insulter.

Comme le bateau apportant les instructions d'Amsterdam arriva avec beaucoup de retard, le comité d'inspection dut retarder sa visite de plus de six mois, ce qui donna aux Van Doorn davantage de temps pour organiser leur défense. Mais Andries Boeksma eut également tout le loisir de préparer son attaque. Quand arrivèrent les lettres si longtemps attendues, qui accordaient au Délégué de Java l'autorité de régler le problème, Boeksma se rendit au Château.

— J'ai surveillé les vignes, dit-il. Elles sont dans un état lamentable.

— Le vin semble de la même qualité, répondit le gouverneur.

— Mais vous ne comprenez pas, Excellence ? Ces femmes sont rusées. C'est du vin que de Pré a fait.

— Que feront ces trois personnes si nous les dépossédons ? demanda le Délégué en se tournant vers le gouverneur.

— Elles sont propriétaires des terres. Nous leur donnerons une compensation, d'une manière ou d'une autre. Peut-être une petite ferme qu'elles seront capables de faire valoir. Ou bien une taverne, ici, au Cap... pour les marins.

— A notre arrivée là-bas, précisa Boeksma, vous devez insister pour que nous rencontrions Van Doorn tout seul. Les femmes protesteront, mais vous devez les éloigner. Cela vous permettra de vous rendre compte de ses faiblesses par vous-mêmes.

Et, quand les trois hommes vinrent enfin à Trianon, Geertruyd les attendait sous le stoep, dans tout le rayonnement de sa grossesse. Le sourire aux lèvres, elle aida Annatjie à s'avancer vers les arrivants.

— J'en étais sûr, murmura Boeksma. Elles ne vont pas nous laisser voir Sarel. Je vous avais bien dit qu'elles le tiennent sous clef.

A cet instant, dans l'embrasure de la porte en deux parties qui marquait l'entrée de la maison, Sarel parut. C'était un homme de belle taille, mince, beau, dont le sourire révélait deux rangées de dents très blanches.

— Distingués messieurs, dit-il en détachant chaque syllabe, soyez les bienvenus... à Trianon.

Il offrit ses bras aux deux femmes et les retint lorsque les visiteurs entrèrent dans le vestibule.

Une autre surprise les attendait : Geertruyd lâcha le bras de son mari, sourit aux trois hommes et les conduisit dans la pièce préparée pour leur réunion. Elle avait été décorée de fleurs, ainsi que d'une petite cage de canaris. Elle disposa les quatre chaises et s'excusa :

— Mon mari préfère vous rencontrer seuls.

Elle s'inclina et sortit.

Dès qu'elle eut franchi la porte, elle se précipita dans la pièce attenante et colla son oreille contre un petit trou percé dans le mur et dissimulé de l'autre côté par les fleurs. Quand Sarel lança la discussion, elle était sur des charbons ardents.

— Je vous en prie, mon Dieu, murmura-t-elle. Pardonnez-moi mes paroles insolentes. Aidez Sarel à faire ce que nous avons décidé.

Au cours des premières minutes, les inquisiteurs se montrèrent très insultants à l'égard de Sarel et le traitèrent comme s'il était vraiment faible d'esprit. Mais, quand Boeksma eut achevé ses accusations de mauvaise gestion de Trianon, Sarel les surprit en répondant lentement, intelligemment :

— Messieurs, ne faites-vous pas allusion aux mauvais jours que nous avons tous traversés… quand l'épidémie a décimé nos serviteurs ? Nous n'avons plus ces problèmes à présent.

Boeksma commença à réfuter cette affirmation et Geertruyd attendit, angoissée, la réaction de son mari. Elle fut soulagée d'entendre Sarel dire d'une voix ferme :

« J'ai demandé à nos serviteurs de vous soumettre un choix de nos vins.

Il laissa Boeksma protester que c'étaient des vins de De Pré, puis il ajouta, d'une voix calme :

« Je savais que vous soupçonneriez… que je vous offre du vin datant de De Pré. (Il rit.) Quel sale tour, n'est-ce pas ? Mais ce sont mes vins, comme vous le verrez… quand nous visiterons les chais.

Geertruyd, en entendant cette réplique complexe, quitta son poste d'écoute et courut à l'endroit où Annatjie l'attendait. Elle saisit les deux mains de sa belle-mère, au comble de la joie.

— Il est encore mieux que ce que nous pouvions espérer !

Le visiteur de Java goûta le nouveau vin et fut impressionné.

— Il est très bon, vraiment.

— Et l'an prochain, il sera fantastique, dit Sarel. Nous avons l'intention de faire des grands vins à Trianon.

Geertruyd, de retour à son poste, sentit ses mains se crisper. Elle retint son souffle. Ce que Sarel devait dire à présent constituait un formidable pari — et aussi une vengeance. Mais Geertruyd était une femme agressive et elle avait jugé que le risque méritait d'être couru.

« Honorable Délégué, nous n'avons, à Trianon, aucun désir d'imposer notre production à Java. Ce ne serait pas équitable… pour Java. Aussi avons-nous effectué il y a deux ans des enquêtes discrètes sur le marché européen.

Il hésita, tremblant devant l'audace de ce qu'il devait dire ensuite. Puis il sourit et continua :

« Oui, nous avons cherché des acheteurs en Europe. Et j'ai le plaisir de vous apprendre que la France et l'Angleterre achèteront notre vin… à un excellent prix.

— Une minute ! protesta le Délégué. Si vous pouvez faire du vin de cette qualité, nous serons…

— Mais de quelle autorité avez-vous lancé des enquêtes en Europe ? demanda le gouverneur.

— Pas en Europe, Excellence. Mon épouse a apporté des échantillons aux capitaines quand des bateaux accostaient au Cap. Je voulais vous éviter des soucis, Excellence.

Et la discussion prit fin, car Geertruyd apparut dans l'embrasure de la porte.

— Oh, voici votre épouse, s'écria l'homme de Java. Avec du thé et des biscuits. Vous pouvez être très fière, Mevrouw Van Doorn, de l'excellent vin que fait votre mari.

— Je le suis, dit-elle.

Une fois les visiteurs partis, Sarel éclata de rire en songeant à la façon dont Andries Boeksma avait essayé de faire valoir des preuves injustifiées. Geertruyd prit son mari par la main et le conduisit vers le fauteuil où Annatjie, épuisée, s'était effondrée.

— Votre fils a été magnifique, dit Geertruyd. Il a sauvé nos vignes.

— Vraiment ? demanda Sarel.

Et, à la façon dont il se redressait en parlant, ses femmes furent certaines qu'il était enfin prêt à devenir le maître de Trianon.

Les trekboers

En 1702, Hendrik Van Doorn devint un *trekboer,* un de ces pasteurs errants qui s'avançaient vers l'est à travers les terres vierges, au pas lent de leurs bœufs.

Tournant le dos à tous ses droits sur Trianon, parce que sa mère avait épousé le huguenot huit jours à peine après la mort de son père abattu par les Bochimans, il s'était engagé dans les montagnes. Il mettait son chariot en pièces et le transportait morceau par morceau par-dessus les précipices, puis il l'assemblait pour les sinueuses descentes dans les vallées.

Il continua ainsi jusqu'à un torrent où les martins-pêcheurs plongeaient comme des flèches bleues vers des eaux de cristal. En voyant de bons pâturages non loin, il comprit qu'il avait atteint sa demeure temporaire. Pendant les premières années, il fit paître ses bœufs et ses moutons et vécut dans la plus simple des cabanes de roseaux et de terre, partageant sa nourriture frugale avec son unique esclave et les deux familles hottentotes qui l'accompagnaient dans son exil.

A chaque printemps, il jurait : « Cet été, je me construirai une vraie maison », mais, à mesure que la saison avançait, sa résolution faiblissait et il regardait sans réagir ses Hottentots s'enfoncer dans les vallées environnantes à la recherche des hommes de leur peuple qui demeuraient encore dans la région et élevaient du bétail qu'ils acceptaient de troquer. Le troupeau d'Hendrik s'accrut et, tous les deux ans, il pouvait conduire une partie de ses bêtes à l'un des comptoirs de la Compagnie. Il y achetait tout ce dont il aurait besoin pendant les deux années suivantes, puis il disparaissait, car il avait appris à aimer la liberté dont il jouissait et il redoutait le contact des marchands du Cap.

Chaque année, deux ou trois Blancs errants croisaient son chemin, ou bien quelque autre jeune trekboer qui « en avait fini avec Le Cap », ou encore l'un des chasseurs qui s'aventuraient très loin dans les terres, pendant des mois de suite, à la recherche de la fortune — en ivoire ou en peaux de bêtes. Une fois, Hendrik se joignit à un chasseur qui tentait sa chance vers le sud, à l'endroit où une imposante forêt de lauriers et de santals d'Afrique abritait un troupeau d'éléphants.

La quatrième année, la sécheresse sévit, répandant partout la terreur, étouffant les rivières où dansaient les martins-pêcheurs, détruisant les pâturages. Les Hottentots, qui connaissaient toujours les mystères de l'eau, l'entraînèrent à une centaine de kilomètres vers le sud, au bord d'une grande dépression qui contenait un peu d'eau. Hendrik y séjourna avec deux autres trekboers. Quand les pluies tombèrent enfin, il retourna près de son torrent, mais les choses n'étaient plus tout à fait les mêmes, car, au cours des longues soirées, assis près de ses Hottentots et de son esclave, il éprouvait une sorte d'agitation intérieure — et de solitude. Il ne lui vint jamais à l'esprit que ce sentiment prendrait fin s'il se mariait, car il n'y avait aucune jeune fille hollandaise dans cette vaste région.

En 1707, au retour d'un voyage au comptoir de la Compagnie, le Hottentot qui surveillait le bétail s'aperçut qu'Hendrik n'était pas satisfait. Les acheteurs de la Compagnie avaient parlé d'un loyer éventuel pour les terres comme celles que Van Doorn occupait — rien de précis... pas de *placaats* en bonne et due forme... simplement des rumeurs : des rix-thalers à payer. « Maudite Compagnie ! », ne cessait de dire le *baas** entre ses dents, et le Hottentot l'entendit. Telle était donc l'humeur d'Hendrik quand il descendit de son chariot pour s'avancer vers sa hutte. Le fait qu'un autre trekboer se fût installé dans la vallée ne fit qu'envenimer sa rage.

L'homme s'avança nonchalamment vers lui et lui tendit la main. Il avait, lui aussi, bravé les montagnes et transporté son chariot morceau par morceau à travers les précipices. Unique différence, il avait des femmes avec lui : une épouse au visage décharné et une fille aux cheveux nattés, qui s'appelait Johanna. Hendrik avait vingt-six ans cette année-là et la jeune fille seize. Au cours des trois mois où la famille errante demeura près de la cabane, Hendrik tomba amoureux d'elle. Elle était mince comme un roseau, mais elle travaillait avec une énergie farouche. C'était elle qui tenait en main la petite famille, car son père était velléitaire et sa mère geignarde. C'était elle qui raccommodait les vêtements et faisait la cuisine. Hendrik, qui se nourrissait des plats les plus simples, apprit à aimer le curry que Johanna confectionnait : elle savait comment rendre acceptable la viande la plus médiocre en lui ajoutant les épices parfumées préparées par les Malais du Cap. Elle en avait emmené une provision abondante et, lorsque Hendrik lui demanda, après un dîner où les côtes de steenbok étaient particulièrement réussies, comment elle ferait, plus loin vers l'est, pour trouver du curry, elle lui répondit :

— Nous en avons pour trois ou quatre ans. On n'en utilise pas beaucoup, vous savez. A cette époque, des marchands viendront jusque là-bas, n'est-ce pas, Pappie ?

Pappie était un optimiste.

— Des *smous* *... Dans deux, trois ans, on verra arriver des flopées de ces colporteurs.

Un soir, à dîner, quand ils furent bien reposés et fin prêts pour le voyage qui les attendait, le père dit :

— Demain, nous partons.

Et ce fut alors que Johanna découvrit qu'elle n'avait pas envie de quitter Hendrik. A l'orée du désert plein de mystères, elle avait trouvé un homme robuste, bon et capable. Il n'avait rien dit ni fait qui révélât qu'il s'intéressait à elle — il resterait toujours timoré dans ce domaine —, mais elle était sûre que, si elle pouvait rester avec lui un peu plus longtemps, elle trouverait bien le moyen de l'encourager.

Elle n'était pas encore effrayée par les années écoulées — seize ans et pas de mari ! —, mais elle prévoyait que, si sa famille s'éloignait plus à l'est, il se passerait peut-être beaucoup de temps avant qu'elle ne rencontre un homme épousable. Quand tout le monde se fut retiré, elle se glissa près de ses parents et murmura :

— J'aimerais rester ici avec Hendrik.

Le couple entra en fureur.

— Tu nous abandonnerais ? Et qui s'occupera de nous ?

Ils avaient dix bonnes raisons pour garder leur fille avec eux, toutes aussi contraignantes. Car ils n'étaient pas à la hauteur de la situation dans laquelle ils s'étaient mis et ils le savaient. Sans Johanna, ils avaient peu de chances de survivre au cours des années difficiles qui les attendaient. Ils la supplièrent donc de les accompagner. En larmes, elle promit, car elle voyait bien que, sans elle, ils étaient condamnés.

Mais, une fois seule, en contemplant la perspective des années vides qui l'attendaient, elle ne put supporter l'image de la solitude qu'on lui imposait. Elle se dirigea sans bruit vers la couche d'Hendrik et le réveilla.

— C'est notre dernière nuit. Allons faire un tour au clair de lune.

Tremblant d'émotion, il se glissa dans son pantalon et sortit, pieds nus, de la hutte. Ils s'éloignèrent et, quand seuls les troupeaux en train de ruminer purent les entendre, elle dit :

« Je ne veux pas partir.

— Vous resteriez ici ? Avec moi ?

— Oui.

Elle sentit qu'il frissonnait.

« Mais ils ont besoin de moi, ajouta-t-elle. Ils ne pourront pas survivre sans moi.

— Moi aussi, j'ai besoin de vous ! s'écria-t-il.

Et, oubliant toute retenue virginale, elle le prit dans ses bras. Ils glissèrent par terre et s'étreignirent avec une avidité angoissée, assouvissant la solitude et les doutes qui les assaillaient. Deux fois, ils firent l'amour sans trop savoir comment, parfaitement conscients de leur maladresse, mais conscients aussi de toute la tendresse, la douceur et la passion impliquées dans leur union.

— Je veux que tu ne m'oublies pas, lui murmura-t-elle enfin.

— Je ne te laisserai pas partir. J'ai besoin de t'avoir avec moi.

Elle avait tellement envie d'entendre ces paroles rassurantes, de savoir, à la veille de son départ pour des terres inconnues, qu'elle avait été capable d'inspirer à un homme des pensées de cet ordre ! Mais, quand Hendrik s'écria à voix haute : « Je vais parler à ton père », elle eut peur que n'éclate une confrontation sans solution possible.

— Non, Hendrik ! Plus tard, peut-être. Quand la ferme...

Peine perdue. Le robuste trekboer se dirigeait à grands pas vers la cabane. Il réveilla le couple endormi et dit carrément :

— Je garde votre fille.

Peut-être avaient-ils prévu que leur séjour prolongé aboutirait à ce dénouement, toujours est-il qu'ils surent très bien manœuvrer. A force de larmes, d'accusations d'ingratitude et de prières, ils conjurèrent Johanna de rester avec eux et, le matin venu, elle dut se plier à leur désir.

Après leur départ, Hendrik vécut les journées les plus difficiles de sa vie, car, pour la première fois, il pouvait imaginer ce que serait son existence avec une femme. Il restait couché dans sa cabane et il fixait les étendues vallonnées qu'elle avait traversées, s'imaginant en train de galoper à sa poursuite. Il alla jusqu'à se demander comment ils pourraient se marier sans prédikant dans la région.

Quatre fois, il décida de laisser sa cabane et ses troupeaux à la garde de ses serviteurs et de partir vers l'est pour la reprendre. Mais, toujours, il retombait sur la paillasse sale qui lui servait de lit, convaincu que, même s'il la retrouvait, elle refuserait sûrement de revenir avec lui. Aussitôt, l'horrible médiocrité de la vie qu'il mènerait sans femme l'accablait et il restait immobile pendant des journées entières.

Il lui fallut une année pour triompher de cette maladie, et il avait presque oublié Johanna quand son esclave accourut en criant que des gens arrivaient. Il bondit de son lit et se tourna instinctivement vers l'ouest pour voir qui s'était risqué à travers les montagnes. Il ne vit rien. Son esclave lui tira le bras.

— De ce côté, baas.

De l'est, meurtris et presque détruits par leurs mésaventures sur les pistes lointaines, s'avançaient Johanna et sa famille.

— Nos Hottentots se sont enfuis avec la majeure partie de notre bétail. Nous avons planté un peu de mil, mais dans de la mauvaise terre. Et puis les vents, la sécheresse. Ensuite les pluies ininterrompues. Nous avons été obligés de manger notre dernier mouton.

Le père s'accablait de reproches. Sa femme se plaignait amèrement de leurs erreurs. Et Johanna, mince à faire pitié, gisait, épuisée, sur la paillasse d'Hendrik — n'accusant personne, mais manifestement à demi morte pour avoir fait tout le travail. Pendant dix jours, Hendrik la soigna avec douceur, lava son corps meurtri et la nourrit de bouillon préparé par les Hottentots sur leurs feux. Le onzième jour, elle se leva et insista pour faire la cuisine.

Cette fois, la famille resta six mois. Et, lorsqu'ils décidèrent de reprendre leur voyage vers l'ouest, vers Le Cap, Hendrik leur donna deux paires de bœufs, une petite carriole et un serviteur. Au moment où ils s'apprêtaient à partir, Johanna vint se placer à côté du jeune homme et lui prit la main. Sans prononcer un mot, elle signifiait son intention de rester. Son visage mince était si angoissé à la pensée qu'ils puissent la forcer à les accompagner qu'ils n'osèrent pas protester. Ils savaient qu'elle aimait cet homme, qu'elle l'avait perdu une fois par soumission filiale.

Elle ne renoncerait pas à lui de nouveau. Ce fut un instant solennel, sans ministre de Dieu pour conférer l'approbation de la société, sans rituel d'aucune sorte pour marquer l'un des plus grands sacrements de l'expérience humaine. Il n'y eut ni sermon, ni prières, ni hymnes psalmodiés. Le père et la mère de l'épouse se tournèrent vers la montagne périlleuse qu'ils devraient traverser pour retourner au Cap — et il n'y avait guère de chances pour qu'ils reviennent un jour voir leur fille.

Le Hottentot fit claquer son fouet en peau d'hippopotame. Les bœufs s'ébranlèrent et le couple battit en retraite, brisé par sa triste aventure.

Dans les quinze années qui suivirent ce mariage sans formalités, Johanna conçut neuf enfants, qui virent tous le jour dans le coin d'une hutte grossière, entre les mains de petites Hottentotes dont les hululements d'appréhension et de joie rivalisaient avec les vagissements des nouveau-nés. Deux d'entre eux moururent : l'un sous la morsure d'un cobra jaune du Cap, à deux pas de leur demeure ; l'autre, emporté par une pneumonie. Mais les sept autres couraient autour des cabanes et dans les collines, et Johanna prenait grand soin de sa couvée : elle les nourrissait, les lavait, cousait des vêtements pour tous et tenait dans un ordre satisfaisant leur foyer de fortune.

Mais elle-même se dégradait de plus en plus. Un voyageur l'a décrite comme une souillon — épithète qu'elle méritait, car elle n'avait pas le temps de prendre soin de son aspect extérieur. A trente-trois ans, elle était usée et à peu près morte, sauf qu'elle refusait de mourir. Elle était entrée dans cette période apparemment sans fin où une femme décharnée, endurcie au travail, passe de façon presque mécanique d'une corvée amère à une autre et s'abandonne entièrement à ce rituel de survie.

« La seule attention qu'elle se permette, écrivit le voyageur, se déroule à la tombée du jour. Entourée de sa progéniture, elle tient sa cour, tandis que ses deux servantes hottentotes lui baignent les pieds. D'où lui venait cette coutume, je l'ignore, et Mevrouw Van Doorn ne me l'expliqua point. »

Mais que lui importait la monotonie de son existence, que lui importait de perdre toute séduction ? Elle était certaine d'une chose : Hendrik l'aimait. Elle était la seule femme qu'il ait connue et, lors de leur première nuit dans l'herbe, elle lui avait montré qu'elle avait besoin de lui. Sans livres à lire — sans même la capacité de les lire —, sans autres Hollandais avec qui parler, elle était satisfaite de posséder en Hendrik le cœur et la source de sa vie. Et lui, qui savait lire dans la grande Bible reliée de cuivre, ne pouvait imaginer d'autre vie que celle qu'il menait avec Johanna. Parfois, après avoir lu à sa famille un chapitre de la Genèse ou de l'Exode, il comparait les errances des Fils d'Israël et les tribulations d'un trekboer, et il s'interrogeait sur l'avenir des enfants.

— Où les filles trouveront-elles des maris ?

Puis, en 1724, Hendrik vécut la pire sécheresse de toute sa vie. Les Hottentots se rendirent jusqu'au bord de la dépression, dans le sud, où ils croyaient pouvoir conduire le bétail : le lac n'était plus qu'une mare. Hendrik avait à ce moment-là quatre cents bovins et trois fois plus de moutons. Il comprit que ses pâturages épuisés ne pourraient plus les nourrir. Même le modeste jardin que Johanna cultivait s'était desséché. Un soir, Hendrik ordonna à tout son clan de s'agenouiller et de se mettre en prière. Avec trente-cinq suppliants autour de lui — les huit membres de sa famille, vingt-deux Hottentots, plus les esclaves —, il pria Dieu de lui envoyer la pluie. Soir après soir, ils répétèrent leurs prières et aucune pluie ne tomba. Son troupeau — son unique richesse — devenait de plus en plus maigre. Enfin, une nuit, quand il se glissa dans le lit, Johanna lui dit :

— Je suis prête.

— Je crois sincèrement que Dieu veut que nous partions à l'est, répondit-il.

— Nous aurions dû partir il y a cinq ans, répliqua-t-elle sans rancœur.

— Je compte aller à soixante ou peut-être soixante-dix lieues.

— Je suis déjà allée à l'est, tu le sais.

— C'était aussi mauvais que tu l'as dit ?

— Pire. Nous étions à soixante-dix lieues d'ici, exactement où tu veux aller, et c'était pire que ce que Pappie a dit.

— Mais tu veux bien essayer de nouveau ?

— Cet endroit-ci est fini. Nous devons aller ailleurs, n'importe où avant que la sécheresse ne finisse de nous ruiner.

— Alors, tu veux bien risquer encore ?

— Tu es beaucoup plus malin que Pappie. Et j'en sais beaucoup plus maintenant qu'à l'époque. Je suis prête.

Les enfants les plus âgés ne l'étaient pas. Conservateurs comme tous les jeunes, ils se plaignirent : ils voulaient rester où ils se trouvaient, surtout depuis que d'autres familles commençaient à venir dans la région. Pourtant, deux enfants du clan envisagèrent le départ avec enthousiasme...

Adriaan était un adolescent fringant, mince et vif comme sa mère à son âge. Il avait douze ans cette année-là et, pour tout ce qui touchait aux livres, il était ignare. Mais il semblait très versé dans ce qui se passait dans le veld. Il comprenait le bétail, la culture du mil, les techniques pour retrouver les brebis perdues, la langue des esclaves de sa famille et celle des Hottentots. Ce n'était pas un enfant très solide et il n'était pas grand. Son principal trait de caractère, c'était le plaisir païen qu'il prenait à regarder le monde autour de lui. Pour Adriaan, une montagne avait une personnalité aussi précise qu'un taureau ou que ses sœurs. Il ne parlait pas aux arbres, bien sûr, mais il les comprenait, et quand, parfois, en parcourant le veld, il tombait sur un buisson de protées dont les fleurs étaient aussi grosses que son crâne, il sautait de joie en les voyant murmurer des choses entre elles. Son plus grand délice, c'était de partir seul, à pied, vers l'est ou le nord, sur les vastes étendues vides qui l'invitaient.

L'autre garçon que ravit la nouvelle du *trek** vers l'est était le demi-Hottentot Dikkop, engendré dix-neuf ans auparavant par un chasseur « de couleur » qui avait séduit une des servantes d'Hendrik. Le qualifier de « garçon » n'était pas lui faire justice, car il avait sept ans de plus qu'Adriaan, mais il était si anormalement petit, même pour un Hottentot, qu'il avait l'air encore plus gamin que le fils Van Doorn. Il avait des fesses très grosses, une belle peau brun clair et un tempérament timide qui s'exprimait surtout à travers son amour pour les enfants Van Doorn, notamment Adriaan, avec qui il avait déjà projeté des explorations grandioses. Si la famille se déplaçait très loin vers l'est, quand la nouvelle cabane serait construite et le bétail acclimaté, ils seraient libres de partir, Adriaan et lui, et ils se lanceraient dans des terres que personne n'aurait vues avant eux, ou presque. Rien ne plaisait autant à Dikkop que cette éventualité. Quand les chariots furent chargés, il alla voir Hendrik :

— Baas, arrivés nouvelle ferme, Adriaan, moi, nous partons ?

— Il est temps, accorda le baas.

Dikkop n'avait pas besoin de promesse plus précise. Pendant le voyage, il travaillerait comme jamais auparavant, démontrant à son maître qu'il avait eu raison de consentir à l'exploration projetée.

Deux chariots lourdement chargés, une tente que l'on dresserait à la tombée du jour, une famille blanche de neuf personnes, deux esclaves, deux vastes familles de Hottentots, deux mille moutons, quatre cents bovins et deux attelages de bœufs — chacun de huit paires — formaient la caravane des Van Doorn en route vers une terre complètement inconnue. Johanna traînait une maigre batterie d'ustensiles de cuisine, cinq cuillères, deux couteaux et pas de fourchettes. Hendrik emportait une Bible publiée à Amsterdam en 1630, quelques outils et un moule rond de terre cuite dorée dans lequel, les jours de fête, il faisait ses gâteaux de pain. Il gardait aussi un petit assortiment de semences pour son futur jardin et seize boutures racinées de divers arbres fruitiers — la base, avec un peu de chance, de son futur verger. Il était le seul à savoir lire et il prenait plaisir à rassembler tout son monde pour la prière du soir : il ouvrait la Bible sur ses genoux et lisait quelques versets avec de belles intonations hollandaises.

Les trekboers ne parcouraient chaque jour que des distances modestes. Les bœufs ne forçaient pas le pas et il fallait laisser aux troupeaux le temps de paître. Des Hottentots partaient en avant, en éclaireurs, pour repérer les cours d'eau. Huit kilomètres représentaient une bonne journée. Et, quand on trouvait un endroit accueillant, la caravane traînait trois ou quatre jours, profitant de la bonne eau et des bons pâturages.

Au bout de trois semaines, quand ils eurent parcouru une centaine de kilomètres, Hendrik et Johanna montèrent sur une petite colline pour examiner une vaste étendue de prairie : l'herbe n'était pas exceptionnelle ni l'eau très abondante, mais la configuration du terrain, les collines et le veld protecteur semblaient pleins de promesses.

— La ferme de ton père était comme ça ?

— Presque, répondit Johanna.

— Et il a échoué ?

— Nous sommes presque morts.

— Cette fois-ci, ce sera différent, répondit Hendrik.

Mais il se refusait à prendre une décision aussi cruciale sans l'approbation de sa femme. Plus de vingt fois dans leur vie commune, elle l'avait prévenu à l'avance des difficultés et il comptait sur elle pour déceler des points faibles qui lui auraient échappé.

« Tu aurais des inquiétudes, Johanna, si nous choisissions cet endroit ?

— Bien sûr que non ! Tu as des fils pour t'aider. Des serviteurs de confiance. Je ne vois pas d'obstacles.

— Dieu soit loué ! cria-t-il avec une exubérance qui stupéfia Johanna. C'est décidé !

Et il partit en courant vers le centre de la plaine qu'il avait choisie.

— Tu n'auras pas le temps avant le coucher du soleil ! lui cria Johanna. Attends demain !

— Non, cria-t-il avec un enthousiasme qui enflamma ses enfants et les serviteurs. C'est notre terre. Nous la marquons ce soir.

Il continua sa course jusqu'à un endroit central où il ordonna à ses Hottentots de rassembler des pierres en un tas bien visible. Dès que le tas fut commencé, il cria à la ronde : « Où est le nord ?

Il le savait, bien entendu, mais il voulait leur confirmation pour le rite sacré qu'il allait accomplir.

— Le nord est là ! répondit Dikkop.

— Tout juste !

Hendrik tendit un pistolet à Johanna.

« Dans une demi-heure, tire un coup de feu. Je veux que

tout le monde ici soit témoin que je n'ai marché que pendant une demi-heure.

Et il partit vers le nord, sans allonger exagérément le pas et sans courir, mais en avançant avec détermination et gravité. Quand Johanna tira le coup de pistolet, il avait parcouru presque trois kilomètres. Il s'arrêta et rassembla des rochers en une pile plus petite que celle du centre. Puis, en criant de joie, il s'élança vers le centre en sautant et lançant des coups de pied comme un enfant.

« Où est le sud ? cria-t-il.

— Par là-bas ! répondirent plusieurs voix.

— Donne-moi une demi-heure, répéta-t-il à sa femme.

Et il repartit, sans jamais courir ni tricher, pour que tout le monde puisse témoigner unanimement qu'il avait délimité sa terre avec honnêteté. Quand il entendit le coup de feu, il fit de nouveau un cairn et se hâta de revenir vers la pile centrale.

« Où est l'ouest ? cria-t-il avec une joie sauvage.

Et il s'élança de nouveau, à pas normaux, mais avec une vigueur anormale. Un autre coup de feu, autre cairn, un autre point marqué.

« Où est l'est ?

— Voilà l'est ! crièrent les hommes.

Mais cette fois, tandis qu'il s'élançait vers le vaste inconnu qui avait tellement attiré son grand-père infirme et qui l'avait entraîné lui-même loin de la sécurité agréable de Trianon, il eut l'impression de participer à une sorte de mission sacrée et ses yeux s'embrumèrent. Ses pas se ralentirent, diminuèrent... Sa ferme allait être bancale, mais il ne pouvait pas s'en empêcher. Il avait marché et couru près de dix-huit kilomètres à la fin d'une journée épuisante et il était fatigué, mais surtout il était séduit par les montagnes qui s'étendaient parallèlement à lui, vers le nord, bordant les belles plaines où s'établiraient les grandes fermes de l'avenir. Et sur sa droite, vers le sud, il pouvait sentir la présence invisible de l'océan qui s'étirait jusqu'au pôle pris par les glaces. Il ressentit une impression d'identification avec cette terre sans entraves comme personne n'en avait éprouvé avant lui.

— Il n'avance pas, dit Adriaan au centre.

— Il ralentit, répondit Johanna.

— Donnez-lui plus de temps, supplia l'enfant.

— Non. Il faut faire les choses comme il convient.

Mais Adriaan saisit la main de sa mère et l'empêcha de tirer, et soudain son père se mit à sauter en l'air, les bras au ciel, et se hâta pour rattraper le temps perdu.

— Maintenant, dit Adriaan en lâchant la main de sa mère.

Le pistolet tira, le cairn de l'est fut dressé et Hendrik Van Doorn revint lentement vers sa famille. La nouvelle ferme-concession — deux mille quatre cents hectares environ de prairie pleine de promesses — venait d'être délimitée.

Les trois mois suivants, d'avril à juin, furent une période d'efforts extraordinaires, car la ferme devait être en état de fonctionnement normal avant le début de l'hiver. On construisit un vaste kraal de brique crue et de pierre pour isoler les précieux animaux ; on planta des arbres, on défricha un petit jardin et un grand champ pour le mil, qu'on laissa en jachère jusqu'au printemps suivant. Ensuite seulement, les serviteurs se mirent à construire la cabane de la famille.

Hendrik mesura un rectangle de douze mètres sur six, puis le nivela avec un mélange de terre et de bouse de vache. Aux quatre coins, on enfonça dans le sol de longs poteaux souples. A chaque extrémité du rectangle, on fit ployer les deux poteaux l'un vers l'autre et on les attacha. Par-dessus, dans l'axe du rectangle, on posa une grosse poutre de douze mètres, qui formerait la faîtière du toit. Les murs de la hutte, courbés depuis la base vers le haut, se composaient de clayonnages et de gros roseaux entrelacés avec du chaume. Une porte grossière s'ouvrait au milieu de l'un des grands côtés, mais les deux murs latéraux étaient entièrement fermés et l'ensemble n'avait pas de fenêtres.

L'ameublement de la maison ne se composait que d'une longue table construite par les esclaves et de sièges bas, ressemblant à des bancs, formés de branches entrecroisées et de courroies de cuir. Les coffres des chariots abritaient les vêtements et les quelques autres biens. On entassait par-dessus les assiettes, les casseroles et le moule de terre cuite. Le foyer, sur un des côtés, était un petit espace clos par des briques crues, sans conduit de fumée. Les enfants dormaient sur des tas de peaux souples ; leurs parents sur un lit, dans le coin le plus éloigné : quatre poteaux à soixante centimètres du sol, réunis par un entrelaçage de roseaux et de courroies.

Le nom de la demeure grossière dans laquelle les neuf Van Doorn allaient vivre pendant les dix années suivantes — et les autres trekboers pendant encore un siècle — ferait l'objet de controverses sans fin. C'était une *hartbees-huisie*, et les étymologies contradictoires proposées pour ce mot fournissent un exemple de la manière terre à terre dont se forgeait la nouvelle langue de la colonie. Le *hartebeest* (le bubale) était une antilope au museau mince et aux cornes vrillées, très fréquente dans le veld, mais il n'y avait aucune raison pour que cet animal élégant qui hantait les espaces découverts prête son nom à cette demeure étriquée. Meilleure explication, le mot était une corruption du hottentot *harub* (natte de jonc) et du hollandais *huisje* (petite maison). D'autres enfin prétendaient que c'était l'association des trois mots *harde* (dur), *bies* (roseau) et *huis* (maison) : maison de roseaux durs. Quoi qu'il en soit, la hartbees-huisie resta le symbole de la grande distance que ces Hollandais avaient parcourue, sur le plan physique et sur le plan spirituel, depuis leur poste du Cap et leurs ancêtres de Hollande.

Le premier hiver fut difficile : peu de nourriture en réserve et rien qui poussait. Mais les hommes parcoururent les collines et ramenèrent de grandes quantités de springboks, de gemsboks et de beaux blesboks. Et, de temps en temps, dans leur maison-bubale enfumée, les Van Doorn dînaient d'un bubale. Johanna découpait la viande en fines lamelles et la faisait cuire avec quelques oignons, un peu de farine et une pincée de curry. Hendrik arpentait les collines basses pour ramasser les fruits sauvages qu'il pilerait avec des noix pour en faire un condiment aussi épicé que les currys des Indes. La famille mangeait à sa faim.

Les enfants suppliaient leur père de faire l'un de ses gâteaux de pain, mais, sans zeste de citron, sans cerises et sans pommes pour le rehausser, le dessert ne pourrait être que décevant, et Hendrik refusait. Mais, vers septembre, à la fin du long hiver, un vieux smous conduisant un chariot bancal arriva du Cap avec une provision miraculeuse de farine, de café, de condiments, de fruits secs et de choses aussi indispensables que des aiguilles à coudre et des épingles.

— Vous êtes le plus loin vers l'est, dit-il d'une voix asthmatique, très haut perchée.

— Comment avez-vous pu passer les montagnes tout seul ? lui demanda Hendrik.

— Avec mon associé. Nous avons démonté le chariot et tout porté sur le dos.

— Où est votre associé ?

— Il a pris une ferme. Près de l'océan.

— Comment allez-vous revenir au Cap ?

— Je vendrai tout. Je vendrai le chariot. Puis je rentrerai à pied et j'en achèterai un autre.

— Vous avez l'intention de revenir par ici ? demanda Johanna.

— Peut-être dans un an.

— Ce sera un beau coin, dit Hendrik. Je nous construirai peut-être une vraie maison.

Personne ne le crut. Quatre ans sur cette ferme, une sécheresse ou deux, une vallée plus fertile découverte en allant conduire du bétail, et les Van Doorn seraient tous impatients de se rendre sur de meilleures terres. Mais il y avait de la nourriture offerte et quelques rix-thalers pour l'acheter, aussi toute la famille se mit-elle à fouiller de bon cœur dans les réserves du vieil homme.

— Je ne suis pas pressé de vendre, dit-il. Sur le chemin du retour, beaucoup de gens voudront mes richesses.

— Combien de gens ? demanda Hendrik

— Entre ici et les montagnes... dix... vingt fermes. C'est devenu un nouveau Stellenbosch.

Johanna veilla à ce que tous leurs achats soient raisonnables et, à la fin du marchandage, elle dit au vieux :

— Je parie que vous n'avez pas pris un bon repas depuis des semaines.

— Je ne suis pas mort de faim...

— Si vous nous donnez quelques fruits secs et quelques épices, mon mari vous fera le meilleur gâteau de pain que vous ayez jamais goûté.

— Cet homme-là ?

Le vieux lança à Hendrick un regard presque méprisant, mais, comme Johanna insistait, il hésita.

« Vous avez du mouton ? dit-il. Du bon mouton ?

— Bien sûr.

— Mouton et gâteau. Ça me plaît.

Le troc fut conclu et, tandis que Johanna et Hendrik

s'affairaient dans la cabane, le vieil homme s'assit sur un tabouret boiteux près de l'entrée et savoura la bonne odeur de la viande. Les trekboers aimaient la viande quand elle nageait dans la graisse...

Ce fut un festin de gala, à la pointe extrême de la colonie. Quand la viande fut découpée, comme il y en avait beaucoup de reste, Adriaan dit :

— J'aimerais en donner à Dikkop.

Personne ne souffla mot.

« Dikkop et moi, nous allons partir ensemble, n'oubliez pas.

Et l'on accepta que le Hottentot vienne sur le seuil de la cabane, où Adriaan lui remit une écuelle de mouton.

« Ne bouge pas, murmura-t-il.

Hendrik apporta le moule sans anses et le posa en face du vieil homme :

— Vous d'abord.

C'était une erreur. Le vieux bougre prit presque la moitié du plat ! Cela faisait une éternité qu'il n'avait pas mangé de gâteaux et surtout pas un dessert comme celui-là, fourré d'écorces de citron et de pommes séchées.

Les Van Doorn divisèrent le restant en parts égales, mais Adriaan coupa son morceau en deux.

— Que fais-tu ! lui demanda Johanna.

— J'ai promis une part à Dikkop, répondit son fils en se glissant prestement dehors.

Leur voyage était prévu pour novembre, quand les protées commencent à s'ouvrir comme d'immenses lunes d'or. Dikkop, brun et pieds nus, dix-neuf ans et connaissant bien la vie de la frontière, ouvrirait la marche. Adriaan, bien vêtu d'une veste de cuir ornée de lanières et d'un pantalon de velours de coton, exceptionnellement instruit de tout ce qui concernait les animaux et les arbres, serait le chef spirituel. Ils se dirigeraient vers des territoires sauvages, peuplés de lions, d'hippopotames, d'éléphants et d'antilopes sans nombre. Et, s'ils survivaient, ils reviendraient, en ne rapportant de leur aventure que deux ou trois récits de falaises grimpées et de fleuves traversés à la nage.

A la fin du printemps 1724, ils partirent donc vers l'est avec deux fusils, deux couteaux, un paquet de viande séchée — et sans la moindre appréhension.

Ce fut un voyage unique : deux jeunes gens lancés sur des terres inexplorées sans la moindre idée de ce qui allait se passer — sauf que ce serait une aventure et qu'ils se sentaient capables de la mener à bon terme. Dikkop était peu ordinaire pour un Hottentot : il avait les mêmes compétences qu'un Malais pour le travail du bois, mais il était aussi magnifiquement adapté à la vie sauvage que n'importe quel Hottentot. Il possédait le sens du danger et savait l'éviter. Il redoutait les confrontations physiques et il parcourait des distances considérables pour les fuir. En fait, il était très lâche, mais c'était un atout de survie dans un milieu hostile et il n'avait nullement l'intention de modifier cette attitude sage au cours de leur périple.

Adriaan, dans le désert, était un jeune homme remarquable. Rien ne l'effrayait. Il était si sûr de lui qu'il aurait affronté n'importe quel animal, sans tenir compte de sa taille ou de sa puissance. Il était ouvert et sensible à tout ce qui se passait autour de lui. Si son aïeul Willem pouvait être considéré comme le premier Afrikaner, il était le second, car il aimait ce continent avec plus de passion que tout autre enfant vivant à l'époque. Il faisait partie de l'Afrique ; son cœur bondissait au même rythme qu'elle ; il vivait avec ses arbres, sa brousse, ses oiseaux. Il ne savait pas lire dans les livres, mais il lisait à livre ouvert les messages de la nature tout autour de lui.

Ils n'avaient ni tente ni couvertures. Le soir, sûr d'une connaissance vieille de dix millénaires, Dikkop montrait à Adriaan comment gratter un creux dans la terre pour les hanches, puis comment dresser des buissons contre son dos pour couper le vent. Ils buvaient quand ils trouvaient de l'eau, car aucune source ne pouvait être polluée. Ils mangeaient bien : des baies mûres, des noix, des racines, de temps en temps un poisson de rivière, des larves et autant de viande qu'ils désiraient.

Ils grimpaient dans les arbres pour étudier l'horizon et ils se guidaient sur les étoiles. Ils conservaient une piste médiane entre les montagnes au nord et l'océan au sud. Parfois, ils épiaient des clans hottentots, mais ils préféraient les éviter, car ils ne désiraient partager leur aventure avec personne. Ils parcoururent ainsi près de deux cent cinquante kilomètres vers l'est. Sur les berges d'une rivière où toutes les choses semblaient en harmonie — de l'herbe pour le bétail s'il y en avait eu, des étendues plates pour ensemencer des champs, de la belle eau pour nager, de beaux arbres pour construire —, ils s'attardèrent deux semaines, explorant le cours d'eau vers le nord et le sud, évaluant les hardes de gibier. Des années plus tard, Adriaan se souviendrait souvent de cette rivière et demanderait à Dikkop :

— Comment crois-tu qu'elle s'appelait, la rivière où nous sommes restés plusieurs semaines sans rien faire ?

Jamais ils ne purent préciser de quel cours d'eau il s'agissait : Groot Gourits, Olifants, Kammanassie, Kouga, Gamtoos... C'était une rivière de souvenir et parfois Adriaan disait :

— Je me demande si elle était réelle. Je me demande si nous n'avons pas rêvé son eau.

Ce furent des phrases comme celle-là, tombées dans l'oreille d'hommes terre à terre, qui lui valurent son surnom de Mal Adriaan : Adriaan le Fou. Adriaan le Timbré. Adriaan le Toqué, qui dort dans les arbres.

Les grands voyages de l'adolescence marquent un homme, lui montrent des possibilités que d'autres ne voient jamais, lui dévoilent des potentiels qui font frémir son âme tendre et mobilisent toute son existence en le lançant à leur conquête. Un enfant de douze ans, qui dort dans un arbre, baisse les yeux sur un paysage différent et aperçoit une lionne allongée à l'affût d'une antilope dans l'aurore naissante ; l'antilope l'évite, se libère, et la lionne bondit sur le dos d'un zèbre, puis lui brise le cou d'un terrible coup de griffe, du tranchant de ses dents... Adriaan, l'enfant qui sait comment pense un lion.

Vers le milieu de leur voyage, quand il fut presque temps de revenir avec assez d'histoires pour meubler toute une vie de souvenirs au coin du feu, un incident se produisit. Rien de bien important et personne ne devait en pâtir, mais il symbolisait à bien des égards l'histoire de cette région au cours des deux cent soixante années suivantes. Adriaan et Dikkop, le Blanc et le Brun, avançaient sans se presser le long d'une dépression marécageuse où l'on ne voyait aucune trace d'animaux, quand Dikkop s'arrêta soudain, leva la tête, tendit le bras vers l'est et dit, soucieux et peut-être un peu effrayé :

— Des gens !

Instinctivement, les deux garçons se mirent à couvert, à peu près certains que leur progression s'était faite sans bruit et que les arrivants ne les avaient pas aperçus. Ils ne se trompaient pas. A l'autre bout du marécage s'avançaient deux jeunes hommes d'un noir luisant, qui chassaient à grand bruit et sans but précis. Ils étaient plus grands qu'Adriaan et Dikkop, plus âgés que le premier, plus jeunes que le second. C'étaient de beaux adolescents, armés de massues et de sagaies. Ils n'étaient vêtus que de pagnes — hormis un anneau de jolies plumes bleues autour de la cheville droite. Leur chasse de la journée s'était apparemment soldée par un échec, car ils ne portaient aucun gibier mort. Adriaan se demanda ce qu'ils avaient l'intention de manger, le soir venu. Ils s'avançaient à une allure modérée et ils ne tarderaient pas à arriver à la hauteur des jeunes observateurs cachés.

La situation était tendue. Les arrivants passeraient peut-être sans découvrir les deux garçons et le problème serait alors de les contourner par le nord ou le sud pour les éviter. Plus vraisemblablement, les Noirs repéreraient vite les étrangers et nul ne pouvait prévoir ce qui se produirait. Dikkop tremblait de tous ses membres, mais Adriaan se borna à prendre une respiration profonde, puis, sans préambule, il se mit à parler tout haut, mais d'une voix douce. Quand les deux Noirs se retournèrent, consternés, il s'avança, les deux mains vides, tendues vers eux.

— Bonjour, dit-il en hollandais.

Les deux Noirs saisirent machinalement leurs massues, mais Dikkop sortit de sa cachette, les mains à la hauteur de son visage, paumes vers l'extérieur et doigts écartés.

— Non ! Non !

Les deux Noirs ne s'interrompirent pas. Ils soulevèrent leurs massues et les brandirent face aux étrangers qui tendaient toujours leurs mains vides. Au bout d'un instant, très long, où Dikkop crut fondre de peur, ils abaissèrent lentement leurs massues sans quitter des yeux ces invraisemblables inconnus. Puis ils s'avancèrent avec précaution.

Ce fut ainsi qu'Adriaan Van Doorn devint le premier membre de sa famille qui rencontra des Noirs habitant le pays vers l'est. Willem Van Doorn avait débarqué au Cap en 1647, mais ce ne fut qu'en 1725 que son arrière-petit-fils se trouva face à face avec un Noir sud-africain. Bien entendu, dès les premières années de la colonie du Cap, les hommes comme le commandant Van Riebeeck avaient possédé des esclaves noirs, mais ils provenaient de Madagascar, d'Angola et de Mozambique, jamais des grandes terres de l'est. Les Van Doorn avaient donc occupé Le Cap pendant soixante-dix-huit ans avant ce premier contact et, au cours de ces générations décisives, les Hollandais avaient appliqué la politique des Européens dans toutes les nouvelles terres qu'ils rencontraient : tout ce qu'ils désiraient de ce continent leur appartenait. Au cours de toutes ces années, ils avaient fait peu de cas des rapports de marins naufragés et de Hottentots nomades qui affirmaient l'existence d'une société importante dans l'est. Par arrogance et par ignorance, la confrontation inévitable allait être violente.

— Sotopo, dit le plus jeune Noir quand on en vint à parler des noms.

Il venait, dit-il, de très loin à l'est, beaucoup de journées de voyage, beaucoup. Le plus âgé indiqua que, tout comme Adriaan et Dikkop, ils étaient partis en exploration à la fin de l'hiver et qu'ils vivaient sur le pays, en tuant une antilope de temps en temps pour manger. Ce jour-là, ils n'avaient pas eu de chance et ils passeraient la nuit avec la faim au ventre.

Comment expliquèrent-ils cela ? Les garçons de la ferme ne comprenaient pas un mot de la langue des Noirs et ceux-ci ne pouvaient rien déchiffrer de ce que leur racontaient Adriaan ou Dikkop. Mais ils conversèrent comme tous les êtres humains dans les sociétés de frontière : par gestes, en mimant les choses, avec des grognements, des rires et des mouvements incessants des mains et du visage. Le problème de parler avec ces étrangers n'était guère différent de celui de communiquer avec les esclaves venus d'ailleurs que les Van Doorn achetaient de temps en temps. Le maître parlait, un point c'est tout. L'esclave comprenait en partie et cela suffisait. Ce qui compta vraiment, ce fut quand Dikkop essaya de leur expliquer qu'avec le bâton qu'il portait il pouvait leur attraper une antilope pour dîner. Ils étaient trop intelligents pour le croire. Un sorcier peut faire bien des choses grâce à sa magie, mais pas à une antilope ! Les quatre jeunes gens se glissèrent donc sans bruit jusqu'au bord de la dépression et attendirent des animaux. Longtemps. Ils repérèrent enfin un troupeau de springboks sautant dans le veld. Avec une patience infinie,

Dikkop s'avança en position et visa un mâle en pleine santé. Il tira. Au bruit de l'explosion, les deux jeunes Noirs hurlèrent de frayeur, mais, quand le springbok tomba et que Dikkop alla le ramasser, ils furent émerveillés.

Le Hottentot rusé, conscient qu'ils passeraient probablement la nuit tous ensemble, avertit les deux Noirs, à grand renfort de gestes, que si son bâton pouvait tuer un springbok au loin il pouvait aussi les tuer, eux, de près. Et il leur montra ensuite que, même s'ils lui volaient le bâton, ils ne seraient pas capables de tuer l'homme blanc, parce qu'ils ne connaissaient pas le mystère — et il se garderait bien de le leur révéler. Ils comprirent.

On plaça la viande du springbok sur les braises du feu de camp et, tandis qu'elle rôtissait, les quatre jeunes gens étudièrent avec soin leur situation, chaque groupe de deux parlant librement sa langue, certain que les autres ne pouvaient pas comprendre les stratégies proposées. Dikkop, que l'aventure terrifiait, suggérait que, dès la fin du repas, Adriaan et lui repartent vers la ferme lointaine — ils pouvaient compter sur leurs fusils pour maintenir les Noirs en respect s'ils tentaient de les suivre. Adriaan éclata de rire à cette idée.

— Ils savent courir. On peut le voir à leurs jambes. Jamais nous ne leur échapperons.

— Alors, que faisons-nous, baas ? demanda Dikkop, presque avec impertinence.

— Nous restons ici, nous montons la garde et nous découvrons tout ce que nous pouvons.

Pour Dikkop, une stratégie de ce genre était une pure folie. Il le dit carrément. Ils parvinrent à un compromis ingénieux.

— Nous dormons dans cet arbre, baas, avec nos fusils, expliqua Dikkop. Tu dors le premier et je monte la garde. Puis je te réveille et tu gardes ton fusil braqué sur eux. Tu les abats s'ils essaient de nous tuer.

Mais, à la fin du repas, à peine avaient-ils léché la graisse d'antilope sur leurs doigts qu'Adriaan et Dikkop découvraient, stupéfaits, que les Noirs se dirigeaient vers un arbre et s'installaient de façon à être protégés si les deux jeunes gens tentaient de les tuer à la faveur de la nuit. Adriaan, tout en creusant dans la terre un nid depuis lequel il pourrait tenir l'arbre en joue, remarqua que les Noirs avaient emmené leurs massues de guerre dans l'arbre avec eux.

Et ils passèrent la nuit ainsi : deux en haut, deux en bas ; deux éveillés, deux endormis. Les Noirs ne descendirent de leur arbre qu'au lever du jour.

Ils restèrent ensemble quatre jours. L'angoisse qui s'était emparée de Dikkop l'avait mis dans un état voisin de l'épuisement. Les Noirs étaient tellement plus grands et gros que lui, et si puissamment musclés, qu'il ne pouvait s'empêcher de les imaginer en train d'abattre leurs massues sur son crâne. Même à l'instant où il tira sur une autre antilope, il s'attendait à avoir la cervelle écrasée. Il fut fort satisfait de voir leur association accidentelle montrer des signes de rupture : les Noirs expliquèrent qu'ils devaient retourner vers l'est, à dix-huit journées de marche. Dikkop répondit, soulagé, qu'Adriaan et lui devaient repartir vers l'ouest, à trente journées.

— A peu près la même distance, baas, dit-il à Adriaan. Ils vont beaucoup plus vite que nous.

La séparation ne suscita pas beaucoup d'émotion, mais tous sentirent que c'était un instant chargé de sens. Il n'y eut ni poignées de main ni *abrazos* à la portugaise, uniquement un instant de silence intense lorsque les deux groupes se regardèrent pour la dernière fois. Puis, comme pour symboliser le déroulement ultérieur de l'histoire, Sotopo lança sa main en avant pour saisir Adriaan par le bras. Effrayé par le mouvement inattendu, le jeune Hollandais s'écarta. Quand il retrouva ses sens et voulut accepter le contact des adieux, Sotopo s'était reculé, blessé de voir son geste repoussé. Dikkop, l'« homme de couleur », se tenait debout non loin et observait, sans participer à rien.

Les deux Noirs partirent les premiers, mais, une fois parvenus à l'extrémité orientale de la dépression, ils s'arrêtèrent pour regarder les étrangers s'éloigner vers l'ouest et ils suivirent des yeux les deux silhouettes de plus en plus minuscules sur l'horizon, avec leurs bâtons de feu miraculeux sur l'épaule.

— Qui sont-ils ? demanda Sotopo à son frère aîné.

— Comme ceux qui sont venus à travers la mer avant le temps de Vieille Grand-Mère.

On leur avait parlé de ces créatures mystérieuses : elles étaient venues sur la mer dans une case flottante qui s'était brisée contre les rochers et elles avaient gagné la côte. Il y avait eu plusieurs morts dans chaque camp, puis les étrangers s'étaient divisés en deux groupes, l'un qui était parti dans les terres et qui était mort dans les étendues vides, l'autre qui avait attendu sur la côte pendant des lunes — beaucoup, beaucoup de lunes — qu'une autre case flottante vienne les emporter.

Ils n'avaient laissé aucun impact visible sur les tribus, uniquement des souvenirs qu'évoquaient les guerriers, le soir, dans les kraals. Mais le petit jeune aux cheveux presque blancs était visiblement de cette race. Quant à l'autre...

— Qui était-ce, Mandiso ?

— Il ressemblait aux hommes bruns des vallées, répliqua l'aîné, mais avec quelque chose de différent.

Et quand les deux adolescents étrangers disparurent au loin vers l'ouest, les deux Noirs prirent le chemin de leurs demeures.

Ils étaient xhosas, membres d'une tribu nombreuse et puissante qui vivait au-delà de la grande rivière. A leur retour dans leur famille, ils allaient avoir beaucoup d'explications à fournir. Ils entendaient déjà Vieille Grand-Mère leur crier :

— Où êtes-vous allés ? Où as-tu emmené ton petit frère ? Qu'est-ce que ça veut dire, un enfant blanc avec un bâton qui lance une flamme ?

Chaque soir, à mesure que le village se rapprochait, ils mettaient au point une tactique différente.

— C'est toi qui expliqueras, Mandiso, tu es l'aîné.

Et, cette nuit-là, ils convinrent que Mandiso raconterait comment ils avaient voulu savoir ce qu'il y avait à l'ouest de la grande rivière, au-delà des collines où se trouvait la terre de la peinture rouge.

Mais, la nuit suivante, il leur parut préférable que Sotopo raconte tout seul, car il était le plus jeune et il bénéficierait de plus d'indulgence.

— Nous avons suivi les traces d'une grosse bête, dirait-il, mais nous n'avons pas pu la trouver et, sans même nous en rendre compte, nous étions au-delà des collines.

Certains soirs, ils étaient bien forcés de reconnaître qu'aucune de ces explications ne convaincrait Vieille Grand-Mère. Mais comment expliquer leur hégire ? La vérité ? Elle était encore moins crédible.

— La raison pour laquelle nous sommes restés loin si longtemps, dit Mandiso tandis qu'ils rongeaient les racines d'un buisson sucré, c'est que jour après jour nous avions l'impression que, du haut de la colline suivante, nous découvririons à nos pieds quelque chose de fabuleux.

Il hésita et Sotopo prit la suite :

— Mais chaque fois que nous arrivions au faîte de la colline, tout ce que nous apercevions, c'était... rien. D'autres forêts, de petites rivières et encore plus de collines.

— Leur parlerons-nous des deux garçons ? demanda Mandiso.

— C'est difficile, répliqua Sotopo. Parce que le petit à la peau jaune... Je ne crois pas que c'était un garçon. Je crois que c'était un Khoï-Khoï, peut-être âgé de vingt étés.

— Le grand m'a plu, dit Mandiso. Il n'avait pas peur, tu comprends. Le petit, on pouvait sentir qu'il suait de frayeur. Mais le garçon aux cheveux blancs, on aurait dit qu'il nous aimait bien.

— Mais, à la fin, il a sauté de peur, lui aussi.

— Oui, lui accorda Mandiso. Tu t'es avancé vers lui et il a sauté en arrière, effrayé comme le petit.

Quand ils atteignirent le cours de la grande rivière, conscients de rencontrer bientôt d'autres Xhosas, ils s'arrêtèrent pour réfléchir une dernière fois : avant la tombée de la nuit, il leur faudrait expliquer leur absence.

— Ce que nous allons leur dire, balbutia Mandiso d'une voix résignée, c'est que nous avions simplement envie de voir ce qu'il y avait à l'ouest.

— Mais parlerons-nous des deux étrangers ?

— Je crois que cela vaut mieux, répondit l'aîné. Tout comme nous avons pu sentir la peur du petit Brun, Vieille Grand-Mère lira l'excitation dans nos yeux, que nous en parlions ou non.

Et ils convinrent donc de raconter toute l'histoire dans l'ordre, sans rien inventer ni dissimuler. Cette décision apaisa leurs craintes et ce fut d'un pas résolu qu'ils s'avancèrent vers les éclaireurs qui surveillaient les limites. Avec eux, ils se montrèrent très braves et directs, mais, dès que Vieille Grand-Mère se mit à les invectiver, ils se troublèrent et racontèrent une histoire fort décousue.

Le peuple xhosa empruntait son nom à un chef historique qui régnait vers l'an 1500. Parmi ses nombreux exploits, on comptait la prise de possession de la belle succession de vallées que le peuple occupait encore entre les montagnes et les côtes de l'océan Indien. Pendant un demi-millénaire, ils avaient migré lentement vers le sud et l'ouest, attirés vers l'avant par une succession de pâturages vides, poussés à l'arrière par des déplacements d'autres tribus. Ils avaient avancé au rythme de seulement deux cents kilomètres par siècle et, bien que cette allure se fût accélérée depuis peu à mesure que leur population et surtout leurs troupeaux augmentaient, ils n'auraient atteint normalement Le Cap, et la fin de leur expansion, qu'aux environs de l'an 2025 — si les Hollandais n'avaient pas occupé la pointe de l'Afrique et commencé leur propre expansion vers l'est. Après la rencontre des quatre jeunes gens, il devint évident que les trekboers et les Xhosas se trouveraient un jour face à face, dans peu de temps désormais, et probablement le long de la rivière Grand-Poisson.

Très à l'est, dans une vallée remarquablement protégée, vivait le grand chef, qui n'avait jamais rendu une seule visite à la frontière occidentale, où vivait la famille de Sotopo et de Mandiso. Toutes les tribus devaient allégeance au grand chef, mais son pouvoir effectif à leur égard se limitait à une certaine préséance lors des fêtes et des rituels, ainsi qu'à la détermination des droits de la famille royale, à laquelle appartenaient tous les chefs du groupe de tribus. Les tribus constituant le peuple étaient organisées de façon géographique, celle de Sotopo étant la plus occidentale. Les chefs des tribus nommaient les chefs des divers clans ou « voisinages », qui étaient divisés en kraals, dont les membres n'avaient pas le droit de se marier entre eux. Le père de Sotopo, Makubele, était chef de son kraal. Il transmettait les ordres venus d'en haut, célébrait les cérémonies et faisait l'important ; mais tout le monde savait, et surtout Makubele lui-même, qu'en réalité le kraal était gouverné par la langue de Tutula : Vieille Grand-Mère. La famille comptait quarante et un membres.

Dire qu'« ils possédaient une pente boisée assez loin de la mer » serait semer la confusion sur l'essentiel de notre propos, parce que personne ne *possédait* de terre, où que ce fût. Le père de Sotopo possédait beaucoup de bétail et, si les vaches continuaient de mettre des veaux au monde, il pourrait très bien devenir le prochain grand chef. Vieille Grand-Mère possédait des peaux d'animaux magnifiquement tannées, dont elle se servait comme couvertures en hiver. Et Sotopo possédait sa sagaie en bois dur poli. Mais la terre appartenait aux esprits qui présidaient à la vie. Elle existait pour toujours et pour tout le monde, et on la partageait de façon provisoire en fonction des décisions du chef de tribu et des anciens. Le père de Sotopo occupait cette pente boisée pour le moment et, à sa mort, le fils aîné pourrait hériter de ce « droit de résidence », mais aucun homme, aucune famille n'acquérait jamais la propriété de la terre.

La beauté de ce système, c'était que toute la terre du monde était libre : s'il se produisait une dispute sur une succession ou si un kraal devenait surpeuplé, les mécontents pouvaient simplement aller ailleurs. Si tout un kraal décidait de partir vers l'ouest, comme c'était sans cesse le cas, ils laissaient derrière eux une terre vacante, ouverte à tout le monde. Les migrants s'installaient dans une autre vallée lointaine, aussi libre que celle qu'ils avaient laissée, et la vie continuait à peu près comme au cours des huit siècles précédents. Tout ce dont ils avaient besoin pour leur bonheur était une terre sans limites.

— Ce que nous devrions faire maintenant, dit Makubele, en tirant sur sa pipe, quand fut calmé tout l'émoi du périple des deux adolescents, c'est la circoncision de Mandiso.

Tout le monde acquiesça, Mandiso le premier : à dix-sept ans révolus, il était impatient de devenir un homme. Son exploration vers l'ouest avait été sa dernière aventure d'enfant ; les filles de la vallée commençaient à lui lancer des regards intéressés et, s'il ne traversait pas la douloureuse épreuve du passage officiel à l'état d'homme, il n'aurait aucune chance d'obtenir une des belles, quelle que soit l'importance de la *lobola** rassemblée pour l'achat. Dans leur vallée, un homme âgé maintenant de quarante ans avait refusé de se soumettre à la circoncision : personne dans la tribu ne voulait avoir affaire à lui, car il n'avait pas fait la preuve qu'il était homme.

Le jeune Sotopo, âgé de quatorze ans seulement, s'était rendu compte, au cours de leur expédition, du changement qui se produisait chez son frère. Il devenait plus sérieux, parfois il restait silencieux pendant presque une journée, comme s'il songeait aux rites qui l'attendaient. Et soudain, nul ne fut plus attentif aux rituels obligatoires que Sotopo : il se demandait comment il s'en sortirait, à la place de Mandiso.

Il observa les anciens de la famille venant rendre visite à d'autres familles pour voir quels enfants désiraient également participer, et il demeura avec son père quand les hommes allèrent trouver le médecin-sorcier pour déterminer quand la lune serait en bonne position pour la construction de la case de paille isolée dans laquelle les garçons devenus hommes vivraient pendant trois mois après le rituel. Il vit les garçons désignés partir en quête d'argile blanche et de terre rouge pour l'ornement de la cérémonie, et il les regarda tisser les curieux chapeaux de jonc qu'ils porteraient pendant cent jours : un mètre de long, fermés d'un côté, ouverts de l'autre, mais portés parallèlement au sol, avec le bout fermé traînant à l'arrière. Il pouvait imaginer Mandiso avec un chapeau pareil : il aurait tout à fait l'air d'une grue couronnée — l'oiseau sacré des Xhosas.

Puis vint le jour où l'homme désigné pour être leur gardien rassembla les neuf garçons et les conduisit jusqu'à la rivière. Là, en présence uniquement d'hommes — et de quelques gamins comme Sotopo qui épiaient depuis des cachettes dans les arbres —, ils se dévêtirent, entrèrent dans les eaux et se peignirent entièrement avec de l'argile blanche. Quand ils ressortirent, on eût dit des fantômes. Parés de cet uniforme, ils défilèrent jusqu'à la case isolée, où le gardien entra avec eux pour les initier aux secrets transmissibles de la tribu. Après un long moment, le gardien ramena les garçons dehors, où tous vérifièrent qu'il y avait au moins neuf fourmilières. Mandiso marqua la sienne avec deux bâtonnets, puis le gardien s'en fut.

Toute cette nuit-là, les garçons psalmodièrent de vieilles mélopées héritées de l'époque où le peuple xhosa vivait très loin dans le nord, longtemps avant que Grand Xhosa leur donne leur nom. Et Sotopo, toujours en train d'épier, envia leur amitié, les chants et le fait qu'ils deviendraient bientôt des hommes.

Le lendemain matin, quand le soleil fut haut dans le ciel, le gardien revint avec une sagaie acérée comme un couteau, entra d'un pas décidé dans la case et cria à voix forte :

— Qui veut devenir un homme ?

Avec fierté, Sotopo entendit son frère répondre :

— Je veux être un homme.

Il y eut un silence, pendant lequel Sotopo put imaginer l'éclair de la sagaie, la douleur cuisante. Puis ce fut le hurlement de triomphe :

« Je suis un homme !

Malgré lui, Sotopo éclata en larmes. De fierté, car son frère n'avait pas crié de douleur.

Quand les neuf adolescents furent initiés, ils quittèrent la case l'un après l'autre, chacun tenant dans sa main droite le prépuce coupé. Ils l'enfouirent dans la fourmilière, une pour chacun, afin que les esprits du mal ne puissent pas le trouver et jeter des sorts. Pendant trois jours, un garde demeura près des fourmilières pour tenir les sorciers à l'écart — après ce délai, les fourmis auraient dévoré toutes les traces du rituel.

Il était important, dans cette vallée, de bien surveiller les esprits. Quand les jeunes hommes eurent passé six jours dans leur abri, l'oiseau de feu, tellement redouté, frappa pour rappeler à chacun ses pouvoirs. Très peu de personnes avaient vu cet oiseau, ce qui était une chance, car il était terrifiant. Il vivait derrière les montagnes et il mangeait des quantités prodigieuses de mil dérobé. Il devenait si gras que sa taille dépassait celle d'un hippopotame. Ensuite, parce que c'était un oiseau de l'enfer, il mettait le feu à son corps. La graisse de ses chairs lançait de longues flammes tandis qu'il s'envolait dans le ciel en criant — à la fois de joie (parce qu'il détruisait les kraals) et de souffrance (parce que son corps se consumait) : c'était le tonnerre et l'éclair.

Quand la graisse était presque toute brûlée, l'oiseau de feu piquait vers la terre dans un formidable coup de tonnerre, s'enterrait profondément et pondait un œuf, énorme et très blanc, qui creusait sous le sol jusqu'à ce qu'il atteigne le lit d'une rivière. Là, il mûrissait, puis un autre oiseau de feu, pleinement adulte, bondissait hors de l'eau pour se gaver de mil, mettre le feu à lui-même et susciter d'autre tonnerre et d'autres éclairs.

Ce jour-là, tandis que Mandiso et ses huit compagnons se pressaient dans leur case, l'oiseau de feu se montra particulièrement vindicatif. Il se déchaîna dans la vallée et les coups de tonnerre furent si violents que la terre parut trembler. Comme dans n'importe quel kraal, il était essentiel que le chef sorte au milieu de l'orage avec ses sagaies et se rende près du kraal où meuglaient les bêtes terrifiées. Avec la magie qu'il détenait, le chef défendait contre l'éclair son troupeau et son clan. Si l'oiseau de feu réussissait à dévaster un kraal, c'était la preuve que ses occupants avaient fait quelque chose de mal et il leur faudrait payer des sommes énormes au médecin-sorcier pour pouvoir récupérer leur pureté perdue.

En fait, il fallait payer au médecin-sorcier pour presque tous les actes de la vie. Mais, quand l'oiseau de feu pleurait, c'était la preuve déterminante qu'une transgression avait eu lieu. Au cours de certains orages où la graisse de l'oiseau brûlait trop vite, la douleur devenait intolérable et l'oiseau au vol sauvage se mettait à pleurer, exactement comme un nouveau-né. En tombant, ses larmes se transformaient en grêle dont chaque grain était plus gros qu'un œuf d'oiseau et ces grêlons arrosaient la vallée sans merci.

Au cours de cet orage-là, l'oiseau de feu pleura de façon si pitoyable que de vastes nappes de grêle se précipitèrent, brisant le chaume des toits et blessant les vaches, dont les hurlements parvinrent jusqu'à la case où Sotopo et sa famille s'étaient entassés. Une rafale de grêlons particulièrement lourds frappa Makubele, qui tentait, debout à l'extérieur, de protéger sa famille. Il tomba à terre. Sotopo, qui s'en aperçut, se rendit compte que, si le médecin-sorcier l'apprenait, il considérerait ce malheur comme la preuve que Mandiso, par quelque péché, avait poussé l'oiseau de feu à tourmenter la vallée. Et, bien que ce fût interdit, Sotopo quitta la sécurité de la case, courut vers son père, le releva, puis l'aida à faire fuir l'oiseau.

Lorsque l'oiseau de feu quitta la vallée pour plonger dans la terre, derrière les collines, l'éclair cessa. Sotopo, sans un mot, rassembla les trois sagaies qu'il avait laborieusement fabriquées, ainsi que son unique veau, précurseur des troupeaux qu'il posséderait un jour, et s'avança d'un pas résolu vers la case du médecin-sorcier.

— Je viens demander de l'aide, dit-il deux fois devant l'entrée, très basse, de la case.

De l'intérieur, une voix grave répondit :

— Entre.

Comme l'enfant n'avait jamais rendu visite à un devin auparavant, il n'avait aucune idée du monde mystérieux dans lequel il pénétrait : le hibou sur une branche morte ; le corbeau, empaillé dans un coin, strié de rouge et en triste état ; les sacs d'animaux morts ; les lézards et les simples ; et surtout la présence enveloppante du vieil homme qui luttait contre les esprits du mal et les empêchait d'accabler la communauté.

« J'ai appris que ton père a été renversé par l'oiseau de feu, dit le médecin-sorcier.

— Non, mentit Sotopo. Il a glissé quand la pluie a trempé la terre.

— J'ai appris que tu as quitté ta case.

— Je suis allé combattre contre l'oiseau de feu.

— Pourquoi viens-tu à moi ? Quelle autre grande faute as-tu commise ?

— Je suis venu parler pour mon frère.

— Mandiso ? Dans la case de la circoncision ? Quelle grande faute a-t-il commise ?

— Aucune. Oh, aucune. Mais je veux que vous interveniez en sa faveur, parce qu'il s'est conduit bravement pendant ces semaines.

Le devin toussa. Ce Sotopo, fils de Makubele, petit-fils de Vieille Grand-Mère, était un garçon intelligent. Il savait que le comportement de l'adolescent au cours de l'initiation était d'une importance extrême. Deux ans plus tôt, l'un d'eux s'était évanoui de douleur. On avait découvert que sa blessure s'était infectée, mais ce n'était pas une excuse pour s'évanouir et on ne lui avait donc concédé qu'un statut de second plan, ce qui serait un handicap pour le reste de sa vie. Le fait que Sopoto se soucie du sort de son frère au point d'offrir trois sagaies et une génisse...

— Tu m'apportes des sagaies ? demanda le médecin-sorcier.

— Oui, et ma vache.

— Tu es un garçon fort. Tu seras un homme sage un jour. Laisse-les-moi.

— Et vous protégerez mon frère ?

— Il ira bien.

— Et vous oublierez que mon père a glissé dans la boue.

— J'oublierai.

— Devin, nous te remercions. Tous, nous te remercions.

Sotopo ne raconta à personne sa visite clandestine au médecin-sorcier et il fut soulagé quand des rumeurs venues de la case rituelle lui apprirent que Mandiso se comportait tout à fait bien.

Pendant les journées qui suivirent, Sotopo s'aperçut qu'un autre résident de la région prenait un intérêt inhabituel aux progrès de son frère. C'était Xuma, une jolie fille qui vivait dans le kraal établi à l'autre bout de la vallée. Elle avait quinze ans, un an de plus que Sotopo, un visage souriant, des lèvres souples et tout un assortiment de boucles d'oreilles, de perles et de gris-gris de cheville, qui tintaient joyeusement à chacun de ses pas. Sotopo connaissait Xuma depuis toujours et elle lui plaisait davantage que les autres filles, bien qu'elle fût plus âgée que lui et à certains égards plus forte. Il était ravi qu'entre toutes les filles ce fût cette jeune gazelle aux gestes vifs qui ait concentré son attention sur Mandiso.

— Que raconte-t-on, au sujet de la case ? demanda-t-elle en descendant nonchalamment le sentier conduisant au kraal de Sotopo.

— Tout va bien. Il est fort, Xuma.

— Je sais.

Selon la coutume xhosa, les garçons qui n'étaient pas encore des hommes avaient le droit de s'amuser, la nuit, avec les filles ayant dépassé la puberté, en veillant toujours à ne pas leur donner d'enfants, et Sotopo savait que Xuma avait commencé à aller dans le veld avec son frère et même à passer des nuits entières avec lui. Il n'était donc pas surpris qu'elle lui pose des questions à son sujet. Au contraire, il en était enchanté. Comme il aimait son frère et se souvenait avec enthousiasme du long voyage d'exploration qu'ils avaient fait ensemble, il attendait avec impatience le jour où Mandiso serait chef du clan et le prendrait pour assistant.

Sa famille vivait dans un groupe de cases, au nombre de sept, dispersées dans le kraal où l'on gardait le bétail. Elles avaient la forme d'un dôme. On les construisait en plantant des branches droites autour d'une base circulaire, puis en courbant le haut de ces branches vers le centre et en les attachant ensemble. On les recouvrait ensuite d'une épaisse couche de chaume. Les cases étaient belles par elles-mêmes et elles formaient un dessin agréable, sur fond de collines et de vallons.

Xuma, honorée d'entrer dans cette famille, proposa d'aider à ramasser du chaume pour réparer les cases. Souvent, elle descendait jusqu'à la rivière, avec son couteau de coquillage pour couper des joncs. Sotopo l'accompagnait pour l'aider à rapporter à la maison les bottes énormes mais légères. Chemin faisant, Xuma lui avoua un jour que son père avait eu des difficultés avec le médecin-sorcier, à qui il avait été contraint de payer des dons très importants.

— C'est ennuyeux, répondit Sotopo, sans révéler qu'il avait eu, lui aussi, une confrontation mineure avec le puissant devin.

— Je ne sais pas ce que Père a fait de mal, dit Xuma. Ce n'est pas un homme qui met les gens en colère pour un oui ou pour un non, mais le médecin-sorcier était vraiment furieux.

Telle était la vie chez les Xhosas. En tant que nation, les tribus formaient un peuple doux, s'abstenant de lever de vastes armées pour guerroyer contre leurs voisins. Mais il y avait des conflits violents avec les Hottentots. Certains petits hommes bruns acceptaient la conquête et s'alliaient avec les Xhosas. Des mariages mixtes avaient lieu et parfois même des Hottentots accédaient à des pouvoirs élevés dans la hiérarchie. Ces relations étroites avec les Hottentots se poursuivirent pendant des siècles et l'une des conséquences les plus durables en fut une langue unique : aux Hottentots, les Xhosas empruntèrent les clics, ce qui distingua leur langue de celles de toutes les autres tribus noires du sud.

Bien qu'il ne fît jamais la guerre sur une vaste échelle, le guerrier xhosa n'hésitait jamais à brandir la sagaie si son bétail était menacé ou s'il avait une bonne chance de capturer celui de son voisin. Le pillage du bétail était le passe-temps national. Le succès dans ces entreprises conférait de l'honneur, car le bétail était à bien des égards plus important que les enfants. Tout dépendait des animaux : la réputation de chacun découlait du nombre de têtes de bétail en sa possession ; le genre d'épouse à laquelle un jeune homme pouvait aspirer était déterminé par le nombre de bêtes qu'il pouvait apporter en lobola aux parents de la jeune fille ; et le bon renom d'un kraal comme celui de Sotopo reposait presque entièrement sur le nombre de vaches, de bœufs et de taureaux qu'il possédait. Le bétail n'avait pas besoin d'être beau ni de produire beaucoup de lait ou de la bonne viande. Posséder un taureau exceptionnel qui engendrerait de meilleurs animaux ne conférait aucun mérite particulier. Seul le nombre des bêtes comptait — ce qui signifiait qu'avec le passage des années la qualité de ces vastes troupeaux se dégradait et qu'il fallait cinq mille bêtes pour accomplir les fonctions que neuf cents animaux de choix auraient remplies.

Ainsi donc, bien que les Xhosas vécussent sans la peur de la guerre, ils connaissaient une angoisse incessante : celle de protéger leur bétail étique, et c'était le devin qui établissait et faisait exécuter les règles complexes de préservation du troupeau. Par exemple, au cours de toute sa vie, aucune femme xhosa ne pouvait s'approcher du kraal ou même poser la main sur les rochers qui le limitaient. Si l'une d'elles osait pénétrer dans l'aire sacrée, elle était punie. Quand un enfant allait faire paître le bétail de la famille dans les collines, mieux valait qu'il rentre le soir avec tous ses veaux, sinon son châtiment serait rigoureux. Toutes les fonctions liées au bétail devaient être accomplies au moment prévu et d'une manière bien précise. Aucun garçon n'osait traire une vache et, pour une jeune fille, cela aurait représenté un délit grave. Bien entendu, dans des circonstances particulières, quand aucun adulte mâle n'était disponible, une fille de la famille avait le droit de traire, mais il lui était interdit de toucher le pis proprement dit, uniquement les tétines. Chaque acte de la vie, semblait-il, était circonscrit par des règles. Et le père de Xuma avait transgressé l'une d'elles. Comme Xuma l'expliqua à Sotopo, il avait des difficultés.

Mais tout cela fut oublié quand vint le moment où les neuf nouveaux hommes de la case rituelle achevèrent leur période d'isolement. Et il se passa une chose très triste : Sotopo, qui était si proche de son frère, prit conscience qu'il y aurait désormais tout un monde entre eux. Sotopo était encore un enfant, Mandiso un homme — et son lien avec les huit autres adolescents qui avaient subi l'épreuve en même temps que lui serait toujours plus puissant que son affection pour son propre frère, qui n'y avait pas participé. Ce fut avec beaucoup de chagrin que le jeune garçon observa l'éclosion d'un nouvel homme.

Les leçons sur l'homme données par le chef et par le gardien étaient maintenant achevées. Les rituels complexes, les secrets de la tribu avaient été partagés, et le moment était proche où l'on brûlerait la case et où l'on oublierait toutes les souffrances. Mais, d'abord, les neuf nouveaux hommes devaient aller à la rivière sous les yeux de toute la communauté et se laver de l'argile blanche qui les avait imprégnés pendant les cent jours précédents. En procession solennelle, nus, avec la trace de leur circoncision bien visible de tous, les nouveaux hommes défilèrent vers la rivière, s'immergèrent et passèrent plusieurs heures à essayer d'ôter la boue collante. Quand ils ressortirent, leurs corps protégés pendant longtemps du soleil étaient maigres et pâles. Une fois oints de beurre et de terre rouge, ils brillèrent d'une lumière étrange. Jamais plus, de toute leur vie, ils ne paraîtraient aussi virils, aussi prometteurs de bonne conduite.

Et la fête commença ! Les courges sèches, avec toutes leurs graines, s'agitèrent selon les rythmes les plus délicats. Des instruments de musique à une seule corde — un boyau séché et tendu entre les deux extrémités d'un morceau de bois en forme d'arc — se mirent à résonner. Le musicien qui pinçait la corde tenait une des extrémités du bois entre ses dents et il modifiait le son en variant les positions de sa bouche. Des vieilles femmes frappaient des bâtons l'un contre l'autre et des jeunes hommes qui avaient accompli leur rituel de passage trois ou quatre ans plus tôt se paraient d'étranges costumes de plumes, de jonc et de roseau, et se préparaient à danser jusqu'à l'épuisement.

Avant de permettre aux nouveaux hommes de se joindre à la fête, leur gardien alluma un brandon et le porta solennellement jusqu'à la case rituelle, à laquelle il mit le feu. Aussitôt, les neuf initiés se précipitèrent de leur lieu de retraite, pour la dernière fois, vêtus de leurs costumes fastueux, coiffés de leurs chapeaux allongés, qu'ils portaient encore horizontalement. Tournant le dos à la case en flammes, ils s'éloignèrent en regardant droit devant eux, car, s'ils risquaient un regard en arrière, les esprits du mal les accableraient.

Libérés de la case, ils s'élancèrent comme des fous vers leurs familles et leurs amis transportés de joie. Ils cabriolaient sans retenue et bondissaient dans les airs comme pour défier l'oiseau de feu lui-même. Puis, lentement, un ordre commença à se faire jour, les battements de mains prirent un rythme solennel et toutes les personnes associées à la cérémonie se penchèrent en avant pour voir qui des neuf nouveaux hommes s'avancerait pour prendre la parole au nom de tout le groupe.

Ce fut Mandiso et, à cet instant d'honneur, Sotopo poussa un cri de joie et fit un signe de tête entendu à l'adresse du devin — qui demeura impassible.

— Aujourd'hui, nous sommes des hommes, dit Mandiso.

Et, sur ces mots, il commença la grande danse des Xhosas. Ses pieds restaient plantés sur le sol, mais toutes les parties de son corps vibraient comme des éléments séparés. Avec une adresse très spéciale, il lançait son ventre d'un côté, ses fesses de l'autre. Et quand il atteignit la perfection, les huit autres nouveaux hommes sautèrent en l'air, se précipitèrent sur l'aire et exécutèrent leur version personnelle de cette danse, de sorte que tout l'espace s'emplit de corps qui s'agitaient avec frénésie, de cris et de murmures approbateurs.

La fête dura deux jours. Parfois, les jeunes hommes et les spectateurs s'écroulaient, épuisés, s'endormaient dans une sorte d'hébétude, puis buvaient de larges rasades de bière de mil, et, avec des cris frais et une ardeur renouvelée, reprenaient la danse. De la poussière s'élevait des kraals : on dispersait joyeusement les cendres de la case incendiée. Sotopo, débordant de fierté à la suite de l'exploit remarquable de son frère, observait tout ce qui se passait au premier rang de la foule. Il vit que Xuma suivait attentivement les danseurs, sans jamais participer mais applaudissant doucement chaque fois que Mandiso exécutait ses solos.

Quand Mandiso retourna au kraal familial, il commença par demander à Sotopo de l'aider à aplanir le sol d'une nouvelle case ; elle ne serait pas aussi grande que celle de son père, ni aussi haute : c'était une case pour deux personnes et non pour dix.

— Tu peux t'occuper des fourmilières, dit le nouvel homme à son frère, et Sopoto fut ravi d'obtenir cet honneur.

Il prit un grand panier et alla d'une fourmilière à l'autre (une quinzaine en tout) pour ramasser la terre en excès dans laquelle les fourmis déposaient leurs larves, leurs cadavres et un peu de leur salive. Cette terre au grain très fin, étalée en couche épaisse puis imbibée et séchée au soleil, formait une substance plus dure que la plupart des pierres. Une fois polie avec de la bouse de vache, elle constituait le meilleur sol possible pour une case. Sotopo, se doutant qu'il construisait la future demeure de Xuma, fit un enduit capable de durer toute une génération.

Les jeunes femmes de la famille rassemblèrent les longues branches droites des murs, mais, quand on en arriva au chaume, partie essentielle, Vieille Grand-Mère voulut aller jusqu'aux champs elle-même et choisir les tiges. Elle était trop faible pour transporter la quantité nécessaire, mais elle s'occupa des premières gerbes, puis dirigea à grand bruit la finition d'un arrondi parfait.

C'était une splendeur de petite hutte et Mandiso avait désormais le droit de rendre visite aux parents de Xuma. Mais, la veille du jour choisi, Sotopo apprit de la bouche d'un de ses compagnons de jeu une nouvelle très troublante.

— Un sorcier a jeté un mauvais sort sur le père de Xuma.

La chose pouvait être un obstacle fatal, empêchant toute union des deux familles, et Sotopo emprunta deux des meilleures sagaies de son frère, ainsi qu'une chèvre, et se rendit tout droit chez le médecin-sorcier. Il l'appela de loin.

— Tout-Puissant ! Puis-je avancer ?

— Viens, répondit la voix sinistre.

— J'ai besoin d'un conseil.

— Je vois que cette fois tu apportes seulement deux sagaies.

— Mais elles sont meilleures, Tout-Puissant.

— Et une vache ?

— Il y a une chèvre à l'extérieur.

— Que veux-tu savoir ?

— Est-ce que mon frère épousera Xuma ?

Le silence se prolongea peut-être cinq minutes, tandis que

le vieillard soupesait avec soin les problèmes complexes soulevés par la question de l'enfant. La famille de Sotopo était l'une des plus puissantes de la vallée et l'on pouvait s'attendre que, dans les années à venir, elle détienne à la fois pouvoir et richesse. Il ne serait pas sage de s'opposer à elle. Mais, d'un autre côté, la famille de Xuma était depuis longtemps fort indisciplinée et il y avait de bonnes raisons de croire que le dernier vol de l'oiseau de feu avait été provoqué par les mauvaises actions du père. Le médecin-sorcier avait prévenu cet homme par deux fois et, par deux fois, il n'avait pas tenu compte de ses injonctions. Maintenant, il était victime d'un sort et il semblait hautement improbable qu'il puisse y échapper un jour, car tout devin a le devoir de veiller sur la santé de son clan et d'arracher toutes les forces susceptibles de travailler contre l'autorité centrale; or le père de Xuma se montrait turbulent.

Mais que dire au sujet de ce projet de mariage? Plus le vieillard réfléchissait à ce problème délicat et plus la colère montait en lui contre ce petit Sotopo qui avait soulevé la question. Comment avait-il osé l'interroger d'une manière aussi impertinente? Pourquoi s'était-il présenté en champion de cette fille Xuma (car c'était manifestement son intention dans cette affaire)? Une calamité! Sotopo, fils de Makubele, un garçon dont il se souviendrait...

Le vieillard temporisa :

— Je suppose que Xuma elle-même n'a eu aucune part à la faute de son père. Je suppose qu'un mariage pourrait avoir lieu.

— Oh, merci! s'écria Sotopo.

Il offrit les deux sagaies et la chèvre, mais, quand il s'élança au pas de course sur le sentier, le devin le regarda s'éloigner.

— Deux sagaies et non trois, murmura-t-il. Une chèvre, et pas très bonne. Sale gosse!

Les cérémonies du mariage durèrent onze jours et, à certains égards, ce fut un triomphe pour Mandiso, car il avait obtenu une épouse forte, belle et aimante. Mais, en un sens, ce fut un désastre, car le choix de cette épouse lui valut l'hostilité du devin. Quant à la noce elle-même, il y eut bien des marches et des contremarches entre le kraal de Mandiso et celui de Xuma : il dut apporter une génisse comme preuve de ses bonnes intentions; elle dut apporter des joncs, indiquant ainsi qu'elle était prête à travailler ; il dut se rendre là-bas dans ses plus beaux atours, danser devant sa famille et briser deux branches sur son genou — signifiant ainsi qu'il ne battrait jamais son épouse ; elle dut aller danser devant le kraal de son troupeau pour montrer qu'elle vénérait les vaches et leur témoignerait le respect qu'elles méritaient. Et, pendant tout ce temps, le vieux médecin-sorcier observait, ironique, certain que, malgré tous les rituels observés, il ne sortirait rien de bon de ce mariage. Il était condamné.

Mais il ne mit aucun obstacle et il présida même à certains des rites consacrés, allant même jusqu'à protéger la nouvelle case contre le mal. Il avait une bonne raison de le faire : il pensait qu'avant un an Mandiso et Xuma fuiraient cet endroit, après quoi il veillerait à ce que l'un de ses neveux obtienne leur case.

Et, dès que le jeune couple s'installa dans la belle case, il se mit à poser des questions dans la communauté, jamais contre Mandiso, mais contre le père de Xuma :

— Qui croyez-vous qui a provoqué le vol de l'oiseau de feu ?

« Avez-vous remarqué que le mil a mieux poussé dans son kraal que dans tous les autres ? Est-ce qu'il aurait lancé des sorts ?

Semaine après semaine, il diffusait ces soupçons venimeux, jamais une accusation fondée, uniquement des questions en suspens :

« Vous avez vu comme les bêtes de Xuma deviennent vite pleines ? Est-ce que son père lancerait également des sorts pour cela ?

Cette dernière question était très efficace : le fait que le père de Xuma jette des sorts sur la nouvelle case restait problématique, mais qu'il l'ait fait à son profit semblait acquis.

« Il n'apporte que des ennuis à cette vallée...

Pendant ce temps-là, Sotopo se préoccupait de ses derniers jours d'enfance. Après avoir vu son frère traverser les épreuves jumelles de la circoncision et du mariage, il était revenu à tout ce qui donnait un sens à sa propre vie. Au-delà du kraal de la famille, au bord de la rivière, se trouvait un endroit plat où chaque matin les bergeronnettes dansaient. Ces délicats petits oiseaux d'un brun gris faisaient sauter les plumes de leur queue au cours de leurs parades. Ils étaient friands d'insectes et ils lançaient leurs longs becs comme des flèches, dans tous les sens, pour les cueillir sur les feuilles mortes.

C'étaient des oiseaux de bon augure, ils faisaient du kraal un endroit plein de joie et Sotopo éprouvait toujours grand plaisir en leur compagnie : il se mettait sur un tronc abattu, eux demeuraient sur tel ou tel rocher au bord de l'eau. Il s'allongeait sur le sol et ils commençaient à danser sans tenir compte de sa présence, car ils semblaient savoir qu'ils étaient protégés : « Seul un homme sur le point de mourir de folie se permettrait de déranger une bergeronnette, car elle nous apporte l'amour. »

Il se sentait de plus en plus attaché à Vieille Grand-Mère, comme si, suivant les traces de Mandiso, il devait être bientôt arraché à son influence. Il restait avec elle, près de la maison, la regardant préparer le plat qu'il préférait : du mil bien pilé dans le tronc d'un arbre, puis mêlé à de la citrouille et cuit avec des lamelles de viande d'antilope parfumée avec des herbes qu'elle était la seule à savoir ramasser.

— Redis-moi, lui demandait-elle sans s'arrêter de travailler. Quand tu t'es enfui de chez nous, tu as rencontré deux garçons, l'un brun, l'autre blanc ?

Son petit-fils hochait la tête.

« Tu dis que l'un parlait comme nous et l'autre non ? Comment est-ce possible ?

Elle avait des dizaines de questions à poser sur cette rencontre. Les hommes de la famille avaient écouté l'histoire, hoché sagement la tête, puis oublié l'aventure. Mais non Vieille Grand-Mère.

« Redis-moi : le Brun était petit et âgé, le Blanc était jeune et grand. C'est contre la règle de la nature.

Et, quand il expliquait, avec plus de détails car il aimait parler avec la vieille femme, elle lui racontait ce qu'il avait déjà entendu bien souvent :

« Je ne l'ai pas vu de mes yeux, parce que c'est arrivé avant ma naissance, mais des hommes comme ce garçon sont venus un jour sur notre côte, dans une case qui flottait sur les vagues. Ils sont morts comme les hommes ordinaires.

A son avis, ce qu'avait dit l'enfant à la peau blanche était probablement vrai.

« Je crois qu'il y a d'autres gens qui se cachent de l'autre côté de la rivière. Je ne les verrai probablement jamais, mais tu les rencontreras, Sotopo. Quand tu te marieras, que tu auras ta case à toi et que tu partiras vers l'ouest...

Sur ces mots, elle interrompait toujours sa besogne pour demander à son petit-fils :

« Sotopo, qui vas-tu épouser ?

Et il rougissait sous sa peau noire, parce qu'il ne s'était pas encore posé ce problème.

Mais, un jour, il formula enfin la question dont la réponse pourrait révéler les dangers qui l'attendaient :

— Vieille Grand-Mère, pourquoi dis-tu toujours que, quand je prendrai une épouse, nous traverserons la rivière ?

— Ah-ah ! s'écria-t-elle en riant. Maintenant, nous sommes prêts à parler.

Elle s'assit près de lui.

« Ne vois-tu donc pas que le médecin-sorcier est déterminé à chasser de la vallée le père de Xuma ? Et que, lorsqu'il partira, Mandiso s'en ira sûrement avec lui ? Et que, lorsque Mandiso et Xuma s'enfuiront, tu te joindras à eux ?

Elle révélait des pensées qui germaient déjà au plus profond de l'esprit de l'enfant. Il restait souvent seul, à l'écart des autres, pour communiquer avec les bergeronnettes et ses autres amis de la rivière et des bois, uniquement parce qu'il avait peur d'affronter la tragédie qu'il voyait se dérouler dans la vallée : l'une après l'autre, les familles se retournaient contre le père de Xuma et, par extension, contre Xuma et Mandiso. Il sentait d'instinct ce qu'il avait eu peur de formuler : avant la fin de l'année, il lui faudrait choisir — rester avec ses parents, qu'il aimait, et Vieille Grand-Mère, qui lui était encore plus chère, ou bien partir en exil avec Mandiso et Xuma.

Pour l'instant, sa solution était de se rapprocher davantage encore de sa grand-mère, car elle était la seule personne qui lui parlait. Même Mandiso, occupé à fonder une nouvelle famille, avait peu de temps à consacrer à son frère.

— Pourquoi le devin nous tourmente-t-il ? demanda-t-il un jour à la vieille femme.

— Ce n'est pas lui. Non. Ce sont les esprits. Il a pour tâche de maintenir les esprits heureux, sinon ils dévasteraient la vallée.

— Mais le père de Xuma...

— Comment savoir ce qu'il a fait ? Réponds-moi, Sotopo. Comment savoir le mal qu'un homme peut faire à l'insu du reste d'entre nous ?

— Tu le crois coupable ?

— De quoi ? Comment saurais-je, moi ? Tout ce dont je suis sûre, c'est que, si le médecin-sorcier dit qu'il est coupable, il l'est.

— Et s'il s'en va, Mandiso devra partir en exil avec lui ?

— Oh, non !

Elle réfléchit quelque temps, en suçant sa pipe en épi de mil, puis elle dit à son petit-fils :

« Je crois que le moment approche où nous devrions tous partir. Les champs ne sont plus fertiles. Les voisins ne sont plus aimables. Pour une vieille femme comme moi, mourir résoudra le problème. Mais pour un jeune comme toi... Il faudra partir plus loin.

Ils n'échangèrent pas un mot de plus ce jour-là. Ils s'étaient avancés trop près des réalités ultimes de la vie et il leur faudrait des semaines de réflexion avant d'en comprendre toute la portée ; mais, au cours de ces journées de silence, Sotopo prit conscience que tout s'était lamentablement dégradé dans la communauté. Un matin, on avait trouvé le père de Xuma dans un fossé, avec une plaie à la tête. Quelqu'un brisa le pot de cuisine de Xuma qu'elle avait mis à sécher au soleil.

Le jeune Sotopo, qui allait sur ses seize ans à présent, prit les deux sagaies de bois dur qu'il avait confectionnées et se rendit pour la troisième fois auprès du devin.

— Entre ! lui dit le vieillard.

— Pourquoi Mandiso est-il puni ?

— Tu ne m'as apporté que deux sagaies ? Et un veau, peut-être ?

— Je n'ai plus de bétail, Tout-Puissant.

— Mais tu demandes quand même mon aide.

— Pas pour moi. Pour mon frère.

— Il a des ennuis, Sotopo, de graves ennuis.

— Mais pourquoi ? Il n'a rien fait.

— Il est uni à Xuma et le père de Xuma a commis beaucoup de mal.

— Quel mal, Tout-Puissant ?

— Du mal que les esprits voient.

Le vieillard n'alla pas plus loin que cette explication fragile, mais il fit sentir à son visiteur l'opposition implacable que tout homme de bien devait témoigner à l'égard d'un membre de la tribu coupable d'actions mauvaises, bien que ce « mal » ne fût jamais clairement défini.

— Ne pouvez-vous rien pour l'aider ? supplia Sotopo.

— Ce n'est pas de lui que tu te soucies, n'est-ce pas ?

— Non, c'est de Mandiso.

— Il partage la faute.

— Ne peut-il rien faire ? demanda l'adolescent.

— Non, le mal est sur lui.

Et aucune supplication, aucune accumulation de présents ne pourrait alléger cette malédiction terrible. La communauté, par l'entremise de son devin, avait désigné le père de Xuma comme une source de contamination. Il fallait qu'il s'en aille.

Peu après cette visite, on le trouva mort. Il avait été roué de coups à l'entrée de son kraal — une mort particulièrement sinistre, car elle impliquait que même son bétail, si beau et si nombreux, avait été impuissant à le protéger.

Le soir même, Mandiso et Xuma vinrent à la grande case. L'épouse s'assit, craintive, sur la gauche, au milieu des femmes et le palabre commença.

— Tu dois nous quitter, dit Vieille Grand-Mère sans trace de chagrin.

— Mais pourquoi dois-je abandonner…

— Il est temps de partir, dit-elle avec force. Explique-lui, Makubele.

Le père des jeunes ne se souciait que de ses intérêts personnels :

— La vieille a raison. Il faut que tu partes, sinon le mauvais sort retombera sur nous tous. N'est-ce pas, Vieille Grand-Mère ?

Mais elle se refusa à faire intervenir ses propres malheurs ou ceux de sa famille.

— Ce qui est important, Mandiso, n'est pas ce qui arrivera à ton père, mais ce qui t'arrivera à toi et à Xuma. Quel avenir as-tu ici, dis-moi, avec son père tué ainsi, sur le seuil de son kraal ?

— S'il existe un endroit sacré… commença Mandiso.

Mais Xuma le coupa :

— Il faut partir. Il faut partir demain avant la nuit.

— Comment est-ce possible ! s'écria Mandiso épouvanté par tout ce qu'impliquaient les paroles de son épouse.

— N'ai-je pas raison, Vieille Grand-Mère ? demanda Xuma.

— Moi, je partirais ce soir, dit la vieille.

Et l'on convint que, le lendemain avant le coucher du soleil, Mandiso et Xuma s'en iraient vers l'ouest, pour établir une nouvelle case, un nouveau village. Ils emmèneraient du bétail, des sacs de peau garnis de mil pour la semence et divers autres objets — mais il fallait qu'ils partent, car le consensus de leur communauté (auquel on était parvenu par des voies complexes) avait décrété qu'on ne voulait plus d'eux.

Mais que devenait Sotopo dans l'histoire ? Sans être encore un homme, il était profondément dévoué à son frère et à l'épouse de son frère. Quand le conseil de famille se sépara, il demeura longtemps avec sa grand-mère, pour discuter de son choix difficile. Rester ? Le devin s'opposerait probablement à lui. Fuir ? Mais il n'avait pas encore accompli les rites initiatiques qui feraient de lui un homme. Il n'avait absolument aucune preuve irréfutable que le médecin-sorcier lui avait déclaré la guerre, mais il sentait que c'était un fait et que, tôt ou tard, des bruits se mettraient à courir sur son compte. Mais il savait aussi qu'affronter l'avenir sans la sanction de la circoncision impliquait des dangers trop redoutables. Il avait constaté l'entrée joyeuse de son frère dans la vie d'homme, avec une fille aussi admirable que Xuma, et il avait donc senti à quel point ce serait terrible d'être classé par les filles de la communauté dans la catégorie des « moins qu'un homme », et d'être privé de leur compagnie.

C'était une chose dont il ne pouvait guère discuter avec sa grand-mère et, au cœur de la nuit, il se glissa dans le kraal de son frère et murmura :

— Mandiso ! Tu dors ?

— Qu'est-ce que c'est, frère ?

— Je partirai avec toi.

— Bien. Nous aurons besoin de toi.

— Mais comment deviendrai-je jamais un homme ?

Mandiso s'assit dans le noir. La main gauche posée sur ses lèvres, il étudia cette question embarrassante. Puis, sentant qu'il devait dire la vérité à son frère, il énuméra les obstacles.

— Il n'y aura pas de gardien pour bénir la case. Il n'y aura pas d'autres garçons pour partager le rite. Nous ne pourrons sûrement pas trouver d'argile blanche pour enduire ton corps. Et, à la fin, il n'y aura pas de fête somptueuse.

— J'y ai pensé, Mandiso. J'ai pensé à tout, mais je veux tout de même rester avec toi... Avec toi et Xuma, ajouta-t-il, car il n'avait pas honte de son amour pour sa belle-sœur.

— Avec le recul, quand je revois tout ce qui s'est passé, dit Mandiso, voici le fond de ma pensée : ce qui change un adolescent en homme, c'est la souffrance et le courage. Il ne devient pas homme par la danse, la nourriture et les clameurs des autres. Il devient homme au-dedans de lui-même par sa propre bravoure.

Ils réfléchirent longuement à ces paroles et Mandiso espéra que son frère répondrait, s'offrirait à faire la preuve de son courage. Mais Sotopo était beaucoup trop troublé par la nécessité de prendre, à l'âge de seize ans, une décision aussi difficile — comme peu d'hommes en prennent pendant toute une vie. Finalement, Mandiso, décida de faire pencher la balance :

« Dans les bois, quand nous avons rencontré les deux hommes étrangers (dans sa pensée, c'étaient des hommes, à présent, et non des enfants), c'est toi, Sotopo, qui as eu l'idée de dormir dans l'arbre. Je crois que je me serais enfui.

— Vraiment ? demanda le jeune adolescent.

Le fait qu'il ait pu être brave, là-bas dans les bois, saisit tout son esprit et il ne dit plus rien cette nuit-là. Il ne dormit pas non plus. Dès l'aube, il se rendit près de la rivière pour dire adieu aux bergeronnettes. Au lever du soleil, il observa deux énormes corbeaux cornus qui marchaient en se dandinant dans le champ. Au milieu de la matinée, il avait réuni les quelques chèvres qui lui restaient et il prenait rang derrière cinq des jeunes gens qui avaient partagé avec Mandiso le rituel de circoncision : ils avaient décidé de partir avec lui, poussés par le sentiment de fraternité profonde qu'ils ressentaient. Trois jeunes filles qui espéraient se marier avec les jeunes exilés suivirent le cortège pendant quelque temps, puis repartirent en larmes, sachant bien qu'il leur fallait attendre que leurs prétendants apportent la lobola à leurs pères.

C'était toujours de cette manière que des groupes de dissidents se séparaient du corps principal des Xhosas. Peut-être les devins exerçaient-ils une fonction vitale en identifiant les individus factieux en puissance qui risquaient de provoquer des troubles dans la communauté ; quoi qu'il en soit, ils servaient d'agences d'émigration, ou plutôt d'expulsion. Depuis huit cents ans, des groupes comme celui de Mandiso s'étaient détachés pour constituer de nouveaux clans à la frontière extrême de l'expansion xhosa. Ils n'allaient jamais bien loin ; ils gardaient le contact avec le reste de la tribu et ils continuaient de rendre une vague allégeance au grand chef qui vivait à l'arrière et qu'ils ne voyaient jamais.

Cette fois-là, le groupe errant avança jusqu'à la berge orientale de la rivière Grand-Poisson, où ils s'établirent, car la rive opposée possédait de vastes prairies vides.

— Nous nous en servirons, dit Mandiso à ses hommes, pour le bétail qui aime l'espace.

Ce fut selon cette tradition consacrée par les siècles que les Xhosas lancèrent, sans penser à mal, une pointe vers l'ouest, origine du conflit direct avec les trekboers hollandais qui dérivaient à la même époque vers l'est, sans penser à mal eux non plus. Ces deux grandes tribus étaient assez semblables : elles aimaient leur bétail ; elles mesuraient l'importance d'un homme au volume de son cheptel ; elles cherchaient des pacages vierges ; elles étaient persuadées que chaque prairie qu'elles voyaient leur appartenait de droit divin ; et elles honoraient leurs prédikants ou médecins-devins. Une confrontation formidable, pire que tous les orages jamais engendrés par l'oiseau de feu, était devenue inévitable.

En février 1725, quand Adriaan et Dikkop arrivèrent près de leur ferme, à la fin de leur périple, ils ne connurent aucune des incertitudes qui avaient troublé les deux jeunes Xhosas. Certes, ils s'étaient absentés presque quatre mois au lieu des trois mois prévus, mais leurs familles savaient ce qu'ils faisaient et leur retard n'avait provoqué aucune inquiétude. Comme Hendrik l'avait dit plusieurs fois à sa femme :

— Si les lions ne les mangent pas, ils reviendront.

Et quand ils arrivèrent, épuisés, avec sur les paupières la poussière d'horizons lointains, personne n'en fit tout un plat. Hendrik lui aussi avait fait un voyage : six semaines vers le nord pour troquer du bétail avec des Hottentots. Il était revenu avec deux cents beaux animaux, la plus vaste addition faite à son troupeau depuis toujours. Il demanda à Adriaan de l'accompagner à cheval jusqu'à la bordure extrême des pâturages et, du haut d'une colline, les deux Van Doorn regardèrent, heureux, leur Terre promise :

— Dieu a été bon pour nous, dit Hendrik. « Tout le pays qui est Canaan, Il vous l'a donné, ainsi qu'aux générations qui vous suivront... »

Pendant longtemps, ils demeurèrent en selle, les yeux sur le bétail, et il y avait une joie profonde dans leurs cœurs.

La maison-bubale était déjà si patinée qu'on n'aurait pas pu la distinguer de celle de la ferme précédente et, sur le périmètre de son domaine, Hendrik avait installé quatre cairns de plus, à mi-chemin entre les points cardinaux. En moins d'une année, les Van Doorn avaient établi une ferme d'élevage — deux mille quatre cents hectares bien délimités, trop éloignés de tout voisinage pour que l'on puisse craindre une intrusion quelconque dans les années à venir.

La famille s'intéressa beaucoup au récit d'Adriaan sur les deux jeunes Noirs. Cela prouvait qu'une tribu de quelque importance occupait les terres de l'est. A maintes reprises, le père et la mère demandèrent à leur fils de leur répéter exactement ce qu'il avait appris au cours des quatre jours passés avec les Noirs.

— Ils parlent avec des clics, dit Adriaan. Ils doivent donc être de la même famille que les Hottentots, mais Dikkop n'a pas compris un mot de ce qu'ils disaient. Ils sont forts, vraiment beaux, mais leurs seules armes étaient des massues et des sagaies.

Hendrik, intéressé, fit venir Dikkop, qui lui communiqua une information importante : autant qu'il ait pu comprendre, ils se nommaient Xhosas — il prononçait *Hkausas* (le H représentant un clic accentué du fond de la gorge).

— Ils ont dit qu'ils étaient les Xhosas, qui vivent sur l'autre rive d'une grande rivière.

— Quelle rivière ? demanda Hendrik.

— Il y en a tant ! répondirent Adriaan et Dikkop d'une seule voix.

Et, pour la première fois, ils décrivirent la géographie des vastes terres de l'est. Ce fut leur rapport, laborieusement transcrit dans une langue archaïque par Hendrik Van Doorn, qui parvint au Cap et qui permit à la Compagnie de mieux connaître les régions qu'elle allait bientôt gouverner, qu'elle le veuille ou non :

> Le pays à l'est de notre ferme ne se laisse pas traverser sans mal, à cause de dures montagnes qui l'enferment au nord, une chaîne ininterrompue sur de vastes lieues, impénétrable car il ne semble pas y avoir de cols. Voyager par le sud, le long de la mer, n'est pas plus facile, car des ravins profonds, infranchissables pour les chariots, courent depuis la côte sur plusieurs lieues. Mais entre ces deux obstacles s'étendent des terres de grande fertilité et de grande beauté. Notre ferme est située en bordure occidentale de ce qui doit être le plus beau pays de la terre, un jardin de fleurs, d'oiseaux et d'animaux sauvages. Des rivières abondantes fournissent de l'eau pour tout et, si l'on peut faire pousser des arbres fruitiers là-bas aussi facilement qu'ici, ce sera le jardin d'Éden. Mais nous avons de bonnes raisons de croire que des tribus noires s'avancent vers ces terres depuis l'ouest.

Quand Hendrik eut terminé sa lettre, il fut fier de s'être souvenu de son éducation et il eut honte de l'avoir négligée. A Trianon, ses parents lui avaient enseigné l'alphabet et le hollandais correct, mais de longues années en compagnie de Hottentots et d'esclaves, puis d'une épouse illettrée, l'avaient amené à s'exprimer en phrases grossières pleines d'erreurs. Surtout, il n'avait appris à lire à aucun de ses enfants.

Mais il ne se perdit pas en lamentations, car la vie était généreuse. Avec le mois de juin vint l'époque de la récolte et toute la famille s'affaira. On ne ramassait pas seulement des légumes pour les mois d'hiver, mais aussi toutes les semences nécessaires : grosses citrouilles jaunes, courges vertes à l'écorce rugueuse, mil, radis, oignons, choux-fleurs et choux que l'on conserverait au vinaigre. Les arbres fruitiers, bien entendu, étaient encore trop jeunes pour porter des fruits, mais, au cours de ses explorations de la région environnante, Hendrik avait trouvé des citrons sauvages dont l'écorce épaisse et huileuse se révéla très utile, ainsi que des amandes amères — comme celles de la haie coupée par son grand-père lorsqu'il avait fui l'emprise de la Compagnie.

On n'entendait guère parler de la Compagnie, dans ces

terres perdues. La ferme était si éloignée du quartier général — deux cent soixante-deux kilomètres à vol d'oiseau et cent trente de plus le long de la piste qui serpentait à travers les montagnes — qu'aucun représentant officiel ne pouvait facilement l'atteindre. Aucun prédikant ne venait jamais pour les mariages et les baptêmes, et, bien entendu, aucun inspecteur des impôts et aucun percepteur. Pourtant, une sorte de contrôle subsistait, lointain et inefficace, mais prêt à être appliqué quand les routes s'enfonceraient jusque-là. Un représentant enthousiaste de la Compagnie, qui avait traversé les montagnes après bien des déboires, était parvenu « à quatre fermes de distance » des Van Doorn. Voici ce qu'il avait écrit à son retour au Cap :

> Partout où je suis allé, on m'a parlé de divers Hollandais qui occupent des fermes splendides, Rooi Van Valck au nord, Hendrik Van Doorn à l'est. Ils font paître leur bétail sur notre terre sans que la Compagnie en retire de profit. Ils plantent leurs semences dans le sol de la Compagnie sans aucun bénéfice pour nous et je crois que la Compagnie mérite d'être mieux traitée par ces gredins. Je recommande que tout homme qui occupe une ferme paie à la Compagnie un impôt de douze rix-thalers par an, plus un dixième de toute récolte de grain, de fruits, de légumes ou d'animaux qu'il produit. Mais comment cette taxe pourra être levée sur des fermes aussi éloignées que celles de Rooi Van Valck et d'Hendrik Van Doorn, je n'en ai pas la moindre idée.

Cette loi de fermage fut adoptée, mais, comme cet émissaire perspicace l'avait prédit, elle put rarement être appliquée. Les fermiers éloignés reçurent l'ordre d'apporter leur impôt soit au Cap, soit à Stellenbosch, mais ils se contentèrent d'ignorer le décret. Sur les fermes proches, les fonctionnaires firent une démonstration pleine de courage en allant à cheval, au milieu de l'hiver, réclamer les sommes en retard. Mais, pour les renégats obstinés et dangereux comme Rooi Van Valck, aucun percepteur n'osa s'approcher de son domaine hors la loi, de peur de recevoir une balle dans la nuque.

En ces années-là, le jeune Adriaan se souciait fort peu des gabelous. Il était si occupé à accroître sa science du désert que des semaines s'écoulaient sans qu'on l'aperçoive à la ferme. Ce fut à cette époque que le sobriquet de Mal Adriaan s'attacha à lui. Quand il rentrait d'une de ses explorations, il commençait toujours ses récits par : « Pendant que je dormais dans l'arbre... », ou bien : « Quand je suis sorti du trou de l'hippo... », ou encore : « Au cours des journées que j'ai passées avec les gemsboks... » Il scandalisait la famille et les esclaves en affirmant que les lions peuvent grimper sur les arbres, car on croyait communément qu'ils en étaient incapables et qu'un homme était en sécurité s'il pouvait trouver refuge sur un tronc.

— Non, disait Adriaan. J'ai vu un arbre avec sept lions endormis sur les hautes branches.

C'était tellement fou que même les esclaves l'appelaient Adriaan le Fou. Et, à l'âge de vingt ans, il connut pour la première fois la solitude amère qui accable un jeune homme ridiculisé par ses pairs : la famille mangeait dans la cabane, ou plutôt rongeait des os de mouton cuits avec du chou...

— Est-ce que les animaux se sont rapprochés de notre vallée ? lui demanda son père.

Automatiquement, il répliqua :

— Quand je vivais avec le rhinocéros...

Et ses frères et sœurs s'écrièrent d'une seule voix :

— Oh, Adriaan !

Il rougit violemment et se leva de la table où toute la famille se pressait. Sa mère posa la main sur son bras pour le retenir.

Le soir venu, assise devant la hutte, elle lui dit :

— Il n'est pas bon qu'un homme attende trop longtemps. Il faut que tu te trouves une épouse.

— Où ?

— C'est toujours le problème. Regarde notre Florrie : où va-t-elle dénicher un mari ? Je vais te dire où. Un de ces jours, un jeune homme passera par ici à cheval, en quête d'une femme. Il verra Florrie et elle partira.

Et, à peine quatre semaines après cette conversation, Dikkop, toujours affolé au moindre mouvement suspect, se précipita vers la cabane en criant :

— Un homme à cheval !

Un jeune fermier, poussiéreux autant que vigoureux, venait de franchir deux cents kilomètres en apprenant par hasard qu'Hendrik Van Doorn, très loin au-delà de la rivière, avait plusieurs filles. Il ne fit aucun mystère de sa mission. Il resta six semaines, durant lesquelles il dévora d'énormes quantités de nourriture, puis, un soir, Hendrik lui offrit un gâteau de pain fourré d'écorces de citron, de cerises et de pommes séchées. Il rota, repoussa l'assiette de soupe dont il s'était gavé et dit :

— Florrie et moi, on part à la maison demain.

Les Van Doorn furent ravis. Il se passerait peut-être des années, ou l'éternité, avant qu'ils ne revoient leur fille, mais, à l'âge qu'elle avait, il était naturel qu'elle s'en aille. Illettrée, à peine capable de coudre en ligne droite, cuisinière détestable et ménagère pire encore, elle partit avec son mari analphabète fonder une nouvelle ferme et élever une nouvelle portée de trekboers résolus qui occuperaient la terre.

Deux soirs après leur départ, Johanna s'assit de nouveau près d'Adriaan et dit :

— Prends le cheval bai et va-t'en.

— Où ?

— Trois personnes nous ont dit que Rooi Van Valck est empêtré de toutes ses filles. Va en chercher une.

— Ils ont raconté aussi que Rooi est mauvais. Il dit du mal de la Bible.

— Oui, mais...

Elle avait du mal à trouver les mots qu'il fallait, mais elle avait réfléchi à ce problème depuis longtemps, sans rien dire de peur d'irriter son mari.

« Adriaan, certains prennent parfois la Bible trop au sérieux, murmura-t-elle enfin. Je ne sais pas lire — on ne m'a jamais appris les lettres — mais parfois je trouve que ton père se rend ridicule, le nez toujours fourré dans ce gros livre en quête d'instructions. Si Rooi Van Valck a une fille et si tu as l'impression qu'elle sera bonne au lit, prends-la.

Adriaan ne répondit pas, car ces idées lui semblaient choquantes. Il avait été élevé dans une foi absolue pour la Bible, bien qu'il ne sache pas lire lui-même.

« Vivre dans une cabane comme celle-ci n'est pas tout rose. Ce n'est guère mieux que la vie des Hottentots. Mais aimer ton père et le rejoindre dans le lit quand les enfants sont endormis... cela suffit à toute une vie.

Elle tendit brusquement la main et tourna Adriaan vers elle dans le noir.

« Et n'oublie pas, lui murmura-t-elle en le regardant dans les yeux, tu pars chez Van Valck à l'aube.

Adriaan prit le cheval bai et partit vers le nord à travers les plaines désertes. Il franchit la Touws, rivière toujours boueuse, et continua à l'ouest des monts Witteberge jusqu'à ce qu'il aperçoive devant lui les colonnes de poussière indiquant la présence de l'homme. C'était la ferme — le petit empire — de Rooi Van Valck et, avant d'atteindre les cabanes-bubales où vivaient Rooi et son étonnante bande de serviteurs, il dut traverser des vallées abritant vingt mille moutons et sept mille bovins.

— Je cherche Rooi, dit Adriaan, confondu par l'ampleur de la richesse.

— Pas ici, grogna un esclave malgache.

— Où est-il ?

— Qui sait ?

— Puis-je parler à sa femme ?

— Laquelle ?

— La sienne. Je veux parler à sa femme.

— Il en a quatre. La Blanche, la Jaune, la Brune et la Noire.

— Laquelle a des filles ?

— Elles ont toutes des filles. Et aussi des fils.

— Je veux voir la Blanche.

— Par là-bas.

Et l'esclave lui montra une cabane semblable en tout point à celle que les Van Doorn occupaient.

« Tout ce bétail, se dit Adriaan en traversant la clairière jusqu'à la maison, et il vit dans une cabane comme nous ! » Il en était ravi plus que troublé. Et quand la (blanche) Mevrouw Van Valck l'invita à s'asseoir près d'elle, il fut soulagé de voir qu'elle était à peu près comme sa mère : vieillie avant l'âge, bien adaptée à la poussière, indépendante de caractère.

— Qu'est-ce que tu veux ? demanda-t-elle en s'accroupissant sur un tronc qui servait de banc.

— Voir votre mari.

— Il n'est pas là.

— Quand va-t-il rentrer ?

Elle répondit comme l'esclave :

— Qui sait ?

— Aujourd'hui ? Dans trois jours ?

— Qui sait ?... Quelle ferme ? ajouta-t-elle en regardant le jeune homme avec méfiance.

— Celle d'Hendrik Van Doorn.

— Jamais entendu parler de lui.

— Trianon... Les Van Doorn...

Le nom eut sur elle un effet stupéfiant.

— Trianon ! rugit-elle, en ajoutant aussitôt une kyrielle de jurons hollandais et hottentots.

Puis elle se dirigea vers l'ouverture de la cabane et cria :

« Devinez qui est ici ? Un Van Doorn de Trianon !

— Je ne suis pas de Trianon, tenta d'expliquer Adriaan.

Mais, avant qu'il ait pu se justifier, toute une horde avait jailli des nombreuses cabanes : des femmes de toutes les couleurs, suivies de leurs enfants, d'apparence fort hétérogène.

— C'est un gars de Trianon ! cria Mevrouw Van Valck en le frappant joyeusement sur l'épaule, avec un nouveau chapelet d'obscénités. Et je parie qu'il est venu ici pour chercher une femme. Pas vrai, Van Doorn ? Pas vrai ?

Avant qu'il puisse chasser le rouge de ses joues et expliquer de façon logique le but de sa mission, la femme avait hélé plusieurs personnes et une procession peu banale se dirigeait vers la cabane.

« Tu peux avoir celle-ci, brailla-t-elle en montrant du doigt une fille nubile de dix-sept ans, à la peau sombre et aux cheveux noirs. Mais pas ça, c'est un garçon.

Gros rires parmi les femmes, et le défilé se poursuivit.

« Celle-ci aussi, tu peux l'avoir, dit-elle d'un ton plus sérieux, et je te conseillerais de la prendre.

Sur ces mots, elle fit avancer l'une de ses propres filles, une rousse dont les cheveux de feu tombaient presque jusqu'à sa taille. Elle paraissait quinze ou seize ans, peu timide, nullement gênée par le charivari de sa mère. Elle s'avança tout droit vers Adriaan, lui tendit les bras, et dit :

— Bonjour, je suis Seena.

Et, quand sa mère se mit à proférer une nouvelle obscénité, la jeune fille se tourna brusquement et cria :

« Ferme-la, espèce d'idiote !

— C'est la meilleure de toutes, cria Mevrouw Van Valck à

l'adresse des autres femmes, dont le cercle caqueta aussitôt en signe d'approbation.

— Elle a de beaux cheveux, dit une Malaise en tendant la main pour faire gonfler les mèches rousses de la fille.

Adriaan, au comble de l'embarras, demanda à Seena :

— Y a-t-il un endroit où...

— Fichez le camp, vous autres !

La fille lança une grossièreté de la même cuvée que celles de sa mère et chassa les femmes.

« On peut s'asseoir ici.

Elle montra un vieux coffre de chariot à l'entrée de la cabane dans laquelle elle vivait avec une flopée bigarrée d'autres mioches.

— Où est votre père ? demanda Adriaan.

— A la chasse aux Bochimans, dit-elle.

— Quand va-t-il rentrer ?

— Qui sait ? La dernière fois, il lui a fallu quatre semaines pour nettoyer les vallées de cette vermine.

— Je peux rester ici ?

— Ma mère avait raison ? Vous cherchez une femme ?

— Je... Je... Je cherche votre père.

— Inutile de l'attendre. Il se fiche de ce qui se passe. Vous avez une ferme ?

— Je vis très loin d'ici.

— Parfait.

Elle n'ajouta rien de plus, mais cet unique mot suffisait à exprimer tout son désir de fuir cet endroit orageux.

Ce fut encore pis quand Rooi revint de sa chasse à l'homme. C'était un gaillard gigantesque avec une tignasse flamboyante de cheveux roux qui lui avait valu son nom. Il s'appelait en réalité Rupertus Van Valck et il descendait d'une des premières familles installées au Cap : Rooi Van Valck, Rooi le Faucon, la terreur à la crinière rouge, qui ne se soumettait à aucune loi, qu'elle vienne du gouverneur du Cap, des XVII Seigneuries ou de Dieu lui-même.

Les Van Valck avaient commencé à avoir des ennuis avec les autorités dès l'époque de Van Riebeeck, quand Léopold, le soldat têtu qui avait fondé la famille, s'était obstiné à vouloir épouser une esclave de Malacca. La Compagnie avait tellement tardé à accorder sa permission que, lorsqu'elle était enfin parvenue, le grand-père de Rooi avait déjà deux enfants.

Le conflit suivant s'était produit quand Mevrouw Van Valck, une femme décidée, à l'esprit indépendant, avait voulu s'habiller dans un style qui mettait ses charmes en valeur. Depuis Amsterdam, les XVII Seigneuries avaient ordonné très précisément que « Mevrouw Van Valck ne devait pas porter de basin, et en particulier de basin jaune clair, d'autant plus qu'elle n'était pas l'épouse d'un responsable important de la Compagnie ». Lorsqu'elle avait persisté, encouragée par son mari, on avait envoyé des soldats pour déchirer la robe en question. Van Valck avait roué de coups les soldats — et passé une longue journée sur le chevalet de torture.

Il n'avait pas été projeté de très haut sur le chevalet et il avait évité l'infirmité incurable qui avait handicapé Willem Van Doorn pour le restant de ses jours. Mais il s'était enfermé dans une sorte de rage corrosive. Quelques mois plus tard, un des soldats qui l'avaient torturé fut découvert la gorge tranchée. On supposa que c'était Van Valck. Rien ne fut prouvé. Par la suite, lorsque Willem et Katje s'en furent à travers la haie d'amandes amères, Van Valck suivit la même route. Mais vers le nord.

Là, dans une vallée sauvage, il avait construit ses huttes, rassemblé des esclaves et des proscrits et lancé l'infâme tribu des Van Valck. Il eut quatre fils et de nombreux petits-enfants, mais tous restèrent dans la vallée du début, où ils élevèrent d'immenses troupeaux et plantèrent des vergers entiers à partir d'un unique noyau. Ils tondirent leurs moutons, tissèrent leurs tissus, tannèrent les peaux pour leurs chaussures de cuir. Ils abattirent des arbres, firent des planches, construisirent des routes grossières et bâtirent une communauté qui se suffisait entièrement à elle-même et n'avait nul besoin de sortir (sauf pour les déplacements périodiques de transhumance) d'une région où les responsables avaient peur de pénétrer.

C'était le revers de la médaille africaine. Au Cap, les citoyens se mettaient au garde-à-vous quand les XVII Seigneuries promulguaient une directive ; ils vivaient, au bénéfice de la Compagnie, des largesses de la Compagnie et ils étaient soumis de la façon la plus stricte aux décrets de la Compagnie. Mais, sur la frontière des Van Valck, les aventuriers aux cheveux roux disaient « Merde à la Compagnie ! » et appliquaient ce principe.

Aucun prédikant n'avait jamais prêché sur les terres de Rooi Van Valck ou même osé reprocher au maître d'avoir quatre épouses. Pendant deux générations, aucun Van Valck n'avait été légalement marié et, à la troisième, plus personne ne désirait l'être. Le méli-mélo d'enfants était inextricable, et leur belle santé et leur bonne humeur s'inscrivaient en faux contre le credo de la Compagnie selon lequel les enfants devaient être élevés en stricte conformité avec la Bible. Chez Rooi, il n'y avait pas de Bible.

— Alors, tu es venu chercher une femme ? dit le colosse en dévisageant Adriaan. Ce n'est pas toi qu'on appelle Mal Adriaan ?

— Qui vous a parlé de moi ?

— Le smous. En quoi es-tu cinglé ?

— J'aime vagabonder. J'étudie les animaux sauvages.

— Eh, Seena ! *Kom hier, verdomde vrouw.*

Elle s'avança et il lui ébouriffa les cheveux.

« Pas de doute qu'elle est ma fille, hein ? Regarde ces cheveux ! Pas besoin de me biler : sa mère n'a pas fricoté avec le smous...

Les joues d'Adriaan devinrent plus rouges que la tignasse de Rooi. Le renégat fit sauter sa fille en l'air et la rattrapa sous les bras.

« Si tu la prends, tu auras une bonne petite, cria-t-il.

Il la relança, très haut, mais non point au-dessus de lui : dans l'espace qui le séparait d'Adriaan. Et la première fois que le jeune homme toucha Seena, elle volait en fait vers lui.

« Elle est à toi, petit, mais ne t'avise pas de vagabonder trop loin, Adriaan le Fou, sinon le smous te la prendra quand tu auras le dos tourné.

— Ta gueule, gros sac ! cria la jeune fille avec une grimace à l'intention de son père. Si Adriaan était plus grand, il t'écrabouillerait la figure.

Rooi brandit une main énorme, saisit Adriaan au collet et faillit lui briser les vertèbres.

— Il a intérêt à ne pas essayer, dit-il en le secouant comme un chien. Et puis, petit, traite cette fille comme il faut, hein ? Sinon je te tue.

Visiblement, ce n'était pas une menace en l'air, mais, à la grande surprise de Rooi, Adriaan se libéra et lança son poing avec une fureur déchaînée contre la mâchoire du colosse.

C'était comme le combat d'un singe contre un éléphant et Rooi barrit de délice.

« Il a du cran, ton homme, Seena. Mais, s'il essaie de te battre, tape à coups de pied dans le ventre.

Et, lançant soudain sa botte droite, il visa l'entrejambe d'Adriaan. Peut-être la crainte de la souffrance terrible toute proche galvanisa-t-elle le jeune homme, car il esquiva lestement, saisit le pied relevé et renversa sur le dos la brute aux cheveux carotte.

A peine au sol, Rooi lança son autre jambe, frappa Adriaan aux chevilles et le faucha. D'un bond, le colosse tomba sur le jeune homme et le mit dans une position où il pourrait lui arracher les yeux avec ses énormes phalanges. Quand Adriaan sentit la force surhumaine du grand roux et qu'il vit les ongles redoutables s'approcher de ses orbites, il songea : « Je suis en train de lutter avec le diable. Pour la fille du diable. » Et il projeta ses genoux en avant pour frapper le Mal en pleines tripes, mais Rooi esquiva cette dernière attaque.

« Je vais t'apprendre ! grogna-t-il.

Et il lui aurait certainement donné une leçon si Seena, saisissant une bûche, ne lui avait pas assené sur la tête un coup qui le laissa tout étourdi.

« Qui m'a frappé ? hurla-t-il quand il reprit conscience.

Il clignait des yeux et crachait...

— C'est moi, répondit Seena.

Et Adriaan, debout, les poings crispés, attendait la suite.

— Nom de Dieu ! cria le colosse rouge en se relevant sur ses genoux. Je crois que Seena en a trouvé un bon.

Il se remit enfin sur pied, encore hagard, prit Adriaan sous un de ses énormes bras, Seena sous l'autre, et les traîna jusqu'à sa cabane où il entama un cruchon d'eau-de-vie.

Ils burent toute la nuit et, vers quatre heures du matin, alors qu'Adriaan avait presque perdu conscience, Rooi insista pour que les jeunes mariés aient une hutte pour eux tout seuls. On balaya les enfants de la case occupée par l'épouse malaise et on jeta le couple sur le tas de paille sale qu'elle occupait. Au début, Adriaan n'eut envie que de dormir, ainsi que le révélèrent à tout le campement les gamins à l'affût devant un trou de guet, mais Seena n'avait sûrement pas l'intention de passer sa nuit de noces de cette manière. Et — comme le crièrent les enfants à la cantonade — elle le réveilla de son hébétude et lui inculqua les premières notions du devoir conjugal.

— C'est bien, c'est bien, dit Rooi Van Valck quand les enfants vinrent lui rendre compte. Je crois que Seena a déniché un mari dont elle pourra être fière. Il est un peu cinglé, c'est évident, mais il a le poing leste et ça me plaît. Comment s'appelle-t-il, déjà ?

— Adriaan, répondirent les enfants.

Ils savaient tout.

Le passage de Sotopo à l'état d'homme ne se déroula pas sans mal. Comme son frère Mandiso l'avait prédit quand ils avaient évoqué le départ de l'adolescent vers la rivière Grand-Poisson, la nouvelle colonie n'avait pas de gardien pour contrôler les rites de circoncision, ni d'autres enfants pour les partager, ni bien sûr une vaste communauté pour organiser une fête. Mais Sotopo savait que la cérémonie devait être accomplie, et elle le fut, d'une manière solitaire et effroyable.

On construisit une petite case, juste ce qu'il fallait pour un seul garçon. Comme on ne put pas découvrir d'argile blanche, il fallut se contenter de terre rouge. Il n'y avait pas de vieil homme sachant bien affûter et manipuler le tranchant de la sagaie. Un jeune accepta de le remplacer et, avec une sagaie émoussée, fit une opération hideuse. Sans les herbes qu'il fallait pour soigner la plaie, la blessure s'infecta gravement et Sotopo faillit perdre la vie. Pendant cent jours, il resta dans l'isolement — seul son frère se glissa de temps en temps près de lui pour partager l'expérience qu'il avait vécue quand il avait été lui-même initié.

A la fin de l'isolement, on mit le feu à la case, comme l'exigeait la coutume. Le moment de la danse était venu. Sotopo dansa seul, sans gourde, sans instrument à corde. Les plumes bruissaient derrière lui quand il agitait ses hanches et les coquillages de sa cheville résonnaient quand il martelait le sol. A la fin, il prononça les paroles essentielles. Fixant la petite bande aventureuse, il dit d'une voix forte et claire :

— Je suis un homme.

C'était vers des hommes comme lui que les trekboers avançaient.

Seena et Adriaan rencontrèrent Nels Linnart le Suédois de la façon la plus incroyable. En 1748, un cavalier arriva du sud au galop avec la nouvelle qu'un bateau venait de s'échouer au large du cap des Phoques. La cargaison à récupérer était si importante que toutes les femmes de la région pourraient refaire leurs réserves pour une dizaine d'années. Chez les Van Doorn, tous les hommes valides sellèrent leurs chevaux pour participer au pillage et, lorsque Adriaan partit vers le sud, Seena galopa avec lui, ses longs cheveux roux flottant dans le vent.

Ils arrivèrent près de l'épave le lendemain, deux heures environ après le coucher du soleil. La cargaison était encore plus riche que ne l'avait signalé le messager. Trente trekboers environ avaient formé, avec des cordes, une ligne de sauvetage et ramenaient les passagers sur la côte. Mais, dès que les vies humaines furent sauvées, ces mêmes hommes se jetèrent parmi les vagues pour piller le bateau. Toujours ardents, les Van Doorn arrivèrent à temps pour sauver les vivres avant que l'eau ne les endommage. Des barils entiers de farine et de harengs furent halés à terre. Une famille se concentra sur les meubles du bureau du capitaine et, lorsque ce dernier protesta, un trekboer lui lança un regard incendiaire :

— Si vous n'aviez pas jeté votre bateau sur les rochers, lui dit-il, nous ne serions pas en train de le piller.

Toute la nuit, à la lumière d'une lune incertaine et de lanternes de joncs tressés, les trekboers avides mirent le bateau à sac et le dépouillèrent de tous ses trésors transportables. Mais, vers l'aurore, un jeune homme d'une trentaine d'années s'avança vers Adriaan et lui dit, en hollandais, mais avec un accent très prononcé :

— Je vous en prie, monsieur, vous et votre dame avez l'air comme il faut. Voudriez-vous m'aider à récupérer mes livres ?

— Qui êtes-vous ? demanda Adriaan, soupçonneux.

— Le Dr Nels Linnart, de Stockholm et d'Uppsala.

Comme le visage neutre d'Adriaan montrait qu'il n'avait rien compris, le jeune homme ajouta :

« En Suède.

Adriaan n'avait jamais entendu parler de la Suède non plus.

« Je vous en prie, insista le jeune homme, j'ai des livres importants, là-bas. Il faut les sauver.

Adriaan ne réagissait toujours pas, mais Seena lui dit, impatiente :

— Il a besoin d'aide.

Et, dans le sillage du docteur, les deux Van Doorn partirent à la nage vers le bateau, escaladèrent le bordage et s'enfoncèrent dans les entrailles de l'épave, qui ne demeurerait plus longtemps à flot. Pour eux, c'était un univers étrange de couloirs sombres et de vagues sonores, où régnait l'odeur humide des entreponts. Les précieux ouvrages étaient dans une cabine : quarante ou cinquante gros volumes publiés dans divers pays. C'étaient eux que le Dr Linnart se proposait de transporter à terre, mais leur faire traverser les vagues sans les abîmer posait un problème.

Seena trouva le moyen. Elle sauterait dans les vagues, saisirait la corde, puis prendrait une brassée de livres qu'elle tiendrait à bout de bras pendant qu'Adriaan, au-dessous d'elle, la porterait au-dessus des vagues.

— Bravo ! s'écria le Dr Linnart depuis le pont quand il vit le couple déposer ses livres bien au sec et revenir chercher une autre charge.

Toute la petite bibliothèque fut sauvée ainsi. Elle constituait la base d'une remarquable collection de livres, en latin, grec, allemand, hollandais, anglais, suédois — et quatorze en français. Ils couvraient diverses branches de la science, notamment les mathématiques et la botanique. Il y avait parmi eux le *Systema Naturae* de Carl von Linné, également de Stockholm et d'Uppsala.

— C'est mon oncle, dit le jeune docteur en essuyant l'eau de ses bottes.

— Quel genre de livre est-ce donc ? demanda Adriaan.

C'était la première fois qu'il tenait entre les mains un autre livre que la Bible de son père.

— Il traite des plantes et des fleurs.

Et là, sur la plage, en face du bateau naufragé, Adriaan prononça les paroles qui conditionneraient le reste de sa vie.

— J'aime les plantes et les fleurs.

— Vous en avez vu beaucoup ici ? demanda le jeune savant, toujours préoccupé par son sujet d'étude malgré le naufrage de son bateau.

— J'ai parcouru des lieues et des lieues, dit Adriaan en

reconnaissant aussitôt l'intérêt intense du jeune homme, et partout où je suis allé il y avait quelque chose de nouveau.

— C'est ce que disait mon oncle. Mon travail consiste à collectionner les nouvelles plantes. Celles dont nous n'avons pas encore entendu parler en Europe.

— Qu'est-ce que ça veut dire « collectionner » ? demanda Adriaan.

Mais, avant que le jeune docteur ait eu le temps de s'expliquer, Hendrik cria :

— Allez ! Il y a encore beaucoup de choses à prendre avant qu'il ne sombre.

Et les deux jeunes Van Doorn se remirent au pillage.

Quand il ne resta plus rien et que le bateau commença à se rompre, Adriaan alla retrouver le savant et, tandis que les autres trekboers aidaient les naufragés à construire des cases provisoires pour se protéger jusqu'à l'arrivée des bateaux de sauvetage, il entassa, avec Seena, les précieux ouvrages sur le dos de leurs chevaux et ils repartirent à pied vers la ferme, accompagnés du jeune Suédois.

> J'avais l'intention (écrivit ce dernier dans son rapport publié par la *London Association*) d'effectuer mes recherches aux Indes, mais la Providence a fait échouer mon bateau sur les rochers de l'extrême sud de l'Afrique, où j'ai été sauvé par un couple remarquable, avec qui j'ai passé les quatre mois les plus heureux de ma vie, dans une cabane de fortune. Le mari, qui ne savait pas lire un seul mot en aucune langue, était devenu par ses propres efforts un authentique savant. Quant à sa femme, aux cheveux d'un roux flamboyant, elle savait vraiment tout faire. Elle montait à cheval, tirait au fusil, buvait d'énormes quantités de gin, jurait comme un Norvégien, taillait les arbres fruitiers, cousait, cuisinait, riait et racontait de fabuleux mensonges sur son père, qui, à l'entendre, avait quatre femmes. Je me rappelle encore avec émotion le matin où je me suis écrié, dans mon mauvais hollandais : « Dieu n'a pas l'intention que j'aille aux Indes. Il m'a conduit ici pour que je travaille avec vous. » Ils m'ont ouvert un monde nouveau. Ils m'ont montré des merveilles dont je n'avais même pas rêvé. Le mari connaissait toutes les plantes, la femme tout ce qui rend la vie belle. Après quatre mois passés dans leur cabane, j'étais plus compétent pour me lancer dans ma cueillette qu'après quatre ans d'études à

> l'université. A ma grande joie, et non sans profit pour moi, ce couple merveilleux voulut se joindre à moi, bien que je les eusse avertis que cela me prendrait peut-être sept mois. « Qu'est-ce que c'est, pour nous, sept mois ? », s'écria Mevrouw Van Doorn, et ils quittèrent leur cabane, sans plus de souci que si nous partions pour une *fête champêtre* dans un jardin à la française.

Ils avancèrent beaucoup plus loin à l'est qu'Adriaan au cours de sa première exploration, puis franc nord, dans un genre de pays que le jeune homme lui-même n'avait jamais vu. Il s'étendait loin au nord de la chaîne de montagnes et il paraissait désertique sans l'être, car, à la moindre goutte de pluie, une multitude de fleurs surgissaient d'un bout à l'autre du paysage. Elles recouvraient tout d'un tapis d'une telle beauté que le Dr Linnart en demeura émerveillé : « J'aurais pu passer ma vie là-bas et trouver une fleur nouvelle chaque jour… »

Quand Adriaan demanda au Suédois pourquoi il recueillait des spécimens avec une telle avidité, Linnart passa plusieurs soirées à lui expliquer de son mieux la portée de son expérience. Voici ce qu'il a écrit à ce sujet dans son rapport :

> Van Doorn voulant savoir quel but je poursuivais, je décidai de lui révéler l'ensemble de mes intérêts, sans rien lui taire. Je lui exposai le principe de classification de Carl von Linné en *genus* et *species*, et, au bout d'une heure, ce naturaliste-né avait compris ce que je voulais dire mieux que la plupart de mes étudiants à l'université. Il me demanda alors pourquoi Linné se souciait de ce système et je lui appris que mon oncle avait l'intention de cataloguer toutes les plantes poussant dans le monde — c'était la raison même de ma présence en ces lieux. « Même ces fleurs du veld ? », me demanda-t-il, et je lui répondis : « Surtout ces fleurs-là, que nous ne connaissons pas en Europe. » Et, sur la base de cette instruction toute d'instinct, il recueillit quatre cents fleurs, pas moins, et les classa en grandes familles, selon les principes de Linné. C'était un exploit remarquable dont peu d'universitaires européens auraient été capables.

La caravane se composait du Dr Linnart, des deux Van Doorn, de Dikkop, qui s'occupait de tout, et de dix Hottentots payés par le Suédois. Deux chariots accompagnaient l'expédition, chargés de petites boîtes carrées dans lesquelles on rangeait les spécimens cueillis par Adriaan. Par quatre fois, Linnart dit qu'il ne parvenait pas à croire en la richesse de la flore du veld et, chaque fois, Adriaan lui affirma que, s'il allait plus loin, il en trouverait davantage.

Mais, si passionné de botanique qu'il fût, le Dr Linnart était encore plus intéressé par la façon remarquable dont Seena mettait de l'animation dans le campement. Un matin, il fut ravi de l'entendre dire d'un ton sans réplique :

— Il n'y a plus de *biltong**. Vous, Linnart, allez nous tuer un élan.

Et il était parti chasser avec Dikkop. Ils ne réussirent pas à abattre une de ces antilopes géantes, mais ils tuèrent deux gemsboks, qu'ils débitèrent sur place, et ils ramenèrent au camp une bonne provision de lamelles fines coupées dans la meilleure viande maigre.

— Pas mal, dit Seena d'un ton approbateur tout en s'occupant du pot où elle allait mettre la viande à mariner.

Linnart, désireux de connaître le détail de toutes les opérations, lui demanda ce qu'il y avait dans ce pot.

« Une livre de sel, lui répondit-elle, deux cuillerées de sucre. Une bonne pincée de salpêtre. Une tasse de vinaigre fort, un peu de poivre et des herbes écrasées.

— Quelles herbes ?

— Tout ce que je peux trouver.

Elle plongea les lamelles de viande dans ce mélange, en remuant de temps en temps pour qu'elles s'imprègnent bien. Quand elle jugea que le gemsbok avait mariné comme il faut, elle ordonna à Linnart de retirer la viande, d'apporter les lamelles au soleil, à un endroit du camp où le vent les toucherait bien, et de les mettre à sécher.

Quand la viande fut dure comme du roc, mais imprégnée de saveur dans toutes ses cellules, on la rangea dans de la toile, pour pouvoir la ronger quand toute autre nourriture ferait défaut.

— La meilleure viande du veld, s'écria Linnart en manquant de se briser les dents. Meilleure que le *pemmican* que fait notre peuple du renne. Davantage de goût.

Le meilleur moment de la journée, c'était la fin d'après-midi, pendant que Seena et les Hottentots préparaient le dîner. Le Dr Linnart s'asseyait alors près d'Adriaan et parlait de l'Afrique, la comparant avec les autres pays qu'il avait vus. Il aimait ouvrir son atlas et étaler les cartes des régions dont il parlait. Souvent, le petit Dikkop s'approchait, regardait les feuilles de papier incompréhensibles et hochait sentencieusement la tête à tout ce que le Suédois racontait. Adriaan, qui ne savait pas lire les mots, enregistrait les formes géographiques et approuvait, lui aussi.

— Regardez cette carte de l'Afrique, dit Linnart aux deux hommes au cours d'une de ces soirées. Votre petite colonie est tronquée. Elle devrait s'étendre vers le nord jusqu'au Zambèze, c'est sa frontière naturelle. Et vers l'est, jusqu'à l'océan Indien.

— Ici, à l'est, dit Adriaan en posant le doigt sur la carte, il y a des Xhosas. En grand nombre.

— Qui sont-ils ?

— Raconte-lui, Dikkop.

Et le Hottentot exprima toute l'appréhension que suscitaient en lui les vastes tribus de Noirs que Sotopo avait décrites au cours de leur rencontre près du marécage.

— Hum ! dit Linnart. Si c'est bien le cas, tôt ou tard...

De l'index, il décrivit l'avancée des Noirs vers l'ouest et celle des trekboers vers l'est.

« Il y aura un conflit, conclut-il.

— C'est bien ce que je crois, répondit Dikkop.

— Mais là-haut ? Vers le Zambèze ? Quelqu'un est-il allé jusque-là ?

— La Compagnie ne nous le permettrait pas, dit Adriaan.

— Mais la Compagnie vous laisse vivre où vous êtes, à plusieurs centaines de kilomètres du Cap. Qu'est-ce qui vous empêche d'explorer vers le nord ?

Et comme les deux hommes ne répondaient pas, il ajouta :

« Les hommes doivent toujours avancer jusqu'à ce qu'ils atteignent leurs barrières définitives. A l'est, l'océan. Au nord, le Zambèze.

Ce n'était pas sans raison qu'il jugeait les trekboers bien timides par rapport à d'autres peuples partis à la conquête d'autres continents. Mais, s'il estimait qu'ils s'étaient abstenus par manque d'esprit d'aventure, il se trompait, comme il le découvrit lorsque, après sept mois de tribulations, l'expédition reprit le chemin du sud en direction de la ferme Van Doorn.

> Ce fut à ce moment-là que j'appris vraiment ce que « trekboer » signifie. En arrivant près de la ferme où j'avais passé quatre mois si heureux, je découvris, horrifié, que l'endroit était déserté. Le toit de la cabane s'effilochait au vent. Le kraal était vide. Les mauvaises herbes envahissaient le jardin et il n'y avait pas la moindre trace de moutons, de vaches et d'hommes. C'était une désolation absolue. Dans l'angoisse, je me tournai vers les jeunes Van Doorn, tentant de deviner comment ils allaient prendre cette tragédie. L'indifférence totale ! « Mon père a déménagé, je pense » fut toute la réaction de mon guide et, sans plus d'inquiétude que si le voyage devait être d'un ou deux kilomètres, nous partîmes vers l'est, pour une destination dont nous ne pouvions avoir aucune idée. Au bout de quarante lieues environ, je demandai : « Sont-ils par là ? » Van Doorn se borna à hausser les épaules : « Où donc pourraient-ils être ? » L'indifférence de Seena la Rousse me fit encore plus d'impression. Un soir, après une journée particulièrement difficile où nous avions franchi plusieurs rivières à gué, je lui demandai : « Où croyez-vous qu'ils sont ? » Elle me répondit comme un matelot : « On s'en fout, hein ? Il faut bien qu'ils soient quelque part. » Et, au bout de soixante-quinze lieues, selon mes calculs, nous sommes tombés sur une belle vallée où le vieil homme avait borné une ferme circulaire d'une superficie, à mon sens, de plus de six mille arpents — et de la meilleure terre. Pour cela, il ne paierait qu'une poignée de rix-thalers chaque année et il n'était pas tenu de la clôturer. Quand il jugerait les pâturages épuisés, il serait libre de l'abandonner pour repartir soixante-dix lieues plus loin vers un endroit d'une même beauté, qu'il traiterait d'aussi rude manière. Ils appelaient ça : « Avancer sur la pointe des pieds dans le paradis. »

Ce ne fut pas sans larmes que ce brillant jeune savant quitta la ferme Van Doorn en direction du Cap avec ses deux chariots pleins de spécimens. Adriaan et Seena ne pleurèrent pas, bien sûr, car ils savaient depuis toujours que le docteur devrait les quitter. Les larmes vinrent de Linnart. Il essaya trois fois de faire un discours d'adieu orné de fleurs de rhétorique pour exprimer sa joie d'avoir vécu près d'un an avec la nature et des hommes qui la comprenaient mieux que lui. Mais, à chaque tentative, il posa les yeux sur Seena et, transporté d'affection et d'amitié, il sentit sa gorge se serrer, les larmes emplirent ses yeux et il dut recommencer sa tirade. C'était une expédition, affirma-t-il, qu'il n'oublierait jamais — et il termina brusquement, de façon plutôt bancale :

— Mon cousin qui publie ses livres sous son nom latin, Carolus Linnaeus, vous enverrait bien un exemplaire de l'ouvrage où seront publiées ces découvertes, mais évidemment vous ne savez pas lire.

Ses commentaires sur son voyage au Cap furent largement diffusés en Europe et en Amérique. Après avoir raconté ses difficultés au cours de la traversée des dernières montagnes — il avait failli perdre tous ses spécimens dans un brouillard soudain —, il évoquait en ces termes son arrivée à Trianon :

> Il était impossible de croire que la même famille qui vivait dans les cabanes du désert possédait également cette charmante demeure campagnarde, dessinée avec autant de soin que n'importe quel palais de France. Elle semblait tirer vanité de ses quatre jardins séparés, chacun dans un style différent, et d'une façade qui exprimait, malgré l'absence de tout ornement, une élégance impossible à dépasser. Ces Van Doorn font deux sortes de vin, un Trianon doux et capiteux pour la vente en Europe, où il est très apprécié, et un vin blanc très sec, presque incolore, qui semble n'avoir ni corps ni parfum — jusqu'à ce qu'on en ait fini la dernière bouteille. Mais, à ce moment-là, on s'en souvient avec délices.
>
> Enfin, nous atteignîmes Le Cap, que plusieurs Hollandais ont comparé à Paris ou à Rome. C'est une ville misérable de moins de trois mille âmes. Des rues mal entretenues et des maisons à toits plats, avec un petit souvenir de Hollande dans les canaux qui ramènent l'eau des torrents de la montagne. Le Château et la Groote Kerk — un beau bâtiment octogonal à pignons — dominent toute la vie de la colonie : le premier dit aux hommes ce que leurs mains doivent faire et la seconde commande à leurs âmes.
>
> La Compagnie, dans son avarice, utilise Le Cap non comme une colonie à proprement parler, mais en tant que poste d'approvisionnement pour son escale vers Java. La loi de la Compagnie domine tout : l'église, l'agriculture, le

commis aux écritures et le candidat au mariage. Il n'y a pas d'écoles dignes de ce nom, les maîtres sont à peine du niveau des élèves. Mais les responsables de la Compagnie et les rares personnes fortunées vivent dans le luxe, comme j'ai pu le constater au cours d'un dîner splendide au Château : on a servi pas moins de trente-six plats magnifiques, et même les dames, qui dînaient à part, partageaient les largesses généreuses du gouverneur.

Ma visite au Cap eut lieu deux ans avant mon expédition dans les colonies anglaises d'Amérique. Ces colonies ont débuté à peu près vers la même époque que la tentative hollandaise en Afrique australe et j'ai été sans cesse frappé par la différence entre les deux. Les colonies anglaises possédaient des dizaines d'ateliers d'imprimerie, des journaux et des revues bien vivants, et des livres dans chaque ville. J'ai pu m'entretenir avec des professeurs dans plusieurs grandes universités, notamment Harvard, Yale et Pennsylvania. Mais ce qui m'étonna et m'affligea le plus, ce furent mes longs entretiens avec le Dr Franklin de Philadelphie, ce génie autodidacte. Il me rappelait à tous égards Adriaan Van Doorn, car ils avaient tous les deux des tournures d'esprit identiques. Mais, à cause des occasions de culture offertes dans les colonies anglaises, le Dr Franklin est devenu aux yeux de tous un grand savant, tandis que Van Doorn, qui ne sait ni lire ni écrire, traîne toujours parmi les siens le surnom de Mal Adriaan, Adriaan le Fou.

Ce fut ma propre ignorance qui me causa au Cap la pire des déceptions. Bien que connaissant quelques mots de hollandais, je m'étais attendu à parler davantage français à cause du grand nombre d'émigrants de ce pays installés au Cap. J'avais donc emmené surtout des livres en français, mais, quand je tentai d'utiliser cette langue, que je parle assez bien, je ne trouvai personne pour me répondre. L'habitude et les mesures sévères de la Compagnie ont extirpé cette langue et, dans toute la colonie, on n'entend plus un seul mot de français.

Adriaan et Seena eurent quatre enfants, qui grandirent au petit bonheur, selon la méthode en vigueur à la ferme de Rooi Van Valck et, jusqu'à un certain point, dans les cabanes-bubales des Van Doorn. Ils reçurent de leurs parents de l'amour et une affection physique sans réserve, exactement comme des petits chiots, et à tous égards ils semblaient destinés à devenir des copies fidèles de leur père vagabond et de leur mère sacrilège et mal embouchée. Le premier et le troisième avaient hérité des cheveux roux des Van Valck ; le second et le dernier étaient blond filasse comme les Van Doorn. En 1750, tout laissait prévoir qu'ils deviendraient des nomades de la frontière comme leurs parents : illettrés, n'éprouvant que mépris pour l'autorité de la Compagnie et amoureusement attachés à la terre dont ils faisaient partie. Dans quelques années, ces étranges jeunes hommes partiraient ici ou là pour courtiser des filles, puis prendraient la piste de l'est pour établir leurs propres « fermes-concessions », arpentant gaillardement les deux mille quatre cents hectares auxquels ils croyaient avoir droit — jamais ils n'en démordraient.

— La terre, par là, est sans limites, proclamaient les trekboers. Nous pouvons continuer jusqu'à l'océan Indien.

Et si chacun conservait sa ferme pendant à peu près dix ans avant de faire un saut de puce vers un nouveau sol vierge, la progression pourrait encore se poursuivre pendant un siècle.

— Seulement, répondait Adriaan quand on exprimait ces prévisions en sa présence, tôt ou tard vous tomberez sur les Xhosas.

— Les quoi ? demandaient les nouveaux trekboers.

— Les Xhosas.

— Et qu'est-ce que c'est donc ?

— Des Noirs. Ils sont par là, de l'autre côté de la Grande Rivière.

Mais, comme il était l'un des très rares Blancs à les avoir vus et comme les fermes prospéraient sur les terres nouvelles, on ne se soucia guère de la barrière des Xhosas.

A bien des égards, la ferme Van Doorn ressemblait maintenant à celle de Rooi Van Valck : il y avait le grand-père et la grand-mère, les familles d'Adriaan et de ses frères, la multitude des petits-enfants et de nombreux serviteurs — sans parler des immenses troupeaux. La vie était belle. Et quand, au milieu de la matinée, une des femmes criait : « Il me faut quelqu'un pour hacher cette viande ! », tout homme à portée de voix accourait pour l'aider, car cela voulait dire que les cuisinières préparaient le *bobotie** — et il n'y avait pas meilleur plat dans le veld.

Seena, qui en avait souvent cuisiné pour son père, prenait le commandement. Dans un grand plat creux de terre cuite, elle disposait le bœuf et le mouton hachés, les mélangeait avec le curry et les oignons, et laissait l'ensemble prendre une belle couleur dorée, tandis qu'elle pilait une bonne poignée d'amandes qu'elle malaxait ensuite à d'autres épices. Quand tout était mélangé et semblait cuit à point, elle battait une douzaine d'œufs dans le lait qu'il lui restait et elle versait le tout par-dessus. Elle laissait mijoter une heure de plus. Tandis que le parfum se répandait dans tout le campement, elle faisait bouillir du riz et ôtait le couvercle de sa boîte de *chutney*. Quelle que fût la taille du pot, et si faible que fût le nombre des dîneurs, il n'y avait jamais de restes quand Seena faisait le bobotie.

— C'est la faute du curry, disait-elle toujours.

S'asseoir devant une table après une dure journée de travail et prendre une bonne rasade d'eau-de-vie avec une énorme platée de bobotie, telle était la recette pour maintenir une ferme dans la joie.

De temps en temps, grand-père Hendrik sortait sa Bible, dans l'espoir d'apprendre l'alphabet à ses petits-enfants. Mais ceux-ci se disaient que, si leurs parents, leurs oncles et leurs tantes avaient survécu sans savoir lire, ils pouvaient bien en faire autant. Une ou deux fois pourtant, le benjamin des garçons, Lodevicus, qui allait déjà sur ses onze ans, sembla se révéler prêt à suivre la trace des Van Doorn cultivés d'autrefois, au temps de la Hollande.

— Combien faut-il que j'apprenne de lettres pour savoir lire ? demanda-t-il à son grand-père.

— Vingt-deux, répondit Hendrik.

Il lui montra l'alphabet hollandais et les deux formes, minuscule et majuscule, de chaque lettre, expliquant avec beaucoup de patience qu'en hollandais, à la différence des autres langues, la majuscule IJ n'est pas deux lettres mais une seule. Tout cela était trop déconcertant pour Lodevicus et, très vite, il repartait faire des cabrioles avec les autres.

Toutefois, le vieil Hendrik remarqua que le même Lodevicus commençait à se montrer impatient chaque fois qu'Adriaan disparaissait pour une de ses explorations.

— Pourquoi Père n'est-il pas là pour aider au travail ?

Et, quand Seena accompagnait son mari, comme elle aimait le faire, il était encore plus mécontent :

« Mère devrait être à la maison pour nous faire le bobotie.

Les trois autres enfants ne se souciaient guère du comportement étrange de leur père et ne s'inquiétaient nullement quand il s'absentait pour plusieurs mois d'affilée. Et ils se réjouissaient même chaque fois que leurs parents disaient :

— Les gens arrivent nombreux. Trop de règlements de la Compagnie. La vallée où nous avons mené le bétail l'an dernier semble meilleure.

Mais Lodevicus demandait :

— Pourquoi ne pouvons-nous pas rester au même endroit ? Et construire une maison de pierre ?

Hendrik et Johanna, toujours prêts à aller plus loin au temps de leur jeunesse, se rangeaient maintenant du côté de leur petit-fils.

— Lodevicus a raison. Construisons une maison de pierre...

Et ils affirmaient que ce morceau de terre serait bon pendant encore vingt ans, si on le traitait avec prudence. Mais Adriaan devenait de plus en plus impatient, agité, et Seena la Rousse le soutenait.

— Fichons le camp d'ici !

On chargeait donc les chariots, on abandonnait les cabanes et tout le monde — Dikkop en tête — prenait la route de l'est. Mais, chemin faisant, Hendrik murmurait à son petit-fils :

— Lodevicus, quand tu seras plus grand, il faudra que tu cesses d'errer et que tu construises ta maison de pierre.

Ce fut au cours de l'un de ces déplacements que le vieil Hendrik mourut, à l'âge de soixante-neuf ans. Ce n'était pas une tragédie, il avait eu une vie bien remplie, qu'il avait vécue au cœur d'une famille joyeuse dont l'avenir semblait assuré. Mais l'enterrement posait un problème difficile, car Hendrik avait été un homme pieux et il aurait aimé que quelques paroles de Dieu soient lues sur sa tombe. Or la famille ne comprenait plus personne qui sache lire. Johanna apporta la vieille Bible et on parla sérieusement de l'enterrer avec cet homme qui l'avait aimée. Mais, juste à cet instant, Lodevicus, levant la tête, aperçut un cavalier qui descendait des collines du couchant.

— Un homme arrive ! cria-t-il à la famille endeuillée, et Dikkop partit à sa rencontre pour vérifier de qui il s'agissait. Quelques minutes plus tard, un étranger s'avança, grand et mince, vêtu de vêtements sombres et d'un chapeau à large bord, sans fusil ni arme d'aucune espèce.

— C'est vous que je cherchais, les Van Doorn. Je vois que j'arrive à point.

Il descendit de cheval, marcha vers la fosse, baissa les yeux et demanda :

« Quel est le pécheur rappelé pour affronter le jugement de son Seigneur ?

— Hendrik Van Doorn.

— Lui-même ?... dit l'homme. Il était le seul élu d'entre vous, n'est-ce pas ?

— Il connaissait les livres, répondit Johanna en montrant la Bible.

— Enterrons-le avec une prière, dit l'étranger.

La famille en désordre baissa la tête et l'homme se lança dans une longue oraison, implorant Dieu de pardonner les malheureux péchés de son enfant rebelle Hendrik — ce qui fit ricaner Seena la Rousse, car, s'il y avait un Van Doorn qui ne fût pas rebelle, c'était bien Hendrik.

L'étranger, sans relever cette irrévérence, continua son interminable prière. Les Hottentots qui avaient travaillé pour baas Hendrik, certains depuis les premiers temps, se tenaient respectueusement un peu à l'écart. Ils avaient aimé le vieux trekboer comme un père, et le patriarche les avait souvent considérés comme ses enfants, leur donnant le fouet quand il l'estimait nécessaire, récompensant ceux qui le méritaient par leur travail, chaque fois qu'il rentrait du comptoir de vente du bétail, avec des tissus et des provisions. Jamais il n'avait compris pourquoi ils s'enivraient régulièrement jusqu'à hébétude ou pourquoi certains de leurs enfants s'enfuyaient pour devenir de misérables errants, au lieu de travailler pour lui. Il avait reconnu qu'ils étaient des éleveurs hors pair, bien meilleurs que ces fichus Bochimans qui continuaient à harceler de temps en temps les colons avec leurs flèches empoisonnées...

« Maintenant, vous pouvez l'enterrer, s'écria l'étranger sur un ton péremptoire, quand la prière s'acheva enfin. Il est parti rejoindre son Créateur.

— Il est mort, dit Seena d'un ton brusque. Il a eu une sacrée belle vie, et il est mort.

— Je vois que vous êtes la fille de Rooi Van Valck. A vos cheveux roux, je veux dire.

— Eh oui !

— La Compagnie m'a envoyé apporter la parole de Dieu dans le désert. Je suis *dominee** Specx, de souche huguenote, et je me suis installé dans le nouveau bourg de Swellendam. J'ai pour charge de marier et de baptiser, et de ramener dans les voies du Seigneur les familles comme la vôtre.

— Soyez le bienvenu, répondit Johanna, en tant que matriarche.

— Vous êtes en route vers une nouvelle ferme ?

— Oui.

— Ils vont exiger des loyers pour les fermes, à présent.

— Ils n'en toucheront pas de nous, répondit Adriaan sèchement. Nous nous installons où nous en avons envie et nous ne payons d'impôt à personne.

— Tout ça, c'est fini, répondit l'étranger. A partir de cette année, tout le monde paiera.

— Tous sauf nous, renchérit Adriaan. Nous avons exploré ce pays. Nous l'avons occupé sans l'aide de personne. C'est à nous qu'il appartient, pas à la Compagnie.

Le prédikant Specx demanda la permission de les accompagner jusqu'au nouveau site.

— Oui, répondit Johanna, si vous nous lisez la Bible.

Et ce fut de cette manière que Lodevicus Van Doorn apprit par cœur de longs passages poignants de l'Ancien Testament, les grands moments vécus par Abraham et Josué dans leurs déserts, les histoires d'amour de David et de Ruth. Tous les soirs, le dominee s'asseyait près de la chandelle et se lançait dans des récits intemporels d'hommes errant dans d'étranges contrées. Lodevicus, songeant à tout ce qu'il avait manqué du fait qu'il ne savait pas lire, demanda à Specx combien de temps il lui faudrait pour apprendre.

— Une semaine, avec l'aide de Dieu, lui répondit le dominee.

A la surprise des Van Doorn, Specx s'avéra un compagnon de route agréable, toujours prêt à rendre service et à partager de bon cœur les corvées. Quand on rencontrait une rivière, il prenait souvent la tête, avec les Hottentots, pour guider le bétail pendant la traversée. Le jour où, sur le nouveau site, il fallut couper du bois, on découvrit qu'il maniait bien la hache.

Il ne se montrait pas distant, comme certains prédikants avaient tendance à le faire. Il participait à n'importe quelle discussion, exprimait son avis et écoutait ceux qui essayaient de le contredire. Aux repas, il était drôle, car il avait un appétit vorace. Il stupéfiait les enfants par la quantité de nourriture qu'il engloutissait.

— Je crois qu'il pourrait manger tout ce bobotie.

— Et comment ! répliquait Seena.

Elle était la seule à témoigner de l'animosité à l'égard du prédikant — héritage de son père, qui avait sans cesse combattu l'Église. Une après-midi, Specx la prit à part.

— Seena, lui dit-il, je connais votre père. Je me suis frotté à lui. L'an dernier, il m'a chassé de sa ferme quand j'y suis allé pour lui parler de Dieu. « Je n'ai pas besoin qu'un Dieu se mêle de mes affaires ! », a-t-il crié. Et maintenant, c'est vous qui vous montez contre moi.

— On n'a pas besoin de vous ici, dominee. On s'en sort très bien tout seuls.

— J'en suis sûr, Seena. Vous suivez avec Adriaan les traces de votre père...

— Ce n'est pas une aussi mauvaise piste, répliqua-t-elle d'un ton cassant.

— Je n'en doute pas. J'ai pu voir, en vivant près de vous, beaucoup d'amour et de bonheur.

— Et de grandes gamelles pleines de bobotie.

— Je paierais de bon cœur, Seena, si j'avais de l'argent. Mais je voyage seul, sans rien, comme les premiers hommes qui répandirent la parole de Jésus.

Et, quand Seena se mit à ironiser sur la manière dont il acceptait la charité, il lui prit la main.

« J'ai honte de venir à vous sans rien. Mais je vous apporte un présent plus précieux que tout ce que vous posséderez jamais. Je vous apporte l'amour de Dieu.

— Nous l'avons déjà, répondit Seena d'une voix âpre. C'est l'amour de Dieu qui fait prospérer notre ferme et qui multiplie nos troupeaux. Nous Lui rendons un culte à notre manière.

— Mais vous ne pouvez pas toujours accepter tout et ne donner rien.

— C'est bien ce que vous semblez faire.

— Je vous donne le plus précieux des présents : le salut.

— Vous venez juste de dire que le présent le plus précieux était l'amour, ou je ne sais quoi. Maintenant, c'est le salut. Dominee, à certains égards, vous êtes un idiot.

Sa rebuffade ne le blessa pas. Sans même tenter de réfuter ses critiques, il continua d'offrir son message.

— Seena, je suis venu pour marier et baptiser. Je veux que le premier mariage soit le vôtre.

— Je n'ai pas besoin qu'on dise des prières sur ma tête. J'ai quatre enfants...

— Légalement, si vous n'êtes pas mariés comme il convient et qu'Adriaan disparaisse...

— Si Adriaan meurt, je garde cette ferme, dit-elle, pleine de défi.

Specx négligea cette bravade et poursuivit :

— Il faut baptiser vos enfants, Seena.

Elle se mit à crier qu'ils se portaient très bien comme ça, mais il l'interrompit sèchement.

« Seena, le monde est en train de changer. Il y a des bureaux officiels à Swellendam, maintenant. Bientôt, le gouvernement installera des services efficaces. On percevra les impôts et on appliquera la loi.

— Vous voulez dire que ce noble pays sera trépigné jusqu'à ce qu'il ressemble au Cap ?

— Exactement. Dieu, la loi et les convenances se suivent de près. Seena, laissez-moi baptiser vos enfants.

Mais Seena demeura intraitable et Specx abandonna la lutte pour l'instant. Travaillant au coude à coude avec les Van Doorn, il les aida à s'installer sur ce que l'on pouvait appeler une ferme double : deux mille quatre cents hectares pour Adriaan Van Doorn et autant pour ses frères, d'un seul tenant. Mais, dès qu'on commença à construire les cabanes-bubales, le dominee revint à la charge.

— Je vous supplie instamment de faire entrer vos enfants dans la famille sacrée de l'Église. Vous le leur devez. Ils ne vont pas passer toute leur vie dans un désert. Il y aura des temples, ici même, avant qu'ils se marient. Ils doivent appartenir à l'Église, sinon leurs vies seront amputées.

— J'ai vécu sans temple pendant trente-quatre ans, répliqua Seena. Et maintenant remettez-vous au travail et laissez-moi faire ma cuisine — pour pouvoir vous gaver une dernière fois avant de ficher le camp.

Il répondit qu'il n'avait nullement l'intention de s'en aller avant que les enfants soient baptisés.

Le conflit changea radicalement de tournure lorsque les deux filles de Seena arrivèrent du sud, accompagnées de leurs maris et de deux fillettes en bas âge.

— Nous voulons nous marier. Et que nos enfants soient baptisés, dirent-elles.

— Dieu soit loué, répondit le dominee.

— Nous ferons un des gâteaux de pain de Willem en leur honneur, ajouta Johanna.

Et Adriaan s'étonna de voir avec quelle ardeur sa mère participa aux préparatifs. Visiblement, Johanna était ravie que ses petites-filles soient mariées dans les règles et ses arrière-petits-enfants baptisés.

Aucune des cabanes n'était encore terminée quand on célébra les diverses cérémonies, mais cela n'empêcha pas les femmes de préparer un grand festin : mouton, fruits séchés, choux-fleurs au four, carottes, chou au vinaigre et gâteau. Avec, pour les serviteurs, un bœuf entier rôti... La fin de la journée fut marquée par un étrange incident. Le petit Lodevicus se dirigea vers le dominee et dit :

— Moi aussi, je veux être baptisé.

Quand ce fut fait, il ajouta :

« Il faut l'écrire dans la Bible.

On apporta le vieux livre et le prédikant Specx frissonna en voyant à quel point il avait été négligé : il manquait trois générations entières sur la page des mariages et des naissances. Il demanda de quoi écrire, mais, bien entendu, il n'y avait rien.

Alors il s'assit, avec la Bible sur ses genoux, et montra les diverses cases où Johanna aurait dû figurer en tant qu'épouse d'Hendrik, et Seena en tant qu'épouse d'Adriaan. Il leur montra où devaient apparaître les filles et leurs maris, puis l'endroit où auraient dû se trouver les deux fils d'Adriaan.

— Lodevicus, dit-il, voici ton rectangle et, quand tu apprendras à écrire, tu mettras ton nom ici, celui de ta femme, là ; et tes enfants au-dessous. Tu comprends ?

Lodevicus répondit qu'il comprenait.

Adriaan commit une malencontreuse erreur quand il confia à ses quatre enfants les pensées qui lui étaient venues au cours de son combat avec Rooi Van Valck pour la main de sa fille.

— Vous n'avez pas idée de la taille énorme de votre grand-père. Raconte-leur, Seena.

Et, avec son vocabulaire coloré, elle évoqua devant les enfants frappés de crainte et d'émoi ce qu'était la vie à la ferme Van Valck, les nombreuses femmes et les kyrielles de marmots. Trois des enfants adoraient ces histoires, car elles expliquaient les cheveux roux de leur famille et l'exubérance de leur mère.

Mais, quand Lodevicus, le benjamin, robuste gamin aux cheveux filasse, très hollandais d'apparence, entendit son père dire : « J'ai compris que je luttais contre le diable et il m'aurait arraché les yeux si votre mère ne l'avait pas assommé avec une bûche », il fut submergé par un sentiment de dégoût, car il était convaincu que Rooi Van Valck était réellement le démon. Et, en observant les manières rudes et grossières de sa mère, il n'eut aucun mal à se persuader qu'elle ne pouvait être que la fille de Satan : s'il ne s'exorcisait pas lui-même, il serait contaminé à jamais par ce péché infernal.

En 1759, à l'âge de vingt ans, il eut une apparition divine si intense dans sa réalité qu'elle le marqua pour le restant de ses jours. Chaque fois qu'une crise menacerait, il se souviendrait de ce moment sacré où Dieu lui avait parlé sur les berges du torrent. Il lui avait ordonné d'aller au Cap pour trouver une femme chrétienne qui contrebalancerait l'influence démoniaque de sa mère.

« Tu ne sais pas lire. Va au Cap et apprends. Tu vis dans le péché. Va au Cap et purifie-toi. Ton père et ta mère appartiennent au diable. Traverse les montagnes, va au Cap et trouve une femme chrétienne pour les sauver. »

La Voix se tut. La nuit tomba. Le silence... Mais une lumière brillait vers le nord, du côté des montagnes. Lodevicus tomba à genoux et supplia Dieu de lui accorder la force d'obéir à Ses commandements. Alors la lumière devint plus intense et la Voix revint :

« Tu es le marteau qui écrasera l'infidèle. »

Et ce fut tout.

Pendant les semaines suivantes, Lodevicus demeura à l'écart, calculant comment il pourrait se rendre au Cap pour exécuter les ordres de Dieu. Il passa beaucoup de temps à rechercher dans ses parents tous les signes de satanisme. Il n'en trouva aucun en Adriaan, qu'il écarta — n'était-ce pas un bon à rien ? —, mais il put voir dans le paganisme vigoureux de Seena de fortes preuves de sa damnation éternelle. Elle jurait. Elle buvait tout le gin qui lui tombait sous la main. Et elle était très blessante à son égard quand elle le taquinait pour qu'il parte chercher une femme.

— Prends un cheval, va dans n'importe quelle direction et prends la première gazelle que tu verras, disait-elle. Elles se valent toutes, quand il s'agit de tenir une ferme.

Il frémissait devant un tel blasphème et il se souvenait que la Voix lui avait dit qu'il était destiné à une épouse spéciale, qui apporterait aux trekboers la lumière et le christianisme. Un soir, ne pouvant plus supporter les insolences de sa mère, il se rendit au kraal, sella un cheval et partit vers l'est dans la nuit.

Il passa de ferme en ferme, toujours convaincu qu'à son retour avec sa jeune mariée ils apporteraient les convenances et la bienséance dans ce désert. A deux reprises, il séjourna auprès de familles qui avaient des filles à marier et ce n'était pas sans émoi que l'on avait accueilli ce bel homme fort, aux larges épaules et aux cheveux blonds, presque blancs. Mais il était trop empli de sa mission pour jeter un œil sur ces jeunes filles. A ce stade de sa vie, il connaissait très mal la Bible, mais il se voyait sous les traits d'un fils d'Abraham rentrant au pays d'origine de sa race pour prendre une épouse de bonne lignée.

C'est dans cet état d'esprit, tout son être tendu vers Le Cap, qu'il arriva au petit comptoir de Swellendam, niché entre les collines, et qui se flattait de posséder les plus adorables petites maisons blanches de toute la colonie. En entrant dans le bourg, il se demanda où il pourrait bien séjourner, car déjà les gens des villes étaient devenus moins hospitaliers que ceux de la campagne, où un voyageur pouvait compter sur un accueil chaleureux partout où il s'arrêtait. Il marchait sans but lorsqu'il entendit la voix sonore du dominee Specx :

— N'est-ce pas Lodevicus de la ferme des Van Doorn ?

— Oui, dominee, répondit Vicus.

— Et qu'est-ce qui t'amène dans ce beau village ? s'enquit le prédikant.

— Dieu m'a ordonné d'aller au Cap prendre femme.

L'explication était stupéfiante, mais le prédikant Specx se

garda bien de réagir. Au contraire, il invita Lodevicus au presbytère et lui apprit qu'une veuve du voisinage pourrait le loger pour une somme modique. Il le fit asseoir sur une vraie chaise et lui demanda :

— Alors, qu'est-ce qu'il t'est arrivé ?

Lodevicus lui décrivit l'apparition divine.

« Je crois que Dieu t'a visité, dit Specx.

Il proposa de dire une prière, mais, avant qu'ils en aient le temps, une jeune femme de vingt-deux ans, aux cheveux tirés en arrière sur un visage d'une austérité paisible, fit son entrée dans la pièce et posa une question directe :

— Qui est venu avec vous, Père ?

— Lodevicus, l'un des Van Doorn dont je t'ai parlé.

— Ah, oui. Comment vont vos parents ?

— Pas très bien, dit Lodevicus.

Et, sans lui laisser le temps d'exprimer ses regrets, il ajouta :

« Ils ne connaissent pas Dieu.

— Oui, Père m'a raconté.

— Lodevicus a été appelé par Dieu, dit le dominee, et nous étions sur le point de Lui rendre grâces.

— Puis-je me joindre à vous ? demanda la jeune fille.

— Bien entendu. C'est ma fille Rébecca, dit-il à Lodevicus.

Et la première chose que fit le jeune Van Doorn en présence de cette jeune fille, pleine de calme et de dignité, ce fut de s'agenouiller près d'elle et de prier.

Quand ils se levèrent, Specx expliqua à sa fille :

« Le Seigneur lui a ordonné d'apprendre à lire et à écrire. Je crois que nous pourrions le lui enseigner.

Et, pendant les quatre semaines qui suivirent, le père et la fille enseignèrent l'alphabet à Lodevicus. A la fin de cette période, il pouvait lire la Bible. Il assistait à tous les services célébrés par Specx et il demandait ensuite des explications sur les principaux thèmes des sermons. Ce fut une époque de grand éveil : les idées ricochaient sur les murs blancs tandis que le jeune homme formulait les vastes pensées qui l'animeraient pour le restant de sa vie. L'influence de son épiphanie était si puissante que pas une seule fois au cours de ces journées il n'envisagea de terminer son voyage à Swellendam et de demander la main de Rébecca. Le Seigneur lui avait dit que son épouse l'attendait au Cap et il avait bien l'intention de partir pour cette ville dès qu'il saurait lire de façon irréprochable.

Mais, dès son arrivée au Cap, il eut la même impression que les anges survolant Sodome et Gomorrhe. Les marins descendaient des bateaux pour faire la fête avec les esclaves et les filles « de couleur ». L'indécence régnait tout au long des nuits : un monde si écœurant que l'idée de prendre femme en ces lieux était répugnante. Il pria pour obtenir un conseil. Il avait reçu l'ordre de venir là pour se marier, mais c'était exclu. Et il ne savait plus à quel saint se vouer.

Pendant trois semaines, il demeura dans cet état d'indécision, soumis au décret de Dieu sans être capable d'aller jusqu'au bout. Sans cesse, il arpentait la côte, espérant une autre révélation, mais rien ne vint. Il n'avait sous les yeux que l'immensité redoutable de la mer et il ne désirait que la fuir pour retrouver la douce sécurité des vallées au-delà des montagnes. Il se rappela la belle expression de la Bible : « De l'autre côté du Jourdain. » Là se trouvait le Bien.

Agité par ce conflit spirituel, il décida de quitter Le Cap, de retraverser les montagnes et de demander conseil au prédikant Specx. Jamais il ne lui vint à l'esprit qu'il allait au-devant non du dominee, mais de sa fille. Au cours des années suivantes, la seule chose dont il se souvint, c'est qu'en dévalant les collines à l'approche du joli petit bourg il s'était mis à courir, à galoper comme un animal en fuite, le long de la grand-rue. Il s'était précipité dans le presbytère en criant :

— Dominee Specx, je suis revenu.

Mais tous les membres de la famille du prédikant savaient pourquoi.

On tint trois grandes réunions émaillées de prières. Lodevicus raconta son incapacité à obéir au dernier détail de son illumination et le dominee expliqua que Dieu, dans l'accomplissement de ses miracles, agit souvent par des voies mystérieuses.

— Quand tu es parti, j'ai prié pour que tu reviennes, parce que je savais que Rébecca et toi étiez destinés à de grandes choses.

— Rébecca ? demanda Lodevicus.

— Oui, elle a décidé de t'épouser du jour de ton arrivée.

— Mais le Seigneur m'a dit de trouver ma femme au Cap.

— Qu'est-ce que la Voix t'a dit, au juste ? demanda dominee Specx.

Lodevicus répliqua qu'il ne s'en souvenait pas exactement.

« Tu m'as expliqué qu'elle avait dit : « Va au Cap... », et ensuite : « Trouve une femme chrétienne. » Cela ne signifie pas que tu sois obligé de prendre ton épouse au Cap. Cela signifie simplement que Dieu voulait que tu fasses l'expérience du Cap. Et tu as eu tout à fait raison de revenir ici pour te marier. Dieu a dirigé tes pas, n'est-ce pas évident ?

L'explication était si logique que Lodevicus dut l'accepter. Jamais, ni sur le moment ni plus tard, il ne voulut reconnaître en lui-même qu'il était revenu à Swellendam pour épouser Rébecca, car elle lui avait semblé trop adulte et trop supérieure pour être accessible.

Le père de Rébecca les maria dans le temple récemment construit et, après une lune de miel où se révélèrent les qualités des deux jeunes époux — lui, fanatiquement résolu à montrer à tous l'œuvre de Dieu ; elle, inflexible dans sa volonté d'apporter le christianisme sur la frontière —, ils sellèrent deux chevaux et, avec les quelques biens qu'ils possédaient, ils partirent apprivoiser le désert.

L'accueil à la ferme des Van Doorn ne fut pas chaleureux. Au cours du trajet de retour vers l'est, Lodevicus avait prévenu son épouse que Seena se montrerait probablement désagréable.

— Adriaan est un infidèle, mais il ne dit rien. Ma mère est la fille de Rooi Van Valck. Elle sera difficile, hostile même.

A leur arrivée aux abords de la ferme, la première voix qu'ils entendirent fut celle de Seena, forte et rauque.

— Adriaan ! criait-elle à son mari. Il est revenu. Avec une femme.

Une fois la famille réunie, Lodevicus, avec une assurance toute nouvelle, tenta de partager avec ses parents le miracle de son apparition :

— Dieu m'a parlé. Il m'a dit d'aller au Cap chercher une femme.

— Adriaan avait entendu une voix comme ça, lui aussi, dit Seena. Mais je ne crois pas que Dieu ait mis le nez dans tout ça.

— Alors je me suis arrêté à Swellendam pour prier avec dominee Specx, et Rébecca m'a enseigné les lettres et comment on les associe...

— Je parie qu'elle t'a appris autre chose.

Le jeune couple fit la sourde oreille à ces interruptions.

— ... et quand j'ai su écrire, poursuivit Lodevicus, je suis tombé à genoux pour remercier Dieu et je lui ai promis que, dès mon retour à la maison, j'écrirais nos noms dans la Bible. Allez la chercher.

C'était un ordre et Seena ne manqua pas de s'irriter en voyant son mari obéir. Il se dirigea vers le coffre de chariot dans lequel il conservait les divers objets précieux qui s'accumulent même dans une cabane-bubale et il apporta la vieille Bible, qu'il ouvrit à la page des notes familiales, entre les deux Testaments.

« Cette fois, dit Lodevicus gravement, nous avons une plume.

Sous les yeux de tous, il inscrivit les noms manquants : « Adriaan Van Doorn, né en 1712. Seena Van Valck, née en...

— Peut-être 1717, dit-elle.

— Père, Rooi Van Valck. Mère...

Lodevicus et Rébecca la regardèrent.

« Il faut que nous mettions quelque chose.

— Mets Fedda la Malaise. C'était elle que je préférais.

— Mets Magdalena Van Delft, dit Adriaan. Tu sais très bien qu'elle était ta vraie mère.

— Magdalena, je l'emmerde !

Lodevicus se hâta d'inscrire les noms de son frère et de ses deux sœurs, puis, après un paraphe en l'air et un sourire à sa femme, il calligraphia : « Rébecca Specx, Swellendam, fille du prédikant. »

Quand il posa la plume, satisfait de son œuvre, Seena lui demanda :

— Alors, tu es arrivé à Swellendam et tu t'es marié ?

— Oh, non, répondit son fils. Quand j'ai su écrire, je suis parti au Cap comme Dieu l'avait ordonné.

— A travers les montagnes ? demanda Adriaan.

Un voyage comme celui-là commandait le respect.

— Oui, et quand je suis arrivé au Cap, j'ai trouvé Sodome et Gomorrhe. Les obscénités partout.

— Quelles obscénités ? demanda Seena.

Il ne répondit pas. Il raconta son dégoût, son départ de cette ville et son retour à travers la montagne.

— Nous nous sommes mariés et nous avons passé les semaines suivantes dans la Révélation. Tous les quatre, dominee Specx et son épouse, ma femme et moi, nous avons lu ensemble toute la Bible.

Pour la première fois, Rébecca intervint. A voix basse mais avec beaucoup de fermeté, elle dit.

— Seulement l'Ancien Testament.

— Et nous avons découvert, poursuivit Lodevicus, que nous étions, nous les trekboers, les nouveaux Israélites. Que nous étions parvenus au point où se trouvait Abram quand il a changé son nom en Abraham et qu'il s'est installé en Canaan, tandis que Loth choisissait les villes de la plaine, qui seraient détruites. Et j'ai donc appris que le temps de l'errance est terminé. Qu'il faut nous fixer et construire nos maisons en pierre.

— Est-ce que tu as discuté avec le dominee, demanda Adriaan, du fait que tes nouveaux Abraham construiraient tes maisons de pierre sur un sol qui peut s'user ? Et qu'il nous faut aller chercher de meilleures terres de temps en temps.

— A Swellendam, personne ne le fait plus, répliqua Lodevicus.

— Nous, si ! dit sa mère. Cette saloperie de ferme est usée jusqu'à la corde.

Et, tandis que les parents préparaient leur prochain bond en avant, le jeune couple descendit vers les fermes du sud pour conseiller aux gens de vivre d'une nouvelle manière.

C'était au cours de leur voyage de retour que Lodevicus avait partagé pour la première fois avec un autre être humain le fait mystérieux que, près du torrent, Dieu lui avait dit qu'il serait le « marteau » — le trekboer qui apporterait de l'ordre dans les vies informes — et Rébecca comprit dès qu'il eut prononcé ce mot.

— C'est pour cela que nous avons prié, Père et moi : pour que vous reveniez du Cap ! s'écria-t-elle avec enthousiasme. Et pour que vous m'emmeniez avec vous ! Afin qu'ensemble nous puissions accomplir les tâches qui nous attendent.

— Dieu vous a également parlé, Rébecca ?

— Je crois. Je crois que j'ai toujours su.

C'était avec cette conscience partagée de leur élection et de leur vocation que les jeunes Van Doorn étaient revenus à la ferme. Ils étaient absolument certains de savoir ce qui était nécessaire, et la première personne sur laquelle tomba leur colère sacrée fut Dikkop, alors âgé de cinquante-sept ans et plus inoffensif que jamais. En raison des nombreuses années passées ensemble et de toutes les aventures partagées, Adriaan accordait au petit homme brun des prérogatives exceptionnelles et Lodevicus décida que cela devait cesser.

— Il est de la tribu de Cham et il ne doit plus vivre avec nous, ni manger avec nous, ni avoir de relations particulières avec nous. Il est notre serviteur hottentot, c'est tout.

Adriaan s'éleva contre un décret aussi rude, mais Lodevicus et Rébecca lui expliquèrent les choses méticuleusement, degré par degré, si bien que même Seena aurait compris.

« La seconde fois que le monde a commencé, après le Déluge, Noé avait trois fils. Deux étaient purs et blancs, comme nous. Mais le troisième fils, Cham, était sombre et mauvais.

— Et Cham, poursuivit Rébecca, fut le père de Canaan et de tous les hommes noirs. Or Dieu, agissant par l'entremise de Noé, a prononcé une malédiction terrible sur Canaan : « Maudit soit Canaan ! Il sera le serviteur des serviteurs de ses frères. » Et il a été ordonné que les fils de Cham seraient des coupeurs de bois et des puiseurs d'eau jusqu'à la fin des temps. Dikkop est un Cananéen. C'est un fils de Cham, il est condamné à être esclave et rien de plus.

Peu importaient à Adriaan et à Seena les épithètes dont on affublait le Hottentot : il était nécessaire à leurs vies et, pour cette raison, il était bien traité. Seena surtout aimait sa présence dans la cabane quand elle préparait les repas et quand on les prenait. Ce fut ce qui provoqua le premier conflit déclaré avec sa belle-fille.

— Seena, vous ne devez plus permettre à Dikkop d'entrer dans la cabane, s'écria un jour Rébecca, excédée. Sauf, bien sûr, quand il fait le ménage, ajouta-t-elle d'un ton sincèrement conciliant.

— Mais il a toujours été avec moi quand je fais la cuisine.

— Il faut que cela cesse.

— Qui a dit ça ? demanda Seena, agressive.

— Dieu.

Seena jeta son torchon d'un geste brusque et affila sa langue. Les ennuis commençaient.

— Comme si Dieu en personne allait s'occuper de la cuisine d'une femme !

— Lodevicus ! cria Rébecca. Votre mère refuse de croire en Dieu.

Vicus entra dans la cabane pour écouter les plaintes et, bien entendu, il se rangea entièrement du côté de sa femme. Il prit la Bible et chercha les petits Livres des Prophètes de second plan placés à la fin de l'Ancien Testament. Là, dans Zacharie, il trouva le passage concluant qui avait joué un rôle si capital dans les enseignements du prédikant Specx à Swellendam : « Et, en ce jour, il n'y aura plus de Cananéens dans la demeure du Seigneur des Armées. » Il ajouta que, pour le présent, la cabane était la demeure du Seigneur et, comme Dikkop était manifestement un Cananéen, il fallait l'en bannir.

Curieusement, Adriaan ne soutint pas sa femme au cours de ce conflit, car il en était venu à croire que Rébecca représentait la voie de l'avenir. Il était temps que l'ordre règne sur la frontière, même si lui-même n'en voulait pas. La vérité, c'était que sa belle-fille lui plaisait beaucoup : elle était capable, intelligente et franche. Il estimait que Lodevicus avait eu de la chance de trouver une épouse de cette trempe. Seena, au contraire, la considérait comme une menace moralisatrice à laquelle il fallait constamment s'opposer.

— Vous vous figurez que votre Bible a une réponse pour tout ?

— C'est un fait.

— Eh bien, quand vous et votre Vicus aurez enragé les Xhosas et qu'ils rappliqueront en hurlant leurs clics, la sagaie brandie, en haut de cette colline, qu'est-ce que votre Bible dira, hein ?

— Vicus, fais-moi passer la Bible, je te prie, répondit Rébecca avec une assurance absolue.

Bien des années plus tard, Lodevicus se souviendrait plus d'une fois de cet instant où sa femme et sa mère s'étaient disputées sur ce qui se passerait si les Xhosas attaquaient.

Rébecca feuilleta rapidement les pages et retrouva sans

peine le passage des Chroniques qui constituait une des pierres angulaires de la foi de son père. Quand elle se mit à lire, sa voix était triomphante.

« Et vous chasserez vos ennemis, et ils tomberont devant vous par l'épée. Et cinq d'entre vous en chasseront cent... »

Puis, comme si cela résolvait tous les problèmes de la frontière, elle fixa sa belle-mère et dit :

— Nous serons cinq pour défendre cette ferme.

Bien entendu, les petits hommes bruns ne connaissaient pas cette prophétie. Sans grand tapage, ils prélevaient régulièrement quelques bêtes sur les troupeaux. Une nuit, un clan de Bochimans qui vivait de l'autre côté des montagnes se glissa dans la vallée et, trouvant beaucoup de bétail en train de paître en toute liberté, repartit avec une soixantaine de belles bêtes.

— Ça suffit, dit Lodevicus d'une voix d'acier, sans la moindre flamme. Oui, c'est fini. Nous allons régler le problème des Bochimans.

Il réunit en commando tous les hommes vivant à cinquante kilomètres à la ronde et il partit ; il avait invité Adriaan à l'accompagner, mais il ne tint aucun compte de lui au moment de prendre les décisions. Ils chevauchèrent pendant une centaine de kilomètres vers le nord et Adriaan était certain que les Bochimans se trouvaient loin derrière eux. Il prévint son fils, mais Vicus demeura sur son cheval sans desserrer ses lèvres sévères.

Le vieil homme avait raison. Le commando avait dépassé depuis longtemps les petits brigands bruns, mais Vicus avait mis au point une stratégie plus subtile et, quand les cavaliers atteignirent la région où les familles entières des Bochimans attendaient le retour des hommes, il ordonna à sa troupe de mettre pied à terre et de se cacher près d'une source qui jaillissait entre des rochers. Adriaan, incapable de deviner le plan de son fils, s'attendait que le groupe de chasseurs arrive avec le bétail volé et tombe dans l'embuscade. Mais, au lieu de cela, juste au coucher du soleil, un énorme rhinocéros survint pour prendre sa ration d'eau vespérale. Il se mit à boire bruyamment en agitant sa petite queue. Lodevicus l'abattit d'une balle derrière l'oreille.

La belle bête gisait près de la source et, avant la tombée de la nuit, des vautours se rassemblèrent et se perchèrent dans les arbres en attendant l'aurore. Bien entendu, les familles des Bochimans les virent, ainsi que les voleurs de bétail qui revenaient vers le nord, et, le lendemain, au milieu de l'après-midi, une soixantaine de Bochimans, en comptant les femmes et les enfants, s'étaient rassemblés près de la source pour se gaver du festin inespéré.

Au cours des premiers moments d'enthousiasme, tandis que les petits hommes bruns dépeçaient l'énorme bête, Lodevicus retint ses tireurs ; décision justifiée, car cette attente permit à trente autres Bochimans de se rassembler. Puis, quand ils furent tous là, quatre-vingt-dix environ en train de découper des tranches de rhino et riant à belles dents tandis que le sang coulait sur leurs visages parcheminés, Vicus bondit en criant :

— Feu !

Pris dans le feu croisé d'une vingtaine de fusils, les convives tombèrent pêle-mêle. Les voleurs de bétail, les grand-mères, les faiseurs de flèches, les jeunes femmes qui ramassaient les larves pour la préparation du poison, les enfants, même les nouveau-nés — tous furent exterminés.

Après cette démonstration de force, on l'appela Lodevicus le Marteau, le bras droit vengeur de Dieu, et, chaque fois qu'une menace se présentait, on faisait appel à lui. Il organisa le premier temple dans cette région reculée et il joua le rôle de consolateur des malades en l'absence d'un prédikant. Il lisait les sermons dans un livre imprimé en Hollande, que lui avait envoyé de Swellendam le père de Rébecca. Il veillait scrupuleusement à ne jamais prendre une attitude de véritable ministre de Dieu, car c'était une vocation sacrée exigeant des années d'études dans les règles et l'imposition des mains. Mais il faisait appliquer la loi religieuse dans sa propre famille et dans les fermes disséminées de la frontière. Chaque fois qu'un jeune homme et une jeune femme décidaient de vivre ensemble, Rébecca et lui leur rendaient visite, inscrivaient leurs noms dans un registre et leur faisaient promettre de se marier dès qu'un prédikant passerait. Il tenait également un registre des naissances et menaçait les parents de la damnation éternelle s'ils négligeaient de faire baptiser leurs enfants lors de la venue du dominee.

Un soir, à son retour à la ferme après avoir sermonné deux jeunes couples qui vivaient dans l'insouciance, du côté de la mer, il prit Rébecca par la main et l'entraîna à l'écart de la cabane.

— Je suis vraiment navré. J'ai réfléchi à Adriaan et à Seena. C'est un affront à l'égard de Dieu : je parcours des lieues et des lieues pour faire appliquer Ses commandements, et dans ma maison même...

— Qu'allez-vous faire à leur sujet ?

— Ce serait un acte horrible, Rébecca, que de chasser ses propres parents. Mais s'ils persistent dans la voie du mal...

Il s'arrêta pour mesurer la gravité du problème et Rébecca énuméra les difficultés exaspérantes qu'elle rencontrait avec Seena, la pire de toutes étant le paganisme de sa belle-mère.

— Elle se moque de vos enseignements, Vicus. Dès que vous avez le dos tourné, elle fait venir Dikkop dans la cabane, bien qu'elle sache que la Bible l'interdit. Quand je le lui ai fait remarquer, elle m'a crié : « Ou bien il reste, ou bien vous crevez de faim. »

— Rébecca, il faut prier.

C'est ce qu'ils firent — deux cœurs austères et contrits, en quête de la résolution juste. Ils ne se jugeaient ni arrogants ni implacables. Ils ne cherchaient que la justice et la sainteté, et, finalement, ils décidèrent qu'Adriaan et Seena devaient partir.

— Ils sont encore assez jeunes pour construire leur cabane, avec leur Cananéen Dikkop.

Ils se levèrent tôt, comme pour prendre des forces en vue de la scène désagréable qui allait suivre, mais, quand ils posèrent les yeux sur la prairie, ils s'aperçurent qu'Adriaan et Dikkop étaient déjà debout, près de deux chevaux et d'un chariot chargé de tout l'équipement nécessaire à un très long voyage.

— Que faites-vous ? demanda Lodevicus.

— Seena ! cria Adriaan. Viens donc !

La Rousse apparut et son mari ajouta :

« Tu leur expliqueras.

C'est ce qu'elle fit.

— Il en a jusque-là de tous vos sermons. Il a honte de vivre dans une cabane où son ami n'est pas le bienvenu. Et il n'aime pas le nouveau genre de vie que vous essayez de nous imposer.

— Que va-t-il faire ? demanda Rébecca.

— Il va avec Dikkop jusqu'au fleuve Zambèze.

Le regard vide de son fils lui indiqua qu'il n'avait aucune idée de l'endroit où ce fleuve pouvait bien se trouver.

« C'est le Suédois qui nous en a parlé. Il se trouve par là-bas.

Et d'un geste vague du bras elle indiqua le fleuve de son imagination, à deux mille cinq cents kilomètres de là.

— Et vous ? demanda Rébecca.

— Je reste ici. C'est ma ferme, non ?

Ces quelques mots de Seena suffisaient à exprimer dans quelle situation impossible les jeunes Van Doorn se trouvaient. Ils ne pouvaient pas chasser leur mère de force et ils ne pouvaient pas davantage l'abandonner là toute seule. Il leur faudrait partager la cabane avec elle jusqu'au retour de son mari.

— Combien de temps serez-vous absent ? demanda Lodevicus d'une voix éteinte.

— Trois ans, répondit Adriaan.

Il fit claquer son fouet, et ses bœufs prirent la route du nord.

Adriaan et Dikkop partirent en octobre 1766. Adriaan avait alors l'âge déjà avancé de cinquante-quatre ans. Il emmenait huit paires de bœufs de réserve, quatre chevaux, une tente, des fusils supplémentaires, plus de munitions qu'ils n'en auraient probablement besoin, des sacs de farine et quatre ballots de biltong. Les deux hommes portaient les vêtements grossiers du veld et n'avaient pas oublié une précieuse boîte en fer-blanc contenant la pharmacopée des fermes boers : herbes et feuilles médicinales dont ils avaient appris la valeur à travers plusieurs générations d'expérience.

Ils avancèrent lentement au début, dix à douze kilomètres par jour, puis quinze, puis vingt-cinq. La moindre des choses les distrayait : un arbre différent, un rocher ressemblant à un animal. Souvent, ils campaient pendant plusieurs semaines en un endroit accueillant, pour refaire leur provision de biltong, puis ils repartaient.

Et, chemin faisant, ils découvrirent des merveilles qu'aucun colon n'avait jamais vues avant eux : des fleuves magnifiques, de vastes déserts n'attendant que quelques gouttes de pluie pour se couvrir brusquement de fleurs et, le plus surprenant de tout : une série continue de petites collines isolées, parfaitement rondes à la base, comme si un architecte les avait placées juste au bon endroit. Souvent, le haut du tertre avait été aplani et formait une aire aussi plate qu'une table. A l'occasion, Adriaan et Dikkop grimpaient sur une de ces collines, sans autre but que de scruter le paysage à l'horizon. Ils n'avaient alors sous les yeux qu'une étendue trop immense pour que l'œil puisse la mesurer. Et, partout, ces petites collines se répétaient, certaines arrondies, d'autres avec le haut tranché.

Le second mois de leur errance, ils rencontrèrent le fleuve que les Hottentots appelaient la Grande Rivière et qui se nommerait, plus tard, Orange. Ils firent flotter leur chariot jusqu'à l'autre rive, puis ils pénétrèrent dans les plaines sans fin conduisant au cœur du pays. Une après-midi, vers le soir, ils rencontrèrent près d'une petite source la première bande d'êtres humains de leur périple : quelques petits Bochimans qui s'enfuirent à leur approche. Tout au long de la nuit, Adriaan et Dikkop demeurèrent près du chariot, fusils chargés, pleins d'appréhension, essayant de percer les ténèbres. Peu après l'aurore, un des petits hommes se montra et Adriaan prit une grande décision : couvert par Dikkop, il posa son fusil contre la roue du chariot et s'avança sans arme, indiquant par des gestes amicaux qu'il était venu en paix.

A l'invitation des Bochimans, Adriaan et Dikkop restèrent près de la source pendant une semaine et Adriaan eut le temps d'apprendre des choses très intéressantes sur ces petits hommes que ses compatriotes hollandais appelaient *daardie diere* (ces animaux-là). Rien ne lui fit une aussi forte impression qu'une chasse à laquelle on lui permit d'assister. Il put constater leur compétence et leur intelligence étonnantes pour le pistage des animaux. Les Bochimans avaient rassemblé une grande quantité de peaux et Dikkop apprit qu'ils se proposaient de les apporter à des gens qui vivaient là-bas, « à trois lunes vers le nord », pour les troquer.

Comme les deux voyageurs se dirigeaient à peu près vers le même endroit, ils se joignirent aux Bochimans. Deux fois au cours du voyage, ils virent au loin des groupes de cases, mais les Bochimans secouèrent la tête et s'enfoncèrent davantage dans les plaines, jusqu'à ce qu'ils atteignissent les premiers kraals du domaine d'un chef important.

Les Bochimans coururent en avant pour répandre la nouvelle de l'arrivée du Blanc et, au premier village, Adriaan fut accueilli avec une curiosité intense et des rires étouffés — mais sans frayeur, comme on aurait pu s'y attendre. Les Noirs étaient ravis de le voir s'intéresser à leurs cases. Ces constructions rondes, robustes, faites de pierre et d'argile, lui firent beaucoup d'effet, ainsi que les murs d'un mètre vingt à un mètre cinquante qui entouraient les kraals de leur bétail.

— Elles sont meilleures que les cabanes-bubales dans lesquelles nous vivons, dit-il à Dikkop.

La nouvelle de leur arrivée était parvenue au kraal du chef et il envoya une escorte d'anciens et de guerriers pour amener ces étrangers devant lui. La rencontre fut importante, car Adriaan était le premier Blanc que ces Noirs voyaient. Ils finirent par bien le connaître, car il resta deux mois avec eux. Quel émerveillement ce fut lorsqu'il leur montra les effets de la poudre, dont il lança une petite poignée sur un feu à l'air libre. Elle s'enflamma violemment et le chef fut terrifié. Mais, quand il eut compris le prodige, il fut enchanté de le mettre en œuvre pour effrayer son peuple.

— Combien êtes-vous ? demanda Adriaan un soir.

Le chef montra les points cardinaux, puis les étoiles. Il y avait décidément beaucoup d'hommes dans ce pays.

Quand Adriaan étudia les communautés qu'on lui permit de visiter, il put se convaincre que ces gens n'étaient pas des nouveaux venus dans la région. Leurs colonies actuelles, les ruines de sites anciens, les objets en fer qu'ils ramenaient du nord, leur consommation importante de tabac — tout indiquait une longue occupation des lieux. Les belles capes que faisaient les hommes avec des peaux d'animaux tannées, aussi souples que des peaux de chamois, plurent énormément à Adriaan. Leur poterie était bien moulée et leurs perles — copiées sur celles apportées par les marchands arabes à Zimbabwe trois siècles plus tôt — très belles. Adriaan accepta leur présence sur le haut veld aussi naturellement qu'il acceptait les troupeaux d'antilopes errant près des points d'eau.

Au cours des mois qui suivirent, jamais il ne serait très loin d'un de ces villages disséminés sur les terres qu'il traversait, mais il entra rarement en contact avec les gens, car il poursuivait son but : atteindre le Zambèze. En outre, il craignait que tous les chefs ne fussent pas aussi amicaux que le premier — qui dansait de joie à chaque éclair de poudre.

Ils ne tuaient que les animaux nécessaires à leur nourriture — sauf un matin où Dikkop se mit en colère contre une hyène qui s'entêtait à vouloir prendre sa part d'une antilope qu'il avait abattue. Trois fois, il essaya en vain d'écarter l'animal et, comme il continuait, il le tua. Cela n'aurait appelé aucun commentaire de la part d'Adriaan si l'hyène morte n'avait laissé derrière elle un bébé hyène mâle aux yeux noirs farouches. Elle avait voulu voler la viande pour le nourrir et il était maintenant livré à lui-même. Chaque fois que Dikkop s'approchait, il faisait claquer ses dents énormes.

— Qu'est-ce qui se passe ? demanda Adriaan.

— Bébé hyène, baas, répondit Dikkop.

— Ramène-le ici !

Dikkop fit une feinte, sauta en arrière, puis posa son pied sur le cou de la petite bête, qu'il maintint à terre le temps de la saisir par la peau du dos. Le bébé hyène se débattit, rua des quatre pattes, mais n'émit aucune protestation sonore.

« Il faut lui donner à manger, s'écria Adriaan dès qu'il le vit.

Dikkop mâcha quelques morceaux de viande tendre, puis les posa sur ses doigts pour que l'animal les lèche. Au bout de trois jours, les deux hommes se disputaient pour avoir le droit de nourrir la petite bête.

— On l'appellera Swartejie, dit Adriaan.

Ce qui correspond à Noiraud, ou Petit Noir, mais l'hyène prit une attitude si menaçante qu'Adriaan éclata de rire.

« Alors, tu crois que tu es déjà un gros Swarts ?

Et ce fut ce dernier nom qui lui resta.

Il faisait preuve de toutes les qualités attachantes d'un chien domestique sans perdre les caractéristiques essentielles d'un animal sauvage. Comme son train avant était haut et puissant et son train arrière faible et bas, il sautait plus qu'il ne marchait. Sa bouche était énorme et les muscles de sa tête très forts, pour pouvoir faire fonctionner ses grandes mâchoires capables de broyer n'importe quoi. Il aurait paru effrayant, mais son bon naturel inné et son amour pour Adriaan qui le nourrissait et chahutait avec lui transformaient à tout moment sa gueule redoutable en une sorte de sourire. Queue courte, grandes oreilles, yeux écartés, il devint un animal familier adorable, dont le comportement imprévisible devait réserver des surprises.

C'était un charognard, mais il n'en avait absolument pas l'âme, car il n'avait rien de furtif ou de lâche et il aurait défié de bon cœur le plus grand des lions pour une bonne carcasse. Pourtant, un jour où les deux hommes avaient découvert une couvée de pintades et en avaient blessé une, Swarts devint comme fou de peur à la vue des ailes battantes de l'oiseau et des plumes qui volaient. A l'approche de l'hiver, le haut veld se révéla assez froid et, chaque fois qu'Adriaan regagnait sa couche — une peau d'élan en forme de sac avec en guise de couverture de douces plumes d'autruche cousues entre deux toiles —, il trouvait Swarts endormi sur son oreiller de springbok, les yeux clos en un sommeil béat, les muscles frémissant de temps à autre quand il rêvait de chasses.

— Fous le camp, merde !

L'hyène endormie grognait et demeurait inerte tandis qu'Adriaan la poussait de côté. Mais, dès que le maître s'était glissé dans son lit, Swarts se rapprochait sans bruit — et souvent il ronflait.

« Saleté ! Arrête de ronfler ! criait Adriaan.

Et il le repoussait comme si c'était une vieille épouse.

Ils virent des animaux en si grandes quantités qu'aucun homme n'aurait pu les compter ou même estimer leur nombre. Un jour, en traversant un plateau où l'herbe était tendre, ils aperçurent vers l'est une vaste masse en mouvement, longue de quinze, trente, quatre-vingts kilomètres, et qui se dirigeait vers eux en soulevant une poussière faisant écran au soleil.

— Que faire ? demanda Dikkop.

— Je crois que nous allons rester où nous sommes, répliqua Adriaan, mécontent de sa réponse, mais incapable d'en trouver une autre.

Même Swarts avait peur. Il geignait et se serrait contre les jambes d'Adriaan.

Puis le fabuleux troupeau s'avança. Les bêtes ne couraient pas, elles ne fuyaient pas, affolées. C'était le temps de la migration et, obéissant à quelque instinct obscur, les animaux quittaient un terrain de pacage et se dirigeaient vers un autre.

Le troupeau ne se composait que de trois espèces : des quantités énormes de gnous dont la barbe s'agitait sous la brise douce, des zèbres innombrables qui décoraient le veld de vives rayures et une multitude de springboks bondissant joyeusement au milieu des animaux plus majestueux. Combien pouvait-il y avoir de bêtes ? A coup sûr cinq cent mille, plus probablement huit ou neuf cent mille — une exubérance de la nature difficile à concevoir.

Et ils plongeaient maintenant vers les trois voyageurs. Quand ils furent tout près, Swarts supplia Adriaan de le prendre dans ses bras. Les deux hommes se serrèrent près du chariot et une étrange chose se produisit. Quand les gnous et les zèbres parvinrent à une dizaine de mètres des hommes, ils ouvrirent tranquillement leurs rangs et formèrent un espace vide en forme d'amande, comme une larme de sécurité où les deux hommes demeurèrent, indemnes... Quand le premier groupe d'animaux fut passé, il referma l'amande et repartit en ligne comme si de rien n'était, tandis que les nouveaux venus regardaient les hommes, s'écartaient lentement pour former leur propre boutonnière, puis passaient.

Pendant sept heures, Adriaan et Dikkop restèrent au même endroit tandis que les animaux passaient. Jamais aucune bête ne s'approcha assez pour qu'ils puissent toucher l'un des zèbres ou des springboks bondissants. Toujours les animaux restaient à l'écart et, au bout d'un moment, Swarts demanda qu'on le pose pour pouvoir observer de plus près.

Au crépuscule, vers l'ouest, le ciel était rouge de poussière.

Au cours des mois suivants, le paysage changea du tout au tout. Des montagnes commencèrent à apparaître à l'horizon, vers le nord. Les rivières coulaient maintenant vers le nord et non vers l'est, où l'océan devait se trouver. La terre était bonne et ils se trouvèrent bientôt dans une gorge étonnante dont les murs semblaient monter jusqu'au ciel. Dikkop, effrayé, voulut rebrousser chemin, mais Adriaan insista pour aller de l'avant. Ils débouchèrent enfin dans un pays de rêve, parsemé de baobabs dont l'existence même défiait l'imagination.

— Regarde ! cria-t-il. La tête en bas. N'est-ce pas une merveille ?

Pendant plusieurs semaines, Adriaan et Dikkop vécurent dans un arbre énorme — non dans les branches, ce qui eût été impossible, mais à l'intérieur même du tronc, dans un vaste creux provoqué par le pourrissement du vieux bois tendre. Swarts, obéissant à quelque ancien héritage du temps où les hyènes vivaient dans des grottes, était enchanté de ces espaces intérieurs obscurs. Il courait de l'un à l'autre en faisant des bruits étranges.

C'était devenu un animal familier tout à fait remarquable, peut-être le plus beau qu'Adriaan ait jamais connu, paisible comme le meilleur des bœufs, brave comme le plus fort des lions, gai comme un jeune chat, d'une force colossale comme un rhinocéros. Il aimait jouer avec Adriaan à un jeu tout à fait redoutable. Il prenait l'avant-bras du trekboer dans sa gueule puissante et il feignait de le briser en deux, ce qu'il aurait très bien pu faire. Il resserrait alors les dents lentement en observant d'un œil espiègle le visage d'Adriaan pour voir l'instant où s'exprimerait la douleur. Les grandes dents se rapprochaient jusqu'à ce que la peau semble sur le point de se déchirer, puis Adriaan regardait l'animal droit dans les yeux : Swarts s'arrêtait aussitôt et riait d'admiration à l'égard de l'homme qui n'avait pas peur. Il lâchait le bras et sautait sur les genoux d'Adriaan pour le couvrir de baisers.

Parfois Adriaan songeait : ces belles années n'auront pas de fin. Il y aura assez de terre pour tout le monde et les animaux se multiplieront à jamais. Quand, avec Dikkop, il abandonnait une carcasse, quelle joie profonde d'entendre les lions se rapprocher et de voir le ciel se remplir de grands oiseaux attendant le moment de plonger pour nettoyer les reliefs du festin !

Ils parvinrent enfin au fleuve. Non pas le Zambèze, comme Adriaan l'avait promis, mais le Limpopo, ce torrent boueux qui marquait les limites naturelles du sous-continent vers le nord-est. Le Dr Linnart avait dit que la frontière naturelle était le Zambèze. Les explorateurs portugais également. Et toute personne possédant une carte constatait du premier coup d'œil qu'ils avaient raison. Mais la réalité avait tracé la frontière au Limpopo. Au sud de ce fleuve, le pays était tout d'une pièce ; au nord, il se modifiait de façon radicale et jamais il ne pourrait être assimilé pour devenir la partie intégrante d'un tout gouvernable.

Peut-être Adriaan Van Doorn en prit-il conscience en ce mois de décembre 1767, sur la berge du Limpopo, devant son chariot brisé, irréparable, tandis que ses bœufs et ses chevaux mouraient de maladie.

— Dikkop, dit-il, nous ne pouvons pas aller plus loin.

Le Hottentot acquiesça, car il était fatigué, et même Swarts parut soulagé quand le trio repartit à pied vers le sud. On eût dit que l'hyène avait dans la tête une boussole qui lui rappelait où se trouvait son pays natal. Elle avait toujours su, semblait-il, qu'elle s'écartait du lieu où elle aurait dû être et, depuis qu'elle revenait sur ses pas, elle manifestait la même joie qu'un marin dont le bateau se dirige vers son port d'attache.

Ils formaient un curieux trio, arpentant joyeusement l'épine dorsale de l'Afrique. Swarts, avec sa grosse tête et ses petites fesses, avançait en tête, suivi de Dikkop, avec sa petite tête et ses fesses énormes. Enfin venait Adriaan, mince trekboer aux cheveux blancs, agé de cinquante-six ans, mais allongeant le pas comme s'il en avait trente. Un jour, Swarts insista pour abandonner une piste tracée par les antilopes et obliqua vers l'ouest. Les hommes le suivirent : ils trouvèrent une petite grotte, qu'ils auraient vite oubliée si Dikkop, en levant les yeux vers le plafond, n'avait découvert une merveilleuse fresque représentant trois girafes chassées par des petits hommes bruns. Elle avait été peinte trois millénaires plus tôt par les ancêtres des Bochimans qu'ils avaient rencontrés. Les hommes et les animaux bondissaient, les couleurs n'avaient pas pâli, les formes étaient encore magnifiquement délimitées. Pendant longtemps, Adriaan étudia les animaux des fresques, puis demanda :

— Où sont-ils partis ?

— Qui sait, baas ? répondit Dikkop.

— Brave bête, Swarts. Ta grotte nous plaît...

Cette année-là, l'été fut très chaud et, bien que le trio avançât vers le sud, loin des chaleurs concentrées, Adriaan remarqua que Dikkop était à bout de forces. Il chercha donc des itinéraires s'écartant du centre brûlant et poussiéreux et il se dirigea vers le rebord oriental du plateau, où ils trouveraient probablement des pluies rafraîchissantes. Au cours de ce grand détour, ils tombèrent sur un lac calme et agréable d'où s'envolèrent des flamants roses — c'était là qu'autrefois le jeune Nxumalo avait chassé son rhinocéros.

Il connaissait ses plus beaux jours : c'était une vaste étendue d'eau d'une grande beauté, où des milliers d'animaux venaient s'abreuver chaque soir. Il y en avait une telle profusion que Swarts resta paralysé devant toutes les possibilités qui s'offraient à lui. Puis il se mit à bondir en tous sens, pourchassant un éléphant aussi bien qu'un oiseau, à la recherche d'un animal plus faible que les autres, loin derrière les lions quand ceux-ci se lançaient également en chasse, courant vers tous les bouts de viande qui se présentaient. Après le départ des grands prédateurs, il se glissait dans le lac pour boire et faire sa toilette. Ce fut la partie du voyage qu'il apprécia manifestement le plus.

Dikkop déclinait. On se trouvait en 1768 et, à soixante-trois ans, c'était un vieil homme, épuisé pour avoir travaillé sans cesse à cent tâches diverses, toujours imposées à lui par une autre personne. Il avait vécu sa vie dans l'ombre des Blancs et il était content de finir ses jours dans l'ombre des Blancs. Son propre sort ne le laissait pas indifférent : il ressentait un désir ardent de rentrer à la ferme et de revoir Seena, car il aimait ses manières brusques et il se considérait en fait comme « son garçon ». Il serait très malheureux si le destin l'empêchait de la revoir.

Il allait être déçu. Il se consuma en même temps que l'été. De toute évidence, il ne pourrait pas supporter le voyage du retour.

— Ma poitrine ! Mal, mal, mal...

Et Adriaan se reprocha d'avoir entraîné un homme si âgé dans une expédition si dangereuse.

« Impossible d'aller sans moi, lui répondit Dikkop pour le rassurer. Mais tu reviens tranquille, je suis sûr.

Il mourut avant les grands froids de l'hiver et son corps reposa près du lac qu'il avait aimé.

Ce fut justement en rassemblant les pierres pour le cairn de Dikkop, dans les ruines d'un ancien village datant du milieu du XVe siècle, qu'Adriaan commença à parler sérieusement à sa hyène.

— Swarts, on empile les pierres pour que tes sales frangins ne creusent pas pour le bouffer, sale cannibale.

Swarts montra ses grandes dents en ce qui ne pouvait être qu'un sourire et, par la suite, chaque fois qu'Adriaan le consultait sur la piste d'élans à choisir ou l'endroit où passer la nuit, Swarts dénudait ses dents et frottait son museau contre la jambe de son maître.

Adriaan avait toutes les raisons du monde de poursuivre au plus vite sa route vers le sud. Pourquoi s'attarda-t-il près du lac paisible ? Il n'aurait su l'expliquer. Il n'explora pas l'arrière-pays. Simplement, il se reposa, comme s'il comprenait obscurément que c'était un lieu où les hommes pouvaient trouver refuge. De l'endroit où il dormait, il contemplait les basses montagnes de l'est, les deux pics jumeaux qui ressemblaient à des seins de femme et les basses terres impatientes de sentir la charrue. Mais, surtout, il baissait les yeux vers la rive du lac où les animaux venaient s'abreuver tandis que les flamants roses planaient au ras de la surface immobile.

— Vrijmeer ! s'écria-t-il un jour. Lac libre. Swarts, c'est le lac où tout ce qui bouge connaît la liberté.

Cette nuit-là, il ne put pas s'endormir. Agité, il ne cessait d'enjamber le corps inerte de l'hyène pour arpenter la prairie sous la lune, assailli de pensées indisciplinées : comme je voudrais être jeune... pour amener une famille ici... et vivre près de ce lac.

Adriaan n'admit pas sans mal qu'il se sentait de plus en plus seul. Il n'avait jamais beaucoup parlé avec Dikkop, jamais il n'avait recherché en lui une compagnie de l'esprit. Il n'avait pas peur de voyager seul, parce que maintenant il connaissait toutes les ruses pour éviter les dangers. Il devinait les emplacements des kraals du peuple noir et il les contournait ; il dormait où aucun lion ne pouvait l'atteindre et il comptait sur Swarts pour l'avertir de tout incident inhabituel. L'hyène n'était pas un bon chien de garde, elle dormait comme une pierre quand elle avait le ventre plein et, comme son maître chassait constamment, elle disposait en tout temps de tripes et d'os en suffisance, et elle s'en gavait. Mais elle possédait un don remarquable d'autodéfense, et de nombreux animaux qui se seraient risqués à attaquer Adriaan endormi tout seul réfléchissaient à deux fois avant d'affronter les grandes mâchoires et les dents luisantes d'une hyène.

Son sentiment de solitude venait du fait qu'il avait vu l'Afrique, qu'il était entré en contact intime avec elle le long des montagnes et à travers le veld, et qu'il en était arrivé au point où il n'existait plus de secrets. Même la présence de cette cascade majestueuse à peu de distance vers le nord-ouest ne l'aurait pas surpris s'il l'avait découverte, car il savait maintenant que le continent était beaucoup plus vaste qu'il ne l'avait imaginé ou que le Dr Linnart le lui avait suggéré.

De nouveau, la pensée vagabonde le frappa — douloureusement cette fois — et il dit à voix haute :

— Bon Dieu, Swarts, comme j'aimerais être jeune une autre fois. Je traverserais le Limpopo. Et je continuerais, oui, je continuerais au-delà du Zambèze, jusqu'en Hollande.

Il ne doutait nullement de pouvoir, avec une bonne paire de souliers, remonter à pied en Europe.

« Et je t'emmènerais, petit chasseur, pour me protéger des dikdiks.

Il éclata de rire, et Swarts fit de même, à l'idée que quiconque ait besoin de se protéger de la plus minuscule des antilopes, que la chute d'une feuille faisait bondir de peur.

Peut-être ce sentiment fréquent de solitude était-il une prémonition, car, lorsqu'ils descendirent du vaste plateau central pour traverser la Grande Rivière, il vit que Swarts commençait à s'agiter. L'hyène avait deux ans et demi à présent, c'était un mâle adulte et, quand ils pénétrèrent dans un territoire où d'autres hyènes chassaient en bandes, Swarts prit conscience de leur présence d'une manière nouvelle. Parfois, au crépuscule, on aurait dit qu'il avait envie de partir avec ses semblables. Mais, en même temps, il éprouvait un amour profond pour son compagnon humain et il se sentait une sorte d'obligation de le protéger et de partager avec lui les honneurs de la chasse.

Alors, il hésitait. Tantôt il courait vers le veld, tantôt il revenait en sautillant de sa démarche étrange, jusqu'aux pieds de son maître. Puis, un soir de pleine lune où tous les animaux étaient sur pied, il quitta brusquement Adriaan, courut pendant quelques dizaines de mètres dans le veld, s'arrêta, regarda en arrière comme s'il soupesait les deux possibilités, puis disparut. Tout au long de sa nuit sans sommeil, Adriaan put entendre les rumeurs de la chasse. Et, au matin, Swarts n'était pas revenu.

Trois jours durant, Adriaan demeura dans les parages, espérant que l'hyène réapparaîtrait. Rien... Et, à regret, presque au bord des larmes, le vieil homme partit vers les montagnes qui protégeaient sa ferme. Désormais, il était vraiment seul et peut-être pour la première fois de sa vie il eut peur. D'après les étoiles, il calcula qu'il devait se trouver à environ cinq cents kilomètres au nord de sa destination. Il était à pied, avec une réserve de munitions qui diminuait et la nécessité de traverser une distance énorme sans trop savoir où il se trouvait en fait.

— Swarts ! cria-t-il. J'ai besoin de toi.

Plus tard, dans son sommeil troublé, il entendit le bruit d'animaux en grand nombre, martelant le sol près de sa cachette. Il frissonna. Jamais il n'avait entendu ce bruit-là de si près. Puis, lentement, il s'éveilla, prit conscience d'une pression contre son flanc : c'était Swarts, qui ronflait à son habitude.

Plus que jamais, il se mit à parler à la bête, comme si le retour de l'hyène avait révélé son besoin de compagnie. Swarts, pour sa part, demeurait plus près de son maître, comprenant peut-être, après avoir goûté à la liberté de la vie sauvage, à quel point l'association avec un être humain peut être également bénéfique.

Ils descendirent à travers les grandes plaines.

— Ce doit être par là, Swarts, dit Adriaan en fixant la dernière ligne de collines qui s'élevait du veld. La ferme est probablement là-bas. Tu vas voir Seena et vous allez bien vous amuser tous les deux. Elle a des cheveux rouges et elle te lancera n'importe quoi à la figure si tu ne te tiens pas à carreau. Mais elle te plaira et je suis sûr que tu lui plairas.

Il n'était pas du tout sûr que Seena accepte de partager sa cabane avec une hyène, mais il continuait d'affirmer à Swarts que tout se passerait très bien.

Mais sa récente expérience de la vie sauvage avait ravivé les habitudes ataviques de l'hyène. Un soir où Adriaan avait tué un gemsbok — magnifique créature au visage masqué de blanc et aux cornes impériales —, une lionne crut pouvoir s'avancer en toute sécurité pour s'emparer de la proie. Swarts bondit vers elle et reçut un horrible coup de griffe sur l'encolure et la gueule.

Quand Adriaan, s'élançant vers la lionne en criant, parvint auprès de son compagnon, Swarts était à l'agonie. L'homme ne pouvait rien pour sauver la bête. Ses prières n'avaient pas de sens. Ses tentatives pour arrêter le flot de sang demeurèrent stériles. Les grosses mâchoires se contractaient spasmodiquement. Les yeux se tournèrent pour la dernière fois vers celui qui avait été son seul ami.

— Swarts ! cria Adriaan.

Peine perdue. L'hyène frissonna. Elle voulut aspirer de l'air, et du sang remonta dans sa gorge. Elle mourut.

— Oh, Swarts, Swarts, gémit Adriaan tout au long de la nuit, près du corps meurtri.

Le matin venu, il la plaça en terrain découvert pour que les vautours s'occupent d'elle, puis, après un adieu poignant à cet ami fidèle, il reprit son voyage vers le sud.

A présent, il était vraiment seul. Presque tout ce qu'il avait emporté au départ de son exploration avait disparu : les munitions, les chevaux et les bœufs frappés par la mouche tsé-tsé, le chariot, le Hottentot en qui il avait confiance, ses chaussures, la plupart de ses vêtements. Il rentrait dépouillé de tout, même de sa hyène, et ses souvenirs des splendeurs admirées étaient comme balafrés par les pertes qu'il avait subies. La mort de Swarts, surtout, lui faisait de la peine. Après tout, Dikkop avait vécu sa vie, alors que l'hyène était à l'aube de la sienne. Mais n'aurait-elle pas été déchirée entre l'appel du veld et la ferme qui serait devenue son nouveau foyer ?

Tout en poursuivant péniblement son chemin vers le sud, Adriaan commença à sentir son âge — le poids du temps. Il compta le nombre de fermes qu'il avait usées, la chaîne sans fin des animaux qu'il avait élevés, les cabanes où il avait vécu — jamais une maison.

— Swarts, j'ai cinquante-sept ans et je n'ai jamais vécu dans une maison avec de vrais murs.

Puis il jeta ses bras autour de ses épaules et cria, plus fort : « Et par Dieu, Swarts, je n'en ai pas envie !

Il descendit des grands hauts plateaux du centre de l'Afrique — non pas vaincu, mais certainement pas victorieux. Il pouvait encore parcourir des kilomètres chaque jour, mais plus lentement, avec la poussière de contrées reculées encore dans ses narines. De temps en temps, il criait dans le vide, ne s'adressant qu'à Swarts. Parce qu'à présent il était vraiment Mal Adriaan, le fou du veld, qui parlait avec des hyènes mortes. Mais il continuait, lieue après lieue, cherchant toujours la piste qu'il avait perdue.

Quand il déboucha des montagnes dans une région qui ne lui était pas familière, il calcula qu'il devait se trouver assez loin à l'est de sa ferme. Il ne se trompait pas. Au moment de se tourner vers l'ouest, il s'écria :

— Swarts ! S'ils ont un grain de bon sens, ils ont dû partir en quête de meilleures terres. Par là...

Et, comme tous les membres de sa famille dans le passé, il se dirigea vers l'est.

Lorsqu'il atteignit les parages où aurait dû se trouver normalement la nouvelle ferme, il ne trouva rien. Allait-il s'enfoncer en aveugle plus loin en territoire inconnu ou bien rebrousser chemin ? Après une longue consultation avec Swarts, il choisit la première solution.

— Il faut s'en tenir à la raison, Swarts : ils ont voulu trouver de meilleurs pâturages.

Au point le plus extrême où il imaginait que sa famille ait pu s'installer, il tomba sur la cabane la plus misérable qu'il ait jamais vue. Là, vivaient un homme et une femme, qui avaient pris leurs deux mille quatre cents hectares comme tout le monde — avec une chance bien maigre de réussir. C'étaient les premiers Blancs qu'Adriaan ait vus depuis son départ et il avait soif de leur parler.

— Vous savez si des Van Doorn sont passés ?

— Oui.

— Dans quelle direction ?

— L'est.

— Il y a longtemps ?

— Avant notre arrivée.

— Mais vous êtes sûrs qu'ils sont partis ?

— Nous sommes restés dans leurs anciennes cabanes. Il y a quatre mois, un trekboer est passé. Il nous a dit qu'ils étaient partis.

Adriaan, qui avait besoin de repos, resta quelque temps avec le couple. Un matin, la femme lui demanda :

— Qui est donc ce Swarts à qui vous parlez tout le temps ?

— Un ami.

Au bout de deux semaines de séjour, le trekboer lui donna des munitions et Adriaan ramena de la viande dans la cabane. Puis il annonça simplement qu'il allait essayer de retrouver sa famille.

— Depuis combien de temps êtes-vous parti ? demanda la femme.

— Trois ans.

— Et vous dites que vous êtes allé où ?

— M'popo, dit-il, répétant le nom que les Noirs lui avaient appris.

— Jamais entendu parler.

Pendant un instant, Adriaan se dit qu'il devait bien une explication à ses hôtes, mais, à la réflexion, il se rendit compte que tout raconter exigerait deux semaines de plus et il partit sans autre commentaire.

Il continua son chemin et dépassa l'endroit où il avait rencontré Sotopo le Xhosa. Un matin, en atteignant la crête d'une ligne de hautes collines, il posa les yeux sur quelque chose qui le troubla profondément : une vallée de près de quatre mille hectares complètement enserrée par les monts.

— Mais c'est une prison ! s'écria-t-il, effrayé à la pensée que des hommes acceptent de se soumettre à une détention de ce genre.

Et ce qui le déconcerta davantage encore, ce fut de découvrir au centre, près d'un torrent d'eau vive qui courait du sud-ouest au nord-est avant de s'échapper par une faille entre les hautes collines, non point les cabanes habituelles des Van Doorn, mais de massives constructions d'argile et de pierre. Celui qui avait choisi cette enclave solide avait l'intention de l'occuper, non pour dix ans, comme de coutume, mais pour toute la vie. Elle représentait un changement de civilisation si radical qu'au premier regard Adriaan comprit que la grande époque des trekboers touchait à sa fin. L'erreur que commettaient ces gens le hérissa : des maisons de pierre ! Des prisons à l'intérieur d'une prison. Quel crève-cœur de parvenir à *ça* au bout de trois années passées au milieu des plus étonnantes splendeurs de l'Afrique !

Il n'était pas encore certain que ce fût sa nouvelle ferme, quand une vieille femme, aux cheveux roux presque blancs, sortit de la maison de pierre et se dirigea vers la grange. C'était Seena. Cette forteresse était la maison de Seena et allait être la sienne...

Il n'appela pas sa femme, mais il dit à Swarts :

— C'est la fin, mon vieux compagnon... Des choses que nous ne comprendrons jamais...

Lentement, sans la jubilation intense qu'il aurait dû ressentir au terme d'un aussi long périple, il descendit la colline, s'avança jusqu'à la porte de la grange et appela :

« Seena !

Elle sut aussitôt que c'était lui. Elle s'arrêta de ramasser les œufs, courut vers lui et le serra contre elle comme s'il était un enfant.

— *Verdomde oude man !* s'écria-t-elle. Tu es revenu.

Les enfants clamèrent leurs vœux de bienvenue, puis Lodevicus, la trentaine bien sonnée, s'avança avec Rébecca.

— Comment avez-vous pu installer notre ferme ici ? demanda Adriaan aux adultes.

— Nous cherchons la sécurité, expliqua Lodevicus. Les collines, vous comprenez...

— Mais pourquoi les maisons de pierre ?

— Parce que c'est le dernier saut que nous pouvons faire. Parce que, de l'autre côté de la rivière Grand-Poisson, les Xhosas nous attendent.

— C'est notre demeure permanente, ajouta Rébecca. Comme Swellendam. Un poste fixe sur la frontière.

— J'ai vu un endroit dans le nord. Il y avait des collines comme ici, mais elles étaient ouvertes. Il y avait un lac et il était ouvert lui aussi. Des animaux venaient boire de partout.

Les jeunes Van Doorn ne s'intéressaient pas à ce qu'Adriaan avait vu dans le nord, mais, ce soir-là, quand le vieil homme et Seena regagnèrent leur lit après la longue absence, la Rousse murmura :

— Comment c'était ?

Tout ce qu'il put répondre fut :

— Magnifique.

Et ce simple mot rendit compte des couchers de soleil flamboyants, des arbres la tête en bas, du veld recouvert soudain de fleurs, des grandes montagnes de l'est, des fleuves mystérieux du nord... Mais, à l'instant où il fermait les yeux, prêt à s'endormir, il s'assit brusquement dans le lit et s'écria :

— Bon Dieu, Seena ! Je voudrais avoir vingt ans... Nous pourrions aller à un endroit que j'ai vu... Ce lac... La prairie noire d'antilopes...

— Allons-y ! dit-elle, sans hésitation ni crainte.

Il éclata de rire et l'embrassa.

— Dors. Ils le trouveront bien, avec le temps.

— Qui ?
— Ceux qui viendront plus tard.

Lodevicus et Rébecca ne posèrent jamais une seule question sur les terres du nord. Ils ne se souciaient que de bâtir un paradis à portée de leur main. Mais, l'après-midi, les enfants se rassemblaient autour d'Adriaan pour l'écouter parler de Swarts, de la grotte aux girafes qui bondissaient sur le plafond, des Noirs exubérants qui dansaient à la lueur brève de la poudre — et de l'endroit qu'il appelait Vrijmeer.

Quand l'excitation de son retour s'apaisa, la bataille entre Seena et Rébecca reprit, chaque femme confiant à son mari, le soir, que l'autre était insupportable. Adriaan perdit des heures de sommeil à écouter les jérémiades de Seena :

— C'est un sale tyran. Elle a un citron desséché à la place du cœur. Elle a l'intention de tout régenter et Lodevicus la soutient.

Il lui parla de l'impression que lui avait faite leur nouvelle demeure à son arrivée.

— Cette pièce, avec ses murs serrés, c'est une cellule de prison, à l'intérieur de la maison de pierre qui est la petite prison, elle-même à l'intérieur de ces collines affreuses qui constituent la grande prison.

— Non, corrigea-t-elle, la plus grande prison, ce sont les idées que Lodevicus veut faire appliquer. Chaque personne, dans chaque ferme, doit se conduire comme il l'indique. Tu sais, il a commencé à attaquer les Xhosas quand ils ont passé la rivière pour faire paître leurs troupeaux.

Quand Adriaan interrogea son fils à ce sujet, Lodevicus lui répondit :

— Cela fait trois fois que vous dites du mal sur la situation de notre ferme au sein de ces collines. Oui, la guerre avec les Xhosas est inévitable. Chaque mois, leur pression vers l'ouest devient plus forte. Bientôt, ce sera une vraie guerre.

— Laissons-les faire paître leurs bêtes, dit Adriaan.

— Ils ne se contenteront jamais de si peu. Souvenez-vous de ce que je vous dis, Père : ils voudront tout. Ils envahiraient cette ferme. Oui, si elle n'était pas protégée par les collines.

En 1776, les paroles de Lodevicus se confirmèrent : un groupe important de Xhosas, avec à sa tête Guzaka, le fils de

Sotopo avec lequel Adriaan avait passé quatre jours d'amitié, réagit par la colère aux pressions constantes exercées par les éleveurs blancs.

Comme aux premiers jours des relations entre les Hollandais et les Hottentots, lorsqu'on avait essayé d'isoler la colonie pour éviter les provocations et les irritations, la Compagnie — tentant, dans sa vanité, de gouverner une étendue déjà dix fois plus vaste que la Hollande — interdit tous les échanges avec les Noirs. Mais, sur la frontière, les proclamations d'Amsterdam étaient de la poussière dans le vent. Des Blancs audacieux pénétraient dans les terres occupées par ceux qu'ils appelaient les Cafres (du mot arabe *kafir*, qui signifie « infidèle »), estimant qu'il était plus simple de tirer dix coups de fusil et de prendre la terre dont ils avaient besoin que de tenir des palabres interminables avec les Xhosas. Aucune haie d'amandes amères ne pourrait délimiter des centaines de kilomètres de frontière. Et le peuple de Sotopo provoquait bien des fureurs, car, lorsque les troupeaux des hommes blancs s'avançaient paisiblement à leur portée, ils se souvenaient de leurs vieilles coutumes, chantaient d'anciennes mélopées, affûtaient leurs sagaies et hurlaient d'allégresse en volant le bétail des trekboers.

Ce fut ainsi que les batailles commencèrent. Les Noirs réclamaient une terre qui était la leur par droit héréditaire et les trekboers s'emparaient de la même terre parce qu'elle avait été promise aux enfants de Dieu.

Les hommes de Guzaka frappèrent au sud : une ferme isolée non loin de la mer. Ils tuèrent tout le monde et ramenèrent près de cinq cents têtes de bétail au-delà de la rivière Grand-Poisson. Ensuite, ils attaquèrent vers le nord : la ferme Van Doorn au milieu des collines, qu'ils avaient reconnue comme un obstacle majeur dans leur expansion vers l'ouest.

— Ce ne sera pas facile, prévint Guzaka.

— C'est ce que tu avais dit pour l'autre ferme, répondit l'un de ses hommes.

— Elle n'était pas défendue. Ici, il y a les collines.

— Ce qui veut dire qu'ils sont pris dans leur piège.

— Ou bien autre chose, avertit Guzaka.

— Quoi ?

— Que nous ne serons pas capables d'entrer.

— Nous sommes nombreux. Ils sont si peu...

— Mais ils ont des fusils.

— Les autres aussi.

— Ils n'étaient que deux à savoir s'en servir. Ici, ils seront beaucoup.

— Aurais-tu peur, Guzaka ?

— Oui.

Et, avant que les autres ne demandent s'ils devaient rebrousser chemin, il ajouta :

« Mais nous devons écraser cette ferme, sinon elle nous barrera toujours la route.

Ce fut lui qui mena la charge, depuis la colline de l'est. Il s'avança d'abord vers les étables et les autres petits bâtiments, et là les Xhosas connurent pour la première fois le goût amer de ce que pouvaient faire les trekboers pour la défense d'une ferme. Depuis des redans que les Noirs n'avaient pas prévus, les balles se mirent à pleuvoir, meurtrières, et ils durent battre en retraite. Pas un seul assaillant ne s'approcha de la maison.

Sur la colline, inspectant ce qui constituait en fait le premier fort trekboer, Guzaka et ses hommes palabrèrent pour décider d'une action.

— Je vous avais dit que celle-ci serait différente, leur rappela leur chef.

Il ne savait pas que l'ami de son père, Adriaan de la tribu des Van Doorn, occupait cette maison de pierre et il n'aurait pas reconnu ce nom si on l'avait prononcé devant lui. Mais il gardait dans un coin de sa tête le souvenir de ce que son père lui avait dit de cette rencontre troublante avec le Blanc et des capacités de cet homme. Guzaka comprenait qu'il y avait divers degrés dans l'humanité et que les défenseurs inefficaces de la première ferme se trouvaient plutôt assez bas sur l'échelle. Les hommes de cette maison entourée de collines ressemblaient davantage à celui que Sotopo avait rencontré.

— Devons-nous repartir ? demandèrent ses hommes.

— Non. Car ils penseraient que nous vaincre est trop facile. Nous attaquerons de deux côtés à la fois.

Il mit au point un nouveau plan : un groupe descendrait encore la colline de l'est, mais le gros de ses hommes attaquerait par le sud...

— Ils ne sont pas stupides, dit Adriaan dans la maison de

pierre. Cette fois, ils viendront vers nous de deux endroits différents.

Il regarda les collines et la situation du ruisseau, qu'il serait difficile de franchir à gué sous le tir des fusils, et il conclut qu'ils viendraient forcément par le sud. Il posta trois de ses fusils le long du mur, de ce côté-là.

« Mais ils essaieront de nouveau à l'est, prévint-il. Simplement pour nous mettre à l'épreuve.

Il se dirigea, seul, vers les étables, certain que le nombre des assaillants de l'est serait inférieur.

Quand Guzaka vit que ses deux bandes avaient pris position, il donna le signal et s'élança vers les bâtiments isolés. A sa plus grande joie, il n'y eut pas de coups de feu, aussi, avec un cri sauvage, entraîna-t-il ses hommes vers la maison. Mais, lorsqu'ils parvinrent à la hauteur de l'étable, une fusillade meurtrière les prit par le flanc. Deux de ses hommes tombèrent.

Puis, du côté sud de la maison, les coups de feu crépitèrent et le second contingent des Noirs fut également répoussé.

Quand les Xhosas se regroupèrent sur la colline orientale, il devint manifeste que cette ferme ne pourrait être prise. Ils s'éloignèrent de cette forteresse, passèrent la rivière à gué loin à l'est de la maison, regroupèrent tout le bétail disséminé dans les champs lointains et battirent en retraite par la faille du nord-est.

— Ils reviendront, dit Lodevicus. Pas aujourd'hui, mais ils savent que notre domaine est le kraal qu'il leur faudra réduire.

— Le kraal ? demanda Adriaan.

— Oui, ce refuge entouré de collines.

Et, depuis ce jour-là, la ferme s'appela De Kraal, l'endroit protégé.

Les trekboers, n'ayant essuyé aucune perte tout en abattant neuf Xhosas, auraient dû faire fête, mais non : la vieille animosité entre Seena et Rébecca continuait à couver, toujours prête à s'enflammer de plus belle. En général, les algarades prenaient pour prétexte la religion : Seena tournait en ridicule la dévotion austère de sa belle-fille et Rébecca se plaignait de l'agnosticisme de sa belle-mère. Aucun compromis ne semblait possible et, quand les vieux étaient seuls, Seena ne cessait de harceler Adriaan.

— Fichons le camp, bâtissons-nous une petite hutte où nous pourrons vivre comme dans le temps. Je ne peux plus supporter qu'on me lance la Bible à la figure.

— On l'a lancée même à la figure de ton père ! répliqua Adriaan.

Le bruit avait couru qu'une expédition militaire était allée éliminer l'empire hors la loi de Rooi Van Valck. Certains prétendaient même que le vieux Rooi avait été pendu. Seena en doutait.

— Il aurait d'abord fallu qu'ils l'attrapent. Et ensuite il aurait fallu qu'ils lui passent une corde autour du cou. Quel freluquet du Cap aurait osé s'y risquer ?

— Si tu étais plus gentille avec Rébecca... commença Adriaan.

Sur quoi sa femme lui donna une leçon sur l'avenir de l'Afrique du Sud.

— Elle ne renoncera jamais. Avec son air de ne pas y toucher, elle continue, elle continue... Exactement comme son père.

— Que veux-tu dire ?

— Il est arrivé chez nous en chantant des psaumes. Il n'a abouti à rien avec toi et moi. Mais il a travaillé sur Lodevicus. Il a semé des graines. Et, plus tard, il l'a pris au piège.

— Que penses-tu vraiment de ton fils ?

— Il devient de plus en plus fort. Enfant, on aurait dit un morceau de grès trempé dans l'eau : on peut le couper du bout de l'ongle. Mais, quand on le sort de l'eau et qu'on le fait sécher au soleil, il devient plus dur que du granit et personne ne peut l'entamer. Rébecca et Vicus, c'est une association redoutable.

Tandis qu'elle prophétisait ainsi, Rébecca discutait elle aussi avec son époux :

— Vicus, je vous l'ai déjà dit cent fois, je ne peux plus supporter cette femme. Je ne peux plus laisser son impiété contaminer ma maison.

— A proprement parler, répondit Lodevicus, la maison est à elle et à mon père, pas à vous.

— Très bien. Laissons-leur la maison et allons en bâtir une qui nous appartienne.

— Mais j'ai travaillé trois ans à la construction de ces murs. Soyez patiente. Ils ne sont pas éternels.

Lodevicus était devenu dur, mais pas au point de jeter ses parents âgés hors de leur propre maison. Rébecca était plus farouche.

— Dieu nous a ordonné à tous deux d'apporter un ordre nouveau sur une terre païenne. Nous devons élever les enfants selon les Saintes Écritures et non comme cette vieille sans Dieu vous a élevé, ainsi que votre frère et vos sœurs.

Vicus voulut protester, mais elle le fit taire.

« Ne comprenez-vous pas que Dieu a accompli un miracle pour que vous puissiez être sauvé ? Supposez que Père ne se soit pas arrêté à votre ferme pour planter la semence sacrée ? Supposez que vous ne vous soyez pas rendu à Swellendam pour la cultiver ? Vous avez été élu pour une noble mission et nous ne pouvons permettre aucun obstacle sur votre route.

Des quatre adultes engagés dans cette bataille incessante, Mal Adriaan était le seul qui en perçût clairement les dimensions réelles, car il possédait une simplicité d'enfant — et il était toujours prêt à se regarder tel qu'il était vraiment.

— Je suis un homme du passé, Seena. Dans cette famille, il n'y a plus de place pour les vagabonds. Seuls les gens qui ont peur songent à s'enfermer dans des citadelles de pierre.

Sa femme lui demanda alors ce qu'il pensait d'elle. Il éclata de rire.

« Tu es une païenne. Fille d'un païen. Il n'y a pas de place pour les païens dans le monde que Vicus et Rébecca sont en train de construire.

Quant à Lodevicus, Adriaan estimait que Seena avait vu juste en le comparant à du grès changé en granit.

« Je crois que le résultat final ne me plaît guère. Trop raide. Trop implacable. J'ai pitié de tous ceux qui croiseront son chemin.

Rébecca ? Il la perçait à jour avec une lucidité infaillible. Il sentait qu'elle avait déclaré la guerre à Seena et à lui-même. Il se doutait qu'elle poussait Lodevicus à les expulser. Mais il savait voir aussi que c'était une femme exceptionnelle qu'il aurait sûrement eu envie d'épouser s'il avait été jeune. Elle était passionnée, propre et nette comme un caillou blanc au fond d'un torrent. Son courage méritait un respect énorme, car, dans son zèle pour discipliner le monde des trekboers —

qui en avait besoin, il était forcé d'en convenir —, elle fonçait comme une mère éléphant écrasant le sous-bois à son passage, vers une destination qu'elle était seule à percevoir. Rien ne l'arrêterait. Le fait qu'elle se sente dirigée par Dieu ne la rendait que plus redoutable. Elle n'était pas cruelle et elle n'essayait pas d'accabler l'adversaire. Non, comme un torrent dévalant vers la mer, elle poursuivait sa route sur sa piste prédestinée.

Elle serait la force intérieure de la nouvelle religion en train d'éclore et de grandir dans l'Afrique du Sud : la femme silencieuse qui s'asseyait, sereine, dans le temple, tandis que les hommes faisaient de beaux discours ronflants et annonçaient les psaumes à chanter ; mais, dans l'intimité du foyer, c'était elle qui décidait des formes que prendrait, dans ses applications quotidiennes, la religion publique. Et si jamais les hommes trébuchaient malencontreusement vers quelque méfait, c'était toujours elle qui les ramenait sur le droit chemin du devoir. Elle s'opposerait au changement, aux distractions, aux idées nouvelles venues de l'étranger, à toute interprétation bizarre dans le pays même. Elle serait le cœur de granit de l'Église et ses enseignements paisibles prévaudraient sur tout.

En un mot, Adriaan en était venu à respecter sa belle-fille, non seulement en tant que force inexorable de l'avenir, mais aussi comme le type même de personne dure, rugueuse, tout juste humaine, dont on avait justement besoin en cet instant de l'histoire. C'était une épouse irréprochable, une mère attentionnée. Il appréciait son esprit caustique et sa capacité à foncer tout droit. C'était, tout bien mesuré, une femme de qualité. Et si elle s'en prenait à lui, c'était sûrement lui le fautif.

Il en est toujours ainsi quand les générations s'affrontent : les meilleurs des anciens n'ont aucun mal à apprécier les mérites de ceux qui, parmi les jeunes, font preuve d'intégrité. Ce sont les êtres de second plan, manquant d'intelligence et de compréhension, qui causent les problèmes. Et c'était justement ce que s'apprêtait à faire Lodevicus.

Ce fut la deuxième expédition contre les Bochimans qui montra à quel point son cœur était devenu de pierre. Oui, il méritait bien son titre de Marteau. Cette fois, il n'y avait pas eu de vol massif de bétail, simplement la disparition constante d'un bœuf par-ci, d'une vache par-là. Mais tous les éleveurs de la région étaient furieux contre les petits hommes bruns et, quand Lodevicus dit : « Ils sont comme la vermine. Il faut les exterminer de temps en temps », tout le monde tomba d'accord et on lança un commando vers le nord pour nettoyer la région.

Au cours de l'expédition, on n'utilisa pas de rhinocéros comme appât, et pour une bonne raison : il n'existait déjà plus une seule harde de gros animaux dans le pays. Ceux qui n'avaient pas été abattus avaient fui. Le rhinocéros, l'hippopotame, le lion, le zèbre, ces bêtes splendides qui hantaient ces collines avaient disparu devant le cheval et le fusil. Maintenant, ces deux armes redoutables se tournaient contre les Bochimans.

Lodevicus sépara son commando en trois groupes opérant comme une grande roue tournant en cercles de plus en plus serrés. Depuis leurs chevaux, les hommes observaient les petits hommes bruns pris au piège dans le cercle. Affolés, éperdus, ils couraient en tous sens. Et les cavaliers les abattaient l'un après l'autre. Ce ne fut pas un massacre global — quatre-vingt-dix d'un seul coup — comme la fois précédente, mais l'usure progressive à mesure que tombaient les cibles mouvantes. On compta deux cents cadavres.

Adriaan, se souvenant de son amitié avec les Bochimans, s'était élevé contre cette chasse, mais personne ne l'avait écouté. Cette absence totale d'humanité l'épouvanta... Un vieil homme, gêné par une sorte de ceinture qu'il portait, trébucha et s'écroula. Adriaan s'élança pour le sauver, mais Lodevicus le devança, abaissa son arme et tua le vieillard.

— Qu'as-tu fait ? cria Adriaan.

— Nous nettoyons le pays, répondit Vicus du haut de son cheval.

— Maudit ! Regarde donc !

Adriaan mit pied à terre pour mieux voir la ceinture du cadavre. Elle était en peau de rhinocéros et elle comportait huit bouts de corne d'élan. Il souleva la ceinture et cria : « Qu'est-ce que c'est, Vicus ? Dis-moi ! Qu'est-ce que c'est ?

Son fils arrêta son cheval, fit volte-face et lança au morceau de cuir un regard de mépris.

— On dirait une ceinture.

— Trempe ton doigt dans une de ces cornes.

Il obéit. Quand il ressortit son doigt, il était d'un bleu soutenu.

« Qu'est-ce que c'est, Vicus ?

Et quand son fils avoua son ignorance, Adriaan, cria, comme déchiré de souffrance :

« Ce sont les pots d'un artiste. Qui peint le veld vivant sur le plafond des grottes. Et tu l'as assassiné !

Il leva les yeux sur ce cavalier qui était son fils et il dit avec un sourire amer :

« Lodevicus le Marteau. Je ne partagerai pas ma demeure avec toi une journée de plus.

— C'est ma maison, dit Lodevicus. C'est moi qui l'ai construite.

— Lis donc la Bible ! s'écria le vieillard saisi d'une rage terrible. Tu l'as toujours sur les lèvres et tu ne sais pas que la maison d'Abraham est restée à lui jusqu'à sa mort ?... Non. Non. Tu l'as souillée... De sang rouge et de peinture bleue. Non. Je n'en veux plus.

Il tourna le dos à son fils, monta en selle et partit à travers les collines. A peine était-il entré au galop dans De Kraal qu'il criait :

— Seena ! Dépêche-toi, vieille Rousse. Prépare-toi à quitter cet endroit honteux.

— Très bien ! répondit-elle. Où allons-nous ?

— Je trouverai, dit-il, confiant.

Et, à soixante-quinze ans, les vieux vagabonds se mirent à songer aux terres lointaines où ils pourraient bâtir leur cabane.

En 1778, les Hollandais qui vinrent au Cap pour gouverner la colonie — pour des séjours de trop courte durée dans un pays qu'ils comprenaient mal — donnèrent une véritable preuve de leur désir d'administrer la région avec justice, car ils conçurent pour les problèmes de la frontière une solution plus humaine et plus digne que celles proposées par les Anglais ou les Français dans leurs colonies à la même époque.

Le gouverneur en personne quitta Le Cap et parcourut toute la piste de l'est, à cheval et en chariot à vaches, pour parler avec des trekboers comme les Van Doorn et des chefs indigènes comme Guzaka. Après avoir longuement réfléchi à ce qui serait le mieux pour tous, il renvoya un émissaire à De Kraal, avec un ordre écrit, concis et sans ambiguïté :

> Nous avons décidé que la seule solution pratique du problème des fermiers blancs sédentaires mêlés à des éleveurs noirs nomades consiste à séparer les deux groupes de façon rigoureuse et permanente. Cela permettra justice et sécurité pour chaque élément, laissant chacun libre de prospérer comme il le juge préférable. Comme la Compagnie projette l'immigration de nouveaux colons et comme les Noirs ont à coup sûr suffisamment de terres pour leurs besoins, nous ordonnons que chacun demeure à sa place actuelle et n'avance plus. Il ne devra y avoir aucun contact, d'aucune sorte, entre les Blancs et les Noirs.
>
> La rivière Grand-Poisson sera la ligne de démarcation définitive entre les races et l'on appliquera, maintenant et à jamais, une politique stricte de *séparation*. Aucun Blanc ne passera à l'est de la Grand-Poisson. Aucun Noir ne passera à l'ouest. De cette manière, la paix sera maintenue de façon permanente.

Quand l'émissaire rejoignit le gouverneur, il put affirmer avec assurance :

— Le problème de la frontière est réglé. Il n'y aura plus de conflit, parce que chaque camp demeurera de son côté de la rivière.

Mais, le lendemain du jour où il prononça ces paroles, Adriaan Van Doorn chargeait son chariot, tendait à sa femme un bâton de marche et faisait ses adieux à la famille de son fils.

— Avec Lodevicus, dit-il à Rébecca d'une voix triste, vous avez imposé une route si dure que je ne peux la suivre. Puisse votre Dieu vous donner la force d'aller jusqu'au bout.

— C'est également votre Dieu.

— Le mien est plus doux, répondit-il.

Il vit les joues de la jeune femme s'empourprer à cette remarque. Il l'embrassa et lui dit :

« Si le monde a des montagnes, c'est pour que les hommes vivent parfois dans des vallées séparées.

Il franchit la rivière à gué et construisit sa cabane juste au centre de la région où le gouverneur avait promis que plus jamais un seul Blanc ne viendrait s'installer.

Quand les espions xhosas apprirent à Guzaka qu'un trekboer avait violé l'ordre avant même qu'il ne soit vieux de sept jours, il se dit que la seule réaction logique était la guerre. Il rassembla un groupe de guerriers et prit la tête de la charge qui allait submerger la cabane coupable.

Avant qu'Adriaan puisse saisir son fusil, les sagaies volèrent et Seena était morte. Il prit l'arme par le canon et tenta de repousser les assaillants, mais ils le ceinturèrent. Ils lui maintinrent les bras en l'air et Guzaka l'acheva d'un coup de lance.

Et Lodevicus devint vraiment le Marteau : sa vengeance fut terrible. Consumé par la certitude que l'exode de ses parents avait été provoqué par lui-même, il n'avoua sa faute à personne, mais il entraîna ses commandos loin au-delà de la Grand-Poisson. En s'enfonçant profondément dans les terres des Xhosas, il détruisit à jamais la trêve prometteuse conclue par le gouverneur. Il incendia et massacra. Pour chaque vache volée par les Xhosas, il en ramena cent. A cheval, le fusil à la main, il lança ses hommes contre les Noirs à pied, armés de simples sagaies, en criant : « Tue ! Tue ! »

A son retour à De Kraal, dans son rapport de justification au gouverneur, il prétendit que seule l'infamie des Xhosas l'avait entraîné de l'autre côté de la Grand-Poisson, mais que la frontière resterait paisible à tout jamais. Il convainquit le gouverneur, mais non Guzaka, qui prépara sa revanche.

— Tous les kraals doivent être détruits ! tonnait-il dans les assemblées de nuit.

Si Vicus Van Doorn avait exigé une réparation après la mort de ses parents, Guzaka ne désirait rien de moins que l'extermination.

Ce fut à tous égards la plus déséquilibrée de toutes les guerres menées en Afrique, car chaque camp avait des avantages scandaleux. Par leur nombre, les Noirs dépassaient les Blancs dans un rapport de cent contre un et ils pouvaient écraser n'importe quelle ferme blanche isolée. Mais les Blancs possédaient les armes à feu et les chevaux, et, quand ces derniers pénétraient au galop dans un kraal noir, ils répandaient une telle terreur qu'un seul combattant blanc pouvait recharger méthodiquement son fusil et abattre une douzaine d'indigènes en fuite.

Tout demeura confus, le conflit d'intérêts lui-même ne fut jamais bien éclairci. Guzaka se sentait contraint de pousser lentement son bétail vers l'ouest, comme le faisait son peuple depuis huit siècles, et Lodevicus ne doutait pas que Dieu lui-même lui avait ordonné d'établir sur la rive opposée de la Grand-Poisson une communauté chrétienne obéissant aux préceptes de Jean Calvin. La propriété de la terre était un problème constant. La tribu de Guzaka avait toujours occupé la terre de façon globale et collective et elle se croyait en droit de réclamer tous les pâturages jusqu'au Cap. Les trekboers, au contraire, s'attachaient à une tradition que leurs ancêtres avaient défendue de leurs vies : l'idée que la ferme d'un homme mérite autant de respect qu'une âme.

A aucun moment de cette vaste bataille, il ne fut possible de déceler qui était en train de la gagner. Au début de 1778, Guzaka obtint une victoire marquante en rasant la cabane d'Adriaan Van Doorn, mais, au printemps de la même année, Vicus lança en représailles son célèbre « commando-tabac ». Se souvenant de sa tactique contre les Bochimans, le jour où il avait tiré un rhinocéros pour les attirer, il déposa du tabac sur le sol à un endroit qu'un groupe de guerriers xhosas devait traverser. Lorsqu'ils se baissèrent pour ramasser cette aubaine inespérée, ils périrent sous une grêle de plomb. En 1779, la guerre rangée éclata et des régiments noirs vinrent s'écraser contre les forces blanches. Cela se reproduisit en 1789 et en 1799, préludes sanglants des guerres beaucoup plus horribles qui se poursuivraient tout au long du siècle suivant.

Jamais, au cours des combats, Lodevicus ne compara les Xhosas aux Bochimans — ces petits animaux turbulents qu'il fallait exterminer. Comme les Xhosas étaient des hommes de sa taille, ils forçaient le respect. Il l'avoua à Rébecca après une expédition difficile :

— Quand nous les aurons pacifiés, ce seront de bons Cafres.

Guzaka n'avait pas du tout l'intention de devenir un « bon Cafre ». Par six fois, il lança ses guerriers contre De Kraal, toujours convaincu que, s'il l'abattait, il briserait l'esprit des trekboers. Mais, par six fois, les collines protectrices permirent aux éleveurs-combattants de repousser les assaillants et même de les massacrer au cours de la poursuite qui suivait invariablement leur défaite. Mais, la septième fois, en 1788, Guzaka et ses guerriers surgirent dans la vallée à l'improviste et trouvèrent Rébecca Van Doorn en train de se rendre de l'étable à la maison. Les sagaies volèrent et elle mourut avant que Lodevicus ait pu la rejoindre.

Loin d'éprouver la rage farouche qui l'avait animé après les morts similaires de sa mère et de son père, Lodevicus s'enferma dans le silence, ruminant la dure vérité que Dieu ne lui accordait pas les victoires faciles dont le dominee Specx lui avait parlé au cours des jours exaltants de la Révélation, à Swellendam. Et il était également tourmenté par le souvenir du jour où sa femme et sa mère avaient eu recours à la Bible pour savoir ce qui se produirait quand les Xhosas frapperaient. Les paroles revenaient en écho, ironiques : « Cent d'entre vous en mettront dix mille en fuite. » Mais un de ces dix mille, le maudit Guzaka, avait tué son père, sa mère et sa femme. La Nouvelle Jérusalem n'avait pas été établie de l'autre côté de la Grand-Poisson ; les Cananéens n'avaient pas été chassés de la maison du Seigneur ; en fait, ils semblaient sur le point de réduire cette maison en miettes.

Mais, bientôt, alors qu'il sombrait dans le désespoir, résigné à voir sa mission et celle des trekboers complètement bafouées, Dieu le visita de nouveau, en la personne d'une jeune fille de dix-neuf ans qui entra un beau jour dans De Kraal sur le dos d'un cheval blanc — toute seule. C'était Wilhelmina Heimstra, d'une des familles impies qui vivaient près de la mer. Elle était « envoyée », c'était manifeste :

— Je ne peux pas vivre dans l'idolâtrie. Je ne peux pas continuer mon existence sans la présence de Dieu.

— Vous ne pouvez pas rester ici, dit Lodevicus. Je n'ai pas de femme.

— C'est pour cela que je suis venue, répondit la jeune fille. Quand le messager nous a dit que les Xhosas avaient tué Rébecca, que je connaissais...

Lodevicus, quarante-neuf ans, le Marteau de la frontière, garda le silence. Dans tout le territoire qu'il commandait, il n'y avait aucun prédikant pour donner des conseils et pas d'autre consolateur des malades que lui-même. Il ne savait que faire. Puis il se souvint des grands patriarches de l'Ancien

Testament. N'avaient-ils pas connu les mêmes problèmes sur leurs frontières solitaires ? Des hommes déjà âgés sans femmes, des chefs de famille avec personne pour les assister... Il songea surtout à Abraham, le premier des grands trekboers.

> Et Sarah avait cent vingt-sept ans [...] et Sarah mourut [...] et Abraham prit le deuil de Sarah et pleura pour elle [...]. Puis Abraham prit une autre femme, dont le nom était Keturah.

N'était-il pas évident que Dieu lui avait envoyé cette jeune fille pour le réconforter sur ses vieux jours ? Mais le problème de la célébration d'un mariage chrétien sans ministre de Dieu était délicat.

— Vous ne pouvez pas rester ici alors que j'ai toujours ordonné aux autres de suivre le droit chemin.

— Vous avez ordonné, Lodevicus, c'est exact, mais personne n'a obéi. Tout le monde, dans le sud, vit comme on a toujours vécu. Je suis la seule qui ait écouté et qui se soit soumise.

Cela lui fit songer à sa propre expérience, quand le prédikant Specx, décédé depuis trois ans, avait prêché à des vingtaines de personnes qui n'avaient pas écouté et à un seul qui avait entendu. Cela fit une forte impression sur Lodevicus et, lorsqu'il leva les yeux sur cette fille aux cheveux filasse, tellement souriante et tellement différente de l'austère Rébecca, il fut tenté.

Ce fut vraiment très simple. Wilhelmina fit observer qu'elle ne pouvait pas revenir dans le sud, puisqu'elle s'était enfuie. Elle n'avait pas d'autre solution que de rester à De Kraal et elle s'installa dans la chambre qu'avaient occupée Adriaan et Seena. La troisième nuit, alors qu'elle était endormie, sa porte s'ouvrit et Lodevicus dit :

— Acceptez-vous d'être mariée devant Dieu ? Sans un dominee pour l'inscrire sur les registres ?

Elle répondit oui et neuf mois et huit jours plus tard naquit un garçon, qu'elle appela Tjaart.

En 1795 parvint à De Kraal une nouvelle qui stupéfia les Van Doorn, une nouvelle si révolutionnaire qu'ils ne possédaient aucune référence pour la comprendre. Un courrier du Cap avait traversé les plateaux jusqu'à Trianon et les montagnes jusqu'à Swellendam, puis il avait suivi le chapelet de fermes jusqu'à De Kraal ; et, à chacun de ses arrêts, quand il avait terminé son récit, tous les hommes s'écriaient :

— Comment est-ce possible ?

— Tout ce que je sais, c'est que c'est arrivé. Toutes les possessions de la Compagnie en Afrique australe doivent être remises aux Anglais. Nous ne sommes plus rattachés à la Hollande. Nous sommes sujets britanniques et nous devons obéir au roi.

C'était incompréhensible. Ces fermiers de la frontière n'avaient que les notions les plus vagues sur la Révolution qui s'était produite en France et sur la nouvelle République qui gouvernait maintenant la Hollande. Ils savaient que la France et l'Angleterre étaient en guerre, mais ils ignoraient que le nouveau gouvernement d'Amsterdam était du côté des Français, tandis que les anciens royalistes soutenaient l'Angleterre. Ils furent stupéfaits d'apprendre que leur prince d'Orange, Guillaume V, s'était enfui à Londres et que, de ce refuge, il avait cédé Le Cap à ses hôtes anglais.

Et ce qu'ils entendirent ensuite était encore plus déconcertant :

« Les vaisseaux de guerre anglais sont venus dans la baie. Mais le colonel Gordon s'est comporté en brave.

— C'est un Anglais ?

— Non, un Écossais.

— Mais que faisait-il dans le fort, contre les Anglais ?

— Il combattait pour nous, en bon Hollandais.

— Mais vous venez de dire qu'il est écossais.

— Son grand-père. Mais il est venu vivre en Hollande. Notre Gordon est un Hollandais de naissance... qui s'est engagé dans la brigade écossaise.

— Et les Écossais l'ont fait colonel en Écosse ?

— Non, la brigade écossaise est hollandaise. C'est nous qui l'avons fait colonel et c'est lui qui commandait le Château.

— Est-ce qu'il a repoussé les Anglais ?

— Non, il s'est rendu comme un poltron. Il n'a pas tiré un seul coup de canon et il a invité les Anglais à prendre tout.

— Mais vous avez dit qu'il était brave.

— Oui. Brave comme un tigre défendant ses petits. Parce qu'après le déshonneur de la reddition il s'est fait sauter la cervelle. Un héros.

Lodevicus et Wilhelmina demandèrent au courrier de répéter tous les détails de l'affaire et, pour conclure, l'homme en revint à la stupéfiante réalité :

— Cette colonie est anglaise, à présent. Vous serez tous confirmés dans la possession de vos fermes, et des soldats anglais viendront bientôt rétablir la paix sur la frontière.

Quand le jeune messager repartit pour aller répandre ses nouvelles troublantes parmi les autres trekboers, Lodevicus réunit sa famille, prit le petit Tjaart sur ses genoux et essaya de définir les principes qui gouverneraient leur nouvelle vie.

— Que savons-nous des Anglais ? Rien.

— Nous en savons beaucoup, répliqua sa femme en baissant aussitôt la tête pour se faire pardonner son impertinence. Nous savons qu'ils ne suivent pas les enseignements de Jean Calvin. Ils ne valent guère mieux que les catholiques.

Ce n'était pas une référence. Mais, bientôt, un homme arriva de Swellendam : il se présenta comme un « patriote » et il parla aux Van Doorn de l'Amérique où les Anglais possédaient autrefois des colonies, mais où les citoyens s'étaient révoltés contre la souveraineté britannique.

— Ce que j'ai appris quand j'étais à New York, lui dit-il, c'est que, du jour où des magistrats anglais débarquent, les soldats anglais sont toujours prêts à suivre. Souvenez-vous de mes paroles : vous verrez des Tuniques rouges sur votre frontière avant la fin de l'année. Et ce ne sera pas Lodevicus Van Doorn qui leur dira comment traiter les Cafres.

Du coin de la pièce où il se tenait avec Tjaart, Lodevicus évoqua les problèmes réels qui allaient assaillir les Hollandais en Afrique :

— Les nouveaux gouvernants, qui n'ont pas les mêmes traditions que nous, tenteront de modifier notre Église, de la remodeler à leur image, de détruire nos anciennes convictions. Pour sauvegarder notre intégrité, il nous faudra lutter dix fois plus fort que contre les Xhosas, parce que les Anglais s'attaqueront à nos âmes.

« Comme ils ne parlent pas notre langue, ils nous forceront à parler la leur. Ils rédigeront leurs lois en anglais, ils importeront des livres imprimés en anglais, ils exigeront que nous lisions nos prières dans leur Bible en anglais.

Tendant l'index comme un prophète de l'Ancien Testament vers les enfants dispersés dans la pièce, il s'écria d'une voix lugubre :

« On vous interdira de parler hollandais. On vous obligera à tout faire en anglais.

Bien des années plus tard, Tjaart devait dire :

— La première image de la vie dont je me souvienne, c'est celle d'une pièce sombre et de mon père qui tonnait : « Si mon conquérant m'oblige à parler sa langue, il fait de moi son esclave. Résistez ! Résistez ! »

Et quand les Tuniques rouges arrivèrent, suivies par les magistrats, les Van Doorn résistèrent — car ils passèrent pour des imbéciles d'avoir résisté ainsi, car, quelques années plus tard, tout sombra de nouveau dans la confusion. Le même messager galopa vers l'est, sur la même piste, avec une nouvelle encore plus stupéfiante que la première :

— Nous sommes tous redevenus hollandais ! L'Angleterre et la Hollande se sont alliées pour combattre un nommé Napoléon Bonaparte. Vous pouvez ne pas tenir compte des lois anglaises.

Et les Tuniques rouges se retirèrent ; les craintes des Van Doorn s'avérèrent sans fondement ; la vie reprit son ordre du tout au tout. Guzaka continua ses razzias en deçà de la Grand-Poisson et Vicus le martela de plus belle pour son insolence. Les morts devinrent si fréquentes qu'on oubliait souvent d'en rendre compte à Swellendam.

La restauration de la souveraineté néerlandaise eut un étrange effet secondaire : un fonctionnaire, de bas étage mais de haute vanité, vint de Hollande pour inspecter la frontière et, au terme de sa visite, il fit un sermon sur la désolante détérioration de la langue au sein de la colonie :

— Parfois, j'ai à peine le sentiment d'écouter du hollandais, tant vos gens malmènent la langue.

Il sortit de sa poche un bout de papier où il avait noté des mots qu'il ne connaissait pas.

« Vous empruntez des mots avec la plus attristante des désinvoltures et vous oubliez votre bon vocabulaire hollandais pour adopter la lie des langues indigènes.

Il lut des néologismes comme *kraal, bobotie, assegai, lobola.*

« Il faut vous purifier de ces abominations, s'écria-t-il, en se lançant dans une critique sur les ordres de mots incorrects et les défauts de prononciation.

Quand il eut terminé, Lodevicus lui répliqua d'un ton âpre :

— Vous voudriez nous faire passer pour des barbares !

— C'est ce que vous deviendrez si vous perdez votre hollandais, lui dit le visiteur.

Ce fut le début de la méfiance de la famille Van Doorn à l'égard des Hollandais de Hollande — une bande de prétentieux, imbus de leur métropole et déplaisants, qui n'entendaient rien aux problèmes de la vie sur la frontière.

Après le départ de l'homme, Lodevicus rassembla son clan et dit :

— Nous parlerons le hollandais que nous avons envie d'entendre dans nos oreilles.

Et le seul résultat fut qu'un fossé encore plus profond se creusa entre leur langue hollandaise héritée et le nouvel idiome qu'ils étaient en train de construire.

En dépit des incertitudes et de la guerre, Lodevicus développa avec succès sa ferme d'élevage et élargit ses limites bien au-delà de la couronne de collines de De Kraal. Il lui fallut de l'aide et il essaya d'attirer des guerriers xhosas pour qu'ils travaillent dans sa ferme. Ce fut impossible : il maudit leur arrogance et partit à Swellendam avec son chariot pour acheter des esclaves : deux Malgaches et trois Angolais. En raison de sa richesse manifeste, on le nomma *veldkornet** de son district. Il avait belle allure : grand, épais, cheveux blancs, des favoris autour du visage. Il portait des vêtements solides et il maintenait son pantalon lourd à la fois avec une ceinture et des bretelles. Quand il marchait au milieu d'inconnus, il avançait à grandes enjambées, avec Wilhelmina à quatre pas respectueux derrière lui. En public, quand elle parlait de lui, elle disait toujours « le Mijnheer ». Il était heureux de voir avec quelle facilité elle assumait le rôle joué par Rébecca en tant que force religieuse agissante. Mais elle donnait à son action un ton bien différent. Elle était aimable, indulgente pour les défaillances mineures et beaucoup plus ardente à assister tous ceux qui s'adressaient à elle. Elle chantait en travaillant et elle fut comblée de joie en apprenant qu'un vrai temple venait d'être construit à Graaff-Reinet, à cent trente et quelques kilomètres au nord-ouest.

— Il faut aller voir le prédikant pour notre mariage.

— Je ne peux pas quitter la ferme.

Wilhelmina éclata de rire.

— Et vous prétendez être un trekboer ?

— Plus maintenant. Les Van Doorn ont fini d'errer. Cette maison est notre foyer.

— Mais il faut baptiser Tjaart, dit-elle avec une simplicité vraiment sans réplique.

Les aînés des enfants Van Doorn prirent donc la ferme en main, tandis que leur belle-mère entraînait Lodevicus et le petit Tjaart vers leurs devoirs religieux.

Ce fut un voyage fantastique et Tjaart était déjà assez âgé pour se souvenir plus tard des vastes espaces vides et des belles collines aux sommets aplatis. Jamais il n'oublierait l'instant où ses parents arrêtèrent leurs chevaux à quelques kilomètres au sud du nouveau village pour observer le pic extraordinaire qui en gardait le site : depuis la terre plate, il s'élevait en pente douce jusqu'à ce qui aurait dû être son sommet, puis il se transformait soudain en une tour ronde, très haute, aux murs nus de granit gris massif. Enfin, tout au sommet, comme une belle pyramide verte, des pentes boisées se dressaient en un chapiteau délicat.

— Dieu doit avoir placé ceci en ces lieux, pour nous guider vers des choses importantes, dit Lodevicus.

Ces mots se gravèrent au cœur de son fils et l'endroit s'imprima en lui de façon indélébile. Tjaart se souviendrait de ce pic longtemps après avoir oublié le mariage de ses parents et son propre baptême.

L'enfant possédait désormais les trois souvenirs sur lesquels il bâtirait son destin : le mode de vie hollandais devait être défendu à tout prix contre l'ennemi anglais ; Graaff-Reinet était un centre fabuleux ; et, loin dans le nord, comme grand-père Adriaan l'avait dit aux autres enfants avant de mourir, se trouvait une vallée ouverte, d'une beauté irrésistible, qu'il avait appelée Vrijmeer.

Puis, en 1806, alors que les Van Doorn se félicitaient d'avoir résisté à la menace anglaise et d'avoir conservé leur pays dans le calvinisme, le choc définitif se produisit. Parce que les Hollandais de la métropole avaient joint leurs forces à celles de Napoléon, l'Angleterre s'était sentie obligée de réoccuper Le Cap pour l'empêcher de tomber aux mains des Français, qui leur auraient coupé ainsi la route vitale des Indes. C'était maintenant une possession anglaise et ni le gouvernement local hollandais ni la métropole hollandaise n'exerceraient plus aucune souveraineté. Toutes les appréhensions de Lodevicus sur l'oppression anglaise redevinrent valides.

Le Cap, après avoir été une escale entre la Hollande et Java de 1647 à 1806, devint une escale entre l'Angleterre et les Indes. L'indifférence avec laquelle la Hollande avait toujours traité cette possession au potentiel magnifique allait faire place à l'arrogance anglaise.

En cette période de bouleversements, il était inévitable que des jugements de tous ordres soient portés sur la longue souveraineté de la Hollande, et certains observateurs — des Hollandais qui avaient connu les possessions de leur pays dans d'autres parties du monde, des Anglais qui s'étaient battus au cours des guerres américaines et des Français qui avaient parcouru le monde entier — firent remarquer que l'administration hollandaise avait été presque sans équivalent dans l'histoire du monde. La métropole n'avait permis ni au trône, ni au Parlement, ni au peuple d'intervenir dans le gouvernement de cette possession lointaine. Le pouvoir était resté entre les mains d'une clique d'hommes d'affaires qui prenaient toutes les décisions uniquement en fonction du profit. Certes, les bénéfices avaient parfois été largement répartis et le gouvernement d'Amsterdam en avait obtenu une part confortable, mais, dans son essence même, la colonie était demeurée une affaire bassement mercantile.

Cela avait imposé des limites. La colonisation bourgeonnante qui caractérisait les établissements français, espagnols et britanniques en Amérique du Nord — les citoyens enthousiastes s'avançant hardiment à l'intérieur des terres — avait été découragée en Afrique australe. Les XVII Seigneuries prêchaient toujours la prudence, obstacle que seuls des éléments turbulents comme les Van Doorn surmontaient en se dispersant trop loin de tout pour être facilement soumis à la discipline. Aucune accusation contre la Compagnie n'était plus justifiée que le reproche d'avoir freiné la croissance. Les limites du pays, qui auraient dû être élargies jusqu'aux frontières naturelles — peut-être le Zambèze, comme le suggérait le Dr Linnart —, n'avaient même pas été définies, ce qui signifiait que l'entité géographique n'avait même pas vu le jour. Des hommes d'affaires lointains, n'ayant en tête que le profit, ne pouvaient pas engendrer un sentiment de destinée nationale. En fait, ils redoutaient la naissance d'un mouvement de ce genre, car tout leur aurait échappé des mains. Mais, sans cette impulsion spirituelle contraignante, aucun pays ne peut atteindre les limites auxquelles la géographie, l'histoire, la philosophie et l'espoir lui donnent droit. A cause de la politique de la Compagnie, appliquée avec rigueur tout au long de seize décennies, l'Afrique du Sud demeurait un État amputé, avec dans son sein pas plus d'une poignée de pionniers obstinés — comme les Van Doorn — impatients de se lancer dans l'inconnu.

La comparaison avec le développement de l'Amérique du Nord était inéluctable. En 1806, quand les Anglais prirent définitivement le pouvoir, l'Afrique australe ne comptait que 26 000 colons blancs. Le Canada, qui était né vers la même époque que Le Cap, sur un territoire moins favorable, en comptait 250 000, et les jeunes États-Unis, plus de six millions. Le Mexique, plus vieux que l'Afrique du Sud d'un siècle, en avait 885 000. La raison principale en était très simple : les XVII Seigneuries étaient si réticentes à permettre toute immigration dont la Compagnie ne retirerait pas un profit immédiat que, tout au long du XVIIIe siècle, elles n'avaient autorisé le débarquement que de 1 600 colons ! Seize nouveaux venus par an ne peuvent suffire à maintenir la santé d'une société nouvelle — ni d'ailleurs d'une ancienne.

Mais les XVII Seigneuries n'étaient pas entièrement à blâmer, car, dans les rares occasions où elles voulurent encourager l'immigration, la réaction des colons déjà installés au Cap fut uniformément négative.

— Il est absolument impossible, disaient les détenteurs de terres, d'introduire davantage de Blancs dans le pays, parce qu'ils ne pourraient pas trouver de moyens de subsistance.

Cela signifiait en fait que les situations privilégiées déjà acquises par les gens installés ne seraient pas partagées. Et il n'y avait pas de place libre pour l'émigrant rude et appauvri qui cherchait un nouveau pays et une nouvelle chance, parce que le travail par lequel ces gens auraient normalement débuté était déjà accompli par des esclaves.

Pendant le temps que perdaient les Seigneuries méfiantes à approuver une migration intérieure de cent kilomètres, les colons d'Amérique du Nord avaient avancé dix fois plus loin. Tandis que la Compagnie autorisait à regret la fondation de petites villes comme Stellenbosch et Swellendam, relativement proches du Cap, des colons libres, français et anglais, construisaient déjà des communautés comme Montréal et Detroit, très loin à l'intérieur des terres, établissant ainsi les bases d'une expansion ultérieure vers l'ouest.

Le problème n'était pas que les Hollandais ne songeaient qu'au commerce et les Anglais non. Si les marchands anglais avaient été autorisés à régner sur l'Amérique du Nord, ils auraient peut-être reproduit la folie des Hollandais, mais le mercantilisme anglais ne fut jamais libre de dicter ses lois dans les colonies britanniques, à la façon de la Jan Compagnie.

En quoi consistait la différence ? Non seulement le système hollandais de gouvernement permettait à ces hommes d'affaires de tout régenter sans contrôle, mais il les y encourageait ; tandis que le gouvernement anglais, après avoir débuté dans la même voie, avait rapidement confié les affaires au Parlement, en s'appuyant sur une presse libre et sur le désir inné de liberté de ses ressortissants d'outre-mer. Les marchands anglais eurent peut-être envie d'imiter le précédent hollandais, mais les institutions de liberté les en empêchèrent.

A aucun égard, l'incapacité des Hollandais ne se révéla de façon plus manifeste que dans le domaine de l'éducation et de la dissémination de la culture. Parce que la population était très faible et dispersée sur des milliers de kilomètres carrés, l'établissement de grandes écoles était impraticable et celles que l'on tenta d'ouvrir dans les villes furent détestables. Dans le veld, où grandissaient d'innombrables enfants comme ceux des Van Doorn, l'éducation était abandonnée à un groupe de vagabonds sachant à peine lire et écrire. C'étaient en général des commis incapables, renvoyés par la Compagnie, qui allaient de ferme en ferme dispenser leurs connaissances rudimentaires tout en augmentant leurs revenus de bric et de broc, tantôt composant une lettre d'amour, tantôt fabriquant un cercueil. Les trekboers Van Doorn n'étaient pas les seuls à avoir des enfants illettrés. Un voyageur estima que soixante-quinze pour cent des enfants de la colonie ne savaient pas lire.

Ce n'était pas surprenant, car la Compagnie gouverna Le Cap pendant presque un siècle et demi avant d'autoriser les colons à importer une presse d'imprimerie, à publier des livres ou à imprimer des journaux. Au Canada, ces choses étaient venues automatiquement ou presque, et l'Amérique n'aurait pas été ce qu'elle est sans ses imprimeurs ambulants, ses placards incendiaires et ses journaux agressifs. Mais c'était précisément ces causes éventuelles de troubles que la Compagnie voulait empêcher — et elle y réussit.

Dans un tel climat ne pouvait naître évidemment aucune institution d'éducation supérieure. A cet égard, la comparaison avec d'autres colonies était choquante. Les Espagnols, qui conquirent le Mexique en 1521, avaient ouvert une grande université dès 1553. Ils prirent le Pérou en 1533 et la première université commença son enseignement en 1551. Les Anglais, qui débarquèrent à Plymouth Rock en 1619, avaient un collège fonctionnant à Harvard en 1636 et, avant le début de la Révolution en 1776, seize grandes facultés dispensaient un enseignement de haut niveau. Pendant toute la période hollandaise de l'Afrique du Sud, la Compagnie ne songea jamais à promouvoir un seul établissement universitaire.

Bien entendu, les éléments brillants du Cap remontaient parfois jusqu'à Leyde ou Amsterdam, où de magnifiques universités étaient à leur disposition. Mais une nation naissante a besoin d'intelligence spéculative nourrie dans les institutions locales. Ce sont ces institutions qui produisent le bon levain : les nouvelles idées-forces applicables aux situations du pays. Toute l'histoire de l'Afrique du Sud aurait été différente si l'on avait institué un système scolaire solide couronné par une université animée par les meilleurs éléments du pays et consacrée à la création d'une nouvelle société. A la place, on s'attacha toujours à écraser les idées nouvelles ou à les empêcher de germer.

L'Église doit partager une bonne partie de ces reproches. Ses dirigeants étaient persuadés qu'ils ne pouvaient faire confiance qu'à des prédikants formés dans les centres conservateurs de la Hollande et l'idée qu'un séminaire établi au Cap puisse soutenir des opinions nouvelles les remplissait d'effroi. L'Afrique du Sud a pâti de l'absence de ces farouches ministres-pèlerins de Nouvelle-Angleterre qui se coupèrent de la tutelle européenne pour aborder les problèmes religieux dans une optique locale.

« La nuit de ténèbres dans laquelle la nation sud-africaine est née... », telle devait être l'appréciation de certains historiens sur cette période des trekboers, où l'esprit mercantile étouffa les besoins des citoyens sur le plan des connaissances, de la création et de la politique.

Mais la médaille n'avait pas qu'un revers : l'autre face était brillante. Quelques enfants hollandais, grâce à un enseignement assidu au sein de la famille, reçurent une éducation presque comparable à celle que leur aurait offerte n'importe quel pays européen et, si les Boers n'avaient ni Oxford, ni Harvard, ni Sorbonne, ils possédaient leur université bien à eux, dont les leçons demeurent parmi les plus efficaces de l'histoire de l'éducation. Ils avaient la Bible, qui les accompagnait partout où ils allaient ; et leurs cours étaient l'Ancien Testament, dont les récits prédisaient tout événement susceptible de se produire. De nombreuses familles trekboers, comme celles de Rooi Van Valck et d'Adriaan Van Doorn, ignoraient la Bible, bien entendu, soit par analphabétisme, soit par indifférence. Mais la majorité l'étudiait et lui obéissait.

Peu de nations furent aussi solidement endoctrinées par un groupe de principes que les Hollandais d'Afrique australe. Et cela engendra un *Volk* — un peuple — d'une énergie farouche et d'une confiance en soi irrésistible, doté de la volonté acharnée de durer. Avec le soutien constant de cette « université » théologique, que chaque homme pouvait emporter avec lui dans ses déplacements, la colonie hollandaise devint un État conservateur, animé par la crainte de Dieu, et elle allait le demeurer malgré l'occupation anglaise, la persécution anglaise, les guerres anglaises et la menace constante de valeurs anglaises imposées. En Afrique du Sud, l'Ancien Testament triompha de l'université parce qu'il était l'université.

Sur un point majeur, Lodevicus Van Doorn se trompait. Quand il clamait : « L'Afrique du Sud est hollandaise et elle le restera toujours », il évaluait mal la composition de la communauté blanche : Hollandais d'origine, quarante pour cent ; Allemands d'origine, trente-cinq pour cent ; composante huguenote, vingt pour cent ; et, bien que plus tard les descendants des Van Doorn le nieraient, la composante malaise-hottentote-noire représentait au moins cinq pour cent. Ce mélange créateur avait produit un beau *Volk*, rude mais plein de ressort, tout empreint de l'esprit trekboer. Aucun gouverneur anglais n'aurait la vie facile quand il tenterait de discipliner ces hommes dans la voie tracée par l'autorité.

Le missionnaire

Les Anglais, venus si tard en Afrique du Sud et avec une puissance si envahissante, étaient des hommes de courage, comme le démontre la lignée des Saltwood de Salisbury, évêché du sud-ouest de Londres. Le 15 août 1640, après trois années d'aventures risquées dans les îles des Épices, le capitaine Nicholas Saltwood, à bord de son petit vaisseau *Acorn*, toucha enfin au port de Plymouth avec une énorme cargaison de noix de muscade, de girofle et de cinnamome. Les profits furent si considérables que tous ses associés — qui avaient cru leur ami mort et leurs investissements perdus — se retrouvèrent riches du jour au lendemain.

Deux heures après avoir jeté l'ancre, il revendit l'*Acorn*. Ses partenaires, impatients de le voir repartir, lui demandaient pourquoi il prenait de façon aussi hâtive une décision contraire à ses intérêts.

— Vous avez investi de l'argent, leur dit-il. Moi, j'ai investi ma vie contre les pirates, les tempêtes et les forts portugais. Jamais plus.

Une fois seul avec son épouse Henrietta, qui avait passé ces trois années dans un dénuement presque total, il l'embrassa très fort et l'entraîna dans un petit pas de danse au milieu de leur logement misérable.

— Il y a des années, mon amour, devant la cathédrale de Salisbury, j'ai juré que, si je parvenais aux îles des Épices et si je faisais fortune, je t'offrirais une maison dans les prairies, sur les rives de l'Avon. Tu vas l'avoir !

Il plaça ses sacs d'argent et ses traites sur les marchands d'épices de Londres, avec Henrietta, dans une voiture fermée, et le reste de ses biens sur deux fardiers. Prenant la tête de ses gardes armés, il dirigea le cortège par les chemins riants du sud de l'Angleterre jusqu'à la vaste plaine où se dresse la cathédrale de Salisbury. Là, sur la rive droite de l'Avon, il acheta neuf bons arpents et les sept cygnes qui veillaient sur ces eaux paisibles.

En bon Anglais avisé, le capitaine Saltwood songea à son jardin avant de faire construire sa maison. C'était un homme vigoureux qui préférait les arbres aux fleurs et il plaça les siens de façon à bien encadrer la belle cathédrale sur la rive opposée. Sur la gauche, il planta neuf cèdres bien racinés, dont les branches sombres balayaient le sol. Presque au centre, mais pas tout à fait, il disposa onze marronniers : au printemps, ils se pareraient de fleurs blanches et, à l'automne, les enfants joueraient avec leurs fruits. Tout à droite, et assez loin de la rivière pour plus de sécurité, il planta un groupe de chênes minces — avec le temps, leurs troncs deviendraient énormes et leurs branches puissantes ; les cygnes iraient se blottir dans leur ombre quand ils quitteraient la rivière.

Il appela ses arbres « sentinelles » et la maison qu'il construisit ensuite au milieu d'eux conserva le même nom. Le bâtiment, à un étage, fut conçu dans un style de construction plus ancien, connu sous le nom de *hang-tile*. Les murs du rez-de-chaussée étaient en brique ordinaire et n'avaient rien d'exceptionnel, mais le revêtement de l'étage sortait des sentiers battus : au lieu d'utiliser des briques, on avait placé des tuiles ordinaires verticalement. Cela faisait un effet très « quatorzième siècle », comme si le toit avait glissé, abandonnant sa place habituelle pour descendre recouvrir les murs. Le vrai toit était de chaume, épais de seize pouces et aussi bien peigné qu'un enfant de chœur sur le chemin de l'église.

Des générations de Saltwood allaient se rassembler sous les arbres-sentinelles pour discuter des problèmes de leurs familles tout en contemplant la flèche de la cathédrale. Selon les principes stricts énoncés par le capitaine Nicholas, ils continuèrent de se montrer prudents pour la protection de leur patrimoine, mais audacieux dans l'investissement de leurs bénéfices. Vers 1710, un certain Timothy Saltwood eut la chance de se lier avec le « Proprietor », gentilhomme d'auguste lignage à qui appartenait une bonne partie de la région. Bientôt, Timothy devint le fondé de pouvoir de ce propriétaire foncier, charge et dignité que les Saltwood se transmirent de père en fils.

Une après-midi, au tout début du XIXe siècle, Josiah

Saltwood, le maître des Sentinelles à l'époque, s'assit près de sa femme sur un banc sous les chênes.

— Je crois qu'il est temps de nous réunir avec les enfants, dit-il.

Il s'arrêta, comme si des choses très graves étaient en suspens, puis il ajouta, très vite :

« Rien de sérieux, bien sûr. Simplement tout leur avenir.

Sa femme éclata de rire.

— Ils sont par là. Je peux les faire appeler.

— Non, pas tout de suite. Il faut que j'aille à Vieux-Sarum avec le Proprietor. Pour l'élection, n'est-ce pas.

Sa femme à ses côtés, et suivi par les cygnes, il traversa la pelouse vers l'allée où le palefrenier lui amenait son cheval sellé.

La belle cathédrale ne s'était pas toujours trouvée à son endroit actuel. Aux premiers jours du christianisme en Angleterre, une cathédrale château fort très différente, clef de voûte de la sécurité dans cette partie du pays, se dressait sur une colline basse à deux lieues environ vers le nord. De là, des évêques pieux avaient exercé autant de pouvoir que les maîtres du château l'avaient permis. Elle avait porté toute une kyrielle étonnante de noms romains et saxons, mais on ne la connaissait plus depuis longtemps que sous celui de Sarum — c'était sous ses voûtes qu'était né l'ensemble d'ordonnances et de règlements ecclésiastiques dits « les Us de Sarum », adoptés par une bonne partie de l'Église anglaise.

La première cathédrale, commencée en 1075, était un vaste bâtiment très simple, dans le style français, construit au sein des murailles du château fort. Entre les deux groupes qui occupaient l'enceinte — prêtres et soldats —, les frictions furent si vives que la rupture devint inéluctable. On a du mal à imaginer une protestation officielle plus violente et extrême que celle du pape Honorius III, qui résuma en ces termes les difficultés du clergé à Sarum :

> Les prêtres ne peuvent y rester sans que leur vie soit en danger. Les vents hurlent avec une telle fureur qu'ils ne s'entendent pas parler. Les bâtiments sont en ruine. Les fidèles ne sont pas assez nombreux pour effectuer les

> réparations. L'eau est rare. La garnison empêche les gens de se rendre à la cathédrale. Le logement est insuffisant pour les prêtres, qui doivent acheter leur maison. La blancheur du calcaire provoque la cécité.

L'évêque résolut ces difficultés en offrant de déplacer sa cathédrale de Sarum à un champ en friche plus loin vers le sud : c'est là que la ville de Salisbury naîtrait par la suite. L'échange eut lieu et la cathédrale de Sarum fut abandonnée. L'évêque y trouva son compte : il était propriétaire du champ en friche et il le vendit à l'Église avec un coquet bénéfice.

Après la perte de sa cathédrale, Sarum déclina. Elle se flattait autrefois d'avoir deux mille habitants ; la population tomba à mille, puis à cinq cents, puis à une poignée. Au début du XVIIIe siècle, il ne restait pratiquement personne. La cathédrale et le château étaient aussi en ruine l'une que l'autre.

Mais la tradition a du mal à mourir en Angleterre — et dans la campagne anglaise plus que partout ailleurs. A la fin du XIIIe siècle, quand le Parlement s'était réuni, Sarum, bourg important et favorable au roi, s'était vu accorder deux sièges. Aux jours de sa gloire, la ville avait envoyé à Londres plus d'un homme de talent. Dans tout autre pays, ces deux sièges auraient été annulés avec le départ de l'évêque et de la population. Mais non en Angleterre, où le passé est sacré. Si Sarum avait eu droit autrefois à deux sièges, Vieux-Sarum (comme on l'appelait désormais) devait conserver ce même droit. Ces terres en friche, sans un seul être humain ou presque résidant sur le site du bourg ou dans les environs, détenaient toujours le privilège d'envoyer deux députés au Parlement et exerçaient ce droit avec arrogance.

Sarum connut donc une nouvelle célébrité : c'était « le plus pourri de tous les bourgs pourris d'Angleterre ». L'expression s'appliquait aux anciennes agglomérations abandonnées, ou de population très réduite, qui s'accrochaient à leurs anciens privilèges selon le principe que « le Parlement représente la terre, non le peuple ». Et, en ce début du XIXe siècle, un quart des membres du Parlement venaient de bourgs qui n'auraient pas dû, en toute logique, être représentés — et un pourcentage choquant de ces bourgs ressemblaient à Vieux-Sarum, où ne vivait presque personne.

Quand un Parlement était dissous et une nouvelle assemblée autorisée, qui choisissait les hommes pour représenter un « bourg pourri », surtout quand il n'y avait aucun électeur ? La coutume disait que le propriétaire de la terre conservait le droit de nommer qui il voulait pour la représenter. Et ce système était d'autant plus scandaleux, aux yeux des gens de bon sens, qu'un lieu désert comme Vieux-Sarum pouvait avoir deux représentants au Parlement, tandis que de grandes villes comme Birmingham et Manchester n'en avaient aucun.

A Vieux-Sarum, pendant la première décennie du XIXe siècle, se tint donc une élection pour les membres du nouveau Parlement sur le point de se réunir : le Proprietor quitta Salisbury dans sa voiture pour se rendre sur les lieux, accompagné par son fondé de pouvoir, Josiah Saltwood, âgé de quarante-neuf ans. Ils partirent de la rive sud de l'Avon, passèrent sur le pont de pierre vieux de cinq siècles, longèrent la magnifique cathédrale avec sa haute tour blanche, puis traversèrent le quartier des auberges, d'où partaient les diligences de Londres. Ils franchirent la porte Nord et pénétrèrent dans de belles collines qui ondulaient jusqu'à Vieux-Sarum et, après une agréable promenade en campagne, ils parvinrent au sud de la butte sur laquelle se dressaient les vieilles ruines.

Sans prendre la peine de monter sur cette butte, ils s'arrêtèrent près d'un orme dont les branches créaient comme un amphithéâtre d'ombre. Descendant avec précaution de sa voiture, le Proprietor, vieillard aux cheveux blancs et aux yeux bleus très doux, parcourut le paysage du regard.

— Nous avons rarement connu une aussi belle journée d'élections, n'est-ce pas, Josiah ?

— L'ancien Parlement a bien choisi sa date de dissolution, répondit le fondé de pouvoir.

— Je me souviens de tempêtes redoutables, s'écria le vieillard au souvenir de jours d'élections où la pluie traversait les frondaisons épaisses de l'orme. Mais notre travail ne prend jamais longtemps, Dieu merci.

Le cocher conduisit les chevaux à quelque distance de l'arbre, un autre serviteur installa une table pliante sur un coin de gazon dégagé et cala les pieds avec des morceaux de bois mort. Le Proprietor ouvrit un classeur contenant les documents légaux.

— Je pense que vous trouverez tout en bon ordre, dit Saltwood.

— J'en suis persuadé, répondit le vieillard.

Il portait des favoris blancs et son maintien demeurait très militaire, car il avait servi son pays en de nombreuses circonstances, à l'étranger. Chose curieuse, jamais il ne s'était élu pour occuper l'un de ses sièges au Parlement. Comme son père avant lui, il avait toujours choisi d'autres hommes, qu'il jugeait capables de sagesse et de jugement, de sorte que Vieux-Sarum — bourg pourri et insulte à la raison — avait envoyé à Londres toute une série de politiciens remarquables, dont la plupart n'avaient jamais mis les pieds à Vieux-Sarum ou même à Salisbury. En fait, aucun d'eux n'avait jamais vécu à moins de quatre-vingts kilomètres de la cité défunte, mais ils avaient accepté leur nomination comme un droit et ils avaient bien rempli leur charge. William Pitt l'Aîné, l'un des plus éminents hommes d'État du siècle précédent, n'aurait jamais pu agir avec autant d'indépendance s'il n'avait pas été envoyé au Parlement par Vieux-Sarum, dont il n'avait pas besoin d'apaiser les électeurs invisibles.

— Qui seront les élus cette fois ? demanda Saltwood.

— Une surprise, et pas de surprise, répondit le Proprietor en prenant dans sa poche un mémorandum personnel. Le cher vieux Sir Charles conservera son siège, bien entendu. Il ne prend jamais la parole à la Chambre, ne propose aucune loi et pourrait aussi bien rester chez lui, mais il n'a jamais fait de mal non plus, et je ne suis pas le seul à le considérer comme le meilleur parlementaire de l'histoire récente.

Le nom de Sir Charles fut inscrit dans les règles sur le rapport des élections que Saltwood enverrait à Londres.

« La surprise, c'est le deuxième nom, dit le Proprietor en tendant la feuille de papier à son fondé de pouvoir. Voyez vous-même.

Et en seconde place sur le mémorandum était écrit « Josiah Saltwood ».

— Moi, monsieur ?

— Vous avez plus de tête que la plupart d'entre eux, Josiah, et j'ai envie de vous récompenser.

Saltwood avala sa salive. Un siège comme celui-ci, venant de l'un des bourgs pourris, pouvait coûter à un homme politique débutant au moins mille livres, qu'il faudrait débourser de nouveau périodiquement, mais, par rapport à l'argent qu'un homme malin pouvait amasser s'il détenait un siège au Parlement, la dépense était minime. Se voir offrir une aubaine de ce genre relevait du rêve pur — et voici que tombait entre ses mains un cadeau qu'il n'avait même pas sollicité !

« Vous êtes l'homme de la situation, lui dit le vieillard. Mais je veux que vous preniez votre charge au sérieux. Pendant les quatre premières années, il vaudra mieux que vous ne disiez rien. Vous vous bornerez à écouter et à voter selon mes indications, mais, au bout de quatre ou cinq ans, vous pourrez commencer à faire certaines choses. Rien de brillant. Il ne faut pas vous faire remarquer. Les provinciaux s'exposent souvent au ridicule et ne durent pas. Montrez-moi un représentant de Vieux-Sarum qui a parlé beaucoup et vous verrez qu'il n'a duré qu'une législature.

Saltwood avait grande envie de demander : « Et William Pitt ? », mais il eut le bon sens de se taire. Et comme il gardait le silence, ainsi que le préconisait le Proprietor, le vieil homme ajouta :

« Même Pitt parlait trop. Il aurait mieux fait de se taire plus souvent.

Le vieillard signa tous les documents nécessaires et Saltwood les contresigna, puis il fit un geste en direction des chevaux. Une fois bien installé dans sa voiture, prêt à rentrer à la cathédrale pour les vêpres, le Proprietor leva son chapeau vers son fondé de pouvoir, à cheval près de la portière.

« Voilà une bonne chose de faite, dit-il.

Derrière eux, le grand orme immobile étendait ses branches sur un vaste territoire. Depuis trois cents ans, cet arbre vénérable avait été le témoin d'élections comme celle-ci, mais jamais avec une rapidité aussi fulgurante. Un pourcentage significatif de membres du Parlement étaient élus ainsi par un seul homme, en moins de sept minutes.

Quand Josiah Saltwood réunit sa famille sous les chênes pour leur apprendre l'événement surprenant survenu au pied de l'orme de l'Élection, Emilie, son épouse, ne chercha pas à deviner ce que son mari allait annoncer : elle avait eu pour tâche l'éducation de quatre fils et cela l'avait entièrement absorbée. Sa principale distraction avait été de se promener jusqu'à la cathédrale pour écouter la chorale — elle faisait peu de cas des sermons.

Les quatre jeunes gens se rendirent à la réunion de famille de bon cœur ; ils se demandaient tous depuis un certain temps quelle voie chacun d'eux allait choisir dans la vie et tout changement brusque dans la situation de leur père les intéressait vivement : de nouvelles possibilités risquaient de s'ouvrir à eux. Peter, l'aîné, était revenu d'Oxford depuis plusieurs années. Il travaillait comme employé aux écritures pour la gestion des biens de famille, tout en apprenant vaguement les tâches impliquées par le rôle de fondé de pouvoir que remplissait son père auprès du Proprietor. Ce n'était pas très complexe.

Hilary Saltwood, âgé de vingt-quatre ans ce jour-là, constituait un problème grave. En tant que cadet, il ne pouvait espérer hériter de la maison des Saltwood — ni de la charge de son père. Il lui fallait choisir entre l'armée et l'Église, et il n'avait pris aucune décision jusque-là. Il avait fait de très bonnes études à Oxford et il aurait pu poser sa candidature pour un poste aux Indes, mais il avait trop tardé et toutes les charges auxquelles il aurait pu prétendre étaient occupées par des jeunes gens plus empressés que lui. A certains égards il était brillant, à d'autres très gauche — et la famille se demandait souvent ce qu'il adviendrait de lui.

Richard Saltwood, après des études médiocres à Oxford, qui s'étaient soldées par le plus modeste de tous les diplômes, avait acheté une commission d'officier dans ce que l'on appelait toujours « le vaillant cinquante-neuvième » — un régiment stationné aux Indes. Son père avait dit au Proprietor : « Ce garçon a l'armée dans le sang et je suis diablement soulagé qu'il ait pu y trouver une place... » « Grâce à vous », avait-il ajouté avec déférence. En effet, c'était le Proprietor qui avait avancé l'argent de la commission et recommandé le jeune Saltwood au colonel du régiment. Richard allait bientôt partir pour les Indes et il en était enchanté.

C'était le jeune David qui causait le plus de soucis. Il n'avait réussi à rester à Oriel — le « collège » d'Oxford que fréquentaient les Saltwood de génération en génération — qu'un seul et unique trimestre, après quoi on l'avait renvoyé « sous condition » — il ne pourrait se faire inscrire à l'avenir que lorsqu'il saurait le latin, s'il parvenait un jour à l'apprendre. Être renvoyé d'Oriel était plutôt honteux, car même l'étudiant le plus obtus était capable d'obtenir un diplôme de ce « collège » sans prestige. Si un garçon montrait des dons réels, il allait à Balliol ; s'il recherchait les promotions, il fréquentait Christ Church ; s'il voulait faire une grande carrière, c'était Trinity. Mais, s'il venait d'une ville évêché campagnarde comme Salisbury, s'il avait peu de grec et encore moins d'appuis sociaux, il allait à Oriel. Et, pour tout dire, un Saltwood des Sentinelles constituait le prototype même de l'étudiant d'Oriel — et cela depuis plus d'un siècle et demi... Avec quatre jeunes Saltwood en âge de procréer, il semblait bien que le collège fût assuré jusqu'à la fin des temps d'un bon contingent de ses étudiants de prédilection.

Mais qu'allait-on faire de David ? Nul ne le savait. Comme son père l'avait dit un jour : « Si un garçon ne peut pas venir à bout d'Oriel, que peut-on attendre de lui ? »

Saltwood se racla la gorge, tandis que ses enfants s'installaient dans les fauteuils de jardin, attendant ses révélations.

— Il s'agit d'une nouvelle assez surprenante, dit-il modestement. Je vais être le nouveau membre du Parlement représentant Vieux-Sarum.

— Père !

On avait du mal à distinguer ce que disait chacun des enfants, mais ils étaient tous manifestement ravis de ce coup de pouce du destin — les conséquences de cette élection sur leurs vies ne pouvaient être que favorables, mais surtout ils étaient enchantés de voir récompensés le dur labeur et le dévouement de leur père.

— C'est un choix idéal ! dit Richard.

Et, prenant la pose d'un orateur présentant un argument, il cria :

« Messieurs, messieurs ! Je réclame la parole ! Votre attention, s'il vous plaît...

— Quand partez-vous pour Londres ? demanda Peter.

Mais, avant que son père ait pu répondre, le jeune David se levait, s'élançait vers son père et l'embrassait.

— Bravo !

— Écoutons les projets de votre père, dit Mme Saltwood d'une voix calme.

— Ils sont simples, répondit Josiah. Nous allons à Londres

au plus tôt, vous et moi, nous trouvons un appartement et nous passons la saison là-bas.

— Les arbres vont me manquer, dit Emily en montrant du doigt les cèdres et les marronniers.

— Nous avons de nouveaux domaines à étudier, répondit sèchement son mari, et elle ne prononça pas un mot de plus.

— Qui va veiller sur nos intérêts ? demanda Peter d'une voix hésitante, craignant que sa question ne soit prise pour une requête.

— Toi, Peter. Et tu deviendras le fondé de pouvoir du Proprietor. Il t'a demandé.

— Et moi, je pars pour les Indes, s'écria Richard d'un ton léger. Que vas-tu faire, Hilary ?

Le deuxième fils rougit, contrarié de révéler ses projets avant qu'ils ne soient parfaitement au point. Mais, dans une réunion comme celle-ci, où l'on prendrait des décisions essentielles, il ne pouvait garder le silence.

— J'ai réfléchi... pendant longtemps..., dit-il à mi-voix. Je suis beaucoup resté seul... Surtout dans les champs...

— Et qu'as-tu décidé ? demanda son père.

Hilary se leva, fit quelques pas entre les chênes et s'arrêta devant sa mère.

— Je serai missionnaire, dit-il. Dieu m'a appelé, au milieu de mes doutes.

— Missionnaire ! répéta Emily. Mais où ?

— Où Dieu m'enverra, répondit-il en rougissant de nouveau, tandis que ses frères l'entouraient pour le féliciter.

— Je pars outre-mer moi aussi, annonça David.

— Tu quoi ? s'écria son père.

— J'émigre. Avec quatre copains que j'ai connus à Londres... Nous partons en Amérique.

— Bon Dieu ! Avec ces rebelles !

— C'est un projet de colonisation. L'Ohio ou un truc comme ça. Le bateau fait voile le mois prochain.

— Bon Dieu ! répéta son père, bouleversé à la perspective de voir un de ses fils se lancer dans un désert aussi sauvage. David, lui dit-il gravement, nous serons en guerre contre ces rebelles dans moins d'un an. Dès que j'arriverai au Parlement, je voterai pour la guerre. Le Proprietor me l'a dit.

— Je combattrai vos troupes quelque part dans l'Ohio, ou Dieu sait où.

— Quand reviendras-tu à la maison ? demanda Emily.

— Il faudra plusieurs années pour faire tourner la plantation, dit le jeune homme. Les esclaves pour sarcler le coton et tout le reste. Mais je reviendrai.

— Ne prends jamais les armes contre l'Angleterre, lui dit Josiah gravement. Tu seras exécuté comme traître. Et il y aura la guerre.

— Père, l'Amérique est un État souverain. N'envoyez pas contre lui un tas de soldats innocents comme Richard...

— Frère contre frère ! s'écria Richard. Ce serait magnifique, non ?

Ainsi donc, sous les chênes des Sentinelles, dans le comté de Wiltshire, les Saltwood prirent les décisions qui orienteraient les destinées de leurs fils. Peter, qui avait un cerveau, s'occuperait des affaires de la famille. Hilary, qui avait du caractère, entrerait en religion. Richard, qui avait du courage, ferait son chemin dans l'armée. Quant au jeune David, qui n'avait ni cerveau, ni caractère, ni courage, il émigrerait en Amérique.

En annonçant qu'il entendait devenir missionnaire plutôt que simple pasteur, Hilary avait surpris tout le monde, mais la surprise se mua en tempête quand la famille apprit qu'il avait l'intention de se joindre à la Société missionnaire dirigée non par l'Église d'Angleterre, mais par des dissidents extrémistes — les congrégationalistes.

— Tu vas compromettre tout ton avenir, le prévint sa mère.

Mais il demeura inflexible et il affirma à sa famille qu'à son arrivée au centre de formation de Gosport, près de Salisbury, on ne le forcerait pas à se convertir à la foi rebelle.

— J'accomplirai mon temps au service de Jésus outre-mer, puis je reviendrai à Salisbury.

Mais, alors même qu'il faisait cette promesse, il annonçait qu'il ne serait pas un missionnaire d'occasion : il se consacrerait entièrement à la cause.

« J'ai opté pour une éducation théologique complète et l'ordination comme pasteur à part entière.

Son père, entré au Parlement et résidant à Londres, l'encouragea dans sa décision :

— Rien ne sert de faire les choses à moitié. Choisis le niveau le plus haut possible, parce qu'un jour, quand cette lubie de missionnaire te sera passée, ta mère et moi comptons bien te voir chanoine de la cathédrale de Salisbury.

Au moment du thé, une après-midi, au cours des dernières phases de sa formation, sa mère lui dit :

— Hilary, il faut que tu te libères de tes obligations au plus vite : dès que tu auras fini et que tu seras sagement rentré dans le sein de l'Église d'Angleterre, le Proprietor a l'intention d'exercer toute son influence pour te faire nommer chanoine de la cathédrale. Il nous a donné des assurances précises.

Les frères d'Hilary approuvèrent de tout cœur :

— Nous pourrions nous asseoir ici, sous les chênes, regarder de l'autre côté du pré et nous dire : « Cette cathédrale est en de bonnes mains. » Dépêche-toi d'en finir avec les sauvages, où que tu ailles.

Il aurait fait un chanoine sans défaut. Il était grand, un peu voûté, la tête légèrement penchée en avant lorsqu'il marchait dans les cloîtres, comme s'il cherchait quelque chose des yeux à deux mètres devant lui. Il manquait de confiance en lui, mais il avait fait des études brillantes et sa conviction religieuse était à toute épreuve. Il aurait dû rester au pays, avancer à petits pas jusqu'à ce que sa réputation soit bien établie, puis, une fois parvenu à un échelon supérieur, il aurait écrit deux ouvrages incompréhensibles (ces livres constituaient une étape prudente de l'avancement au sein de l'Église d'Angleterre ; personne ne se souciait de les lire, mais ils constituaient toujours une référence : les supérieurs étaient satisfaits). Puis, le moment venu, et grâce à l'appui des nobles maisons du comté et notamment du Proprietor, il aurait accédé à une chaire à Oriel, puis au canonicat.

Quel obstacle s'était donc opposé au déroulement agréable de cette carrière classique ? Hilary Saltwood avait des sentiments religieux beaucoup plus intenses que le diplômé moyen d'Oxford et il avait répondu au commandement de Paul, dans le Nouveau Testament, invitant les jeunes gens à répandre l'Évangile : n'était-ce pas leur devoir ? En fait, le Livre de la Bible qu'il préférait à tous les autres était les Actes des Apôtres, qui dépeignent de façon si vivante la naissance d'une nouvelle religion et surtout d'une nouvelle Église. Avec Paul, il avait voyagé en Terre sainte et pénétré dans les nations voisines qui ne connaissaient pas Jésus et où le christianisme avait débuté sous forme de religion organisée.

Il ressentait une sorte d'affinité profonde avec Paul, et sa connaissance parfaite des Actes le préparait aux Épîtres de Paul, qui déterminaient les étapes suivantes de la diffusion du christianisme. Sa propre découverte du Christ avait été moins dramatique que la conversion soudaine du Saül de Tarse en saint Paul sur le chemin de Damas, mais elle était sincère et vraie. Il ne s'était pas tourné vers la religion — comme plus d'un de ses amis — parce qu'un cadet de famille n'avait aucune autre voie. L'Église n'était pas pour lui un pis-aller. Il avait été sur le point d'annoncer son engagement à l'égard de Jésus longtemps avant que son père ait été désigné pour le Parlement et la situation de la famille n'avait modifié sa décision en rien.

Sa conversion était profonde et il prit plaisir aux premiers mois de sa formation de pasteur. La *London Missionary Society,* la LMS comme on l'appelait parfois, n'existait que depuis une dizaine d'années, mais elle s'était déjà rendue célèbre dans plusieurs parties du monde. Ses jeunes membres, dévots, sévères et passionnés, associés avec des missionnaires plus âgés et plus pratiques, avaient pénétré dans les contrées les plus reculées et constituaient souvent le fer de lance de la civilisation dans les terres encore vierges. La LMS représentait une force révolutionnaire d'une puissance très incisive, mais Hilary n'en prit conscience que plus tard, longtemps après ses premiers mois de formation à Gosport.

La base de l'enseignement était les théories de la diffusion du Nouveau Testament — développement des Actes des Apôtres et des Épîtres missionnaires de saint Paul. Hilary aimait la discussion philosophique abstraite et appréciait notamment les conférences, pourtant sans éclat, d'un vieil érudit qui exposait les théories fondamentales du Nouveau Testament, lui apprenant des faits qui le surprenaient parfois :

> Le Livre des Actes est important pour deux raisons. Il a été écrit par la même main qui nous a donné l'Évangile selon saint Luc, et cet auteur inconnu est tout à fait remarquable car c'est probablement le seul non-juif à avoir

composé une partie de notre Bible. Tous les autres auteurs étaient des rabbis comme Jésus ou saint Paul, ou des juifs ordinaires comme saint Matthieu, le percepteur d'impôts. Dans les Actes, nous recevons le premier message sur notre Église, de la bouche d'une personne comme nous-mêmes.

Mais, parallèlement à la connaissance, existait une conviction profonde. Ces maîtres d'âge mûr croyaient sincèrement que les jeunes avaient le devoir « d'aller de par le monde entier » répandre la parole de Dieu. Ils étaient convaincus que, si l'on n'apportait pas cette parole jusqu'aux rives du fleuve le plus lointain, des âmes dignes du salut éternel risquaient d'être perdues.

Pour ces pasteurs anglais très simples, il n'existait aucune prédestination séparant l'ensemble des hommes en élus et en damnés — une croyance de ce genre aurait rendu futile toute œuvre missionnaire. La LMS professait que toute âme humaine pouvait être sauvée, mais ne parviendrait au salut que si un missionnaire lui montrait la voie. Apporter le précieux message du Christ aux sauvages confinés dans les ténèbres était un devoir et les jeunes Anglais de l'époque qui reçurent cet enseignement ne doutèrent jamais de pouvoir provoquer personnellement ce salut.

Les nombreuses prières et les discussions savantes sur la manière dont on pouvait apporter le salut étaient complétées par de vagues leçons de géographie mettant en relief les problèmes que les jeunes gens rencontreraient en Afrique et dans les mers du Sud, où ils seraient envoyés. L'atmosphère était studieuse, pieuse et soporifique. Mais lorsque le révérend Simon Keer surgit au centre de formation, après quatre années de ministère sur la « frontière », toute la vie d'Hilary Saltwood changea soudain.

Keer était un passionné d'action. Fils d'un boulanger du Lancashire, il n'avait pas fait d'études supérieures. C'était un homme tout rond, de petite taille (pas plus d'un mètre soixante), avec une tignasse rousse rebelle et une paire de lunettes d'acier qu'il ne cessait de remonter sur l'arête de son nez. Il avait évangélisé en Afrique du Sud, pays dont Hilary avait à peine entendu parler — il savait vaguement que par quelque accident de fortune ce vaste territoire venait de tomber sous la souveraineté britannique. Tous les étudiants furent pris sous le même envoûtement dès que Keer, bondissant en tous sens comme un marron sur le gril, se lança dans ses discours passionnés :

> Il y a là-bas un pays qui nous est confié et qui pleure d'entendre la parole de Dieu, un pays d'âmes noires assoiffées de rédemption. Les lions et les hyènes accablent ces peuples durant la nuit, l'esclavage et la corruption pendant la journée. Nous avons besoin d'écoles, d'hôpitaux, d'imprimeries et d'hommes de confiance pour enseigner la culture des terres. Nous avons besoin de routes et de maisons convenables pour ces enfants de Dieu et d'hommes dévoués pour les protéger d'une exploitation cruelle.

Quand il eut énuméré dix autres choses dont les indigènes manquaient, un jeune homme, dont le père était boucher, lui demanda :

— N'ont-ils pas également besoin d'églises ?

— Bien entendu, ils ont besoin d'églises, répondit le révérend Keer sans interrompre davantage le flot de son éloquence passionnée.

Mais, dans les jours qui suivirent, jamais il ne reparla de ce besoin. Il captiva ses auditeurs ardents par ses récits détaillés de ce qu'était alors la vie d'un missionnaire :

> J'ai débarqué au Cap avec ma Bible et mes rêves, mais, avant de prononcer mon premier sermon, il m'a fallu traverser cinq cents kilomètres de désert et des montagnes presque infranchissables, des terres arides et des ravins profonds. Sans la moindre route. J'ai vécu pendant des semaines avec des Blancs qui ne parlaient pas un mot d'anglais et des Noirs qui ne connaissaient rien de Jésus-Christ. J'ai dormi sur la terre nue avec ma seule redingote comme couverture et j'ai mangé des aliments complètement inconnus. La première chose que l'on m'a demandée, c'est d'aider à naître une petite fille, que j'ai baptisée. Le premier service que j'ai célébré, c'était sous un acacia. Quand je suis enfin arrivé à ma destination, j'étais seul : sans maison, sans nourriture, sans livres et sans fidèles. Tout ce que j'avais, c'était un autre acacia — et j'ai célébré mon deuxième service sous ses larges branches. Jeunes

gens, en Afrique du Sud, mille acacias vous attendent pour vous servir de cathédrales.

Keer eut un effet extraordinaire sur les jeunes rêveurs de la LMS. Ses exhortations à affronter les problèmes pratiques du monde se complétaient par la conviction profonde que son travail de missionnaire — et celui de ses jeunes auditeurs — était une œuvre pieuse sur laquelle Dieu exerçait un contrôle direct. Sans relâche, il citait les commandements impérieux de saint Paul lorsqu'il luttait sur les « frontières » de son temps et, à travers ses paroles exaltées, la réalité du Nouveau Testament se matérialisait devant les yeux de son auditoire.

Ce fut après trois semaines de déclamations enflammées qu'il commença à aborder le véritable problème qui avait provoqué son retour à Londres. Au cours de ses premières conférences, il avait évoqué l'univers matériel du missionnaire et, par la suite, il avait traité avec compétence des fondements théologiques de la conversion. Maintenant, il désirait plonger ses futurs remplaçants en face des réalités.

> Peu m'importe que vous ayez prévu d'exercer votre ministère sous les palmiers des mers du Sud ou sur les étendues glacées du Canada. Peu m'importent les engagements que vous avez pris avec vos parents ou vos pasteurs, ici. Nous avons besoin de vous en Afrique et je vous implore de vous consacrer au salut de ce continent. En particulier, nous avons un besoin urgent de vous dans notre nouvelle colonie, car nulle part ailleurs sur la terre la parole du Christ n'est mise au défi de façon plus claire. Une poignée d'hommes comme vous, s'ils consacrent leur vie à cette œuvre, peut établir les bases d'une nouvelle nation.

Chaque fois qu'il évoquait ce thème — et il y revenait constamment —, il était comme possédé d'intuitions spéciales : sa voix tonnait, il semblait devenir plus grand ; ses yeux lançaient des éclairs. Il se jetait dans une sorte d'Armaguédon spirituel et tous ceux qui l'écoutaient percevaient sa sincérité foudroyante. Au cours de la quatrième semaine, après une série d'envols de ce genre, il définit aux jeunes missionnaires quel était le problème majeur :

L'esclavage ! Les Hollandais qui ont occupé Le Cap pendant cent cinquante ans appartiennent à un des meilleurs peuples de la terre. Ce sont tous de bons protestants, très proches des presbytériens d'Écosse. Ils paient la dîme ; ils écoutent leurs prédikants ; ils veillent sur leurs églises ; mais ils sont tombés dans la grande calamité de l'esclavage. Depuis des générations, ils sont propriétaires d'esclaves importés, et maintenant les peuples magnifiques, brun et noir, avec qui ils partagent ces terres, se trouvent plongés dans la servitude. Dieu nous a donné la mission solennelle de libérer toutes ces âmes de leurs fers. Si vous vous joignez à moi dans cette œuvre — et je prie pour que vous le fassiez —, il faut vous attendre que la foule vous méprise, présente vos motifs sous un jour erroné et même vous menace de sévices corporels. Mais vous ne céderez pas. Et Dieu vous donnera la force de poursuivre, si bien qu'au bout du compte vous construirez une nation anglaise dont Dieu pourra être fier.

Au cours de la cinquième semaine, sentant qu'il avait dépeint la vie d'un missionnaire en Afrique du Sud sous un jour trop sombre, il cessa de tonner et décida d'amuser son auditoire avec des récits de la vie quotidienne là-bas, qu'il racontait en exagérant son accent du Nord.

Une demi-heure avant l'aurore, j'entends un rugissement ! C'est un lion, mais il s'éloigne à cause du lever du jour. Vous apprendrez à reconnaître le mouvement d'un fauve à la façon dont le son s'éteint. On frappe à votre tente : c'est une fillette qui vient vous annoncer qu'une petite sœur va naître et que maman vous fait dire de vous hâter. On passe les journées dans le veld avec les chasseurs et les nuits sous les étoiles — avec les lions et les fleurs protées, plus grosses que le baquet à lessive de votre mère.

Et les jeunes missionnaires ne devaient jamais oublier les deux sermons très courts que Keer prononça en langue cafre — ce fut la première fois qu'ils entendirent les clics que les Xhosas avaient empruntés aux Hottentots, plusieurs siècles auparavant. Il leur expliqua qu'il avait appris cette langue pour pouvoir établir un dictionnaire : une traduction des Évangiles pour les Xhosas était en préparation.

Son premier sermon traitait de la parabole du bon Samaritain. Il jouait tous les rôles à la fois, en dansant d'un bout à l'autre de la pièce, ses cheveux roux volaient en tous sens et il modifiait sa voix et ses gestes pour chaque protagoniste de la parabole — les missionnaires en herbe purent facilement suivre l'histoire sans comprendre les mots. Mais son second sermon traitait de l'amour du Christ pour tout le monde et les jeunes gens ne possédaient aucun indice sur sa signification, en dehors de la conviction débordante qui se répandit dans la pièce lorsque Keer, debout sur la pointe des pieds, les yeux clos, lança à plusieurs reprises, d'une voix profonde et émouvante, le nom : *Jésus-Christ, Jésus-Christ.*

Quand il parvint au point culminant de son prêche, un silence absolu régnait dans la salle et, lorsque mourut l'écho du dernier clic, Hilary Saltwood savait déjà que son destin se jouerait en Afrique du Sud. Il attendit que les autres étudiants quittent la pièce et il se dirigea vers la chaire. Avant qu'il ouvre la bouche, le révérend Keer bondit vers lui les bras tendus :

— Alors mon garçon, on a décidé de servir le Seigneur en Afrique ?

— Oui.

— Dieu en soit loué.

Ce soir-là, après avoir rédigé des lettres d'explication à ses parents, il ressentit une formidable impression de liberté. Il avait été entraîné vers cette décision à la fois sur le plan spirituel et sur le plan intellectuel. Jamais il ne la remettrait en question. La venue de Simon Keer juste à ce moment-là était un miracle de Dieu et Hilary L'en remercia du fond du cœur.

Mais, avant qu'il ne sombre dans le sommeil, une réflexion très étrange lui traversa brusquement l'esprit : depuis des mois que je suis ici, se dit-il, j'ai rarement entendu parler de l'Ancien Testament ; nous sommes des hommes du Nouveau Testament, les disciples personnels de Jésus et de saint Paul...

Quand Hilary termina ses études, le Parlement n'était pas en session et, avant de s'embarquer pour l'Afrique du Sud, il revint aux Sentinelles, dans la plaine de Salisbury. Il eut de nouveau l'occasion de s'asseoir sous les chênes avec ses parents et ses deux frères. Peter avait bien pris en main les affaires de la famille, auxquelles il consacrait la moitié de son temps — l'autre moitié était réservée aux intérêts du Proprietor. Richard, officier dans le régiment du Wiltshire, était en permission de détente avant de s'embarquer pour les Indes. Il déclara en riant qu'une fois général il s'arrêterait au Cap en passant, pour saluer son frère l'évêque. Leur père n'appréciait pas ce genre de remarque, car il insistait encore pour qu'Hilary, après avoir rempli ses obligations de missionnaire, rentre au plus tôt pour poser sa candidature au canonicat de la cathédrale.

— Quand un jeune homme a des appuis aussi puissants et aussi efficaces que le soutien du Proprietor...

Un jour, toute la famille partit en pique-nique à Vieux-Sarum, où Josiah leur montra le hêtre vénérable sous les nobles branches duquel il avait été élu au Parlement. Les parents restèrent dans son ombre, tandis que les trois frères gravissaient la colline pour visiter les ruines. C'était à la fois sublime et émouvant de découvrir les restes de ces très vieilles bâtisses qui représentaient une époque héroïque de l'Angleterre, mais au bout d'un moment leur attention se détourna des vieilles pierres. La journée était nuageuse, mais, tandis qu'ils erraient parmi les murailles éboulées, toute une portion du ciel se dégagea et de grandes raies de lumière tombèrent sur Salisbury, au sud. La cathédrale apparut, baignée de soleil, radieuse, monument plein de noblesse, peut-être le plus beau de toute l'Angleterre. Elle se dressait au milieu de son pré presque vide, sans bâtiments plus petits pour lui porter ombrage. Et puis, au-delà de la cathédrale, auréolées par la même lumière accidentelle, les trois touffes d'arbres des Sentinelles.

— Oh, regardez ! s'écria Peter. C'est un signe !

— Le signe de quoi ? demanda Richard.

— Notre signe. Les Saltwood...

Il saisit les mains de ses frères et s'écria, enthousiaste :

« Où que vous alliez, vous reviendrez ici. Cette maison sera toujours la vôtre.

— Ça me paraît assez loin des Indes, répondit Richard d'une voix bourrue.

Peter fit la sourde oreille au commentaire rabat-joie de son frère.

— Hilary, demanda-t-il dans un débordement d'émotion, veux-tu dire une prière pour nous ?

Cela semblait la chose la plus naturelle, au moment où allaient se séparer trois frères qui avaient partagé la même vieille demeure près d'une rivière d'une beauté céleste, dans l'ombre d'une grande cathédrale.

— Dieu bien-aimé, Ta demeure est partout. La nôtre est ici. Adorons-les toutes les deux.

— Une prière diablement belle, Hilary, s'écria Richard.

Ce fut la conclusion de leur sortie. Mais, quatre jours plus tard, leur père proposa une expédition plus lointaine, qui nécessiterait des chevaux et des préparatifs importants.

— Vous serez loin pendant un certain temps, dit-il à Hilary et à Richard. J'en ai parlé au Proprietor et il veut se joindre à nous. Il dit que ce sera peut-être sa dernière visite.

— Où ? demanda Peter.

Leur père voulait leur faire une surprise. Au cours des siècles où les Saltwood avaient envoyé leurs fils à Oxford, les jeunes gens traversaient invariablement le Wiltshire en voiture vers le nord, puis obliquaient à l'est vers Berks, suivant un itinéraire qui les faisait passer près d'un des plus nobles monuments du monde. Génération après génération la famille en était venue à considérer cet endroit comme le symbole de sa destinée et, souvent, quand aucun jeune étudiant n'était allé à l'université depuis plusieurs années, les Saltwood se réunissaient et se rendaient là-bas sans raison aucune — simplement pour resserrer le lien qu'ils entretenaient avec le monument.

Il s'agissait des magnifiques alignements de Stonehenge. Ce « temple » ne se trouve qu'à une douzaine de kilomètres au nord de Salisbury et on pouvait facilement s'y rendre, le visiter et revenir dans la journée. Mais les Saltwood aimaient planter leur tente pour la nuit, afin de voir les premiers rayons du soleil toucher les pierres vénérables. Cette fois-là, l'expédition réunit le Proprietor, qui voyageait toujours dans sa voiture, les quatre Saltwood à cheval et cinq serviteurs qui suivaient avec les tentes, la nourriture et le vin. La route était dure, peu de gens la fréquentaient, car la plupart des voyageurs quittant Salisbury partaient soit à l'est, vers Londres, soit à l'ouest, vers Plymouth. Seuls quelques étudiants se dirigeant à Oxford prenaient parfois la route du nord et passaient à Stonehenge — ou bien quelque marchand cherchant à atteindre le port de Bristol ou les villes du pays de Galles.

Vers la fin de la journée, Josiah s'écria :

— Je crois que nous les verrons du haut de la prochaine colline.

Et il demanda à ses fils de retenir leurs chevaux pour que le Proprietor soit en tête au moment où Stonehenge paraîtrait enfin.

— Les voilà ! s'écria le vieil homme.

Et vers l'est, sur un petit tertre qui recevait les premiers rayons de l'aurore et les dernières lueurs du couchant, se dressaient les pierres sacrées, certaines tombées, certaines penchées, certaines dressées à l'endroit qu'elles occupaient depuis plus de quatre mille ans. C'était un lieu qui vous frappait de crainte religieuse et aucun Anglais conscient de l'histoire de son pays ne pouvait s'avancer vers lui sans une émotion pleine d'humilité.

« Croyez-vous que c'est l'œuvre des druides ? demanda le Proprietor, tandis que le groupe admirait le monument majestueux.

— Il était là des siècles avant que l'on parle de druides, avança Josiah.

— C'est bien ce que je pense, renchérit le vieillard. En tout cas, c'étaient de drôles de gars.

Hilary avait toujours succombé à l'enchantement de Stonehenge. Il l'avait vu pour la première fois à l'âge de dix ans, au cours d'une excursion familiale très semblable à celle-ci. Il l'avait revu quand il avait accompagné Peter à Oriel et, bien entendu, chaque fois qu'il s'était rendu à Oxford. Stonehenge était hors du temps — déjà d'un âge immémorial à l'époque de la naissance de Jésus — et rappelait aux hommes le long déroulement de l'histoire et les périodes de ténèbres. Les pierres se teintèrent de rouge quand le soleil s'enfonça derrière l'horizon, puis elles scintillèrent un instant dans la lumière mourante.

— Nous planterons les tentes par là, proposa le Proprietor.

Ce soir-là, ils dormirent à l'intérieur du cercle d'ombres.

Le Proprietor se leva longtemps avant l'aurore, maudissant la nuit et traitant de tous les noms ses serviteurs qui n'avaient pas allumé de chandelles.

— Je veux voir le premier rayon de soleil, dit-il.

Et, quand les Saltwood le rejoignirent, il expliqua :

« Je suis certain qu'on a fait ici plus d'un sacrifice humain. Aux moments des solstices. On tuait probablement deux vieillards comme moi et trois jeunes vierges. Allons au sacrifice.

Ils se rendirent au milieu des pierres anciennes, apportées en cet endroit de fort loin, et le soleil se leva en face d'eux.

« Voudriez-vous nous offrir une prière, Hilary ? demanda le vieillard.

— Courbons nos têtes, dit le nouveau ministre de Dieu.

A l'instant où le jour se leva pour de bon, il pria :

« Dieu, qui vois tous nos pas, vers Salisbury, vers l'Inde et l'Afrique du Sud, et aussi en Amérique où notre frère se trouve, veille sur nous. Veille sur nous.

Le Proprietor fit observer qu'en dépit de la beauté de ces paroles il aurait apprécié une allusion au fait que ce serait peut-être son dernier voyage aux pierres levées. Hilary rajouta donc quelques mots à sa prière pour informer Dieu de la chose et le vieillard fut comblé.

Ils passèrent la journée à examiner les pierres tombées et à faire des conjectures prudentes sur leur âge ; puis, au crépuscule naissant, Hilary ressentit un regain d'émotion religieuse et s'éloigna des autres. Debout parmi les piliers sans linteaux, silhouette élancée, anguleuse, aux épaules voûtées — qui aurait pu, aussi bien, passer pour celle d'un ancien prêtre de ce temple —, il murmura d'une voix passionnée :

— Ô Dieu, je Te jure d'être aussi fidèle à Ta religion que l'étaient à la leur les hommes qui ont dressé ces pierres.

Il débarqua à Table Bay en 1810 par un matin de printemps. Il s'attendait à être accueilli par des représentants de la LMS, qui passeraient plusieurs semaines à le mettre au courant de ses obligations avant de l'accompagner à l'endroit ou l'appelait sa mission. Au lieu de cela, à peine eut-il posé le pied sur les quais qu'un robuste paysan hollandais, aux épaules larges et portant pleine barbe, le saisit par le bras et lui demanda dans un anglais coloré d'un accent prononcé :

— C'est vrai ? Vous êtes un disciple de Simon Keer ?

Modestement, Saltwood avoua qu'il l'était. Et le paysan le repoussa brutalement en s'écriant :

« Vous devriez avoir honte de répandre des mensonges.

On ne lui accorda même pas une nuit de repos au Cap : à midi, il se retrouva au milieu d'une espèce de caravane qui se dirigeait vers l'est, vers un fleuve de l'autre côté des montagnes — c'était là qu'il devait établir sa mission. Au cours du pénible voyage, il apprit beaucoup de choses sur l'Afrique du Sud et davantage encore sur le révérend Keer, car, partout où il s'arrêtait, les gens lui posaient des questions sur le rouquin du Lancashire. Les Anglais (peu nombreux) parlaient de lui avec une considération manifeste ; les Hollandais (la majorité) ne dissimulaient pas leur mépris et, un soir, Hilary demanda à l'épouse d'un missionnaire anglais de lui expliquer cette contradiction.

— C'est simple, dit-elle. Simon Keer prend toujours le parti des Hottentots et des Xhosas.

— N'est-ce pas notre devoir ? Ne devons-nous pas les amener à Jésus ?

— Le révérend Keer a défendu les Hottentots à peu près comme les ouvriers d'Angleterre. Il a mené une lutte constante pour leurs droits. Pour des salaires décents. Pour des logements décents. Des choses de ce genre.

— Et les Hollandais ont refusé ?

Elle posa ses casseroles et se tourna vers Hilary.

— Si vous voulez devenir un missionnaire efficace, n'oubliez jamais que nous sommes ici depuis seulement quatre ans. Les Hollandais sont arrivés cent cinquante-huit ans avant nous. Ils savent ce qu'ils font, et ils le font bien.

— Keer affirme que ce qu'ils font si bien, c'est réduire les Noirs à l'esclavage.

Elle posa ses deux mains sur celles d'Hilary.

— N'employez pas ce mot, supplia-t-elle. Le révérend Keer avait tendance à exagérer. Il manquait d'éducation, vous savez.

— Il traduisait les Évangiles.

— Oh, il s'entendait à merveille avec les Xhosas. Il pouvait passer des nuits entières à transcrire leurs paroles.

— Je croyais que mon devoir était de l'imiter.

— Convertir les Xhosas au christianisme, oui. Devenir leur avocat contre les Hollandais, non.

— Vous parlez avec dureté.

— Les Xhosas ont tué mon fils. Ils m'auraient également tuée si un commando hollandais n'était pas intervenu à temps.

— Et vous restez ?

— C'était un accident. Nous étions en guerre et nos soldats avaient tué des gens de leur village. De simples représailles.

— Vous n'avez pas peur ?

— Certes ! Et vous aurez peur vous aussi. Oui, vous prierez Dieu de ne pas être terrassé par la peur.

Lorsqu'il pénétra plus avant dans le pays, il prit de plus en plus conscience des différences profondes entre les Hollandais établis de longue date et les Anglais arrivés depuis peu. Dans sa première lettre à Londres, il fit part de ses observations à sa mère :

> Les Hollandais se donnent trois noms différents. Ceux des environs du Cap s'appellent Hollandais, bien que la plupart n'aient jamais vu la Hollande — et ne la verront jamais. A vrai dire, ils parlent très durement de leur ancien pays et méprisent les vrais Hollandais qui venaient jadis des Pays-Bas pour régner sur les gens de l'endroit, imbus de la supériorité prétendue que leur conférait une éducation dans la métropole. Une partie de ces Hollandais établis de longue date a pris un nouveau nom, car ils appartiennent davantage à l'Afrique qu'à l'Europe. « Nous sommes des *Afrikaners* », disent-ils. Mais, à l'endroit où je suis en ce moment, ces Afrikaners portent le nom de *Boers* (paysans). Et plus loin encore vers l'est, aux confins déserts du pays, où demeurent les plus frustes de ces hommes, ils s'appellent *trekboers* (éleveurs transhumants), ce qui est justifié car ils ne cessent de migrer avec leurs troupeaux — ce qui m'a rappelé Abraham et Isaac. Je dois établir ma mission sur les terres de trekboers qui viennent de mettre fin à leur errance.

A l'étape suivante, où ne vivaient que des Boers, Hilary entendit sur le révérend Keer une opinion encore plus tranchante :

— Un homme stupide et arrogant. Il ne cessait de dire qu'il aimait les Xhosas et les Hottentots, mais tout ce qu'il a fait leur a porté tort.

— De quelle manière ?

— Il les a rendus mécontents de leur sort.

— Et quel est leur sort ?

— A l'école, en Angleterre, est-ce qu'on vous a enseigné le Livre de Josué ?

— Je l'ai lu.

— Mais l'avez-vous pris à cœur ? C'est Dieu qui raconte l'histoire des Israélites au moment où ils s'installent en pays inconnu. Et comment se sont-ils conduits là-bas ?

Pour tous les Boers qui écoutaient, il était manifeste que le nouveau missionnaire n'était pas un lecteur assidu de la chronique de Josué et le plus âgé des paysans prit son énorme Bible. Il la feuilleta lentement jusqu'aux pages ou s'exprimaient les commandements que tous connaissaient bien. Il les traduisit pour le nouveau venu :

> Vous n'épouserez pas les filles de Canaan. [...] Vous devrez demeurer à part. [...] Vous détruirez leurs villes. [...] Vous pendrez leurs rois aux branches des arbres. [...] Vous effacerez leurs tombes sous des pierres. [...] Vous prendrez la terre, l'occuperez et la ferez fructifier. [...] Un seul d'entre vous chassera mille hommes des leurs. [...] Vous devrez demeurer à part. [...] Et ils seront vos coupeurs de bois et vos porteurs d'eau [...]. Et tout cela vous le ferez au nom du Seigneur, car Il l'a ordonné.

Le vieil homme referma le Livre avec vénération et posa les mains à plat sur la reliure. Il regarda Hilary dans les yeux et lui dit :

— Telle est la parole de Dieu. C'est Sa Bible qui nous guide.

— Il existe une autre partie de la Bible... commença Hilary à mi-voix, en penchant ses épaules frêles en avant, pour engager le débat.

— Oui, votre révérend Keer prêchait un message très différent, mais c'était un idiot. Mon jeune ami, croyez-moi, c'est l'ancienne parole de Dieu Lui-même que nous suivons ; et, dans ce pays, vous vous casserez les dents si vous en prenez le contre-pied.

Sur les plaines méridionales de l'Afrique, partout où il s'arrêta, Hilary se trouva engagé dans une discussion sans fin sur les mérites de Simon Keer, et les Boers se montrèrent si ardents et si convaincants dans leur contestation du petit rouquin que, dans ses moments de liberté, Hilary se mit à lire les Nombres et Josué, où il trouva non seulement les passages cités par les premiers Boers qu'il avait rencontrés, mais des dizaines d'autres qui s'appliquaient de façon directe à la situation des Hollandais, venus dans ce pays comme les Israélites d'autrefois dans leur terre promise de Canaan. Les parallèles étaient si frappants qu'il commença à voir l'histoire locale à travers des yeux hollandais. Lorsqu'il ouvrit sa propre mission, ce fut son salut.

L'endroit qu'on avait choisi pour lui se trouvait sur la rive gauche de la Sundays, à six cent cinquante kilomètres du Cap. Quand il y arriva, il n'y avait pas un seul bâtiment, pas une seule route. La rivière, accablée par la sécheresse, n'était qu'un filet d'eau et on ne voyait pas un seul arbre. Mais le site même paraissait convenir : il était délimité par un large méandre de la rivière et, tout autour, les terrains plats seraient aisément labourables. On distinguait au loin une forêt où le bois abondait et, à deux pas, gisaient assez de pierres pour construire une ville entière. Hilary, visualisant d'emblée ce que cet endroit assez désolé pourrait devenir, lui donna un nom tiré d'un verset du chapitre XX de Josué où Dieu ordonne à Son peuple de bâtir des villes de refuge où tout homme accusé pourrait fuir et bénéficier d'une sécurité temporaire :

> Et sur l'autre rive du Jourdain [...] vers l'est, ils assignèrent [...] Golan [...] où toute personne ayant tué quelqu'un par mégarde pourrait fuir et avoir la vie sauve [...] jusqu'à ce qu'il soit déféré devant l'assemblée.

« Ce sera donc Golan, ma ville refuge », songea Hilary, et, quand le dernier membre de sa caravane disparut, le laissant royalement seul au cœur d'un pays inconnu, il pria Dieu de lui accorder le pouvoir de construire bien.

La première nuit, allongé à même le sol près de ses affaires, il écouta d'étranges bruits et les ténèbres de l'Afrique l'assaillirent de dissonances sauvages, lui inspirant non de la peur, mais plutôt un sentiment de révérence et d'espoir. A l'aurore, quand il s'éveilla, un groupe d'hommes bruns était en train de l'épier : accroupis sur leurs hanches, ils se tenaient à une trentaine de mètres. Depuis des mois, ils avaient entendu dire qu'un missionnaire allait venir.

Leur présence enthousiasma Hilary. C'était manifestement le Seigneur Lui-même qui avait conduit cette petite assemblée dans les bras de Son serviteur Saltwood. Il épousseta ses vêtements et se leva pour les saluer, ravi de voir l'un des hommes s'adresser à lui dans un anglais de fortune.

— Nous restons avec toi. Nous sommes ton peuple à présent.

Il s'appelait Pieter, et c'était le fils de Dikkop, le petit Hottentot qui avait sillonné le pays avec Mal Adriaan. Cela faisait dix ans qu'il ne vivait plus avec les Van Doorn. Il s'était enfui quand on l'avait battu pour avoir mangé un melon pris dans le jardin de la famille. Il avait erré de ferme en ferme, travaillant juste ce qu'il fallait pour éviter d'être classé parmi les « Hottentots vagabonds » — ce qui lui aurait valu d'être assigné de façon arbitraire au premier paysan venu qui l'aurait réclamé.

A vrai dire, Pieter était un homme qui prenait l'oisiveté pour vertu. Il pouvait passer toute une journée adossé à un arbre, les yeux clos, et y trouver son bonheur.

Mais, ce jour-là, avant le coucher du soleil, les Hottentots avaient montré à Hilary comment creuser des fondations pour éviter la pluie. Et, quand la nuit tomba pour la deuxième fois, ils avaient coupé assez de jeunes arbres bien droits pour constituer la charpente d'une demeure. Hilary put imaginer alors l'allure qu'aurait bientôt Golan : des rangées de cases dressées face à face, une grande salle de réunion et un temple pour fermer l'un des petits côtés du rectangle.

La croissance rapide de sa petite communauté l'enchanta — elle passa de six Hottentots à quarante au cours des trois premières semaines — et, très vite, Hilary et ses fidèles construisirent les murs de banco du temple de la mission. Avant même que le toit de chaume ne fût terminé, il prêcha un message de consécration à l'intérieur du petit bâtiment. Ayant appris quelques mots de la langue proche du hollandais que ces gens parlaient, ainsi que plusieurs termes hottentots avec leurs clics, il fit les délices de sa congrégation en offrant sa bénédiction dans leur langue. Au cours des jours qui suivirent, il entendit des membres de la mission se dire très sérieusement entre eux, au milieu de leurs occupations : « La paix soit avec vous. »

La paix était un luxe presque inconnu. De jeunes guerriers xhosas continuaient de piller les troupeaux des fermes des Blancs et, peu de temps après le premier sermon d'Hilary, des soldats anglais, renforcés par un commando boer, lancèrent une vaste opération contre les Noirs, repoussant environ vingt mille Xhosas de l'autre côté de la Grand-Poisson, « libérant », selon leur expression, de vastes troupeaux de bétail. Pour honorer le chef valeureux de ce pillage, on baptisa de son nom une nouvelle ville : Grahamstown.

Ces événements ne touchèrent pas Hilary. Mais il était fort contrarié de ne pas avoir rencontré un seul Xhosa en six mois et il commença à craindre d'avoir établi Golan en un mauvais endroit. Au cours de ses études à Gosport, il s'était imaginé en train d'apporter l'Évangile aux sauvages à la peau noire et de lutter contre leurs croyances païennes avant de les accueillir au sein de la foi de Jésus. Au lieu de cela, il était entouré de Hottentots bruns — plus de quatre-vingt-dix dans les cases s'ouvrant sur le rectangle —, tandis que les Xhosas restaient tapis très loin, de l'autre côté du fleuve, comme une bande de voleurs de bétail.

Dans ses rapports à la LMS, il appelait ses ouailles « mes Hottentots », tout en sachant bien que très peu étaient de souche pure : ils s'échelonnaient des demi-Malais à la peau claire, presque jaune, jusqu'aux demi-Angolais très sombres. Ils n'étaient pas enclins au travail pénible et un nombre désespérant d'entre eux flânaient dans la mission sans rien faire. Mais Hilary n'oubliait pas le nom qu'il avait donné à ces lieux : Golan, le refuge. Et il croyait que ces « gens doux et pacifiques », selon ses propres termes, méritaient tous le sanctuaire qu'il leur réservait. Un grand nombre d'entre eux étaient venus à lui avec de terribles récits de châtiments corporels, de chaînes et d'années de dur labeur sans salaire auprès de Boers qui avaient fait de leurs vies un enfer. Les accusations passionnées de Simon Keer à l'encontre des colons résonnaient alors à ses oreilles et il se sentait le devoir de porter secours aux faibles.

Et ses espoirs au sujet des Xhosas reprirent force lorsqu'un Noir arriva enfin à Golan. C'était un homme âgé appartenant à un kraal de l'est. Il se disait chrétien et affirmait dans son anglais hésitant qu'un missionnaire aux cheveux rouges nommé « Master Keer » l'avait baptisé. A l'entendre, il y avait dans son village plusieurs autres Noirs convertis par « notre cher petit homme qui savait parler xhosa ».

Son nom chrétien était Saül et Hilary le renvoya aussitôt en pays xhosa pour qu'il répande la bonne nouvelle de la fondation de Golan. Six mois plus tard, grâce à Saül, la mission comprenait cent quarante Hottentots et vingt Xhosas. Ces derniers enseignèrent à Hilary les traditions de leur peuple et il conçut beaucoup de respect pour la facilité avec laquelle ils s'adaptèrent à la vie de Golan. En travaillant avec eux, il se référait constamment aux instructions pratiques qu'il avait acquises auprès du jeune Simon Keer et rarement aux enseignements théologiques formulés par les maîtres plus âgés de la LMS.

— L'œuvre missionnaire, disait toujours Keer, est dix pour cent doctrine, quatre-vingt-dix pour cent médecine.

Le premier Blanc que rencontra Hilary était un Boer installé dans une vallée reculée à quarante-cinq kilomètres au nord-est, de l'autre côté des collines séparant la Sundays de la Grand-Poisson. Il arriva à cheval, en fin d'après-midi — un grand vieillard aux cheveux blancs, portant des vêtements grossiers, qui semblait sortir tout droit des premiers Livres de la Bible. Sa barbe tremblait dans le vent.

— Je m'appelle Lodevicus, dit-il en mauvais anglais. Lodevicus Van Doorn.

Il était venu avertir Hilary de ne pas permettre aux Hottentots du nord de trouver refuge à Golan.

— Et pourquoi donc ? demanda Hilary.

— Ils sont... mes travailleurs... Ils ont signé des papiers, grommela-t-il, visiblement offensé d'être contraint à s'expliquer dans une langue étrangère. Ils doivent travailler... non prier.

— Mais s'ils viennent en quête de Jésus-Christ ?...

Lodevicus s'irrita de voir Saltwood ne faire aucun effort pour s'adresser à lui en hollandais.

— Si vous êtes... missionnaire... apprenez le hollandais.

— Je le ferai ! Certainement ! s'écria Hilary avec enthousiasme.

Mais, pour continuer la conversation, il fallut trouver quelqu'un parlant les deux langues — ce qui plaça Lodevicus en position maladroite : il dut porter plainte contre des Hottentots par l'entremise d'un Hottentot. Par bonheur, Lodevicus ne reconnut pas le voleur de melons et, insensible à l'indélicatesse de la situation, continua de parler tandis que Pieter écoutait avec respect et répondait « *Ja, baas* » au moins toutes les minutes.

— Le baas dit : « Ses Hottentots ne viennent pas en quête de Jésus. Ils s'enfuient de chez lui pour ne pas travailler. »

— Réponds-lui que, malgré tout, si l'un de ses travailleurs vient chercher refuge auprès de moi...

A peine l'interprète eut-il commencé sa phrase que Lodevicus le coupa.

— Le baas dit : « Si mes foutus travailleurs viennent ici, ne vous faites pas de souci, je viendrai les reprendre. »

— Réponds-lui que si n'importe quel Hottentot ou Xhosa vient à la recherche de Jésus-Christ...

De nouveau, Lodevicus lâcha un chapelet de menaces, que le Hottentot se garda bien de répéter toutes. Et la première rencontre entre le Boer et l'Anglais s'acheva dans la confusion. En remontant en selle, Lodevicus cria que ce Saltwood ne valait pas plus cher que ce maudit idiot de Simon Keer. Il lança ce qui semblait une série d'insultes et Pieter traduisit pour Hilary :

— Le baas dit que, si le foutu idiot Master Keer revient, il l'accueillera à coups de *sjambok**.

— Réponds-lui que le révérend Keer est en sécurité à Londres et qu'on ne le reverra plus par ici.

— Tant mieux ! répliqua Lodevicus quand le Hottentot lui eut transmis le message.

En bon chrétien, Hilary ne pouvait laisser sa première rencontre avec un voisin s'achever de si triste manière. Changeant complètement d'attitude, il dit au Hottentot :

— Invite Mijnheer Van Doorn à se joindre à nous pour la prière du soir.

Le passage soudain au terme hollandais *mijnheer* adoucit un peu le vieil homme, mais cela ne dura guère. Dès qu'il comprit que les prières seraient dites en anglais, il s'écria avec mépris :

— Je prie en hollandais !

Puis il lança son cheval au galop, bien que la nuit fût près de tomber.

Entre la mission de Golan et le Blanc le plus proche vers le nord, les choses en restèrent là jusqu'à la fin de l'année — jusqu'au retour soudain du révérend Simon Keer sur la scène sud-africaine, intervention dont les échos se prolongeraient pendant plus d'un siècle et feraient maudire son nom. Il ne se présenta pas en personne, ce qui était prudent, car il aurait certainement subi le fouet, mais sous les espèces d'un opuscule publié en Angleterre, qui arriva par bateau. Il portait un titre péjoratif : *la Vérité sur l'Afrique du Sud*, et c'était une compilation d'accusations contre les Hollandais si effarantes que le monde civilisé — c'est-à-dire Londres et Paris — ne pouvait manquer d'en prendre acte.

Le pamphlet accusait les Boers d'avoir déjà décimé les Bochimans, d'être en train d'annihiler les Hottentots et de commencer à abuser des Xhosas — en s'appropriant leurs terres, en volant leur bétail, en tuant leurs femmes et leurs enfants. Le texte, particulièrement violent, assurait que les Hottentots et leurs frères « de couleur » avaient été réduits à l'esclavage et demeuraient privés des droits les plus ordinaires. C'était une condamnation générale, tellement passionnée et partisane qu'elle serait peut-être passée inaperçue si le révérend Keer n'avait pas ajouté une accusation qui devait, plus que toutes les autres, scandaliser les bons chrétiens d'Angleterre et d'Écosse :

> Les Boers empêchent leurs Hottentots de se rendre aux écoles des missions et de se convertir à l'unique vraie foi qui pourrait sauver leurs âmes immortelles. A vrai dire, on a l'impression que les Boers refusent de croire que leurs travailleurs ont des âmes et chaque aurore voit Jésus recrucifié pour que le Boer gagne quelques sous de plus grâce au labeur forcé de ce peuple doux et pacifique, contraint à une servitude pire que celle d'un véritable esclave.

Cette accusation enflamma les esprits d'un bout à l'autre des îles Britanniques : l'Angleterre n'était-elle pas responsable du gouvernement de l'Afrique du Sud ? Les protestations les plus vives se succédèrent. Et, comme le révérend Keer affirmait à la fin de son ouvrage qu'il était en mesure de citer personnellement cent Boers coupables d'esclavagisme, d'abus criminel et même de meurtre, il était inévitable que le gouvernement intervienne.

Une cinquantaine d'exemplaires de *la Vérité sur l'Afrique du Sud* arrivèrent au Cap et on les distribua aussitôt. Des traductions hollandaises parvinrent très vite sur la frontière et une résistance passive se développa. Même les citoyens prospères des villes, au Cap et à Stellenbosch, qui avaient manifestement tiré profit de la prise de pouvoir britannique, protestèrent que Keer avait injustement calomnié toute la colonie. Quant aux Boers de la frontière, ils se sentirent tous accusés personnellement — et à tort. On prépara des pamphlets réfutant le missionnaire absent et pour ainsi dire toute la population s'associa pour défendre la réputation de l'Afrique du Sud.

Mais les propos de ce missionnaire inspiré avaient déjà enflammé l'opinion publique anglaise et, tandis qu'au Cap une poignée d'hommes défendaient l'Afrique du Sud, à Londres le public exigeait une action. Très vite, des comités et des commissions prirent la route du Cap pour examiner les allégations de Keer et bientôt des accusations dans les règles furent portées contre une cinquantaine de Boers, qui reçurent l'ordre de comparaître devant des juges itinérants. Cette opération spectaculaire allait porter le nom de Circuit noir et, quelques mois après leur départ du Cap, les juges se rendirent à Graaff-Reinet, à plusieurs jours de cheval de Golan vers le nord-est, où Lodevicus Van Doorn devait être jugé pour abus de pouvoir à l'égard de ses Hottentots : on lui reprochait de les priver de nourriture et de leur refuser le droit d'assister à des services religieux. On l'accusait également de meurtre.

Avant que le Circuit noir n'atteigne Graaff-Reinet, Lodevicus, convaincu qu'aucun juge nommé par les Anglais n'accorderait la justice à un Boer, ravala son orgueil et reprit le chemin de Golan. Il découvrit qu'Hilary s'exprimait maintenant à peu près correctement en hollandais. La conversation des deux hommes allait être tendue.

— Tout ce que je vous demande, Saltwood, c'est de venir tout de suite avec moi. De voir ma ferme. De parler avec mes Hottentots et mes esclaves.

— Je ne suis pas partie dans ce procès.

— Un procès ! Mais c'est une accusation de meurtre !

— Et d'autres choses, si je ne me trompe.

— Et d'autres choses. Des choses banales. Et c'est cela que vous devez inspecter.

— Je ne suis pas cité comme témoin, Mijnheer Van Doorn.

— N'importe qui peut se présenter, dominee.

En entendant Van Doorn lui donner son titre hollandais, Hilary s'adoucit. Il était bien obligé de reconnaître que, dans une situation aussi grave, tout homme devait témoigner ; si déplaisant que fût ce Van Doorn, puisqu'il l'appelait à son secours, il se devait de l'aider.

— Je vous accompagne, dit-il impulsivement, mais je ne témoignerai pas devant les juges.

— Personne ne vous le demande, répondit Lodevicus d'un ton bourru.

Hilary confia Golan à Saül et partit vers le nord. La chevauchée avec Van Doorn fut pour lui une expérience étonnante.

— Cette immensité sans points de repère... Comment trouvez-vous votre chemin ?

— A l'allure des choses, dit Lodevicus.

Et Hilary songea : « C'est cela qu'il me demande de juger — l'allure des choses. »

Comme au temps où Mal Adriaan arpentait ces terres avec Dikkop, ce Van Doorn et son pasteur anglais formaient un étrange couple : le premier était un vieillard de forte carrure, aux favoris blancs, et le second un grand jeune homme efflanqué dont le visage glabre semblait encore celui d'un enfant. Une association invraisemblable ! Le Boer et l'Anglais, avec des héritages différents, des attitudes différentes à l'égard de la vie et des religions encore plus différentes — l'une orientée vers l'Ancien Testament, l'autre vers les Évangiles. Mais ils étaient ensemble, et leur union forcée, pour le meilleur ou pour le pire, se révélerait indissoluble.

Lorsqu'ils pénétrèrent dans la région de basses collines séparant la mission de la ferme, un panorama entièrement nouveau s'offrit à leurs yeux, vision d'un pays de dimensions énormes auquel un relief doux donnait une certaine variété, dominé de façon grandiose et menaçante par les montagnes s'élevant au nord. Elles semblaient prévenir Saltwood : « Ce pays est plus grand que tu ne l'imagines et les problèmes plus vastes que ceux définis par Simon Keer... »

Sur la crête de la dernière colline, Lodevicus arrêta son

cheval et tendit le bras vers une petite vallée bordée de toute part par des collines de différentes hauteurs. C'était un petit monde refermé sur lui-même, un havre sûr coupé en deux par une rivière qui apportait la fertilité aux champs des alentours. La rivière pénétrait dans le domaine par une ouverture, au sud-ouest, traversait les prairies en diagonale et sortait par des gorges vers le nord-est. Si un colon de la frontière possédait une ferme sûre, c'était bien celle-ci.

— De Kraal, dit Van Doorn entre ses dents, mais avec une fierté manifeste. Un endroit sûr pour garder le bétail.

— Vous avez du bétail ?

— Nos Hottentots ont emmené les troupeaux paître dans le nord. Mais ce Kraal-là est pour les êtres humains. Un nid au sein des collines.

Hilary se retourna sur sa selle pour inspecter le pays et, d'après son expérience des prairies de la plaine de Salisbury, il estima que De Kraal s'étendait sur huit kilomètres d'est en ouest et sur un peu moins de cinq kilomètres du nord au sud. Tout en calculant de tête, il s'écria stupéfait :

— Mais vous avez près de quatre mille hectares !

— Oui, répondit Lodevicus. C'est la terre des Van Doorn.

Et il s'élança vers son petit empire, tel Abraham descendant à dos de chameau vers Canaan.

Les trois jours qu'Hilary passa à De Kraal furent une révélation. Il se trouvait dans une enclave isolée de toute influence extérieure et gouvernée par un seul homme. Et c'était dans cette citadelle que la justice anglaise prétendait se forcer un chemin ! Lodevicus avait une épouse, bien entendu, et quand il fit sa connaissance, Hilary ne put dissimuler sa surprise : elle ne semblait pas du tout impressionnée par son austère mari, bien qu'il eût au moins trente ans de plus qu'elle. Wilhelmina Van Doorn était une grosse femme aimable qui avait de toute évidence établi les lois à observer dans sa maison. Elle avait un fils unique, Tjaart, jeune fermier solidement charpenté qui avait lui aussi un fils.

De Kraal possédait neuf esclaves malgaches et angolais, nombre très limité par rapport aux vignobles de la région du Cap, qui nécessitaient une main-d'œuvre nombreuse. Mais il y avait également à De Kraal trente-deux travailleurs hottentots et « de couleur » avec leurs familles. Certains s'étaient liés aux Van Doorn des générations plus tôt. Devant la loi, c'étaient des employés sous contrat, dûment inscrits à Graaff-Reinet. Qu'ils soient esclaves *de facto* était sujet à controverses. Aucun observateur extérieur comme Saltwood n'aurait la possibilité de constater les faits.

— Trente-deux Hottentots ? demanda Saltwood. N'est-ce pas beaucoup ?

— Ils conduisent notre troupeau jusqu'à cent kilomètres d'ici.

— Cent kilomètres ! Mais vos bêtes ne paissent-elles pas sur les terres d'autrui ?

— Il n'y a personne d'autre.

Lodevicus invita Saltwood à inspecter De Kraal sous tous les angles : l'endroit où les esclaves et les Hottentots mangeaient, celui où ils dormaient, celui où ils travaillaient. Hilary comprenait à présent la plupart des mots du dialecte hollandais-portugais-malais-malgache que parlaient le maître et ses serviteurs, et il put mener son enquête sans que Van Doorn intervienne. Il était particulièrement impatient d'interroger les Hottentots, car les gens de Golan lui avaient affirmé que les Boers les maltraitaient constamment. Mais, quand les pâtres revinrent, il constata que c'était une joyeuse bande d'hommes heureux, qui adoraient leurs chevaux et la vie de la prairie.

— Combien êtes-vous payés ? demanda-t-il à leur chef.

— Payés ? Qu'est-ce que c'est, payés ?

— Un salaire. De l'argent.

— Nous n'avons pas d'argent.

— En ce moment. Mais combien M. Van Doorn vous paie-t-il ?

— Il ne paie rien.

Saltwood tourna sa question d'une autre manière.

— Vous travaillez, n'est-ce pas ? Sept jours par semaine ? Que recevez-vous en échange ?

— Baas, je ne comprends pas.

Et, avec beaucoup de patience, le missionnaire expliqua que, partout dans le monde, quand un homme accomplit sa tâche, comme par exemple s'occuper du bétail...

« Nous aimons le bétail... les moutons... la terre immense.

— Mais combien vous paie-t-on ?

Après de nombreux faux départs, Hilary put constater qu'ils ne recevaient aucun argent — mais les vêtements qu'ils portaient, les chevaux qu'ils montaient et la nourriture qu'ils mangeaient. Quand ils tombaient malades, Mme Van Doorn les soignait.

— Êtes-vous libres de quitter De Kraal ? leur demanda Hilary.

— Et où irions-nous ?

Par trois fois, Saltwood interrogea les Hottentots pour découvrir si oui ou non ils étaient esclaves de fait. Ne parvenant pas à une réponse satisfaisante, il aborda le sujet avec Van Doorn lui-même.

— Considérez-vous vos Hottentots comme des esclaves, au même titre que les Malgaches ?

— Non ! Non ! Ils peuvent s'en aller quand ils le désirent.

— Certains sont-ils partis ?

— Et pourquoi partiraient-ils ?

Hilary renonça à toute autre question sur ce point et reporta son attention sur les esclaves, qu'il trouva en bonne santé physique, mais assez hargneux dans leurs réactions — à la différence des Hottentots travaillant en plein air. L'un des Malgaches avait des cicatrices et, quand Saltwood l'interrogea à ce sujet, il découvrit que l'homme s'était enfui et avait été puni quand on l'avait repris.

— Pourquoi es-tu parti ? lui demanda-t-il.

— Pour être libre.

— Tu t'enfuiras de nouveau ?

— Oui, pour être libre.

— Et tu seras de nouveau puni ?

— S'il me reprend.

Quand Hilary interrogea Van Doorn à ce sujet, le Boer ne dissimula pas sa contrariété.

— C'est mon esclave. Je l'ai acheté avec du bon argent. Nous ne pouvons pas laisser nos esclaves se mettre dans la tête qu'ils peuvent s'enfuir à leur gré. Il faut les punir, c'est évident.

— Vous semblez l'avoir fouetté très durement.

— Je l'ai corrigé.

En voyant Saltwood se braquer, il se hâta d'ajouter :

« Dominee, dans l'ancien temps on lui aurait coupé le nez et, en cas de récidive, les oreilles et une main. Ce sont des esclaves et ils doivent être corrigés, comme le dit la Bible.

A la seule exception du Malgache, les esclaves et les

Hottentots de Van Doorn étaient manifestement bien traités, et Saltwood le reconnut devant son hôte.

« Nous vivons au bout du monde, dominee, lui répondit Van Doorn. Il s'écoule des années sans qu'un prédikant nous rende visite. Nous sommes obligés d'avoir des esclaves pour faire marcher la ferme. Nous sommes obligés d'avoir des Hottentots pour s'occuper du gros bétail et des moutons. Nous nous appuyons sur les commandements de Dieu et sur l'inspiration que nous recevons de ceci.

Il montra une vieille Bible énorme. Saltwood la prit dans ses mains et ouvrit les fermoirs de cuivre. Il posa les yeux sur les grosses pages et, lorsqu'il tomba sur celle où les Van Doorn inscrivaient depuis cent cinquante ans les grandes dates de la famille, il fut saisi d'admiration pour la vertu toute simple de ce Boer de la frontière. Il décida que, si Van Doorn lui demandait d'être témoin lors de son procès à Graaff-Reinet, la moindre décence lui imposait de présenter au moins un témoignage de moralité.

Il ne s'attendait guère à la question que Lodevicus lui posa ensuite :

« Dominee, nous vivons seuls, terriblement seuls. Accepteriez-vous de baptiser notre petit-fils ?

Saltwood se raidit.

— A la mission, vous avez refusé de prier avec moi.

— C'était stupide de ma part, dit le vieillard. Wilhelmina, viens ici !

Le sourire aux lèvres, Wilhelmina entra dans la pièce, s'inclina devant le missionnaire, puis demeura debout, les deux poings sur les hanches.

« Raconte au dominee, lui demanda son mari. Raconte-lui ce que je t'ai dit à mon retour.

— Ton retour d'où ?

— De la mission ! cria-t-il. Quand je suis rentré ici après ma visite à la mission.

Et comme elle demeurait sans voix, il ajouta d'un ton plus doux :

« Quand je t'ai dit que j'avais refusé de prier avec lui.

— Tu as dit que tu étais un foutu idiot, et c'était bien la vérité.

Elle sourit à leur hôte et fit mine de se retirer, mais son mari la retint :

— Je lui ai demandé de baptiser le garçon et il a accepté.

— J'accepte, bien entendu, répondit Hilary.

On conduisit dans la pièce le jeune garçon, qui jouait dans la cour avec son petit chien. L'une des esclaves apporta de l'eau et Hilary célébra le rite solennel. Mais, à la fin de la cérémonie, la fillette qui était allée chercher l'eau s'attarda — ses doigts trituraient le tissu de sa robe grise — et le révérend Saltwood la remarqua : ce fut en ce moment sanctifié qu'il fit la connaissance de la jeune Emma, la fille du Malgache.

Elle allait sur ses dix ans, c'était une fillette très vive, qu'émerveillait tout ce qu'elle voyait. Elle avait un visage d'un noir profond qui semblait presque bleu et elle était si jolie que Dieu semblait s'être dit : « Emma, puisque tu dois être noire, pourquoi ne serais-tu pas vraiment noire ? » Ses traits étaient d'une harmonie parfaite et, quand elle souriait, montrant ses dents blanches, la lumière chassait les ombres de son visage. A l'âge de six ans, dans la ferme où Lodevicus avait acheté ses parents, elle avait reçu de la part de Simon Keer une instruction chrétienne sommaire : il lui avait fait entrevoir un monde différent de celui que connaissaient les esclaves. Et, ce jour-là, tandis que les Van Doorn entraînaient dans la cour leur petit-fils baptisé (qui se remit aussitôt à jouer avec son chien), elle resta en arrière pour demander au révérend Saltwood :

— Est-ce que je peux venir dans votre mission ?

— Tu es une esclave, mon enfant, répondit-il doucement. Tu appartiens au baas.

— Le baas, s'il me suit, il me coupe le nez ?

— Tu sais bien qu'il ne le ferait pas. Mais tu sais aussi ce qui est arrivé à ton père quand il s'est enfui. Si tu pars, tu seras punie.

Tout en parlant ainsi à la jeune Noire, il se souvint des paroles de Jésus : « Laissez venir à moi les petits enfants » — et il songea que refuser son appui à cette fillette n'était guère héroïque ! Mais un cri poussé par l'un des Hottentots des Van Doorn interrompit brusquement ses réflexions.

— Des cavaliers ! Des cavaliers ! Vers le nord !

Un huissier du Circuit noir en session à Graaff-Reinet venait informer Lodevicus qu'il devait comparaître devant cette cour.

— Pour quels motifs ? éclata le vieil homme.

Le petit Hollandais craintif qui s'était mis au service des Anglais prit une respiration profonde et récita l'accusation d'une voix tremblante :

— Maintien de Hottentots en esclavage par la force. Abus de pouvoir à l'égard d'esclaves. Meurtre d'un esclave.

— Par Dieu, j'abattrai ce juge ! cria le vieux Boer.

Mais l'huissier lui chuchota très vite, en hollandais :

— Lodevicus le Marteau, vous avez des amis à Graaff-Reinet. De nombreux Boers vous doivent leurs fermes. Ils ne vous laisseront jamais pendre.

— Mais on me traîne devant un tribunal de Cafres...

— Je vous en prie, Lodevicus, je débute dans mon office. Ne faites pas d'histoires.

C'était humiliant, mais le vieux lutteur comprit qu'il devait s'incliner. Il donna des ordres à son fils, fit ses adieux à Wilhelmina, puis s'avança vers Saltwood.

— Dominee, lui dit-il humblement, il faut que vous veniez avec moi.

Malgré la résolution qu'il avait prise, Saltwood hésita.

— Pourquoi ? demanda-t-il à mi-voix.

— Pour témoigner. Vous m'avez vu. Vous avez vu mes gens.

— Mais l'accusation de meurtre...

— Demandez aux esclaves.

Lodevicus était si profondément bouleversé par son arrestation qu'Hilary ne pouvait refuser de l'aider. A coup sûr, il pouvait attester que, selon les normes des Boers, les esclaves et les Hottentots étaient convenablement traités à De Kraal, et il acceptait volontiers de le déclarer devant les juges. Mais il ne voulait pas être amené à aider un homme convaincu de meurtre. Constatant son hésitation et en devinant la raison, Van Doorn répéta :

« Demandez aux esclaves.

Et Hilary prit la jeune Emma à part.

— Tu sais qui est Dieu ?

— Oui, répondit-elle de sa voix d'enfant.

— Et tu sais ce qu'est l'enfer ?

— Master Keer me l'a appris.

— Et tu sais que, si tu ne dis pas la vérité, tu iras en enfer ?

— Master Keer me l'a appris, répéta-t-elle.

— Est-ce que le vieux baas a déjà tué un esclave ?

Le visage noir de la fillette se figea, sourcils froncés. Ses traits couleur de suie trahissaient sa confusion. Elle dansa d'un pied sur l'autre, puis répondit enfin :

— Il a fouetté mon père. Parfois il bat ma mère. Mais jamais il n'a tué personne.

— Est-ce que les esclaves parlent ensemble la nuit, Emma ?

— Tout le temps.

— Ont-ils jamais parlé d'un meurtre ? Il y a longtemps ? Un jour où le vieux baas était en colère ?

— Jamais de meurtre.

Saltwood fut frappé à la fois par l'absence de réticence de la part de la fillette et par ses craintes manifestes. Il lui ordonna soudain d'aller chercher ses parents. Lorsqu'ils parurent, aussi nerveux que leur fille, il leur demanda, dans leur dialecte :

— Est-ce que le baas a tué un esclave ?

Ils se regardèrent et regardèrent leur fille, puis l'homme répondit :

— Il me bat trop. Et parfois il bat ma femme.

Il montra à Saltwood les cicatrices que celui-ci avait déjà vues. Elles étaient profondes et mal soignées.

— Mais a-t-il tué un esclave ?

— Non.

La femme tira l'homme par la manche de sa chemise et le couple chuchota pendant quelques instants.

— Que dit ta mère ? demanda Hilary à Emma.

— Elle parle de l'autre fois.

Et le père se mit à évoquer, en phrases hachées, inquiètes, l'autre ferme où ils avaient vécu avant d'être achetés par Van Doorn. Le maître avait tué un esclave ; Simon Keer avait porté plainte et le maître avait été arrêté. On l'avait condamné à une amende de deux livres. On lui avait également retiré le droit de posséder d'autres esclaves — les Malgaches avaient été vendus à De Kraal par suite de cette décision de justice. Un meurtre avait effectivement eu lieu, mais Van Doorn n'en était pas l'auteur.

— Est-ce que ton père sait qui est Dieu ? demanda Hilary à la fillette.

— Non.

— Alors il ne sais pas non plus ce qu'est l'enfer ?

— Non, répondit l'enfant. Mais il sait ce qu'est la vérité. Il n'y a pas eu de meurtre ici.

Saltwood s'avança jusqu'à la porte et cria à Van Doorn :

— Je vous accompagne.

A Graaff-Reinet, le Circuit noir fut une affaire vraiment explosive : inspirés par les récits incendiaires de Simon Keer, les juges avaient inculpé une vingtaine de personnes sur la base d'accusations formulées par des missionnaires, des Hottentots et des « hommes de couleur ». On reprochait aux Boers toutes sortes d'abus. De toute évidence, il y avait eu des infractions assez graves : on avait contraint des Hottentots à travailler après l'expiration de leurs contrats légaux ; on avait menacé leurs femmes et leurs enfants de violences s'ils s'en allaient ; des esclaves avaient été fouettés avec une rigueur excessive ; il y avait eu des meurtres.

Mais la plupart des accusations étaient pourtant de pures calomnies sans aucun fondement, et ce qui aurait dû être une enquête judiciaire sérieuse se transforma en pagaille sans nom. Tous les gens de la campagne unirent leurs forces pour soutenir les Boers et ils se parjurèrent de si bon cœur que l'on ne put démontrer la culpabilité d'aucun malfaiteur. En revanche, on n'hésita pas à humilier en public des hommes de la frontière foncièrement honnêtes comme Lodevicus Van Doorn, en les forçant à s'asseoir au banc des accusés et à répondre à des accusations fantaisistes.

Trois Hottentots eurent le courage de témoigner contre Van Doorn, mais leurs dépositions étaient si chaotiques que la cour eut des soupçons. Et quand le révérend Saltwood vint prendre la défense du vieux Boer, les juges tinrent compte de ses paroles. Le verdict fut « non coupable », mais cela ne résolvait rien, car les Boers traités de façon aussi infâme par les tribunaux anglais n'oublieraient jamais cette humiliation. Et le Circuit noir rejoignit la liste de plus en plus longue des griefs — certains réels, certains imaginaires — que toutes les familles boers ressasseraient dans leurs cœurs pendant les cent cinquante années suivantes.

Les Anglais s'offensèrent de voir un de leurs propres pasteurs présenter un témoignage permettant à un Hollandais d'éviter le châtiment. « Il était aussi coupable que l'enfer, vous savez. L'inculpation disait vrai. » Le bruit courut que Saltwood avait défendu le vieux Boer dans l'attente de faveurs à venir. « Il s'est parjuré, c'est certain. Les Boers sont en train de faire une collecte en sa faveur. » Et l'on finit par ostraciser Hilary Saltwood, en tout cas de la communauté anglaise du Cap. « C'est le protégé des Boers… »

Comme ils se trompaient ! L'armistice Van Doorn-Saltwood ne dura que deux jours, car, dès leur retour à De Kraal, Wilhelmina Van Doorn les accueillit en criant depuis le seuil de la maison.

— Lodevicus ! Emma s'est enfuie.

— Qu'on la ramène !

— Personne ne sait où elle est.

— Lancez les Hottentots sur ses traces. Ils la trouveront bien…

Saltwood avait du mal à imaginer que la fillette en robe grise ait pris la fuite. Mais, si elle était vraiment partie, il était presque sûr d'en connaître la raison.

— Elle est probablement allée à la mission, dit-il.

A peine eut-il prononcé ces paroles qu'il comprit à quel point elles étaient mal venues. L'irritation de Van Doorn se transforma en un regard de haine.

— Elle n'a pas le droit de faire ça.

— Mais si elle veut apprendre à connaître Jésus…

— J'enseigne à mes esclaves et à mes Hottentots tout ce qu'ils ont besoin de savoir sur Jésus.

— Mais, Mijnheer Van Doorn…

— Inutile de me lancer des « Mijnheer » à la figure !

— De toute évidence, cette fillette a été appelée par Jésus. Elle n'avait pas entendu parler de Lui depuis quatre ans, mais elle continuait de…

— Où avait-elle entendu parler de Jésus ?

— Dans l'autre ferme. Simon Keer…

Quelle erreur de prononcer ce nom ! Van Doorn se mit à crier en hollandais, trop vite pour qu'Hilary puisse le suivre, puis il lança en avant son visage encadré de favoris blancs et il gronda :

— Si un de mes esclaves a quoi que ce soit à voir avec Simon Keer, je le battrai jusqu'à…

Il s'arrêta, prenant conscience de l'horreur qu'il allait proférer — et sachant bien que son nouvel ami Saltwood devinait la fin de sa phrase. Ce fut à ce moment-là, à l'instant de leur retour triomphal du Circuit noir, que le rideau tomba entre les deux hommes.

Saltwood fut le premier à parler :

— Si Emma s'est enfuie à Golan, elle aura ma protection.

— Si mon esclave est dans votre mission, vous pouvez être certain que je viendrai la chercher.

— Van Doorn, ne vous opposez pas à la loi.

— Aucune loi ne vous donne mon esclave. Je l'ai payée de mes deniers. Elle appartient à De Kraal.

— Elle appartient à Jésus-Christ.

— Sortez !

Il ouvrit la porte à la volée et demanda à Saltwood de partir, mais dès qu'Hilary eut pris le chemin des collines, Lodevicus fit venir deux Hottentots et leur ordonna de galoper vers l'ouest sans se montrer et de ramener de la mission la petite esclave fugitive.

Prévoyant cette manœuvre, Saltwood traversa les collines au plus vite, mais, lorsqu'il parvint à Golan, il trouva la mission en émoi. Les Hottentots l'avaient devancé : ils étaient en train d'emmener la fillette, qui se débattait entre leurs bras.

Sans hésiter, Saltwood bondit dans son logement, saisit son fusil et affronta les deux hommes.

— Lâchez cette enfant. Remontez en selle et repartez à De Kraal.

— Le baas a dit de ramener Emma.

— J'ai dit : Laissez-la tranquille.

— Non ! Elle nous appartient.

Emma se libéra, courut vers Saltwood et se jeta contre lui. Sentant à quel point la fillette avait besoin de sa protection, il décida de la sauver à tout prix. Quand les Hottentots s'avancèrent pour s'emparer d'elle, il tira au-dessus de leur tête — ce qui les effraya et les terrifia davantage encore. Par bonheur, les deux hommes bruns se précipitèrent vers leurs chevaux et s'éloignèrent au galop. S'ils s'étaient avancés de nouveau vers lui, Saltwood aurait été parfaitement incapable de tirer sur eux, même si son fusil avait contenu une deuxième cartouche.

Hilary confia la fillette à la famille de Saül, où elle commença à apprendre l'alphabet, le catéchisme et les promesses sublimes du Nouveau Testament. Ce fut une élève brillante, aussi douée pour le chant que pour la couture, et l'on put voir bientôt au premier rang de la chorale son visage noir luisant et ses dents éclatantes.

Elle était en train de répéter sous les arbres le soir où Lodevicus Van Doorn arriva sur son cheval, tel un ange vengeur auréolé de cheveux blancs. Il y avait deux fusils négligemment posés en travers de sa selle.

— Je suis venu te chercher, Emma, dit-il doucement.

— Elle ne s'en ira pas, répondit Saül, tout tremblant à la vue des fusils menaçants.

— Si tu essaies de m'arrêter, Cafre, je te fais sauter la cervelle.

Lodevicus n'avança pas la main vers ses fusils, mais rapprocha son cheval d'Emma.

Avec une dignité que la plupart des Noirs acquéraient vite à la mission, le vieux Saül s'avança pour protéger la fillette. Lodevicus leva aussitôt un de ses fusils.

— Pour l'amour de Dieu ! cria une voix derrière eux. Vous êtes devenu fou ?

C'était Saltwood, qui venait diriger la chorale. Sans arme, il marcha tout droit vers le canon du fusil, leva les yeux vers Lodevicus et lui ordonna :

« Retournez à De Kraal.

— Pas sans ma Malgache.

— Emma vit ici désormais.

— J'ai un ordre de la cour de Graaff-Reinet disant...

— Ces ordres s'appliquent aux esclaves fugitifs, non aux fillettes qui veulent se consacrer à Jésus.

Les muscles du cou de Van Doorn saillirent comme les côtes d'un melon.

— Espèce de foutriquet...

— Cher ami, répondit calmement Saltwood, descendez de ce cheval et parlons un peu.

— Je vais reprendre mon esclave.

— Viens ici, Emma !

La fillette, vêtue de sa robe bleue de la mission, courut se blottir près de son protecteur.

La fureur de Van Doorn redoubla. Emma était sa propriété, elle valait beaucoup d'argent et il détenait un commandement officiel ordonnant son retour. S'il tuait cet Anglais sur-le-champ, tous les Boers de la frontière le soutiendraient, et au diable les Anglais ! Mais, à l'instant où il levait son arme, Saül s'avança sans un mot devant le missionnaire et la fillette, écartant les bras pour les protéger. Ce geste fit hésiter le Boer. S'il tirait maintenant, il serait forcé de tuer trois personnes, dont une enfant. Il ne pouvait pas faire une chose pareille.

Mais, comme toujours, Saltwood dit les mots qu'il ne fallait pas :

— Si vous me tuez, Lodevicus, toutes les forces armées de l'Empire britannique vous pourchasseront jusqu'au bout de la terre.

Du haut de sa selle, le Boer éclata de rire, plein de mépris.

— Maudit Anglais !

Sans autre commentaire, il fit pivoter sa monture et repartit vers le veld. Il préférait chevaucher jusqu'au matin plutôt que de passer la nuit près d'imbéciles comme ce missionnaire anglais.

Quand on apprit dans les fermes de la communauté des Boers que le missionnaire anglais Saltwood avait volé Emma, la petite esclave, et lui avait accordé refuge à Golan, ce fut la consternation générale. On organisa des réunions et certains firent jusqu'à quatre-vingts kilomètres pour y participer. Chaque fois, le principal orateur était le patriarche Lodevicus le Marteau, qui sentait plus clairement que la plupart des Boers les dangers menaçant les hommes comme lui.

— Je vois où tout cela va inévitablement nous mener, clamait-il. Les Anglais veulent que nos Hottentots vivent comme des Boers. On nous rognera nos terres pour nous forcer à nous attrouper comme des Cafres. Et souvenez-vous de mes paroles : un jour, on nous prendra nos esclaves, notre langue sera mise hors la loi et nous entendrons des prédikants prononcer leurs sermons en anglais.

Un fermier des alentours de Graaff-Reinet, qui avait constaté les relations amicales existant là-bas entre les fonctionnaires boers et anglais, s'écria :

— Ces craintes sont sans fondement. Nous pouvons supporter les Anglais jusqu'à ce qu'ils repartent.

Mais les événements, sans fracas, prouvaient qu'il avait tort. Cette fois, rien n'indiquait que les envahisseurs anglais soient sur le point de quitter le pays. De nouveaux pasteurs furent nommés dans les régions reculées : tous des Écossais. La communauté boer isolée fut saisie d'indignation.

— A croire que nous n'avons aucun prédikant parmi nous ! s'écrièrent les fermiers, profondément accablés par ce changement radical.

— L'Angleterre nous écrase sous sa botte ! proclama Lodevicus.

Il refusa d'envoyer sa dîme à l'église.

L'Angleterre n'était nullement responsable. Le gouvernement savait que les congrégations de la frontière avaient besoin de prédikants parlant hollandais et les responsables du Cap auraient aimé leur en envoyer, mais, tout simplement, il n'y en avait pas. De toutes les opérations de colonisation entreprises dans le monde à la même époque, l'Afrique du Sud devait être le seul territoire où la hiérarchie religieuse fût incapable de fournir suffisamment de prêtres et de pasteurs pour accompagner les pionniers. Quand cette déficience se révéla de façon manifeste, le gouvernement adopta une solution de secours : il importa en grand nombre de jeunes presbytériens écossais, qui sautèrent à pieds joints de John Knox à Jean Calvin. Ce furent d'excellents ministres, de grande dévotion, qui firent honneur à leur religion.

Lodevicus, bien entendu, ne pouvait deviner les bonnes intentions du gouvernement dans cette affaire. Et même si les Anglais les lui avaient expliquées, il les aurait envoyés au diable. Il ne comprenait qu'une chose : les nouveaux prédikants venaient d'un pays étranger et apportaient des idées étrangères. Il était évident à ses yeux qu'ils avaient pour mission de détruire l'influence boer : un premier élément de ses sombres prédictions s'avérait exact.

Comme il n'y avait aucune école au voisinage de De Kraal, Lodevicus ne fut pas personnellement impliqué dans le scandale suivant ; mais il fut bouleversé d'apprendre, de la bouche de fermiers installés dans des endroits comme Swellendam, que les Anglais envahissaient aussi les écoles.

— C'est scandaleux ! expliqua un des fermiers à une assemblée de Boers. Mon fils Nicodemus va à l'école le lundi. Et qu'est-ce qu'il trouve ? Un nouveau maître. Un Anglais qui lui dit : « A partir d'aujourd'hui, nous parlons anglais », ou quelque chose comme ça. Nicodemus ne parle pas anglais, comment l'aurait-il deviné ?

Le mécontentement et l'amertume se répandirent parmi les Boers, et plus d'une famille, le soir après la lecture de la Bible, médita sur les avertissements proférés par Lodevicus.

— Tout arrive comme il le disait. D'abord notre église, puis nos écoles. Ensuite, on nous interdira de parler hollandais au tribunal.

A peine cette prédiction venait-elle d'être lancée qu'un fermier des environs de Graaff-Reinet, désireux de porter plainte pour une question de bornage, apprit qu'il devait soumettre sa requête en anglais. Cela provoqua de nouvelles contestations et Lodevicus reprit son rôle de prophète.

— Le bien le plus sacré d'un homme — plus sacré encore que sa Bible, me dis-je parfois —, c'est sa langue maternelle. Un Boer pense différemment d'un Anglais et exprime sa pensée dans sa propre langue. Si nous ne protégeons pas notre langue en toute circonstance, à l'église et au tribunal, nous livrons notre âme. Je dis que nous devons nous battre pour notre langue comme nous le ferions pour nos vies. Sinon, nous ne serons jamais libres.

Lodevicus, comme tous les Van Doorn, avait l'obsession de la liberté — mais uniquement pour lui-même.

— Faisons un parallèle historique, lui dit un Anglais. Quand les huguenots sont venus ici, vous étiez les maîtres, vous les Hollandais, et vous leur avez interdit de parler français. Aujourd'hui, nous sommes les maîtres et nous exigeons que vous parliez anglais. Ce n'est que justice.

Le vieux Boer explosa.

— Dieu me pardonne ! Cet endroit n'a jamais été français ! Uniquement hollandais ! Et il ne sera jamais anglais. Vous apprendrez le hollandais des Afrikaners, voilà tout !

Il aurait souffleté le visiteur si personne ne s'était interposé. L'Anglais voulut s'excuser, mais Lodevicus ne pouvait contenir sa rage, les muscles de son cou se mirent à gonfler et il hurla :

« Jamais ! Jamais notre terre ne sera anglaise !

Arpentant la pièce à grands pas, il se mit à vitupérer comme un patriarche biblique :

« Il faudra que vous passiez d'abord sur mon corps... puis

sur celui de mes fils... et de mes petits-fils... jusqu'à la fin des temps.

Ce fut sur cet arrière-plan d'idées contestataires que Lodevicus le Marteau se révolta contre les Anglais en 1815. Un soir, assez tard, un cavalier se présenta à De Kraal. Tjaart, qui accompagnait les troupeaux, était absent.

— Van Doorn ! Lodevicus Van Doorn ! cria l'homme en bondissant de sa selle.

Le vieillard à la barbe blanche parut sur le seuil.

— *Ja, broeder, wat is dit ?*

— Des Hottentots... ont tué des Boers ! s'écria le cavalier à bout de souffle.

Lodevicus le prit au collet.

« Frederick Bezuidenhout... hoqueta l'homme. A cinquante kilomètres au nord... Les juges de Graaff-Reinet...

— Je connais ces maudits juges ! lança Lodevicus. Qu'est-ce qu'ils ont encore fait ?

— Assigné Bezuidenhout... Accusé d'avoir abusé d'une servante.

Et quand l'accusé — un renégat, rustre et illettré — avait refusé de comparaître, un lieutenant et vingt soldats étaient venus le chercher. Malencontreusement, tous les soldats étaient des Hottentots et, quand Bezuidenhout s'était réfugié dans une grotte, les armes avaient parlé. Les Hottentots, fort bien entraînés par les Anglais, avaient abattu le Boer. La famille Bezuidenhout réclamait vengeance.

Lodevicus réagit spontanément :

— Bon débarras ! Ces Bezuidenhout sont des voleurs.

Il les connaissait de réputation : des forbans de la frontière qui ne respectaient aucune loi, ni anglaise ni hollandaise. Quand il était *veldkornet**, on lui avait souvent demandé de les remettre dans le droit chemin. Leur cri de guerre était : *Afrika voor de Afrikaner !* et ils exécraient les Anglais avec une passion que seul égalait leur dégoût pour les Hollandais léchant les bottes de ceux qu'ils appelaient les « seigneurs de Londres ».

Ce n'étaient que des voyous irrécupérables et Lodevicus ne pouvait nullement regretter la mort de Frederick.

— Van Doorn ! cria le messager. Vous m'écoutez ? Des

Hottentots envoyés par les Anglais amis des Cafres ont assassiné un Boer !

Il prit par l'épaule le maître de De Kraal et le secoua en criant d'une voix suppliante :

« Nous avons besoin de vous, Lodevicus le Marteau.

— Pour quoi faire ?

— Prendre la tête des Boers.

— Contre qui ?

— Les Anglais. Contre les Anglais qui ont décidé d'exterminer tous les Boers.

Si violente que fût sa haine pour les Anglais, Van Doorn ne pouvait admettre une affirmation aussi ridicule et il rappela aussitôt au messager l'époque, encore toute proche, où les trekboers armaient leurs Hottentots pour combattre les Xhosas.

« Lodevicus le Marteau, insista l'homme, si nous laissons les Anglais agir ainsi à l'égard d'un des nôtres, ils voudront faire la même chose à tous.

Ses arguments furent si convaincants que le vieillard finit par demander :

— Que voulez-vous de moi, au juste ?

— Que vous vous mettiez à notre tête pour combattre les Anglais.

— Et où trouverons-nous nos soldats ?

— Les Bezuidenhout disent que nous devons faire appel aux Cafres, dit le messager en baissant la voix.

Les deux hommes gardèrent le silence, car c'était l'instant de la trahison, l'instant où les loyautés et les principes moraux sont mis en balance. Lodevicus ne l'ignorait pas, le combat décisif que son peuple livrerait un jour serait dirigé contre les Noirs et il avait vu de ses yeux à quel point cette lutte serait effrayante. Son père Adriaan, sa mère Seena, son épouse Rébecca avaient tous été abattus par les Xhosas et, à son tour, il avait décimé leurs rangs. S'allier maintenant avec eux était impensable.

— Le seul Cafre avec lequel parlera jamais le Boer que je suis sera un Cafre mort, murmura-t-il d'une voix rageuse.

— Non, non ! Van Doorn, écoutez-moi. Avec l'aide des Cafres, nous pouvons chasser les Anglais. Quand ce sera fait, nous ferons la paix avec les Cafres.

— Ils ont massacré ma famille, répondit Lodevicus d'un ton sombre.

— Nous nous servirons d'eux pour nos propres fins.

Il expliqua comment il fallait procéder, puis il conclut :

« J'ai bien compris tout ce que vous nous avez dit, Vicus. Les Anglais nous détruiront. Ils écraseront les Boers sous leurs bottes. Ils nous obligeront à appeler « Mister » les Hottentots mangeant à notre propre table.

Et il continua à distiller son message : le véritable ennemi, c'était l'Anglais.

« Regardez ce qu'ils vous ont fait, Vicus, au moment du Circuit noir.

Ce fut le coup décisif. Lodevicus, qui avait « martelé » les Cafres, franchit un grand pas sur la voie de la trahison.

— Le seul ennemi qui compte, dit-il, c'est l'ennemi d'aujourd'hui. Il est blanc et anglais.

— Je sais où nous pouvons rencontrer les généraux xhosas, murmura le messager.

Et Lodevicus se laissa convaincre de parlementer avec eux, sans toutefois accepter de déchaîner ces guerriers redoutables contre les Anglais.

Dans la nuit noire, les deux conspirateurs partirent vers l'est jusqu'à la Grand-Poisson, qu'ils franchirent à gué en amont d'un fort provisoire. Puis ils cherchèrent le village de Guzaka, fils de Sotopo. Quand Lodevicus se trouva enfin en présence du guerrier, les deux adversaires se fixèrent en silence. Guzaka avait abattu trois membres de la famille Van Doorn ; le Marteau avait présidé à la destruction de plus de trois mille Xhosas. Guzaka se leva, tendit ses deux mains et dit :

— Il est temps.

Ils s'assirent devant la case de Guzaka — deux guerriers couronnés de blanc, léchant leurs blessures comme deux vieux matous aux griffes émoussées par les ans.

— *Ja, Kafir,* dit le Boer lentement. Tu as devant toi un Van Doorn venu demander ton aide. Dieu sait que ce n'est pas bien, mais que faire d'autre dans les circonstances présentes ?

— Les Tuniques rouges nous détruiront, vous et nous, dit le Xhosa aux cheveux blancs.

— Nous devons les chasser.

— Des morts, trop de morts, répondit Guzaka.

— Réglons-leur leur compte. Ensuite nous ferons la paix entre nous.

— Mais vous nous volez nos terres, vous aussi.

— Ce ne sont pas les Boers mais les Anglais qui ont repoussé vingt mille Xhosas de l'autre côté de la Grand-Poisson.

— C'est tout de même notre terre, dit Guzaka, troublé par le tour que prenait la conversation.

— Vieil homme, il ne nous reste guère d'années. Ni à vous ni à moi. Réglons tout de suite la question de la terre. Nous chassons les Anglais, ensuite nous faisons la paix tous les deux. Vous avez vos troupeaux, nous avons les nôtres Partageons-nous la terre.

— Pouvons-nous battre les Tuniques rouges ? demanda le vieux guerrier noir.

— Ensemble, nous pouvons tout faire, s'écria Lodevicus avec ferveur.

Impulsivement, il saisit la main de son ennemi, car, à ce moment-là, il croyait sincèrement en ses paroles. Touché par ce geste d'amitié, Guzaka répondit :

— Je vais en discuter ce soir avec les autres chefs. Demain, nous ferons le traité.

C'était un mot que Guzaka connaissait bien, car, sur cette frontière contestée, il y avait eu plus de quinze traités conclus — mais jamais dans des perspectives aussi prometteuses : les Boers et les Xhosas ensemble contre l'ennemi britannique

Or au cours de ce palabre, qui aurait pu exercer une influence déterminante sur la frontière, un jeune guerrier xhosa aux yeux farouches toujours en mouvement, qui affirmait avoir des visions et se livrait à des prophéties — c'était un homme très mince avec une cicatrice boursouflée sur le front —, s'assit à l'écart et observa tout attentivement, le cœur débordant de haine pour Van Doorn. Il se souvenait que, des années plus tôt, ce gros Boer avait répandu du tabac sur le sol en guise de piège : son père s'était accroupi pour le ramasser et cinquante guerriers avaient péri.

Quand Lodevicus et le messager se retirèrent, ce prophète entra en transe et harangua les hommes de sa tribu.

— Chacals ! Lâches ! Qui est donc ce Van Doorn venu vous

implorer ? N'est-ce pas le sorcier qui se sert de tabac pour abattre ses ennemis ! Il a le sang de ma famille sur ses mains.

— Nous avons le sang de sa famille sur nos mains, répliqua Guzaka. Il est temps de mettre fin au carnage.

— Qu'est-ce que ce monstre peut donc faire pour nous ?

— Il nous aidera à combattre les Anglais, insista Guzaka. Avec les Boers, nous pouvons vivre en paix. Avec les Anglais, jamais.

— Si nous aidons ces Boers aujourd'hui, menaça le prophète à la cicatrice, ils nous voleront nos terres quand la bataille sera terminée. Moi, je dis : Tuons-les ce soir.

Mais Guzaka voyait dans la démarche de Van Doorn l'occasion d'obtenir la paix durable sans laquelle son peuple végéterait d'épreuve en épreuve et il essaya de défendre le projet d'une attaque combinée contre les Anglais. Peine perdue : le prophète, enflammé par une vision apocalyptique de généraux xhosas défunts surgissant mystérieusement de leurs tombes pour lancer le combat à la fois contre les Anglais et contre les Boers pour les expulser des terres de la tribu, s'écria soudain :

« Cet homme est trop vieux. Il a peur !

Trois jeunes guerriers jetèrent au sol Guzaka, le capitaine de plus de cent batailles, et le tuèrent.

Puis ils s'élancèrent dans la nuit, ivres de fureur, sur la piste suivie par Lodevicus à sa sortie du campement. Dans les brumes de l'aurore, soixante guerriers déchaînés par le prophète se précipitèrent sur la tente où Lodevicus dormait. Le vieillard tendit la main vers son fusil, mais, avant même qu'il puisse tirer un seul coup de feu, les sagaies perçaient sa poitrine. Il tomba à la renverse.

— Dieu miséricordieux, pardonne-moi. Pardonne-moi, répéta-t-il, songeant à sa trahison.

Et lorsqu'il s'écroula, le sang déjà sur ses lèvres, il balbutia :

« Adriaan, Seena. Rébecca, moi. Le cercle...

La nouvelle de la mort de Lodevicus n'avait pas encore atteint De Kraal lorsque Hilary Saltwood entra dans la vallée avec Saül. Tjaart, qui revenait de conduire le bétail, dévisagea le missionnaire d'un œil soupçonneux : n'était-ce pas l'Anglais qui avait volé la petite esclave Emma ? Il saisit le sjambok accroché à sa ceinture et fit claquer la longue lanière au-dessus de la prairie.

— Quittez ces terres, Saltwood ! dit-il entre ses dents.

Hilary, perché sur le siège de sa carriole, sentit que Saül tremblait à ses côtés.

— Posez ça, Tjaart. L'heure n'est pas aux disputes.

— Retournez chez vos Hottentots, l'Anglais. Et emmenez ce maudit Cafre avec vous.

Les yeux de Saltwood suivirent la ligne du fouet, toujours menaçant, puis remontèrent jusqu'au visage de Tjaart. Le Boer reconnut dans ce regard une prière pleine d'angoisse. Sa voix se fit moins intransigeante.

« Que voulez-vous donc ?

— Il s'agit de votre père, Tjaart.

Wilhelmina et la femme de Tjaart, qui écoutaient depuis l'intérieur de la maison, s'avancèrent sur le seuil et fixèrent le nouveau venu. A la vue des femmes, Saltwood n'osa pas poursuivre.

— Eh bien, quoi ? insista le jeune Boer.

— Il s'est joint aux rebelles.

— Bon Dieu, je le sais. Et j'y vais demain.

Seigneur, pourquoi moi ? se demanda Hilary en une prière muette. Pourquoi faut-il que ce soit toujours moi qui affronte cette famille ?

— Tjaart, votre père est mort.

Les mots du jeune Van Doorn semblèrent sortir du fond de sa gorge :

— Que dis-tu, l'Anglais ?

Jusque-là, ils avaient conversé dans la langue des Boers, mais, dans son trouble, Tjaart utilisait maintenant la langue du missionnaire.

Le visage de Wilhelmina devint blême. Elle passa le bras autour des épaules de sa belle-fille et se blottit contre elle. En un instant, elle revécut par la pensée les longues années écoulées depuis le jour où, renonçant à un passé sans Dieu, elle était partie vers le nord pour s'offrir à Lodevicus le Marteau. De belles années. Des années violentes. Par deux fois, ses lèvres dessinèrent le nom de son époux et, lorsqu'elle leva les yeux vers le missionnaire, maigre comme un fil, elle compris à son visage bouleversé qu'il avait dit la vérité : son vieux compagnon farouche était mort.

— Les Cafres l'ont tué, reprit Saltwood.

A mi-voix, il expliqua que son Xhosa, Saül, au cours d'une visite au-delà de la Grand-Poisson, avait appris l'intervention de Lodevicus auprès de Guzaka et la double tragédie qui s'était ensuivie. Quand Hilary leur assura que Saül pourrait les conduire auprès du corps, Wilhelmina dit d'une voix calme :

— Dominee, vous devez être fatigué. Entrez.

Dans l'après-midi, l'expédition commença. Wilhelmina insista pour que le Marteau fût enseveli là où il était tombé. Et, quand Saltwood lui proposa de l'enterrer à la mission, elle refusa.

— C'était un homme de Dieu, mais non un homme d'église, dit-elle.

Le lendemain, à midi, tandis que les Xhosas pleuraient la mort de leur général Guzaka, les Blancs, hommes et femmes, entassaient des pierres au-dessus de la tombe de Lodevicus. Le missionnaire prononça une prière en hollandais, puis récita les passages émouvants du Psaume 19 :

> Les jours de notre vie sont trois vingtaines d'années plus dix ; et si, par suite de quelque force, ils devenaient quatre vingtaines, cette force serait peine et chagrin ; car la vie sera alors coupée avant le temps et nous disparaîtrons. [...] Enseigne-nous donc à compter nos jours, pour que nous puissions consacrer nos cœurs à la sagesse.

A leur retour, quand le groupe en deuil arriva à l'endroit où Saltwood et Saül devaient prendre à l'est pour se rendre à Golan, le missionnaire eut le sentiment que sa vie et celle de Tjaart étaient aussi divergentes que les chemins s'ouvrant maintenant devant eux. Au cours de ces quelques journées, il avait vécu plus près d'un Van Doorn qu'il ne pourrait l'être jamais et cela le poussa à dire d'une voix pleine de ferveur :

— Tjaart, ne vous joignez pas aux rebelles. Ne vous exposez pas à une tragédie.

— Quoi ! s'étonna Tjaart. Vous vous souciez de mon âme ?

— A propos d'Emma, la petite esclave qui a provoqué tant d'amertume entre nous... Je désire l'acheter.

— Un dominee ? Acheter une esclave à De Kraal ?

— Elle et ses parents.

— Où trouverez-vous l'argent ?

— J'écrirai chez moi... A ma mère.

La naïveté de ces paroles amusa tous les Van Doorn et, pour la première fois depuis la mort du Marteau, ils éclatèrent de rire.

— Il va écrire chez lui, à sa mère ! singea Tjaart.

Mais il accepta de lui vendre les esclaves.

Au moment même où retentissaient ces rires, le dernier épisode de ce soulèvement futile se déroulait vers le nord, où les soldats anglais, bien entraînés, encerclèrent un commando désemparé de soixante-dix dissidents hollandais. La plupart se rendirent sans coup férir. Quelques meneurs s'enfuirent pour livrer une dernière escarmouche qui devait se solder de bien triste manière : quand les armes se turent, Johannes Bezuidenhout, le frère de Frederick qui était à l'origine des troubles, avait perdu la vie.

La première rébellion, avortée, s'acheva ainsi.

C'était un son que l'on n'avait jamais entendu auparavant dans cette partie du monde : deux tambours en sourdine battaient de part et d'autre d'une charrette où se tenaient, debout, six hommes aux poings liés. La marche de la mort. Les deux chevaux, caparaçonnés pour la circonstance, traînaient les derniers Bezuidenhout rebelles vers une belle vallée encadrée de collines rassurantes. Les six hommes avaient été condamnés à mort, mais l'un d'eux avait été gracié. Avant que ne commence sa détention à vie, il devait assister à la pendaison de ses cinq compagnons, debout et attaché à la potence par le cou.

La place choisie pour la pendaison portait un nom épouvantable. Les événements qui s'y dérouleraient allaient être si affreux que l'histoire de l'Afrique du Sud en conserverait toujours l'écho : *Slagter's Nek* — le cou du massacreur.

L'assistance était nombreuse. On avait exigé que tous les rebelles non condamnés y assistent, debout près du gibet, ainsi que tous les membres de leurs familles et les deux veuves des Bezuidenhout déjà morts. Près de trois cents soldats de la milice étaient présents pour apaiser les passions : troupes anglaises en rouge, milice hottentote en grande tenue et Boers « loyaux » portant le costume fruste des commandos. A leur tête chevauchait un homme tout à fait extraordinaire : le fils du maire d'Albany, dans l'État de New York — l'un des nouveaux États unis d'Amérique.

Le colonel Jacob Glen Cuyler, âgé de quarante ans et fort bel homme, était né à la veille de la Révolution américaine dans une famille loyaliste. Ses parents, refusant de soutenir la révolution, avaient fui au Canada, où le jeune Jacob s'était engagé dans l'armée britannique. A cause de son ascendance hollandaise, il semblait rationnel de l'envoyer en Afrique du Sud, où il débarqua en 1806 avec le second corps expéditionnaire anglais. Courageux et intelligent, il fit son chemin dans la nouvelle colonie. Il devint colonel et administrateur d'un vaste district au sud de Graaff-Reinet.

Il était l'ennemi irréductible des révolutionnaires. C'étaient eux qui l'avaient chassé de sa maison en Amérique, lui laissant des souvenirs indélébiles : il avait emmené en Afrique du Sud deux beaux portraits de ses parents, terminés par le major John André peu de temps avant sa mort — quand on l'avait exécuté comme espion anglais, il vivait chez les Cuyler.

Le colonel Cuyler, agissant selon les ordres stricts du Cap, était bien déterminé à ce que ces pendaisons se déroulent dans les règles. C'était lui qui avait suggéré la présence des deux tambours. C'était lui qui s'était arrêté en chemin à la mission Golan pour dire au missionnaire Saltwood :

— Il faut toujours qu'un prêtre soit présent à une pendaison. Cela donne une sanction religieuse et cela aide les condamnés à se dominer.

Tous ceux qui assistèrent aux pendaisons de Slagter's Nek devaient en conserver le souvenir jusqu'à leur mort ; des hommes et des femmes se réveilleraient en pleurant au milieu de la nuit — non à cause des pendaisons elles-mêmes, assez fréquentes à l'époque, mais en raison d'un événement fantastique qui se produisit.

On conduisit les cinq hommes condamnés jusqu'au gibet, on les força à monter sur des plates-formes à bascule et à se tenir au garde-à-vous, pieds et poings liés, tandis que l'on passait les cordes autour de leurs cous. Certains acceptèrent des bandeaux sur les yeux, d'autres n'en voulurent point. Quand tout fut prêt, Cuyler ordonna au tambour de battre un long roulement et l'on fit basculer les plates-formes. Pendant un long moment, de plus en plus horrible, les condamnés luttèrent, suspendus dans le vide — puis le miracle eut lieu ! Sur cinq cordes, quatre se rompirent, libérant les hommes.

Aussitôt, un cri de joie jaillit de toutes les poitrines, même dans les rangs de la milice hottentote. Le révérend Saltwood sauta en l'air, bras tendus vers le ciel, en criant :

— Dieu soit loué !

Se laissant emporter par son soulagement, il étreignit les hommes sauvés de façon aussi miraculeuse et s'agenouilla dans la poussière pour délier les entraves de leurs jambes. Ensuite, il dirigea la prière, qui sembla planer dans les airs comme si Dieu Lui-même se réjouissait. L'issue heureuse de cette tragédie l'emplissait d'allégresse, bien que le cadavre du cinquième rebelle, malchanceux, se balançât encore au bout de sa corde. Il se trouva soudain aux côtés de Tjaart Van Doorn et, dans leur joie mutuelle, les deux ennemis s'embrassèrent.

« Merci, mon Dieu ! Merci, mon Dieu ! répétait Hilary à mi-voix, tandis que Tjaart dansait au pied des potences.

« Tjaart ! s'écria Saltwood, enthousiaste. Il faut que vous veniez prier avec moi. Nous pouvons être amis. Sincèrement, c'est possible.

— Peut-être, répondit Tjaart.

Et ce fut en cet instant de réconciliation que l'horrible chose se produisit.

— Reformez les rangs ! cria Cuyler. Apportez d'autres cordes.

— Quoi ? s'étonna Saltwood, incapable de comprendre ce que ses oreilles avaient entendu.

— De nouvelles cordes !

— Mais, colonel ! Selon la loi anglaise... Si la corde casse, le condamné est libre.

A peine Hilary eut-il évoqué cet ancien édit — et c'était une bonne loi, car elle reconnaissait que Dieu intervient parfois pour sauver le condamné — que la foule se fit l'écho de sa protestation. Les familles qui se réjouissaient déjà de voir leur père, leur frère ou leur fils gracié se précipitèrent vers l'officier pour lui rappeler cette tradition vénérable.

— Ils sont sauvés ! criait la foule. Vous n'avez pas le droit de les pendre une seconde fois.

— C'est juste, plaida Saltwood en tirant Cuyler par la manche. C'est une coutume honorée par tous les hommes. La pendaison était achevée lorsque Dieu est intervenu.

Les yeux de Cuyler se durcirent soudain. Il avait un devoir à accomplir, une révolution à mater. Ayant été chassé d'Albany, il connaissait la terreur qui peut submerger un pays quand on laisse les idées révolutionnaires se répandre à tous les vents. Il ferait tout pour éviter cela en Afrique. Ces hommes devaient mourir. Pourquoi cet imbécile de missionnaire anglais commençait-il à faire des ennuis ? C'était agaçant ! D'un coup d'épaule vigoureux, il repoussa Saltwood en criant à son ordonnance :

— Arrêtez cet imbécile et emmenez-le !

— Non, monsieur, non ! protesta Hilary. Vous allez souiller cette terre si vous...

— Emmenez-le ! coupa Cuyler d'une voix glaciale.

Les soldats se saisirent du missionnaire, l'un d'eux plaqua la main sur sa bouche pour qu'il ne puisse pas protester plus longtemps et on l'entraîna.

Puis, les quatre survivants que Dieu avait graciés furent traînés de force sur les plates-formes. Leurs visages devinrent gris comme de la cendre. On passa les nouvelles cordes autour de leurs cous.

La foule ne protesta pas. Elle ne se dressa pas contre le nouveau gouvernement. On n'entendit qu'un immense soupir angoissé : comment une chose aussi monstrueuse pouvait-elle se produire en une si belle journée ? Puis, de l'endroit où les soldats retenaient Saltwood, monta le hurlement de supplication du missionnaire :

— Non ! Non !

Une fois de plus, les plates-formes basculèrent. Les cordes tinrent bon.

Quand Tjaart Van Doorn rentra à De Kraal, il garda longtemps le silence, puis il fit venir sa mère, sa femme et ses enfants : en assemblée solennelle, il prononça la litanie mystique qui allait être récitée à partir de ce jour-là dans toutes les familles de Boers irréductibles :

— N'oubliez jamais le Circuit noir, quand des Hottentots et des menteurs ont porté témoignage devant les juges anglais contre les Boers honnêtes. N'oubliez jamais la façon dont les Anglais ont tenté de bannir notre langue. N'oubliez jamais Slagter's Nek, où un officier anglais a pendu les mêmes hommes deux fois, au mépris de la loi de Dieu.

Tjaart avait alors vingt-six ans. C'était un homme calme mais obstiné, qui sortait lentement de l'ombre où l'avait plongé la personnalité exubérante de son père, pour assumer les responsabilités de De Kraal. Son caractère n'était pas encore pleinement formé. Il soutenait tout ce que, dans sa passion, son père avait entrepris, même sa quasi-trahison, convaincu que le vieillard avait été poussé au désespoir par les agissements illégaux des Anglais. Mais il savait que jamais il ne prendrait la place du Marteau. Jamais il ne serait le champion des Boers. Il voyait les choses sous un jour plus pacifique — comme un taureau sûr de sa force et de son droit, qui domine le pâturage sans meugler. Il comprenait très bien qu'il faudrait s'opposer à la domination britannique. Mais quand et comment ? Il n'en avait pas la moindre idée. Il supposait que les envahisseurs, à force d'accumuler les petites fautes, creuseraient leurs propres tombes — jusqu'au jour où les Boers pourraient enfin reprendre le pouvoir dans leur pays natal.

Quand le colonel Cuyler revint du gibet de Slagter's Nek, il était si écœuré du comportement pusillanime — selon sa propre expression — du révérend Saltwood qu'il adressa au Cap un rapport rageur confirmant ce que plus d'un fonctionnaire du gouvernement avait commencé à soupçonner : à savoir qu'Hilary était un personnage irresponsable dont les loyautés demeuraient sujettes à caution. De ce jour-là, les milieux anglais d'Afrique du Sud cessèrent toute relation avec le missionnaire famélique des confins orientaux de la colonie...

Au cours de ces mêmes années, le capitaine Richard Saltwood s'était comporté plutôt bien dans l'Empire des Indes : lors des pendaisons d'Hindous — et il avait assisté à plus d'une —, jamais il ne s'était laissé aller à des protestations hystériques.

— Un type a été pris, on l'a pendu ; un point, c'est tout.

En 1819, récemment promu major avec six campagnes à

son actif, dont deux avec Ochterlony contre les Gurkhas (une défaite en 1814 et une victoire en 1816), il prit le bateau pour l'Angleterre avec son régiment. A l'escale du Cap, il voulut rencontrer son frère, missionnaire quelque part. En apprenant qu'Hilary se trouvait à sept ou huit cents kilomètres de là, il ne dissimula pas sa surprise.

— Cet endroit est aussi vaste que l'Inde !

Et il abandonna tout espoir de le voir...

Ce qu'il apprit au Cap du comportement étrange d'Hilary ne lui fit guère plaisir.

— C'est la frontière, Richard, lui dit l'épouse d'un officier. Des Cafres, des Hottentots, des fermiers boers qui ne savent ni lire ni écrire. Nos soldats ne restent en poste là-bas que sept mois. Ils ne pourraient supporter un plus long séjour. Depuis combien de temps votre frère s'y trouve ? Neuf longues années ? Rien d'étonnant à ce qu'il ait perdu son bon sens.

Un capitaine qui avait été en poste à Graaff-Reinet se montra plus précis.

— C'est la solitude morale... La solitude intellectuelle. L'Église leur fait parvenir des livres de Londres, mais ils sont seuls là-bas, immobilisés au bout du monde. Je n'oserais pas envoyer un de mes hommes dans un endroit pareil, même pour deux ans. Il pourrirait.

— En quel sens ?

— Les gens qui vivent là-bas se mettent à voir toute chose du point de vue des indigènes. Ils apprennent leur langue, vous comprenez. Ils mangent de la nourriture cafre. Certains, Dieu me pardonne, prennent des femmes cafres...

— Sûrement pas des missionnaires !

— Si. Et même ils les épousent. Et il y a eu des cas où...

Il baissa la voix d'un air entendu, pour permettre au major Saltwood d'imaginer ce que ces cas devaient être.

— Puis-je faire quelque chose ? demanda Richard.

— Certainement. Lui trouver une femme.

— Ne peut-il...

Le capitaine le coupa : il voulait exposer une idée sur laquelle il avait souvent réfléchi.

— Le fait est que, partout, les hommes sont plus solides lorsqu'ils sont mariés. Cela leur donne un sens des responsabilités. Ils se couchent plus tôt. Ils mangent de la nourriture mieux préparée. Les missionnaires ne font pas exception. Votre frère a besoin d'une épouse.

— Pourquoi n'en prend-il pas une ?

— Il n'y en a pas.

— J'ai vu beaucoup de femmes au bal hier soir.

— Pas une seule célibataire.

Il fit la liste des jeunes personnes que Richard avait rencontrées, elles étaient toutes mariées.

— Hier soir, elles n'en avaient pas l'air, fit observer Saltwood.

— Ce que je vous conseille, dit le capitaine, c'est de trouver une bonne épouse pour votre frère dès votre retour chez vous.

— Et de la lui expédier en bateau ?

— C'est ce que nous faisons tous. Chaque bateau qui entre dans Table Bay a son quota, mais il n'y en a jamais assez.

Il baissa les yeux sur son verre, songeur.

« Quand on est en Angleterre et qu'il y a des femmes partout, cela paraît tout naturel et banal. Mais outre-mer, quand il n'y en a pas du tout — en tout cas des Blanches —, bon Dieu, la femme prend une sacrée importance !

Ce fut à la suite de cette conversation que Richard Saltwood écrivit une lettre à son frère :

> Je suis abominablement déçu de ne pas t'avoir vu pendant mon séjour. Le régiment rentre au Wiltshire et j'en suis le major, grâce à certain coup de chance contre les Gurkhas. J'ai soudain le mal du pays et j'aimerais bien que tu sois aux Sentinelles à mon arrivée.
>
> Plusieurs personnes au Cap — des religieux et des militaires — m'ont pressé de te trouver une épouse à mon retour à Salisbury. Envoie rapidement une lettre à Mère pour nous dire si nous devons nous en occuper — et comment. Ta femme pourrait être à bord d'un des prochains bateaux en partance pour Le Cap et il se pourrait que je l'accompagne, parce que j'ai beaucoup apprécié ton pays. Je crois qu'un soldat anglais pourrait très bien faire carrière ici — alors que, dans mon glorieux cinquante-neuvième, j'ai atteint le plafond.

Quand Hilary reçut la lettre, il était au plus bas : la mission Golan vivait des moments difficiles. Les rangées de cases étaient pleines de Hottentots et de Xhosas qui cherchaient à fuir le travail imposé par les Boers, mais très peu étaient des chrétiens sincères. Mêmes les parents d'Emma ne s'étaient pas convertis et Emma posait elle aussi un problème. Elle avait dix-neuf ans et c'était une vraie chrétienne, mais il fallait préparer son avenir d'une manière ou d'une autre. Le mieux qu'elle pût espérer était un mariage avec un Xhosa à demi chrétien. Très probablement, elle retomberait dans la servitude auprès d'une famille de Boers.

Les fonds nécessaires à la mission étaient lents à venir d'Angleterre et le jeune pasteur désigné pour seconder Hilary avait jeté un simple coup d'œil à l'Afrique du Sud et s'était hâté de reprendre le bateau, préférant tenter sa chance aux Indes. Hilary se consolait de ces déceptions en se plongeant de plus belle dans ses tâches quotidiennes et en les partageant avec Emma.

— Phambo est revenu à la prière, je crois vraiment qu'il est sur la voie du salut.

Trois jours plus tard, quand Phambo s'enfuit dans le camp des Xhosas, de l'autre côté de la Grand-Poisson, en emmenant trois vaches de Golan, Hilary ne le condamna pas pour autant :

— Pauvre Phambo ! Il a été soumis à la tentation et il n'a pas pu résister. Mais il reviendra, Emma, j'en suis convaincu, et il nous faudra l'accueillir comme notre frère, avec ou sans les vaches.

Hilary fermait les yeux sur l'ostracisme auquel le condamnaient à la fois les Boers et les Anglais : les premiers parce qu'il était un agent de la répression britannique ; les seconds parce qu'il s'était « mal tenu » à Slagter's Nek. Les deux partis le méprisaient de le voir soutenir les Cafres contre les Blancs. Une des bonnes raisons qui lui permettaient d'ignorer cet ostracisme, c'était qu'il participait rarement à une réunion publique. Son univers se limitait à sa mission.

Mais la lettre de son frère, qui lui suggérait de prendre femme, ne manquait pas de bon sens. Il avait à ce moment-là trente-quatre ans, mais il était usé et meurtri par ses efforts sur une frontière difficile et il ressentait le besoin de partager son fardeau spirituel avec quelqu'un. Si sa mère, avec le concours de ses frères, pouvait faire le tour des partis possibles de Salisbury et lui trouver une bonne épouse, les années à venir se révéleraient peut-être plus bénéfiques, à la fois pour Jésus et pour Son serviteur Saltwood. Il écrivit donc sa lettre avec grand soin, précisant à sa mère toutes les qualités requises d'une femme de missionnaire en Afrique du Sud.

Il fut distrait de ces problèmes personnels par l'irruption de Tjaart à la mission, un matin, accompagné de quatre Boers.

— Nous avons besoin de tous les hommes ! cria-t-il d'une voix pressante. Les Cafres marchent sur Grahamstown.

Le commando attendit que Saltwood prenne les armes — une quinzaine de minutes, dont dix s'écoulèrent pour Hilary en un déchirant débat intérieur : était-il chrétien qu'il participe à un combat armé contre les Xhosas ? Il aimait ce peuple. Mais il se rendait bien compte qu'aucun missionnaire ne pourrait évangéliser efficacement tant que la frontière ne serait pas pacifiée. Et, quoique à regret, il prit son fusil.

« Emmenez aussi vos Hottentots ! lui cria Tjaart.

Et six d'entre eux sautèrent à cheval sans se faire prier. Que les Anglais utilisent des Hottentots contre les Boers était criminel, mais que les Boers arment ces mêmes hommes contre les Cafres semblait tout naturel...

Le petit poste militaire de Grahamstown se trouvait à une centaine de kilomètres de Golan et, tandis que les Boers pressaient leurs montures, Saltwood songea que seuls des Anglais vivaient dans ce village. Et, pourtant, des Boers se lançaient à leur secours au galop. Il savait que Tjaart méprisait les Anglais et ne manquait aucune occasion de prendre parti contre eux. Mais, quand un poste avancé de l'armée anglaise était menacé par les Cafres, les commandos boers semblaient toujours prêts à monter en selle. C'était confondant.

Les douze arrivants furent accueillis de tout cœur à Grahamstown, où moins de trois cents soldats anglais et hottentots, avec deux canons, attendaient l'attaque des Xhosas. Le contingent de Tjaart signifiait que trente civils aideraient les militaires. Il fut désolé de voir le commandant anglais diviser ses forces.

— La moitié aux casernements, vers le sud-est ; le reste ici avec moi, pour défendre la ville vide.

Il envoya les femmes et les enfants dans les casernements, où ils seraient en sécurité. Cinq femmes refusèrent.

— Nous voulons combattre dans la ville avec nos hommes.

Tout au long de la nuit, des éclaireurs hottentots vinrent rendre compte de l'avance constante de la horde xhosa, mais

Tjaart et Saltwood refusèrent de croire au nombre qu'ils annonçaient.

— Les hottentots exagèrent toujours, expliqua Tjaart. Les Blancs et les Noirs sont beaucoup plus grands qu'eux, alors ils les croient plus nombreux.

Mais, à l'aube, tous les défenseurs eurent le souffle coupé lorsqu'ils posèrent les yeux sur les pentes des collines, au nord-est de Grahamstown : plus de dix mille guerriers xhosas se déployèrent en trois vagues immenses. Le bruit que fit cette multitude lorsqu'elle s'élança vers le poste sema la terreur dans tous les cœurs.

Le prophète xhosa — l'homme à la cicatrice sur le front — avait prédit une victoire assurée.

— Quand Grahamstown tombera, nous pourrons courir librement sur toutes les fermes de la frontière, depuis l'océan jusqu'aux montagnes du nord.

Derrière les troupes ivres d'allégresse suivaient des centaines de femmes avec leurs batteries de cuisine et leurs calebasses, car le prophète leur avait promis :

« A la tombée du jour, nous ferons un festin comme vous n'en avez jamais vu. Les Tuniques rouges et les Boers seront tous détruits.

Tjaart, imprégné de l'esprit de Lodevicus le Marteau, considérait l'attaque imminente comme un combat de plus dans une bataille sans fin. En face, l'ennemi ; de son côté, les hommes de Dieu — qui n'avaient qu'un devoir : châtier l'adversaire. Il se tourna vers ses hommes.

— Si quelqu'un a peur de se battre, qu'il parte sans attendre une seconde de plus.

Son regard s'attarda sur Saltwood et il s'attendait presque à le voir prendre la fuite, mais jamais dans le passé un seul Saltwood n'avait déserté et Hilary ne devait pas rompre cette tradition. Il regarda ses six Hottentots.

— Vous êtes prêts ? leur demanda-t-il.

Les hommes bruns acquiescèrent.

« Prions ensemble.

Quand il eut terminé sa prière en anglais, Tjaart lui demanda d'ajouter quelques mots, et il dit en hollandais :

« Comme Abraham, nous affrontons les Cananéens. Comme lui, nous remettons notre vie entre Tes mains. Dieu tout-puissant, guide Tes bons chrétiens pour que nous écrasions ces Cafres une fois de plus.

L'attaque survint au début de l'après-midi. Vague après vague, les xhosas déferlèrent de la colline en hurlant, pour se jeter sur les soldats défendant la ville. Ceux des casernements durent regarder, impuissants, les hordes se lancer à l'assaut des petites maisons.

— Il faut aller les aider, s'écria Saltwood.

— Ne bougez pas ! ordonna un lieutenant. Notre tour viendra.

Les plus audacieux des Xhosas avançaient jusqu'à une trentaine de mètres des soldats, mais la fusillade drue décimait leurs rangs et les deux canons faisaient un véritable carnage. Les centaines de Noirs des premiers rangs tombèrent et leurs chefs, voyant que la ligne anglaise ne pourrait être brisée, donnèrent l'ordre de se lancer à l'assaut des casernements. Ils eurent plus de succès et dépassèrent même plusieurs bâtiments jusqu'à la cour carrée centrale de la caserne, où ils se trouvèrent en sécurité, car l'on ne pouvait pointer les canons sur eux de peur de tuer des Anglais ou des Boers. Le combat se poursuivit au corps à corps.

Tjaart et Saltwood, épaule contre épaule, étaient en pleine mêlée. Ils virent deux Hottentots s'écrouler, puis une Tunique rouge. Un énorme Xhosa bondit sur Saltwood en brandissant sa massue de guerre, mais Tjaart pivota sur lui-même et l'abattit d'un coup de pistolet. La bataille fit rage dans la cour carrée pendant près d'une heure, mais les valeureux Xhosas, accablés par un feu serré auquel ils ne s'attendaient pas, durent battre en retraite. Les guerriers s'enfuirent soudain en désordre, pris de panique, et les combattants blancs et hottentots poussèrent des cris d'allégresse. Grahamstown était sauvée !

Après la bataille, on s'aperçut que Saltwood n'était plus là. Pendant un moment, Tjaart se demanda si le missionnaire, qui s'était battu avec tant de courage, n'avait pas été fait prisonnier par les Xhosas au moment de leur fuite. Mais il aperçut bientôt Hilary, plein de sang et les vêtements en lambeaux, à genoux près d'un Xhosa agonisant sur le champ de bataille. Il avait le visage baigné de larmes et, quand il vit son voisin Van Doorn s'approcher, il leva vers lui un regard désespéré.

— Sept cents morts, balbutia-t-il à mi-voix. J'ai compté plus de sept cents cadavres xhosas. Et trois de nos hommes ont péri. Puisse Dieu nous pardonner cette hécatombe.

— Dominee, raisonna Tjaart, Dieu a voulu nous voir gagner cette bataille.

Et, comme le missionnaire balbutiait des paroles sans suite, Van Doorn ajouta :

« Dans une guerre comme celle-ci, où nous sommes si peu nombreux contre une multitude, il est mal venu d'aimer son ennemi. Il faut le détruire. Où seriez-vous, à présent, s'ils nous avaient écrasés ? Avez-vous envie de voir Golan incendié ?

Saltwood leva les yeux vers l'homme qui lui avait sauvé la vie. Il essaya d'expliquer ses sentiments de répugnance, mais aucun mot ne vint sur ses lèvres.

« Tout est pour le mieux, dominee, lui dit Tjaart. Nous avons donné à ces salopards de Cafres une leçon qu'ils ne sont pas près d'oublier. Jusqu'à la prochaine fois.

— La prochaine fois ?

Tjaart tira sur sa barbe.

— Cela ne cessera jamais, dominee. Pas avant qu'un des deux camps soit le seul maître de ce pays.

Saltwood dut reconnaître, à son corps défendant, que les paroles de Van Doorn étaient le reflet de la vérité, mais il n'exprima pas sa pensée, car dans ses bras le jeune guerrier xhosa, à peine sorti de l'enfance, venait de retomber, inerte, après un dernier frisson.

Quand la lettre d'Hilary Saltwood parvint aux Sentinelles, dans l'ombre de la cathédrale de Salisbury, sa mère avait cinquante-quatre ans et venait d'être veuve. Ce fut de tout son cœur qu'elle décida d'aider son fils lointain à trouver une épouse qui lui convînt. Une démarche de ce genre n'était nullement exceptionnelle dans la campagne anglaise. Des fils de familles éminentes partaient à l'aventure dans toutes les parties du monde, demeuraient pendant des années les fers de lance de la civilisation aux Indes, en Amérique du Sud ou à Ceylan, sans jamais songer à épouser des femmes de l'endroit, comme le faisaient les colons portugais et français. L'Anglais n'oubliait jamais la jeune fille laissée au pays et, une fois la trentaine bien sonnée, il revenait chez lui, où l'attendait une de ces femmes au visage ingrat, en général de trente ans passés, qui, en d'autres circonstances, n'aurait jamais trouvé d'époux. Et ces deux êtres qui avaient eu peur de rater leur vie se rendaient aussitôt au temple du village : le pasteur les unissait, on lançait des fleurs, tout le monde se félicitait de ce petit miracle, et bientôt le couple repartait vers un autre horizon lointain.

Ou bien, comme dans le cas présent, le fils écrivait à ses parents pour leur demander de faire sa cour à sa place. Ils rendaient visite à des familles qu'ils connaissaient depuis des générations, et une vieille fille qui sans cela ne se serait jamais mariée découvrait que, dans un lointain pays, un homme, dont elle ne se souvenait que très vaguement, avait soudain besoin de sa présence. Telle était la norme britannique et les hommes qui s'en écartaient pour épouser des femmes de l'endroit où ils se trouvaient voyaient leurs vies sérieusement handicapées, voire ruinées.

Emily Saltwood, en lisant l'appel de son fils, se retira dans sa chambre pendant deux jours et dressa la liste des filles de ses amies susceptibles de devenir de bonnes épouses. Après avoir fait tout son possible pour les juger d'un point de vue d'homme — et de missionnaire —, elle décida que la famille à rencontrer était celle des Lambton, qui habitait de l'autre côté du pont, au voisinage de la cathédrale.

Ne voulant partager le secret de sa mission avec aucun domestique, elle préféra ne pas prendre sa voiture et partir vers la ville à pied. Elle trouva sans peine la ruelle pavée de briques conduisant à la demeure des Lambton et elle frappa doucement à leur porte. Au bout d'un long silence qui l'inquiéta, car il semblait bien que personne ne fût au logis, elle entendit un glissement de pantoufles derrière la porte et une vieille servante ouvrit.

— Mme Lambton n'est pas à la maison, dit-elle.

Mlle Lambton était absente elle aussi, mais on pourrait sûrement les trouver toutes les deux dans les jardins de la cathédrale, car elles avaient l'intention de prendre le thé dans le quartier.

— Vous savez, dit Emily, il est extrêmement important que je voie Mme Lambton sur-le-champ. Je crois que vous feriez bien d'aller les chercher.

— Je n'ai pas le droit de quitter la maison, madame, insista la servante.

— En ces circonstances, ce serait préférable.

Mme Saltwood savait, elle aussi, se montrer têtue.

— Ne pouvez-vous aller à leur rencontre à la cathédrale ? dit la vieille.

— Non, je ne peux pas. Parce que ce dont j'ai à discuter avec Mme Lambton ne saurait être évoqué à tous les vents. Hâtez-vous d'aller chercher votre maîtresse, si vous ne voulez pas goûter de mon parapluie !

Cela, la servante le comprit aussitôt. Elle revint au bout d'un moment, avec Mme Lambton et sa fille Vera. C'était plus qu'Emily n'en avait demandé, aussi dit-elle d'un ton brusque :

— C'était votre mère que je voulais voir.

La jeune fille — de vingt-neuf ans —, grande et plutôt timide, se retira d'un air soumis.

— Je viens de recevoir une étrange lettre de mon fils Hilary, celui qui est en Afrique du Sud, vous savez..., commença Emily.

Et, sans qu'un mot de plus ne fût prononcé, Mme Lambton comprit l'objet de cette visite soudaine. Elle força ses mains à ne pas trembler et répondit :

— Nous nous souvenons très bien d'Hilary, Vera et moi. Le soldat n'est-ce pas ?

— Le missionnaire, laissa tomber Emily.

— Oui, oui.

Les mains de Mme Lambton tremblèrent de plus belle, mais elle les dissimula. Elle savait qu'elle venait de commettre une erreur impardonnable. Confondre les deux fils Saltwood ! Mais elle se rattrapa admirablement en forçant Emily à se mettre sur la défensive.

« N'avez-vous pas un fils qui est parti en Amérique ?

— Hélas oui. Jamais nous n'avons eu de ses nouvelles.

— On m'a dit que votre fils Richard songeait à repartir aux Indes... sans son régiment.

— C'est un garçon courageux. Il partira dans quelque coin perdu...

— Dites-moi, Emily, que ressent une mère dont les enfants sont si loin ?

— Vous le saurez peut-être bientôt, parce qu'Hilary m'a demandé de voir si Vera...

Il était très difficile de dire une chose pareille carrément, sans aucune préparation, mais y avait-il d'autres moyens ?

« Oui, il voudrait savoir si Vera accepterait de le rejoindre en Afrique du Sud — à la mission, n'est-ce pas...

— C'est une jeune fille très pieuse, biaisa Mme Lambton. Tous les Lambton ont beaucoup de respect pour l'Église.

— Je sais, je sais. C'est pour cette raison que je me suis permis d'aborder avec vous un sujet aussi délicat.

— J'ignore comment Vera...

Mme Lambton prenait ses distances, comme si sa fille avait l'habitude d'examiner des propositions de ce genre ; mais Emily Saltwood n'avait pas l'intention de s'en laisser conter.

— Vera est à un âge où il faut prendre des décisions, répondit-elle d'un ton brusque. Et des décisions rapides. Hilary est un homme excellent et il a besoin d'une épouse.

— Quel âge a-t-il ? demanda Mme Lambton doucement.

— Trente-quatre ans. Le meilleur âge pour un mariage de ce genre.

— Et a-t-il des espérances ?

— Son frère aîné, Peter, héritera de la maison, bien entendu. Mais nous sommes sûrs qu'Hilary deviendra chanoine de la cathédrale un de ces jours. Quand sa mission s'achèvera, évidemment.

— Très intéressant.

Mme Lambton avait entendu parler de trois autres jeunes gens qui envisageaient cette même promotion. D'autre part, Hilary était accablé d'un handicap qui le disqualifiait complètement — et il était important de battre en brèche, d'entrée de jeu, la position de négociation de Mme Saltwood.

« Je croyais savoir que votre fils avait pris les ordres chez les méthodistes, ou dans une secte aussi peu orthodoxe ?

Elle arbora son sourire radieux des dimanches à la sortie du service.

— Uniquement pour ses vœux de missionnaire. Il rentrera dans le droit chemin dès son retour ici.

Elle sourit à son tour.

« Vous avez également appris, j'en suis sûre, qu'avant de mourir le vieux Proprietor, qui adorait Hilary, a réservé une place pour lui à la cathédrale.

— Dommage qu'il soit mort, répondit Mme Lambton.

Elle avait d'autres objections très solides. Envoyer sa fille dans un pays aussi reculé que l'Afrique du Sud ! Mais elle était assez réaliste pour comprendre que Vera vieillissait et avait tout intérêt à trouver un prétendant dans les délais les plus brefs. Même un fantôme comme le fils absent des Saltwood ne pouvait être écarté d'emblée. Elle s'adressa à Emily avec une courtoisie qu'elle ne ressentait pas.

« Je crois que nous devrions en discuter ensemble.

— Avec Vera ? demanda Mme Saltwood.

— Pas à ce stade, je pense. Et sûrement pas toutes les trois. Cela donnerait trop d'importance à la démarche.

— Mais c'est une démarche très importante, insista Emily avec cette franchise charmante qui caractérisait tant de femmes anglaises d'un certain âge, libérées de toute contrainte. Oui, c'est très important pour mon fils et, sincèrement, ce devrait être tout aussi important pour Vera. Elle ne rajeunit pas.

Elle retraversa le vieux pont, tourna à droite et descendit l'allée paisible conduisant aux Sentinelles, où elle se sentit vaguement mal à l'aise, sans savoir pourtant que des événements nationaux étaient sur le point de résoudre son problème à sa place.

A Londres, son fils aîné Peter, membre du Parlement représentant Vieux-Sarum, avait pris la tête d'un mouvement destiné à alléger le chômage en Angleterre en accordant de généreuses subventions pour le départ de familles sans travail en Afrique du Sud.

> Cette action intéressante servira deux nobles fins. En Angleterre, elle épargnera à nos fonds de charité un nombre considérable de donations à des nécessiteux ; et, en Afrique du Sud, elle corrigera le déséquilibre existant actuellement entre la population hollandaise nombreuse et les rares Anglais. Pour que notre nouvelle colonie du sud de l'équateur devienne véritablement anglaise, comme elle le doit, il faut que nous placions des Anglais en grand nombre dans le plateau de la balance. Et c'est ce que fera cette décision du gouvernement.

On lança une campagne gigantesque pour convaincre les Anglais pauvres d'abandonner leur misère et de tenter leur chance dans ce nouveau paradis. On publia des articles vantant les possibilités agricoles, la beauté des paysages et la salubrité du climat sur la rive gauche de la Grand-Poisson, au voisinage de cette splendide capitale rurale qu'était Grahamstown. On ne fit aucune allusion à l'attaque récente de dix mille Xhosas armés de sagaies sur ladite capitale ni aux pertes subies par ses défenseurs.

Les discours et les écrits du révérend Simon Keer furent appelés à la rescousse : ils affirmaient aux Anglais que ceux qui auraient la chance d'être sur la liste des immigrants — dont le voyage serait payé par le gouvernement et qui recevraient gratuitement cinquante hectares de bonne terre par famille — entreraient dans un paradis auprès duquel l'Amérique et l'Australie faisaient figure de parents pauvres. Pour des habitants de l'Angleterre surpeuplée, où une famille pouvait vivre très bien avec huit hectares de terre, la perspective de cinquante hectares sans fermage et sans impôt était exaltante.

Quatre-vingt-dix mille citoyens, de métiers, de cultures et de capacités très divers, se proposèrent d'émigrer — un nombre plus considérable que pour toutes les migrations antérieures vers le Canada et l'Amérique. S'ils avaient tous été envoyés au Cap, l'histoire de l'Afrique aurait été radicalement différente, car, à l'époque, il n'y avait que vingt-cinq mille Boers dans toute la colonie. L'arrivée d'un aussi grand nombre d'Anglais aurait fait de l'Afrique du Sud une colonie à peu près semblable aux autres possessions britanniques. Mais les membres enthousiastes du Parlement, comme Peter Saltwood, promettaient beaucoup plus qu'ils ne pouvaient tenir et, quand vint le moment de remplir les bateaux, les crédits votés ne permirent de transporter que quatre mille colons. Les quatre-vingt-six mille autres, qui auraient donné une nouvelle structure à la nation sud-africaine, restèrent en Angleterre.

Parmi ceux qui eurent la chance de partir se trouvait un jeune homme de vingt-cinq ans, nommé Thomas Carleton, charron de son métier, dont l'enthousiasme était à la hauteur de la rhétorique des Peter Saltwood et des Simon Keer. Du premier instant où il avait entendu parler du plan d'émigration, il avait eu envie de partir. Pourvu de lettres de références de son pasteur et de son shérif, il fut parmi les premiers candidats reçus.

— Mon affaire est saine, mais pas vraiment prospère. Je veux aller dans un pays où les distances sont grandes et où les hommes auront besoin de chariots.

— Avez-vous des économies ?

— Pas un sou, mais j'ai de bons bras, un dos solide et tous mes outils, qui ne doivent rien à personne.

Les examinateurs eurent l'impression qu'ils ne trouveraient jamais un homme mieux qualifié et ils recommandèrent à l'unanimité qu'on l'accepte. On lui donna un bout de papier garantissant son passage et l'allocation de cinquante hectares. Il devait se présenter trois mois plus tard à Southampton, où le vaisseau *Alice-Grace* serait à quai.

— Cela vous laisse le temps de vous trouver une épouse, lui expliquèrent les examinateurs.

— Pas moi ! répondit Thomas. Je n'ai pas un sou à perdre pour nourrir une femme.

Quand la nouvelle de ce grand projet atteignit Salisbury, les Lambton prêtèrent l'oreille avec une attention particulière. Et tout ce qu'ils entendirent ne fit que les convaincre davantage : c'était le genre d'aventure dans lequel une jeune femme de bonne famille non mariée pouvait se lancer. Bien entendu, Vera ne partirait pas comme un cas social ordinaire, avec un passage payé par le gouvernement. En tant que future épouse d'un homme de Dieu qui serait peut-être un jour chanoine de la plus belle cathédrale d'Angleterre et en tant que future belle-sœur d'un membre éminent du Parlement, elle bénéficierait d'un régime de faveur.

Mais la grande décision resta en balance jusqu'à ce que Salisbury reçoive la visite du seul homme d'Angleterre qui parlait comme s'il connaissait vraiment tout sur la colonie : le Dr Simon Keer, comme il se faisait appeler désormais — un des dirigeants les plus influents de la LMS. Il annonça une réunion publique dans le cloître de la cathédrale. On disposa des sièges tout autour de la cour carrée et ce fut dans ce décor de pierre grise qu'il expliqua tout. Il avait pris de l'âge, mais c'était toujours le même petit homme tout rond, aux cheveux roux et à l'accent du Lancashire. Sa voix puissante vibrait et les murs vénérables en renvoyaient l'écho. Elle roulait comme le tonnerre lorsqu'il évoquait les difficultés à vaincre et elle brillait comme l'éclair quand il dépeignait les possibilités.

> Si nous affrontons avec courage le problème de l'esclavage dans cette colonie, nous montrerons la voie au Canada, à la Jamaïque, aux Barbades et, oui, aux États-Unis eux-mêmes. Tout Anglais ou toute Anglaise qui acceptera cette invitation à accomplir l'œuvre de Dieu servira l'humanité tout entière. J'aimerais partir avec un de ces bateaux, car tous ceux qu'ils embarqueront auront l'occasion de reconstruire le monde.

Quand les Lambton, après la réunion, lui demandèrent s'il connaissait Grahamstown, où l'on donnerait de la terre aux nouveaux colons, il s'étonna sincèrement de voir une famille aussi distinguée s'intéresser à l'émigration.

— C'est pour les pauvres, vous savez. Les travailleurs de la terre…

— Bien entendu, dit Mme Lambton. Mais on nous a dit que la mission Golan, fondée par votre société…

Elle n'eut pas besoin de poursuivre. Le révérend battit des mains, bondit en l'air et s'écria :

— Je comprends ! Je comprends !

Il prit les mains de Vera et se mit à danser la gigue avec elle, bien qu'elle le dépassât d'une tête.

« Vous allez là-bas épouser Hilary Saltwood !

Pendant une heure, il parla aux Lambton de toutes les qualités de ce missionnaire et il évoqua les étapes de la conversion d'Hilary. Il n'avait pas visité Golan lui-même, car la mission n'existait pas encore quand il se trouvait dans cette région, mais il avait d'excellents rapports. Ensuite, Vera le prit à part pour des questions confidentielles.

Quand il eut répondu, elle était convaincue qu'elle avait tout intérêt à prendre le bateau pour l'Afrique du Sud, mais sa mère souleva une objection sérieuse :

— Avec qui Vera peut-elle faire la traversée ? Je n'envisage pas de la laisser toute seule sur un bateau pendant quatre mois, au milieu de Dieu sait qui.

— C'est un réel problème, avoua le Dr Keer, mais j'ai eu

l'occasion de fréquenter de près les compagnies maritimes. De vrais gentlemen, vous savez.

A entendre le Dr Keer, il ne rencontrait que les meilleures familles et n'était reçu que dans les meilleures maisons ; on avait l'impression que, dans sa carrière de missionnaire, il préférait ses conférences en Angleterre à son apostolat sur la frontière des Xhosas !

— Je suis sûr que nous trouverons des personnes de qualité parmi les officiers du bateau, dit-il. Je m'informerai.

Ce ne fut pas nécessaire, car, dans la semaine qui suivit le sermon du Dr Keer dans le cloître, Richard Saltwood revint de Londres, où il s'était entretenu avec son frère membre du Parlement. Il apportait une nouvelle exaltante.

— Mère ! J'ai quitté l'armée. Je n'avais rien à gagner dans cette voie. Et Peter a arrangé quelque chose pour moi avec le ministre des Colonies... Voilà : je vais avoir un poste officiel à Grahamstown ! David est perdu en Amérique. Je vais me perdre en Afrique du Sud.

— Tu envisages de te fixer là-bas ? lui demanda sa mère.

— Il n'y a aucun avenir pour moi ici. Je n'ai ni l'argent ni le talent pour devenir colonel du régiment. Alors je file dans un pays neuf. Je l'ai vu et il me plaît. Bien plus que les Indes.

— C'est peut-être providentiel, répondit sa mère. Nous avons trouvé une fiancée pour Hilary. La fille Lambton. Tu l'as connue il y a des années. Elle est grande et maigre et elle a un besoin désespéré de trouver un mari — tout en se refusant de l'admettre.

— Elle part au Cap ? C'est magnifique pour Hilary.

— Elle est prête à partir, dit Emily d'une voix hésitante, mais elle a peur de se retrouver seule au milieu de la meute des émigrants — c'est-à-dire sans chaperon.

— Je la prendrai sous mon aile, répondit Richard avec la spontanéité qui lui avait valu l'affection de tous les soldats avec qui il avait servi.

— C'était justement ce à quoi je songeais pendant que tu parlais. Mais il y a de graves dangers.

— Nos hommes ont donné une bonne leçon à ces sauvages. Une escarmouche de temps en temps, rien à craindre...

— Ce n'était pas à cela que je songeais. Richard, veux-tu aller chercher Vera ? Tout de suite ?

Ils s'assirent sous les chênes, dans les fauteuils de pique-nique dont John Constable s'était servi deux ans plus tôt quand il avait peint sa vaste toile représentant la cathédrale de Salisbury sous le soleil. Pour remercier les Saltwood, dont il avait si souvent utilisé la pelouse, il avait esquissé une merveilleuse aquarelle qu'il avait offerte à Emily lors de son départ. Elle trônait dans le grand salon — Emily avait coupé et cloué elle-même le beau cadre de chêne.

Les Saltwood de Salisbury n'avaient pas survécu pendant près de deux siècles, au cours desquels des gens d'influence avaient tenté de leur arracher la fortune réunie par le capitaine Nicholas Saltwood, sans acquérir certaines qualités, dont l'une consistait à épouser des jeunes femmes du voisinage montrant des dons exceptionnels. Emily Saltwood était l'une des plus remarquables. Mère de quatre garçons, dont elle restait la meilleure conseillère, elle n'avait jamais eu peur de montrer du doigt les dangers éventuels — et elle s'en tint à ce principe.

— Quel âge as-tu Richard ? Trente et un ans ?

Il acquiesça.

« Et vous, Vera ? Vingt-neuf ?

Vera inclina la tête.

« Vous vous doutez bien qu'une traversée de quatre mois jusqu'au Cap à bord d'un petit bateau, tout près l'un de l'autre...

Les deux jeunes gens baissèrent les yeux, gênés, aussi poursuivit-elle avec une vigueur accrue, réclamant toute leur attention.

« Potentiellement dangereux, n'est-ce pas ?

— Je crois..., balbutia Richard.

— Les vieux romans sont pleins d'histoires de ce genre. Tristan et Iseut en Cornouailles. Un des rois d'Espagne, si je me souviens bien, avec son frère qui accompagnait la fiancée. Vous écoutez ce que je dis ?

Richard posa la main sur le bras de sa mère.

— J'accompagne une fillette que j'ai connue à l'école... pour qu'elle épouse mon frère. Quand je voudrai une femme, je la trouverai moi-même.

— C'est insultant ! s'écria Vera.

Et, pour la première fois, les deux Saltwood la regardèrent comme une personne et non comme une réponse éventuelle à un problème de la famille Saltwood. Elle avait vingt-neuf ans, elle était grande et maigre comme l'avait dit Emily, son visage n'était pas d'une beauté particulière, mais sa voix et son sourire passaient pour charmants. Comme de nombreuses jeunes filles de son âge, elle savait jouer du piano et M. Constable lui avait donné des leçons d'aquarelle pendant son séjour en ville. Pour l'instant, elle était réservée, mais en prenant de l'âge elle deviendrait certainement comme la femme en face d'elle : une de ces épouses anglaises fortes qui ont une personnalité bien à elles.

Jamais aucun homme ne l'avait embrassée en dehors de son père — d'ailleurs très rarement —, mais elle n'avait pas peur des hommes et elle avait toujours supposé que, le moment venu, ses parents lui trouveraient un mari. C'était une fille de caractère et elle se faisait une joie de passer quelques années d'entracte sur la frontière — elle supposait encore que son mari reviendrait un jour occuper un poste important à la cathédrale ; c'était là qu'elle avait grandi, c'était là qu'elle avait l'intention de mourir.

« Je suis pleinement consciente des dangers, dit-elle à sa future belle-mère d'une voix basse et calme.

Elle sentait bien que les doutes de Mme Saltwood la mettaient en cause autant que son fils.

— C'est bon, répondit Emily d'un ton qui signifiait : « Cet entretien est clos. Nous nous comprenons. »

Mais Richard avait quelque chose à ajouter :

— Vous devriez apprendre à Vera d'où est venue l'idée qui vous a poussée à aller chez elle… chercher une épouse… pour Hilary…

Emily éclata de rire et prit les mains des deux jeunes gens dans les siennes.

— Vera, quand Richard est passé au Cap, plusieurs amis soldats l'ont averti qu'Hilary avait besoin d'une femme. C'est Richard qui a mis toute l'affaire en branle. Et maintenant, il a envie de mener la transaction à son terme.

— Je ne me considère pas comme une transaction, dit Vera.

— Nous sommes toutes des transactions. Il y a des années, mon mari m'a épousée parce que les biens des Saltwood avaient besoin d'être surveillés de près — non parce qu'il avait envie de se marier.

Ils quittèrent leurs fauteuils sous les chênes et se tournèrent vers le spectacle, étonnant de beauté, de la cathédrale. Deux d'entre eux ne la reverraient peut-être jamais.

L'*Alice-Grace* était un petit bateau marchand habitué à transporter du fret aux Indes, mais réquisitionné pour emmener au Cap trois cents émigrants, dans des conditions qui auraient terrifié des éleveurs de bétail désireux de faire traverser la Manche à leurs vaches jusqu'aux côtes de France. Sa jauge était de deux cent quatre-vingts tonneaux et, selon la loi, il n'avait le droit de transporter que trois passagers tous les quatre tonneaux de jauge : il n'aurait dû prendre à son bord que deux cent dix émigrants. Quand il quitta le port, il y en avait quatre-vingt-dix de plus, mais, comme la plupart des passagers étaient des cas sociaux, les inspecteurs du gouvernement sourirent et leur souhaitèrent « Bon voyage ! ».

Ils quittèrent Southampton le 9 février 1820, par une de ces journées grises d'hiver où la Manche semble encore plus immense que l'océan et sa houle beaucoup plus redoutable. Pendant sept jours horribles, le petit vaisseau roula et tangua au milieu de vagues qui paraissaient bien décidées à le réduire en miettes. Toutes les personnes dont c'était le premier voyage crurent qu'elles allaient mourir. Le major Richard Saltwood, rayé des cadres, qui avait fait deux fois la traversée des Indes, rassura les passagers des cabines : dès qu'on parviendrait dans le golfe de Gascogne, le voyage deviendrait d'une agréable monotonie et les mouvements du bateau « ne seraient plus qu'un doux bercement, rien de gênant ».

La femme dont la sécurité reposait entre ses mains fut particulièrement ravie de l'apprendre. Elle supportait très mal les mouvements violents du bateau et cela l'agaçait d'autant plus qu'elle était résolument déterminée à « faire bonne figure » en toute circonstance, ainsi qu'elle l'avait promis à sa mère. Lorsque son estomac se tordait de douleur, elle en avait honte. Elle était seule dans la cabine voisine de celle de son « frère » (comme elle l'appelait), mais Richard partageait la sienne avec un capitaine qui allait rejoindre le vaillant cinquante-neuvième sur la frontière afghane. Au cours de ces mauvaises journées, elle eut donc deux galants hommes pour veiller sur elle. Dès que l'*Alice-Grace* entra dans le vaste golfe de Gascogne, la tempête se calma et le doux mouvement rassurant que l'ancien major avait prédit remplaça les coups de bélier. Vera se mit à aimer le bercement du bateau — comme Richard n'en avait jamais douté — et, au cours de la troisième et de la quatrième semaine, les trois voyageurs passèrent ensemble des heures agréables. Richard découvrit peu à peu quelle femme remarquable était cette Vera Lambton. Elle ne manquait pas de détermination et son sens de l'humour semblait à toute épreuve. Quand des enfants étaient malades, elle devenait aussitôt infirmière et, chaque fois qu'une femme de l'entrepont avait besoin de soins, elle se précipitait pour l'aider. « Mon frère va avoir une femme forte », se dit Richard, mais, par suite d'une réticence qu'il aurait été bien en peine d'expliquer, il ne révéla pas à son compagnon de cabine vers quel destin se dirigeait Vera.

— C'est une amie de la famille, se borna-t-il à dire. Elle se rend en Afrique du Sud.

Après avoir doublé le cap Finisterre, dernier avant-poste, sinistre et menaçant, de la civilisation européenne, commença la longue traversée vers la masse de l'Afrique. Ce fut alors que les trois voyageurs remarquèrent la présence d'un jeune homme étonnant, charron de son état, qui avait plus ou moins pris le commandement dans l'entrepont des émigrants. C'était un garçon de belle allure, soigneux de son apparence, bien qu'il n'y eût pas d'eau à gaspiller pour la toilette sur ce bateau. Sa tête frisée et son large sourire surgissaient partout où un problème se présentait. C'était lui qui organisait les équipes pour les gamelles, il contrôlait la répartition de la nourriture et il jouait le rôle de greffier quand le tribunal improvisé de l'entrepont décidait des punitions à infliger en cas de vol ou de bagarre entre les passagers.

— Je m'appelle Thomas Carleton, dit-il à Saltwood et au capitaine quand ceux-ci lui demandèrent de réparer leur porte, qui s'était arrachée de ses gonds au cours d'un coup de tabac.

« C'est possible, messieurs. Avec du bois, je peux réparer n'importe quoi.

Et, tout en travaillant avec ses outils ingénieux qui lui permettaient de raboter dans les recoins, il leur expliqua qu'il avait fait son apprentissage dans un petit village de l'Essex, puis qu'il s'était installé à Saffron Walden, un bourg plus important, non loin de l'université de Cambridge (où il s'était rendu une fois).

C'était un moulin à paroles, et la perspective de se lancer dans une nouvelle existence aux colonies l'enthousiasmait.

« Je peux travailler dix-huit heures par jour et dormir quatre heures. A Saffron Walden, il y avait de l'avenir pour tout le monde sauf pour moi, alors je me suis pris par la peau du cou et me voici en pleine mer. C'était un bourg intéressant, vous savez. Il tient son nom du père d'Henri VIII, le roi qui avait toutes ces femmes. Un des deux seuls endroits d'Angleterre où l'on a le droit de faire commerce de safran. Une épice précieuse, qui donne meilleur goût à la viande. Mais, depuis que je suis né, je n'en ai jamais eu un grain sur les lèvres. C'est bon pour les riches.

Vera, qui regagnait sa cabine après une promenade sur le pont minuscule — quinze pas aller, quinze pas retour —, entendit cette dernière remarque et fit observer :

— Le safran est une poudre jaune, je crois ; et on ne s'en sert pas pour la viande, mais pour le riz.

Elle rougit et ajouta :

« Voici que j'explique les Indes, et vous les connaissez mieux que moi.

— Pas moi. Pas encore, s'écria galamment le capitaine.

— Mais elle a raison, lui dit Richard. Le safran est jaune — orangé, en fait — et on s'en sert beaucoup aux Indes. Vous l'aimerez, vous verrez.

— Tant que vous êtes ici, demanda Vera au charron, pouvez-vous réparer la serrure de mon coffre ? Les dockers l'ont lancé à bord et il s'est abîmé.

Thomas Carleton quitta la cabine des hommes et gagna celle de Vera, à quelques pas de là. Il jeta un coup d'œil à la malle-cabine où la jeune femme rangeait ses robes et il expliqua qu'il fallait greffer un petit morceau de bois pour que les vis maintenant le fermoir puissent tenir.

— Pas de problème, affirma-t-il, à condition de trouver du bois.

Ils firent ensemble le tour du pont — en vain. Puis ils se rendirent dans la première cale, où le charpentier du bateau entreposait ses planches. Il leur donna la pièce dont ils avaient besoin. C'était si peu de chose que le charpentier refusa l'argent de Vera.

— Prenez donc, et que Dieu vous bénisse.

En fait, ce n'était pas à la jeune femme qu'il faisait ce cadeau, mais au charron, dont il avait remarqué le bon travail au service des passagers.

Une fois le coffre réparé, Vera remercia le jeune homme, son cadet de quatre ans, puis parla avec lui des conditions qui régnaient dans l'entrepont. Elle n'était nullement *philanthrope* (comme on appelait alors en Angleterre les gens qui voulaient à tout prix faire du bien à autrui — ces turbulents protestaient à tout bout de champ contre l'esclavage en Jamaïque et le travail des enfants à Birmingham, et les familles comme les Lambton avaient trop de bon sens pour soutenir des idées pareilles !), mais elle s'intéressait à ce qui se passait au cours de ce voyage monotone. Dans les jours qui suivirent, elle se rendit avec Carleton dans plusieurs parties du bateau et, un soir, vers dix heures et demie, le capitaine qui occupait la couchette près de la cloison, dans la cabine de Richard, murmura soudain :

— Bon Dieu, Saltwood ! Je crois que quelque chose d'intéressant se passe à côté.

— Occupez-vous de vos affaires, répondit Richard.

Mais il en avait perdu le sommeil et, vers trois heures du matin, après s'être assuré que le capitaine dormait à poings fermés, il se mit à guetter dans le noir et il vit le jeune Thomas Carleton — le charron à la langue bien pendue — se glisser hors de la cabine voisine et descendre l'échelle vers sa couchette de l'entrepont.

Les semaines qui suivirent, la moitié de mars et la moitié d'avril, furent pour Richard Saltwood une période affreuse. Il était manifeste que Vera Lambton recevait le jeune homme de l'entrepont trois à quatre fois par semaine. Pendant la journée, leur comportement demeurait circonspect. Ils échangeaient des banalités quand ils se rencontraient par hasard, mais sans trahir aucun signe d'intimité. Par une journée très chaude, après avoir dépassé le cap Vert — le bateau se dirigeait désormais vers le sud-est —, le capitaine de l'*Alice-Grace* fit venir Saltwood et le jeune officier pour être ses assesseurs en cour martiale. Le « procureur » était le jeune Carleton, qui, en tant que responsable du maintien de la discipline dans l'entrepont, avait mis en accusation un pauvre diable pris quatre fois de suite en flagrant délit de vol.

Quand les juges apprirent qu'il avait embarqué après toute une série de délits du même ordre à Londres, le seul verdict logique était « douze coups de fouet », et Thomas Carleton fut chargé de réunir tous les passagers sur le pont pour qu'ils puissent constater comment les infractions étaient châtiées. Quand tout fut en place, les officiers du bateau conduisirent le condamné sur le pont. On lui ôta ses vêtements jusqu'à la ceinture, on lui lia les bras autour d'un mât et on le fouetta avec le chat à neuf queues, fouet à manche de bois dont les neuf lanières étaient nouées au bout. Il demeura silencieux jusqu'au cinquième coup, puis il cria de façon bouleversante et s'évanouit. Les sept derniers coups tombèrent sur un corps inerte. Aussitôt après, on jeta sur ses plaies un seau d'eau de mer. Les vols cessèrent.

Certains des passagers de l'entrepont étaient de drôles d'individus, mais la plupart appartenaient aux basses classes, fondamentalement honnêtes et travailleuses ; c'étaient des hommes et des femmes incapables de mauvaise conduite et qui méprisaient tous ceux qui s'y livraient. Un homme d'une cinquantaine d'années, père de deux fils, prit Carleton par le bras et l'entraîna dans un coin.

— Mon garçon, lui dit-il carrément, tu t'engages en terrain très dangereux.

— Que voulez-vous dire ?

— Fricoter avec une dame de qualité, voilà ce que je veux dire.

— Je suis un homme de qualité, répondit Thomas à brûle-pourpoint. Je suis fort, je suis...

— Les hommes de la cabine voisine sont des officiers. Ils te tueront vite fait, mon garçon.

— Ces hommes n'ont rien à voir avec la dame. Et bas les pattes, je vous prie.

Mais l'autre refusa d'obéir. Au contraire, il resserra sa prise.

— Mon garçon, ce bateau est petit. Si je suis au courant, ils sont au courant eux aussi.

Pendant six jours, l'avertissement dissuada le jeune Carleton de rendre visite à Vera, et Richard fut soulagé de ne pas avoir à intervenir pour défendre l'honneur de son frère. La nuit, il épiait les bruits susceptibles de trahir un rendez-vous et il se félicita de n'entendre aucun écho traverser la mince cloison. Mais, le septième jour, il surprit Vera en conversation animée avec le jeune charron et, ce soir-là, vers onze heures, la porte de la jeune fille grinça et quelqu'un se faufila dans sa cabine.

Ce fut à bien des égards la nuit la plus horrible de toute la vie de Richard Saltwood, car les amants, après une semaine de séparation, s'étreignirent avec une telle passion et un tel ravissement sans frein que le bruit réveilla le jeune capitaine.

— Eh, Saltwood, écoutez ça ! On dirait un couple de chèvres !

On ne pouvait se méprendre sur les échos de l'amour. La cloison vibrait et l'on entendait les cris passionnés et les halètements rauques d'une femme ayant attendu sa vingt-neuvième année pour se livrer. Sans même se rapprocher de la couchette du capitaine, Richard pouvait distinguer les bruits lascifs. Après une longue extase sauvage dans la pièce voisine, le capitaine s'écria :

« Voilà que ça recommence !

— Elle doit épouser mon frère ! balbutia Richard, bouleversé.

Dans la cabine des deux hommes, le silence se fit — troublé uniquement par les chocs contre la cloison. Au bout d'un moment, prenant le ton désinvolte des garnisons, le capitaine demanda :

— Qu'allez-vous faire, major ?

— Mais... A quoi songez-vous ? demanda Saltwood dans le noir.

— Bon Dieu, mon cher ! Vous n'allez pas le tuer ?

Richard entendit le bruit d'un pistolet jeté sur leur table.

L'arme était toujours là, accusatrice, quand la lumière du jour pénétra dans la cabine. Il ne se rasa pas ce matin-là et refusa de manger. Le jeune capitaine, sans un mot, le laissa seul. Quand il revint, en début d'après-midi, il souleva le pistolet et le laissa de nouveau retomber sur la table.

— Diable ! Mais c'est votre devoir ! Tuez-moi ce sale type !

Et comme Richard était incapable d'articuler un seul mot, il ajouta :

« Je témoignerai. J'ai tout entendu. Dieu me pardonne ! Et si vous voulez les tuer tous les deux, je témoignerai aussi.

Mais les Saltwood de Salisbury n'étaient pas une famille qui résolvait ses problèmes à coups de pistolet. Au Parlement,

Peter avait été provoqué en duel par un imbécile de la ville et il avait acculé l'individu au ridicule en le forçant à se rétracter. Dans les déserts de l'Illinois, le jeune David avait refusé de tuer un Indien surpris sur ses terres — alors que ses voisins les abattaient pour des fautes beaucoup moins graves. Et dans l'Atlantique Sud, à la veille des grands orages des côtes de l'Afrique, Richard ne pouvait se résoudre à prendre la vie d'un jeune charron, encore moins celle de sa maîtresse. Au lieu de cela, il attendit jusqu'au crépuscule, puis il dit à son compagnon de voyage de ranger l'arme : il allait dans la cabine voisine parler à sa « belle-sœur », comme elle disait parfois.

— Vera, vous vous comportez de façon éhontée.

— Que voulez-vous dire ? s'écria-t-elle, toutes griffes dehors.

— La cloison. Elle est très mince.

Elle regarda la paroi, stupéfaite, frappa du doigt, écouta et n'entendit rien.

« Nous ne faisons pas de bruit, le capitaine et moi, dit Richard. Nous sommes des gentlemen.

Elle frappa de nouveau et le capitaine, allongé sur sa couchette, frappa à son tour. On eût dit un coup de fusil.

— Mon Dieu ! s'écria-t-elle en enfouissant son visage entre ses mains.

— Oui. Le capitaine m'a offert son pistolet. Il voulait que je vous tue tous les deux.

Ses mots eurent l'effet diamétralement opposé à ce que Richard avait prévu. Vera se raidit, perdit tout sentiment de remords et tint tête hardiment.

— Je suis amoureuse, Richard. Pour la première fois de ma vie, je connais une chose que vous n'avez jamais ressentie et que vous ne ressentirez probablement jamais. Oui, je connais l'amour.

— Vous êtes une femme désemparée, dans la solitude d'un bateau...

Au lieu de tenter de se défendre, elle éclata de rire.

— Vous croyez que je suis aveugle ? Je sais que votre pauvre petit Hilary glisse sur la mauvaise pente. Si vous êtes si anxieux de lui trouver une femme, c'est pour le faire rentrer dans le droit chemin. Tout le monde est au courant.

— Qui vous l'a dit ?

— Simon Keer. Le révérend Simon Keer. Oh, dans les réunions publiques, il chante les louanges de votre frère. Ainsi que votre mère. Mais, quand j'ai parlé avec Keer en tête à tête, que croyez-vous qu'il m'ait dit ? Qu'Hilary n'est qu'un âne. C'est son expression. Il m'a dit que je pourrai peut-être tirer quelque chose de lui, mais que la LMS y avait renoncé.

— Il vous a dit ça ?

— Et qu'aurait-il pu me dire d'autre, puisque je lui demandais de me parler en toute sincérité ?

— Mais c'est Keer, le fautif... C'est lui qui a envoyé Hilary en Afrique.

— Il m'a dit : « Certains jeunes gens, en particulier ceux qui sortent d'Oxford... »

— De l'envie pure et simple, de la part d'un homme sans éducation.

— « ... Certains jeunes gens sortis d'Oxford prennent la religion trop au sérieux. Cela leur brouille l'esprit. »

— Mais Keer sillonne l'Angleterre en tous sens pour prêcher en faveur des missions.

— Il agit ainsi dans un seul but, Richard. Il veut abolir l'esclavage. Il se soucie fort peu de la religion... au vieux sens du terme.

— Que voulez-vous dire ?

— Et je ne m'en soucie pas davantage.

Le blasphème prit Saltwood au dépourvu. Il s'assit brusquement et Vera lui confia, en un torrent de paroles, que c'était elle, et non sa mère, qui se désespérait de ne pas trouver de mari. Elle détestait sa situation de vieille fille, les thés à cinq heures et les robes collet monté. Hilary, au fond de l'Afrique, était sa dernière chance et elle l'avait saisie au vol. « Votre mère avait si peur que ce long voyage en mer me décourage, s'écria-t-elle avec un rire nerveux. Et c'est sur ce bateau que j'ai trouvé ma voie. Oui, c'était ma dernière chance...

Jamais Richard n'avait entendu une femme parler ainsi. Jamais il n'avait imaginé qu'une Lambton de Salisbury puisse dire des horreurs pareilles.

« Ce voyage a changé tout, reprenait la jeune femme. Vous n'êtes plus responsable de moi. Je vais épouser Thomas.

— Aucun pasteur n'acceptera...

— Eh bien, nous nous marierons nous-mêmes. Quand

nous arriverons au Cap, il ira sur ses terres et je l'accompagnerai.

— Mais Hilary sera là-bas. Il vous attend.

Elle ne répondit pas : elle éclata d'un rire qui lui secouait les épaules. Puis elle saisit Richard par le bras, le releva et l'aida à franchir la porte. Elle n'avait pas l'intention d'ajouter un mot.

Ce soir-là, Richard et le capitaine purent de nouveau entendre des gémissements dans la cabine voisine.

— Vous allez les tuer, hein ? demanda le capitaine.

— Non ! Non ! Cessez de poser des questions pareilles !

— Alors, c'est moi qui le ferai.

Richard dut se battre pour enlever le pistolet des mains de son compagnon de cabine. Mais cela ne dissuada pas le bouillant jeune homme : il avait le sentiment que son honneur, voire celui de son régiment, était gravement offensé. Il s'élança hors de sa cabine, frappa bruyamment à la porte voisine et exigea de Carleton qu'il regagne « la place qu'il n'aurait jamais dû quitter, maudit gredin ». Quand le charron se glissa dans la coursive, le capitaine lui lança son poing au visage et le jeune homme s'écroula dans l'escalier de l'entrepont.

— J'espère qu'il s'est rompu le cou, gronda l'officier en retournant à sa couchette.

Après un instant de silence pénible, il ne put s'empêcher de dire :

« Saltwood, je comprends maintenant pourquoi vous avez quitté votre régiment. Vous étiez une honte pour l'uniforme.

Pendant deux jours, il refusa de parler à son compagnon de cabine, mais, le troisième jour, avec des larmes dans les yeux, il serra la main de Saltwood comme s'ils étaient frères et lui dit :

— Richard, mon ami, puis-je faire quelque chose pour vous ?

— Oui, répondit Saltwood avec gratitude. Quand nous arriverons au Cap, faites jeter ce misérable à terre. J'ai promis à ma mère de conduire cette fille jusqu'à Hilary et, par Dieu, je le ferai, qu'elle soit souillée ou non.

Quand l'*Alice-Grace* accosta au Cap pour se ravitailler, aucun des passagers de l'entrepont ne fut autorisé à débarquer, car ils devaient continuer jusqu'à Algoa Bay — trois semaines de traversée de plus, le long de la côte. Mais le jeune charron, qui avait osé faire l'amour à une dame de qualité, fut jeté sur l'appontement, avec ses herminettes et ses équerres — sous les yeux de la jeune lady, en larmes près du bastingage.

Richard l'entraîna brutalement en arrière.

— Vous devez rejoindre Hilary, lui dit-il d'une voix pressante. Comme vous l'avez promis à ma mère.

Et, pendant tout le temps où l'*Alice-Grace* fit escale au Cap, elle demeura prisonnière dans sa cabine, surveillée par son « beau-frère », qui montait la garde devant sa porte et que le capitaine venait relever de temps en temps pour qu'il puisse dormir quelques heures. Même le jour où le gouverneur invita à un gala tous les amis du capitaine, on ne lui permit pas d'y assister, de peur qu'elle ne rejoigne Thomas Carleton pour s'enfuir avec lui.

Lorsque le bateau reprit la mer, elle demeura également dans sa cabine — comme tous ceux qui en avaient une, car une forte tempête d'hiver se déchaîna soudain, rappelant aux marins Adamastor, le géant coléreux qui protégeait le Cap au temps de Vasco de Gama et que Luis de Camoens a mis en scène dans son œuvre avec tant de relief.

Pendant des jours et des jours, les vents firent rage, lançant les vagues si haut au-dessus de la proue que les cabines étaient envahies par les flots. Parfois, le vaisseau tombait brusquement de toute sa hauteur et, dans l'entrepont, tout le monde volait d'un bord à l'autre. Les cris et les gémissements rivalisaient avec le hurlement des vents. Il était impossible de dormir et impensable de manger. Souvent, quand sa cabine trempée se mettait à vibrer comme si les cloisons étaient sur le point d'éclater, Vera, abandonnée de tous, se blottissait dans un angle, effrayée en songeant à la fin du voyage et terrifiée de le voir se poursuivre plus longtemps. Mais jamais elle ne se laissa aller à la superstition, jamais elle ne crut que son comportement avec Thomas était en quelque manière la cause de ce violent orage. Elle était heureuse de l'avoir connu, même pour un bref intermède sous les tropiques, et elle priait Dieu de lui accorder la joie de le retrouver un jour.

Toute seule au cœur de la tempête déchaînée, elle se métamorphosa de vieille fille anglaise humble et résignée en femme pleine de maturité, à l'esprit remarquablement indépendant. Avec une joie totale, elle s'était abandonnée à l'amour d'un homme fort et jamais elle ne pourrait revenir en arrière, aux après-midi insipides de son évêché de campagne. Quant à épouser un missionnaire, c'était tout à fait exclu. Que ferait-elle ? Elle l'ignorait. Une fois, le bateau tomba sur le flanc en un plongeon soudain qui aurait pu le réduire en miettes. Elle s'accrocha à sa couchette pour éviter d'être entraînée et elle s'écria :

— Si nous touchons terre, je serai africaine.

Puis elle brandit le poing au hasard, supposant que le continent balayé de tempêtes se trouvait dans cette direction.

Le septième jour de l'orage, alors que le petit vaisseau se trouvait très au sud dans les eaux polaires, les passagers se mirent à raconter de vieilles histoires de bateaux sans voiles ni gouvernail entraînés sans relâche vers le sud jusqu'à ce que les glaces les prennent au piège et les retiennent à jamais dans leur étreinte.

— Il y a un cimetière de bateaux là-bas, tous mâts dressés. Tous les gens de leurs bords demeureront debout, gelés, jusqu'au jour du jugement dernier.

On parla aussi du Vaisseau fantôme, le Hollandais volant :

— Le capitaine Van der Decken, de Rotterdam. Un de ses arrière-petits-fils s'est établi au Cap, il y a des années. Il jurait qu'il pourrait contourner le cap pendant une tempête comme celle-ci, il le jurait sur la Bible. Il est par là, quelque part, il essaie encore de passer le Cap et il continuera d'essayer jusqu'à ce que tous les marins pris par les glaces soient appelés devant le Seigneur.

Le pauvre bateau fut si maltraité que, le jour où la tempête se calma enfin et où le soleil permit au capitaine de calculer sa position, tout le monde fut bouleversé d'apprendre à quel point il avait dérivé vers le sud. Ils approchaient de la banquise et, quand ils mirent le cap vers le nord, vers Algoa Bay, ils se sentirent tous très humbles, leur orgueil rabaissé — et même le jeune capitaine éprouva du remords pour la façon dont il avait voulu traiter la jeune femme résolue qui occupait la cabine voisine de la sienne. Il frappa à sa porte pour présenter ses excuses.

— Je regrette, dit-il.

— Je ne regrette rien, répliqua-t-elle.

— Au cours de la tempête, lui avoua le capitaine, j'ai cru à plusieurs reprises que nous étions sur le point de sombrer. Et savez-vous à quoi j'ai songé aussitôt ?

Il lui adressa un sourire engageant, le sourire d'un homme plus jeune qu'elle, désireux d'obtenir sa compréhension.

« J'ai songé que je m'étais montré extrêmement vain en intervenant dans vos affaires. Savez-vous que j'ai voulu vous tuer ?

— On me l'a dit.

— Madame, voulez-vous me permettre de faire amende honorable ? J'étais tellement stupide ! Qu'importe à autrui la personne que vous aimez ?

Et, à la stupéfaction de Vera Lambton, il tomba à genoux, lui prit la main — et l'embrassa.

La scène qui se déroula à Algoa Bay au cours de l'hiver 1820 fut à la fois confuse et historique. Confuse, parce que cinq bateaux comme l'*Alice-Grace* essayaient de débarquer leurs passagers dans la rade ouverte, sans un appontement pour les aider. Historique, parce que les personnes arrivant à terre étaient d'une catégorie entièrement nouvelle et allaient ajouter une dimension à la vie en Afrique du Sud.

La confusion, dans la baie comme sur la grève, était monumentale. Les capitaines s'efforçaient d'ancrer leurs bateaux aussi fermement que possible, mais le vent et la houle les fouettaient sans relâche et toute personne qui tentait de débarquer était en péril. On amena, à la nage, de longues cordes jusqu'à terre : elles serviraient à haler les chaloupes sur la grève. Les femmes et les enfants — en très grand nombre — s'entassèrent dans les embarcations et gagnèrent la plage à travers le ressac. De temps à autre, une chaloupe rompait son amarre et dérivait avec ses passagers hurlants, jusqu'à ce qu'un nageur au cœur bien accroché se lance à son secours.

Certaines femmes, après avoir franchi plus de dix mille kilomètres pour parvenir à leur destination, refusèrent purement et simplement de débarquer ; elles ne faisaient confiance ni aux frêles chaloupes ni aux hommes qui les manœuvraient. Les officiers du bateau vociférèrent des ordres et les marins les forcèrent à lâcher le bastingage auquel elles s'accrochaient. Il fallut en jeter plusieurs du haut du pont dans les chaloupes, au risque de leur briser les membres. Certains gamins audacieux, incapables d'attendre une minute de plus l'heure de poser le pied sur le paradis dont on leur parlait depuis si longtemps, sautaient joyeusement dans l'eau dès que les embarcations arrivaient près de la plage : suffoquant, crachant l'eau salée, ils barbotèrent vers le sable, avec des cris d'allégresse. Leurs mères les suivaient des yeux, anxieuses, jusqu'à ce que des hommes les soulèvent hors de l'eau et les prennent sur leurs épaules pour leur faire traverser le ressac. Parmi les hommes qui aidèrent les émigrants à débarquer sains et saufs se trouvaient des Xhosas — ceux-là mêmes qui s'étaient jetés sur Grahamstown à peine un an plus tôt.

A terre, la confusion était encore plus grande.

— Le groupe de Manchester, par ici ! Liverpool, par là ! Les gens de Glasgow, restez près de cette dune ! S'il vous plaît ! S'il vous plaît ! Les gens de Cardiff doivent se rendre de ce côté, auprès du gros monsieur avec le chapeau plat !

Courant d'un bout à l'autre de la plage, le colonel Cuyler d'Albany (New York) donnait des ordres à chacun. Sa mission, ce jour-là, était beaucoup plus agréable. Mais, même ici, cet homme énergique n'était pas à la fête, car le gouvernement l'avait chargé d'apprendre aux immigrants la dure réalité passée sous silence en Angleterre lorsqu'on chantait les louanges de l'Afrique du Sud.

— Ce n'est pas un pays de lait et de miel. C'est un pays de fusils. N'allez jamais, jamais, dans vos champs sans vos armes.

La grève n'était pas seulement envahie par les immigrants en débandade : des fermiers boers étaient venus, parfois de cent et même de cent vingt kilomètres, avec de lourds chariots traînés par quatorze, seize et jusqu'à vingt bœufs. Ces hommes tentaient de faire des affaires avec les nouveaux venus, pris à la gorge : ils leur offraient de les transporter à leur destination, avec tous leurs biens, pour des sommes scandaleuses. Mais les immigrants avaient-ils d'autre choix ? Pendant plusieurs jours, on chargea les chariots, les fouets claquèrent et les attelages de bœufs robustes commencèrent le long voyage vers le nouveau paradis.

Parmi la foule qui attendait à terre se trouvait le révérend Hilary Saltwood, venu à la rencontre de sa fiancée. Il était toujours étonnamment mince, mais on voyait nettement qu'il abordait l'âge mûr : à trente-cinq ans, la vie très dure qu'il menait l'avait profondément marqué. Ce n'était guère un fiancé séduisant et peu de femmes auraient accompli une aussi longue traversée pour l'épouser. Mais, quand il aurait achevé sa mission actuelle et qu'il pourrait rentrer en Angleterre pour prendre un peu d'embonpoint, dans l'ombre de quelque paroisse rurale désuète, il paraîtrait peut-être plus présentable. Il émanait de son visage un certain rayonnement qui plaidait en sa faveur : c'était l'auréole d'un homme qui croyait en ce qu'il faisait et qui trouvait un réconfort constant dans la sincérité de sa vocation. Il aimait les hommes. Son expédition à Grahamstown avec le commando lui avait enseigné à aimer même les Boers, à qui il s'opposait avec tant d'énergie ; et le courage dont il avait fait preuve au cours du combat contre les guerriers xhosas lui avait valu le respect de tous — si bien que Tjaart Van Doorn lui-même avait proposé son chariot pour ramener à Golan la fiancée de l'Anglais.

Les deux hommes attendaient côte à côte au milieu de la confusion générale : le grand missionnaire tout de noir vêtu, extrêmement mal à l'aise, et le petit Boer carré d'épaules, à la longue barbe biblique. Les seize paires de bœufs étaient indifférentes à toute l'affaire.

— Dieu soit béni ! s'écria Hilary. C'est Richard !

Il courut vers la plage pour se jeter dans les bras de son frère, qui sortait du ressac, trempé comme un canard.

« Où est la jeune femme ? demanda Hilary, plein d'appréhension, oubliant de présenter Van Doorn qui se tenait non loin, la main sur son fouet en peau d'hippopotame.

— Elle va arriver, répondit Richard. Qui est-ce ?

— Oh, c'est mon voisin, Tjaart Van Doorn.

— Vous vivez à la mission ?

— A cinquante kilomètres au nord.

Richard sursauta. Des voisins, à cinquante kilomètres l'un de l'autre ? Mais il entendit un cri venant de la chaloupe de l'*Alice-Grace*. C'était le capitaine, avec Vera Lambton à ses côtés.

— Richard ! Oh ! Saltwood ! Voici la fiancée !

Son cri était si spontané et le message si chaleureux, au milieu de cette scène marquant le début de nouvelles vies, que tous les gens des alentours interrompirent leurs occupations pour assister à l'arrivée de Miss Lambton, qui avait l'air plutôt jolie dans son costume de voyage. On amena la chaloupe lentement vers la grève, des mains puissantes se crispèrent sur la corde et la guidèrent jusqu'au sable. Trois hourras retentirent.

Les hommes à terre apprirent très vite qu'elle était la future épouse du révérend Saltwood et d'autres hourras fusèrent en son honneur. Même Tjaart Van Doorn, ému par le spectacle d'une femme arrivant de cette manière, se détendit et lança une claque dans le dos du missionnaire.

— Formidable, hein ?

Et il s'avança pour aider la promise de son voisin à débarquer.

Dans la chaloupe, Vera se tenait toute raide, tête baissée : elle se refusait à regarder la côte, de crainte de voir le missionnaire qu'elle devait épouser. Elle ne voulait pas de lui : son cœur était pris ailleurs et elle était certaine de ne pouvoir le lui dissimuler. Mais le sentiment de refus absolu qu'elle avait exprimé au cours de la tempête s'était apaisé et maintenant, accablée par la perspective de se lancer toute seule sur ce continent inconnu, il fallait bien qu'elle se résigne à l'accepter : « Dieu me pardonne pour ce que je vais faire », songea-t-elle.

Au dernier moment, elle leva les yeux et ce qu'elle vit bannit toutes ses craintes. Sans tenir compte du danger, elle se leva dans la barque, agita les deux mains et cria de toutes ses forces :

— Thomas !

Thomas Carleton, le charron de Saffron Walden, avait galopé sans relâche sur les plateaux, à travers les montagnes et le long des vallées pour rattraper le bateau. Il était là, les bras tendus, pour accueillir la femme qu'il aimait. Dédaignant les mains qui se tendaient pour l'aider à monter sur le sable sec, Vera bondit dans l'eau peu profonde, souleva ses jupons et courut au milieu des vagues, puis elle lança les bras en avant pour étreindre le seul homme qu'elle pourrait jamais aimer. Elle avait vingt-neuf ans ; lui, vingt-cinq. Elle avait appris le catéchisme, l'aquarelle et la musique ; lui, le travail du bois — mais ils s'engageaient avec allégresse à vivre en Afrique du Sud le reste de leur vie.

Tels étaient les colons anglais de l'an 1820.

L'arrivée de Vera, de façon si spectaculaire, mobilisa l'attention de chacun, Richard Saltwood compris : il la regarda sans un geste, frappé de stupeur. Le révérend Saltwood demeura seul, à l'écart, avec les bœufs et le chariot qui n'emporterait jamais sa fiancée à la mission. Peu à peu, les gens de la plage reprirent conscience de sa présence et se tournèrent vers cette silhouette désemparée. Les rires se mirent à fuser. On lança des mots cruels et des allusions grivoises. Sans bouger, il les laissa glisser sur lui comme une cascade d'eau glacée. Il ne rechercha la pitié de personne et il n'essaya en aucune façon de détourner Miss Lambton de son comportement extravagant. Il ne pouvait deviner ce qui l'avait provoqué, mais ce devait être, il n'en doutait pas, une émotion d'une violence étonnante. A coup sûr, Dieu avait voulu qu'elle suive cet homme et non lui-même.

Il ne s'insurgea pas quand Tjaart revint lui dire, sur un ton d'excuses :

— Comme je suis ici, je vais conduire le jeune couple dans son nouveau foyer... Avec votre accord, bien entendu.

— Vous avez raison.

Quand Richard, après avoir rassemblé ses affaires, vint lui dire qu'il devait, lui aussi, se trouver un roulier et prendre la piste, Hilary hocha simplement la tête. Finalement, tous les immigrants trouvèrent un moyen de transport et partirent tenter de cultiver du blé et du mil sur une terre qui avait du mal à faire pousser des herbes folles. Le gouvernement n'avait pas été tout à fait honnête avec ces colons, ni au Cap ni à Londres. On ne les considérait pas en réalité comme des paysans et des commerçants au sens classique de ces mots : ils allaient former un glacis de protection tout au long de la frontière, pour éloigner les Xhosas des fermes déjà bien établies, plus au centre du pays. Les colons comme Vera et Thomas, dans leurs maisons de la frontière, étaient censés supporter le premier choc de toute attaque des Xhosas, de façon que les postes en place comme Grahamstown puissent vivre en sécurité.

Hilary, qui avait compris cette stratégie criminelle, ne vit pas sans tristesse son ancienne fiancée et son propre frère s'éloigner vers l'est affronter cette situation. Lorsqu'il resta seul, il pria pour eux et pour que Dieu leur donne la force de surmonter les épreuves qui les attendaient. Ensuite, il regarda leurs chariots disparaître, monta sur son cheval et rentra lentement vers Golan.

Jamais il n'oublierait l'année 1820. Pour lui, ce fut une année de tragédie, où les Boers comme les Anglais le tournèrent en dérision, sans même concéder qu'il était un dominee aux intentions pures. On qualifiait sa mission de véritable farce où les Noirs pouvaient éviter de travailler. Ses tentatives d'exploitation agricole tournèrent au désastre et son insistance constante à réclamer pour les Hottentots et les Xhosas un traitement équitable était considérée comme une faiblesse de caractère. Les Boers le méprisaient pour son antagonisme à l'égard du travail sous la contrainte — clef de voûte de leur existence —, tandis que les Anglais le fuyaient : il n'était pas de bonne compagnie.

Sa situation s'aggravait chaque fois que le Dr Keer, à Londres, publiait un nouvel opuscule ou provoquait une nouvelle enquête du Parlement. Ce petit agitateur s'était aperçu que ses diatribes contre les Boers étaient très populaires auprès de la presse anglaise — c'était pour lui un moyen commode d'accéder aux plus hauts niveaux de la bonne société de Londres. Il multipliait les écrits, les prêches et les conférences, lançant des accusations de plus en plus enflammées contre les Boers ; mais, chaque fois qu'il tonnait, depuis son refuge de Londres, les éclairs frappaient Hilary Saltwood dans son avant-poste exposé et les fermiers parlaient sérieusement de mettre le feu à sa maison.

Hilary semblait royalement indifférent à l'ostracisme et aux menaces. Il faisait régner à Golan une forme de charité chrétienne : il acceptait tous ceux qui se présentaient, leur trouvait des vêtements et de la nourriture, leur donnait des logements de fortune. Il obligeait ses convertis à travailler plus ou moins et il passait beaucoup de temps avec la chorale, croyant qu'une âme qui chante est plus proche de Dieu qu'une âme enfermée dans le silence. De nombreux voyageurs venus à Golan à cette époque évoquèrent, non sans ironie, les prières du soir où des chœurs magnifiques chantaient de vieux hymnes anglais — tous les visages étaient noirs en dehors de celui du missionnaire, qui dépassait de trente bons centimètres les têtes de ses fidèles. Tous ces récits laissaient entendre que Saltwood n'était vraiment pas à sa place. Quelle erreur ! Il faisait partie de ces gens.

Dieu avait peut-être voulu qu'il demeure seul ainsi, tandis que les Blancs le brocardaient, pour que toute son attention se concentre sur l'avenir de l'Afrique du Sud. Quoi qu'il en soit, une nuit où il gisait sans sommeil, une vision lui fut accordée. Elle était d'une pureté si cristalline que, le matin venu, il se sentit obligé de la partager avec ses paroissiens. Il s'adressa à eux dans un mélange d'anglais, de hollandais, de portugais et de xhosa :

> Avec la venue de nos cousins anglais — et en si grand nombre —, nous pouvons voir que désormais ce pays ne pourra constituer une seule unité. Il sera toujours brisé en fragments : de nombreux peuples différents, de nombreuses langues différentes. En ce matin de 1821, nous sommes comme une rivière courant sur la crête d'une colline. Tôt ou tard, elle devra descendre d'un côté ou de l'autre, et la façon dont cela se fera changera complètement les destinées de cette terre. Prions pour que la rivière descende joyeusement la colline en une cascade d'amour et de fraternité, un torrent dans lequel le Hottentot, le Xhosa, l'Anglais et le Boer partageront les peines et les récompenses. La mission Golan ne doit plus être réservée uniquement aux Noirs. Nous devons ouvrir nos cœurs à tout le monde, nos écoles à tous les enfants. (Ici, il fronça les sourcils.) Je ne peux pas croire que notre grand fleuve de l'humanité se précipitera sur le mauvais côté de la montagne, créant une société de haine où les hommes, de couleurs, de langues et de religions différentes, suivront des voies séparées en de petits ruisseaux d'amertume, chacun pour son propre compte. Car nous sommes tous frères en Dieu et Il a décidé de nous faire travailler et vivre ensemble.

Ce matin-là, parmi les hommes et les femmes avec qui il partagea sa conception d'une nouvelle Afrique du Sud, la plupart ne pouvaient assimiler ce dont il parlait ; le bon sens leur disait que les hommes blancs, détenteurs de chariots, de fusils et de chevaux en grand nombre, seraient forcément les maîtres et feraient travailler les peuples inférieurs. Mais certains d'entre eux comprirent que le missionnaire exprimait une vérité, peut-être pas pour le présent, mais à long terme — sur la durée d'une vie humaine ou pour la génération de leurs petits-enfants.

Parmi ces derniers se trouvait Emma, la soprano comblée de dons dont la famille avait échappé à la servitude grâce à la générosité d'Hilary (ou plutôt de sa mère, car c'était elle qui avait envoyé l'argent permettant de racheter leur liberté). Emma avait maintenant vingt et un ans, elle était de petite taille, son visage semblait plus noir de jais que jamais et ses belles dents scintillaient, très blanches. Elle avait un tempérament merveilleusement doux, s'occupait très bien des enfants et dirigeait la mission chaque fois que Saltwood devait s'absenter.

Depuis un certain temps, elle songeait à l'avenir de Golan et, comme elle était malgache et non xhosa, elle cernait les problèmes plus clairement que la plupart. Elle estimait que les Xhosas en général étaient un peuple supérieur et elle aurait pu citer une dizaine de domaines dans lesquels ils excellaient.

— Baas, ils pourraient être d'aussi bons fermiers et d'aussi bons chasseurs que les Boers.

— Ne m'appelle jamais « baas » ! s'écriait Hilary. Jamais ! Je suis ton ami, pas ton baas.

Elle savait, bien entendu, qu'Hilary s'était rendu à Algoa Bay pour chercher une femme et des échos de la scène burlesque de la plage étaient parvenus jusqu'à Golan : le pasteur, les bras tendus pour accueillir son épouse, et celle-ci qui passait près de lui sans le voir, pour se jeter dans les bras d'un autre. Emma avait senti mieux que tous les autres le déchirement qu'avait dû éprouver cet homme extrêmement sensible et, à son retour, elle l'avait déchargé d'une partie de ses tâches de gestion, le temps qu'il assimile son malheur et qu'il reprenne le dessus.

Emma — sans nom de famille — comprit le processus subtil par lequel Saltwood, en sublimant sa douleur personnelle, découvrit sa grande vision de l'Afrique du Sud. Et elle sentit que personne ne comprendrait jamais ce pays — où elle était étrangère, au même titre qu'Hilary — sans avoir vécu au fond de lui-même une tragédie intense. Elle se dit aussi qu'après avoir exprimé sa vision il en constaterait vite l'impossibilité et quitterait aussitôt la région pour regagner l'Angleterre, à l'autre bout du monde.

Elle fut donc surprise — et peut-être ravie — lorsqu'il lui révéla un jour :

— Je resterai ici toute ma vie. On a besoin de moi pour bâtir le pays.

Elle le crut et, forte de cette certitude, elle se rapprocha davantage de lui, car il était manifeste qu'un homme aussi fragile ne pourrait survivre sans un appui solide. Elle constata vite qu'il était trop méprisé par les deux communautés blanches pour avoir la moindre chance de trouver une épouse dans leur sein.

A certains égards, elle était mieux informée de la situation que Saltwood lui-même et elle avait davantage les pieds sur terre — c'était déjà vrai lorsqu'elle avait dix ans : n'avait-elle pas compris que la seule chance de sa vie était d'échapper à l'esclavage en fuyant De Kraal ? Ses parents avaient peur ; les autres esclaves, sans exception, étaient terrifiés par les conséquences ; mais elle était partie dans la nuit, sans cheval et sans guide, et elle avait trouvé le chemin de la liberté. Et maintenant, avec la même clarté, elle voyait qu'Hilary devait prendre une compagne. Elle en était certaine pour la plus simple des raisons : il ne pourrait pas survivre tout seul.

Après sa vision et sa décision de se consacrer entièrement à l'Afrique, le révérend Saltwood se mit à regarder toute chose sous un angle différent. Il sentait que Dieu l'avait envoyé à Golan dans un but bien précis, sûrement plein de noblesse, et il était certain que sa vision lui avait été accordée par Dieu. A cet égard, il était très semblable à Lodevicus le Marteau — sauf que Lodevicus avait été visité par Dieu en personne.

Ayant donc été élu pour un dessein grandiose, il devait se conformer aux lignes directrices de ce dessein. Or quels étaient ces grands principes ? Tous les hommes d'Afrique du Sud étaient frères, tous étaient égaux devant Dieu, tous avaient les mêmes droits, personne n'avait de préséance sur les autres. Il reconnaissait, bien entendu, la nécessité d'une hiérarchie dans la pratique et il n'était sûrement pas révolutionnaire — au sein de la Société missionnaire, par exemple, il occupait le rang le plus bas et, dans son humilité, il n'estimait pas mériter davantage. Au Cap vivaient des supérieurs qui lui donnaient des ordres ; à Londres résidaient d'autres supérieurs qui envoyaient des ordres à l'Afrique du Sud ; et au-dessus de tous se tenait le petit groupe de penseurs puissants, comme Simon Keer, qui dirigeaient tout. Cette structure abstraite le satisfaisait pleinement. Ce qui le troublait, c'était le fait que, d'un bout à l'autre de la chaîne de commandement, tout le monde était blanc — comme si c'était la condition préalable du pouvoir. A Golan, il avait délégué ses pouvoirs à des Noirs et tout s'était très bien passé.

Il avait confié la chorale à Emma et c'était sous sa direction, et non celle d'Hilary, que les voix s'étaient transformées en un merveilleux instrument. Il s'était aperçu que pendant ses absences Emma dirigeait la mission au moins aussi bien que lui, et peut-être mieux. C'était assurément une bonne chrétienne : elle avait bravé de lourdes peines pour sceller son allégeance à Jésus ; et, quand les Boers venaient se plaindre au sujet d'esclaves en fuite, elle se montrait aimable et humble à leur égard.

> Humble mais ferme, écrivit-il dans un de ses rapports. Elle fait preuve d'une compréhension authentique des enseignements du Christ. Si elle est amenée à affronter un Boer arrogant réclamant à cor et à cri le retour de ses Hottentots, elle demeure immobile devant lui, silhouette menue dans sa robe de guingan, mains sur les hanches, mettant son interlocuteur au défi de profaner la maison du Seigneur. Un jour, un homme l'a frappée de son fouet, mais elle n'a pas bronché et il s'est éloigné, confondu.

Une autre ligne de pensée commençait à se faire jour dans les méditations du missionnaire. Il aurait été fort surpris si on lui avait fait remarquer ce parallèle historique, mais, comme plus d'un homme venant d'une culture supérieure et placé au contact d'un grand nombre de personnes d'une culture matériellement inférieure, il commençait à songer que son salut se trouvait dans le refus de la culture supérieure héritée — notamment en épousant une femme simple appartenant au groupe moins privilégié, pour pouvoir établir ainsi un lien profond avec la terre même, avec l'élément fondamental. Ainsi, à la même époque, en Russie, des jeunes gens de la classe dominante estimaient qu'ils devaient épouser des filles de serfs pour établir un contact avec la vraie Russie ; et, en France, des écrivains et des philosophes envisageaient le mariage avec des femmes déchues pour pouvoir repartir ensemble sur une base solide, si l'on peut dire, et parvenir à une nouvelle compréhension des choses. Au Brésil, de rudes planteurs portugais épousaient des Noires par défi : « Au diable Lisbonne, ma vie est ici ! » Et, aux Indes, certains jeunes Anglais de tendance mystique estimaient que, pour comprendre le pays auquel ils se consacraient, il fallait prendre des épouses hindoues.

Tout cela comportait un certain degré d'autoflagellation et de nombreux observateurs en rirent. Mais il s'agissait aussi d'une sorte d'expérience primordiale, d'identification avec un nouveau pays. Surtout, ces gestes exprimaient des doutes profondément enracinés sur la validité d'une culture, florissante certes, mais marquée par trop de livres, beaucoup trop de salons — et qui avait perdu, chemin faisant, quelque chose de fondamental. Quand la religion, avec l'exemple d'abnégation donné par Jésus-Christ, était jetée dans la balance, l'ensemble provoquait des impulsions puissantes en faveur d'actes que la personne n'aurait jamais envisagés dans d'autres circonstances. Et, par un beau matin ensoleillé où la vie à Golan était aussi paisible qu'elle le serait jamais, le révérend Hilary Saltwood s'imposa soudain trois jours de prières et de jeûne.

Il avait maintenant trente-six ans et jamais il n'atteindrait un rang plus élevé dans la hiérarchie. Il se rendait compte que sa mère rêvait encore avec amour du jour où il rentrerait au pays occuper la chaire de chanoine à Salisbury, mais il savait que cette récompense mondaine lui était interdite — en fait, il se demandait parfois s'il serait encore capable de vivre en Angleterre, même l'existence la plus banale. Il sentait aussi qu'il ferait mieux de mettre fin à son séjour à Golan ; la mission était assez bien établie pour que n'importe quel homme nouveau, envoyé par Londres, la prenne désormais en charge. Mais sa vie utile ne s'achèverait pas pour autant ; il se sentait appelé intensément vers le nord, où des foules immenses vivaient dans l'ignorance de Jésus, et il envisageait de passer son existence dans les avant-postes isolés. Mais, pour vivre ainsi, il lui fallait une compagne.

Il se souvint de l'enthousiasme qu'il avait ressenti quand sa mère lui avait écrit qu'elle lui envoyait une femme. Combien de fois avait-il relu la lettre ! Avec quel amour il avait étudié le portrait de Miss Lambton tracé par sa mère ! Et il avait imaginé Vera en train de travailler avec lui dans les postes les plus reculés de la colonie... Parfois, dans sa solitude, il se souvenait dans le moindre détail de la robe qu'elle portait lorsqu'elle avait traversé le ressac, ce jour-là, à Algoa Bay...

— J'ai besoin d'une femme pour partager le veld, s'écria-t-il à voix haute.

Mais quelle femme ? Oserait-il un jour demander de nouveau à sa mère de lui trouver quelqu'un ? Certainement pas. Pouvait-il galoper à Grahamstown, pour chercher parmi les nouveaux émigrants une femme susceptible de l'épouser — une jeune veuve peut-être ? Peu efficace. Tout le monde se rirait de lui et aucune femme ne voudrait partager cette humiliation. Fallait-il qu'il retourne au Cap ? Jamais. Jamais. Sa vie était sur la frontière, avec le peuple noir qu'il aimait.

Qu'il aimait ! Aimait-il Emma, sa merveilleuse petite assistante aux yeux rieurs ? Il croyait l'aimer en tout cas — mais il se demandait si Dieu approuverait une union de ce genre.

Sa méditation, jusqu'à ce point-là, lui avait pris une journée entière ; il passa les deux jours suivants à essayer de déterminer si un homme entièrement consacré à Jésus-Christ pouvait prendre le risque d'un mariage pareil — et, exactement comme les Boers sondaient l'Ancien Testament pour y trouver un guide au milieu de leurs tribulations, il ouvrit le Nouveau Testament et tenta de déchiffrer les enseignements de Jésus et de saint Paul. Les versets, depuis longtemps familiers, bondissaient et se bousculaient, contradictoires, dans sa tête : « Il vaut mieux se marier que brûler. [...] Celui qui n'est pas marié se soucie des œuvres du Seigneur. [...] Maris, aimez vos épouses. [...] Il est bien qu'un homme ne touche pas une femme. [...] Ainsi les hommes doivent aimer leurs épouses comme leurs propres corps. » Sans oublier le commandement précis du célibat, sous la plume de saint Paul : « Je dis donc aux non-mariés : "Il est bon pour eux qu'ils le demeurent, comme moi." »

C'était une doctrine troublante, née à une époque où les gens vivaient dans des communautés agitées, très semblables à celles d'Afrique du Sud en 1821, et l'on pouvait, en cherchant bien, justifier par la Bible aussi bien le mariage que le célibat — pourtant, tout bien pesé, un incident du Nouveau Testament éclipsait tout le reste : le jour où un couple de pauvres, à Cana, s'était marié sans avoir assez d'argent pour offrir du vin aux invités, Jésus était intervenu et avait changé l'eau en vin pour que les noces puissent être célébrées dans la joie. Au souvenir de cet épisode, Hilary éclata de rire : « J'ai toujours aimé ce miracle plus que les autres. Une cérémonie. Une bénédiction. Et, à la fin, le gouverneur lui-même disant : " Pendant la plupart des fêtes, on sert du bon vin au début et du mauvais dès que les invités sont ivres. Mais vous nous avez servi le meilleur vin à la fin. Brave homme ! " Je crois que Jésus et ses disciples ont dansé à ces noces... »

Il passa la troisième nuit en prières et, le matin venu, il alla trouver Emma.

— Jésus lui-même danserait à nos noces, dit-il. Veux-tu de moi ?

Ils furent mariés sans tapage par Saül, qui servait de diacre à la mission. Un couple peu ordinaire, ce Blanc dégingandé et cette petite Noire ! Ils partagèrent une case de clayonnage près de l'église et, comme aucune annonce ne fut faite, la nouvelle de ce mariage extraordinaire ne se répandit pas.

Elle n'atteignit même pas Grahamstown, à cent vingt kilomètres vers l'est, où Richard Saltwood venait de trouver une compagne qui ne manquait pas de piquant — Julie, une fille du Dorset descendue à Plymouth sur son propre cheval pour prendre passage sur l'un des derniers bateaux d'émigrants. Seule et sans protection, elle n'avait pas assez d'argent pour louer le chariot à seize bœufs qui la transporterait à Grahamstown. Elle s'y était donc rendue à pied, avec pour tout bagage ce qu'elle avait sur le dos. En moins d'une semaine, six hommes l'avaient demandée en mariage et, sans la moindre vergogne, elle avait choisi Richard. Elle ne savait pas lire, mais, quand il lui expliqua qu'un jour il la ramènerait dans la ville évêché de Salisbury, elle s'écria : « Bon Dieu ! J'ai intérêt à apprendre ! », et elle demanda à Mme Carleton de lui donner des leçons. Les deux femmes, si différentes d'éducation, mais si semblables par leur courage, passèrent des heures joyeuses à lutter avec l'alphabet.

Quand Richard proposa d'aller chercher son frère pour célébrer la noce, Julie s'écria :

— Formidable ! Cela nous donnera l'occasion de le présenter en ville.

Et l'on envoya un domestique, dans l'ouest, demander à Hilary de venir célébrer la cérémonie. L'invitation était si sincère, et l'occasion d'établir des relations avec les nouveaux colons paraissait si favorable, que le missionnaire accepta. Il emmènerait Emma avec lui pour que la population de Grahamstown soit témoin de la profondeur de sa conviction qu'une nouvelle ère commençait dans la colonie.

Hilary, Emma, Saül et le serviteur de Richard partirent donc vers l'est — lecture de la Bible chaque soir, prière à chaque aurore et beaucoup de conversations sur Richard et sa carrière aux Indes. Hilary, comblé de bonheur par son propre mariage, se demandait quel genre d'épouse allait prendre son frère et ne cessait de prier pour que Dieu bénisse l'union de Richard.

Lorsque les quatre voyageurs entrèrent dans Grahamstown, Hilary tendit le bras vers les petites maisons qui lui avaient paru des forteresses à toute épreuve le jour où il avait affronté les Xhosas hurlants et il montra à Emma l'endroit où Tjaart Van Doorn lui avait sauvé la vie.

Ils descendirent la rue principale et parvinrent au vaste terrain de rassemblement où se dressait une petite église, à l'endroit même que devait occuper plus tard une belle cathédrale. Un autre domestique hottentot de Richard cria au petit cortège que le baas était à l'atelier de Carleton, le charron, et l'on dirigea les chevaux dans cette direction, tandis que l'esclave courait en tête en criant dans un mélange d'anglais et de hollandais :

— *De reverend kom ! Look, he kom !*

Et, à la porte du hangar grossier où travaillait Carleton, parurent la femme de celui-ci, Richard Saltwood et la pétulante Julie — la future mariée. Ils levèrent les yeux vers les cavaliers et virent Hilary, très grand au milieu d'eux.

— Bonjour Hilary, dit Richard sur le ton banal qui avait toujours caractérisé ses rapports avec son frère. Ravi que tu sois venu.

— Bonjour Richard. J'ai appris que Dieu t'avait accordé la bénédiction d'une fiancée. Il m'a accordé la même bénédiction. Voici ma femme, Emma.

Du haut de son cheval, la petite Malgache adressa un sourire plein de chaleur aux deux femmes, puis inclina la tête en direction des deux hommes. Plus tard, elle ne se rappela qu'une chose : quatre bouches bées. « Ils étaient frappés de stupeur, Hilary. Tu ne les as pas vus ? Quatre bouches grandes ouvertes. »

Personne ne parla. Emma, qui avait un sens inné des convenances, comprit qu'elle n'avait pas à prendre la parole, puisqu'on la présentait à ces personnes — mais les quatre Blancs semblaient trop abasourdis pour adresser le moindre mot à Hilary et à plus forte raison à son extraordinaire épouse.

« Autant mettre pied à terre, dit enfin le missionnaire. Et il tendit la main à sa femme.

La nouvelle fit le tour de Grahamstown comme une traînée de poudre.

— Ce maudit imbécile de Saltwood a épousé une garce de Xhosa !

Le supplice dura trois jours. Personne ne savait où placer Emma, ce qu'il fallait lui donner à manger, ce qu'il convenait de lui dire. On s'étonna d'apprendre qu'elle parlait un anglais correct et savait écrire beaucoup mieux que Julie. Elle avait de la modestie et se tenait fort bien — mais qu'elle était noire ! Il n'existait aucun moyen de soulager l'horreur de sa présence, aucune explication ne pouvait atténuer le fait déplorable qu'un Anglais de bonne famille, missionnaire de surcroît, avait épousé une de ces Cafres xhosas. Quand on fit observer qu'elle était en réalité malgache, un homme répondit :

— Je connais bien Madagascar. Ces salopards ont bouffé mon oncle.

Et la rumeur se répandit qu'Emma était autrefois cannibale.

Richard insista fermement pour que le mariage soit célébré comme prévu, avec son frère à l'autel. Le temple provisoire était bondé de monde — la plupart venus voir de près « la cannibale ». Ce fut une cérémonie émouvante, dominée par les phrases lyriques du rituel de l'Église d'Angleterre. Aucun rituel de mariage, dans le monde civilisé, n'a mieux exprimé l'amour :

> Bien-aimés, nous voici tous ensemble, sous le regard de Dieu et devant cette assemblée, pour unir cet homme et cette femme dans le mariage, qui est un état honorable institué par Dieu au temps de l'innocence de l'homme... état sacré que le Christ a orné et embelli de Sa présence, et le premier miracle qu'il a accompli eut lieu à Cana, en

> Galilée… Veux-tu aimer cette femme, la soutenir, l'honorer et veiller sur elle dans la maladie et la santé… aussi longtemps que vous vivrez l'un et l'autre… à l'exclusion de toutes les autres… pour le meilleur et pour le pire, la richesse et la pauvreté, la maladie et la santé, l'aimer et la chérir, jusqu'à ce que la mort vous sépare…

Quand Hilary prononça ces paroles puissantes, debout, immense et mince, tel un prêtre ordonné à Éphèse par saint Paul lui-même, il leur donna une signification plus intense, car il avait le sentiment de consacrer non seulement le mariage de son frère, mais le sien propre. Et lorsqu'il en arriva à l'appel : « Ô Seigneur, sauve Ton serviteur et Ta servante ! », il sentit qu'il implorait la bénédiction divine également sur lui-même. Certains membres de la congrégation s'en doutèrent et lancèrent à Emma des regards fascinés : pouvait-elle se considérer comme une servante dont la destinée concernait Dieu ?

Le point culminant de la cérémonie fut le chant du Psaume 67, comme l'indique le Livre des Prières communes, car la petite Emma, debout devant l'église bondée, laissa sa voix s'élever comme elle le faisait à la mission — tous les autres chanteurs s'interrompirent pour l'écouter.

> Oh, que les nations se réjouissent et soient heureuses : car Tu jugeras les hommes avec équité et Tu gouverneras les nations sur la terre.

Les fidèles entendirent le chant, mais non les paroles.

Durant le voyage de retour, Hilary s'épancha.

— C'était une grave erreur d'être allés là-bas. Ils n'ont rien vu. Ils n'ont rien compris.

— A quoi as-tu pensé quand tu as rencontré Vera ?

— C'était étrange. Je ne l'avais jamais vue, tu sais. Pas vraiment. Je me suis avancé. Elle a reculé. Et j'ai songé : « Quelle chance pour moi de ne pas l'avoir épousée. »

— Tu n'en as jamais eu l'occasion, dit Emma.

— Je suis persuadé que Dieu y a veillé. Il pensait à toi.

— Thomas m'a beaucoup plu, dit-elle. Il réussira dans ce pays. Nous avons besoin de chariots.

— Surtout toi et moi.

— Pourquoi ?

— Parce qu'il va falloir partir vers le nord. On n'a plus besoin de nous ici.

Une fois parvenus à Golan, ils confièrent la mission à Saül, qui pourrait très bien la diriger, avec les diacres hottentots et xhosas, jusqu'à ce qu'un jeune pasteur arrive d'Angleterre. Puis ils commencèrent à faire leurs bagages, sans espoir de retour. Ils achetèrent un petit chariot et seize bœufs, une sorte de tente et quelques coffres de bois pour leurs affaires. Ce fut avec ce maigre attirail qu'ils prirent la piste.

Ils partirent en direction du nord-ouest, vers une destination inconnue. Un homme, une femme... Ils allaient traverser des terres désolées ne recelant pas une goutte d'eau, longer des gorges où des hors-la-loi étaient peut-être embusqués, se perdre dans des régions souvent ravagées par des bandes errantes de Hottentots et de Bochimans insoumis. Ils ne craignaient rien, car ils ne transportaient presque aucun objet de valeur dont on puisse les dépouiller — et, s'ils devaient être tués, ce serait au service de Dieu. Ils prenaient la piste pour apporter Sa parole sur des terres nouvelles et ils continueraient d'avancer sans relâche pendant cinquante jours. Seuls, marchant lentement aux côtés de leurs bœufs, ils partirent vers des contrées où aucun Blanc n'avait jamais pénétré avant eux.

Dans les décennies suivantes, on parlerait beaucoup des *treks* organisés par des groupes importants de Boers armés de fusils, et ce seraient des aventures très remarquables, mais les migrations sans panache des missionnaires anglais isolés n'étaient pas moins étonnantes : ce furent eux les pionniers du désert, les fers de lance solitaires de la civilisation.

Par hasard — en tout cas sûrement pas par dessein —, les Saltwood arrivèrent enfin dans les terres arides du nord où avaient cherché refuge les esclaves Jango et Déborah, lorsqu'ils s'étaient enfuis avec leurs enfants. Le pays était maintenant occupé par quelques Bochimans et quelques Hottentots qui menaient une vie errante après avoir troqué leurs derniers troupeaux. Il y avait aussi quelques esclaves fugitifs venus de tous les coins du monde et une poignée mal identifiable de bons à rien et de bannis. Dans les veines de ces réprouvés coulait beaucoup de sang hollandais, ainsi que du sang allemand — souvenir de colons et de marins en escale —, sans parler de la participation importante d'officiers anglais, revenant des Indes et qui, pendant leurs permissions au Cap, se sentaient libérés des entraves de la respectabilité britannique. Toutes les couleurs étaient représentées, depuis le noir le plus pur jusqu'au blanc le plus clair — cette dernière nuance illustrée par le nouveau missionnaire, Hilary Saltwood, diplômé d'Oxford.

Il s'était installé dans le secteur septentrional du Grand Karroo, collines semi-désertiques qui occupaient la majeure partie de la contrée. C'était une terre assoiffée dont les étendues dépourvues d'arbres effrayaient la plupart des gens — mais enchantaient tous ceux qui y cherchaient refuge. Les Saltwood construisirent leur misérable *hartebeest hut** près d'un torrent sinueux dont le lit demeurait à sec presque toute l'année. Quand elle fut achevée, ils l'entourèrent d'une rangée d'épines protectrices, exactement comme l'australopithèque cinq millions d'années auparavant.

Le site aurait eu un air fort misérable sans la parure de cinq collines, complètement séparées les unes des autres, parfaitement rondes à la base et dotées de sommets très plats, du plus bel effet. Leur beauté tenait à leur symétrie, à la pureté classique de leurs formes ; de loin, on eût dit cinq juges réunis en consultation, mais, au milieu d'elles — par exemple depuis l'entrée de la case du missionnaire —, elles semblaient des sentinelles montant la garde pour protéger le Karroo des vastes troupeaux d'animaux errants et des tempêtes titanesques qui se déchaînaient sur son immensité. Quand un homme décidait de servir le Seigneur en cet endroit déshérité, la présence de Dieu ne le quittait jamais.

Un voyageur déclara que, debout sur le seuil de la case de Saltwood, on pouvait « voir jusqu'aux portes du Ciel vers le nord et jusqu'aux portes de l'Enfer vers l'ouest, sans distinguer un seul être humain ». Bien entendu, il se trompait. En divers recoins plus ou moins secrets, des familles avaient bâti leurs cases. Derrière les collines à la cime plate, il y avait des villages entiers dont les résidents chassaient les petits animaux pour leur peau et les gros pour leurs défenses d'ivoire. D'autres commerçaient avec le nord, après avoir traversé le

Karroo, où se rassemblaient un grand nombre de gens. D'autres enfin, avec une compétence remarquable, exploitaient le pays — soixante hectares pour nourrir un mouton — et y trouvaient leur compte. Un homme réparait les chariots, pour des clients habitant parfois à cent cinquante kilomètres de chez lui.

Mais tout le monde, au Karroo, partageait le même miracle, avec la même allégresse. Quand les pluies de printemps tombaient sur cette terre aride — en général au début de novembre —, les plaines ondoyantes explosaient de fleurs par millions, en un tapis continu d'une infinité de nuances. On avait l'impression que la nature avait caché là toutes les couleurs qu'elle avait de reste, en attendant le moment opportun de les jeter à la face du monde. Au cours de l'un de ses sermons, Hilary s'écria : « Les étoiles au ciel et les fleurs du Karroo sont là pour nous rappeler que Dieu demeure auprès de nous. »

Il avait de nombreux devoirs. C'était lui qui marquait, par le rituel, les grands moments de la vie : il baptisait, il mariait, il enterrait. Il servait d'arbitre dans les conflits de famille. Sa femme était l'infirmière générale de la communauté dispersée. On laissait des messages à son presbytère — la case près du torrent sans eau — et il donnait des conseils sur les sujets les plus divers à tous ceux qui lui demandaient son avis. Il aidait à marquer le bétail et il assistait aux abattages dans l'espoir de revenir chez lui avec un gigot. Il s'associait à des chasses collectives quand la nourriture manquait. C'était un vicaire du veld.

Surtout, il célébrait les services du culte, en plein air, près du torrent, sous le regard des cinq collines. Il lisait des versets du Nouveau Testament, en insistant toujours sur les messages révolutionnaires de justice sociale, d'égalité et de fraternité. En phrases simples, dénuées de tout jargon théologique, il parlait à ses fidèles de nouveaux modes de vie où tous les hommes partageraient les responsabilités et il affirmait sans relâche que Noirs et Blancs pouvaient vivre ensemble en bonne harmonie :

> Le fait que le Blanc est temporairement en position de commander, à cause de son fusil, de son cheval et de son chariot, ne compte pour rien aux yeux du Seigneur ou au

regard de l'histoire. La vie d'un homme est si brève ! Dans cent ans d'ici, ce seront peut-être les Noirs qui posséderont le pouvoir, mais cela ne sera pas plus important aux yeux du Seigneur. Que l'autorité appartienne au Blanc ou au Noir, les problèmes perpétuels demeurent. Où vais-je trouver la nourriture que je mange ? Comment vais-je payer mes impôts ? Puis-je m'endormir tranquille quand le soir tombe ? Mes enfants peuvent-ils apprendre les leçons qui leur sont nécessaires ? Ce sont les réponses à ces questions que nous recherchons et peu importe qui est puissant et qui est faible, parce que, dans le grand défilement de l'histoire, tout change — sauf les problèmes fondamentaux.

Chaque fois qu'il parlait ainsi, le dimanche matin, il passait l'après-midi à s'interroger sur l'éducation de ses propres enfants. Emma et lui avaient à présent trois jeunes gaillards à la peau noire : ils seraient aussi grands que leur père, avec les dents blanches de leur mère. C'étaient des enfants brillants, qui savaient l'alphabet à cinq ans et les nombres à six. Avec d'autres gamins des environs, ils suivaient les leçons d'Emma et Hilary leur inculquait le catéchisme. Certains de ces enfants poussaient leurs parents à se rendre à la mission et les encourageaient à participer à tous les rites du culte. Quand le révérend Saltwood organisait une kermesse avec des jeux, des chants et un buffet, tout le monde était là.

Les plus jeunes — une vingtaine et parfois une trentaine, de toutes les nuances de couleur — s'éloignaient alors des cinq collines pour jouer sur une terre s'étendant à l'infini. Des antilopes de plus de dix espèces les observaient de loin et parfois des lions s'approchaient pour écouter et lançaient des rugissements que l'écho roulait comme des coups de tonnerre.

Les adultes aimaient toujours se joindre à ces « safaris » et parfois on avait le sentiment qu'ils appréciaient ces sorties davantage que leurs enfants, surtout quand de grands troupeaux d'autruches couraient dans les collines ou que les enfants découvraient une colonie de *meerkats**. C'était vraiment un plaisir de voir tout le monde se rassembler pour observer ces petits mammifères à la fourrure douce passer la tête hors de leurs terriers et se dresser pour voir qui les observait, avant de s'enfoncer de nouveau sous le sol.

— Les meerkats sont comme les gens, disait Emma aux

enfants. Il faut qu'ils courent dehors, mais ils ne sont jamais aussi heureux qu'à leur retour dans leurs foyers.

Hilary ne put trouver dans la Bible un précédent justifiant ses kermesses et il se demandait parfois s'il ne cautionnait pas un rite païen. Jamais Jésus n'avait participé à des réunions de ce genre, mais le missionnaire était certain que le Maître aurait approuvé le sentiment d'appartenance au groupe qui animait ses fidèles quand ils observaient les meerkats et la ferveur avec laquelle ils chantaient ensuite les hymnes. Un soir, il demanda à Emma :

— N'est-il pas possible que le miracle des pains et des poissons soit considéré comme une kermesse ? Ou bien quand Il a demandé qu'on laisse venir à Lui tous les enfants ? Peut-être les invités des noces de Cana s'étaient-ils rassemblés au flanc d'une colline de Galilée...

Ces journées-là offraient à Hilary un bonheur comme il n'en avait jamais connu. Son épouse était une femme d'une richesse infinie. Ses enfants, une pure joie. Les gens disparates qui constituaient sa congrégation aimaient ses manières étranges et pardonnaient ses intrusions dans leurs vies spirituelles. Et cette vaste contrée désolée, une fois qu'on y était habitué, offrait une demeure agréable. Surtout, il n'y avait ni Boers ni Anglais luttant pour le pouvoir, et aucune stigmatisation sociale, sous prétexte que cet homme était blanc et son épouse noire.

Puis cette paix relative fut rompue. Par le Dr Simon Keer, arrivant à grand fracas en Afrique du Sud pour recueillir des incidents susceptibles de figurer dans un nouveau livre. Il avait la cinquantaine bien sonnée, semblait au sommet de son ascension politique et faisait figure de défenseur fougueux de toutes les causes dignes de son appui. Il venait de prendre la tête du « mouvement philanthropique », comme on l'appelait à présent, et il était capable d'enflammer des foules immenses, à Londres et à Paris, avec son éloquence farouche et ses exemples spectaculaires de la mauvaise conduite des Boers. Son premier livre, *la Vérité sur l'Afrique du Sud*, datait déjà de longtemps et il sentait qu'il pourrait mieux soulever l'opinion en publiant un second ouvrage démontrant que les horreurs de l'occupation hollandaise se prolongeaient, bien que des Anglais d'une grande élévation morale aient tenu les rênes du gouvernement. Un de ses partisans lui avait accordé un prêt substantiel pour financer ce voyage — comptant bien sur le sensationnalisme du Dr Keer pour récupérer son investissement.

Bref, le volcanique petit bonhomme avait trouvé dans le mouvement philanthropique son Ophir pavée d'or et il revenait en Afrique du Sud pour faire prospérer son pactole. Partout où il se rendait, il provoquait des remous. Il sermonnait les gens de l'endroit et les menaçait de lois que ses amis du Parlement étaient sur le point de voter ; il accusait les Boers de crimes que même le Circuit noir de 1812 aurait refusé de prendre en considération. Et, à chaque fois, il mettait en parallèle les bons Anglais de l'Empire et les Boers fourbes du veld. Un jour, un homme qui avait constaté les horreurs sans nom perpétrées par les Anglais à l'encontre de leurs esclaves dans les Antilles britanniques, lui cria en réunion publique :

— Ne venez pas nous faire la morale. Commencez à faire le ménage dans vos îles.

Mais il le réduisit au silence en clamant plus haut que lui :

— Votre observation est injustifiée.

Quand le bruit courut que deux Boers avaient tenté de l'assassiner à Swellendam, il attira des foules encore plus nombreuses et sa fureur augmenta d'autant. Il ne manquait sûrement pas de courage, car il apporta son message d'un bout à l'autre de la colonie. Il convoqua à Grahamstown une assemblée de tout le personnel de la LMS et, quand les messagers eurent fait le tour de tous les postes avancés, un ramassis disparate d'hommes et de femmes commença à affluer. C'était l'avant-garde de Dieu, une bande invraisemblable, mais passionnée et dévouée, d'êtres vieillis avant l'âge par les conditions extrêmes dans lesquelles ils vivaient. Les difficultés qu'ils avaient réussi à surmonter avaient renforcé leur foi.

Le plus étrange de tous ces couples était à coup sûr les Saltwood de Grand Karroo. Il marchait à longues enjambées, le bourdon à la main, et sa femme noire montait un petit cheval. Ils avaient parcouru ainsi près de cinq cents kilomètres, le regard embrasé par la perspective de rencontrer les supérieurs de leur religion. En entrant dans le petit bourg marchand désormais prospère, la première enseigne qu'ils virent fut celle de THOMAS CARLETON, CHARRON. Elle décorait une vraie maison, à présent, avec des murs de pierre et un toit de tuiles ; en fait, il s'agissait de deux bâtiments : la forge et l'atelier de menuiserie d'une part, une maison d'habitation d'autre part.

— Il faut nous arrêter ici, dit Hilary, désireux de panser toutes les blessures qui pouvaient encore exister entre lui et l'homme qui avait volé sa fiancée. Bonjour, Thomas ! appela-t-il.

Le charron parut sur le seuil de sa forge et Hilary fut stupéfait de voir combien les années, si dures pour lui-même, avaient laissé peu de traces sur ce jeune homme au visage ouvert.

« Je suis Saltwood, dit Hilary d'une voix hésitante.

— Eh bien !... Eh bien... Vera ! Viens donc...

De la maison voisine de l'atelier sortit l'ancienne Miss Lambton de Salisbury, devenue mère de deux enfants blonds. Ce n'était plus la vieille fille timide qui étudiait l'aquarelle. A trente-cinq ans passés, elle était maîtresse de maison et elle tenait les comptes de l'affaire, très prospère, de son mari.

— Bonjour, Hilary, dit-elle d'une voix aimable.

Puis, avec une malice dont elle n'aurait jamais été capable dans son Wiltshire natal, elle le taquina :

« Vous êtes la raison de ma venue ici...

— Ce sont vos enfants ?

— Oui.

— J'en ai trois, à présent, dit-il à mi-voix.

— Mais nous n'avons pas arrêté, vous savez, répondit Carleton en passant le bras autour de la taille de son épouse.

— Mon frère a des enfants, lui aussi ?

— Comme nous tous. Il en a un.

Pendant cette conversation, Emma était restée sur son cheval, en retrait, et elle gardait le silence. Vera s'écria, d'un ton plein de chaleur :

— C'est votre femme ?

— Oui. Emma. Vous savez bien.

Le charron aida la Noire à descendre de cheval, lui prit les deux mains et lui demanda :

— Ne nous avez-vous pas dit que vous étiez malgache ?

— Si.

— Et comment diable êtes-vous venue jusqu'ici ?

— J'y suis née, répondit-elle dans le bel anglais un peu lent qu'elle tenait de son mari diplômé d'Oxford. Mes parents avaient été... Comment dis-tu, Hilary ?

— Kidnappés.

— Ils avaient été kidnappés par des trafiquants d'esclaves portugais. C'était très fréquent. Et cela dure encore, je crois...

— Une petite bonne femme comme vous, trois enfants !

Carleton secoua la tête et retourna à son ouvrage.

Dans les jours qui précédèrent l'arrivée du Dr Keer, le couple du Karroo participa à de nombreuses réunions, aussi amicales que celle-là, car l'indignation provoquée par leur mariage s'était estompée avec les années. Grahamstown était maintenant un bourg colonial anglais typique, avec sa place du marché animée où s'arrêtaient de nombreux chariots boers. Les Boers étaient toujours bien accueillis, non seulement pour le commerce qu'ils faisaient, mais parce que leurs commandos étaient toujours prêts à intervenir quand les Cafres insoumis de l'autre rive de la Grand-Poisson attaquaient le village.

Hilary surprit un bon gros paysan anglais en train de plaisanter avec un Boer :

— Dix-huit mois après notre arrivée, les Cafres ne nous avaient attaqués qu'une fois et vous avaient attaqués cinq fois. Alors, notre pasteur a dit un dimanche : « Regardez comme les païens font preuve de crainte en présence de Dieu ! Ils préfèrent toujours piller les Boers ! » Mais, au fond du temple, un homme a crié : « Ce n'est pas Dieu, dominee, c'est le bétail. Nous n'avons pas de troupeaux et les Boers en ont. »

Hilary fut particulièrement heureux de renouer des liens avec son frère Richard, dont l'exubérante épouse, Julie, avait subi une métamorphose parallèle à celle de Vera Lambton, à une différence près : Vera était descendue de son piédestal de notable de Salisbury, tandis que Julie était montée dans l'échelle sociale. L'illettrée du Dorset était devenue une solide lady, épouse d'un ancien major du cinquante-neuvième. Elle ne fit aucune difficulté pour accepter Emma Saltwood comme belle-sœur, en partie parce que tout le monde savait qu'Emma repartirait au Karroo dès la fin de l'assemblée (et ne pouvait donc poser aucun problème de mélange de races), mais en partie aussi par charité chrétienne. Julie s'était rendu compte qu'Emma était une femme remarquable et, à coup sûr, une bonne mère. A ce titre, elle méritait d'être reçue.

Les ennuis vinrent du Dr Keer. Quand il descendit de cheval, fatigué et affamé après la longue chevauchée depuis Golan, il aperçut Hilary et demeura stupéfait : « Grand Dieu, se dit-il, cet homme a dix ans de moins que moi et regardez-le !... » Pour serrer la main de Keer, Hilary dut se pencher en avant, ce qui le fit paraître encore plus vieux et ravagé qu'il ne l'était. Un missionnaire sur la frontière prenait plus vite de l'âge que ses supérieurs à Londres ! Et quand Keer se rendit compte que la petite femme noire traînant derrière Hilary devait être la Cafre dont lui avaient parlé ses informateurs, il faillit s'étouffer. « Un autre exemple d'homme prenant trop à la lettre son œuvre de missionnaire... »

Au cours de discussions privées avec des habitants de Grahamstown, il s'éleva avec une certaine violence contre la faute terrible que fait un missionnaire en épousant une femme de la tribu qu'il évangélise.

— C'est une erreur fatale, en vérité. Regardez ce pauvre Saltwood. Comment pourra-t-il retourner en Angleterre un jour ? J'ai besoin d'un assistant. Le travail s'accumule. Le Parlement et tous les tracas, vous me comprenez... Mais puis-je décemment lui demander d'être mon collaborateur ? Avec une femme comme la sienne, comment pourrait-il solliciter des dons auprès de familles importantes ?

Un soir, à une petite réunion, il demanda carrément à Richard Saltwood :

— Mon ami, comment avez-vous pu permettre qu'une chose pareille arrive à votre frère ?

— Je crois que vous feriez mieux de demander à Mme Carleton, là-bas, répliqua Richard le sourire aux lèvres. Les responsables, ce sont vous et elle, vous savez.

— Moi ? Carleton ? Jamais entendu parler d'un Carleton. Que fait cet homme ?

— Des chariots. Mais c'est sa femme que vous connaissez.

— Je ne peux pas le croire.

Mais quand on le conduisit auprès de Vera, à l'autre bout de la pièce, la jeune femme lui rappela qu'ils s'étaient rencontrés à Salisbury quand elle était encore Miss Lambton.

« Bien sûr, bien sûr ! Pendant ma tournée de conférences sur l'esclavage.

Il toussa modestement.

« J'ai parcouru tout le pays, vous savez. Littéralement épuisant.

Il cherchait à gagner du temps pour remettre de l'ordre dans ses souvenirs, puis soudain tout fut limpide :

« Mais vous deviez épouser Hilary Saltwood !

Il s'arrêta, puis ajouta, d'un ton méprisant :

« On m'a dit que vous aviez épousé le charpentier !

Vera Carleton n'hésita pas à percer l'outre vide de ce petit bonhomme. Avec l'assurance placide que lui avait conférée le travail manuel pénible accompli pour aider son mari, elle répliqua :

— Oui, j'ai épousé le charpentier. Parce qu'après votre conférence ce soir-là je vous ai pris à part pour vous demander votre opinion personnelle sur Hilary Saltwood et vous m'avez confié que c'était un pauvre type — ce que j'ai pu constater par la suite, d'ailleurs. Alors, merci pour votre bon conseil.

Le Dr Keer demeura sans voix devant le tour que prenait la conversation, mais Vera n'en resta pas là.

« Alors, sur le bateau, j'ai décidé de ne pas épouser ce Saltwood, reprit-elle en élevant la voix. J'ai remarqué Thomas Carleton le charron, je lui ai demandé de coucher avec moi et ensuite de m'épouser. Je suis doublement en dette à votre égard, docteur.

Keer battit en retraite de quelques pas, mais Vera le suivit.

« Et je vous dois une troisième chose. En effet, quand je constate votre imbécillité et, en comparaison, la grande noblesse d'âme d'Hilary Saltwood, je me rends compte que vous n'êtes pas digne de lacer ses bottines, ni celles de mon mari, ni d'ailleurs les miennes. Et maintenant, filez donc à Londres avant que les Boers ne vous pendent.

Elle était encore bouillonnante de colère quand elle arriva chez elle.

— C'était affreux, Thomas, ce petit poseur ! Je pense que tu devrais lui présenter des excuses demain, mais Hilary est vraiment le Christ en personne et Keer est si stupide qu'il ne reconnaîtrait même pas Jésus si ce charpentier rentrait ici ce soir.

Elle éclata de rire.

« Tu as vu comme ce Keer te traitait de haut ! Et moi ! Il semble oublier qu'un charpentier a joué autrefois un rôle important dans ce monde — et pourquoi cela ne se reproduirait-il pas, hein ?

Outrée par le manque de respect délibéré de Keer à l'égard d'un de ses missionnaires, Vera eut tendance à se rapprocher davantage d'Emma Saltwood. Quand les deux femmes prenaient le thé ensemble ou se promenaient avec Julie Saltwood, il s'établissait entre elles une sorte de solidarité de la frontière — un lien profond entre des femmes pionniers qui avaient parcouru d'énormes distances jusqu'à un pays inconnu qu'à leur manière elles avaient conquis. Les batailles ne leur avaient pas été épargnées — à dix ans, Emma avait fui De Kraal. Vera avait combattu les tempêtes physiques et affectives au sud du Cap ; et Julie la Sauvage était descendue à Plymouth à cheval pour fuir des parents stupides et des frères plus stupides encore — mais elles avaient triomphé toutes les trois, grâce au tremplin rassurant d'un mari fort et d'enfants sains.

Ayant partagé la même expérience, elles pouvaient être amies — mais une amitié de ce genre ne serait possible que pendant leur génération. Les forces tendant à les séparer à jamais étaient déjà à l'œuvre et, au cours de la deuxième génération, la camaraderie qui les unissait serait impensable. Dès lors, une femme de bonne famille élevée dans une ville évêché se garderait bien de fréquenter une illettrée fugitive du Dorset et d'inviter à sa table une Cafre, qu'elle soit ou non mariée à un missionnaire blanc.

Le fossé cruel qui allait séparer les peuples fut approfondi par tout ce que le Dr Keer dit ou fit au cours de l'assemblée. Dans les réunions publiques, il traînait les Boers dans la fange, ce qui rendit impossible par la suite toute relation fraternelle entre les Boers et les missionnaires. En privé, il continua de ridiculiser Hilary Saltwood pour avoir épousé une Cafre — et, à ce sujet d'ailleurs, il devait faire une remarque très importante :

— Ce qu'a fait cet imbécile d'Hilary, c'est placer une arme entre les mains de nos adversaires. On nous reproche souvent d'aimer les Nègres. Les Boers nous appellent *kafir boeties*. Et chaque fois que l'un de nous fait un mariage aussi déplorable, cela prouve que tout ce que l'on dit contre nous est vrai. Notre œuvre missionnaire en est retardée de cinquante ans.

A tous égards, il parlait et agissait comme si le salut du

monde dépendait de l'appui qu'il pourrait obtenir des grandes familles d'Angleterre susceptibles de faire pression sur le Parlement pour voter les lois qu'il jugeait désirables...

Le tort qu'il porta à Hilary Saltwood et à sa femme devait être fatal. En tant que supérieur de la LMS, il ordonna qu'Hilary soit isolé, à l'écart de tout, au fin fond du veld. Et lors de la réception finale, quand on crut qu'il avait fait tout le mal dont il était capable en un séjour aussi bref, il lança son dernier affront.

Il était debout devant la file des habitants de Grahamstown venus lui demander sa bénédiction. Le charron Carleton s'avança avec son épouse à la langue bien pendue. Comme on lui avait présenté des excuses, Keer se borna à incliner la tête sans sourire (attitude qu'il réservait aux artisans), mais il aperçut ensuite Hilary Saltwood, qui n'avait pas eu le bon sens de laisser sa petite Cafre à la maison. Elle se tenait à côté du missionnaire et, en arrivant à la hauteur du Dr Keer, elle lui tendit la main, avec l'intention de lui souhaiter un agréable voyage de retour en Angleterre. Il trouva un prétexte pour se détourner et fit comme si elle n'existait pas. Elle resta la main tendue pendant un instant, puis — sans trahir la moindre déception — elle la laissa tomber, sourit et passa son chemin.

Les chariots qui arrivèrent pour ramener le Dr Keer au Cap apportèrent un sac de courrier de Londres, dont une lettre de Sir Peter Saltwood, membre du Parlement (Vieux-Sarum), prévenant Richard que leur mère déclinait. Sir Peter envoyait un billet permettant à Richard de prendre la mer dans les délais les plus brefs et l'on espérait que sa femme l'accompagnerait, car les Saltwood de Salisbury avaient hâte de faire sa connaissance.

C'était tout à fait impossible, car, après des débuts mouvementés, Richard Saltwood et son épouse avaient mis sur pied une affaire prospère de commerce d'ivoire. Il fallait absolument que Richard parte dans les terres de l'est acheter aux Cafres toutes les défenses qu'il trouverait. Mais Julie et lui estimèrent qu'Hilary et sa femme, puisqu'ils se trouvaient en ville, devaient profiter de l'aubaine. Ils soulevèrent plus d'une objection. Emma, notamment, avait envie de retourner auprès de ses enfants, mais, comme Hilary le lui fit observer :

— Ils adorent le veld.

On envoya donc un messager au Karroo pour annoncer que les Saltwood prolongeraient leur absence pendant un an ou deux.

Dans leur innocence, ils supposaient que leur voyage serait simplement ce qu'il était dans leur esprit — et dans la réalité : la visite d'un fils à sa mère vieillissante et la présentation d'une épouse dans la demeure ancestrale. De même qu'Emma n'avait pas été touchée par le refus du révérend Keer de lui serrer la main, de même ni Hilary ni elle-même ne se laisseraient atteindre par l'attitude de la famille à leur égard. Et jamais il ne leur vint à l'esprit que, dans des endroits comme Le Cap, Londres et Salisbury, ils puissent se trouver en butte à une hostilité déclarée. Il y aurait, certes, des sourcils froncés. Et des murmures ironiques. Ils s'attendaient même à la répugnance dont témoignaient les fermiers boers à l'égard d'un Anglais marié à une Cafre. Mais ils avaient vécu en si bons termes avec ces gens de la frontière qu'ils se croyaient sincèrement à l'abri de surprises cruelles.

Ils se trompaient. Même pendant le lent voyage vers l'ouest, en chariot, jusqu'au Cap, les curieux s'attroupaient pour voir le missionnaire aux longues jambes qui avait épousé la petite femme cafre. Et ils ricanaient sous cape. Dans certaines maisons où d'habitude les voyageurs passaient la nuit, on les accueillit très mal et parfois ils eurent de réelles difficultés à trouver un logement. A Swellendam, ils provoquèrent la surprise ; à Stellenbosch, le scandale.

Ils supposèrent qu'une fois arrivés au Cap, après la traversée des plateaux, ils échapperaient à la curiosité malveillante. Une fois de plus, ils se méprenaient. Le Dr Keer avait parlé très durement de ces bannis stupides du Karroo et bien des gens se détournaient de leur chemin pour les voir — non comme des missionnaires, mais comme des moutons à cinq pattes... Leur bateau n'était pas encore arrivé et l'attente fut une pénible épreuve. Pourtant, ce fut à bord que les véritables ennuis commencèrent. Quatre familles d'une certaine distinction, qui rentraient des Indes, refusèrent de s'asseoir dans le même salon que la « Moricaude ». Hilary et sa femme durent donc prendre leurs repas à part. On ne voulait pas d'eux sur le pont et on ne les invitait à aucune des activités du bateau. Les services religieux du dimanche étaient célébrés sans la participation d'un pasteur. Hilary était le seul ministre à bord, mais on ne l'avait pas invité à prêcher, car sa présence aurait constitué un affront pour les familles respectables.

Cet ostracisme ne le troubla nullement.

— Nous vivons une ère de mutations, dit-il à sa femme. Et cela prendra beaucoup de temps.

On l'aurait fort étonné en lui apprenant que la mutation en question exigerait peut-être deux siècles et même davantage — il arpentait le bateau sans se soucier du présent, certain que l'avenir apporterait un meilleur équilibre entre les races. A toute personne qui acceptait de lui adresser la parole, il parlait de la vie de missionnaire, décrivait les différentes régions de l'Afrique du Sud et exposait sa vision du futur.

> Aux Indes, vous connaîtrez tous les problèmes que nous vivons. Comment une poignée d'Anglais blancs pourrait-elle continuer de gouverner des quantités énormes d'hommes d'une autre origine. Dans cent ans, la situation sera très différente de ce qu'elle est en ce moment ? Je vois le même avenir à Java avec les Hollandais et au Brésil avec les Portugais. On m'a dit qu'en Nouvelle-Zélande et en Australie le problème n'était pas le même, parce que les Blancs y constituent la majorité. Mais il faudra tout de même qu'ils gouvernent de façon équitable, sinon ils perdront tout. Que cela nous plaise ou non, nous devons imaginer des systèmes de gouvernement répondant aux besoins de ces peuples et à des situations que nous n'avions pas prévues. Et, quant à moi, je suis persuadé que l'on y parviendra uniquement en prenant pour base la fraternité chrétienne.

Il était si convaincant, et toujours si calme, que vers la fin du voyage plusieurs passagers recommandèrent au capitaine d'inviter le révérend Saltwood à célébrer le service, un des derniers dimanches. Il refusa :

— Les passagers n'ont pas envie de l'entendre.

— Nous sommes des passagers, répliquèrent-ils, et nous croyons que les autres accepteront de l'écouter.

Mais leur intervention demeura sans suite.

Pendant la traversée, Emma s'était beaucoup occupée des enfants. Elle leur racontait des histoires effrayantes de lions et de léopards, d'hippopotames dans les rivières et de rhinocéros fonçant dans les forêts. Curieusement, ce qui intéressait le plus les petits était sa description du Karroo :

> Imaginez un pays aussi plat que le pont de ce bateau. Ici, là et là, qu'avons-nous ? De petites collines, rondes à la base, plates en haut. Elles ne se touchent jamais. Et il y en a des vingtaines. Et de ces collines, un matin, arrive un blesbok. Vous voulez savoir de quoi a l'air un blesbok ? (Elle prit un peu de fard noir et dessina sur le visage d'un gamin les magnifiques raies noires et blanches de ces petites antilopes.) Donc, voici que survient notre blesbok. Et puis un autre. Et un autre. Vous êtes tous des blesboks, alors mettez-vous en rang. Et puis un autre, et un autre, jusqu'à ce que le monde soit plein de blesboks. Défilant en rangs. Et à perte de vue, des visages comme celui-ci... C'est là que je demeure.

Quand le blesbok numéro un revint auprès de ses parents, ils voulurent savoir ce qui lui était arrivé.

— Je suis un blesbok du Grand Karroo, répondit l'enfant.

On se mit à poser des questions et plusieurs parents découvrirent que Mme Saltwood racontait des histoires à leurs enfants depuis un certain temps. Ils en discutèrent avec leurs garçons et leurs fillettes et ils s'aperçurent bientôt que la petite Malgache était devenue leur idole :

— Elle chante bien. Elle connaît des jeux avec des ficelles et elle nous parle des autruches et des meerkats.

Certaines femmes se joignirent aussitôt à leurs maris pour supplier le capitaine de permettre à Saltwood de célébrer les services. Il demeura intraitable, pour l'excellente raison que, même si quelques familles étaient prêtes à tolérer le missionnaire, celles qui comptaient vraiment lui demeuraient encore farouchement hostiles. Il savait par expérience que mécontenter les petites gens est sans conséquences, alors qu'empiéter tant soit peu sur les privilèges des familles puissantes entraînerait des lettres à la direction de la compagnie et son inscription sur la liste noire. Il ne voulait pas de ça sur son bateau.

L'avant-dernier dimanche en mer, les familles qui désiraient toujours entendre prêcher le révérend Saltwood organisèrent un service religieux en plein air, sur le gaillard d'arrière. La plupart des enfants y assistèrent, espérant que la femme du missionnaire raconterait une de ses histoires d'autruches. Elle chanta... Son mari invita les fidèles à entonner un des hymnes de l'Église d'Angleterre; il n'y avait pas d'orgue pour donner le ton, mais la voix d'Emma s'éleva, puissante, sans défaut, magnifique — elle parut emplir toute cette partie du bateau. Ensuite, son mari évoqua brièvement les missions du Christ en Afrique. Il n'aborda aucune question délicate, ne froissa aucune susceptibilité et, quand le service s'acheva, avec un autre hymne, la plupart des familles le félicitèrent.

— Nous sommes si heureux d'avoir fait la traversée avec vous, lui disait un homme à l'instant précis où le capitaine, saisi de rage, exigeait le nom de l'officier ayant autorisé le service religieux sur le pont.

— Ça s'est passé comme ça, répondit un jeune lieutenant.

— Veillez à ce que cela ne se reproduise plus!

Plusieurs passagers s'étaient déjà plaints : on avait voulu les narguer en célébrant ce service en plein air, puisque le « vrai » service avait lieu dans le grand salon...

A Salisbury, la confusion régna. Emily s'attendait à voir son fils Richard; rien ne l'avait préparée à l'arrivée d'Hilary et surtout à celle de son épouse noire. Si elle avait voulu qu'ils viennent, elle le leur aurait demandé, mais, quand ils arrivèrent, elle ne put tout de même pas se montrer mesquine. Elle était d'ailleurs très heureuse de revoir Hilary, bien qu'il parût plus âgé qu'elle-même. Et elle respectait en Emma le choix qu'avait fait son fils.

Au cours de la deuxième semaine, elle confia à son amie Mme Lambton :

— Dieu merci, je me suis dominée. Cette Emma est une perle.

— Vous pouvez supporter sa peau noire?

— Je suis heureuse de voir mon fils heureux. Vous devriez éprouver le même sentiment à l'égard de ce charron qu'a épousé Vera. Emma m'a dit que votre fille est comblée, avec deux — ou peut-être trois — enfants adorables.

— Pour tout vous dire, Emily, il y a longtemps, avant même que vous ne me parliez, je rêvais souvent du jour où Vera reviendrait à Salisbury avec Hilary — et où votre fils occuperait sa charge à la cathédrale...

Elle éclata soudain en sanglots, incapable de se maîtriser, et, après avoir séché ses larmes, elle s'écria amèrement :

« Dieu ! Dieu ! Pourquoi des choses aussi horribles se produisent-elles ? Comment pouvez-vous supporter la présence de cette Négresse dans votre maison ?

Emily avait envie de pleurer elle aussi, mais non à cause de la femme noire sous son toit : pour son fils David, perdu Dieu savait où dans l'Indiana, pour Richard, marié à une fille d'écurie illettrée, et surtout pour Hilary, cet homme triste et désemparé sur lequel couraient des rumeurs si affreuses.

« Vous savez ce qu'on dit à Londres ? reprit Mme Lambton quand elle eut maîtrisé ses reniflements. Le Dr Keer lui-même l'a déclaré en privé... Notre cousine Alice était présente et a tout entendu. Il a dit que le pauvre Hilary était un réprouvé et qu'il passait pour un parfait imbécile aux yeux des Boers comme aux yeux des Anglais.

— Je suppose que c'est la vérité, dit Emily. Mais je me demande si c'est important. Aux yeux de Dieu, je veux dire. L'autre jour, j'ai reçu une lettre de Londres. De personnes qui se trouvaient sur le bateau avec Hilary. Elles disaient que son sermon pendant la traversée était comme le Christ Lui-même revenu parmi les hommes et réaffirmant Ses principes. Elles disaient que je serais sûrement heureuse de l'apprendre.

A ces mots, Mme Lambton s'effondra tout à fait et, après toute une série de sanglots bruyants, elle balbutia :

— Je désirais tellement qu'ils se marient. Vera aurait sauvé votre fils, Emily. Elle aurait fait de lui un homme fort et convenable. Il aurait été chanoine ici, croyez-moi. Il aurait été chanoine...

— Le reste de la lettre, poursuivit Emily, disait qu'on avait refusé à Hilary l'autorisation d'officier dans la chapelle normale du bateau — le « salon », paraît-il. Il a été obligé de prêcher en plein air. Je crois que Jésus a souvent prêché en plein air. Mais je ne pense pas que même Vera aurait pu obtenir la permission que mon fils prêche à l'intérieur. Je crois qu'il a été élu pour...

Malgré elle, elle fut prise de violents sanglots. Il était si maigre. Il avait l'air tellement souffreteux. La maison où ils vivaient dans le désert n'était guère qu'une cabane de charbonnier. Il paraissait si fatigué. Et sa pauvre femme devait prendre toutes les décisions.

Tendant brusquement la main, elle saisit le bras de Mme Lambton et s'écria :

« Laura, pourquoi ces choses se produisent-elles ? Jamais je ne reverrai Richard ou David de ma vie. Jamais vous ne verrez Vera et ses enfants. Nous voici toutes les deux comme de vieilles araignées sur leurs toiles et les mouches sont loin, très loin. Le Karroo ? Le Karroo ? Qui diable s'intéresse au Karroo ? Ou à l'Indiana, d'ailleurs ? La vie est ici et nous l'avons laissée glisser loin de nous. Nous avons une cathédrale, la plus belle d'Angleterre, mais les choristes sont partis. J'éprouve tant de chagrin pour cette pauvre femme noire dans mon jardin... Laura, oui, je pourrais mourir de chagrin.

Les choses ne s'améliorèrent nullement lorsque Sir Peter rentra du Parlement, très conscient de la gêne provoquée par la visite d'Hilary. Plusieurs journaux de Londres avaient publié des caricatures montrant un immense missionnaire escorté de sa grosse naine d'épouse, seins nus et tutu de paille — avec pour légende : « L'évêque et sa Vénus hottentote », ou quelque plaisanterie du même acabit. Le ridicule commençait à faire tache d'huile... Lady Janice était à la fois mortifiée et pleine d'appréhension, redoutant que cela porte tort au bon travail que son mari essayait d'accomplir. Elle vint à Salisbury avec l'intention de prendre des mesures draconiennes et d'obtenir que son beau-frère reparte sans délai avec son encombrante épouse.

Mais, dès que Sir Peter vit son frère cadet, il se souvint de l'instant émouvant où, à Vieux-Sarum, il avait invité ses frères à revenir aux Sentinelles quand ils en auraient le désir. Il garda le silence et invita sa femme à faire de même : si la réunion manqua de chaleur, elle demeura cependant courtoise. Même Lady Janice se montra raisonnablement aimable à l'égard de sa belle-sœur noire.

Au cours de longues discussions sur les bancs, à l'ombre des chênes, Sir Peter demanda conseil à son frère sur la façon dont l'Angleterre devait se conduire à l'égard de sa nouvelle colonie :

— Tu sais, Hilary, je suis en quelque sorte le leader de la Chambre en ces matières. Le gouvernement m'a donné carte blanche pour mettre quelque chose au point. En liaison étroite avec l'Office des colonies, etc. Et tu présentes les choses sous un jour si différent de ce que m'a raconté Simon Keer... Je me demande si nous ne devrions pas le faire venir ici pour une consultation sérieuse.

— Ce serait essentiel, répondit Hilary, qui ne tenait pas rigueur à Keer de la façon dont celui-ci l'avait traité à Grahamstown.

On invita donc le farouche orateur des philanthropes d'Afrique. Entre-temps, Emma Saltwood découvrit Salisbury. Chaque matin, elle aidait à servir le petit déjeuner, puis posait sur ses épaules une cape blanche et prenait un parapluie — qui lui servait davantage de canne de marche que de protection contre les intempéries. Elle traversait le pont romain et pénétrait dans le bourg, où elle répondait de sa voix douce à tous ceux qui lui posaient des questions sur l'Afrique. A ceux qui ne disaient rien, elle adressait un signe de tête déférent. Elle fréquentait toutes les boutiques, s'émerveillait de les voir si bien approvisionnées et achetait des quantités de cadeaux pour ses enfants.

Elle était accueillie de façon très inégale. Certaines femmes de bonne famille, qui soutenaient avec enthousiasme le mouvement philanthropique du Dr Keer, adoraient les Noirs en Afrique — ce qu'elles démontraient par des donations généreuses —, mais se sentaient très mal à l'aise quand une Noire en chair et en os venait résider dans leur entourage. Quand Emma passait, elles détournaient la tête. En revanche, les vendeuses des magasins et les ménagères qui faisaient leur marché considérèrent bientôt la femme du missionnaire comme une des leurs. Quand elles la rencontraient, elles la saluaient avec gentillesse. Elles se mirent à parler avec elle de lions, de sorgho, de meerkats et du tannage des peaux. Mais, surtout, sa voix cristalline les émerveillait chaque fois qu'elle chantait au temple. Un homme qui enseignait la musique dit un jour :

— Je ne peux pas croire qu'un corps aussi frêle puisse émettre des sons si puissants.

Il lui demanda de chanter à son cours et, avec l'aide de deux élèves, il mesura l'étendue et la puissance de sa voix. L'expérience plut à Emma : elle prenait son souffle, puis lançait toute une suite de notes magnifiques.

On publia de nouvelles caricatures : « Le rossignol hottentot », et on lui demanda de chanter en diverses circonstances et même de se rendre à Winchester pour se produire dans la cathédrale. Elle gardait toujours le sourire et parlait de bonne grâce avec tout le monde. A cette époque, l'Angleterre éprouvait un intérêt insatiable pour ses colonies et pour les peuples étranges qu'elles abritaient. De nombreuses personnes comme Emma étaient venues dans le pays pour satisfaire l'émerveillement des citoyens, mais elles se rendaient très rarement en province. Dans le Wiltshire, Emma faisait sensation.

Ainsi donc, quand le Dr Keer arriva en ville, il lui fut impossible d'ignorer la petite Hottentote, comme tout le monde l'appelait. N'oubliant pas qu'elle était la belle-sœur de Sir Peter, il se devait de la traiter avec courtoisie — et, dans la mesure où il était capable d'adoucir ses manières à l'égard d'un inférieur, c'est ce qu'il fit.

Hilary, incapable d'animosité envers quiconque, fut vraiment enchanté de revoir le dynamique petit pamphlétaire. Pourtant, comme il le déclara à Emma :

— Il ne semble pas si petit, à présent. Le succès et le contact avec des gens importants l'ont grandi.

— Tout est un jeu pour lui, répondit Emma, toujours très perspicace. Seulement les pièces sur l'échiquier ne sont plus de simples pions. Ce sont maintenant des lords et des parlementaires.

— Mais n'oublie pas : c'est cet homme qui m'a appris à aimer Jésus.

— C'est toi qui oublies, répliqua Emma en riant. Il m'a fait la leçon à moi aussi. C'était comme le tonnerre et l'éclair.

Ils se demandèrent ce qui avait pu provoquer ce changement profond dans l'ancien missionnaire, mais ne parvinrent à aucune conclusion... Puis les trois hommes s'assirent sur les berges de l'Avon et admirèrent les cygnes qui glissaient sur les reflets mouvants de la cathédrale. Hilary constata très vite que Keer n'était motivé que par une seule ambition : mettre fin à l'esclavage. Tout le reste était secondaire à ses yeux. Il était passé des problèmes du veld à la scène mondiale.

— Les efforts à accomplir ne se situent plus au niveau de la colonie du Cap. Il faut les concentrer sur le Parlement. Nous devons faire voter des mesures contre l'esclavage. Nous devons forcer le ministre des Colonies à promulguer les ordonnances que j'ai rédigées. Nous devons aller de l'avant, toujours de l'avant.

De toute évidence, il s'intéressait fort peu aux Boers, aux Cafres ou aux Anglais en tant qu'êtres humains, mais uniquement à un système rationalisé.

« Dans le gouvernement des nations, avoua-t-il, il arrive souvent que l'adoption d'un grand principe assure la liberté pour des siècles. Nous sommes parvenus à ce tournant.

— Tu n'es pas d'accord ? demanda Sir Peter à son frère.

— Oh, mais si. Le Dr Keer a raison. Nous nous trouvons à un tournant. Mais le véritable enjeu, c'est, à mon sens, l'être humain — des êtres humains bien définis et non des principes abstraits. Peter, dans tout ce que tu feras, demande-toi quelles seront les conséquences de tes décisions pour le Boer de l'arrière-pays, car c'est lui l'Afrique du Sud blanche. Et demande-toi quelles seront les conséquences pour les Xhosas...

— Tu veux dire les Cafres ?

— Je n'utilise jamais ce mot. Ces hommes appartiennent à des tribus distinctes. Il y a les Xhosas, les Pondos, les Tembus, les Fingos, les Zizis. Et, un jour, ils seront l'Afrique. Alors, prends bien garde à ce que tu leur feras... Enfin, tu devras te demander : « Quelles seront les conséquences pour les Anglais ? » Parce que je suppose que nous gouvernerons le pays pendant des générations — et nous devrons le faire avec justice.

— Ne pouvons-nous protéger à la fois l'intérêt général du Dr Keer et tes intérêts spécifiques ?

— J'ai bien peur que non. A mon avis, quand les gouvernements prennent des décisions réglementaires dans l'abstrait, ils étouffent l'individu. Aussitôt, celui-ci se corrompt, devient révolutionnaire et chambarde tout. Mais, en commençant par la justice individuelle, on guide les hommes vers les principes généraux.

— Tout à fait faux, s'écria Keer avec une certaine violence. Tant que les principes ne sont pas clairement définis, rien de bon ne peut survenir.

Sir Peter se tourna vers son frère.

— Et l'abolition de l'esclavage ! Le Dr Keer a sûrement raison sur ce point...

— Assurément, assurément, répondit Hilary, en nouant et dénouant ses longues jambes, tandis qu'il essayait, mais en vain, de faire admettre ses convictions. Ce que je veux dire, c'est que l'abolition doit se produire sans soulever la fureur des Blancs. Sinon nous n'aurons rien accompli de positif.

— Tout peut être accompli d'un trait de plume, répliqua Keer — et sa voix prit les accents de triomphe messianique qu'il adoptait pour s'adresser aux assemblées religieuses.

Hilary, nouant ses jambes de plus belle, éclata de rire.

— Peter, tu n'as jamais connu de Boer, et vous, Simon, vous avez oublié. Permettez-moi de vous parler de mon voisin, Tjaart Van Doorn. Il est carré comme un coffre à blé. Pas de cou. De gros favoris tombant jusqu'en bas du visage. Il porte une ceinture et des bretelles. Ses chaussures ? Il les fabrique lui-même. Il est le maître de près de sept mille hectares et sa maison constitue une véritable citadelle. Combien a-t-il d'esclaves ? Une demi-douzaine...

— Où veux-tu en venir ?

— L'Afrique du Sud est pleine de Tjaart Van Doorn. Un jour, voici que son bœuf blanc s'enfuit. Il le poursuit, le ramène et le remet au travail. Pas de punition. Pas de jurons. Deux jours plus tard, le bœuf prend de nouveau le large. Et de nouveau Tjaart part à sa recherche. Même scène. J'étais là-bas pour baptiser un bébé et j'ai tout vu. Pas un mot plus haut que l'autre... Le jour suivant, le bœuf blanc s'en va pour la troisième fois et me voici parti avec Tjaart pour l'aider à ramener la bête. C'est moi qui lui ai passé la corde autour du cou. Aussitôt, Tjaart s'avance, le visage bleu de colère et, avec un rugissement terrible, il frappe le bœuf entre les deux yeux avec une énorme massue. le bœuf tombe mort et Tjaart dit calmement au cadavre : « Tiens, ça t'apprendra ! »

Les deux autres gardèrent le silence et, avant qu'Hilary ne reprenne, Emma apparut avec des verres et une boisson rafraîchissante qu'elle avait préparée avec Emily Saltwood : du cidre frais avec du miel et une tombée de cannelle.

« Ce que je veux te faire comprendre, Peter, c'est que, si le Parlement vote des lois qui briment les Boers, la première fois ils se soumettront et ils accepteront ce qui ne leur plaît pas. Ils accepteront deux fois. Mais, je te l'assure, si vous les brimez une troisième fois, ils saisiront leur massue et vous frapperont entre les deux yeux.

La réponse de Simon Keer demeura pleine de prudence.

— A ce qu'il me semble, la question se pose en ces termes : qui gouverne en Afrique du Sud ? Nous, ou bien les Boers à qui nous avons pris la colonie il y a quelques années et que nous avons ménagés de façon scandaleuse ?

— Ce n'est pas à eux que nous avons pris la colonie, répliqua Hilary sans élever le ton. Nous l'avons prise à leur gouvernement vaincu, en Europe. Mais les Boers sont là-bas, tous jusqu'au dernier, et leur nombre s'accroît chaque année.

Puis sa voix se fit plus pressante :

« Mais les Xhosas, les Pondos, les Tembus, les Fingos sont plus importants encore. Ils ont toujours vécu dans ce pays et ils y vivront toujours. Eux aussi augmentent en nombre et nous devons agir de façon à maintenir l'équilibre entre tous.

— Est-ce possible ? demanda Sir Peter.

Mais, avant qu'Hilary ne donne une réponse à une question qui n'en admettait point, Emma s'avança en courant sur la pelouse.

— Hilary ! cria-t-elle en parvenant près des chênes. C'est Mme Saltwood... Je crois qu'elle est morte.

Peu de temps après les funérailles, en présence des deux fils Saltwood et de leurs épouses, Mme Lambton s'écria soudain :

— Hilary, retournez en Afrique ! Vous devriez avoir honte jusqu'à la fin des temps. Vous avez tué votre mère.

— Mme Lambton ! intervint Sir Peter.

— Elle passait ses journées près de moi, en larmes. Une fois, elle a éclaté d'un rire nerveux et elle a dit : « Tout est de ma faute. C'est moi qui lui ai acheté cette Noire ! Oui, je lui ai envoyé l'argent et il s'est acheté une femme. »

— Écoutez, Mme Lambton... coupa Sir Peter.

Mais elle lui lança un regard de mépris.

— Si vous aviez eu tant soit peu d'amour pour votre mère, vous auriez jeté ces deux-là dehors...

— Mme Lambton, répondit Sir Peter, la semaine dernière, ma mère m'a dit ceci : « C'est la providence de Dieu qui nous a renvoyé Hilary et non Richard. Nous ne désirions pas le retour d'Hilary et sa venue nous a jetés dans l'embarras. Mais après avoir vécu auprès de lui... » Ce sont les paroles exactes de ma mère...

Sa voix se brisa. Il saisit la main de sa femme et lui fit signe de poursuivre à sa place.

— Nous nous sommes réconciliés, dit Lady Janice. Tous.

Elle tendit la main à Emma, enfin pleinement admise aux Sentinelles.

Mais, depuis le seuil, Mme Lambton continuait de crier :

— Vous avez tué votre mère. Repartez ! Repartez !

Jamais on ne put déterminer qui assassina le couple missionnaire. Avant l'aurore, un matin de 1828 — alors qu'Hilary, âgé seulement de quarante-trois ans, en paraissait soixante —, des bergers aperçurent de loin la case en proie aux flammes. Quand ils parvinrent sur les lieux, les deux Saltwood avaient la gorge tranchée et tous leurs biens avaient disparu.

Le feu détruisit tout et on ne put relever aucun indice. On accusa six groupes de suspects : des Bochimans, qui se glissaient souvent dans ce genre de campement pour voler du bétail — mais aucun animal appartenant à la mission n'avait disparu ; des Hottentots en rébellion contre l'autorité, mais les Hottentots de la région adoraient les Saltwood, qui n'avaient pas de serviteurs ; des Cafres, toujours rapides à jouer de la sagaie, mais les Cafres du Karroo étaient des fidèles de la mission, tous très pacifiques ; des Boers, qui méprisaient la plupart des missionnaires, mais les seuls Boers des environs vivaient à près de cent kilomètres et aimaient bien les Saltwood ; des Anglais, qui détestaient les Saltwood parce que leur mariage mixte souillait la bonne réputation de la LMS, mais il n'y en avait aucun dans les parages ; enfin, des voleurs cinghalais descendus de quelque bateau, mais le port le plus proche se trouvait à plus de mille kilomètres de là. Peut-être était-ce la société — au sens abstrait — qui s'était débarrassée d'eux.

Ils avaient péri de cette maladie terrible qui aboutit à tout coup à la crucifixion : ils prenaient la religion trop à cœur ; ils faisaient confiance à Jésus-Christ ; ils croyaient que les promesses sublimes, exaltantes, du Nouveau Testament pouvaient servir de base au gouvernement des hommes ; et ils suivaient ces préceptes sans défaillance dans une partie du monde où ils portaient préjudice à trois groupes puissants : les anciens Boers, les Anglais nouveaux et les Noirs hors du temps.

Dans l'un de ses sermons les plus pénétrants, Hilary avait dit à sa mission :

— Le principal problème de gouvernement demeurera à jamais : « Suis-je en sécurité, le soir, quand je m'endors ? »

Comme bien d'autres hommes endormis en Afrique du Sud, il n'était pas en sécurité.

Les trois enfants Saltwood étaient absents quand les assassins avaient frappé — certains y virent la main de Dieu. Ils étaient partis dans le Grand Karroo avec une famille hottentote pour ramasser des plumes d'autruche, qui feraient fureur à Paris. Quand ils revinrent, leurs parents étaient déjà enterrés et chacun dit son mot sur ce qu'on devait faire d'eux. Certains pensaient qu'il fallait les envoyer à Grahamstown par le premier chariot se dirigeant vers le sud, mais on apprit bientôt que, là-bas, personne ne désirait leur présence. On parla également de les envoyer au quartier général de la LMS au Cap, mais la LMS était déjà submergée par les enfants « de couleur », orphelins ou abandonnés. Il aurait été tout à fait déplacé de leur faire prendre le bateau pour l'Angleterre, où leurs ancêtres les auraient envoyés au diable.

Non, il n'y avait pas de place pour eux. Personne ne se sentait responsable, si peu que ce fût, des fruits de ce qui avait été, dès le début, un mariage désastreux. Et les enfants restèrent auprès des Hottentots avec qui ils étaient allés chasser des plumes d'autruche.

Pendant quelques années, ils ne seraient pas comme les autres, car les aînés savaient lire et écrire ; mais le temps passa, il fallut qu'ils se marient et ils glissèrent dans cette masse sans forme, inassimilable, qui porte encore aujourd'hui le titre d'« hommes de couleur ».

Mfécané

Le jeune Nxumalo, comme son lointain ancêtre — le Nxumalo qui avait quitté le lac pour se rendre au Grand Zimbabwe —, avait été élevé dans la croyance que toutes les paroles de son chef avaient force de loi, si contradictoires ou arbitraires qu'elles fussent.

— Le chef parle, tu bondis ! lui avait appris son père.

Et l'enfant élargissait cette règle sage à toute personne donnant des ordres. Il était né pour obéir et habitué à le faire dans l'instant.

Par une belle journée ensoleillée de 1799, âgé de onze ans, il apprit le vrai sens du mot « soumission ». Ce serait une leçon particulièrement amère, car tout se passa à cause de son père, homme plein d'allant qui aimait regarder les fleurs éclore au printemps : il se sentait alors transporté de joie et ne pouvait s'empêcher de siffloter lorsqu'il arpentait les champs près du kraal.

L'écho du bonheur de Ndéla parvint jusqu'aux oreilles d'une femme soupçonneuse qui s'était dissimulée près du sentier. C'était une bossue toute contrefaite, la devineresse la plus puissante de la région, une femme qui tenait entre ses mains la balance du bien et du mal, de la vie et de la mort. Une joie mauvaise se peignit sur ses traits, car les esprits vivant dans les ténèbres venaient finalement de lui offrir un signe :

— Ndéla a sifflé ! Ndéla a sifflé ! caqueta-t-elle entre ses dents.

Enfin, elle savait pourquoi la maladie était tombée, comme un manteau de brume hivernale, sur les troupeaux des Sixolobos. Elle était prête à intervenir.

Dans l'après-midi même, le clan sixolobo tout entier fut

convoqué devant la demeure du chef et une nouvelle passionnante passa de bouche en bouche :

— La devineresse va dénoncer le sorcier qui a contaminé notre bétail.

Ndéla arriva. Il n'avait aucune raison de soupçonner l'existence d'un lien quelconque entre lui et la maladie des animaux, et pourtant, dès que la divination commença, il se comporta avec sa prudence habituelle, car il est toujours possible que les forces du mal se dissimulent dans le corps d'un homme à son insu.

La divination était toujours très impressionnante. Le corps de la vieille femme était enduit d'un mélange répugnant de graisses d'animaux ; ses bras et une partie de son visage portaient des zébrures d'argile blanchâtre ; elle frottait ses cheveux avec de la poudre rouge ; autour de son cou pendaient des cordes ornées de racines et d'os. Des vessies d'animaux étaient accrochées à sa taille et elle tenait à la main une arme dotée d'un pouvoir redoutable : une baguette constituée par la queue d'un gnou. Sur ses épaules, dissimulant sa bosse, elle avait drapé une cape de tissu noir et des bandes de peau d'animaux étaient fixées à diverses parties de son corps.

— J'apporte des paroles, mon peuple, psalmodia-t-elle d'une voix solennelle. Je les ai rêvées durant des nuits et des nuits et j'ai vu le mal qui attaque notre bétail. Je me suis avancée dans les ténèbres et le Seigneur du Ciel m'a fait connaître toute chose.

Elle se mit à danser, frappant la terre de ses pieds nus, et, quand son pas de danse s'amplifia pour devenir bondissant, tous les assistants commencèrent à chanter pour l'encourager, car ils savaient qu'elle entrait en transe pour invoquer les esprits des ancêtres du clan. Aucun d'eux ne doutait de l'existence d'une vie après la mort ; et ils étaient également convaincus que les esprits, ayant acquis une sagesse plus vaste que celle de la terre, guidaient les destinées du clan par l'entremise du corps de la devineresse. Les mots qui tombaient de sa bouche n'étaient pas les siens, mais l'expression des désirs et des jugements de leurs aïeux. Il fallait leur obéir.

Soudain elle s'arrêta de danser pour prendre dans une gourde à son côté une pincée de poudre à priser. Cela provoqua une cascade d'éternuements et les assistants applaudirent, car ils savaient que les esprits des morts résident tout au fond du corps des vivants et que tout éternuement violent libère leurs pouvoirs. Puis survint un mélange de cris aigus et de rire hystérique, et aussitôt la devineresse s'écroula, lentement, dramatiquement, sur le sol. Elle s'accroupit, prit la cape de ses épaules et la posa sur ses genoux, comme une ombre portée devant elle. Elle ouvrit un sac de peau et elle souffla dedans son haleine parfumée de l'odeur piquante des herbes qu'elle mâchait ; puis elle ôta du sac les charmes qui allaient encourager les esprits à identifier le sorcier contaminateur. Chaque fois qu'elle posait un objet devant elle, elle psalmodiait un chant de louange :

Ô, Griffe du Grand Léopard
Massacreur des faibles...
Dans ma main, Petit Rocher,
Tremblant dans le torrent du chagrin...
Vole vers moi, Serre de Vautour,
Qui surveilles tout de là-haut...
Écoute ma voix, Fleur de la Nuit,
Gardienne des éternelles ténèbres...

D'un geste mélodramatique, elle lançait les objets sur le sol devant elle et faisait des passes au-dessus d'eux. Elle demeura longtemps la tête baissée, ne laissant échapper que des murmures et des gémissements. Puis, de son index gauche, elle montra l'un après l'autre ses macabres trésors. Tout le monde se tut, car le moment redouté approchait. Enfin, elle se leva et s'avança hardiment vers le chef. Plus d'un homme retint son souffle, car il semblait bien qu'elle allait l'accuser.

— Ils m'ont donné la réponse, dit-elle au chef.

— Qu'ont-ils montré ?

— Une grande bête noire avec cent pattes, cent yeux et des cornes très puissantes. Et elle était révérée par le chef, car c'était l'animal le plus gras du pays, puisque demeuraient en lui tous ceux qui avaient disparu dans le passé. Mais cette grande bête était malade. Alors que notre bétail souffrait, un de ces hommes, là... (et elle montra du doigt, sans préciser davantage, la foule muette d'effroi), oui, l'un d'entre eux, en cette période de douleur, ne s'est pas lamenté. L'un d'entre eux était heureux que les animaux soient malades.

— Qui était cet homme, Mère-aux-yeux-qui-voient-tout ?

— Celui qui chante comme un oiseau a apporté le mal.

Dès que la devineresse eut prononcé ces mots fatals, Nxumalo se souvint que son père, parfois, « chantait comme un oiseau » — il sifflait si souvent ! — et il eut une prémonition épouvantable : Ndéla était sans doute l'homme responsable de l'esprit du mal qui provoquait la maladie du bétail. Saisi d'horreur, il regarda la devineresse s'avancer au milieu du clan, sa baguette de gnou inerte le long de sa jambe. Chaque fois que ses yeux croisaient un regard, l'homme ainsi dévisagé tremblait de peur. Il ne retrouvait son souffle que quand elle était passée au suivant.

Mais, quand elle arriva en face de Ndéla le Siffleur, elle bondit soudain en criant et en gesticulant. Lorsqu'elle retomba sur ses pieds, la baguette était dirigée droit sur lui.

« Lui, hurla-t-elle. L'homme heureux, le massacreur du bétail !

Un cri s'éleva de la foule et tous ceux qui se trouvaient près de Ndéla s'écartèrent. La grosse bosse sous les peaux d'animaux parut encore plus énorme quand la devineresse pivota sur elle-même pour s'adresser au chef.

« Voici le sorcier, celui qui a apporté le mal.

Le chef consulta aussitôt ses conseillers et, sur un signe de tête, quatre guerriers se saisirent de Ndéla et le poussèrent en avant.

— As-tu sifflé ? demanda le chef.

— Oui.

— Alors que mon bétail mourait ?

— Oui.

— Possèdes-tu ce mal noir dans ton cœur ?

— Certainement.

Ndéla ne pouvait pas douter de sa culpabilité, car, si les esprits du clan avaient indiqué à la devineresse qu'il était coupable, il était impensable qu'il ne le fût pas.

— Pourquoi as-tu fait cela sachant que c'était mal ?

— Il y avait tant de fleurs ! Et les oiseaux chantaient...

— Alors tu as chanté aussi. Pendant que mon bétail se mourait ?

Ndéla n'avait aucune autre explication à fournir et le chef gronda :

« N'est-ce pas la vérité ?

— C'est la vérité.

— Procédons au jugement.

Il se retourna pour consulter ses conseillers. Les hommes des kraals se rapprochèrent, tandis que les femmes et les enfants se retiraient.

« Ndéla, psalmodia le chef, ceux qui nous ont précédés t'ont désigné comme sorcier.

— Qu'ils soient loués ! cria la foule, rendant hommage aux esprits protecteurs du clan.

— Que faut-il faire de lui ?

— Mort au sorcier ! crièrent les hommes ; et les femmes se mirent à hululer pour marquer leur consentement.

Le chef prononça aussitôt la sentence :

— Que les lèvres qui ont sifflé ne sifflent plus. Que la langue qui a poussé l'air ne le pousse plus. Que les oreilles qui ont entendu les oiseaux n'entendent plus. Que les yeux qui se sont laissé enivrer par les fleurs ne voient plus. Que le sorcier meure.

Le silence se fit et aussitôt les quatre guerriers saisirent Ndéla et l'entraînèrent vers les grands pieux entourant le kraal, où le bétail dépérissait. On souleva la victime hurlante, les jambes écartées. Une secousse violente vers le bas et Ndéla fut empalé. Le pieu pointu pénétra profondément dans son corps.

Nxumalo assista à toute la scène sans un mot, sans un cri. Comme il aurait voulu se précipiter vers cet horrible épouvantail humain pour murmurer un dernier adieu à son père — si aimant, si joyeux, toujours si bon pour lui ! Mais témoigner de l'affection à un sorcier était interdit. Plus tard, le cadavre, le pieu et même la terre à sa base seraient brûlés et les cendres jetées dans la rivière la plus rapide, pour que rien ne subsiste.

Nxumalo ne pouvait éprouver aucun désir de vengeance à l'égard du chef ou de la devineresse, car ils n'avaient fait qu'exécuter les coutumes du clan. Personne dans la foule, ce jour-là, n'aurait pu remettre en question l'équité du jugement : les esprits avaient conseillé la devineresse ; elle avait dénoncé le coupable ; et il avait été châtié selon la tradition.

Des centaines de règles complexes présidaient à l'existence d'un Sixolobo, de sa naissance à sa mort et au-delà. Sans aucun doute, les esprits des anciens membres du clan existaient ; sans aucun doute, il y avait un Seigneur du Ciel qui avait placé tous les hommes sur la terre. Rien dans la vie ne pouvait se faire sans ordre et règle : la case d'un homme devait se trouver dans une relation précise avec celle du chef ; les femmes ne devaient se rendre que dans certains endroits ; les enfants devaient surveiller leur attitude à l'égard des aînés ; tout homme devait observer certaines formalités quand il s'approchait du kraal d'un inconnu ; et tout ce qui concernait le bétail était minutieusement contrôlé. A chaque infraction des règles, le châtiment ne traînait pas et la mort était obligatoire pour cinquante ou soixante délits — à peu près le même nombre qu'en Europe à la même époque.

Un enfant comme Nxumalo possédait des croyances profondément enracinées sur ce qui différencie le bien et le mal ; c'étaient des notions héritées de ses tout premiers ancêtres en Afrique — le Nxumalo du Grand Zimbabwe les avait observées et ses descendants les avaient apportées dans le sud. Ces règles pouvaient être aussi banales que l'endroit où il fallait mettre les ustensiles de cuisine pendant la nuit, ou aussi graves qu'une accusation de sorcellerie, dont le châtiment était la mort par le pal.

Nxumalo admettait sans discuter que son père avait été possédé par un esprit du mal ; il comprenait que Ndéla ait pu avouer un crime dont il n'avait pas connaissance ; et il acceptait que son père ait été condamné à mort.

Il avait remarqué que jamais le chef ne tuait pour le plaisir, par caprice, ni ne se livrait à des châtiments cruels et à des tortures ; il ne faisait que ce que la tradition imposait. C'était un homme bon, accablé de devoirs et responsable de la vie de ses mille sujets.

Ce paradis blotti entre les montagnes et la mer était occupé par environ deux cents clans, quelques-uns plus nombreux que celui de Nxumalo, la plupart moins importants, et l'attitude du chef était directement liée au statut du clan : il se montrait impérieux à l'égard des plus faibles, obséquieux avec ceux qui possédaient davantage de bétail, très prudent envers les groupes susceptibles de venir razzier les Sixolobos. Toutes les décisions qu'il prenait devaient avoir en vue la sécurité du clan et les chefs qui l'avaient précédé avaient appris qu'il valait toujours mieux sévir sans délai pour la moindre infraction.

La devineresse était inférieure au chef, mais, en tant qu'intermédiaire terrestre avec les esprits, elle détenait un pouvoir immense et, dans les moments de crise, elle pouvait même prendre le pas sur le chef. En temps normal, elle passait le plus clair de ses journées à soigner les plaies et les bosses, à soulager les migraines et à préparer des décoctions pour garantir la naissance d'un garçon. Mais si un sorcier se glissait dans la tribu et répandait le mal, il fallait qu'elle le découvre — et, à ce moment-là, sa médecine devenait sans effet : il fallait empaler ce sorcier et le brûler.

Nxumalo comprenait tout cela et n'éprouvait aucune amertume, mais, comme c'était un garçon intelligent, il était conscient d'autre chose : l'exécution d'un homme projetait une ombre sur la vie de son fils. Selon toute probabilité, un jour ou l'autre, la devineresse s'en prendrait à lui. Il n'avait pas la moindre idée de ce qu'il pourrait faire de condamnable, mais l'expérience lui indiquait que le fils d'un homme empalé avait de fortes chances de subir la même mort lente.

Pris en conflit entre l'obéissance et l'instinct de conservation, il résolut le problème de la manière suivante : si je reste avec les Sixolobos, je devrai faire ce que dira le chef et je le ferai ; mais, ici, les esprits des ténèbres sont contre moi. Donc, je fuirai vers une nouvelle tribu où je pourrai commencer à zéro et je me soumettrai à son roi... Il ne parla de sa décision à personne, même pas à sa mère, et, avant que la lune n'indique minuit, il se glissa d'un pas vif le long des vallées magnifiques qui conduisaient aux tribus du sud. A l'ouest, des pics infranchissables se dressaient à plus de trois mille mètres vers le ciel. A l'est s'étendaient les eaux de l'océan.

Il ne savait pas vers quoi il se précipitait, mais il était certain qu'un garçon solide, promettant de devenir un bon guerrier, serait bien accueilli partout. Il voulait surtout que sa nouvelle demeure soit à une distance sûre des Sixolobos, parce que, si sa tribu d'origine le surprenait en train de combattre contre elle, il recevrait un châtiment encore plus épouvantable que celui de son père : les traîtres étaient exécutés avec quatre brochettes de bambou.

Il se dirigeait vers un fleuve qu'il connaissait de réputation depuis toujours : l'Umfolozi, qui arrosait une des plus belles régions de l'Afrique. Il dévalait des hautes montagnes et se précipitait, franc est ou presque, jusqu'à la mer, et il constituait une limite entre les tribus du nord et celles du sud. Ce n'était pas un fleuve énorme — peu de fleuves d'Afrique australe peuvent se comparer aux grandes voies fluviales d'Europe ou d'Amérique —, mais il conférait une certaine richesse à tous ceux qui vivaient à son voisinage, car les champs nourrissaient de bonnes récoltes et les rives étaient peuplées d'animaux de toutes espèces.

Quand de forts vents du sud, porteurs d'humidité, apprirent à Nxumalo qu'il arrivait près de l'eau, il en conclut qu'il était parvenu près du légendaire Umfolozi et il se mit à chercher des kraals à qui il pourrait annoncer sa présence. Or il n'y en avait point et, pendant deux nuits, il arpenta les terres très loin du fleuve. Le troisième matin, il tomba sur un groupe de neuf garçons de son âge, nus comme lui, qui gardaient du bétail.

Le cœur battant, mais bien résolu de se protéger contre tout ce que ces enfants pourraient tenter, il s'avança péniblement parmi les rochers défendant l'accès du pâturage où le bétail paissait. Il se prépara, de très loin, à crier son nom. Mais à cet instant les petits pâtres se lancèrent dans un jeu cruel : ils enfermèrent l'un de leurs plus jeunes compagnons dans un cercle, en maintenant hors de son atteinte une racine ronde irrégulière de la taille d'une balle ; ils bousculaient l'enfant quand celui-ci se jetait sur eux et, lorsqu'il tombait, ils lui donnaient des coups de pied.

— Petit pénis ! criaient-ils. Petit pénis ! Tu ne peux rien faire !

L'enfant au centre n'était pas de petite taille et il semblait très bien proportionné en tout point, sauf pour ses parties sexuelles. Il serait probablement venu à bout de chacun de ses huit bourreaux pris séparément, mais, comme l'ensemble du groupe conspirait contre lui en criant des mots qui faisaient mal, sa seule défense était de se jeter sur eux avec une rage aveugle.

Sa fureur décuplait ses forces et les moqueries incessantes à propos de son pénis l'invitaient à des efforts hors du commun ; soudain, il bondit très haut, faillit intercepter la balle et réussit à la faire dévier par-dessus les mains tendues de ses adversaires. Voyant qu'ils allaient la manquer, il franchit d'un bond le cercle des petits gredins et se lança à la poursuite de la balle avant tous les autres.

La balle roula tout droit aux pieds de Nxumalo et, quand le garçon brimé se précipita pour la saisir, il tomba sur un inconnu qui la lui tendait. Ce fut ainsi que Nxumalo, banni volontaire des Sixolobos, rencontra Shaka, exilé involontaire parmi les Langénis.

Avec Nxumalo pour allié toujours prêt à prendre sa défense, Shaka, garçon capricieux, difficile, fut victime de beaucoup moins de brimades. Assurément, tout le clan des Langénis continuait de se moquer de son pénis chétif et il n'existait aucun moyen de mettre fin à cet affront, mais, chaque fois que l'on en venait aux poings, le nouveau venu et le jeune pâtre ténébreux formaient un bloc difficile à battre. Et pourtant, chose curieuse, ils n'étaient pas amis, car Shaka n'accordait ce privilège à personne.

Il fallait pourtant qu'il parle avec quelqu'un et, un soir, d'une voix gonflée par l'orgueil, il dit à Nxumalo :

— Je suis un Zoulou.

— Qu'est-ce que c'est ?

Devant tant d'ignorance, l'enfant brimé ne cacha pas son mépris.

— Les Zoulous seront la tribu la plus puissante le long de l'Umfolozi.

— Dans le nord, nous n'avons pas entendu parler d'eux.

— Tout le monde en entendra parler quand j'en serai le chef.

— Le chef ! Et pourquoi gardes-tu du bétail dans cette petite tribu ?

— J'ai été banni par les Zoulous. Je suis le fils de leur chef et il m'a exilé...

Puis, avec une amertume toute nouvelle pour Nxumalo, Shaka révéla sa version de l'intrigue qui avait abouti à son exclusion de la tribu des Zoulous, alors minuscule et sans gloire.

> Ma mère Nandi — tu la rencontreras un jour... Regarde-la bien. Souviens-toi de son visage, parce qu'avant ma mort elle sera proclamée Femme-Éléphant. Les gens s'inclineront devant elle. (Sa voix tremblait.) Elle était la femme légitime du chef et il l'a répudiée... Il nous a chassés tous les deux de son kraal, mais je reviendrai un jour et je prendrai ma mère avec moi. (Il serra les poings.)

Je suis un banni. Tu les as entendus se moquer de moi. Souviens-toi de leurs noms. Nzobo, c'est le pire de tous. Mpépha, il a peur de me toucher, alors il se sert d'une massue. Mqalané, n'oublie pas celui-là. Moi, je n'oublierai jamais Mqalané. (Il en nomma cinq autres, répétant parfois leurs noms.) Ils ont ri de moi. Ils m'ont refusé mes droits. Mais surtout, Nxumalo, ils ont tourné ma mère en dérision. (Il se mit à trembler de plus belle.) Je te le dis, Nxumalo, un jour elle sera Femme-Éléphant. (Le silence, puis l'aveu le plus dur.) Non, le pire, ce n'est pas cela. C'est la façon dont ils se moquent de moi. (Cet enfant, tendu comme la corde d'un arc, était incapable de pleurer, mais il tremblait de tout son corps et il frottait ses talons contre la poussière.) Ils se moquent de moi...

La phrase toute simple par laquelle Nxumalo répondit sauverait sa vie quand viendrait le jour de la vengeance. Mais, sur le moment, elle n'était qu'une réaction banale d'amitié. Il tendit la main, la posa sur le bras de Shaka et dit :

— Il grossira plus tard.

— Tu crois vraiment ? s'écria Shaka, plein d'espoir.

— J'en ai souvent entendu parler.

Il n'en savait rien, mais il sentait qu'il devait l'affirmer.

Shaka garda le silence, assis dans l'herbe, frappant ses genoux de ses poings serrés.

Comme n'importe quel enfant perturbé de son âge, Shaka avait fait une entorse à la vérité — dans la mesure où il était capable de la comprendre. Senzangakhona, le chef du clan zoulou, avait engrossé Nandi, une vierge langéni. Quand les anciens du clan de la jeune fille apprirent cette infraction choquante à la coutume tribale, ils insistèrent pour que Senzangakhona répare comme il convient et l'accepte pour troisième épouse — ce qu'il fit. Mais la jeune femme s'avéra plus désagréable qu'une poignée de sable dans la bouche et son fils fut encore plus haïssable : à l'âge de six ans, n'avait-il pas fait abattre un des animaux favoris de son père ? Cette erreur précipita leur bannissement. Shaka cessa d'être zoulou et il dut chercher refuge avec sa mère dans les kraals des Langénis méprisés.

Le jour où ils partirent, Senzangakhona put se féliciter : ils ne lui avaient valu que des ennuis. Et il se souvint de ce que ses conseillers lui avaient dit dès le premier jour où Nandi avait prétendu être enceinte :

— Elle n'a pas de bébé dans son ventre. C'est seulement l'insecte intestinal qui porte le nom d'iShaka.

Le roi, parfaitement d'accord avec eux, regarda avec un plaisir non dissimulé disparaître son indésirable épouse et son « insecte » de fils.

En 1802, la famine fit rage dans la vallée de l'Umfolozi. De mémoire d'homme, c'était la première fois que le plus généreux des fleuves trahissait ses enfants. Le manque de nourriture devint si crucial que le chef des Langénis commença à chasser de son kraal tous les indésirables. Parmi ceux qui durent partir se trouvaient Nandi, la mère de Shaka, et son fils, que personne n'aimait dans le clan. Lorsqu'ils s'éloignèrent vers le sud, franchissant un gué de la rivière, l'enfant banni Nxumalo les rattrapa. Il était sûr qu'on le chasserait dans peu de temps lui aussi et il demanda la permission de se joindre aux deux exilés. Nandi, femme forte qui ne s'embarrassait guère de sentiments, lui répondit :

— Reviens sur tes pas !

Mais son fils, se souvenant de la gentillesse du jeune garçon, insista pour qu'il les accompagne et les trois réprouvés prirent la piste du sud.

Ils parvinrent bientôt sur les terres de Dingiswayo, le plus puissant des chefs du sud. Dès qu'il aperçut les deux solides garçons, le chef eut envie de les engager dans son régiment.

— Vous avez l'air de guerriers. Mais savez-vous vous battre ?

On leur tendit des sagaies à longue hampe. Quand Shaka soupesa la sienne, il jugea son équilibre imparfait et en exigea une autre.

« Pourquoi ? demanda le chef.

— Un guerrier doit avoir confiance, répondit Shaka d'un ton brusque.

Et ce fut seulement quand il eut une sagaie bien à sa main qu'il répondit :

« Je suis prêt.

Cette impudence amusa beaucoup Dingiswayo, qui dit à sa suite :

— Il a vraiment l'air d'un guerrier. Il en a même la vanité. Voyons maintenant s'il en a les compétences.

En entendant cette insulte implicite, Shaka montra un arbre au loin.

— Voici ton ennemi, Grand Chef.

Et, prenant son élan, il lança sa sagaie droit au but. Dingiswayo cessa de rire.

— Il se bat comme un guerrier, oui. Bienvenue dans mon régiment ! dit-il au jeune homme.

Pendant les années qui suivirent, Shaka et Nxumalo vécurent une expérience étonnante. En tant que membres du régiment le plus puissant de la région — les iziCwés —, ils contribuèrent à renforcer l'hégémonie de la tribu, participant notamment à de vastes expéditions qui pacifièrent le territoire et élargirent ses frontières. Nxumalo se félicitait de sa chance : n'avait-il pas obtenu une position — subordonnée, certes, mais enviable — dans la meilleure unité militaire du pays ? Mais Shaka demeurait aussi inconsolable et irritable que jamais.

— Il y a une meilleure façon de combattre. Il y a une bien meilleure manière d'organiser le régiment. Ah, si l'on me nommait commandant, ne serait-ce que pendant un mois...

Par exemple, le déroulement de la grande bataille contre les Mabuwanés l'ulcéra, bien que tout le monde l'ait considéré comme le meilleur guerrier. Or, de l'avis de Nxumalo, c'était une bataille exemplaire, où le régiment iziCwé avait dominé son adversaire.

Quatre cents soldats de Dingiswayo étaient partis à pied vers le nord en groupes bruyants, annonçant à chaque halte qu'ils allaient se battre contre les Mabuwanés. Deux cents femmes, vieillards et enfants traînaient à leur suite, soulevant un nuage de poussière que l'on pouvait distinguer à douze kilomètres. Pendant ce temps, les Mabuwanés, sachant depuis deux semaines qu'ils devraient livrer bataille, étaient non point à l'affût de l'ennemi, dont ils connaissaient les positions en tout temps, mais à la recherche d'un champ de bataille convenable. L'un des principaux éléments déterminant ce choix était la présence — au moins du côté mabuwané, et des deux côtés si possible — de collines faciles d'accès où le public pourrait s'installer pour assister au spectacle, ainsi que d'un tertre spacieux et bien plat où l'on placerait le fauteuil du chef pour qu'il suive les aléas de la bataille.

Les Mabuwanés firent très bien leur travail : le champ de bataille choisi était idéal — une sorte d'amphithéâtre agréable avec les collines en pente douce que les spectateurs préféraient. Quand les deux armées se mirent en ligne, il y eut des danses, des parades, on cria des insultes et on trépigna longuement sur place. Puis quatre hommes s'avancèrent depuis chaque camp en brandissant leurs boucliers et en criant de nouvelles insultes : on traîna dans la boue les mères des guerriers ennemis, on brocarda l'état de santé de leur bétail, on se moqua de la mauvaise qualité de leur nourriture et on fit allusion à leur lâcheté légendaire...

Les guerriers étaient armés de trois sagaies et, de la distance maximale, chacun d'eux en envoya une — avec tant de cérémonie que les grands boucliers eurent tout le temps de les détourner. Malheureusement, l'un des guerriers mabuwanés fit voler la lance qui lui était destinée droit sur le pied de l'un de ses propres hommes. Elle ne traversa pas le pied, mais du sang coula — et aussitôt, dans le camp de Shaka, la foule se mit à hurler de joie. Nxumalo, plus excité que les autres, commença à danser et à bondir sur place.

— Arrête ça ! lui cria Shaka près de lui, en lui serrant le bras de sa poigne redoutable. Ce n'est pas ça, la guerre...

Puis, d'une distance presque aussi grande que la première fois, on lança une deuxième volée de sagaies — de nouveau sans aucune conséquence. A ce point du combat, il était obligatoire que les quatre guerriers de chaque camp courent en avant et lancent leur dernière sagaie d'une distance d'environ huit mètres. De nouveau, les armes furent détournées sans mal.

Ensuite, les deux principaux corps des deux armées devaient entrer en mêlée. Mais ils le faisaient selon des règles conçues avec beaucoup de prudence : vastes volées de sagaies lancées d'assez loin pour pouvoir être détournées ; puis, quand les deux armées se trouvaient sans armes, mêlée fragmentaire à mains nues, au cours de laquelle un camp, se montrant un peu plus agressif que l'autre, faisait quelques prisonniers. Les observateurs pouvaient constater très vite qui avait gagné et, quand il n'y avait plus de doute, le camp vaincu prenait la fuite, abandonnant aux vainqueurs le bétail que ceux-ci parvenaient à capturer et quelques femmes à ramener dans leurs kraals. Bien entendu, au cours de l'échauffourée, certains guerriers étaient blessés et, de temps en temps, un combattant plus bête que les autres se faisait tuer. Mais, en règle générale, les pertes étaient insignifiantes. Un des grands avantages de ce genre de bataille, c'était qu'à la fin chaque camp pouvait ramasser à peu près autant de sagaies qu'il en avait apporté au départ — bien entendu, ce n'étaient pas les mêmes.

— Une honte ! gémissait Shaka. On ne peut pas appeler ça combattre. Tu te rends compte !...

Il donna un grand coup de pied dans le vide, lançant en arc de cercle sa sandale de peau de vache.

« Des hommes, se battre avec des sandales ! Cela les ralentit. Ils ne peuvent pas manœuvrer.

Et, après le combat, il commença à courir pieds nus dans les collines, jusqu'à ce que la plante de ses pieds devienne plus dure que ses sandales. Il était devenu inépuisable : il ne s'essoufflait jamais. Il força également Nxumalo à se tenir debout au soleil pendant des heures entières, le grand bouclier dans la main gauche et la sagaie dans la main droite.

Quarante, cinquante fois, Shaka répéta à Nxumalo :

— Je suis ton ennemi. Tu dois me tuer.

Et, d'un bond sauvage, Shaka se précipitait en avant, en tournant l'arête gauche de son bouclier très loin sur sa droite. Quand Nxumalo tentait de lancer sa sagaie, comme les guerriers sont censés le faire, Shaka projetait brusquement son bouclier vers la gauche, coinçait le bouclier de Nxumalo et le faisait pivoter de sorte que tout le côté gauche du corps de son ami se trouvait exposé. Shaka se fendait vivement et la pointe de sa sagaie se précipitait vers le cœur de Nxumalo, ne s'arrêtant qu'à quelques centimètres de la peau.

« C'est ainsi que l'on tue ! criait-il. De près !

Une après-midi, après avoir « tué » Nxumalo plusieurs fois, il brisa la hampe de sa sagaie sur son genou et lança les morceaux dans la poussière.

— Les sagaies ne sont pas des armes de combat. Il nous faut des glaives.

Dans sa rage, il saisit la sagaie de Nxumalo et la brisa elle aussi.

— Qu'est-ce qui te prend ? lui demanda Nxumalo.

— C'est tellement stupide ! s'écria Shaka en donnant des coups de pied aux hampes de bois. Deux armées s'avancent, comme ceci. Tu lances ta première sagaie. Je lance la mienne. Deuxième sagaie. Troisième sagaie. Ensuite, nous restons sans armes pour nous jeter les uns sur les autres. C'est de la folie.

Ramassant les pointes de métal des deux sagaies, il se dirigea avec Nxumalo chez le meilleur forgeron de toute cette région du fleuve et il lui demanda de combiner ces deux pointes en une seule : un glaive-poignard massif, lourd, peu pointu. L'artisan répondit que c'était sûrement possible, mais où Shaka trouverait-il une hampe assez lourde pour cette sagaie ?

— Ce ne sera plus une sagaie, répliqua Shaka. Ce sera quelque chose de complètement différent.

Et il travailla avec tous les forgerons jusqu'à ce qu'il en trouve un capable de fabriquer l'arme terrible qu'il avait imaginée.

A cette époque où les deux jeunes gens vivaient le même exil, Nxumalo remarqua dans le comportement de son ami plusieurs aspects hors du commun et, un jour où ils bavardaient à bâtons rompus de leurs possibilités d'avenir dans cette chefferie étrangère où les guerriers étaient respectés mais où les vraies armes demeuraient inconnues, Nxumalo se risqua à parler à Shaka de ces bizarreries manifestes.

— Tout d'abord, tu te laves plus que tous les hommes que j'ai rencontrés. Tu es toujours en train de t'arroser le corps.

— J'aime être propre.

— Je crois plutôt que tu aimes paraître nu devant les autres. Pour leur montrer que ton pénis est maintenant aussi gros que le leur.

Shaka fronça les sourcils, mais ne répondit rien.

« Et avec les filles, tu n'es pas comme le reste d'entre nous. Tu évites souvent les *plaisirs de la route*.

C'était un aimable euphémisme pour désigner l'une des coutumes locales les plus charmantes. Comme les relations sexuelles prénuptiales étaient sévèrement interdites dans ces clans, les siècles avaient instauré l'habitude de « prendre les plaisirs de la route » : les jeunes gens avaient le droit de choisir une douce compagne et de l'entraîner dans les buissons pour se livrer à toutes sortes d'ébats imaginables — à l'exclusion de ceux qui provoquent la grossesse. Les hommes du régiment iziCwé étaient réputés pour leurs aimables débauches et aucun d'eux n'en profitait davantage que Nxumalo. Mais il avait remarqué que Shaka restait indifférent à ces jeux érotiques.

— Non, répondit Shaka d'un ton pensif. Je suis destiné à être roi. Et, pour un roi, il est dangereux d'avoir des enfants. Ils luttent pour lui prendre son trône. Quand il devient vieux, ils le tuent.

Il avait vingt-cinq ans lorsqu'il prononça ces paroles et, autant que Nxumalo s'en souvînt — or il connaissait mieux que quiconque ce guerrier ombrageux —, Shaka ne s'était jamais vanté de ses prouesses sexuelles, comme tous les autres jeunes gens. Nxumalo aurait juré que jamais son ami n'avait couché avec une femme, bien qu'avec son mètre quatre-vingts, sans un gramme de graisse en trop, il fût la cible de bien des doux yeux.

— Quand tu auras l'âge de te marier, lui prédit Nxumalo, attention ! Tu seras le premier à...

— Non, répondit Shaka d'une voix ferme. Pas d'enfants pour moi.

— Nous verrons, nous verrons...

Shaka le prit aussitôt par l'épaule.

— Tu prétends que je mens ?

— Oh non, répliqua Nxumalo en repoussant sa main. Mais tu aimes les femmes plus que tout autre. Ta mère...

Saisi d'une rage si violente que l'herbe en trembla, Shaka bondit et chercha des yeux une pierre. Il aurait écrasé la tête de Nxumalo si ce dernier ne s'était pas enfui comme un serpent effrayé.

« Shaka ! cria-t-il, à l'abri derrière un arbre. Pose ça !

Pendant un instant, le guerrier demeura debout, les poings crispés sur la pierre jusqu'à ce que ses phalanges deviennent toutes pâles.

La routine de la vie militaire les absorbait et aucun espoir de changement ne se faisait jour pour les années à venir. Bientôt, Nxumalo s'aperçut non sans angoisse que son ami devenait presque suicidaire et rêvait d'objectifs qu'il ne pourrait jamais atteindre. Il sentit qu'il devait l'aider à adoucir cette amertume corrosive.

— Quand tu disais : « Un jour, je serai chef », à quoi songeais-tu ? Il n'y a aucune chance ici. Et aucune chance de revenir chez les Langénis...

— Patience ! répondit Shaka avec une détermination farouche. Un jour, je retournerai chez les Langénis. Il y a là-bas des hommes que j'ai envie de revoir.

Et il se mit à réciter les noms des enfants qui l'avaient brimé dans les pâturages :

« Nzobo, Mpépha, Mqalané...

— Tu veux devenir le chef des Langénis ?

— Le chef de ces hommes-là, moi ?

Il éclata de rire et se mit à marcher de long en large.

« Je veux être le roi d'une vraie tribu. Et marcher sur les Langénis à la tête de mes hommes. Et leur parler un peu de leurs brimades et de leurs ricanements...

Il changea soudain de ton et demanda à Nxumalo :

« N'aimerais-tu pas revenir auprès des Sixolobos et être leur chef ?

— Je ne me souviens même plus des Sixolobos.

— N'as-tu pas envie de retrouver les hommes qui ont tué ton père ?

— Je ne les reconnaîtrais pas. Mon père avait enfreint une règle. Il a été exécuté.

— Mais si nous pouvions prendre les iziCwés et marcher sur le pays langéni une année, puis sur le pays sixolobo l'année suivante...

Il étendit les doigts de ses longues mains, puis les rapprocha lentement.

« Il n'y a qu'un seul clan dont je veuille être le chef, dit Shaka. Les Zoulous.

Nxumalo devint grave :

— Tu dois oublier les Zoulous. Ils t'ont banni. Ton père ne t'a pas vu depuis des années et il a beaucoup d'autres fils. Et que sont donc les Zoulous comparés à ce clan ? Une poignée de puces.

— Mais si j'étais roi des Zoulous...

Il hésita, se refusant à partager ses aspirations.

« Les Zoulous sont de vrais hommes, dit-il. En moins d'une seule journée, ils comprendraient mes rêves.

En 1815, il révéla sa conception de ce qu'allait devenir l'art de la guerre sur son territoire. Il s'agissait d'un engagement avec les Butélézis et tout le monde supposait que l'on assisterait à une confrontation classique, avec les deux chefs assis dans leurs fauteuils pendant que les milliers de spectateurs applaudiraient des escarmouches sans conséquence. Mais, quand le champ de bataille fut choisi et tout le monde à sa place, un seul guerrier butélézi s'avança avec des grands gestes moqueurs et insolents. Des rangs de Dingiswayo surgit alors un homme de grande taille, mince comme un nerf de lion, qui se précipita pieds nus vers l'ennemi, accrocha habilement le bouclier de son adversaire avec la tranche de son propre bouclier, fit pivoter le Butélézi comme une toupie et lui plongea dans le cœur une horrible sagaie très courte.

Puis, avec un hurlement sauvage, il bondit vers les premiers rangs des Butélézis, tandis que les guerriers iziCwés enveloppaient l'ennemi frappé de stupeur et le massacraient.

Cinquante ennemis morts ! Des kraals incendiés ! Près de mille têtes de bétail ramenées en triomphe ! Plus de douze femmes captives ! Jamais on n'avait vu de bataille comme celle-là. Jamais il n'y aurait à l'avenir de bataille à l'ancienne mode.

A la suite de cette victoire stupéfiante, Dingiswayo accorda sa faveur à Shaka et le nomma bientôt commandant de son régiment — poste d'honneur que le guerrier aurait dû occuper brillamment jusqu'à la fin de ses jours... Mais Shaka n'avait pas en tête une réussite aussi limitée ! Loin de là...

La nuit, il murmurait à Nxumalo :

— Ce Dingiswayo va au combat comme si c'était un jeu. Il rend le bétail aux vaincus. Il leur laisse leurs femmes.

Dans le noir, Nxumalo l'entendit grincer des dents.

« Ce n'est pas de la guerre. Ce sont des querelles d'enfants.

— Que ferais-tu, toi ?

— La guerre au monde. La vraie guerre.

En 1816, au moment où le révérend Hilary Saltwood, très loin vers le sud-ouest, enseignait à Emma, la petite Malgache, les rudiments de la géographie de l'Europe, le chef des Zoulous — le père de Shaka — mourut subitement ; et lorsqu'un assassin obligeant eut écarté le fils désigné pour assurer sa succession, Shaka prit enfin la tête du clan, l'un des plus petits de la région : sa population totale n'était que de mille trois cents personnes, avec une armée de trois cents hommes (en réunissant tous les adultes valides) augmentée de deux cents novices.

C'était un clan sans la moindre distinction, plus petit que les Sixolobos ou les Langénis ; un clan sans histoire, qui n'avait pas accru son territoire au cours des cent années précédentes. En dehors de la promotion de Shaka à la tête de l'armée iziCwé, il n'avait fourni aucun personnage notable. Normalement, les Zoulous auraient dû demeurer un clan sans éclat, à moitié endormi le long des plus belles rives de l'Umfolozi.

Mais, quand Shaka prit le pouvoir, il arriva avec un régiment iziCwé pour confirmer son autorité et l'une des premières choses qu'il fit fut d'exiger de chaque guerrier zoulou qu'il jette ses trois sagaies à longues hampes et les remplace par un glaive court. Ensuite, il accrut la hauteur et la largeur des boucliers, de sorte qu'un homme debout, avec simplement les genoux légèrement ployés, puisse dissimuler tout son corps derrière deux couches de peau de vache, aussi dures que du roc. Mais, à bien des égards, la chose la plus importante qu'il leur enseigna, ce fut à danser.

D'abord, il désigna un groupe de six hommes armés de *knobkerries* * — il choisit parmi ses nouvelles recrues les plus grands, les plus forts et les plus brutaux. Armés de leurs massues, ils se tiendraient derrière lui à l'avenir lorsqu'il accomplirait ses fonctions publiques, à l'affût de ses instructions. Ensuite, il rassembla son régiment zoulou au bord d'un vaste terrain plat recouvert d'épines noires. Les soldats se mirent au garde-à-vous sous la lune et le roi s'avança devant leurs rangs, pieds nus comme toujours.

— Mes guerriers, dit-il sans élever la voix, je vous ai dit par quatre fois que, si vous voulez être le plus grand régiment des rives de l'Umfolozi, vous devez combattre pieds nus. Et, par quatre fois, vous avez repris vos sandales. Enlevez-les. Jetez-les en tas. Et que je ne les revoie plus.

Quand les recrues furent pieds nus devant lui, il poursuivit, de la même voix basse :

« Maintenant, mes guerriers, nous allons danser.

Il les conduisit sur le terrain jonché d'épines et se mit à

danser lentement, en s'accompagnant d'un chant que tous connaissaient bien.

« Chantez, mes guerriers ! cria-t-il.

Les rythmes s'accentuèrent et il dansa sur les piquants, qui ne lui firent aucun mal car ses pieds étaient devenus plus durs que du cuir. Mais, pour ses soldats, ces premiers pas furent une agonie et certains défaillirent, incapables de supporter une telle douleur.

Alors Shaka donna sa première leçon à ses Zoulous. Il observait tout d'un œil de vautour et, quand il aperçut un homme dont les jambes ne pouvaient plus forcer ses pieds à marteler les épines aiguës, il cria :

« Celui-ci !

Et son bras se tendit en direction du soldat.

Ce qui survint ensuite devint invariable. Deux des hommes aux knobkerries saisirent le coupable par-derrière et le maintinrent debout par force. Un autre glissa au sol, saisit ses chevilles et lui écarta les jambes. Passant la main autour de sa tête, le plus brutal du groupe prit le menton de l'homme et, d'une secousse terrible, lui fit faire un demi-tour jusqu'à ce que le visage du malheureux soit tourné vers son dos. Puis un autre homme, debout devant le coupable, saisit le menton comme le premier et continua de tourner jusqu'à ce que le visage regarde de nouveau vers l'avant, mais après avoir fait un tour complet. Rien ne semblait avoir changé...

« Dansez ! cria-t-il.

Deux fois encore, il repéra des soldats dont l'enthousiasme laissait à désirer : il les désigna, les bourreaux s'avancèrent vers eux et leur tordirent le cou — d'un tour complet.

Shaka accéléra le rythme jusqu'à ce qu'il soit lui-même épuisé. Puis, avec une douceur que Nxumalo n'oublierait jamais, il leva les yeux vers la lune et dit :

« Mes chers guerriers, la lune sera pleine dans trois nuits. Allez durcir vos pieds, car, lors de la pleine lune qui suivra celle-ci, nous danserons de nouveau tous ensemble. Vous avez trente et un jours...

Quand ils recommencèrent, lors de la pleine lune suivante, un seul soldat se fit tordre le cou ; les autres dansèrent au même rythme que Shaka et, à la fin, ils bondissaient tous sur les épines et les enfonçaient dans le sol à coups de talon, en chantant leurs chants de guerre et en criant de joie.

Le lendemain, Shaka expliqua à ses hommes pourquoi le durcissement des pieds était nécessaire.

— Nous aurons une armée différente de toutes celles qui ont jamais arpenté les rives de l'Umfolozi. Et sa puissance sera sa mobilité. Nous volerons, vous et moi, par-dessus les rochers, corps-bras-tête.

Tel serait le secret de l'irrésistible armée zoulou de Shaka.

« Le corps, c'est la concentration massive au centre. C'est la seule chose que nous laissons venir à l'ennemi. Les bras, ce sont de rapides mouvements enveloppants sur les ailes. Nous les dissimulerons à l'ennemi.

— Et la tête ? demanda Nxumalo.

— C'est toi, la tête, mon ami fidèle. Tu es désormais le commandant de mon meilleur régiment. Au cours des premiers stades d'une bataille, tu dissimuleras tes hommes derrière une colline, au centre. Le dos vers le combat. Vous devrez rester le visage tourné à l'opposé de la bataille.

— Mais pourquoi ?

— Parce que vous ne devez pas savoir comment l'engagement va évoluer. Vous ne devez être ni excités ni découragés. Au moment crucial, je te dirai ce qu'il faudra faire et, sans réfléchir, sans essayer d'interpréter mon ordre, tu bondiras en avant pour l'exécuter.

C'était le genre de mission où Nxumalo excellait, car elle n'exigeait que soumission et obéissance aveugle, les deux vertus qui le caractérisaient. Certains hommes ont besoin d'un chef en qui ils peuvent placer une confiance absolue — c'est dans son ombre qu'ils deviennent forts. Et Nxumalo était de cette étoffe. Convaincu que Shaka était un génie, il jugeait exaltant de lui obéir... Ce fut ainsi qu'il devint l'unique conseiller à qui le jeune chef puisse se fier.

Le matin, lorsque les deux hommes se présentaient devant les régiments, la différence entre eux sautait aux yeux. Ils avaient tous les deux la peau noire et les batailles les avaient aguerris de la même façon. Shaka, plus âgé d'un an, était beaucoup plus grand que son lieutenant, plus large d'épaules et plus vif de mouvements. A tous égards, il paraissait supérieur, jusqu'à ce que l'observateur pose les yeux sur le torse large de Nxumalo : il constatait alors une puissance d'un autre ordre — une poitrine massive que rien ne pourrait épuiser, un ventre capable de supporter toutes les privations, des jambes robustes pour gravir les collines et une endurance à toute épreuve. Ils constituaient une bonne équipe : Shaka, le stratège à l'esprit vif, et Nxumalo, l'exécutant hors pair.

Très vite, au cours de leurs discussions sur la stratégie, ils s'aperçurent que, si les batailles de Shaka devaient dépendre de la mobilité, il était vital que les divers segments de l'armée communiquent rapidement. La précision de l'information était tout aussi importante. Un matin, ils rassemblèrent les quatre régiments qu'ils avaient constitués et Shaka commença l'entraînement.

— Vitesse et précision. Ce sera l'âme de notre succès. Que les commandants en second de nos régiments se rendent à deux mille pas d'ici, chacun dans une direction différente, et attendent sur place. Que chaque régiment nomme quatre coureurs messagers : l'un près de moi, les trois autres échelonnés le long du chemin. Quand vous serez tous en position, je donnerai aux coureurs, ici, un message. Ils partiront. Ils rejoindront le premier messager et lui transmettront le message ; celui-ci l'apportera au deuxième et ainsi de suite jusqu'au bout de la ligne. Ensuite, les commandants en second reviendront ici au plus vite et me diront quel était le message. Vitesse et précision.

Quand les seize hommes furent en position, Shaka étudia le terrain comme si c'était une vraie bataille. Nxumalo et les trois autres commandants de régiment se tenaient à ses côtés. Il dit d'une voix forte et claire :

« Courez quarante pas en avant. Tournez pour gagner les trois arbres. Laissez la moitié de vos hommes là-bas. Et avancez de quatre-vingts pas.

Sitôt dit, il frappa ses mains et les premiers messagers partirent. A une vitesse étonnante, ces hommes aux pieds nus, insensibles aux rochers et aux épines, se lancèrent sur le terrain difficile, rejoignirent les premiers hommes relais et transmirent leurs messages. Nxumalo se félicita de voir ses coureurs faire mieux que les autres — mais il fallait s'y attendre — et, quand les derniers coureurs remirent leurs messages aux officiers et que ceux-ci se précipitèrent vers Shaka, Nxumalo put constater que son second était toujours en tête.

Courant à perdre haleine, cet homme s'approcha du chef, s'agenouilla et répéta le message exactement comme Shaka l'avait énoncé. Les deux officiers suivants firent de même, mais le quatrième se montra défaillant, non seulement sur le plan de la vitesse, mais pour la précision du message, à vrai dire, le texte s'était profondément altéré.

Shaka ne trahit aucun mécontentement. Il attendit que les seize estafettes reviennent au centre, à bout de souffle, puis il félicita les hommes de Nxumalo, en s'inclinant avec grâce vers son ami. Il loua également la deuxième et la troisième équipe. Mais, quand il en vint aux cinq soldats défaillants, il se borna à les montrer du doigt. Les hommes aux knobkerries les saisirent l'un après l'autre et leur ouvrirent le crâne.

« Vitesse et précision, dit-il d'une voix sombre en quittant le terrain d'exercice.

Shaka plaçait toute sa confiance en Nxumalo en raison de sa soumission indéfectible. Certains commandants remettaient ses ordres en question — mais son vieux compagnon jamais.

— Si je dis aux iziCwés de traverser une rivière à la nage, de gravir une montagne et de combattre cinq mille ennemis en chemin, Nxumalo le fera.

Et il avouait aux autres régiments qu'il tenait les iziCwés pour son propre bras droit dans la bataille, car la valeur de ces hommes était sans pareille.

L'idée que se faisait Shaka des campagnes susceptibles de lui assurer l'hégémonie impliquait la guerre totale, la soumission absolue à son autorité personnelle et la destruction immédiate de toute personne proférant le moindre murmure contre lui. Il considérait les razzias limitées de Dingiswayo comme la perpétuation de rivalités mesquines permettant à n'importe quel chef secondaire un essor isolé qui, en réalité, l'affaiblissait et condamnait tout grand dessein. Il avait résolu d'effacer tous les clans pour les unir en une seule grande nation : les Zoulous — et, pour y parvenir, ses guerriers devaient se déplacer, tels de vastes troupeaux d'antilopes, sans froisser un seul brin d'herbe.

Tandis que Shaka entraînait ses régiments, sa mère, Nandi, s'imposait dans les kraals des Zoulous. Elle devint vraiment la Femme-Éléphant, piétinant tous ceux qui s'étaient réjouis de son bannissement quelques années plus tôt. Les longs mois d'exil que la mère et le fils avaient partagés avaient forgé entre eux un lien extraordinaire d'amour et de compréhension, et maintenant Nandi poussait plus que jamais son fils vers le destin fabuleux qui attendait ce réprouvé, jadis traité d'« insecte ».

Ainsi donc, quand Shaka jugea que ses amaZoulous étaient prêts pour les tâches colossales à accomplir, il réunit tous ses commandants. C'était un soir de 1816.

— Nous nous lançons sur les Langénis, dit-il.

Il était si résolu à humilier le clan qui avait traité sa mère de façon si honteuse qu'il répéta son plan de bataille pendant trois jours sans prendre de repos.

— Nxumalo, tu as été un chien chez les Langénis. Pour une fois, ton régiment formera le corps. Je te donne cette position parce que je désire une discipline totale. Aucun Langéni ne doit être tué sans nécessité absolue... Les deux ailes : il vous faudra vous déplacer plus vite que jamais et capturer l'ennemi vivant.

Avertissement lugubre, il désigna le dernier soir quatre géants de plus pour sa garde-knobkerrie et il leur donna des massues capables d'enfoncer des pieux. Quand ses plans furent au point, il alla dormir.

Peu après l'aurore, Nxumalo rassembla les quatre régiments en formation de « carré creux ». Chacun avait son « uniforme » distinctif — coiffes de plumes et grands boucliers de cuir de couleurs différentes.

Quand tout fut prêt et qu'un beau soleil parut au-dessus des collines, Shaka en personne se plaça au centre du carré, tel un géant entièrement nu, aux muscles saillants. Sur un signe de Nxumalo, les soldats qui attendaient crièrent : « *Bayete* * *!* » et applaudirent en frappant le sol des talons.

Les trois serviteurs personnels de Shaka lui remirent alors son costume de guerre. Tout d'abord, ils ceignirent ses reins d'un pagne de cuir tanné. Puis ils passèrent une ceinture de peau de léopard, très claire, d'environ cinq centimètres de largeur, solidement fixée pour soutenir une sorte de kilt d'un gris cendré, fait de fourrure de genette tressée, qui tombait très au-dessus des genoux. Sur les épaules du chef, ils placèrent une guirlande de queues d'animaux, assez courte pour ne pas le gêner dans sa course; et, sur sa tête, ils déposèrent une sorte de couronne formée par des touffes de petites plumes rouges et surmontée par une plume de grue d'au moins soixante centimètres de longueur, de couleur bleue, courbée en panache vers l'arrière.

Il était pieds nus, bien sûr, et il ne tenait dans ses mains que deux objets : son énorme bouclier, presque aussi haut que lui-même et complètement blanc hormis un petit point noir au centre ; et sa sagaie-glaive, dont la hampe avait soixante centimètres de long, et la pointe de fer, trente centimètres. Mais, ce qui lui conféra une sorte de majesté redoutable, ce furent les quatre ornements dont les serviteurs le parèrent ensuite. Sur chaque bras, juste au-dessous de l'épaule, ils attachèrent un brassard de crins blancs très drus, provenant de queues de vache. Ils tombaient sur ses coudes et, au moindre mouvement de Shaka, ils bruissaient. Des bandeaux semblables furent également fixés au-dessous de chaque genou, tombant jusqu'aux chevilles... Oui, ces ornements blancs, associés à la blancheur pure du bouclier, faisaient resplendir ce corps brun-noir d'une impériale grandeur.

— En avant ! cria-t-il à ses régiments.

Et cinq cents guerriers répondirent :

— Bayete !

Tel un serpent, l'armée des Zoulous se glissa à travers les collines et, à l'aube suivante, les Langénis à leur réveil découvrirent, stupéfaits, que l'ennemi encerclait leurs kraals. Les ordres de Shaka furent respectés. Les Langénis s'attendaient à voir leurs cases incendiées et leurs familles massacrées, mais, à leur plus grand étonnement, aucune sagaie ne fut lancée contre eux — simplement un silence lourd de menaces. Était-ce donc ce Shaka, que les augures appelaient déjà « Celui-qui-avalera-la-terre » ? La réponse allait survenir avec une clarté fulgurante.

Shaka envoya Nxumalo au milieu des Langénis rassemblés. Sans un mot, celui-ci désigna d'un geste un homme, puis un autre, jusqu'à ce qu'il en ait identifié plus de trente. On conduisit ces hommes dans le kraal principal, où ils se trouvèrent en face d'un visage qui leur parut étrangement familier.

— Je suis Shaka, fils de Nandi la Femme-Éléphant, que vous avez humiliée.

Il psalmodia les noms des responsables tribaux ; chaque fois celui-ci faisait un pas en avant et les gardes-knobkerries se mettaient à l'œuvre.

Ces exécuteurs des hautes œuvres procédaient de plusieurs manières. Si l'homme avait fait preuve d'une vertu rédemptrice, on lui tordait le cou rapidement et presque sans douleur — le cercle complet. La mort était instantanée. Mais, quand entraient en jeu de vieilles rancunes inexpiables, sans circonstances atténuantes, on faisait appel aux massues et les coups pleuvaient sur tout le corps du malheureux, sauf sur la tête. C'était une mort horrible et les anciens du clan langéni périrent de cette manière.

Puis Shaka en vint à ceux qui l'avaient tourmenté pendant son enfance. Il leva les yeux vers eux et son regard devint gris comme un nuage d'orage. Il sembla perdre soudain la raison — il était enfant de nouveau, loin dans les champs... Apercevant son lieutenant et fidèle ami Nxumalo, il cria brusquement :

« Toi aussi, tu étais du nombre !

Et les gardes-knobkerries se saisirent de Nxumalo et le jetèrent avec les autres.

« Nzobo, cria Shaka à l'adresse d'un des anciens pâtres. Ne t'es-tu pas moqué de moi ?

Le Langéni, qui occupait maintenant un rang éminent dans la tribu, garda le silence.

« Saisissez-vous de lui ! cria Shaka.

A l'instant, Nzobo se trouva dépouillé de ses vêtements. Deux hommes le maintinrent par les genoux, tandis que deux autres le penchaient en avant pour une dernière et horrible courbette — comme s'il était un serviteur quêtant l'approbation de Shaka. Un des gardes apporta quatre brochettes de bambou, d'une trentaine de centimètres de long, durcies au feu et pointues comme des aiguilles. L'une d'elles fut placée dans le rectum de Nzobo, puis, avec un maillet grossier, le dernier membre de la garde-knobkerrie l'enfonça lentement, lentement, jusqu'au fond.

Puis ce fut le tour d'une autre tige de bambou, puis d'une troisième et enfin la quatrième fut enfoncée. On fit passer ensuite une corde sous les aisselles de la victime hurlante et on le suspendit ainsi à la branche d'un arbre. Il lui faudrait seize heures d'agonie épouvantable pour mourir...

Nxumalo, témoin de ce châtiment affreux et certain d'y être condamné, essaya de supplier Shaka, mais l'horrible jugement continuait...

« *Mpépha*, m'as-tu lancé des pierres ?

Une kyrielle de griefs, maintenus vivaces pendant vingt années, se déversa sur l'homme frappé de terreur. On le dépouilla et on l'embrocha.

Mqalané venait ensuite et, lorsqu'il fut suspendu lui aussi à la branche de l'arbre, Shaka en avait terminé avec les trois hommes dont le comportement l'avait le plus cruellement blessé dans le passé. Les huit autres furent empalés sur les pieux du kraal du bétail, pour qu'il ne puisse pas les voir.

« La mort des traîtres est un spectacle répugnant, dit-il à ses hommes.

On fit avancer deux autres Langénis dont il avait longtemps souhaité la mort.

« M'avez-vous insulté ? dit-il.

Les hommes le reconnurent. Pour leur franchise, il leur pardonna. Déjà les deux malheureux, soulagés, poussaient un soupir, mais il leur demanda :

« Avez-vous insulté ma mère ?

Ils se figèrent, la tête basse.

« Qu'ils meurent comme des femmes ! hurla-t-il.

La garde de mort se jeta sur eux et les émascula.

Il ne restait plus que Nxumalo, et Shaka le regarda avec dégoût, mais non sans confusion. Il avait fait partie, lui aussi, des petits pâtres ; Shaka s'en souvenait nettement, mais il ne se rappelait plus avec précision la faute commise par le réfugié sixolobo pour mériter les brochettes. Les gardes étaient déjà en train de dépouiller Nxumalo quand l'esprit du roi, devenant soudain un peu plus clair, se rendit compte qu'il ne fallait pas inclure le commandant de son régiment dans la punition. D'un geste humble, il repoussa les gardes et s'avança vers son ami de naguère.

« Qu'as-tu fait contre moi quand nous gardions les troupeaux ?

— Rien, répliqua Nxumalo.

— Et as-tu jamais fait quelque chose *pour* moi ?

— Je ne peux pas le dire, chef puissant. Mais je le murmurerai.

Shaka fit écarter tout le monde, ordonna aux gardes de rendre à Nxumalo son uniforme, et le commandant fidèle, nu avec sa ceinture de cuir à la main, se pencha vers l'oreille du chef et lui rappela une après-midi où, assis dans l'herbe à ses côtés, il avait assuré au jeune Shaka qu'il aurait un jour un pénis d'une taille normale.

Shaka posa sur ses yeux le bout des doigts de sa main gauche, puis inclina la tête :

— Es-tu Nxumalo, des iziCwés ?

— Oui.

— Des esprits de ténèbres sont en ces lieux, murmura Shaka.

Et, avec un grand cri de gorge, il demanda aux devins de se mettre en quête : qu'ils identifient les hommes de l'assemblée abritant ces esprits ! Aussitôt, ils se précipitèrent avec leurs squelettes de serpent autour du cou, leurs vésicules de fiel séchées dans les cheveux et leurs queues de gnou noires à la main. Ils bondirent çà et là dans les rangs des Zoulous, reniflant en tous sens et prêtant l'oreille ; puis ils touchèrent de leur baguette celui qui avait apporté le mal au chef. Dès que la victime fut désignée, les gardes-knobkerries la tuèrent.

Vers minuit, alors qu'il buvait de la bière avec Nxumalo, Shaka prit en pitié les hommes empalés.

— Ce serait trop cruel de les laisser ainsi toute la nuit, dit-il.

Il commanda à ses gens de rassembler au-dessous d'eux de grands tas d'herbes et de branchages.

« Voyez ! cria-t-il aux victimes. Je ne ressens plus de haine pour vous.

Et il mit le feu aux herbes pour que les hommes meurent vite et échappent aux terribles souffrances qu'ils auraient endurées au matin, quand un soleil ardent se serait mis à briller.

Par mesure de conciliation, Shaka absorba les régiments des Langénis dans son armée en évolution — ce geste inaugura une politique qui devait aboutir à la constitution de forces militaires puissantes. Quand Dingiswayo, à qui il devait encore une allégeance de principe, mourut au cours d'un combat contre une tribu du nord, tout le contingent iziCwé se joignit aux Zoulous et Shaka dit :

— Nxumalo, mon ami fidèle, désormais tu mangeras avec les iziCwés.

Cette déclaration étonnante n'avait rien à voir avec la façon dont le nouveau général de ces régiments prendrait ses repas ; Shaka faisait allusion au cri de guerre effrayant qui retentirait bientôt d'un bout à l'autre du pays chaque fois qu'un guerrier zoulou tuait un ennemi :

— J'ai mangé !

Shaka lança ses troupes dans toutes les directions, avec une vitesse foudroyante. Il dévora les petits clans, et, un matin, il s'écria brusquement :

— Aujourd'hui, nous détruirons les Ngwanés.

En quelques heures, les régiments traversèrent l'Umfolozi et se précipitèrent vers le nord, à l'assaut des kraals de cette tribu, qui avait provoqué des troubles à plusieurs reprises. Sans le moindre avertissement — hormis les cris de stupéfaction des jeunes pâtres lorsqu'ils virent s'avancer vers eux cette armée étonnante —, les Zoulous se mirent en position de combat, corps-bras-tête, et tombèrent sur la communauté.

Les Ngwanés, comme toutes les tribus secondaires de cette région, étaient des hommes de grande taille et ils n'avaient nullement l'intention de perdre leur bétail sans se battre. Ils supposaient en effet qu'il s'agissait d'une simple razzia de bétail comme les autres, où pas plus de deux ou trois hommes risquaient d'être blessés. Ils se hâtèrent de prendre leurs formations de combat sommaires et, d'ailleurs, tout sembla se dérouler comme pour un engagement traditionnel. Mais, lorsqu'ils s'avancèrent pour livrer bataille, ils découvrirent soudain que les ailes de Shaka s'étendaient très loin, comme les cornes d'un buffle en colère, et de tous côtés ils se virent confrontés aux Zoulous, plus rapides qu'eux.

— Ils vont prendre tout notre bétail ! cria le commandant ngwané.

Mais les Zoulous ne songeaient pas aux vaches. Avec une violence effrayante, ils tombèrent sur les Ngwanés, qu'ils tuèrent de leurs glaives, et, quand ces derniers tentèrent crânement de se regrouper et de combattre pour de bon, les iziCwés surgirent de nulle part et leurs sagaies redoutables s'abattirent comme les couteaux immolant les taureaux des sacrifices.

Sous cet assaut forcené, la défense des Ngwanés s'effondra, et les guerriers à qui fut épargné le cri zoulou « J'ai mangé ! » se dispersèrent et s'enfuirent. Pour échapper à la terreur zoulou, ils allaient devenir hors-la-loi et ils assouviraient dans le sang d'autres clans la vengeance de leur défaite écrasante. Les kraals qu'ils fuyaient furent livrés aux flammes, leurs troupeaux entraînés au loin, leurs enfants engagés de force dans les régiments zoulous et leurs femmes distribuées aux kraals des vainqueurs.

On aida les vieillards à gagner l'« autre endroit » : leurs bourreaux les massacrèrent avec joie, car, pour les Zoulous, abréger les jours d'une personne âgée ou infirme n'avait rien de cruel. Mais, quand cette bataille sauvage prit fin, les Ngwanés avaient cessé d'exister en tant que clan.

C'était le combat discipliné des iziCwés qui avait permis cette élimination et, quand les régiments rentrèrent aux kraals zoulous, Shaka les félicita, provoquant l'envie des autres guerriers.

— Vous pouvez, à présent, profiter des plaisirs de la route.

Shaka avait introduit une variante à cette coutume sexuelle : aucun guerrier ne pouvait se marier sans la permission de son chef et, en général, le mariage n'était autorisé qu'à l'âge de trente-cinq ans, lorsque les soldats devenaient trop vieux pour les régiments d'élite. A ce moment-là, au cours d'une cérémonie grandiose, on leur permettait d'aller chercher dans les bois un mélange de plante grimpante, de liane et de gomme, avec lequel ils confectionnaient un large bandeau qu'ils tressaient dans leurs cheveux humectés et qu'ils conservaient jusqu'à la fin de leurs jours comme preuve de leur mariage.

Mais, comme il était illogique d'exiger d'hommes adultes — guerriers audacieux de surcroît — qu'ils fassent continence jusqu'à ce qu'on leur accorde leur bandeau, on concédait les « plaisirs » aux soldats après chaque bataille.

Et les guerriers de Nxumalo se mirent donc à sillonner la communauté à la recherche de jeunes femmes. Celles-ci, qui rêvaient depuis longtemps de maris et d'amants, se laissèrent trouver sans mal... Pendant trois longues journées, les hommes se perdirent dans les bosquets et aimèrent les femmes d'une passion née sur le champ de bataille — mais en se contenant de façon presque cruelle, car ils savaient les peines qu'ils encourraient si les femmes tombaient enceintes.

Nxumalo, non moins excité que ses hommes à la perspective de la récompense, alla chercher ses plaisirs de la route dans un kraal dont il avait remarqué une fille depuis un certain temps. C'était maintenant un homme extrêmement respecté, qui avait combattu en première ligne lors de sept batailles ; il pouvait donc supposer à bon droit qu'il obtiendrait bientôt la permission de prendre femme, mais il savait que, dans le régime de Shaka, le sexe constituait l'arme ultime du pouvoir.

Il avait donc résolu de combattre vaillamment pour pouvoir ensuite aller demander à Thétiwé de devenir son épouse. Thétiwé, âgée de seize ans et fille d'un chef du voisinage, avait un maintien adorable et des yeux pleins de vie. Elle avait espéré que les iziCwés se comporteraient bien, ce qui signifiait, bien sûr, que leur commandant viendrait faire sa proposition. Elle attendait donc, toute seule, et, à la tombée de la nuit, elle reconnut son pas.

— Comment s'est passée la bataille ? demanda-t-elle lorsqu'il l'entraîna dans une clairière près du fleuve.

— Il n'y a plus de Ngwanés.

— C'était un peuple méchant.

— Il n'existe plus.

Ils passèrent trois jours merveilleux ensemble et ils parlèrent beaucoup du moment où Shaka leur permettrait de se marier. Nxumalo, davantage conscient que les autres des intentions de Shaka, ne se montra pas très optimiste.

— Il faut tenir compte de la situation. Avant toute chose, Shaka désire faire des Zoulous une nation puissante, dont il sera le roi. Pour y parvenir, il doit recourir sans cesse à la guerre. Et, dans la bataille, il lui faut un régiment sur lequel compter. Cela a toujours été les iziCwés. Et je resterai à leur tête jusqu'à l'âge de cinquante ans.

— Oh, non !

Elle porta ses mains fines à son visage et songea aux longues années vides à attendre que Nxumalo l'épouse. Avec une tristesse infinie, elle demanda :

« Shaka ne sait-il pas que ses hommes doivent se marier ?

— Thétiwé, répondit gravement Nxumalo, personne ne doit jamais entendre cette question sur tes lèvres.

— Mais pourquoi ?

— Parce que Shaka est différent. Il ne pense pas aux familles. Il pense seulement aux armées et à la gloire à venir.

Il s'arrêta, se demandant s'il pouvait prendre le risque de discuter de ce problème en toute sincérité avec une fille de seize ans dont il n'avait jamais mis la confiance à l'épreuve. Mais sa passion pour elle était si intense qu'il s'y résolut.

« Combien le chef a-t-il d'épouses en ce moment ? demanda-t-il.

— Dans tous les kraals ? Soixante... Je crois.

— Une d'elles est-elle enceinte ?

— Oh, non !

— Mais le dernier chef ? Le père de Shaka ? Ses épouses n'étaient-elles pas souvent enceintes ?

— Il y a eu des vingtaines d'enfants.

— La différence, c'est que Shaka ne couche jamais avec ses femmes. Sais-tu comment il les appelle ? « Mes sœurs bien-aimées. » Oui, il les appelle toujours ses sœurs. Vois-tu, il a peur des femmes pour deux raisons. Il ne veut pas d'enfants, et surtout pas de fils.

— Pourquoi ? Tu as envie d'avoir des fils, n'est-ce pas ?

— Oui. Et je quitterais l'armée sur-le-champ si...

Il abandonna le sujet dangereux et se remit à parler de son chef.

« Et l'autre raison pour laquelle il a peur des femmes... remonte à son enfance. Les autres le taquinaient. Ils lui disaient qu'il ne pourrait jamais avoir d'enfants. Ils se moquaient sans cesse et disaient qu'aucune femme ne voudrait jamais de lui.

— Maintenant, il a soixante épouses, répondit Thétiwé, et il gardera sûrement pour lui vingt filles capturées chez les Ngwanés.

— Mais tu ne dois parler de cela à personne, la prévint Nxumalo, conscient de ce qui arriverait à la jeune fille et à lui-même si Shaka les soupçonnait d'un tel manque de respect.

Elle éclata de rire.

— Je savais tout ça depuis longtemps. De quoi crois-tu que les femmes plaisantent, quand personne ne les épie ? Elles disent que Shaka met ses sœurs bien-aimées de côté en attendant qu'un vrai homme vienne les prendre.

— Thétiwé ! Ne parle jamais de ça.

Et comme ils avaient été témoins des colères redoutables de Shaka, les deux amants eurent peur de se laisser aller à ces pensées — et ne se risquèrent plus à les exprimer.

Shaka avait absorbé quatre tribus guerrières, « en les enlaçant dans ses bras », selon son expression. Il était devenu incroyablement habile dans la mise en application de sa tactique corps-bras-tête. Parfois, il lançait une de ses ailes très loin, avec ses hommes espacés en un mince cordon, leurs larges boucliers placés le rebord en avant pour les rendre presque invisibles. Un deuxième groupe restait à l'affût derrière, dissimulé dans les herbes hautes. Tandis que son armée avançait ainsi, le général ennemi repérait le flanc dégarni d'hommes et lançait contre lui le gros de ses forces. Mais, quand l'adversaire ne pouvait plus reculer, Shaka donnait le signal et la ligne de front des Zoulous faisait pivoter les boucliers face en avant, tandis que les hommes cachés bondissaient en position, en montrant eux aussi leurs boucliers dans toute leur largeur. En un instant, ce qui avait paru un cordon de traînards se transformait en une phalange massive paraissant deux ou trois fois plus puissante qu'elle n'était en réalité. Souvent, ce stratagème suscitait une véritable panique, et les soldats ennemis, qui s'avançaient confiants pour combattre un adversaire inférieur en nombre, s'enfuyaient, saisis de frayeur, en provoquant le désordre parmi les lignes arrière, que le « corps » massif de l'armée zoulou submergeait aussitôt.

Les messagers zoulous, quand ils rendaient compte des victoires, donnaient les détails dans un ordre rigoureux : tant de têtes de bétail capturées pour les pâturages du chef, tant de jeunes gens pour ses régiments, tant de filles pour ses kraals. Les responsables des femmes choisissaient vingt ou trente vierges de premier choix et abandonnaient les autres au clan, et, bien que Shaka parût prêter assez peu d'attention à ses épouses, tout mâle surpris à rôder près de la demeure des femmes était étranglé sur-le-champ. En outre, si la fille à qui le malheureux avait fait des avances pouvait être identifiée, elle était exécutée elle aussi.

Nxumalo, soumis à toutes les règles que Shaka édictait, passait tout le temps qui lui était légalement alloué avec Thétiwé. Il lui raconta beaucoup de choses.

— Shaka est le plus grand homme qui ait jamais vécu. C'est un génie sans égal. J'ai connu quatre chefs et, auprès de lui, ce n'étaient que des gamins. Ses projets pour notre nation sont grandioses. Toutes les tribus associées en une seule.

Depuis les fleuves du nord jusqu'aux fleuves du sud. Une seule famille, un seul roi.

Il s'arrêta sur ces mots, puis il ajouta :

« Shaka, roi des Zoulous.

— Mais tu m'as dit qu'il a failli t'empaler.

— C'étaient les esprits du mal, pas Shaka lui-même. Ils l'avaient saisi et ils l'aveuglaient ; mais, dès que je lui ai dit qui j'étais, ses yeux se sont ouverts et il m'a épargné.

— Mais ne m'as-tu pas souvent raconté qu'au moment où toutes les tribus seront réunies il n'y aura plus de guerre ?

C'était le genre de question irritante que lui posait souvent Thétiwé. Mais il savait qu'il existait forcément une réponse.

— C'est vrai. Nous avons encore de nombreuses tribus à vaincre. Cela durera plusieurs années, mais un jour la paix régnera. Shaka l'a dit.

Les mesures que prit le roi dans les mois qui suivirent démentirent cette prédiction : il autorisa la formation de deux nouveaux régiments. Le premier fut composé exclusivement de jeunes filles de l'âge de Thétiwé et, en raison de son lignage sans tache et de son intelligence brillante, elle fut nommée commandant en second de ce nouveau régiment. Les jeunes filles ne devaient pas participer au combat ; elles demeuraient à l'arrière et rendaient des services auxiliaires : cuisine, réparation des armes, soins aux blessés. Très vite, elles apprirent la règle de base de tout plan de bataille de Shaka :

— Si un Zoulou est blessé, parlez-lui. S'il peut comprendre ce que vous dites, soignez-le. S'il ne peut pas, appelez les gardes.

Quand les filles faisaient venir les hommes aux knobkerries, ces derniers étudiaient rapidement le cas, puis, le plus souvent, prenaient la sagaie du blessé et la lui plantaient dans le cœur. Comme l'avait dit Shaka :

« S'il ne peut pas marcher, il ne peut pas se battre.

Et ses infirmières le comprenaient très bien.

Le second régiment formé était d'un genre complètement différent. Il offrait aux regards un spectacle burlesque : c'était un ramassis de vieillards éclopés, aux yeux usés. Il était inconcevable qu'ils puissent se déplacer avec la souplesse que Shaka exigeait de ses régiments, mais l'on comprit bientôt la stratégie du roi.

« Ces hommes recevront une demi-ration. On les fera

travailler constamment et, plus tôt ils mourront, plus belle sera la nation des Zoulous.

Désormais, tout le monde en dehors des femmes enceintes appartenait à un régiment et la nation était enfin organisée de façon efficace. Nxumalo appréciait le sentiment de sécurité que cela faisait naître, chacun avançait dans la vie selon un ordre rationnel, sans la moindre chance de déviation accidentelle : un garçon naissait ; il gardait le bétail ; à onze ans, il prenait place dans les rangs des cadets (une sorte de prérégiment qui accomplissait des corvées pour le roi) ; à quatorze ans, il rejoignait le régiment des jeunes (qui portait l'eau et la nourriture aux hommes pendant la bataille) ; à dix-neuf ans, il pouvait, s'il avait de la chance, devenir membre d'un régiment renommé, comme les iziCwés. Pendant le quart de siècle suivant, il vivrait, dans des casernes, une existence bien ordonnée et se rendrait dans tous les coins du pays où se trouvaient des ennemis ; et, s'il faisait preuve de soumission, le temps viendrait peut-être où on lui permettrait de se marier ; il connaîtrait avec sa femme et ses enfants quelques brèves années de bonheur, puis il passerait au bataillon des vieillards, où il aurait l'occasion de mourir décemment, sans tomber dans une déchéance prolongée. C'était une belle façon de vivre sa vie, estimait Nxumalo, car elle aidait les hommes à éviter tout comportement extravagant et elle engendrait une nation disciplinée et heureuse.

Nxumalo appréciait également les avantages liés à la présence de toutes les jeunes filles dans un régiment : au terme d'une rude bataille, quand les guerriers étaient épuisés, on envoyait ces filles dans un endroit convenable et, pendant trois ou quatre jours, les vainqueurs pouvaient batifoler avec elles, sans avoir à franchir les longues distances jusqu'aux kraals où ils auraient encore été obligés de chercher les filles. Quelques années plus tard, Nxumalo put s'émerveiller d'une commodité supplémentaire que permettait la stratégie du roi : un jour où le régiment amaWombé s'était particulièrement bien comporté, Shaka le récompensa magnifiquement. Il rassembla le régiment entier sur le terrain de parade, puis il fit venir un des régiments de filles et déclara :

— Les hommes peuvent épouser les femmes.

A la tombée de la nuit, les couples étaient formés et six

cents nouvelles familles établies, sans interrompre les manœuvres de l'armée.

En 1823, Shaka avait consolidé les fondements de la majeure partie de sa nation. Il avait imposé un ordre soigneusement défini à ce qui était auparavant un magma informe de chefferies rivales. C'était un administrateur excellent et il offrait souvent des postes d'une importance considérable à des personnes appartenant à des tribus vaincues, mais dont il avait reconnu les qualités. Se souvenant de ses malheurs lorsqu'il était exilé parmi les Langénis, il accueillait les nouveaux venus sans réticence, si bien qu'en quelques mois ils oubliaient qu'ils n'avaient pas été zoulous toute leur vie.

Nxumalo savait qu'une discipline de fer était nécessaire pour que ce ramassis disparate de clans devienne un jour un royaume unifié. Les châtiments brutaux étaient bien acceptés, car, dans les tribus noires, le chef jouait le rôle de père du peuple et ce qui lui déplaisait déplaisait à ses enfants, qui réclamaient ardemment vengeance. Au début de son règne, Shaka demeura fidèle à la tradition et son gouvernement ne fut pas plus sanglant que celui de ses prédécesseurs, mais, à mesure que son autorité s'élargit, il fut tenté, comme plus d'un tyran en herbe, de prendre ses caprices pour loi de son pays.

Il fut encouragé dans cette voie par une curieuse motivation personnelle : il n'éprouvait que mépris pour tous les devins et chasseurs de sorciers, et, tout en les jugeant nécessaires, il les considérait comme des misérables. Mais, plus il les dénigrait, plus il était tenté d'usurper leur pouvoir ; il devint son propre devin et, dans son entourage, tout le monde vécut dans la terreur. Un hochement de tête quand il parlait, un rot, un pet malencontreux et Shaka montrait du doigt le coupable — que ses gardes-knobkerries étranglaient aussitôt.

Mais jamais, au cours des premières années, il ne fut un tyran sans discernement. Il donna aux Zoulous un gouvernement capable et généreux. Il veillait particulièrement à assurer à son peuple de l'eau en suffisance et des sources de ravitaillement stables. Jamais personne ne se soucierait du bétail plus que lui. Ses troupeaux personnels comptaient plus de vingt mille têtes et il exprimait de plus d'une manière l'amour qu'il éprouvait pour ses animaux. En tant que zoulou, il adorait le bétail plus que tout autre bien, car il savait que l'importance d'un homme dépend du nombre d'animaux qu'il a été capable d'accumuler et que le bien-être d'une nation est déterminé par le soin avec lequel elle protège ses animaux.

Les troupeaux étaient si vastes qu'il put les isoler par couleur, ce qui n'eut pas seulement un effet esthétique, mais un résultat très pratique : cela permit de différencier les boucliers de peaux de vache de chaque régiment. Les iziCwés, par exemple, ne portaient que des boucliers blancs, avec des parements noirs. D'autres avaient des boucliers noirs — une couleur de choix —, ou bien bruns, ou rouges (la couleur rouge était peu en faveur, car on disait qu'elle portait malheur).

Il prenait grand soin des animaux prévus pour les sacrifices, car la sécurité spirituelle de son royaume et la sienne propre dépendaient d'eux. Jamais il ne se sentait plus en sécurité que lorsqu'il assistait à un abattage rituel. Dépouillé de ses vêtements, il se lavait avec le chyme encore chaud d'un taureau tué l'instant précédent. Ce liquide épais (le contenu de l'estomac de l'animal à la fin du processus digestif) conférait la vie ; et se sentir purifié par ce baume était un avant-goût d'immortalité.

Pourtant, plus important encore était le petit sac précieux, de la taille du poing d'un enfant, qui s'accrochait au foie de l'animal immolé. C'était la vésicule biliaire, qui recelait un liquide amer, symbole de vie : il était âcre comme le goût de la mort, mais le sac dans lequel il vivait avait exactement la forme de la matrice dont toute vie est issue. En outre, mystérieusement, il ressemblait à la case en forme de ruche où vit l'homme et au tombeau où il reposera à la fin de ses jours — de sorte que l'ensemble de l'existence était représenté par cet appendice magique. Quand on avait répandu son contenu au cours de la consécration, la vésicule séchée formait un petit sac de cuir que les devins et les sorciers gonflaient et plaçaient dans leurs cheveux nattés.

Il était extrêmement tendre à l'égard de sa mère et il lui confiait la direction des kraals où il gardait ses épouses. Ce fut grâce à la vigilance de sa mère qu'il s'aperçut de l'existence de

Thétiwé, commandant en second de l'un de ses régiments féminins.

La Femme-Éléphant commençait à prendre de l'âge et Shaka était terrifié à la pensée qu'elle puisse mourir un jour, aussi l'entourait-il de toute son affection. Un jour, quelque chose lui tomba dans l'œil et elle ne put pas l'enlever ; elle se mit à gémir avec tant de violence que des messagers allèrent chercher le roi. La voyant au désespoir, Shaka fit appeler tous ses apothicaires, mais, avant qu'ils n'arrivent, Thétiwé, dont le régiment était cantonné non loin, se présenta à la case de la reine : avec la dextérité dont elle avait fait preuve en mainte occasion, elle parvint à extraire la pointe d'épine qui tourmentait la reine. Nandi, au comble de la joie, dit à son fils :

— C'est une femme magnifique. Depuis des années, j'attends que tu me donnes un petit-fils. Celle-ci en est digne.

Shaka examina la jeune militaire et s'aperçut aussitôt que sa mère avait raison. Cela l'effraya, car il ne désirait nullement avoir une suprême épouse, et surtout des enfants. Sur ces deux points, ses idées étaient claires et bien arrêtées. Un roi, pendant qu'il consolidait son trône, pouvait avoir autant d'épouses qu'il le désirait. Shaka en avait alors douze cents. Et, avec elles, il pouvait avoir autant d'enfants qu'il était capable d'engendrer. Mais rien de tout cela ne comptait ; les premières mères n'avaient aucun statut spécial, car, parmi les Zoulous, il n'existait pas de droit d'aînesse.

Tout roi prudent attendait que son autorité soit bien établie, puis choisissait avec soin, dans une famille susceptible de lui prêter main-forte en cas d'ennuis, une jeune femme de capacités confirmées. Elle devenait sa suprême épouse, reconnue pour telle par toutes les autres, et ses fils prenaient rang d'héritiers du royaume. Or c'était là que les ennuis commençaient, car, en pays zoulou, les princes tuaient les rois.

Aussi, dès que la Femme-Éléphant annonça qu'elle avait choisi Thétiwé comme suprême épouse de Shaka, celui-ci s'inclina, recula jusqu'à la porte du kraal de sa mère et fit aussitôt appeler Nxumalo.

— Ne m'as-tu pas dit que la jeune Thétiwé, du régiment des femmes, te plaisait beaucoup ?

— Oui.

— Tu l'épouseras cet après-midi.

— Mais, Lion puissant, je n'ai pas assez de bétail pour payer la *lobola** d'une femme pareille.

— Je te donne trois cents têtes.

— Mais sa famille...

— J'ordonnerai à sa famille d'approuver. Vite !

Tant bien que mal, on organisa tout à la hâte et, avant que la Femme-Éléphant puisse protester, les noces furent célébrées. Le roi officia en personne, les médecins-devins secouèrent leurs boucles emmêlées et firent tinter leurs poches de fiel sèches, on dit des bénédictions et le couple, tout surpris, se retrouva marié. Puis, pour les protéger de la colère légitime de Nandi, Shaka les envoya dans le nord pour diriger une négociation qui allait déterminer le cours ultérieur de leurs vies.

Leur interlocuteur était Mzilikazi, du clan kumalo, chef militaire hors du commun qui, malgré son jeune âge de vingt-sept ans, semblait mettre Shaka au défi de l'attaquer. Ce Mzilikazi avait refusé de renvoyer à Shaka trois mille têtes de bétail capturées au cours de ses razzias et il avait éconduit par deux fois les émissaires venus les chercher. Sur quoi Nxumalo et Thétiwé, armés de pleins pouvoirs et de cent guerriers, étaient partis récupérer le bétail.

Ils trouvèrent Mzilikazi dans son kraal, très modeste en vérité, au milieu des forêts du nord, et, quand ils le virent, il leur fut impossible de croire que ce jeune guerrier hésitant, dont la voix n'était qu'un murmure, osât s'opposer au roi des Zoulous. C'était pourtant le cas. Le jeune guerrier s'inclinait servilement devant ses hôtes et son hospitalité était parfaite — mais pas de bétail. Chaque fois que Nxumalo soulevait la question du bétail — « Le Lion perd patience, Mzilikazi, et il a envie de manger » —, le jeune guerrier souriait, plissait ses lourdes paupières et ne répondait pas.

Ils restèrent auprès de lui pendant deux semaines et, plus ils observaient, plus ils étaient impressionnés. Un soir, juste avant de se retirer, Nxumalo fit une dernière menace — « Si nous ne ramenons pas le bétail avec nous, Mzilikazi, les régiments de Shaka prendront la piste du nord » —, mais le lendemain matin à son réveil, il trouva tous ses hommes encerclés par les guerriers du jeune chef et réduits à l'impuissance.

Mzilikazi gouvernait sagement et avec un minimum de

passion. Il avait tant de respect pour ses sujets qu'il ne s'entourait pas d'une bande d'assassins pour infliger sa volonté. Aucun fouet de rhinocéros n'était autorisé contre le bétail, il fallait se servir des roseaux souples du fleuve. En toute chose, il était doux : paroles, gestes, ordres donnés, façon de se vêtir. Il aimait le chant. Il était si radicalement différent de Shaka qu'à tout instant Nxumalo se disait : comme il serait agréable, pour un guerrier, de servir dans la suite de cet homme noble !

Mais, au bout du compte, Nxumalo et Thétiwé rentrèrent chez eux sans une seule vache. Lors de leur dernière rencontre, Mzilikazi leur dit, de sa voix de soie :

— Suggérez à Shaka de ne pas gaspiller ses énergies à envoyer chercher le bétail. Jamais nous n'abandonnerons ces bêtes.

Nxumalo savait qu'il était obligé de répondre à une telle arrogance, mais il le fit sans élever la voix.

— Alors, il vous faudra bâtir de hauts murs d'épines pour les protéger.

— L'amour que me porte mon peuple est mon mur d'épines, répliqua Mzilikazi.

Quand Shaka apprit cette insolence, il donna l'ordre à ses régiments de se rassembler et, avant la fin de la semaine, Nxumalo était à la tête de ses iziCwés, en route vers les kraals de Mzilikazi. Le siège fut bref... et sanglant, mais le général enfant aux manières douces s'échappa dans une direction que personne ne put découvrir.

Les résultats bénéfiques des conceptions de Shaka en matière de gouvernement commencèrent à se manifester. Une région plus vaste que de nombreux pays européens, après avoir vécu des siècles d'anarchie sans gloire, s'unifia dans l'ordre et la prospérité. Les deux cents obédiences tribales, qui interdisaient jusque-là toute action rationnelle, furent désormais fondues en une seule. Des familles qui n'avaient jamais entendu le mot « Zoulou » vingt ans plus tôt proclamaient maintenant leur appartenance au peuple de Shaka. Chaque nouveau triomphe de leur roi faisait rejaillir sur eux une part de sa gloire et ce qui avait débuté comme un petit clan de mille trois cents Zoulous s'était magiquement transformé — grâce au génie de son roi — en une nation puissante d'un demi-million de sujets.

L'ordre régnait dans le pays et l'avancement était ouvert même au dernier des convertis à la cause zoulou. Un enfant de la tribu sixolobo qui entrait dans un régiment zoulou à l'âge de quatorze ans avait autant de chances de devenir son commandant que le fils d'une famille de Zoulous éminents. En fait, quand il avait quinze ans, avec une année d'entraînement derrière lui, il était zoulou à part entière et nul ne le considérait désormais comme un Sixolobo. Et l'accès à ce titre de citoyen n'était pas réservé aux jeunes : les parents de cet enfant pouvaient se présenter à la cour de Shaka et réclamer justice au même titre que quiconque ; et ses sœurs pouvaient entrer dans les kraals en tant qu'épouses de Zoulous de naissance.

La paix régnait également, et les kraals du centre du pays, le long de l'Umfolozi, vécurent des années entières sans subir d'attaques, si bien que le nom de Shaka fut révéré d'un bout à l'autre de son royaume. Quand il apparaissait, ses citoyens l'acclamaient. Ils se soumettaient à ses ordres et ils profitaient des bénéfices que le roi dispensait.

Nxumalo, par exemple, avait cent raisons d'aimer son puissant ami. Il avait déjà servi comme général du meilleur régiment et fait office d'ambassadeur plénipotentiaire lors de négociations de paix avec des clans lointains. En 1826, Shaka donna une nouvelle preuve de son affection à l'homme qui le servait si bien.

— Nxumalo, viens dans mon kraal, lui dit le roi.

Quand ils parvinrent dans l'enceinte sacrée, deux belles femmes zoulous attendaient.

« Ce sont tes épouses, dit Shaka en ordonnant aux jeunes filles de dix-sept ans de s'avancer vers son ami.

— Cette fois, Lion puissant, j'ai le bétail pour les payer.

— Leurs parents ont déjà reçu leur lobola... de ma main.

— Je te suis très reconnaissant.

Shaka venait de se montrer extrêmement obligeant, car, selon la coutume des Zoulous, le mari n'avait pas le droit d'approcher sa première épouse (ni d'ailleurs les autres) tant qu'elle était enceinte ou qu'elle nourrissait son bébé. Et comme les femmes continuaient à allaiter leurs enfants jusqu'à l'âge de quatre ans et demi, cela signifiait que l'homme était privé d'affections sexuelles pendant cinq années de suite. On avait résolu le problème en permettant aux hommes de prendre plusieurs épouses — à supposer, bien entendu, qu'ils aient les moyens de payer leur lobola en bétail. Mais les femmes tombaient enceintes les unes après les autres et il fallait les remplacer. Dans les régiments zoulous, une des plaisanteries en honneur brocardait un robuste commandant qui avait sept femmes, toutes enceintes en même temps : « C'était comme s'il était encore célibataire ! » Maintenant que Thétiwé avait un bébé, les femmes supplémentaires de Nxumalo pourraient l'aider ; Nxumalo, pour sa part, n'en fut que plus reconnaissant à son roi.

Mais, d'une manière étrangement subtile, la chance même de Nxumalo commençait à entraîner ses propres inconvénients, car on avait modifié une tradition noire ancienne, de façon à établir une stratégie habile de nivellement social — en éliminant tout homme nouveau dont la popularité et la puissance risquaient de porter ombrage au roi. C'était le rituel du dépistage. Les chasseurs de sorciers se mettaient à l'affût parmi la foule pour identifier les personnes subversives dont l'élimination purifierait la tribu.

Ce dépistage se déroulait selon des principes psychologiques très sains : tandis que les chasseurs de sorciers, avec leurs poches de fiel, leurs squelettes de serpents et leurs queues de gnous, parcouraient l'assemblée en tous sens, la foule laissait entendre le gémissement faible, lancinant, de mille murmures. Si les devins s'approchaient d'une personne qui, de l'avis de tous, méritait d'être exclue de la société, le bourdonnement s'amplifiait pour devenir pleinement audible — et cela indiquait aux chasseurs de sorciers que la mort de cet homme serait populaire. C'était ainsi que la société des Zoulous « se nettoyait » et cette tactique subtile traduisait un consensus qui était mis à exécution sur-le-champ, car, dès que les devins désignaient quelqu'un en brandissant leur queue de gnou sous son nez, l'homme était saisi, plié en deux et exécuté avec quatre brochettes de bambou.

Nxumalo ne cessait d'accumuler les preuves de la faveur du roi, mais il s'aperçut bientôt qu'il approchait de la zone de danger où les chasseurs de sorciers pouvaient mystérieusement décider que les Zoulous en avaient assez de lui. Déjà des bruits couraient :

— Nxumalo ? Il est sorti de rien. Il a comploté contre des guerriers meilleurs que lui pour prendre la tête des iziCwés. Il a échoué dans sa mission auprès de Mzilikazi. Maintenant, il a plus de bétail qu'un homme ne devrait jamais rêver d'en posséder. Il est comme les cigognes blanches : il vole trop haut.

Et, chaque fois que les Zoulous étaient convoqués pour une nouvelle série d'éliminations, Nxumalo se mettait à transpirer, songeant comme tel philosophe ancien au caractère transitoire de la gloire humaine.

En dépit de cette menace de plus en plus pressante, les Zoulous avaient besoin de lui. Le système de Shaka était presque parfait, mais il comportait une faiblesse autodestructrice : lorsqu'une nation est entièrement tournée vers la guerre, elle a intérêt à s'assurer que la guerre continue quelque part ; et, quand l'armée est toujours en train de combattre, les généraux de confiance comme Nxumalo sont essentiels. Chaque progrès conçu par Shaka l'obligeait à chercher des adversaires pour le mettre à l'épreuve, car il ne pouvait prendre le risque de mettre sa machine de guerre au repos. Il fallait la loger, la nourrir et l'armer de sagaies de pointes de fer : des villages entiers ne faisaient que forger du fer ; d'autres passaient leurs journées à fabriquer des hampes de bois dur.

De même que les empereurs de Rome envoyaient leurs légions jusqu'aux plus lointaines frontières à la recherche de nouveaux ennemis, de même Shaka envoyait ses régiments dans des vallées reculées, où des tribus innocentes de tout délit se trouvaient soudain encerclées. Et parce que les guerriers zoulous avaient constamment besoin de se perfectionner avec leurs sagaies-glaives, ils faisaient peu de prisonniers et ramenaient surtout le bétail et les femmes. Cela augmentait la richesse des vainqueurs, mais non leur stabilité : plus d'un homme découvrit qu'en accumulant le bétail et les épouses, il accumulait aussi l'hostilité de ses anciens amis. Oui, plus d'un Zoulou prospère, désigné par les chasseurs de sorciers, se demanda avant de mourir dans les atroces souffrances des baguettes de bambou comment tout cela avait pu se produire. La guerre élevait les hommes, mais le murmure sourd de la populace les rabaissait…

Ce fut en 1826, au moment où Hilary Saltwood arrivait avec

Emma à Salisbury, en visite chez sa mère, que Shaka se rendit nettement compte qu'il faisait partie, lui aussi, de ce vaste processus impersonnel de progrès et de déclin. Il n'avait pas peur des devins, car ils étaient ses agents ; par des moyens subtils, il leur indiquait les hommes qu'il désirait éliminer, de sorte que les grands du royaume restent toujours au même niveau, sans têtes nouvelles s'élevant soudain au-dessus de la multitude. Ce qui l'effrayait en fait, c'est ce qui effraie tous les hommes : le passage du temps — la perte d'une dent de temps à autre, la mort d'un oncle, le défilement, triste, si triste, de la vie humaine... Nxumalo avait pour ennemis les devins ; l'ennemi de Shaka était le temps.

A cette époque, un groupe de marchands anglais pleins d'audace s'était installé sur la côte, très au sud du pays zoulou. Il se trouvait parmi eux un Anglo-Irlandais nommé Henry Francis Fynn, rude mais souriant, dont le courage personnel n'avait d'égal que la naïveté impénitente. Il mit Shaka au courant des méthodes occidentales, il lui apprit la puissance du roi d'Angleterre et il soigna ses sujets malades dans les kraals. Jamais le monde n'aurait connu les détails extraordinaires des dernières années de Shaka sans les souvenirs de Fynn et sans le journal pittoresque d'un jeune homme de dix-huit ans plein d'imagination, Nathaniel Isaacs, qui se rendit également dans la région.

Personne ne saura jamais ce qui s'est passé en fait dans la tête de ces marchands au moment où ils ont observé des coutumes et des traditions anciennes si radicalement étrangères à leur univers. Mais leur réaction, telle qu'ils se la rappelaient, était parfaitement claire, et le portrait qu'ils ont tracé de Shaka dans leurs écrits est celui d'un monstre animé par une soif inextinguible de meurtre :

> Ses yeux trahissaient son plaisir, son cœur de fer exultait, tout son corps semblait éprouver un sursaut de joie quand il voyait le sang d'innocentes créatures couler à ses pieds ; ses mains se crispaient, ses membres herculéens, gonflés de muscles, indiquaient par leurs gestes leur désir de participer à l'exécution des victimes de sa vengeance ; bref, on eût dit un être de forme humaine avec des capacités physiques hors du commun, un géant dénué de raison, un monstre créé avec une puissance et une propension à faire le mal supérieures à la normale — et qui

provoquait un mouvement instinctif de recul, comme le sifflement du serpent ou le rugissement du lion.

Exposés à ces horreurs, Fynn, Isaacs et les autres Européens qui se joignirent à eux devaient néanmoins demeurer sur les domaines de Shaka pendant quatre années — sains et saufs —, tentant désespérément de faire fortune et complotant sans cesse pour que l'Office des colonies légitime leur action.

Fynn et Isaacs furent horrifiés par les tueries de Shaka, mais celui-ci fut épouvanté d'apprendre que les Anglais jetaient leurs criminels en prison.

— Rien n'est plus cruel que de faire traîner la vie d'un homme, alors qu'un seul coup rapide peut le libérer à jamais.

Mais Fynn était un marchand habile, désireux de saisir la moindre occasion d'obtenir l'approbation du souverain zoulou ; et, après avoir étudié l'homme, il lui fit une proposition géniale : il lui promit un liquide qui empêchait les cheveux de devenir gris.

— Oui, lui dit Fynn, vous frottez ce liquide magique sur vos cheveux et ils ne seront jamais blancs.

— L'immortalité ? s'écria Shaka, demandant aussitôt le nom que portait cet élixir.

— L'huile de Macassar Rowland, répondit Fynn.

— En as-tu ?

— Non, mais dans un an, quand le bateau viendra...

Ce fut une année d'angoisse. Shaka envoya des messagers dans tous les coins de son royaume pour demander si quelqu'un possédait de l'huile de Macassar Rowland et, quand on n'en trouva pas, la réaction violente de Shaka alarma Nxumalo : l'esprit du roi était en proie à la confusion.

— Si seulement je pouvais vivre encore vingt ans... quarante ans... Je pourrais placer sous mon autorité toute la terre connue des hommes. Nxumalo, il faut que nous trouvions cette huile qui empêche l'homme de vieillir.

— Crois-tu vraiment qu'une chose pareille existe ?

— Oui. Les hommes blancs la connaissent. C'est pour cette raison qu'ils ont des fusils et des chevaux. A cause de l'huile !

L'huile n'arriva pas, les cheveux gris se multiplièrent et Shaka dut songer au problème de sa succession. Il n'avait que quarante ans, la mort semblait encore lointaine, mais, comme il le dit à Nxumalo :

— Regarde ma mère, elle décline. Je ne veux pas l'huile magique pour moi-même. Je la veux pour lui sauver la vie.

— Elle est vieille... commença Nxumalo, désireux de préparer le roi à la mort prochaine de Nandi.

Mais Shaka refusait d'entendre ce genre de paroles. Saisi d'une rage terrible, il cria à son ami :

— Va-t'en ! Disparais ! Tu as parlé contre la Femme-Éléphant ! Je te tuerai de mes propres mains.

Deux jours plus tard, il rappella Nxumalo près de lui.

— Mon ami fidèle, aucun homme ne peut régner à jamais.

Tandis que Shaka prononçait ces paroles amères, des larmes perlèrent dans ses yeux. Il s'arrêta, les épaules secouées de sanglots muets, puis, reprenant le dessus, il ajouta :

« Si nous disposions de vingt années de plus, toi et moi, nous ferions régner l'ordre sur toutes les terres. Nous placerions même les Xhosas sous notre souveraineté.

Avec un regret infini, il secoua la tête, puis sembla se décharger de toutes ses craintes :

« Nxumalo, il faut que tu repartes vers le nord. Va trouver Mzilikazi.

— Mon roi, j'ai constaté ta haine pour ce traître qui volait ton bétail.

— Certes, certes, Nxumalo. Pourtant, tu prendras dix hommes et tu le retrouveras. Ramène-le près de moi. Car, s'il règne sur le nord et moi sur le sud, nous pourrons, ensemble, protéger le pays contre les étrangers.

— Quels étrangers ?

— Il vient toujours des étrangers, dit Shaka.

La mission secrète de Nxumalo comportait un long voyage au sein d'un pays où aucun Zoulou n'avait jamais pénétré, mais il était guidé vers Mzilikazi par les clans misérables qui tremblaient après le passage du commandant Kumalo en fuite et, à la fin du plus épuisant des voyages, il trouva le kraal. Ce n'était pas un commandant de régiment qui l'attendait, mais un roi, proclamé par lui-même.

— Roi de quoi ? demanda Nxumalo.

— Roi de Tout-ce-qu'il-verra. N'est-ce pas assez ?

Nxumalo regarda ses yeux aux paupières toujours lourdes,

son visage toujours beau, d'un brun délicat — mais c'était sa voix qui le hantait : douce, chuchotante, extrêmement bonne, comme l'homme lui-même.

« Pourquoi Shaka inviterait-il dans son kraal un ennemi comme moi ?

— Parce qu'il a besoin de toi. Il sait que tu es le plus grand roi dans le nord, comme il l'est dans le sud.

— Si je reste ici, je suis en sécurité. Si je vais là-bas...

Il montra une sagaie près de lui.

— Non... Shaka a besoin de toi.

— Mais je déteste les batailles. Je ne veux plus de massacres.

Sa voix de soie prenait une telle intensité que Nxumalo fut contraint de le croire et, après six jours de palabres, il se convainquit que Mzilikazi, roi aussi capable que Shaka à bien des égards, n'associerait pas ses forces avec celles des Zoulous.

— Cette fois, Mzilikazi, aucune menace de ma part, dit Nxumalo.

— Les amis ne se menacent pas. Mais comme je sais que tu as entendu mes raisons, je vais te faire un présent. Regarde.

On écarta les peaux de lions décorant le kraal (luxe que jamais Shaka ne se serait permis), ce qui révéla une jeune fille de vingt ans, souple et délicate, prête à accompagner Nxumalo.

— Shaka pensera que tu m'as offert ce présent parce que je n'ai pas discuté avec assez d'âpreté.

— Shaka savait que je ne me joindrais pas aux Zoulous. Il comprendra ce présent, répondit Mzilikazi.

Debout près de la belle jeune fille, Nxumalo regarda longuement ce roi étrange, si différent du sien. Shaka était grand, dur comme l'airain et très mince. Mzilikazi semblait prendre de la graisse et se ramollir. Quand Shaka parlait, la terre semblait s'aplatir, soumise ; Mzilikazi souriait plus souvent qu'il ne fronçait les sourcils et jamais sa voix ne s'élevait sous l'effet de la colère. Surtout, Shaka était un homme brillant, mais violent, distant dans ses rapports, même avec ses amis ; alors que Mzilikazi, franc et ouvert à tous, semblait toujours agir selon la raison. Il était beaucoup trop intelligent pour se laisser prendre au piège par le grand roi des Zoulous et, quand Nxumalo partit vers le sud avec sa quatrième épouse, Nonsizi, il lui dit :

— Nous ne nous rencontrerons plus, Nxumalo. Mais je me souviendrai toujours de toi comme d'un homme de cœur. Dis à Shaka que les négociations sont terminées. Je me tiendrai hors de son atteinte.

Le roi ventru ne se trompait pas : Nxumalo ne le revit jamais, mais il se souvint de lui très souvent et avec des sentiments très chaleureux, car il forçait le respect. Comme Nxumalo le déclara à sa nouvelle épouse :

— Je n'y comprends rien. Mzilikazi a débuté avec son peuple comme une bande de brigands. Maintenant, ils constituent un royaume.

Tous les clans avec lesquels les hommes de Mzilikazi entrèrent en contact au cours de leur grande migration erratique les appelèrent les fugitifs — les Matabélés — et c'est sous ce nom qu'ils allaient demeurer illustres pendant des générations : la tribu qui s'était montrée plus intelligente que Shaka, le roi des Zoulous.

Quand Nxumalo retraversa l'Umfolozi au printemps 1827, il trouva le peuple zoulou sous tension, en proie à la terreur : la Femme-Éléphant était tombée malade et son fils envoyait des messages dans tous les coins du royaume pour voir si quelqu'un avait enfin trouvé une bouteille d'huile de Macassar Rowland pour lui noircir les cheveux et lui prolonger la vie. Un membre du kraal de Nxumalo, voyant le maître rentrer avec une nouvelle femme, se hâta de le prévenir :

— Trois messagers revenus sans huile ont été étranglés. Si tu arrives les mains vides, tu risques d'être tué. Dis-lui tout de suite que tu as entendu parler d'un endroit où on en trouve dans le nord.

— Mais c'est faux.

— Nxumalo, si la Femme-Éléphant meurt, nous aurons de graves ennuis.

— Mais pourquoi mentirais-je à Shaka ? Il apprendra vite la vérité.

Le problème fut résolu par le roi. Malgré son chagrin, il ne parla pas à Nxumalo du liquide magique de Fynn. Ce qu'il désirait, c'était des nouvelles de Mzilikazi.

— Il s'est enfui, lui dit Nxumalo sans ménagements. Il a

craint ta puissance et il savait qu'il ne pouvait résister à tes forces.

— Je ne l'aurais pas combattu, Nxumalo. Je voulais faire de lui notre allié.

Il avait beaucoup d'autres choses à dire : la maladie de sa mère lui rappelait qu'il était mortel lui aussi et le problème de la succession demeurait au centre de ses préoccupations. Mais, au milieu de l'après-midi, tout fut oublié quand un messager tout tremblant vint apporter l'affreuse nouvelle :

— La Femme-Éléphant est morte.

— Ma mère ? Morte ?

Shaka se retira dans sa case et, quand il en ressortit, une heure plus tard, il portait son costume de bataille au grand complet. Le cercle des généraux et des anciens de la nation le regarda, saisi d'angoisse, mais aucun signe extérieur ne trahit la douleur immense qui bouillonnait en lui. Pendant une demi-heure, le grand meneur d'hommes appuya sa tête sur son grand bouclier de peau de bœuf, le regard au sol pour que ses larmes tombent dans la poussière. Enfin, il releva la tête, les yeux fous, pour pousser un unique cri déchirant, comme s'il venait d'être mortellement blessé. L'écho de ce cri parviendrait plus tard jusqu'aux extrêmes confins de son royaume.

Avec Nxumalo et trois généraux légèrement en retrait, il se rendit dans le kraal de sa mère et, quand il vit son cadavre, d'un geste du bras, il ordonna que toutes les servantes soient préparées pour leur dernier voyage.

— Vous auriez pu la sauver, mais vous ne l'avez pas fait.

Quand Nxumalo vit que Thétiwé, sa première épouse bien-aimée, se trouvait parmi les femmes ligotées par les gardes-knobkerries, il s'écria :

— Roi puissant ! Ne prends pas la vie de ma femme.

Mais Shaka le regarda comme si c'était un simple inconnu.

— Elles auraient pu la sauver, répéta-t-il entre ses dents.

— Grâce, Compagnon-de-toutes-les-batailles.

D'un geste brusqué, Shaka saisit à la gorge son général fidèle :

— Ta femme a guéri les yeux de ma mère. Pourquoi n'a-t-elle pas pu la guérir aujourd'hui ?

Et Nxumalo dut garder le silence tandis que les gardes entraînaient la belle Thétiwé. Avec neuf autres femmes, elle partagerait la tombe de Nandi, mais uniquement quand les os de son corps auraient été brisés (tout en laissant sa peau intacte, car la Femme-Éléphant exigeait la perfection dans sa demeure ténébreuse).

La nouvelle de la mort de la mère de Shaka se répandit sur les berges du fleuve comme une traînée de poudre, et les Zoulous, presque comme si d'invisibles pâtres les guidaient, se réunirent pour la pleurer. Les plaintes s'élevaient dans les airs et les lamentations emplissaient les vallées. Les gens jetaient leurs ornements de perles de verre et déchiraient leurs vêtements. Ils lançaient des regards de travers à tous ceux dont les yeux ne débordaient pas de larmes. Le monde était accablé de douleur.

Le reste de ce jour-là et tout au long de la nuit, les gémissements se poursuivirent, jusqu'à ce que la terre elle-même semble saisie d'angoisse. Certains hommes demeuraient en transe, le visage tourné vers le ciel, et répétaient les mêmes lamentations funèbres, d'autres se couvraient le corps de poussière tout en criant sans fin...

A midi, le lendemain, 11 octobre 1827, l'horrible chose commença. On ne put jamais déterminer exactement l'origine de la tuerie, mais un homme, rendu fou par la soif et le manque de sommeil, semble avoir fixé son voisin en criant :

— Regardez-le. Il ne pleure pas.

Des mains volèrent et l'indifférent fut écartelé.

Un homme qui éternua fut accusé de manque de respect à l'égard de la Grande Mère et abattu.

Une femme toussa deux fois et fut aussitôt étranglée par ses propres amies.

La folie fit tache d'huile, la foule se jetait sur toute personne dont le comportement attirait l'attention — et la tuait. Une femme qui ressemblait à la vieille Nandi fut accusée de lui avoir volé son apparence et elle mourut. Un homme qui n'exprimait pas sa douleur assez fort fut abattu à coups de massue.

Et ainsi de suite, tout au long de cette longue après-midi. Les citoyens accablés de chagrin lançaient leurs lamentations en épiant leurs voisins. Cinq cents personnes moururent près de la case de la Femme-Éléphant. Les sentiers étaient jonchés de cadavres et, lorsque le soleil couchant baigna les visages saisis de folie, des espions regardèrent si tous les yeux étaient bien pleins de larmes. Dans le cas contraire, la personne était étranglée :

— Il ne pleurait pas pour la Mère...

Il y eut bientôt mille cadavres, puis quatre mille.

L'épuisement physique poussa certains à s'asseoir et, quand ils le firent, on les abattit — pour irrespect. La chaleur de la journée et le manque d'eau provoquèrent des évanouissements, les corps inconscients furent lardés de coups de sagaie. Certains se rendirent sur le bord de l'Umfolozi pour boire ; quand ils se baissèrent vers l'eau, on les poignarda. Deux malheureux vieillards aux reins déficients furent obligés d'uriner, des coups de lance leur firent expier leur irrévérence.

Des bandes de soldats se mirent à rôder dans toute la région, inspectant chaque kraal pour voir si personne n'avait négligé d'honorer la défunte ; quand ils découvraient des réfractaires, ils mettaient le feu à leurs cases et faisaient rôtir les occupants. Une femme allaitait son enfant :

— Elle allaite, alors que la Grande Mère est morte, cria la foule.

Et la mère et l'enfant furent immolés.

Tout le jour durant, Shaka demeura dans le kraal royal, inconscient de la tuerie. Il reçut toute une file de pleureuses qui tentèrent de le consoler avec des hymnes à la louange de la Femme-Éléphant : leurs corps tremblaient de fièvre, elles se jetaient sur le sol, déchiraient la terre et chacune exprimait une douleur sincère, car Nandi avait réellement été la mère de la nation. Au-delà du kraal, les collines retentissaient de pleurs...

Au coucher du soleil, Shaka se leva :

— C'est fini. La Grande Mère a entendu ses enfants.

Quand il quitta le kraal, il vit pour la première fois l'étendue de la folie. En foulant la terre tachée de sang, il murmura de nouveau :

« C'est fini.

Il ordonna à deux régiments de mettre fin au massacre collectif, mais des bandes indisciplinées s'étaient déjà dispersées très loin dans les campagnes. Agissant de leur propre chef, elles tuaient toute personne ne montrant pas un remords suffisant, même dans des villages reculés où la nouvelle de la mort de Nandi ne pouvait pas être parvenue.

— Vous auriez dû savoir, criaient les fanatiques en brandissant leurs sagaies.

Les Zoulous appelèrent ces trois derniers mois de 1827 la « période sombre » de Shaka et le monde extérieur n'aurait jamais connu l'étendue de cette tragédie si Henry Francis Fynn n'avait pas été l'hôte de Shaka le jour de la mort de Nandi. Il a affirmé avoir vu de ses yeux sept mille cadavres et avoir reçu des rapports éloquents sur la situation dans les campagnes lointaines.

Quand le premier sursaut de douleur s'acheva, Shaka en revint aux procédures normales de deuil national et Nandi reçut tous les honneurs rituels réservés aux grands chefs.

— Pendant une année, aucun homme ne touchera de femme et si une femme se révèle enceinte pour avoir fait l'amour pendant que ma mère gisait sans vie, elle, son mari et l'enfant seront étranglés. De tous les troupeaux de ce royaume, aucun lait ne sera bu ; il sera répandu sur le sol. Aucune céréale ne sera cultivée. Pendant un an, un régiment gardera la tombe : douze mille personnes en état d'alerte constante.

L'hystérie initiale serait canalisée de force par l'obéissance absolue — et de nouveaux êtres humains seraient tués pour avoir bu du lait ou fait l'amour.

Au bout de trois mois d'horreur, les proches de Shaka parvinrent à le convaincre que ces excès mettaient en péril la nation qu'il avait construite avec tant d'intelligence et d'acharnement. Il révoqua tous ses interdits, hormis celui qui condamnait la grossesse, car jamais il n'avait compris les besoins sexuels.

Lors de l'immense cérémonie qui couronna la « période sombre », des pâtres reçurent l'ordre d'amener leurs bêtes, cent mille au total : leurs beuglements seraient le salut final à la Femme-Éléphant. Quand le bétail fut rassemblé, Shaka demanda que l'on présente les quarante plus beaux veaux pour le sacrifice. On fit avancer les jeunes animaux devant lui, on leur arracha la vésicule biliaire et on les laissa mourir.

— Pleurez ! Pleurez ! cria-t-il. Que les animaux eux aussi sachent ce qu'est le chagrin.

Puis il inclina la tête et le contenu des quarante poches de fiel fut déversé sur lui, pour le purifier des forces du mal qui avaient précipité la mort de sa mère.

Les devins et les guérisseurs, à l'affût de toute occasion de rétablir leur autorité, voulurent profiter de la mort de Nandi pour diminuer l'emprise du roi.

— Nous savons ce qui a provoqué sa mort, Lion puissant. Un chat est passé devant sa case.

Shaka écouta avec avidité les devins lui révéler tous les charmes ténébreux lancés par les femmes qui possédaient des chats. A la fin du réquisitoire, le roi rugit :

— Que l'on amène toutes les femmes ayant des chats !

Quand elles furent rassemblées (une des épouses de Nxumalo était du nombre), il se mit à les invectiver pour qu'elles lui révèlent quels poisons elles avaient répandus par l'entremise de leurs chats. Terrifiées, abasourdies, les femmes ne purent fournir de réponses sensées. Il ordonna qu'on les abatte et elles furent abattues. Il y en avait trois cent vingt-six.

Un matin, Shaka prit Nxumalo à part, pour tenter de renouer l'amitié dont il avait besoin.

— Je suis désolé, mon guide fidèle, que Thétiwé et l'autre épouse soient mortes. C'était nécessaire.

Nxumalo acquiesça, rendant hommage au pouvoir du roi.

« Je t'avais donné ces femmes, insista Shaka. J'avais le droit de les reprendre.

De nouveau, Nxumalo inclina la tête et Shaka dit :

« J'ai voulu que le monde voie à quel point un fils pouvait aimer sa mère.

Et ces paroles marquèrent le début de la tragédie finale, car, quand le roi se risqua à assurer à son ancien ami que désormais tout irait pour le mieux entre eux, Nxumalo ne prêta pas l'oreille à ses paroles, mais songea à un souverain plus doux, loin dans le nord, auprès de qui il pourrait trouver refuge. Shaka remarqua l'absence de réaction de Nxumalo et ce fut l'origine de la disgrâce du seul homme qui aurait peut-être pu le sauver.

Ironie du sort, Shaka décida d'écarter Nxumalo au moment précis où ce dernier était le plus nécessaire, car les Zoulous commençaient à se rendre compte que la prospérité de leur jeune nation reposait sur les épaules d'un homme sujet à de graves sautes d'humeur. Ils comprenaient aussi que Shaka, n'ayant pas de fils, resterait sans héritiers directs et que, s'il mourait au cours d'une de ses crises, le royaume partirait à la dérive.

La malchance joua également contre lui. En effet, si la Femme-Éléphant l'avait poussé sur le chemin de la gloire, une autre femme, tout aussi résolue, allait maintenant s'efforcer de le détruire. Mkabayi, la sœur de son père — dont le nom signifiait « chat sauvage », ce qui semblait de mauvais augure —, nourrissait un ressentiment implacable à l'encontre de Shaka depuis qu'il avait usurpé le trône zoulou. Voyant le royaume en plein désordre, elle insuffla son venin à deux demi-frères de Shaka. Dingané et Mhlangana commencèrent à se réunir en secret avec elle et, après quelques discussions stériles, comprirent qu'ils n'arriveraient à rien sans l'appui d'un chef militaire. Le fait que Nxumalo ait perdu deux épouses — tuées sur les ordres de Shaka — faisait de lui un candidat éventuel.

Les frères devaient prendre des précautions pour lui faire des avances, car, au moindre signe de trahison, Shaka les tuerait tous. Dingané, qui était intelligent et rusé, lui demanda :

— Nxumalo, n'as-tu jamais songé que le roi était peut-être fou ?

Nxumalo espérait depuis un certain temps que quelqu'un lui ferait une ouverture de ce genre, mais, ne connaissant pas le fond de la pensée des deux frères, il devait se montrer prudent lui aussi.

— Vous avez vu comment, lors du châtiment des Langénis, il a oublié qui j'étais...

— Donne-nous un conseil sans détours. Si quelque chose arrivait au roi — je parle de ses crises de bile —, est-ce que les iziCwés réagiraient violemment ?

— Mes hommes adorent leur roi.

— Deux de tes femmes... n'ont-elles pas été... exécutées ?

La manière détournée dont Dingané posait ses questions ne lui plaisait guère, aussi Nxumalo demeura-t-il encore évasif :

— Shaka m'a donné trois femmes. Il m'a dit qu'il avait le droit d'en reprendre deux.

Les frères comprirent que Nxumalo avait envie de se joindre à eux, mais ne voulait pas se découvrir, aussi Dingané dit-il carrément :

— Il faut que tu le saches : les devins te désigneront au prochain rassemblement.

Nxumalo leva vers lui un regard incrédule et Dinganė chuchota :

« Un chasseur d'esprits m'a dit : « Ce Nxumalo... Deux épouses mortes, c'est un mauvais présage. » Les tiges de bambous qui t'embrocheront sont en train de durcir au feu. Avant la fin de l'année, tu te balanceras à une branche d'arbre en hurlant.

Nxumalo interpréta cette conversation comme un invitation à prendre les armes contre le roi — et il ne se trompait pas. Mais, bien que son allégeance à l'homme Shaka ait commencé à faiblir, la tradition de soumission à l'idée de royauté demeurait très forte en lui et il était incapable de l'abandonner à la première occasion. Non sans audace, car il savait que les frères se croiraient peut-être obligés de le tuer pour protéger leur secret, il répondit à Dingané :

— Je sais que vous complotez. Et je le comprends. Ce que m'a fait Shaka m'a brisé le cœur et je hais ses coups de folie. Mais je suis général et je ne peux pas...

Ce fut un instant d'angoisse, où les vies étaient en suspens, mais les frères durent prendre le risque, car, pour que leur conspiration réussisse, il leur fallait le concours de ce général.

— Serais-tu capable d'oublier que nous t'avons parlé, Nxumalo ?

— En tant que soldat, je ne peux agir contre mon roi, mais je sais qu'il détruit la nation. Je garderai le silence.

Quand il partit, les deux frères sourirent, car ils étaient sûrs que Shaka se livrerait un jour ou l'autre à de nouveaux outrages, qui lui aliéneraient Nxumalo lui-même. Le roi était désormais condamné à une mort violente.

Shaka sentit que l'évolution de la situation lui imposait de maintenir son armée en campagne. Il avança donc dans de nouveaux territoires, loin vers le sud, en direction des Xhosas, et, pour la première fois, ses régiments n'obtinrent qu'un succès mitigé. Il dut exécuter pour lâcheté davantage de guerriers que d'habitude. Sans permettre à son armée le moindre repos, il l'envoya précipitamment vers de nouvelles terres du nord et, de nouveau, ce fut la défaite.

— Où est Nxumalo ? cria le roi saisi d'angoisse.

— Avec son régiment, dit un des gardes-knobkerries qui

ne voulait pas irriter Shaka davantage en lui rappelant qu'il avait ordonné de jeter son ami en prison.

— Jamais ici quand j'ai besoin de lui... Et Fynn qui ne m'apporte pas l'huile magique, ajouta-t-il presque en larmes. Il reste tant de choses à accomplir, il ne faut pas que je meure...

Et ses exécuteurs publics psalmodièrent :

— Immortel-vainqueur-du-rhinocéros, Impavide-chasseur-du-léopard, tu ne mourras jamais.

— Qu'est-ce que la mort ? demanda le roi d'une voix déchirante. Et, avant de répondre, dites-moi : qu'est-ce que la vie ?

Quatre courtisans qui avaient l'habitude de hocher la tête gravement à tout ce que le roi disait furent soudain saisis par la garde-knobkerrie. On en plaça deux à la gauche de Shaka et les deux autres à sa droite.

« Tuez ceux-ci, dit le roi.

Et les deux courtisans de gauche périrent.

« Ils sont la mort, dit Shaka. Et ceux-là sont la vie. Dites-moi : quelle est la différence ?

Le sinistre tableau demeura tel quel et, pendant trois heures, il le regarda et il médita. Puis il bondit soudain en l'air et rugit :

« Allez me chercher les femmes qui étaient enceintes avant mon édit.

On traîna en sa présence plus de cent femmes, à tous les stades de la grossesse. Avec des couteaux pointus, il se mit à leur ouvrir le ventre pour voir de ses yeux comment la vie évoluait. Tandis qu'il poursuivait ses études sur les femmes suivantes, les premières mouraient dans un coin.

Quand la nouvelle de cette expérience affreuse fit le tour des kraals, répandue par les maris des victimes, Dingané exulta :

— Maintenant, Nxumalo sera avec nous !

Il entraîna son frère vers le kraal où Nxumalo était détenu et dit à ce dernier :

« Shaka a arrêté Nonsizi. Il va la découper en morceaux.

— Quoi ?

Tel un vieil éléphant mâle balayant tout sur son passage, Nxumalo bondit hors du kraal pour sauver la belle épouse que

Mzilikazi lui avait donnée en présent. Et comme il courait sans savoir où, affolé, Dinganè lui dit :

— Par ici !

Il lui montra le kraal de Shaka.

Nxumalo arriva juste à temps pour voir les gardes-knobkerries allonger la cent sixième femme enceinte sur la table de Shaka — et comme Dinganè l'avait annoncé, c'était Nonsizi, la Matabélé.

— Shaka... C'est ma femme ! cria Nxumalo.

Mais, d'un signe de tête impatient, le roi ordonna à sa garde de faire cesser cette interruption.

« Shaka, répéta Nxumalo, c'est Nonsizi, mon épouse.

Le roi leva les yeux. Il était comme saisi de stupeur et il ne reconnut pas son général.

— Elle ne peut pas être ta femme, dit-il. Toutes les femmes m'appartiennent.

Et, tandis qu'on liait les poings de Nxumalo, le roi disséqua Nonsizi, puis se précipita vers les trois dernières femmes en criant :

— Maintenant, je vais savoir. Je n'aurai pas besoin de l'huile à cheveux.

En cet instant horrible, au milieu des cris des agonisantes, tout vestige d'allégeance ou de soumission disparut du cœur de Nxumalo et, dès qu'il put se libérer, il rejoignit les frères du roi.

— Il faut tuer Shaka, dit-il.

— Nous savions que tu te joindrais à nous, répondirent Dinganè et Mhlangana.

Et ils l'entraînèrent chez leur tante, Mkabayi, le Chat sauvage.

— Il faut frapper le tyran tout de suite, dit-elle sans trembler.

Et ce fut sa force de caractère, associée à celle de Nxumalo, qui scella le destin du roi. En effet, si l'âme du complot avait été Dinganè, Shaka aurait échappé à la mort : dès que cet homme versatile se rendit compte qu'il devrait réellement poignarder le roi, il se mit à hésiter. Mais Nxumalo le saisit par les colliers qui pendaient à son cou et chuchota entre ses dents :

— Nous le tuerons ensemble. Tous les trois. Il faut le supprimer.

Soumis depuis toujours, Nxumalo se soumettait maintenant aux impératifs de la nation zoulou.

Mais il devait encore affronter deux dernières épreuves, dont l'une ne manqua pas d'ironie amère. Dans un kraal proche du sien, où le roi gardait environ quatre cents de ses femmes, se trouvait une jeune fille nommée Thandi qui avait servi quelque temps dans un régiment féminin avant que le roi ne la choisisse comme épouse. Un jour, pendant un temps mort au milieu des manœuvres, Nxumalo l'avait rencontrée tandis qu'elle se reposait près de l'Umfolozi et ils s'étaient invités mutuellement à profiter des plaisirs de la route. Par la suite, Thandi s'était plusieurs fois arrangée pour se trouver au voisinage des iziCwés et, à deux reprises, prenant un risque terrible, ils avaient fait réellement l'amour, avec bien entendu la possibilité qu'elle soit enceinte.

Nxumalo la trouvait si ravissante et si spontanée dans ses attitudes qu'il s'était mis à accumuler du bétail pour payer sa lobola — mais le roi, soudain, l'avait choisie pour épouse. Fidèle à ses habitudes, Shaka lui rendit rarement visite ; en plusieurs années de mariage, il ne passa que la moitié d'une soirée à bavarder avec elle : il s'était vanté de ses prouesses au combat, elle l'avait écouté attentivement, répétant à plusieurs reprises : « Comme vous avez été brave ! », puis elle ne l'avait jamais revu. Cette brève rencontre était censée suffire pour les cinquante années qu'elle passerait encore dans le kraal royal.

Par l'entremise de servantes, elle fit savoir à Nxumalo qu'elle était prête à braver la pire mort s'il acceptait de s'enfuir avec elle vers un refuge moins détestable. Et un soir, tandis qu'il ruminait ce projet, Nxumalo songea soudain à toutes les belles femmes emprisonnées par Shaka et maintenues dans une servitude stérile. Tant d'années gaspillées ! N'était-ce pas l'un des pires méfaits du roi ? Il décida, puisqu'il devait de toute façon tuer Shaka avec les autres, de mettre sa vie triplement en danger en dérobant une des épouses du roi. Il conçut ses plans en grand secret et, quand Thandi vint hardiment à la clôture du kraal lui adresser un sourire qui indiquait son consentement, il eut le sentiment qu'une nouvelle vie commençait pour lui.

Le lendemain survint l'épreuve la plus sévère, car le roi le convoqua à l'improviste et, au moment où Nxumalo pénétra dans le kraal royal, s'avança vers lui avec des larmes dans les yeux et avoua :

— Oh, Nxumalo ! Dans ma folie, j'ai songé à envoyer les chasseurs de sorciers contre toi, mais je vois maintenant que tu es mon seul ami. J'ai besoin de toi.

Avant que Nxumalo ait eu le temps de répliquer, le roi le conduisit vers un endroit frais et partagea avec lui une gourde de bière. Puis, prenant les deux mains de Nxumalo dans les siennes, il lui dit :

« Mes frères complotent contre moi.

— C'est invraisemblable.

— Mais c'est la vérité. J'ai rêvé que j'étais mort. C'est Dingané. Je l'ai vu chuchoter. Je t'assure : ce n'est pas un homme à qui l'on peut se fier.

— Il est de sang royal. C'est ton frère.

— Mais puis-je lui faire confiance ?

Sans attendre de réponse, Shaka soupira.

« Je suis maudit, dit-il. Je n'ai pas de fils. Personne à qui me fier. Je vieillis et l'huile magique ne vient pas.

Nxumalo n'éprouvait plus aucune sympathie pour ce massacreur de femmes, mais la réponse qui lui vint à l'esprit était trop dangereuse pour qu'il la laisse franchir ses lèvres : « Shaka, tu aurais pu avoir des vingtaines de fils. Si, il y a neuf ans, tu avais accepté Thétiwé au lieu de me l'abandonner, tu aurais maintenant six fils... »

De nouveau, Shaka prit les mains de Nxumalo.

« Tu es le seul guerrier sincère et honnête de ce pays. Promets-moi de veiller sur ton roi.

Nxumalo regarda cet homme bouleversé, ce géant violent dont la folie avait corrompu le règne. Pris de pitié, il tenta de trouver des paroles qui lui permettraient de prendre congé, mais, saisi de remords, le roi s'écria :

« Oh, Nxumalo, j'ai eu tort de tuer tes femmes. Pardonne-moi, vieil ami. Je les ai toutes tuées et je n'ai rien appris.

— Tu es pardonné, dit Nxumalo d'une voix nouée.

Il s'inclina profondément et quitta le kraal royal. Il rentra, au vu de tous, dans son propre kraal, puis se glissa dehors pour aller rejoindre le Chat sauvage, qui donnait à ses neveux ses instructions pour le meurtre.

« Shaka connaît vos intentions ! leur dit-il. Il va vous tuer.

Bien que de sang royal, Dingané n'était pas Shaka. Il

n'avait pas son courage et, comme l'avait dit le roi, on ne pouvait se fier à lui.

— Qu'allons-nous faire ? demanda-t-il.

— L'exécuter tout de suite.

— Tout de suite ? répéta Dingané en se tournant vers son frère.

— Oui, insista Nxumalo.

Ils frapperaient tous les trois, au crépuscule, lorsque le roi se séparerait de ses gardes-knobkerries.

« Je vais chercher ma sagaie, dit Nxumalo.

Mais, sur le chemin de son kraal, il se mit à réfléchir. Dingané avait modifié leur plan, de telle sorte que Nxumalo serait le seul des conjurés que verraient toutes les personnes présentes. Cela signifiait qu'à l'heure des troubles on pourrait abandonner à la foule prise de folie le misérable roturier qu'il était. « Cela ne se passera pas ainsi, Dingané », se dit-il. Et il détourna ses pas vers le kraal des femmes où Thandi attendait de ses nouvelles. Il lui demanda d'essayer de s'échapper dans l'heure et de se préparer à fuir vers le nord.

Ensuite, il rentra chez lui et dit à sa dernière épouse :

— Sois prête à partir à la tombée de la nuit.

Elle ne lui demanda ni pourquoi ni où ils iraient, car, comme les autres, elle avait compris qu'il serait bientôt empalé. Sa survie dépendait de celle de son mari et sa seule chance de salut était de se fier à lui.

Quand le soleil se mit à décliner, le 22 septembre 1828, les trois conspirateurs déloyaux se rencontrèrent comme par hasard, vérifièrent mutuellement que leurs sagaies-glaives étaient prêtes, puis s'avancèrent comme des suppliants désireux de présenter une requête à leur roi et frère.

— Mhlangana, que désires-tu ?

La réponse fut une sagaie dans la poitrine de Shaka.

« Dingané. J'ai toujours su que tu trahirais...

Une deuxième sagaie jaillit.

Puis Nxumalo, le conseiller fidèle, plongea sa sagaie dans le flanc de Shaka.

« Mère ! Mère ! cria le grand roi.

Il étreignit le vide, tenta de se redresser, sa tête tourna, il tomba à genoux.

« Nandi ! pleura-t-il. Les enfants de mon père sont venus me tuer.

Puis, voyant le sang couler de ses blessures, il perdit toutes ses forces et bascula en avant en criant :
« Mère !
C'était par amour pour elle qu'il avait construit un puissant royaume.

Dans la confusion et l'affolement qui suivirent l'assassinat, Nxumalo, accompagné par sa dernière épouse, don de Shaka, et par la belle Thandi, traversa l'Umfolozi à la hâte et prit la direction du nord-ouest. Il espérait rejoindre son ami Mzilikazi, dont on disait qu'il édifiait un nouvel empire pour ses Matabélés fugitifs.

Quatre enfants les accompagnaient, deux de Thétiwé, la première épouse, et deux de la deuxième, morte parce qu'elle possédait un chat. Ils emmenaient un petit troupeau de bétail, quelques ustensiles de cuisine et rien d'autre. Quatre autres fugitifs se joignirent à eux : en tout, onze personnes prêtes à vivre et à mourir au gré des accidents et des peines de l'exode.

A la fin de la première semaine, ils étaient devenus une bande résolue, habile à improviser les armes et les outils nécessaires aux errances sans fin qui les attendaient. Ils avançaient lentement, s'arrêtant dans les refuges qui leur paraissaient sûrs. Ils s'approvisionnaient très bien. Thandi, la plus jeune, était particulièrement douée pour chaparder dans les kraals près desquels ils passaient. Grâce à elle, la famille ne manquait jamais de nourriture.

Ils mangeaient de tout, ils tuaient tous les animaux qu'ils pouvaient et ils ramassaient des baies et des racines comme les petits rongeurs des forêts. A la fin du premier mois, ils étaient devenus un groupe très soudé et dangereux. Quand un des hommes s'empara d'une femme dans un petit village, ils furent douze.

Comme des milliers de Noirs sans foyer à la même époque, ils n'avaient que deux idées : fuir la vie qu'ils avaient connue et mettre la main sur tout ce qui leur permettrait de subsister. Nxumalo espérait retrouver Mzilikazi et prendre du service auprès de ce roi qui promettait à presque tous égards d'être supérieur à Shaka.

— Pas aussi bel homme, dit-il à ses épouses, et pas aussi brave au combat, mais, pour le reste, un roi remarquable.

De temps à autre, malgré les dangers que cela impliquait, la petite famille s'arrêtait dans un kraal. Ils apprirent ainsi que Mzilikazi s'était enfoncé très loin vers l'ouest et ils se lancèrent sérieusement sur ses traces.

Bientôt, ils apprirent le sens du mot *Mfécané* — l'écrasement, les migrations désolées —, car ils arrivèrent dans une région de vingt-cinq kilomètres de largeur et s'étendant sans fin, où toute chose vivante avait été détruite. Il n'y avait ni kraals, ni murs, ni bétail, ni sauvagines, et bien entendu aucun être humain. Peu d'armées, au cours de l'histoire, ont provoqué une désolation aussi totale. Et si Nxumalo et sa famille n'avaient pas emmené de nourriture avec eux, ils auraient péri.

Puis ils commencèrent à voir des signes indiquant que des centaines de personnes avaient été abattues et leurs cadavres abandonnés; des ossements humains s'alignaient sur des kilomètres. Nxumalo songea : même les pires massacres ordonnés par Shaka ne peuvent se comparer à une désolation pareille. Il se demanda quelle espèce de monstre assoiffé de sang avait perpétré ces ravages.

Il ne le découvrit que six mois plus tard. Poussé par l'instinct de conservation, il ramena sa famille vers l'est et, à marches forcées, quitta la large bande de terre où régnait la destruction totale. Il se retrouva dans une région boisée arrosée de rivières, où seuls les kraals avaient été détruits, non la nature elle-même. Une après-midi, il tomba sur les premiers survivants humains : une famille de trois personnes. Ils vivaient dans les arbres, car ils n'avaient aucune arme pour se défendre contre les nombreux animaux sauvages qui rôdaient autour d'eux chaque nuit. Ils étaient si affaiblis qu'ils pouvaient à peine parler, mais l'un d'eux murmura un mot qui stupéfia les voyageurs :

— Mzilikazi.

— Qui le poursuivait ? demanda Nxumalo.

— Personne. C'est nous qui étions poursuivis.

— Par Mzilikazi ?

— C'est un monstre. Un monstre dévoreur de vies.

— Donne-leur à manger, dit Thandi. Ne leur pose pas de questions tant qu'ils meurent de faim.

Les hommes de Nxumalo tuèrent donc une antilope pour les malheureux. Ils la dévorèrent comme des bêtes. L'enfant engloutissait la viande crue tout en protégeant sa part en la recouvrant de ses bras et de ses jambes. La famille retrouva peu à peu sa condition humaine et Thandi permit à Nxumalo de les interroger de nouveau.

— Ce n'est sûrement pas Mzilikazi qui a fait ça, leur dit-il.

— Il a tout massacré — les arbres, les chiens, les lions et même les nénuphars.

— Mais pourquoi ? demanda Nxumalo, incapable de comprendre ce qu'il entendait.

— Il a rassemblé notre groupe de kraals. Il nous a dit qu'il voulait notre bétail. Nous avons refusé. Le massacre a commencé.

— Mais pourquoi détruire tout le monde ?

— Nous avons refusé de nous joindre à son armée. Quand nous nous sommes enfuis, il n'a même pas envoyé ses soldats à notre poursuite. Peu leur importait. Ils étaient trop occupés à tuer les hommes qu'ils avaient sous la main.

— Mais dans quel but ?

— Sans but. Nous n'étions pas utiles à son armée en mouvement. Et, sur ses arrières, nous risquions de provoquer des troubles.

— Vers où se dirigeait-il ?

— Il ne le savait pas — c'est ce que disaient ses soldats. Ils avançaient, c'est tout.

Après une longue conversation avec les hommes de son groupe ainsi qu'avec ses femmes, Nxumalo décida de permettre à la famille de se joindre à eux. L'homme pourrait participer à la chasse et l'enfant serait utile à l'avenir. Mais à peine le groupe élargi était-il en chemin depuis trois jours que l'homme mourut. Nxumalo supposa que l'un de ses propres hommes l'avait tué, car la femme fut prise en charge immédiatement par cet homme — sans la moindre protestation de la part de la veuve.

Après plusieurs semaines de voyage, ils tombèrent sur la pire de toutes les horreurs. Ils avaient franchi des kilomètres et des kilomètres de désolation totale — quinze kraals sans le moindre signe de vie, même pas une pintade —, lorsqu'ils rencontrèrent un petit groupe de gens vivant dans une case à demi détruite. Après un examen sommaire, Thandi rejoignit Nxumalo en tremblant.

— Ils se sont mangés entre eux.

Ce clan misérable était dans un état si lamentable qu'ils avaient eu recours au cannibalisme. Chacun se demandait quelle serait la prochaine victime et de quelles mains il mourrait.

Pour ces êtres déshérités, il ne restait aucun espoir. Nxumalo se refusa à entrer en relation avec eux — ils étaient intouchables. Il voulait les abandonner purement et simplement à leur malheur, mais Thandi intervint :

« Nous devons rester. Leur fabriquer des armes pour qu'ils puissent tuer des animaux. Et nos hommes doivent ramener une antilope pour qu'ils puissent apaiser leur faim.

Et, sur son insistance, le groupe fit halte et les hommes allèrent chasser. Au bout de quelque temps, les cannibales, au nombre de quatorze, reprirent des forces grâce à la viande de l'antilope et purent de nouveau songer à se nourrir avec leurs sagaies. Mais, malgré les prières de Thandi, Nxumalo ne permit pas à ce clan de se joindre à son groupe et, quand la famille partit vers le nord, les anciens cannibales demeurèrent à l'orée de leur village désolé et les suivirent des yeux avec des expressions étranges.

Beaucoup plus tard, les signes de destruction diminuèrent, puis cessèrent. Les armées de Mzilikazi avaient obliqué brusquement vers l'ouest et Nxumalo leur en sut gré, car cela signifiait qu'il pourrait désormais continuer vers le nord sans courir le risque de rattraper les dévastateurs ou d'être pris au cours de l'une de leurs razzias éventuelles vers l'arrière. Bien entendu, ce nouveau pays ne contenait personne, car Mzilikazi avait massacré tous les hommes — par centaines —, mais il n'y avait pas eu de dévastation générale et les animaux sauvages étaient revenus.

Enfin, après plus d'une année d'errance et quatre enfants de plus (deux pour les femmes de Nxumalo et deux pour les autres femmes), ils arrivèrent près d'une chaîne de collines basses qui ressemblait beaucoup aux régions les plus avenantes du pays zoulou — sauf qu'aucune rivière ne la traversait. Il y avait cependant de petits ruisseaux et Nxumalo envisagea bientôt de s'arrêter près de l'un d'eux pour construire son kraal. Puis, un jour, au débouché d'une vallée, il aperçut deux collines en forme de seins de femme et il vit en elles le symbole de toutes ses joies passées et de tous ses rêves d'avenir : l'amour profond qu'il avait porté à Thétiwé, sa première épouse; la tendresse qu'il avait ressentie pour la deuxième, tuée à cause d'un chat; la passion qu'il avait vécue avec Nonsizi la Matabélé; et tous les plaisirs que lui donnaient ses deux épouses survivantes, qui avaient accepté sans une plainte toutes les peines du voyage. Ses six enfants étaient en bonne santé et les hommes qui s'étaient joints à lui dans sa fuite s'étaient rendus indispensables. La famille méritait une halte. Le cœur plein d'espoir, il gravit le col entre les deux collines. Depuis le point le plus élevé, ses yeux se posèrent sur un lac et il distingua, non loin, la tombe du Hottentot Dikkop, enterré soixante ans auparavant par Adriaan Van Doorn le vagabond.

— Des hommes ont vécu ici, dit-il.

Et, d'un pas léger, il conduisit son clan vers le bas de la colline pour prendre possession du territoire.

Le Mfécané qui dévasta tout le sud-est de l'Afrique dans les premières décennies du XIXe siècle produisit des excès qui influèrent de façon déterminante sur le développement de cette région immense.

Les dévastations des deux rois, Shaka le Zoulou et Mzilikazi le Matabélé, mirent en branle des forces destructrices qui provoquèrent en un temps très bref la mort de quantités énormes de gens. Les chroniques défavorables aux Noirs évaluent à deux millions le nombre des morts en dix ans, mais, étant donné la population probable de la région à l'époque, ce chiffre semble ridiculement élevé. Quelle que fût la perte — et il y eut sûrement plus d'un million de morts —, elle était irrémédiable et elle rend compte en partie de la défense relativement faible que les Noirs survivants opposèrent quelques années plus tard à l'invasion de leur territoire par les Blancs armés de fusils. La famine, le cannibalisme et la mort succédèrent à la dévastation par les armées, et des bandes de renégats errants rendirent toute vie policée impossible. Des clans entiers qui avaient connu de longues périodes de paix et de prospérité furent éliminés.

Le principal responsable de cette désolation ne fut pas Shaka, dont les victoires demeuraient militaires au sens classique du terme, avec un nombre encore compréhensible de vies sacrifiées. Ce fut en réalité Mzilikazi, qui inventa la politique de la « terre brûlée » et qui l'appliqua sans le moindre remords. Pourquoi massacra-t-il avec tant de constance ? On ne saurait l'expliquer. Rien dans sa personnalité extérieure n'indiquait qu'il suivrait une ligne d'action aussi horrible, et il le fit, semble-t-il, sans aucune nécessité militaire. Peut-être a-t-il tué parce qu'il cherchait à protéger sa petite bande et que le moyen le plus sûr était d'éliminer toute opposition en puissance. Les jeunes hommes et les enfants mâles furent pris pour cibles, pour qu'avec l'âge ils ne songent pas à se venger des Matabélés...

Ce massacre généralisé ne semble pas avoir modifié la personnalité de Mzilikazi. Ses manières ne devinrent pas brutales, jamais il n'éleva la voix ou ne s'abandonna à la colère. Le jeune pasteur anglais nommé en 1829 à Golan pour remplacer Hilary Saltwood n'y demeura que peu de temps, puis, comme son prédécesseur, se sentit appelé par Dieu dans les dangereux territoires du nord, où il devint un ami permanent de Mzilikazi. Après la fin du Mfécané, il a écrit sur lui des lignes admiratives :

> Le roi est un homme aimable de taille moyenne, gras et jovial, d'un tempérament serein faisant croire qu'il n'a jamais connu d'événements graves ou de dangers. Il parle toujours à voix basse et il est plein d'égards pour tous. Il s'est montré très désireux de coopérer avec les Blancs. Il m'a dit qu'il souhaitait voir des missionnaires venir dans ses domaines, parce qu'il s'était toujours senti chrétien de cœur, bien qu'il n'ait rien pu connaître de notre religion au cours de son enfance. De fait, il m'a donné, pour notre mission, un des plus beaux terrains de sa capitale et il a envoyé ses propres soldats m'aider à construire le temple. Ses détracteurs ont essayé de me mettre en garde, prétendant que les manières douces de Mzilikazi dissimulaient un cœur cruel, mais je ne peux pas le croire. Il a certainement participé à des batailles, mais, autant que j'aie pu l'apprendre, il s'est toujours conduit avec droiture et je le considère comme le meilleur des hommes que j'ai rencontrés en Afrique, qu'ils fussent anglais, boers ou cafres.

Ce serait une erreur de croire que Mzilikazi et Shaka furent personnellement responsables de toutes les morts du Mfécané. Dans plus d'un cas, ils se bornèrent à mettre en branle de vastes mouvements centrifuges de population, qui aboutirent à l'extermination de tribus mineures à de très grandes distances du pays zoulou. Si la « théorie des dominos » de réaction interclanique et intertribale aux stimuli a fonctionné un jour, c'est bien au cours du Mfécané. Quelques centaines de Zoulous commencèrent à se répandre dans toutes les directions et, quand ils se déplacèrent vers le sud, ils désorganisèrent les Qwabés, qui partirent eux-mêmes vers le sud et firent éclater les Tembus, qui se lancèrent à l'assaut des Tulis, qui tombèrent sur les Pondos, qui délogèrent les Fugos, qui exercèrent une pression plus forte sur les sages Xhosas, depuis longtemps stabilisés. Au même moment de l'histoire, les trekboers assoiffés de terre commençaient à empiéter sur les territoires que les Xhosas utilisaient depuis longtemps comme pâturages. Pris entre deux rouleaux compresseurs, les Xhosas cherchèrent à se dégager en attaquant des kraals, comme celui de Tjaart Van Doorn, dont les propriétaires exercèrent des pressions sur Le Cap, qui obligea Londres à se poser des questions. Des chaînes de dominos identiques s'effondrèrent dans toutes les directions à mesure que les tribus, s'écartant du centre troublé, dépossédaient leurs voisins de leurs terres ancestrales...

Shaka a massacré des centaines d'hommes avec une férocité impitoyable, c'est un fait historique. Le Mfécané mis en branle par Shaka et Mzilikazi a causé la mort de foules immenses, c'est également un fait. Mais le comportement de ces rois doit être jugé par rapport aux excès que d'autres princes, parfois mieux éduqués et chrétiens, avaient perpétrés le long des côtes de l'océan Indien. En 1502, quand Vasco de Gama, le héros béatifié du Portugal, se prit de colère contre les maîtres de Calicut, il massacra un équipage de trente-huit pêcheurs hindous inoffensifs, il démembra leurs corps et mit leurs têtes, leurs bras et leurs jambes en tas dans un bateau, qu'il envoya dériver jusqu'à la côte en suggérant que le souverain « fasse bouillir le tout pour sa sauce au curry ».

Les résultats du Mfécané ne furent pas tous négatifs, il s'en faut. Quand il se termina, de vastes régions n'ayant connu dans le passé qu'une anarchie primitive se trouvèrent soumises à une organisation. La culture supérieure des Zoulous remplaça de vieilles traditions moins dynamiques. Ceux qui survécurent firent preuve d'une ardeur inconnue auparavant, et acquirent une plus grande confiance en leurs capacités propres. Dans des contrées très lointaines, naquirent des sentiments de loyauté bien ancrés, sur lesquels on put édifier par la suite des États-nations importants.

Par exemple, les Sothos, que Shaka n'attaqua jamais, établirent les bases d'un royaume montagnard connu tout d'abord sous le nom de Basutoland, puis sous celui de Lesotho. Les Swazis se fixèrent dans une redoute facile à défendre, où ils édifièrent leur nation de Swaziland. Une tribu, sous les pressions terribles de Shaka et de Mzilikazi, s'enfuit vers le nord dans le Mozambique et contribua à établir les fondements d'un État qui devait obtenir son indépendance en 1975.

Même en cette année-là, il était impossible de déterminer tous les effets durables du Mfécané, car ce vaste mouvement avait encore des répercussions lointaines. Mais le principal résultat demeurait peut-être la façon dont la nation zoulou s'était forgée sous Shaka : avec au départ une petite tribu de seulement trois cents vrais soldats et deux cents cadets, Shaka suscita en dix ans une expansion si puissante que les Zoulous conquirent une partie importante du continent. En superficie, le royaume zoulou se multiplia par mille ; en population, par deux mille ; mais en importance et en puissance morale, probablement par un million.

Si Shaka était mort avant sa mère, l'histoire se souviendrait de lui comme d'un homme d'État inspiré comme bien d'autres, ayant établi, en accord avec les coutumes grossières de son temps, l'ordre et la discipline dans une nation anarchique. On aurait salué ses réalisations avec respect. Mais il mourut après sa mère et les excès de sauvagerie de sa « période sombre », ajoutés à sa mort héroïque, l'élevèrent au-delà du simple souvenir pour le faire entrer dans la légende.

Dans les coins les plus reculés de l'Afrique australe, des Noirs asservis allaient bientôt rêver du jour où le puissant Shaka reviendrait à leur tête pour les ramener dans les territoires de leurs ancêtres. On magnifia ses prouesses militaires ; on exalta la sagesse de ses décrets. A travers sa stratégie personnelle, Shaka offrit à son peuple une vision.

A Vrijmeer, loin au nord de la puissance des Zoulous et suffisamment au sud du royaume naissant de Mzilikazi,

Nxumalo, un des rares hommes ayant connu intimement les deux rois, s'aperçut en prenant de l'âge que le moment le plus glorieux de sa vie avait été les campagnes où il avait commandé les iziCwés de Shaka, selon leur nouvelle formation corps-bras-tête. Avec ses hommes, le dos tourné à la bataille, il constituait la réserve vitale, attendant que l'ordre suprême soit lancé.

— Quel grand moment ! racontait-il à ses enfants, assis près du lac à l'heure où les animaux descendaient boire. Les sagaies volaient, les hommes hurlaient en tuant l'ennemi, partout la consternation, le tumulte, puis la voix calme de Shaka : « Nxumalo, soutiens l'aile gauche. » Il ne disait rien d'autre. Nous bondissions en criant, les yeux tournés vers la bataille. Oui, nous bondissions comme des springboks pour détruire l'ennemi.

Les enfants avaient l'ordre d'oublier le reste : le meurtre de leurs mères par Shaka ; la sauvagerie de la « période sombre » ; le dénouement terrible le jour où les assassins éliminèrent le roi pour sauver la nation.

« Ce dont il faut vous souvenir, leur dit Nxumalo un soir de 1841, alors qu'il avait des cheveux blancs et que ses enfants prenaient déjà de l'âge, c'est que Shaka était l'homme le plus noble qui ait jamais vécu. Le plus sage. Le plus doux. Et n'oublie jamais, Mbengu : marche la tête haute, parce que autrefois Shaka en personne a été l'époux de ta mère Thandi.

Quand les enfants lui demandèrent pourquoi, s'il aimait tant Shaka, il n'était jamais retourné en pays zoulou, il leur expliqua :

« Vous connaissez les vieilles rumeurs. Dingané aurait assassiné son propre frère Mhlangana, qui l'avait aidé à monter sur le trône. Si nous étions revenus, Dingané nous aurait tous tués. Il a toujours été plein de duplicité.

Il préférait des pensées plus nobles.

« Quand notre nation aura de graves ennuis, Shaka reviendra nous sauver et nous crierons : « Bayete ! » Et si vous êtes des hommes et des femmes de caractère, vous répondrez à l'appel. Alors, la terre des Zoulous tremblera de nouveau sous les pas des guerriers, car il sera à jamais notre guide.

— Mais ne l'as-tu pas tué ? demanda un de ses petits-fils.

Il y a certaines questions qui n'admettent pas de réponses logiques et Nxumalo ne tenta pas de s'expliquer.

Les Voortrekkers

En 1828, Tjaart Van Doorn était à peu près aussi heureux qu'un homme peut l'être. Sa ferme à De Kraal était florissante, sa seconde femme, Jakoba, avait assoupli peu à peu ses manières rudes. Et aucun père de son âge ne pouvait désirer un enfant plus agréable que sa fille Minna. A trente-neuf ans, c'était un homme puissant, ramassé ; sa barbe noire commençait près des oreilles, recouvrait les joues et le menton, mais laissait la lèvre supérieure dégagée. Il portait des vêtements grossiers : un gilet court, une veste de peau de veau, une chemise sans cravate et un pantalon de velours raide, avec un grand rabat remontant à la taille, qui se boutonnait sur sa hanche gauche. Ce pantalon était soutenu par une large ceinture et de grosses bretelles, mais ce qui permettait de le reconnaître sur-le-champ où qu'il fût, c'était son chapeau à fond plat, dont les larges bords inclinés étaient bleu clair en dessous.

Entièrement dominé par son père, le volcanique Lodevicus, il était demeuré très taciturne et on le prenait souvent pour un homme bourru et grincheux au caractère obstiné. La plupart de ses voisins étaient plus grands que lui, mais non plus vigoureux.

Il pouvait se montrer fier de sa ferme ; à partir des bonnes bases établies par son père, il avait amélioré De Kraal à tous égards. L'axe du domaine était toujours la vallée magnifique encadrée de ses collines protectrices, avec le ruisseau abondant qui courait au beau milieu des terres depuis le sud-ouest jusqu'à la cluse du nord-est, avant de se jeter dans la Grand-Poisson quelques kilomètres plus loin.

Tjaart avait obtenu du gouvernement le droit de faire paître au-delà des collines ; et, avec les bénéfices de ses vastes troupeaux, il avait agrandi les bâtiments de torchis et de pierre qui constituaient le cœur de la ferme. La maison avait maintenant une cuisine spacieuse où Jakoba pouvait surveiller la préparation des repas; les serviteurs et les esclaves occupaient une série de huit petites cases reliées entre elles; les veaux disposaient de kraals de pierre sèche; et l'on entreposait le foin dans une vaste grange. Des bâtiments plus petits abritaient les outils agricoles, les aliments du bétail et les perchoirs des poulets.

La ferme, qui comprenait toujours les trois mille six cents hectares d'origine au sein des collines, englobait maintenant six mille quatre cents hectares de plus, bien que Tjaart n'en possédât pas légalement le titre de propriété. Ses « hommes de couleur » chargés de garder les bêtes les utilisaient pour faire paître les bovins et les troupeaux de moutons. Bien qu'il ait rarement disposé de grosses sommes d'argent liquide, il s'était enrichi considérablement et pouvait espérer une vieillesse prospère et tranquille.

Bien entendu, la plupart des Boers protestaient contre l'administration anglaise et les modifications insidieuses apportées à la loi et aux coutumes, mais ces plaintes perdaient tout leur sens du fait que d'énergiques colons anglais partageaient désormais les dangers de la frontière. La vie était très âpre. Comme l'a noté un Anglais dans son journal :

> Mon blé qui promettait beaucoup il y a deux mois, je ne l'ai jamais vu : il est coupé en tas, prêt à être brûlé. La nielle l'a complètement détruit. Mon orge, à cause de la sécheresse et d'une larve qui attaque la feuille, a produit à peine plus que je n'avais semé. Toutes mes autres récoltes ont été saccagées par les chenilles et les pucerons. Le manque d'herbe a tari mes vaches. Une bande de chiens sauvages a tué en une seule nuit vingt moutons sur vingt-sept que j'avais. Ma petite-fille a été piquée par un serpent. Souvent, je songe à mes malheurs, à mon enfant à l'agonie, à mes récoltes ravagées, à mes troupeaux anéantis, et je me dis : « Que la volonté de Dieu soit faite ! Je n'ai pas le courage de m'élever contre une telle accumulation d'infortunes. »

Et toujours les Noirs envahissaient les terres, celles des Boers comme celles des Anglais. Tjaart, *veldkornet** de son district, avait souvent conduit ses hommes à Grahamstown pour aider les colons à repousser ces voleurs de bétail. Au cours de nombreuses actions, il avait combattu au coude à coude avec Richard Saltwood, le marchand d'ivoire, et Thomas Carleton, le maître charron. Il avait reconnu en eux des hommes d'honneur et il les avait invités à des chasses à De Kraal. Saltwood s'était révélé non seulement un bon fusil, mais un invité sympathique, dépourvu de l'affectation qui irritait les Boers chez la plupart des Anglais. Quand il s'en alla à la fin de la dernière chasse, il déclara même à Tjaart :

— C'est sûrement la plus belle ferme que j'aie jamais vue.

Et il tendit à Mevrouw Jakoba deux bouteilles de vin de Trianon qu'il avait mises de côté.

Mais cette camaraderie allait être mise en danger. Lukas de Groot, voisin de Tjaart à trente-cinq kilomètres au nord, s'arrêta un jour en rentrant de la côte sauvage où les colons anglais avaient abordé. Il bouleversa Tjaart en lui montrant un exemplaire du journal de Grahamstown : le Dr Simon Keer, leader des philanthropes de Londres, venait de faire paraître son second livre, *l'Infamie de l'esclavagiste hollandais*, et cette publication allait, à n'en pas douter, provoquer des remous. C'était une attaque violente contre le mode de vie en Afrique du Sud et un appel éhonté aux sentiments du Parlement anglais, pour le pousser à voter les lois que Keer soutenait depuis longtemps.

L'action de Keer se produisit au moment où l'agitation en faveur de l'abolition de l'esclavage gagnait du terrain d'un bout à l'autre de l'Empire britannique ; elle marqua le début de la dernière bataille pour détruire ce que de nombreux Boers considéraient comme un droit accordé par Dieu : à savoir que tous les « hommes de couleur », esclaves ou libres, devaient travailler pour eux six jours par semaine et parfois sept.

Ainsi donc, la grande stratégie de Keer, qui consistait à mener le combat en Angleterre même, avec les armes de la propagande, triomphait de la tactique d'Hilary Saltwood, acharné à chérir et à sauver les âmes sur le terrain, en Afrique. Le conférencier inspiré avait vaincu, avec son éloquence flamboyante, le modeste missionnaire qui avait épousé une de ses ouailles pour prouver qu'il les aimait toutes.

Voici ce que disait Keer dans son nouvel ouvrage :

> L'oppression des « hommes de couleur » libres sous le joug de leurs maîtres boers est un défi à l'équité et tourne en ridicule la justice anglaise. De la naissance à la mort, l'indigène accablé est maintenu en servitude : ses enfants nés dans une ferme boer doivent y faire leur apprentissage, et il est lié par contrat, ainsi que sa famille, à la domination des Boers. Il n'a pas le droit de se déplacer librement dans le pays, il n'est pas égal aux yeux de la loi, rien ne le protège du fouet et de la tyrannie des Boers.

Ces accusations étaient-elles justifiées ? En partie. S'agissait-il d'exagérations grossières ? Très souvent. Mais cette condamnation suscita une loi qui devait modifier radicalement la vie sur la frontière.

— Voyez ce que nous ont fait Keer et ses petits saints ! s'écria de Groot furieux en montrant à Tjaart les nouvelles ordonnances. Les « hommes de couleur », les Hottentots et les Bochimans sont devenus les égaux des Boers. Ils ont autant de droits que nous. Plus d'apprentissage pour les jeunes. Plus de contrat de travail. Ils ne sont pas tenus d'avoir un domicile fixe. Les magistrats ne peuvent plus les condamner au fouet s'ils refusent de travailler. A partir de maintenant, Van Doorn, un « homme de couleur » a autant de droits que moi !

— C'est une erreur terrible ! intervint Jakoba au milieu de la conversation des hommes. Dieu n'a pas voulu les choses ainsi...

Ce que désirait obtenir le révérend Keer, c'était un adoucissement des lois sévères qui accablaient les serviteurs ; ce qu'il obtint en fait, ce fut une désorganisation catastrophique de la société, et Lukas et Rachel de Groot furent les premiers à en subir les conséquences : quand leurs pâtres et leurs laboureurs apprirent leur nouveau statut, vingt d'entre eux (sur trente-six) s'en allèrent. Ils constituèrent une horde de vagabonds errants sans foyer, semblables à ceux qui allaient agresser leur fille.

Pour Lukas, un vrai géant, elle était Blommetjie, « Petite Fleur », une fillette gracile de quatorze ans qui passait le plus clair de son temps parmi les arbres et les fleurs du veld. Les trois hommes la rencontrèrent près d'un petit ruisseau, en train de fredonner doucement. Elle ne rentra pas à la maison pour le repas de midi. En fin d'après-midi, ne la voyant pas revenir, de Groot partit à sa recherche — et trouva une créature sauvage, à l'esprit dérangé, qui se traînait au milieu d'un champ de maïs.

Il laissa l'enfant près de Rachel, ne prononça pas un mot et partit à cheval dans le crépuscule sans demander à personne de l'accompagner. Deux des coupables s'étaient enfuis. Jamais on ne les reverrait dans la région. Mais le troisième, complètement ivre, s'était réfugié dans l'une des cases abandonnées de la ferme de De Groot et, quand le Boer le découvrit, il le traîna dehors et se dressa au-dessus de lui.

— Lève-toi, espèce de diable, dit-il d'une voix menaçante.

L'homme se leva en titubant et lança au baas un regard hébété. Avec un cri déchirant, de Groot épaula son fusil. Aussitôt, l'homme comprit ce qui se passait. Il recula. Une balle le frappa en pleine poitrine. Il s'écroula, à demi mort, et de Groot déchargea sur lui balle sur balle.

En tant que veldkornet, Tjaart dut rendre compte de l'incident et il jura sur l'honneur que le vagabond avait été abattu alors qu'il tentait de s'enfuir après avoir volé du grain. L'affaire en resta là, mais, dans le cœur de De Groot, la blessure ne se referma jamais.

Les saisons passèrent et on cessa de parler de Blommetjie ; on était sûr qu'un jour ou l'autre elle pourrait de nouveau gambader dans le veld... La situation ne s'améliora pas non plus du côté de la main-d'œuvre et, de plus en plus, Tjaart et ses fils devaient sortir avec les troupeaux, exactement comme les Van Doorn de quatre générations plus tôt. Puis, par un jour d'octobre où les fleurs du printemps faisaient du veld un jardin, Tjaart dit, à table :

— Nous irons au prochain Nachtmaal.

A cette nouvelle, les femmes ne dissimulèrent pas leur allégresse ; Jakoba pourrait voir des amies à qui elle n'avait pas parlé depuis deux longues années ; les esclaves qui les accompagneraient pour faire la cuisine auraient l'occasion de rencontrer d'autres esclaves et de préparer leurs plats préférés ; et la petite Minna, âgée de treize ans et déjà soucieuse de se trouver un mari dans cette immensité vide, rêvait tout éveillée d'un beau petit gars nommé Ryk Naudé, dont elle avait fait la connaissance à l'occasion du Nachtmaal précédent.

— J'aurai une robe neuve, maman ? Je ne peux absolument pas y aller avec la vieille.

Et les esclaves, qui adoraient la fillette, se mirent à la tâche (agréable) de lui confectionner une robe capable de rendre des points à tout ce qui se faisait de mieux à Grahamstown : col rabattu, manches amples boutonnées au poignet, volants en bas de la jupe et une impertinence de ligne bien faite pour attirer les regards des jeunes galants. Tandis que les esclaves travaillaient, Tjaart se rendit compte de toute la joie que ressentait sa fille dans cette aventure. Elle n'était pas belle, personne ne pouvait le prétendre, mais c'était une brave gamine, robuste, solide de corps et de tempérament. Le fait qu'elle était illettrée ne voulait pas dire qu'elle fût stupide, car elle pouvait réciter de longs passages de la Bible. Il y avait peu de chose dans le répertoire d'une bonne *vrouw* boer qu'elle fût incapable de faire et, alors que dans la partie occidentale de la colonie les filles de son âge avaient souvent deux ou trois esclaves pour elles seules et ne levaient jamais le petit doigt (sauf pour les renvoyer), Minna était une petite bonne femme industrieuse, habile dans tous les domaines : pour fabriquer le savon et les bougies comme pour filer en laine serrée les toisons des moutons de son père.

Elle avait appris que plusieurs filles dont elle avait fait la connaissance au Nachtmaal précédent étaient déjà mariées, à l'âge de quatorze et quinze ans ; deux d'entre elles étaient déjà mères et il était bien naturel qu'elle s'inquiète de son avenir. En fait, elle n'avait qu'une possibilité : le gars Naudé, d'une ferme lointaine, dans le nord-est ; et chaque soir, quand la famille allait se coucher, elle se demandait si les Naudé assisteraient au Nachtmaal cette année... Un soir où Tjaart avait du mal à trouver le sommeil, il l'entendit renifler et entra dans sa chambre :

— Qu'est-ce qui ne va pas, Minnatjie ?

— J'ai rêvé que c'était déjà Nachtmaal et que Ryk Naudé ne venait pas.

— Ne t'en fais pas, petite, Lukas de Groot m'a promis de parler à Ryk.

— Oh, papa...

Le fait que son père ait devancé son inquiétude sans rien lui dire était si inattendu — et si agréable ! Elle lui prit la main dans le noir, la porta à ses lèvres et l'embrassa.

« Quel Nachtmaal nous allons avoir ! Et avec une robe neuve...

Touché par la gratitude enfantine de la fillette, il se pencha et l'embrassa deux fois.

— Tu croyais que nous oublierions l'essentiel, ta maman et moi ?

Les jours suivants furent marqués par une série d'abattages et par les premières phases de la confection de quantités de *biltongs* * pour le voyage à Graaff-Reinet, à cent quarante-sept kilomètres au nord-ouest. Tjaart possédait trois chariots de transport, longs véhicules à fond plat qu'il entretenait avec soin pour les voyages au marché, mais le chariot de la famille était une vieille guimbarde disloquée de partout. Tandis qu'on la lavait et la graissait, Tjaart donna ses ordres aux serviteurs pour les travaux de la ferme en son absence et pour les soins à sa mère, Ouma Wilhelmina, qui resterait à De Kraal.

Quand tout fut prêt, un colon anglais arriva à bride abattue, avec une nouvelle contrariante : une bande de Xhosas avait traversé la Grand-Poisson et commettait des déprédations. Le messager leur apprit que Lukas de Groot rassemblait des Boers dans le nord et rencontrerait Tjaart à mi-chemin de Grahamstown pour former un commando important.

Sans hésiter, Tjaart monta en selle, ordonna à quatre de ses « hommes de couleur » de se joindre à lui et partit au galop vers l'est. En comptant la grande bataille de 1819 où il avait contribué au sauvetage de Grahamstown, c'était la sixième fois qu'il se réunissait avec ses amis boers pour régler des troubles de frontière.

Les Boers avaient deux raisons de participer d'aussi bon cœur à la défense des Anglais. Le simple bon sens leur disait qu'en défendant les fermes avancées des Anglais ils protégeaient aussi les leurs. Mais aussi, ils savaient tous que les erreurs déplorables des Anglais — comme Slagter's Nek et la récente « libération » des serviteurs « de couleur » pour en faire des vagabonds et des bandits — étaient le fait des autorités britanniques et des philanthropes, et non des Anglais de la frontière. En réalité, les colons anglais de

Grahamstown souffraient autant de ces lois que les Boers — et ils accueillaient les commandos boers à bras ouverts chaque fois qu'ils se présentaient. Il y avait harmonie d'intérêts.

L'affaire Stevens de 1832 fut un combat rapide et sauvage — l'incident le plus malheureux qui se puisse concevoir. Sur une petite ferme à dix kilomètres à l'ouest de la Grand-Poisson se trouvait une butte de terre de couleur rouge contenant une telle proportion de pyrites qu'elle brillait de très belle façon quand elle séchait sur la peau d'un Noir. Depuis d'innombrables générations, les Xhosas étaient venus à cet endroit ramasser cette argile, très prisée par les jeunes gens à l'âge de la circoncision et par les guerriers, et le fait qu'une famille de la campagne anglaise ait traversé l'océan pour établir la ferme Stevens ne diminua en rien leur désir — on pourrait dire leur besoin spirituel — de gratter la terre et de la ramener de l'autre côté de la Grand-Poisson.

En général, les expéditions se faisaient sans fracas : quelques guerriers bravaient des dangers considérables pour pénétrer dans ce qui était devenu propriété anglaise, puis s'échappaient furtivement sans avoir fait de mal aux Blancs. Mais, au printemps 1832, des Xhosas imprudents, certains ivres de bière cafre, s'étaient rendus à la ferme Stevens pour ramasser de la terre rouge — et du même coup plusieurs moutons des Blancs. Dans l'échauffourée qui s'était ensuivie, il y avait eu des morts, et les Xhosas devaient être punis.

— Voici ce que nous ferons, proposa aux hommes rassemblés le major Saltwood, des irréguliers de Grahamstown. Nous partirons vers l'est, nous traverserons le fleuve à Trompetter's Drift et nous les prendrons à revers.

Mais les Xhosas qui s'étaient ralliés pour défendre les guerriers poursuivis formaient un groupe bien aguerri : une centaine de vétérans de maintes escarmouches avec les Anglais et les Boers ; et il était peu probable qu'ils se laissent surprendre par une action de flanc. Quand Saltwood et ses hommes s'avancèrent, des guerriers xhosas en embuscade les criblèrent de lances et de balles — ils avaient mendié, échangé ou volé quelques fusils.

Telle fut la première escarmouche, que les Blancs perdirent. La seconde demeura sans conclusion. Mais, pour la troisième, ce fut une autre histoire. Le major Saltwood, Tjaart Van Doorn et Lukas de Groot conçurent un plan qui devait écraser les Xhosas de trois côtés et tout se passa à la perfection — sauf qu'un guerrier caché enfonça profondément sa sagaie dans la cuisse gauche de Thomas Carleton et le fit basculer de cheval. Le Xhosa allait l'achever quand Van Doorn, apercevant le danger, fit pivoter son cheval cabré et assomma le Noir d'un coup de crosse. Il s'en était fallu de peu et, quand Carleton comprit qu'il était sauvé, mais que la blessure de sa jambe était extrêmement grave, il s'évanouit sans un mot dans les bras de Van Doorn. Les deux hommes restèrent sur place jusqu'à ce que Saltwood et quelques autres fassent demi-tour pour les retrouver.

A leur retour à Grahamstown, victorieux mais avec de lourdes pertes, Carleton ne tarit pas d'éloges sur l'héroïsme de Van Doorn. Il en parlait si souvent que Richard Saltwood ne put s'empêcher de faire remarquer à sa femme Julie, non sans quelque aigreur :

— Il n'a que ce Van Doorn à la bouche !

Et sans penser à mal, il ajouta :

« Mais, bien sûr, ce pauvre Carleton n'est pas un gentilhomme. Il n'a pas eu d'éducation.

— Je ne suis pas une gente dame, moi non plus, répliqua Julie d'un ton sec. On ne peut donc s'attendre que je comprenne les choses. Et c'est pourquoi je trouve toute l'histoire magnifique. De même que la pauvre Vera, d'ailleurs, parce que, sans Van Doorn, elle serait veuve.

— Mais tu dois reconnaître qu'il en fait un peu trop, non ?

— Si j'étais en danger, j'aimerais que tu sois le premier à te porter à mon secours. Mais Van Doorn viendrait aussitôt après sur la liste.

Les festivités de la victoire furent très sympathiques et de nombreux volontaires anglais portèrent des toasts dans un hollandais passable. Van Doorn et de Groot prolongèrent leur séjour et cela retarda d'autant leur arrivée au Nachtmaal de Graaff-Reinet.

Tandis que de Groot et Van Doorn se préparaient à rentrer, accompagnés de leurs « hommes de couleur » qui avaient combattu avec courage, un veldkornet se joignit à eux : Piet Retief, un fermier du Winterberg, loin dans le nord, qui s'était, comme toujours, conduit avec une dignité remarquable. Mince, assez grand, portant barbiche, c'était un homme cordial et franc, qui avait dépassé la cinquantaine. Lorsque

Saltwood et Carleton vinrent présenter leurs remerciements et leurs adieux aux Boers, il se tint à l'écart.

Carleton s'avança en clopinant jusqu'au cheval de Van Doorn, serra Tjaart avec ferveur dans ses bras et lui dit :

— Votre selle porte ma vie, mon vieux. Dieu vous bénisse pour votre geste !

— Vous auriez fait la même chose pour moi, répondit Tjaart.

Et les Boers quittèrent la ville.

Retief les accompagna pendant un jour et demi et ils comprirent les doutes qui rongeaient cet homme. Il représentait un curieux mélange : c'était un chef de commando très estimé, de souche huguenote, mais aussi un homme d'affaires aventureux qui semblait trop présumer de lui-même.

— Les Anglais m'ont fait un procès quand les casernements se sont effondrés, se plaignait-il à propos d'une entreprise de construction désastreuse à Grahamstown.

— Mais vous les aviez terminés, lui dit Van Doorn. Et vous avez fait du bon travail pour le bureau du juge.

— Je suis resté sans le sou. Et vous savez pourquoi ? Parce que j'étais toujours absent, en train de combattre les Xhosas pour protéger ceux-là mêmes qui m'ont traîné en justice.

— Vous avez tout perdu ?

— Tout. Et c'est toujours comme ça, on dirait.

Van Doorn jugea préférable de ne pas l'interroger sur ses autres déboires ; ce qu'il voulait apprendre, c'était l'attitude à l'égard du gouvernement anglais d'un homme comme Retief, dont l'opinion était de plus en plus respectée. Il prenait souvent la parole sur ce qu'il appelait « la persécution des Boers ».

« Les Anglais n'abandonneront que le jour où tous les fermiers comme nous seront ruinés, au bout du rouleau…

— Pourquoi le gouvernement adopterait-il une politique de ce genre ?

— Parce que Keer l'y forcera. Ses pressions ne cesseront que le jour où les Cafres contrôleront tout le pays. Regardez : vos serviteurs rôdent en liberté dans le veld.

Remarquant l'expression de De Groot, il baissa la voix.

« Ils ne se contentent pas de nous dérober des biens et notre sang. Ils veulent usurper également notre bon renom. C'est ça, le programme des Anglais.

— Attendez, attendez ! protesta Van Doorn. Des hommes comme Saltwood et Carleton sont excellents, vous l'avez constaté.

— Ce sont des braves gens, mais ils sont ici, à Grahamstown. Keer est à Londres et toutes les lois qu'il propose favorisent les Cafres à nos dépens. Ces dames philanthropes, dans leurs salons de Londres, continueront de bêler chaque fois qu'elles apprendront que nous essayons de défendre nos femmes et nos enfants contre leurs Cafres bien-aimés.

Van Doorn n'était pas à même de déterminer dans quelle mesure les accusations de Retief étaient justifiées et dans quelle mesure il était poussé par une animosité bien compréhensible à la suite de ses contrats rompus. Mais, avant qu'ils ne se séparent, Retief souleva une nouvelle question sur laquelle aucune ambiguïté ne planait.

« Tjaart, acceptez-vous de verser quelques rix-thalers pour un projet que prépare Pieter Uys ? Vous connaissez Uys, c'est un très brave homme.

Van Doorn ne le connaissait pas, mais de Groot avait entendu parler de lui et en excellents termes.

— Peut-être le meilleur Boer du côté de la mer. Quel est son projet ?

— Il songe à entreprendre un voyage d'exploration. En remontant la côte jusqu'aux vallées fertiles, le long de l'océan Indien.

— Pourquoi ?

— Il estime qu'un jour les Boers seront forcés de s'installer là-bas. Je n'ai pas envie d'abandonner ma ferme. Et je sais que vous n'en avez pas envie non plus, Tjaart. Mais jeter un coup d'œil par là-bas serait peut-être plus prudent.

— Dans quel but ? demanda Van Doorn.

Au cours des années qui suivirent, jamais il n'oublierait la réponse de Retief. Ils venaient d'arriver à l'endroit où ce dernier devait prendre la piste du nord, vers sa ferme au milieu des montagnes. Elle était située dans un décor qu'aucun homme ne se résoudrait volontiers à quitter, mais Retief répondit :

— J'ai peur que les Anglais soient bien décidés à nous faire rentrer sous terre. Vous avez entendu parler des rapports de Keer ?

— Vous savez bien que je ne comprends pas l'anglais, répondit de Groot.

— Eh bien, je les ai tous lus, dit Retief avec une violence soudaine, et vous savez ce que je crois ? Dans deux ans, il n'y aura plus d'esclavage. Et ils nous prendront également nos « hommes de couleur ». Comment ferons-nous valoir nos fermes ?

— Qu'est-ce que Pieter Uys a à voir avec ça ? demanda de Groot.

— La sagesse commande d'étudier plusieurs projets, répliqua Retief. Oh, pas pour moi ou pour vous — nous pourrons nous en sortir —, mais pour les Boers pauvres qui vont être opprimés par les lois anglaises. Uys ira voir les terres du Natal et nous dira si nous pouvons éventuellement les cultiver.

— Ces terres ne sont-elles pas déjà occupées ? demanda de Groot.

— Au nord, les Zoulous. Au sud, quelques Anglais. Mais, entre les deux, il y a des vallées magnifiques avec beaucoup d'eau, des arbres et de la bonne terre.

Il demanda de nouveau des contributions pour l'expédition de Pieter Uys.

— Je n'ai pas d'argent sur moi, répondit Tjaart. Mais avancez-moi la somme, je vous rembourserai.

Les Anglais venaient d'introduire leur système monétaire, espérant remplacer celui que les Hollandais avaient toujours utilisé, et de Groot avait sur lui plusieurs de ces bouts de papier qui craquaient entre les doigts. Quand il tendit son obole à Retief, ce dernier prit le billet et le tint à deux mains devant ses yeux pour que le soleil joue dessus.

— Je n'aime pas cet argent non plus, dit-il.

Le Nachtmaal (littéralement : repas de nuit) était la Sainte Communion. Il se tenait quatre fois par an et ceux qui vivaient près de l'église devaient y assister chaque fois. Mais l'on pardonnait aux Boers des fermes reculées de ne pas y participer pendant trois ou quatre ans de suite, parce qu'à la première occasion ils accouraient en foule pour des pèlerinages durant parfois un mois. Ils emmenaient leurs enfants à baptiser, leurs amoureux à marier et leurs vieux qui murmuraient : « Ce sera mon dernier Nachtmaal. »

Pour ces pèlerins, rien n'était plus passionnant et plus satisfaisant sur le plan spirituel que cette fête joyeuse de l'Église hollandaise réformée, car cette grande rencontre cimentait les relations sociales, tandis que les services religieux renforçaient la fidélité à la doctrine calviniste. Une semaine de Nachtmaal conférait grâce et harmonie à la vie des Boers et expliquait pourquoi ils formaient un groupe aussi cohérent.

Le rite avait une structure précise : services religieux quotidiens pendant quatre jours, celui du dimanche durant à lui seul quatre heures ; mariages et baptêmes publics ; réceptions de nouveaux membres dans la communauté ; beaucoup de temps réservé à l'achat et à la vente de biens ; et de merveilleuses soirées chantantes où les jeunes ne pouvaient faire autrement que tomber amoureux.

Mais, ce que tout le monde appréciait le plus dans le Nachtmaal, c'était le resserrement des liens d'amitié entre des familles partageant les mêmes combats : presque tous les hommes avaient participé à un commando ; presque toutes les femmes avaient perdu un bébé ou un mari ; et, en ces années difficiles, tous avaient médité sur leur relation avec Dieu. Dans la communauté anglaise, il n'existait rien d'équivalent au Nachtmaal — et c'était une des raisons pour lesquelles on ne pouvait jamais prendre un Anglais pour un Hollandais.

En 1833. le chariot des Van Doorn n'était pas en condition pour ce long voyage : cent quarante-sept kilomètres de terrain impossible, avec seize bœufs incapables de parcourir plus de douze à treize kilomètres par jour. La carriole avait des roues en mauvais état et sa toile était si misérable que, depuis plusieurs années, Tjaart disait :

— Il va falloir trouver un chariot neuf.

A son arrivée à Graaff-Reinet, capitale du nord-est, il était bien décidé à acheter le meilleur chariot possible, même si, pour ce faire, il lui fallait donner tous les moutons qu'il emmenait à la ville.

Mais son impatience sur la piste du nord n'était rien comparée à celle de sa fille : elle était convaincue que, du moment où le chariot des Van Doorn rattraperait celui des de Groot au beau milieu du néant qu'ils traversaient, ils formeraient une espèce de procession royale. Et à l'entrée de Graaff-Reinet, près de la montagne miraculeuse, ils rencontreraient

Ryk Naudé qui l'attendrait, tel un jeune prince. Elle avait répété sa phrase de bienvenue : « Bonne après-midi, Ryk. Quel plaisir de vous revoir. »

Elle lui parlerait comme s'ils s'étaient quittés deux jours plus tôt et non deux ans. Elle avait fait des essais avec du charbon de bois pour ombrer ses paupières et avec de l'argile rouge de la ferme Stevens pour rehausser ses pommettes. Elle tourmentait sa mère et les esclaves pour qu'elles lui répètent sans cesse qu'elle serait « acceptable » aux yeux de Ryk et toutes lui affirmaient qu'elle avait l'air d'une vraie petite dame, que n'importe quel homme serait enchanté d'obtenir.

Elle vivait les jours merveilleux de l'éveil et nul ne l'observait avec davantage de satisfaction que Tjaart.

— Jakoba, dit-il à sa femme, quand une fille va sur ses quatorze ans, elle a intérêt à songer à prendre un mari. Tu avais attendu presque trop longtemps.

Elle avait plus de seize ans quand le veuf Van Doorn était allé la chercher, à cent vingt kilomètres de sa ferme, et elle se souvenait très bien de ses inquiétudes.

— Minna est très avancée pour son âge, Tjaart. Elle a la tête solide.

Les aînés de la famille avaient soigné leur apparence eux ausssi : Jakoba s'était confectionné une robe neuve et un bonnet neuf et elle avait commandé des souliers neufs pour elle et pour Tjaart — à Koos, un vieux cordonnier qui se déplaçait de ferme en ferme. Tjaart avait déballé son unique beau costume noir : veston, gilet, pantalons à grand pont, chapeau de feutre à très larges bords. Le dernier soir, quand toutes ces belles choses furent étalées par terre avant qu'on ne les enveloppe pour les protéger de la poussière du voyage, il prit la vieille Bible reliée de cuivre et il l'ouvrit à Isaïe, où il lut : « Qui est donc venu d'Édom avec des vêtements teints de Bassora ? Et qui, dans ce glorieux appareil, voyage dans la grandeur de sa force ! »

Et il répondit lui-même à cette question de pure rhétorique :

— C'est la famille de Tjaart Van Doorn. Elle se rend à Graaff-Reinet pour le Nachtmaal, afin de T'honorer, Seigneur.

Le matin venu, ils partirent — le père, la mère, les deux fils, leurs familles et la petite Minna — tous dans leurs vêtements les plus vieux et les plus grossiers, les trois hommes avec leurs chapeaux à larges bords, les femmes avec leurs bonnets pour protéger leur teint du soleil. Quatre « hommes de couleur » les accompagnaient, pour s'occuper des seize bœufs, planter les tentes le soir et garder le vaste troupeau de moutons que Tjaart avait l'intention de troquer contre un chariot neuf. Trois esclaves femmes faisaient la cuisine et veillaient aux besoins des travailleurs. Ils s'arrêtaient au milieu de l'après-midi, car il fallait dételer les bœufs assez longtemps avant la nuit pour leur permettre de brouter l'herbe, riche mais rare.

Ils suivaient un itinéraire que les Van Doorn connaissaient bien depuis des années. Leur cap était nord-nord-ouest, mais il leur arrivait parfois de s'en écarter de beaucoup, pour traverser les ravins ou contourner de hautes collines ; la nuit, quand la Croix du Sud apparaissait, Tjaart devait corriger son cap — et il était certain que, le lendemain matin, ils apercevraient des collines qu'ils connaissaient bien.

La progression lente des bœufs — chacun répondait uniquement à son nom —, les oscillations du chariot, les chants doux des esclaves et les pas rythmés des hommes produisaient une sorte de léthargie intemporelle marquée par un mouvement constant mais peu de changement — rien d'autre que le vide grandiose du veld qu'en cette saison de l'année même les animaux ne traversaient pas.

Mais quelle allégresse ! Minna, sentant que Graaff-Reinet se rapprochait, commençait à se montrer nerveuse ; tout d'abord, elle restait scrupuleusement dans l'ombre pour que son teint soit aussi clair que possible, car elle savait que cette qualité était très appréciée par les Boers. Dans l'après-midi, quand le soleil, plus bas, menaçait son visage, elle prenait un masque léger, de peau de chèvre, qu'elle portait pour se protéger. De temps en temps, elle défroissait sa robe de voyage comme si elle se préparait déjà à rencontrer le jeune Naudé. Et souvent elle mêlait sa voix aux chants des esclaves, car son cœur battait à tout rompre et il fallait qu'elle se soulage. Elle n'était peut-être pas belle, mais quel plaisir de la voir s'épanouir dans le veld comme une fleur sur le point d'éclore après une longue sécheresse ! Et Tjaart se réjouissait de son bonheur.

Sa nervosité était due en partie au retard qu'ils avaient pris au départ, à cause du commando. Les Van Doorn et les de Groot n'arriveraient pas le mercredi comme prévu, mais seulement le vendredi, quand les cérémonies commenceraient ; or c'était pendant les journées préliminaires, avant le début des prêches, que les jeunes gens faisaient l'essentiel de leur cour.

— Minna ! lui affirma son père. Il t'appréciera davantage quand tu arriveras enfin. Il aura soif de te voir.

Puis vint le petit miracle qui, plus que toute autre chose, embellissait la perspective du Nachtmaal : très loin vers l'est, un mince filet de poussière apparut. Il était peut-être à vingt-cinq kilomètres, à deux jours de distance, mais il était là — un signe dans le ciel. Tout le jour durant, les Van Doorn observèrent la colonne de poussière et, le soir, ils écarquillèrent les yeux dans la direction, pour distinguer la moindre indication de lumière — peut-être un feu de camp. Rien. Le second jour, ils virent avec joie que la colonne augmentait et prenait l'épaisseur de celle que soulevait un grand attelage de bœufs.

C'étaient les de Groot, arrivant du nord-est, conduisant au Nachtmaal un troupeau de vaches. Ils firent converger leur piste avec celle des Van Doorn et, avant la tombée du jour, la jonction était faite. Les femmes s'embrassèrent, les hommes se donnèrent de grandes claques dans le dos, les serviteurs et les esclaves se réjouirent de renouer de vieilles amitiés.

Les deux chariots roulèrent de conserve pendant les quatre jours suivants, puis de Groot s'écria, plein d'espoir :

— Demain, nous verrons Spandau Kop.

Ce fut Minna, à pied à la tête de la procession, qui cria la première :

— Le voilà !

La première fois que Tjaart avait vu cette colline d'une incroyable beauté, il était enfant et il se rendait au Nachtmaal avec Lodevicus le Marteau. Pour lui, elle était le symbole de toutes les balises que Dieu a placées dans les déserts du monde pour guider Son peuple. Abraham, en sortant de Babylonie, avait vu des bornes rassurantes comme celle-ci, ainsi que Joseph à son retour d'Égypte. Mais ce que Tjaart n'avait pas su apprécier étant enfant, c'était la chaîne de hautes montagnes aux cimes nombreuses qui dominait Graaff-Reinet en une sorte d'amphithéâtre protecteur. Quand on arrivait des immensités plates du veld, le cadre physique de la petite ville était impressionnant et Tjaart vit avec plaisir que sa fille était aussi émue à ce spectacle qu'il l'avait été lui-même à son âge.

Toute la ville était envahie par les chariots bâchés d'hommes et de femmes qui avaient parcouru des distances énormes pour assister à cette cérémonie religieuse. Soixante groupes étaient déjà arrivés. Leurs tentes de toile se dressaient près de leurs chariots, leurs bœufs paissaient dans les prairies voisines, sous la surveillance des pâtres qui prenaient autant de plaisir au bruit et à la bière que leurs maîtres blancs.

Quand les Van Doorn arrivèrent, la grande place en face de l'église était bondée de chariots, mais il y avait une rue bordée d'arbres conduisant au presbytère qui était préférable à bien des égards, car on n'avait pas son chariot entouré de voisins. Ce fut là que les Van Doorn et les de Groot s'installèrent.

On était vendredi matin et, avant que Minna ait eu le temps de chercher le jeune Ryk Naudé, tout le monde dut se réunir dans la célèbre église aux murs blancs. Les Van Doorn arrivèrent juste au moment où commençait le premier service religieux et aussitôt deux choses les choquèrent. Le dominee en titre, un Écossais qui avait épousé une jeune Boer, qui parlait plus volontiers le hollandais que l'anglais, et qui devait avoir six fils dont cinq seraient ordonnés pasteurs à Graaff-Reinet et cinq filles dont quatre épouseraient des dominees —, cet homme très aimé, meilleur Boer que plus d'un Boer, était en voyage au Cap. A sa place officiait un grand pasteur au visage rouge, originaire de Glasgow, qui pouvait à peine parler trois mots de hollandais intelligibles — c'était vraiment une honte d'entendre le patois local en pleine expansion ânonné avec un fort accent écossais.

Et, sitôt après, comble de l'horreur, Minna s'aperçut que Ryk était assis au milieu d'une famille qui avait une fille de quinze ou seize ans, remarquablement belle.

— Oh ! soupira-t-elle.

Et quand son père lui demanda ce qu'il se passait, elle ne put que montrer d'un doigt tremblant une autre rangée de bancs. Ce fut un malheur, car Tjaart aperçut la fille et, de toute la durée du service, il ne put détourner les yeux. Elle était splendide, fillette et femme à la fois ; sa peau était claire mais non sans un soupçon de rouge sur les pommettes ; elle avait un visage large mais aux proportions parfaites ; sa nuque et ses épaules étaient pleines de promesses et, tout en sachant bien qu'il commettait un péché, Tjaart se mit à la déshabiller par la pensée et la chute des vêtements de la jeune fille était plus provocante que tout ce qu'il avait connu jusque-là...

« Regarde-la ! murmura Minna.

Il cligna des yeux et se mit à la regarder d'une autre manière et ce qu'il vit n'annonça rien de bon pour le bonheur de sa propre fille — car l'autre adolescente (il ne la connaissait pas) avait manifestement décidé d'épouser Ryk Naudé : elle essayait d'entrer dans ses bonnes grâces et jouait de toutes ses armes féminines. Inclinaison de tête, gestes du bras, sourire engageant, éclair de dents blanches — tout y passait et le jeune homme semblait complètement étourdi par ce qui lui arrivait. Tjaart, lui-même profondément troublé par la jeune fille, comprit que Minna avait perdu son jeune galant. En guise d'apaisement — à la fois pour lui-même et pour sa fille —, il prit la main de Minna. Elle tremblait

Aucun des Van Doorn ne prêta beaucoup d'attention au pasteur écossais, qui prononçait un des sermons les plus ternes qu'on ait jamais entendus à Graaff-Reinet ; il n'avait pas la flamme d'un vrai prédikant calviniste, sa voix demeurait monocorde, sans les grandes envolées tumultueuses que les Boers appréciaient, et souvent on ne comprenait même pas ses paroles. Ce jour-là, la vraie flamme se trouvait sur le banc occupé par Ryk Naudé et cette nouvelle fille.

A la fin du sermon, les Boers commencèrent à sortir sur la place et Minna, sans le moindre sentiment de honte, se glissa rapidement jusqu'à Naudé, se campa en travers de son chemin et lui dit hardiment :

— Bonjour, Ryk. J'ai beaucoup attendu cette rencontre.

Il lui fit un signe de tête sans sourire, sachant bien que deux ans plus tôt il avait promis d'être le cavalier de Minna au prochain Nachtmaal auquel ils assisteraient tous les deux, mais sachant aussi que cette promesse était devenue difficile à tenir depuis l'arrivée remarquée, en ville, de la jeune fille à ses côtés. Il la présenta :

— Voici Aletta, dit-il sans donner son nom de famille, car il avait déjà décidé qu'avant la fin de ce Nachtmaal elle aurait pris le sien.

Aletta fut aussi charmante à l'égard de Minna qu'elle avait pu l'être pour Ryk pendant le service religieux et, quand le père de Minna s'avança à son tour, elle se montra extrêmement gracieuse, lui tendit la main et lui adressa un sourire ravissant.

— Je suis Aletta Probénius. Mon père tient un magasin.

— C'est l'homme que je cherche, dit Tjaart, ravi que ses affaires le maintiennent en rapport avec cette fille étonnante. Est-ce vrai qu'il a un chariot à vendre ?

— Il a presque tout, dit Aletta en relevant la tête d'un air aguichant.

Et, au cours des divers événements qui accompagnèrent ce Nachtmaal, elle démontra que, comme son père dans son magasin, elle avait, elle aussi, presque tout : sourires, reparties piquantes, grâce et un étonnant magnétisme sexuel.

Pour Minna, ce premier vendredi fut un calvaire. Un seul regard à la radieuse Aletta lui avait appris qu'elle n'avait plus la moindre chance de retenir Ryk Naudé. Cela la troubla tellement qu'elle commit une série d'erreurs et passa pour tout à fait sotte. Tout d'abord, elle alla trouver Ryk à son chariot pour lui rappeler sa promesse, deux ans plus tôt...

— Nous n'étions que des enfants, lui répondit-il.

— Mais vous me l'aviez dit.

— Il s'est passé des choses.

— Mais vous me l'aviez dit, répéta-t-elle.

Elle lui prit la main et, quand il essaya de s'écarter, elle s'accrocha à lui. Elle le *voulait*, elle le *voulait* avec l'énergie du désespoir, terrifiée par la perspective de retourner à l'isolement de De Kraal pour plusieurs années — après quoi elle serait trop âgée pour se trouver un mari.

Ryk, à dix-huit ans, n'avait jamais vécu ce genre d'expérience. Aletta ne lui avait jamais permis que de lui tenir la main. Il était confondu et ne savait que faire, mais sa mère parut, comprit aussitôt ce qui se passait et dit d'une voix douce :

— Bonjour, Minna. Ne vaudrait-il pas mieux que tu ailles retrouver tes parents ?

— Ryk a dit qu'il...

— Minna ! insista Mevrouw Naudé. Tu ferais mieux de partir tout de suite.

— Mais il a promis...

— Minna ! Va chez toi !

Et elle repoussa la fillette désemparée.

Les jours suivants furent un supplice. A l'église — comme son père —, Minna n'avait d'yeux que pour Aletta et, un soir, après la fin du service, elle suivit la jeune fille jusqu'au magasin de son père et l'affronta.

— Ryk Naudé et moi, nous sommes promis.

— Minna, ne soyez pas ridicule. Nous allons nous marier Ryk et moi.

— Non. Il m'a dit...

— Peu importe ce qu'il vous a dit, répliqua Aletta avec une douceur qui aurait apaisé le ressentiment de quiconque. C'était il y a deux ans. Vous étiez enfants. Maintenant, c'est un homme et il va m'épouser.

— Je vous en empêcherai ! cria Minna.

Sa voix monta si fort que Mijnheer Probénius sortit de sa boutique : il vit sa fille assaillie par une fillette inconnue, beaucoup plus jeune qu'elle.

— Que se passe-t-il, ici ? cria-t-il.

Et quand il découvrit que les deux jeunes filles se battaient pour un homme, il rit aux éclats.

« Si vous voulez mon avis, dit-il, ce Ryk Naudé n'en vaut pas la peine. Vous feriez mieux, l'une et l'autre, de vous passer de lui !

Il les prit toutes les deux par les épaules, s'assit avec elles et dit à Minna :

« Tu ne dois pas avoir plus de treize ans, n'est-ce pas ? En Hollande, d'où je viens, les filles ne se marient pas avant vingt ans. Minna, tu as sept ans devant toi.

— Pas ici, dans le désert. Et Ryk m'a promis...

— Les hommes promettent beaucoup de choses, répondit Probénius. En ce moment, il y a en Hollande trois jeunes filles à qui j'ai promis le mariage quand je reviendrai à Haarlem. Et je suis ici, à Graaff-Reinet, avec une fille de seize ans qui doit se marier mardi.

— Se marier ! cria Minna.

Et elle fondit en larmes — sanglots déchirants d'une fillette faisant l'impossible pour se conduire en femme.

A la surprise de Minna, Probénius prit son visage rond, baigné de larmes, entre ses deux mains, le releva et l'embrassa.

— Minna, le monde est plein de jeunes gens qui ont besoin d'une femme comme toi.

— Pas dans le désert, répéta la fillette, têtue.

Probénius la fit se lever.

— Personne ne parlera de tout ça, dit-il.

Et il poussa gentiment la fillette vers le chariot de ses parents.

Bien entendu, tout le monde en parla et, quand Tjaart se rendit au magasin pour marchander le troc de ses moutons contre un chariot neuf, il se rendit compte que Probénius, plus âgé que lui, s'inquiétait des commérages qui avaient si durement maltraité la petite Minna.

— C'est une brave petite, Van Doorn, et je suis désolé de ce qui s'est passé. Mais elle trouvera tous les prétendants qu'elle voudra.

— Son cœur s'était fixé sur Ryk. C'est quel genre de garçon ?

— Comme les autres. Beaucoup en paroles et pas grand-chose en actes.

— Vous êtes contents de l'avoir pour gendre ?

— Avez-vous déjà vu des beaux-parents contents ?

— Aletta est une jeune fille très séduisante.

— Cela me fait peur pour elle, parfois. A Haarlem, ce serait parfait. Beaucoup de jeunes gens pour lui faire la cour, car elle est jolie. Mais aussi beaucoup de jeunes filles aussi ravissantes qu'elle pour lui briser le cœur de temps en temps.

— Comment vont les choses en Hollande ?

— C'est la pagaille, comme partout.

— Vous allez y retourner ?

— Moi ? Quitter ce paradis pour des hivers glacés !

Il sortit de derrière son comptoir et s'approcha de Tjaart. « On nous avait dit : depuis que la Jan Compagnie a donné l'Afrique aux Anglais, aucun Hollandais de Hollande n'est le bienvenu là-bas. Nous sommes partis quand même. Et nous rendons grâce pour chaque jour que nous vivons dans ce pays merveilleux.

Probénius était dur en affaires, comme en témoignait sa réussite manifeste, mais Tjaart n'était pas facile lui non plus, ce qui expliquait le succès de sa ferme. A la fin de la négociation du vendredi, ils n'étaient pas parvenus à se mettre d'accord : Tjaart avait les plus beaux moutons que l'on ait jamais vus à Graaff-Reinet et Probénius offrait un chariot neuf, supérieur en tout point à ceux que Van Doorn avait utilisés jusque-là.

— Vous ne fabriquez pas de chariots, lui dit Tjaart. Où avez-vous trouvé celui-ci ?

— A Grahamstown, chez un Anglais nommé Thomas Carleton.

— Je connais Carleton. Je pourrais obtenir un meilleur prix en allant à Grahamstown.

— C'est vrai, mais vos moutons sont ici. Alors vous devez faire l'affaire ici. Et le prix est celui que je vous ai annoncé.

Le samedi, Tjaart conduisit sa famille inspecter le chariot et tout le monde le trouva meilleur que Tjaart ne l'avait raconté. C'était une belle pièce de charronnage, construite de façon à pouvoir être désassemblée puis réassemblée sans peine, en cas de portage pour traverser les ravins. Elle était aussi très bien équilibrée et le *disselboom** fixé à l'essieu avant indépendant permettait à l'ensemble de réagir rapidement au moindre mouvement latéral des bœufs. Les grands arceaux surmontant la caisse, sur lesquels on tendrait la bâche, avaient été poncés avec soin pour arrondir les angles coupants. C'était à tous égards un chariot supérieur et les Van Doorn en avaient besoin.

On ne pourrait pas négocier le dimanche, bien entendu, et d'ailleurs on n'en aurait guère le temps, car, outre le service religieux de quatre heures et la réception des nouveaux membres, le prédikant avait proposé de célébrer un service spécial pour baptiser les bébés qui n'avaient pas pu venir le samedi, et toute la famille Van Doorn devait y assister, parce que les de Groot présentaient sur les fonts baptismaux leur dernier fils, Paulus, un garnement déjà vigoureux, aux poumons puissants et au tempérament tapageur. Le pasteur écossais, séduit par l'enfant, l'embrassa sur le front à la fin du service en disant :

— En voici un qui se battra pour son Seigneur !

Les de Groot n'étaient pas pleinement satisfaits d'avoir leur fils accueilli au sein de l'église boer par cet Écossais, mais ils donnèrent tout de même deux moutons au dominee pour le remercier de ce service spécial.

Le lundi, Tjaart revint au magasin pour négocier de façon sérieuse. Il se trouva que Probénius n'était pas là, mais Aletta gardait la boutique et, pendant presque une heure entière,

Tjaart bavarda avec cette jeune fille, jolie et pleine de vie. Il la trouva parfaite en tout point. Elle avait une voix musicale et ce fut en riant de bon cœur qu'elle lui affirma que jamais son père n'avait baissé un seul prix, une fois qu'il l'avait établi.

— Vous allez avoir des difficultés, Mijnheer, si vous vous obstinez dans cette voie.

— Je rencontre des difficultés dans tout ce que j'entreprends, lui répondit-il (en observant la façon enchanteresse dont sa robe de guingan dessinait sa silhouette quand elle levait les bras pour prendre des articles sur les étagères supérieures). Vous voici dans une vraie ville maintenant, à Graaff-Reinet. Il doit y avoir trois ou quatre cents maisons.

— Mais rien de commun avec Le Cap, n'est-ce pas ? C'est là-bas que j'aimerais vivre... dit-elle.

— Je ne sais pas. Je n'y suis jamais allé.

Au terme de leur conversation, Tjaart conclut en lui-même que jamais il n'avait rencontré de sa vie une jeune fille aussi parfaitement charmante et il fut plutôt contrarié de voir son père arriver pour discuter du chariot.

— Que tout soit bien clair entre nous, Van Doorn. Quand j'ai fixé un prix, je ne le baisse jamais.

— Que tout soit bien clair entre nous, Probénius, répondit Tjaart. Je suis prêt à ramener mes moutons chez moi et à aller à Grahamstown moi-même. Peut-être ne le savez-vous pas, mais il y a quelques jours je suis parti en commando avec Carleton. Quand j'ai quitté Grahamstown, la femme de Carleton m'a dit que je serais toujours le bienvenu chez eux. Devinez-vous pourquoi ?

En Afrique du Sud, deux événements frappaient de terreur les hommes ordinaires : deux éléphants en colère dans la savane arbustive arrachant des arbres pour s'en faire des armes et deux Boers engagés dans une discussion d'affaires. Craintifs et émerveillés, les Anglais, témoins des tricheries, des mensonges, des ruses, des bluffs et des falsifications patentes des faits qui se produisaient chaque fois qu'un Boer matois tentait d'en duper un autre, se demandaient parfois comment la nouvelle nation pouvait survivre à tant de passions et de quasi-strangulations.

Je crois sincèrement, écrivit Richard Saltwood à son frère au Parlement, que ce sont les gens les plus obstinés que j'ai rencontrés. Au lieu de céder le moindre avantage, ils s'enfoncent jusqu'aux chevilles comme une douzaine de mules têtues, et ils ne bougent pas, ni vers l'avant ni vers l'arrière, jusqu'au jugement dernier.

« La raison pour laquelle Carleton m'accueillera à bras ouverts, disait Tjaart sans plus de façons, et m'offrira son meilleur chariot à bas prix, c'est que, pendant le commando, je lui ai sauvé la vie.

— Vous serez donc obligé de ramener vos moutons chez vous, cent soixante kilomètres, et de faire quatre-vingts kilomètres de plus jusqu'à Grahamstown, pour un avantage minime.

— Je suis prêt à le faire, dit Tjaart.

Et, sur ces paroles, il aurait dû quitter le magasin pour laisser à Probénius le temps de réfléchir à sa sottise — car Tjaart savait que le boutiquier avait besoin de ses moutons —, mais Aletta venait de revenir, telle une gazelle longeant un torrent, et Tjaart ne put bouger. Il resta. Probénius comprit aussitôt pourquoi et, tant que la jeune fille resta dans le magasin, il ne parla pas du chariot. Dès qu'elle fut partie, il reprit :

— Alors, quand me livrez-vous les moutons ?

— Jamais au prix que vous m'offrez, répondit Tjaart.

Et il sortit du magasin à grands pas, exactement comme l'exigeait la coutume des Boers.

Le mardi, il n'y eut pas de négociation, car c'était le jour des mariages. Les couples les plus étranges, venus de lointaines collines, se présentaient devant le prédikant (avec leurs trois ou quatre enfants) pour faire reconnaître et confirmer leur union par Dieu et la communauté. C'était un moment solennel. Le temple de la frontière se remplissait de témoins, qui profitaient de la cérémonie pour renouveler leurs propres vœux, et les fillettes de neuf et dix ans regardaient avec de grands yeux les échanges de promesses et les bénédictions nuptiales.

Mais le grand moment de la journée fut plus traditionnel, car, après les mariages déjà consommés, se présentèrent les jeunes couples et, ce mardi-là, Ryk Naudé, beau garçon entre tous, prit pour épouse la ravissante Aletta Probénius. En face du prédikant, on eût dit deux créatures célestes, bénies à tous égards. Leur jeunesse et leur beauté conférèrent une certaine grâce à toutes les cérémonies précédentes : ils représentaient ce que le mariage aurait toujours dû être — et au moment où ils furent unis, Minna Van Doorn pleura.

Le mercredi, Probénius, le boutiquier, s'avança jusqu'au chariot des Van Doorn et donna un coup de pied dans une roue.

— Vous croyez vraiment que ce machin-là va vous ramener à De Kraal ?

— Oui, répondit Van Doorn, parce que vous m'avez dit que notre discussion était terminée. Je vais conduire mon chariot chez Viljoen, le forgeron, pour le faire remettre en état.

— Vous avez vu Viljoen au Nachtmaal ? Personne ne vous a dit qu'il est parti au Cap avec un charroi d'ivoire ?

— Personne ne vous a dit que j'étais au courant et que j'avais pris mes dispositions pour que mes fils se servent de la forge de Viljoen en son absence ?

Qui mentait ? Dans une négociation boer, on ne pouvait jamais le savoir, car la vérité était élastique. Ce que les hommes espéraient devenait une prédiction qu'il fallait soupeser avec d'autres balances que les pesons des marchands d'or. La vérité commerciale des Boers était négociable et, après avoir jaugé la situation avec soin, Probénius s'écria, sincèrement convaincu (du moins en apparence) :

— Tjaart, vous avez besoin de mon chariot. (Il lança un coup de pied si violent que la roue du vieux chariot en trembla.) Et je pourrais trouver l'emploi de vos moutons, si maigres qu'ils soient. Parlons sérieusement d'un prix raisonnable.

— Mais nous ne devons pas songer seulement à Graaff-Reinet, répliqua Tjaart avec la même sincérité absolue (apparente), parce que je ne suis pas forcé de brader mes moutons, ils sont gras et de première qualité. Je peux les ramener à Grahamstown et faire une meilleure affaire.

— Je ne voudrais pas que vous perdiez votre temps, dit Probénius, comme s'il négociait avec sa propre mère.

Il offrit un nouveau prix.

Par bonheur, arriva sur ces entrefaites un homme tout à fait étrange, qui voulait parler à Van Doorn, et cela offrit à Tjaart un bon prétexte pour repousser les négociations.

— Réfléchissez, Probénius.

Et il lança un prix nettement plus bas que celui du marchand, mais suffisamment élevé pour ne pas être insultant.

« J'ai promis de parler à ce monsieur, dit-il.

C'était un curieux abus de langage, car, s'il y avait à ce Nachtmaal une seule personne qui ne fût pas un « monsieur », c'était bien ce Theunis Nel : quarante-huit ans, courtaud, tout échevelé, pas rasé, mal vêtu et doté d'une misérable petite moustache qui faisait trembler sa lèvre supérieure quand il parlait. Trois fois, au cours du Nachtmaal, il était venu demander conseil à Tjaart et, trois fois, il avait été éconduit. Mais, maintenant, il arrivait juste au moment où Tjaart estimait préférable de rompre son marchandage avec Probénius et il fut donc reçu avec chaleur — ce qui ne laissa pas de le surprendre.

« Theunis, mon bon ami, que puis-je faire pour vous ?

Outre ses autres défauts, Nel en avait deux qui lui aliénaient la plupart des gens : il zézayait légèrement et son œil gauche louchait et pleurait en tout temps, si bien qu'en lui parlant on regardait toujours un de ses yeux, puis l'autre, sans jamais savoir lequel fonctionnait. C'était déroutant. Et chaque fois qu'on approchait d'une décision, Theunis interrompait la conversation en sortant de sa poche un mouchoir loqueteux et essuyait son œil : « J'ai attrapé un rhume, vous savez », disait-il.

— Tjaart, je vous en prie, parlez encore une fois au prédikant, supplia-t-il de sa voix pleurnicharde.

— C'est tout à fait inutile, mon cher.

— Peut-être que les choses ont changé. Peut-être se montrera-t-il plus compatissant.

— N'avez-vous pas un travail ? De quoi manger ?

— Oh, si ! Je donne des leçons à l'école... pour plusieurs familles... de l'autre côté des montagnes.

— Je suis très heureux que vous ayez du travail, Theunis.

Puis, le feu terrible qui dévorait le cœur de ce petit homme se manifesta. Les mots se bousculèrent sur ses lèvres et son zézaiement sembla plus prononcé que d'habitude.

— Tjaart, j'ai été appelé par Dieu. J'ai une mission à remplir. Je me sens contraint à parcourir cette communauté en priant et en aidant les gens. Tjaart, Dieu m'a parlé. Sa voix résonne encore dans mes oreilles. C'est pour l'amour de Lui, et non pour moi, que vous devez supplier le prédikant de m'ordonner.

Il faisait pitié. On lui avait refusé l'accès de toute étude théologique sérieuse en Hollande et il avait reçu une demi-formation de missionnaire dans une école d'Allemagne. Il n'était pas prédikant (sinon il n'aurait pas tellement insisté pour être ordonné), mais ce n'était pas non plus un laïc : il partait à Java comme missionnaire lorsque le dernier gouverneur hollandais du Cap l'avait arraché à son bateau pour le faire servir en Afrique du Sud dans les mêmes fonctions. Maître d'école itinérant, professeur vagabond, consolateur des malades, touche-à-tout, plein d'ambitions déçues, sa seule vertu était celle de tous les consolateurs de malades hollandais en Afrique et à Java : ils apportaient un soulagement réel aux agonisants. Personnage insignifiant, sans orgueil ni prétention, mais convaincu qu'il avait été touché personnellement par le doigt de Dieu, Theunis se rendait dans les plus humbles cabanes de la frontière et disait :

— La vie suit son cours, Stéphanus, et maintenant le commando se met en selle pour la dernière charge. Cela fait une douzaine d'années que je vous observe, sous tous les angles, et je suis convaincu que Dieu a posé les yeux sur vous. La mort n'est pas encore arrivée. Vous avez des jours et des jours pour réfléchir à la vie providentielle dont vous avez profité. Ces enfants... Ces champs... Stéphanus, vous allez quitter une gloire pour entrer dans une autre et j'aimerais bien partir avec vous, la main dans la main, pour voir ce que vous allez voir. Passez ces dernières journées dans la réflexion. Aimeriez-vous que je vous lise un sermon prêché à Amsterdam sur la nature du ciel ?

Et tel était son supplice constant ! En tant que consolateur des malades, Theunis Nel pouvait lire les sermons des autres, mais jamais prêcher sa propre parole. Les lois de l'Église qui présidaient à ses attributions étaient très strictes. S'il avait osé prêcher à l'époque où la Hollande gouvernait encore, on l'aurait jeté en prison ; à présent, sous la loi anglaise, il échapperait à un châtiment, mais non à l'ostracisme de ses propres fidèles. Il portait donc toujours avec lui un petit livre de sermons, qu'il savait par cœur mais que, par prudence, il continuait de lire, parce que c'était la seule chose permise.

— Je vous en prie, Tjaart, les années passent et je ne suis pas encore ordonné. Voulez-vous parler au prédikant ?

— Avez-vous une Bible ? lui demanda Tjaart.

Theunis hocha la tête et les deux hommes se hâtèrent vers son chariot. Tjaart trouva dans le Lévitique la citation dont il avait besoin. Elle était d'une clarté terrifiante :

> Et le Seigneur parla à Moïse et lui dit : [...] Quiconque [...] a une tare, ne le laissez pas s'avancer pour offrir le pain à Dieu. [...] Qu'il soit bossu, ou nain, ou qu'il ait une tare dans l'œil, ou des os brisés [...] il ne viendra pas devant l'autel parce qu'il a une tare ; afin qu'il ne profane point mes sanctuaires.

Laissant le Livre ouvert pour que Theunis puisse lire lui-même, s'il le désirait, Tjaart lui dit :

« C'est ainsi. Vous avez une tare à l'œil, vous donnez l'impression d'être bossu. Il est impossible que vous deveniez prédikant.

— C'est simplement un rhume, dit le petit homme en frottant son œil maudit.

Puis, renonçant à tout faux-semblant, il enfonça ses ongles dans son orbite et cria :

« Si Dieu le veut, je l'arracherai !

— Et vous seriez borgne, lui répondit Tjaart, la tare serait encore plus grave.

— Que puis-je faire ? implora Nel.

— Vous êtes maître d'école, vous êtes consolateur des malades de Dieu. C'est ainsi que vous devez servir le Seigneur.

Qu'aurait-il pu lui dire d'autre ?

— Mais je pourrais faire bien plus, Tjaart. Avez-vous écouté les mauvais sermons de ce gros Écossais ? Aucune flamme. Aucune inspiration divine. C'est une honte.

— Pour des raisons qu'Il est le seul à connaître, Dieu vous a interdit de prêcher. Contentez-vous de votre sort.

Il repoussa le petit homme mécontent et le regarda remonter dans le chariot qui le conduirait aux quatre fermes où il tenait son école — puis, quand ses élèves auraient grandi, vers quatre autres fermes, puis quatre autres encore, jusqu'au jour où un consolateur des malades plus jeune viendrait, à son tour, alléger sa propre agonie. C'était un homme de Dieu que Dieu avait rejeté.

Sur le chemin du retour à De Kraal dans son chariot neuf, Tjaart crut plusieurs fois éclater en sanglots devant toute sa famille — ce qui ne lui était jamais arrivé. La peine que faisait naître en lui le désespoir de la petite Minna était plus qu'il ne pouvait supporter. Il avait beau essayer de la consoler, il se sentait lui-même aussi déchiré qu'elle et il s'éloignait avant de se rendre ridicule. Il marchait près des bœufs de tête en essayant de ne plus penser à sa douleur. Son esprit se fixait alors sur l'image d'Aletta en train de travailler dans le magasin de son père, se haussant sur la pointe des pieds pour prendre une boîte... Ou bien telle qu'elle était apparue le jour de ses noces, comme un esprit surgi du veld, tout or, sourires et enchantement. Une après-midi, tandis qu'il se laissait bercer par ces visions, il entendit soudain un cri provenant du chariot. Il se précipita : Minna avait défait le paquet contenant sa robe neuve, elle la déchirait et jetait les morceaux dans le veld.

— Fille ! cria-t-il, furieux. Que fais-tu ?

— Elle ne sert plus à rien ! Je suis perdue !

Il monta dans le chariot près d'elle, la prit dans ses bras et dit aux esclaves de ramasser les morceaux déchirés et d'emporter la robe ; on pourrait la raccommoder. Il était très inquiet pour la santé de sa fille et, dans les jours qui suivirent, elle fut prise de fièvre et demeura dans le chariot, secouée de frissons, entre la vie et la mort. Les femmes avaient plusieurs remèdes pour ce genre de maladie, mais aucun ne fit effet et, le troisième soir, Tjaart s'allongea près d'elle pour lui tenir chaud et la consoler.

Au lever du jour, il dit une chose étrange :

— Il nous faut oublier le Nachtmaal tous les deux.

Ironie du sort, ce fut l'esclave le plus âgé de Van Doorn qui annonça la décision, depuis longtemps attendue, sur l'abolition de l'esclavage.

— Baas, baas ! cria-t-il. Le grand baas Cuyler, il est ici.

Et le colonel Jacob Glen Cuyler, l'homme étonnant d'Albany, entra dans le bâtiment de ferme de De Kraal. Les deux Noirs qui l'accompagnaient n'osèrent pas le suivre et restèrent respectueusement sur le seuil. C'étaient Saül, le diacre xhosa de Golan, et Pietr, le fils de Dikkop. Le premier était vieux et gris ; le second ne tarderait pas à l'être.

Ils étaient à la veille d'une aventure incroyable : Cuyler était allé les chercher au village de la mission pour les conduire à Port Elizabeth, où ils prendraient le bateau à destination de Londres. Ils seraient les hôtes de Simon Keer, qui désirait les faire participer à une de ses grandes tournées de conférences. Ils hésitaient à franchir le seuil d'une ferme boer, mais ils seraient reçus à Buckingham Palace.

Le colonel Cuyler, magistrat respecté, à la veille de devenir lieutenant général, apportait un message bref mais saisissant.

— Le Parlement a adopté une loi précisant que tous les esclaves devront être affranchis l'an prochain. Le 31 décembre 1834, tous les esclaves de l'Empire seront libérés.

— Bon Dieu ! s'écria Tjaart. C'est une révolution !

— Oh, vous serez dédommagés. Entièrement. De chaque sou que cela vous coûtera. Et les esclaves devront travailler pour vous pendant les quatre premières années, afin que le passage à la liberté se fasse en bon ordre.

Cuyler salua et partit. Pendant trois jours, les Van Doorn et leurs voisins discutèrent des nouvelles lois, mais cela ne leur suffit pas à mesurer toute la signification de ce changement radical — un nouveau mode de vie allait voir le jour. A leur vive surprise, ce ne furent pas les hommes qui comprirent le mieux la nouvelle situation, mais Jakoba Van Doorn, la femme silencieuse, illettrée, dont on n'avait tenu compte ni au Nachtmaal ni au cours des discussions. Elle prit la parole avec une détermination farouche :

— La Bible dit que les fils de Cham travailleront pour nous et seront nos esclaves. La Bible dit qu'il y aura une différence marquée entre le maître et l'esclave. La Bible dit que nous resterons à part. Le peuple de Dieu d'un côté, les Cananéens de l'autre. Je n'ai jamais frappé un esclave. J'ai toujours soigné mes esclaves et mes serviteurs « de couleur » quand ils étaient malades. Et je crois avoir clairement démontré mon amour pour eux. Mais je ne veux pas d'eux à ma table et je n'aime pas les voir dans mon église. Car Dieu m'a ordonné de vivre autrement.

Entraînés par l'énergie de Jakoba, ces hommes illettrés pressèrent Tjaart de consulter la Bible. Ils voulaient entendre de leurs oreilles ce qui devait servir de base à toute vie chrétienne. Tjaart rechercha les passages remarquables sur lesquels leur ordre social était si solidement fondé.

> Et il a dit : « Maudit soit le Cananéen ; il sera un serviteur de serviteurs pour ses frères. [...] Et maintenant donc vous serez maudits et aucun d'entre vous ne sera exempté d'être esclave, coupeur de bois et puiseur d'eau pour la maison de mon Dieu. »

Il lut une dizaine de passages comme celui-ci, qui prouvaient de façon concluante que Dieu avait ordonné et béni l'institution de l'esclavage. Puis Jakoba, farouche dans sa conviction, lui demanda de rechercher deux versets que des prédikants lui avaient commentés. Sur ces deux versets se fondait sa croyance que les Boers étaient un peuple spécial, à qui Dieu avait accordé la liberté de se comporter de façon spéciale. Après avoir fouillé dans le Lévitique — le Livre du Pentateuque dont les lois présidaient à la vie des Boers —, Tjaart lut enfin :

> Et vous serez saints à l'égard de moi : car moi, le Seigneur, Je suis saint, et Je vous ai séparés des autres peuples pour que vous soyez à moi.

— Vous voyez ! s'écria Jakoba avec une joie vengeresse. Dieu Lui-même a voulu que nous soyons à part. Nous avons des obligations spéciales et des privilèges spéciaux.

Et elle pressa son mari de lire le verset particulier sur lequel reposait l'essentiel de sa foi. Il n'y parvint pas et, non sans impatience, elle se mit à feuilleter les grandes pages du Livre qu'elle était incapable de lire, puis elle repoussa la Bible vers Tjaart en lui ordonnant :

— Trouve-le. Cela concerne le tribut.

Ce fut ce mot qui rappela à Tjaart un passage du Livre des Juges traitant de l'installation d'Israël dans un nouveau pays — parallèle exact avec la situation des Boers — et, avec l'aide, bien inutile, des autres hommes, il retrouva finalement le verset que Jakoba voulait entendre.

> Et il arriva, quand Israël fut fort, qu'ils imposèrent aux Cananéens un tribut, et ils ne les chassèrent pas [...] mais les Cananéens demeurèrent au milieu d'eux et devinrent tributaires.

« Et voilà comment il faut que ce soit, dit Jakoba. Nous avons conquis le pays. Nous vivons ici. Nous devons être justes avec les Cafres, mais ils sont nos tributaires.

— Les Anglais disent que cela revient au même.

— Les Anglais ne connaissent rien aux Cafres, dit Jakoba.

C'était une femme de petite taille, la fille d'un trekboer qui avait dû défendre sa terre onze fois contre les maraudeurs noirs et, dans la hutte grossière de sa famille, elle avait appris les principes qui président à la vie d'un bon chrétien. C'était à cette vie-là qu'elle consacrait toutes ses peines. Elle était honnête, dure à la tâche et bonne mère, à la fois pour sa propre fille et pour les enfants nés du premier mariage de Tjaart. Elle ne pouvait pas aller au temple tous les dimanches, car le plus proche se trouvait à plusieurs dizaines de kilomètres, mais elle célébrait des services familiaux au cours desquels elle remerciait Dieu de Son inspiration et de Sa miséricorde. Ce qu'Il désirait sur le plan des relations entre les maîtres blancs et les esclaves noirs était tellement clair qu'un idiot pouvait le comprendre et elle tenait à ce qu'elle-même, sa famille et son peuple obéissent à ces préceptes.

« Nous ne nous soumettrons pas aux lois anglaises, dit-elle en quittant les hommes, si ces lois vont à l'encontre de la parole de Dieu.

Quand elle eut disparu, Tjaart lui cria :

— Qu'as-tu donc en tête ?

— Partir d'ici, répliqua-t-elle depuis la cuisine. Aller de l'autre côté des montagnes et fonder un pays à nous tout seuls.

Un jour, en fin de matinée, alors qu'il revenait d'inspecter ses troupeaux, Tjaart s'inquiéta en apercevant de loin cinq chevaux entravés devant sa maison. Il supposa aussitôt que de nouveaux troubles avaient éclaté sur la frontière.

— Bon Dieu ! Un autre commando !

Mais, quand il entra dans la cuisine, il ne ressentit pas l'impression d'urgence habituelle. Cinq voisins buvaient du genièvre et plaisantaient avec Jakoba et Minna, qui servaient de grands plats de nourriture.

— Veldkornet ! s'écrièrent les hommes bruyamment à l'entrée de Tjaart.

Et on lança quelques plaisanteries grivoises sur la raison qui avait poussé Tjaart à quitter la ferme.

Le chef du groupe était Balthazar Bronk, un homme dont Tjaart se méfiait d'instinct. Bronk s'efforçait d'être deux personnes différentes en même temps : avec les supérieurs, il se montrait obséquieux ; avec d'autres, il essayait de dominer et prenait des poses. Et parfois il devenait même carrément grossier. Jamais il ne pouvait être simplement Balthazar Bronk, fermier.

— Veldkornet, dit-il humblement à Tjaart, tandis que celui-ci prenait un verre de genièvre. Nous sommes venus faire appel à vous.

— Plus de commando. J'en ai assez de combattre ces maudits Xhosas.

Les hommes éclatèrent de rire, car ils savaient qu'en cas de troubles le premier à monter en selle serait, comme toujours, Tjaart Van Doorn. Bronk continua.

— Nous sommes inquiets, veldkornet. Avec la loi anglaise...

— Pas un mot de plus ! cria Van Doorn en faisant claquer ses deux mains à plat sur la table. Les Anglais détiennent le pouvoir et peu à peu ils apprennent à faire les choses qu'il faut. Acceptez-les.

— C'est exactement ce que j'ai dit, s'écria Bronk aussitôt.

Il se tourna vers les autres, qui confirmèrent son affirmation d'un signe de tête. Puis il toussa, déplaça deux ou trois objets sur la table et poursuivit.

« Sous l'autorité des Anglais, il faudra que nos enfants en sachent davantage. Pour supporter la comparaison. Nous voulons être fiers d'eux.

Tjaart n'aurait su dire ce qu'allait être la suite, mais un membre plus posé du groupe prit la parole.

— Vous êtes le seul d'entre nous à savoir lire. Aucun de nos enfants ne sait lire...

— Nous avons besoin d'un maître d'école, coupa Bronk. Trouvez-nous un maître d'école.

— Et qui le paierait ? demanda Tjaart prudemment.

— Nous tous. Nous avons beaucoup d'enfants.

On fit le recensement et les nombres annoncés donnaient une idée assez juste de la vie des Boers : « Onze, neuf, neuf, sept. » Et Bronk déclara fièrement :

— Dix-sept.

— Vous voulez qu'ils aillent tous à l'école ?

— Seulement les jeunes, répondit Bronk. J'en ai six de mariés. Combien en avez-vous ? demanda-t-il à Tjaart avec un sourire onctueux.

Tjaart avala son genièvre avant de répondre.

— Deux garçons de ma première femme. Ils ont passé l'âge de l'école, mais ils ont des enfants. Jakoba, dis-leur combien tu en as ?

— Minna, ici, répondit-elle en s'essuyant les mains à son tablier.

Cinq têtes se tournèrent vers la jeune fille et elle rougit jusqu'aux oreilles, car elle savait bien qu'ils pensaient : « Pourquoi donc n'est-elle pas mariée ? »

— *Mejuffrouw** Minna n'est pas à l'école, dit Bronk avec un large sourire.

Et tout le monde revint au problème du maître. Comme il fallait s'y attendre, Tjaart allait les aider.

— Au Nachtmaal, j'ai parlé à Theunis Nel...

— Nous voulons un vrai maître, grogna Bronk. Pas un louchard.

— Il nous faut une école, répondit un autre. Allez le voir, Van Doorn.

Quand Tjaart mit pied à terre devant la ferme de Gerrit Viljoen, dans le nord, les paroles d'accueil du maître de maison l'étonnèrent.

— Soyez le bienvenu ! Vous êtes venu parler avec nous d'émigrer dans le nord ?

— Pourquoi me demandez-vous ça ?

— Six chariots sont passés par ici l'autre jour. Des hommes comme vous et moi.

— Et pourquoi iriez-vous dans le nord ?

— La liberté.

— Je reste où je suis.

— Je m'en doutais. Tous ces bons bâtiments de pierre.

— Oui, ils sont bons, acquiesça Tjaart sans relever le défi dissimulé sous le compliment.

— Vous serez obligé de prendre une décision plus tôt que vous ne le pensez, Tjaart.

— Pourquoi ?

— La liberté. Les Boers aiment la liberté. Et on est en train de nous voler la nôtre.

— Gerrit, répondit Tjaart à brûle-pourpoint. Je suis venu vous voler votre maître d'école.

— A votre aise. Il a à peu près terminé dans nos fermes.

— Vous le recommandez ?

— Oui. Certes, oui. Il connaît ses chiffres. Il connaît sa Bible.

— Me permettez-vous de lui parler ?

— Je serais soulagé qu'il trouve un bon travail. (Un temps.) Un homme si défavorisé a besoin d'être aidé.

Viljoen envoya un esclave chercher le maître d'école itinérant et, quand Tjaart le vit de nouveau — dos voûté, âgé presque de cinquante ans —, il hésita : jamais un tel homme ne pourrait enseigner ! Mais il posa des questions aux familles et il se rendit compte que tout le monde parlait de Nel avec affection. Une mère lui dit :

— Il est petit et il a une voix de fausset, mais c'est un homme de Dieu.

Et l'aîné des enfants Viljoen lui assura :

— En classe, nous aurions tous pu le fouetter, mais il maintenait l'ordre.

— Comment ?

— Il nous disait que Jésus aussi était un maître d'école et nous l'écoutions.

Ce soir-là, quand Tjaart lui offrit la place, Nel essuya son œil pleureur et bénit Van Doorn.

— Mais si je m'occupe bien des enfants, vous demanderez au prédikant de m'ordonner ?

— Theunis, répondit Van Doorn comme s'il parlait à un enfant (bien que le maître d'école fût plus âgé que lui), jamais vous ne serez dominee. Je vous l'ai dit. Nous avons besoin de vous comme maître d'école.

— Combien d'enfants ?

— A peu près trente.

Tjaart craignait que le chiffre paraisse trop élevé, mais le sourire de Nel s'élargit.

— C'est mieux quand il y en a beaucoup. Comme ça, l'école ne finira pas trop tôt.

— Combien d'écoles avez-vous dirigées ?

— Onze, répondit Nel en ajoutant aussitôt : Je n'ai jamais été renvoyé. Les enfants ont grandi et je suis allé plus loin.

Il regarda les deux fermiers.

« Je continue, dit-il.

Pendant l'absence de Tjaart, il avait été convenu que le nouveau maître — si Tjaart en ramenait un — vivrait avec Balthazar Bronk et ses nombreux enfants, mais, quand Jakoba apprit ces arrangements, elle ricana :

— Pas de charité dans tout ça. Bronk veut l'avoir pour discipliner les enfants. Ce sont des rhinocéros.

Et en voyant où il devait résider, Nel comprit aussitôt, lui aussi.

La ferme de Bronk se trouvait à une quinzaine de kilomètres à l'est de De Kraal et convenait parfaitement. Elle était centrale par rapport aux familles participantes et elle possédait une petite grange blanchie à la chaux facilement transformable en salle de classe. Ce fut là que Theunis réunit ses trente-trois garnements pour leur enseigner l'alphabet, la Bible et la table de multiplication. Nel ne possédait qu'un vernis en matière d'histoire, de littérature, de géographie et autres disciplines, aussi n'essayait-il pas de les enseigner, mais tous ses efforts portaient la marque d'une solide formation morale.

— Bronk, Dieter. Lève-toi et récite le Psaume 1.

Et quand le gros lourdaud arrivait tant bien que mal à la fin, Nel lui demandait :

« Bronk, Dieter, supposons que tu aies suivi le conseil des impies. Qu'aurais-tu fait ?

— Je ne sais pas, m'sieur.

— Tu aurais transgressé les commandements.

Et Nel se lançait alors dans un petit sermon sur l'obligation de ne pas mentir, de ne pas voler et de ne pas convoiter la femme d'autrui. S'il lui était interdit de déclamer des grands sermons à l'église, il demeurait libre d'en chuchoter des petits à l'école.

Tous ses élèves, de cinq à quatorze ans, se rassemblaient dans une salle carrée meublée uniquement de bancs et souvent on croyait avoir affaire à une émeute plutôt qu'à une classe ; mais, patiemment, Nel rétablissait l'ordre et isolait les différents groupes d'âges dans un coin de la pièce. Il enseignait d'abord aux cinq à sept ans, puis aux huit à onze ans, enfin aux douze à quatorze ans, mais les meilleurs moments de la journée demeuraient chaque matin à onze heures et chaque après-midi à trois heures, car il réunissait alors tous les élèves en un seul groupe. Le matin, il commentait la Bible, surtout le Livre de Josué, qui démontrait que Dieu avait élu les Boers pour une mission particulière ; l'après-midi, il enseignait le hollandais, ou plutôt le demi-hollandais de la frontière. C'était un vrai comédien. Il disait aux enfants :

— Je peux parler anglais aussi bien que quiconque à Graaff-Reinet.

Et il imitait un magistrat, ou un pasteur écossais, tout en déclamant dans un anglais incompréhensible.

« Mais quand je suis un vrai homme, je parle hollandais. Étudiez cette langue virile. Et défendez-la.

En un an d'études, les enfants confiés à maître Nel apprenaient à peu près ce qu'on leur aurait inculqué en deux ou trois semaines dans une vraie école, mais ils acquéraient un trésor d'instruction morale que de meilleurs professeurs n'auraient jamais donné.

En tant que maître d'école, il n'avait qu'un seul défaut et les fermiers qui l'employaient étaient incapables de le corriger :

— Je suis avant tout consolateur des malades, leur disait-il.

Si, dans la région, une personne tombait malade ou se trouvait sur le point de mourir, il se sentait obligé de se présenter à son chevet. Cela signifiait que son école restait sans maître. On ne manqua pas de le lui reprocher, mais il répondit à Balthazar Bronk :

— Dieu a deux problèmes dans le district de Graaff-Reinet : que ses jeunes prennent un bon départ pour leur voyage à travers la vie ; et que ses vieux prennent un bon départ pour leur voyage vers le ciel. Dans les deux cas, je suis le guide.

C'était un excellent consolateur des malades. Aux hommes à l'article de la mort, il évoquait leur participation déterminante à la société boer ; aux femmes, il rappelait le rôle essentiel qu'elles jouaient en mettant au monde et en élevant un bon peuple. Il faisait de la fin de la vie une chose respectable, convenable, inévitable, qu'il fallait apprécier au même titre que son commencement.

— Vous avez vu les prairies se couvrir de céréales. Vous avez vu six têtes de bétail devenir soixante-six. Ce sont là les signes d'une bonne vie et, par eux, Dieu vous a marqué pour le salut.

En stricte obédience avec les enseignements de Jean Calvin, il était convaincu que tout être humain qu'il rencontrait était prédestiné, soit au ciel, soit à l'enfer — et en général il savait lequel ; mais cela ne signifiait pas qu'il traitait le condamné avec moins de bienveillance que l'élu et, aux derniers instants, chaque fois qu'un mourant lui demandait : « Dominee, serai-je sauvé ? », il répondait :

— Je ne suis pas dominee et je me demande souvent, moi aussi, si je serai sauvé. Ce dos tordu ! Cet œil taré ! Je n'en sais pas plus à votre sujet que je n'en sais sur moi-même. Dans cette vie, Dieu a été juste avec moi et je suis sûr qu'Il le sera dans l'autre.

La double fonction de Nel toucha personnellement les Van Doorn quand la vieille grand-mère tomba malade. Wilhelmina avait soixante ans passés et sa vie s'achevait dans une maladie douloureuse. Dès qu'il l'apprit, Nel ferma son école, prit le cheval que lui avaient donné les fermiers et partit à De Kraal, où il dit simplement :

— On m'a dit qu'Ouma est au plus mal.

— Oui, oui, répondit Tjaart. C'est elle qui a construit cette ferme...

Des larmes coulaient sur ses joues et dans sa barbe. Il conduisit Nel jusqu'à la chambre sombre où la vieille femme gisait. Avant toute chose, Theunis ouvrit les volets et les fenêtres. Puis il s'avança au chevet de Wilhelmina et lui parla comme si elle était l'une de ses élèves.

— Maintenant, dites-moi comment vous avez eu cette ferme.

A peine eut-elle prononcé une dizaine de mots qu'il l'interrompit, courut à la cuisine et dit à Tjaart :

« Rassemblez tous les enfants, tout de suite. Ouma veut leur parler.

Elle n'avait nullement indiqué qu'elle désirait s'adresser à ses petits-enfants, mais Nel avait compris que ses paroles étaient importantes et devaient être transmises d'une génération à l'autre. Quand ils furent tous réunis, Nel les disposa en cercle autour du lit de la malade et dit :

« Les générations de l'homme sont comme le vannage du grain. Quand la balle est emportée par le vent, il faut recueillir le blé.

— De quoi parlez-vous, bon sang ? murmura Tjaart.

— Cette Ouma, devant nous, a eu une vie intense et vous devez la connaître et la raconter plus tard aux enfants de vos enfants.

Et, sur ce, il pressa Wilhelmina de leur raconter comment elle était arrivée à De Kraal.

D'une voix fluette, consciente de n'avoir plus que quelques heures à vivre, elle commença :

— Je vivais près de l'océan dans une famille qui ne connaissait pas Dieu et, un jour, un smous ambulant m'a dit que dans le nord un homme de bien venait de perdre sa femme. Alors je suis montée sur mon cheval et sans dire adieu à personne j'ai fui cette maison mauvaise, j'ai chevauché vers le nord et j'ai dit à ton père...

Elle parlait directement à Tjaart, qui écoutait, bouche bée.

« On appelait ton père le Marteau, ce qui était un nom laid, vraiment. Il n'y avait pas de quoi en être fier, comme il le croyait. Mais, à cette époque-là, nous avions besoin d'un Marteau. Plus de quarante fois il est parti au combat et, toujours, je priais pour qu'il revienne sain et sauf.

Un seul point la tourmentait :

« Lodevicus est mort parce qu'il a fait quelque chose de mal. Il a proposé de trahir son gouvernement. J'en ai honte...

Elle s'interrompit un instant, puis elle prononça des paroles malheureuses.

« Je veux vous parler du Nachtmaal à Graaff-Reinet. Nous y sommes allés quatre fois, je crois, et les fermiers étaient toujours heureux...

A l'évocation du Nachtmaal, Tjaart songea aussitôt à cette délicieuse jeune fille... mais il se retourna brusquement : auprès de lui, des sanglots. C'était Minna. Elle pouvait supporter la mort, mais le Nachtmaal rappelait des souvenirs trop amers. Elle quitta la chambre de la malade, sortit de la maison et courut vers les collines qui protégeaient De Kraal.

« Il faut que tu lui trouves un mari, Tjaart, dit la grand-mère mourante. J'ai fait plus de cent cinquante kilomètres à cheval, toute seule, pour trouver ton père.

L'un des enfants demanda :

— Il y avait des lions, quand tu étais à cheval, Ouma ?

— Oui, il y avait des lions, répondit-elle.

Quand Theunis Nel revint à la ferme Van Doorn après la mort de Wilhelmina, ce fut en principe pour rendre compte des progrès des enfants. Mais, après sa troisième visite consécutive, Jakoba fit observer à Tjaart :

— La première fois qu'il est venu, je croyais que c'était pour un bon repas. Tu sais à quel point les Bronk sont pingres pour la nourriture.

— Il ne mange presque rien.

— Et tu sais pourquoi ? Il s'est entiché de Minna. C'est ridicule. Dis-lui de rester au large.

— Minna ! (Tjaart se laissa tomber sur sa chaise.) Tu crois que...

Dans l'après-midi, il alla à l'école et invita Theunis Nel à dîner. L'empressement avec lequel le petit consolateur des malades accepta convainquit Tjaart que Jakoba avait deviné juste. Ce soir-là, les deux Van Doorn regardèrent le maître d'école chipoter dans son assiette et, après son départ, ils chuchotèrent longtemps.

— C'est mal, Tjaart. Il est plus âgé que toi.

— Je ne suis pas âgé.

— Mais Minna est...

— Je sais ce qu'est Minna : une femme sans mari, à seize ans ou presque. Et elle a un physique ingrat, elle aura beaucoup de mal à trouver quelqu'un de bien, à présent.

Ces vérités leur firent monter les larmes aux yeux.

— Que pouvons-nous faire ? demanda Jakoba.

— Encourager Theunis Nel.

— A épouser Minna ? Tu n'y penses pas !

— Je ne pense qu'à ça au contraire.

— Mais c'est une fillette. Et il est vieux.

— Après quinze ans, une femme a l'âge de son mari : trente, quarante, cinquante ans, l'âge qu'il faut. Quand Nel viendra voir Minna, mets-le à son aise.

Mais comment apprendre au maître d'école qu'il était libre de rencontrer Mejuffrouw Van Doorn pour les premières phases d'une cour dans les règles ? Tjaart résolut le problème d'une façon qu'il trouva subtile.

— Theunis, je suis venu vous dire que vous avez fait des merveilles avec nos petits-enfants. J'ai une fille, vous l'avez rencontrée, je crois. Elle doit apprendre son alphabet elle aussi et nous vous paierons un supplément.

— Je suis sûr de pouvoir trouver un peu de temps libre, répondit Nel.

Il allait vivre la période la plus frénétique de sa vie : école toute la journée, réconfort des malades la nuit, quinze kilomètres pour aller à De Kraal, les leçons à Minna et aider un peu partout pour les travaux imprévus.

Parfois, Tjaart et Jakoba jetaient un coup d'œil dans la cuisine : le maître d'école couvait du regard Minna, qui copiait laborieusement son alphabet...

— Je me demande si elle sait, dit Tjaart.

— Les femmes savent toujours, répliqua Jakoba.

Puis, un soir, après le départ de Nel (il était si épuisé qu'il s'endormit sur son cheval et se laissa ramener à l'école), Minna dit à ses parents :

— Je crois qu'il veut te parler, père.

A peine avait-elle prononcé ces paroles (comme elle l'avait promis à Theunis) qu'elle éclata en sanglots :

« Mais je suis amoureuse de Ryk Naudé. Je le resterai toujours.

— Minna, répondit sa mère sèchement, il est marié à une autre.

— Mais je ne peux pas épouser ce maître d'école.

Jakoba secoua la tête.

— Quand une femme a plus de quinze ans, elle doit saisir la première occasion.

— Vous voulez que je l'épouse ?

— Tu as entendu ce que Nel a dit : « Les générations d'un homme sont comme le vannage du blé. »

— Je ne sais toujours pas ce que cela veut dire, protesta Tjaart.

— Cela veut dire qu'une femme doit faire son devoir, répondit Jakoba.

Deux soirs plus tard, Theunis Nel entra dans la cuisine, vêtu des plus beaux habits qu'il ait pu s'offrir et, quand Minna étala ses cahiers, il les écarta d'un revers de main.

— Ce soir, il faut que je vous parle, Mijnheer Van Doorn.

— Oui ? dit Tjaart.

— Mijnheer Van Doorn, commença le maître d'école (on eût dit qu'il avait seize ans et Tjaart soixante-dix), j'ai le grand honneur de vous demander la main de votre fille Minna...

En entendant ces mots fatidiques et en voyant l'homme pitoyable qui les prononçait, Minna aurait sûrement éclaté en sanglots si sa mère, prévoyant sa réaction, ne lui avait saisi le poignet violemment, comme pour lui dire : « Pas question ! »

« Je suis âgé, continua Nel, et je n'ai pas de ferme...

— Mais vous êtes un homme bon, dit Jakoba.

Elle poussa sa fille en avant.

— Theunis, dit Tjaart, soyez le bienvenu dans notre famille.

— Oh !

Le maître d'école en avait le souffle coupé. Reprenant ses esprits, il demanda :

« Irons-nous tous à Graaff-Reinet pour la noce ?

— Pas en ces temps incertains, répondit Tjaart. Mais vous pouvez commencer le mariage et le premier dominee qui passera par ici...

— Mais c'est impossible, protesta le petit homme dévot. Il faut que je prie à ce sujet...

Il n'imaginait pas qu'il puisse vivre avec une femme avant que leurs vœux n'aient été consacrés.

— Priez, priez... lui répondit Tjaart, impatient de voir sa fille mariée. Mais je l'ai observé : chaque fois que des hommes prient Dieu à ce sujet, la réponse est toujours oui. Vous voulez que Minna rentre avec vous chez Bronk ?

— Il faut que je prie.

Ce fut Minna qui répondit à cette prière particulière.

— Vous avez entendu ce qu'a fait Wilhelmina quand elle a épousé Lodevicus ? Elle a parcouru plus de cent cinquante kilomètres à cheval. L'école n'est qu'à quinze kilomètres.

Tjaart Van Doorn avait trouvé un gendre.

En décembre 1834, on aurait pu croire que toutes les incertitudes de Tjaart avaient disparu. Theunis et Minna étaient revenus à De Kraal pour aider à faire valoir la ferme, et le gouvernement anglais commençait à montrer un peu de bon sens dans la gestion des affaires du pays. Mais les ennuis recommencèrent presque aussitôt, car les Xhosas lancèrent une série d'attaques, très loin en pays boer. Tous les commandos furent convoqués à Grahamstown pour renforcer les troupes régulières anglaises et leurs auxiliaires civils comme Saltwood.

— Nous n'avons pas en face de nous quelques centaines de guerriers xhosas, déclara le commandant en chef, mais plusieurs milliers. C'est une invasion de notre colonie.

Après quatorze journées épuisantes en selle, les hommes de Tjaart se virent accorder une semaine de permission : c'étaient des fermiers, non des soldats, et leur première responsabilité était d'assurer la sécurité de leurs demeures et de leurs troupeaux. Quand les hommes épuisés prirent le chemin de Grahamstown — un endroit que Tjaart avait appris à aimer, car il y était toujours bien reçu —, Saltwood eut avec lui une conversation sérieuse :

— Piet Retief parle de quitter ces terres et d'émigrer vers le nord. Si ce brave homme part, il est évident à mes yeux que vous partirez tous. Je crois que c'est une erreur. Nous avons prouvé, vous et moi, que les Boers et les Anglais peuvent vivre ensemble.

— Vos lois sont contraires à la Bible.

— Contraires à l'Ancien Testament, pas au Nouveau.

— C'est l'Ancien Testament qui compte.

— Quoi qu'il en soit, si jamais vous décidez de partir dans le nord, votre ferme m'intéresse beaucoup. C'est la meilleure de la région.

— Je n'ai pas envie de vendre.

— Alors pourquoi avez-vous acheté un chariot neuf ?

Tjaart réfléchit. Il refusait de reconnaître qu'il avait acquis le chariot dans l'intention d'émigrer, bien que sa femme le lui eût conseillé à plusieurs reprises depuis un certain temps. Il avait dit à ses fils : « Je l'ai acheté parce qu'un fermier a besoin de bons outils. » Mais, peu à peu, il dut avouer en lui-même qu'il avait agi ainsi parce qu'il y avait dans l'air un certain désir de fuir les obstacles dressés par la loi et la coutume anglaises. Peut-être Jakoba avait-elle raison. Peut-être feraient-ils mieux de partir dans le nord pour constituer une nouvelle nation.

Mais toutes ces pensées s'envolèrent quand il arriva avec de Groot sur la crête de la dernière colline dominant De Kraal : leurs yeux se posèrent sur une scène de dévastation. Toutes les parties de la grange qui n'étaient pas en pierre avaient été incendiées, le hangar de bois attenant à la maison avait été brûlé ; et, sur le terre-plein entre la maison et la grange, gisait ce qui avait été le chariot neuf : un tas de bois calciné.

— Grand Dieu ! cria Tjaart.

Il éperonna son cheval pour découvrir ce qu'il était advenu de sa famille.

— De Groot, cria-t-il une fois parvenu au milieu des cendres. Ils sont tous morts.

Mais on ne découvrit aucun cadavre dans les ruines et Tjaart craignit que toute sa famille n'ait été emmenée en captivité. On chercha des traces autour de la maison et on découvrit enfin une piste conduisant à un ravin éloigné. Theunis Nel, les femmes, les enfants et les serviteurs s'y trouvaient — affamés mais sains et saufs. Les fils de Tjaart avaient été massacrés.

— C'est Theunis qui nous a sauvés, dit Jakoba à mi-voix quand Tjaart la prit dans ses bras.

— Comment ?

Un serviteur « de couleur », heureux d'être toujours en vie, répondit :

— Deux fusils. Nous avons combattu une heure. Nous avons reculé, pas à pas. Nous en avons tué beaucoup. Ils sont partis.

Theunis avait organisé la fantastique retraite qui avait sauvé les restes de la famille Van Doorn. Étrangement, il n'avait pas tiré un seul coup de feu : Jakoba avait un fusil, et un berger « de couleur » se servait de l'autre. Mais c'était Theunis qui avait maintenu le groupe réuni et choisi l'itinéraire de leur fuite.

Quant Tjaart demanda à l'aspirant dominee :

— Où avez-vous puisé tant de courage, Theunis ?

Nel répliqua :

— Il le fallait bien. Minna est enceinte, vous comprenez.

A environ mille kilomètres de là, dans la ville du Cap, on fêtait la Saint-Sylvestre et les invités du bal du gouverneur estimaient à juste titre que c'était la plus belle soirée jamais organisée au Cap. Les dames et les messieurs de la capitale avaient grand air dans leurs robes et leurs costumes à la dernière mode, mais ce qui donnait à la réception tout son éclat, c'étaient les officiers anglais en uniformes immaculés qui se déplaçaient au milieu de la foule en fête comme autant de princes charmants. Les invités étaient venus de tous les coins de la province occidentale du Cap et il y avait parmi eux des Van Doorn de Trianon, une des familles les plus prospères parmi les anciens colons hollandais.

La ville, très animée, comptait maintenant plus de vingt mille personnes. C'était un mélange chaotique de port de mer impie et de centre commercial en expansion. Des boutiques offraient les dernières créations de la mode européenne, des thés et épices fines provenant de Ceylan et de Java, de magnifiques soieries de Chine ; dans de petites échoppes, des orfèvres fabriquaient leurs bijoux précieux ; et il existait des hommes comme le baron von Ludwig qui pouvait vous conseiller en matière de tabac, à priser ou à fumer. Tout le monde était prospère. Des hôtels confortables et des clubs où l'on pouvait discuter à loisir des dernières nouvelles de la « métropole » côtoyaient des bouges où des métisses vous accueillaient, des écuries, des bazars, des ateliers de menuisiers malais, des impasses où se bousculaient les cabanes des « hommes de couleur » et des petits Blancs.

La classe supérieure vivait très bien dans de belles demeures urbaines ou derrière les pignons orgueilleux des grandes fermes. Elle consacrait toutes ses énergies à mettre sur pied les futures grandes familles du Cap, tout en discutant de sujets aussi divers que la perte humiliante de leurs esclaves ou la machine de bain dernier cri qui leur permettrait d'immerger leurs corps dans l'Atlantique, « Nouveauté très profitable sur le plan médical ».

Ce soir-là, au cours du bal, on parla beaucoup de la chasse, le grand événément du Jour de l'An, où toute une armée de messieurs en veste écarlate, gouverneur en tête, se lancerait, non sans fracas, à la poursuite du renard du veld — le chacal.

— Une sacrée bon Dieu de bête ! s'écria un major d'une voix de rogomme. Cela vous laisse un arrière-goût du bon vieux pays, hein, quoi. Et cela contribue à débarrasser le paysan de ses vermines. Du sport, quoi. Rien de mieux qu'un bon provincial anglais pour montrer à ces Boers comment tirer le meilleur parti de ce pays.

Et il scella son opinion d'une grande lampée de porto.

En dehors du Château, ce Nouvel An serait également très spécial : les esclaves, noirs et bruns, jouiraient de leur première journée de liberté. Une immense foule, avec une horde d'enfants, s'était réunie devant l'église luthérienne, l'œil fixé sur l'horloge qui annoncerait le début de la nouvelle année. Les enfants criaient et chantaient, attendant avec impatience le feu d'artifice géant promis pour minuit. Le lendemain, à l'aurore, ils recevraient leurs étrennes comme de coutume.

Dans la résidence du gouverneur, l'orchestre militaire, auquel s'étaient joints les meilleurs musiciens de la ville, attaqua une autre valse et il y eut des vivats enthousiastes quand le lieutenant-colonel de la garnison entraîna sa charmante épouse sur la piste de danse. Henry George Wakelyn Smith était un jeune officier très mince, au visage de faucon, dont la réputation avait fait beaucoup d'effet sur ses soldats et sur les civils du Cap. Il s'était conduit avec une bravoure remarquable au cours de la campagne d'Espagne contre Napoléon, où il avait servi sous les ordres du duc de Wellington. Il avait été anobli, mais il insistait pour qu'on continue de l'appeler simplement Harry Smith — c'était l'un des quatorze enfants d'une famille pauvre. Plus que tout, il adorait jouer à la guerre.

Tout le monde au Cap était fier d'Harry et tout le monde adorait sa femme. Nul n'ignorait la façon incroyable dont il l'avait rencontrée. Au siège de Badajoz, alors qu'il lançait ses troupes pour l'assaut final de la ville, deux enfants espagnols, dont une fillette, s'étaient précipités, en larmes, depuis les lignes tenues par les Français.

— Des soldats ont tué nos parents. Et regardez ! Ils nous ont arraché nos pendants d'oreille.

Le jeune Smith jeta un coup d'œil à Juanita et déclara à un ami :

— Il n'y a jamais eu de lady plus adorable.

— Et il l'avait épousée sur-le-champ, bien qu'elle eût seulement quatorze ans et qu'elle fût catholique. Ils constituaient un des couples les plus étonnants de l'histoire, deux êtres merveilleux, parfaitement assortis. Il ravissait le public par sa bravoure, elle en faisait autant avec sa guitare. Plusieurs années après ce premier séjour au Cap, Sir Harry y retournerait comme gouverneur et Juanita serait adulée par tous.

Ce soir-là, tandis qu'il valsait avec elle, Harry vit un des collaborateurs du gouverneur entrer dans la salle et lui faire des signes impatients. Il raccompagna galamment son épouse auprès de quelques amis et, sans trahir la moindre préoccupation, gagna à pas lents le bureau du gouverneur.

— Les Cafres ont percé toutes nos lignes frontières. Grahamstown et les commandos boers ne peuvent pas les contenir. Ils détruisent tout sur leur passage. Ils incendient et ils pillent.

— J'irai, répliqua Harry sans hésiter.

— Il se passera des semaines avant qu'un bateau de guerre puisse vous déposer là-bas.

— Ne me parlez pas de ces fichus bateaux. Je partirai à cheval. (Il s'inclina légèrement.) Il est presque minuit, monsieur. Ne devrions-nous pas rejoindre les dames ?

Dans la salle de bal, au moment où la onzième heure s'acheva, de grands vivats s'élevèrent et l'orchestre joua *Auld Lang Syne*, merveilleuse ballade nostalgique. Harry Smith, sachant qu'il serait bientôt à l'autre bout du continent, serra la main de Juanita très fort et chanta avec elle les paroles de Robert Burns :

Nous avons couru ensemble parmi les collines
Et mis nos plus beaux atours ;
Mais nous avons connu plus d'une fatigue,
Depuis le bon vieux temps.

Nous avons ramé sous le hâle
Du frais soleil de l'aurore jusqu'au couchant ;
Mais les mers entre nous ont connu des tempêtes
Depuis le bon vieux temps.

On entendit, à l'extérieur, l'explosion du feu d'artifice et les cris d'allégresse de tous ceux qui saluaient 1835.

Harry et Juanita quittèrent le bal sur-le-champ. Après trois heures de repos, le lieutenant-colonel donna à son épouse un baiser d'adieu, boucla le ceinturon de son sabre, prit les dépêches pour la frontière et s'en fut dans la nuit tandis que les citoyens dormaient à poings fermés en prévision des réjouissances du lendemain.

A l'aurore, Smith était déjà très loin à l'est du Cap et, en six jours, il franchit les mille kilomètres jusqu'à Grahamstown, où, sans un instant de repos, il prit le commandement.

Le gouverneur, Sir Benjamin d'Urban, très effrayé par l'invasion xhosa, arriva à son tour le 14 janvier. Les Anglais et les Boers étaient prêts : deux mille hommes, accompagnés par trois cents soldats « de couleur » — la milice.

— Nous écraserons les Cafres, dit Smith.

Mais il fallut sept mois pour que cette menace se réalise. Pourtant, avec des hommes comme Tjaart Van Doorn et Richard Saltwood à ses côtés, il se révéla infatigable — et sans merci. Après une avancée de trois semaines, il annonça, content de lui :

— J'ai brûlé deux mille sept cent seize cases. Ça leur apprendra.

Mais, dans un instant de plus grande lucidité, il devait avouer :

« Il me faudrait cent mille des meilleurs soldats d'Angleterre pour écraser ces Xhosas.

Quand il les eut enfin contraints à retourner dans leur territoire, il rentra à Grahamstown, où des arcs de triomphe l'attendaient. Il fut sacré Vainqueur de la frontière, Triomphateur de la rébellion.

— Maintenant, nous aurons la paix, déclara-t-il.

Mais la paix dépendait avant tout des actes de Sir Benjamin. Il était arrivé au Cap l'esprit imbu des prêches du Dr Simon Keer, mais le contact d'un réaliste comme Harry Smith, ajouté à son expérience personnelle sur le champ de bataille, provoqua en lui un changement d'opinion radical. Dans son rapport très perspicace sur la sixième guerre cafre, il informa Londres que « cette province, fertile et belle, est presque un désert, et les meurtres qui ont accompagné les pillages et les rapines ont profondément aggravé l'atrocité de la situation ». Il ajouta qu'à son avis les Cafres étaient des sauvages irrécupérables : « des Barbares impitoyables qui ont acculé sept mille de nos fermiers à un dénuement extrême ».

Désireux d'éviter un nouveau désastre et soucieux — comme tout honnête homme — d'aboutir à une paix durable, il annexa un vaste territoire, établit une chaîne de forts et fit occuper la terre par autant d'hommes qu'il put. On invita les Noirs amicaux qui n'avaient pas participé à la guerre à rester où ils se trouvaient et on accorda de nouvelles concessions à des colons, boers et anglais.

C'était une solution intelligente, qui compensait en grande partie les pertes douloureuses des fermiers, mais quand on fit le bilan de la guerre, Sir Benjamin planta sur sa vaste carte de petites sagaies représentant les pertes énormes subies par les Blancs : 100 hommes abattus, 800 fermes incendiées, 119 000 bovins volés, 161 000 moutons disparus. Les « hommes de couleur » avaient souffert dans les mêmes proportions.

Quand la nouvelle de ces mesures pleines de sagesse parvint à Londres, le Dr Keer se lança à l'assaut du Parlement :

— La tentative des Noirs était pleinement justifiée : ils réclamaient des terres leur appartenant de droit. Trois mille hommes de ce peuple doux et sans défense ont péri en martyrs de leur combat contre l'injustice systématique des Boers et de leur nouvel allié : le rebut de l'Angleterre établi le long de la frontière.

Keer gagna la guerre de la propagande. La paix raisonnable établie par d'Urban et Smith fut annulée et le territoire annexé rendu aux Noirs. D'Urban fut rappelé en demi-disgrâce et Harry Smith perdit tous ses pouvoirs.

— Comment pourrais-je « manger » les Cafres avec un manuel de droit civil ?

Keer et ses « philanthropes » avaient une réponse simple :

— Envoyez des fonctionnaires anglais respectables vivre au milieu de nos amis noirs et faites d'eux de bons citoyens britanniques !

Ils proposèrent également de fonder une douzaine de nouveaux Golan, où des missionnaires offriraient refuge à tous les Noirs.

Cela ne se passa pas ainsi. La frontière sombra de nouveau dans les troubles et l'angoisse, et, dans toute la région, les Boers (accablés de surcroît par une mauvaise sécheresse qui détruisait leurs récoltes) se réunirent de plus en plus souvent, certains au milieu des ruines de leurs fermes, et commencèrent à dire : « Au diable ces Anglais ! »

Tjaart oublia un instant tous ces malheurs quand sa fille Minna, sur le point d'accoucher de son premier enfant, se mit dans la tête qu'en raison du physique imparfait de son mari le bébé serait un monstre difforme.

— Je le sens dans mon ventre. Il se débat pour sortir. Parce qu'il est contrefait et maudit.

Elle était si convaincue qu'elle allait mettre au monde une chose hideuse et que la faute en était à son mari qu'elle ne pouvait plus supporter la présence de celui-ci.

« Je le regarde, se lamentait-elle, et tout ce que je vois c'est son dos bossu. Puis il me regarde, comme un oiseau blessé, et j'aperçois son pauvre œil toujours en train de pleurer. Dieu l'a maudit et Theunis a transmis la malédiction à notre fils.

Elle avait souvent des crises de larmes et, quand Tjaart apprit ces extravagances, il ne dissimula pas sa colère.

— Bon Dieu, Minna, des milliers de femmes ont des enfants chaque année. Mevrouw Bronk en a eu combien ?

— La seconde épouse ? Douze, renifla Minna, mais son mari est un vrai homme.

— Le tien aussi. Il t'a sauvé la vie, non ?

— Il n'a même pas tiré un coup de fusil. C'est maman qui a dû le faire. Je sais que mon fils va être tout tordu et nabot.

Son obsession devint si intense qu'à la veille de l'accouchement Theunis dut quitter la cabane qui leur servait de demeure provisoire et s'installer chez la famille Du Toit, qui avait trois enfants à l'école. Ces enfants entendirent parler chez eux des ennuis de leur maître et en comprirent la raison. Les grands garçons les plus hardis se mirent à tourmenter Nel, mais, quand Tjaart l'apprit, il se précipita dans la salle de classe, pria Theunis d'attendre à la porte et menaça de rosser tous les enfants sans distinction si toutes ces histoires se reproduisaient.

— Votre maître d'école est mon ami, tonna-t-il. C'est un homme bon, bien élevé et, comme vous l'avez chuchoté dans son dos, il va être père dans quelques jours.

— Du Toit dit que ce sera un monstre.

— Qui est Du Toit ?

L'enfant se leva. Tjaart se précipita vers lui puis s'arrêta brusquement.

« Si je te gifle, ta tête va traverser la muraille.

Personne ne rit, car la menace était réelle. Mais Tjaart se détendit aussitôt et dit d'un ton calme :

« Du Toit, va chercher le maître.

Et quand Theunis, perplexe, rentra en frottant son œil, Tjaart s'écria :

« Mes enfants, le fils de votre maître sera mon petit-fils. Et mon père était Lodevicus le Marteau. Dans notre famille, nous n'avons que le meilleur.

Cela calma les élèves, mais non sa fille. Bien plus, l'appréhension de Minna le contamina : le jour de la naissance, quand les femmes occupèrent la cabane, il se mit à transpirer plus fort que pour la naissance de ses propres enfants. Et, tandis qu'il marchait de long en large devant le seuil pendant l'interminable attente, il voyait des infirmes et des éclopés défiler devant ses paupières et il priait pour que cet enfant soit complet : « Dieu, c'est un pays vide. Nous avons besoin de tous les jeunes que nous pouvons avoir. »

Des cris jaillirent de l'intérieur et les femmes sortirent en courant :

— Une belle petite fille !

Écartant tout le monde de son chemin, il se précipita dans la cabane, puis s'approcha du grabat et souleva l'enfant nu. Il le tint par les talons, la tête en bas, et l'examina sous tous ses angles. Il était parfait. Satisfait, il le reposa doucement dans les bras de Minna.

— Merci, ma fille. Pas une tare. Il faut que j'aille le dire à Theunis.

Il franchit les quinze kilomètres au galop et se précipita dans la classe en criant :

— Theunis ! C'est une fille. Et parfaite à tous égards.

Puis il tendit l'index vers Du Toit, le fauteur de troubles.

« Toi, va chercher de l'eau.

Car Theunis Nel avait beau sourire jusqu'aux oreilles, on sentait bien qu'il allait défaillir.

Les Boers de la frontière auraient pu supporter la sécheresse et résister aux incursions renouvelées des Xhosas, mais le gouvernement anglais les insulta une fois de plus, avec la honteuse affaire du paiement des esclaves. Les Van Doorn et les autres Boers du voisinage avaient eu le temps de se préparer à libérer définitivement leurs esclaves et ils ne soulevaient aucune objection de principe, mais ils se demandaient parfois pourquoi l'Angleterre se montrait aussi insistante alors que des pays d'une moralité aussi élevée — la Hollande ou les États-Unis par exemple — s'en tenaient toujours à l'esclavage.

Il est difficile d'expliquer ce qui se produisit et impossible de le justifier. Le Parlement anglais, malgré les promesses formelles de Sir Peter Saltwood, le promoteur de la loi, refusa de voter les trois millions de livres sterling nécessaires à compenser les pertes financières des détenteurs d'esclaves de la colonie du Cap. La somme accordée fut si insignifiante que Tjaart devait recevoir pour les six esclaves qu'il possédait légalement, non point les six cents livres sterling promises, mais cent quatre-vingts. Enfin, parce que les ordonnances avaient été conçues au bénéfice de magnats londoniens possédant d'immenses plantations dans les Antilles, il était précisé qu'aucun fermier de la colonie du Cap ne pourrait recevoir cette allocation tronquée s'il ne se rendait pas personnellement à Londres pour la toucher.

— Je ne comprends pas, dit Tjaart, qui voulait à toute force trouver un sens à ces mesures incroyables.

— C'est simple, lui dit Lukas de Groot, qui écoutait la lecture de la loi avec un groupe de Boers. Au lieu de six cents livres, tu n'en touches même pas le tiers. Et, pour les toucher, tu dois prendre la piste jusqu'au Cap, six semaines, aller en bateau à Londres, quatre mois, puis retour en bateau, et retour sur la piste. Presque une année entière...

L'homme qui lisait ajouta :

— Regardez cette ligne, tout en bas.

C'était écrit noir sur blanc.

« *Pour toute réclamation présentée à Londres, il sera perçu un droit administratif d'une livre, dix shillings, six pence par esclave, pour couvrir les frais d'établissement des dossiers.* »

Tjaart était fou de rage. Selon ces règlements insensés, aucun possesseur d'esclaves dans toute la région à l'est de Stellenbosch ne pourrait toucher le dédommagement qui lui était dû et tout le monde comprit que telle était l'intention de

Londres. Qui pouvait s'absenter d'une ferme pendant près d'une année ? Et qui, une fois à Londres, pourrait discuter devant les instances compétentes anglaises dans la langue exigée ?

C'était une injustice si flagrante qu'elle encouragea toute une kyrielle de personnages de mauvais aloi à circuler dans l'arrière-pays en offrant de racheter les droits des fermiers à neuf shillings la livre. Certains de ces détrousseurs de cadavres étaient des Anglais ayant échoué dans telle ou telle entreprise honnête et qui voyaient dans cette manœuvre l'occasion de payer leur voyage de retour en Angleterre. Les chances qu'un seul Boer reçoive des fonds de cette bande de voleurs étaient précaires.

— Écoutez, Tjaart, plaida l'un d'eux, je vais au Cap à votre place. Je prends le bateau de Londres pour vous. Je passe des jours et des jours devant les commissions de contrôle et je défends vos droits en anglais. Je gagne bien ma commission, non ?

— Mais le gouvernement me doit tout, répondit Tjaart en hollandais, pourquoi devrais-je vous payer plus de cinquante pour cent ?

— Parce que vous serez ici, sur votre ferme, et moi à Londres, devant les tribunaux.

— C'est tellement injuste !

— C'est la loi, répliqua le candidat agent avec un sourire triste.

Comprenant à quel point il était incapable de défendre ses droits légaux, Tjaart aurait certainement accepté l'offre et reçu moins d'un sixième de la somme promise au départ si une députation n'était venue de Grahamstown pour empêcher cette injustice.

Elle était composée de trois Anglais qui avaient combattu les Xhosas aux côtés de Tjaart, et deux d'entre eux étaient ses amis : Saltwood et Carleton.

— Vous avez signé des papiers ? s'écria Saltwood avant même de descendre de cheval.

— Non.

— Dieu merci ! Et maintenant, monsieur, dit-il à l'homme, quittez le pays si vous ne voulez pas être fouetté.

— Je suis dans mon droit, répondit l'autre.

Saltwood frappa la selle de l'intrus du bout de son fouet court et cria à Carleton :

— Montrez-lui ce que vous savez faire.

Et, avec un fouet d'hippopotame, beaucoup plus long, le charron frappa lui aussi la selle.

« Vous feriez mieux de partir, répéta Saltwood.

L'autre se mit à protester de son bon droit, mais Saltwood fit claquer son fouet et toucha l'homme à la jambe.

« Hors d'ici, voleur ! cria-t-il.

Effrayé, l'homme s'éloigna. Il lança des menaces, mais seulement quand il fut à bonne distance des fouets. Il continua son chemin vers d'autres fermes, dont il essaierait d'acheter les droits à neuf shillings la livre.

« Une honte ! dit Saltwood en expliquant ce qu'avec Carleton il se proposait de faire en faveur de leurs amis boers. Vous avez été nos alliés fidèles. Sans vous, nous n'aurions plus de ville ici. Nous ne pouvons pas permettre qu'on vous vole ainsi, sans rien faire pour vous. Donnez-nous vos dossiers, je les enverrai à mon frère au Parlement. Je ne vous promets rien, Tjaart, sauf un marché honnête. Nous risquons de gagner, nous risquons de perdre, mais au moins vous aurez une chance.

Tandis qu'ils discutaient, Carleton aperçut les restes du chariot de Van Doorn et le reconnut comme un des siens.

— Et d'où vient-il ?

— Je l'ai acheté à Graaff-Reinet.

— Vous auriez dû venir me voir. Je vous aurais fait un bon prix.

— Mes moutons étaient à Graaff-Reinet.

Carleton ramassa un des montants calcinés et montra une petite inscription gravée dans le bois : TC-36 (Thomas Carleton — chariot 36). S'il s'était contenté d'un travail rapide et moyennement soigné, ce chariot aurait peut-être porté le numéro 80.

— Vous aurez besoin d'un chariot neuf, dit-il, pour votre trek vers le nord.

Tjaart lui adressa un regard étrange. Tout d'abord, des années plus tôt, cela avait commencé par Jakoba ; puis Saltwood, au retour de la guerre contre les Xhosas ; et maintenant Carleton... Tout le monde pensait donc que les

Van Doorn devaient émigrer vers le nord, comme s'il n'y avait pas d'autre solution.

— Qui est parti vers le nord ? demanda-t-il.

— Vous ne savez pas ? Hendrik Potgieter a pris la piste la semaine dernière.

— Vers où ?

— Le nord. C'est tout ce qu'il a dit.

— Seul ?

— Non. Il y avait quarante ou cinquante personnes avec lui. Sarel Cilliers l'accompagnait, vous savez... Et Louis Trichardt aussi, avec Van Rensburg, il y a plusieurs mois. Peut-être quatre-vingt-dix personnes, et soixante-dix ou quatre-vingts serviteurs.

Tjaart se sentit très faible soudain. Tout allait si vite et avec une ampleur qui le dépassait. A regret, il reconnut que ses voisins avaient peut-être raison.

— Nous avons estimé que, si des hommes comme vous et Piet Retief se décident finalement à nous quitter, lui dit Saltwood, il ne faut pas qu'ils partent avec de mauvaises pensées à notre égard. Bon Dieu, Tjaart, vous vous êtes battu avec nous, au coude à coude.

Un accord fut conclu. Saltwood reçut les dossiers de plusieurs Boers — dont Van Doorn et de Groot — et promit de les envoyer à Sir Peter, à Londres, pour toucher ce que le gouvernement voudrait bien accorder. Mais, pour que la transaction soit légale, il fallait que les Boers signent une renonciation à leurs droits au prix d'un shilling et comptent sur la bonne foi de leurs amis anglais. Les hommes signèrent avec la certitude absolue qu'on leur rendrait des comptes parfaitement honnêtes, car tous ceux qui participaient à cet accord avaient combattu comme des frères pour la défense de leurs foyers. Et le fait que les Boers songent sérieusement à quitter leurs fermes était aussi désolant pour les Anglais que pour les Boers eux-mêmes.

Tjaart avait été profondément touché par la sympathie que lui avaient témoignée Saltwood et Carleton au cours de leur visite à sa ferme en ruine. Pendant la guerre, il s'était porté volontaire pour protéger les biens des colons anglais, mais le gouvernement anglais s'était avéré incapable de sauver les fermes des Boers : plusieurs centaines avaient été ravagées et maintenant le gouvernement se rangeait du côté des Cafres. Pourtant, il était convaincu que les braves gens de Grahamstown comme Saltwood recherchaient sincèrement son amitié et déploraient les pertes qu'il avait subies. Tout en marchant au milieu des poutres calcinées de sa grange, il se demanda sérieusement ce qu'il devait faire. Il interrogea Jakoba, toujours de bon conseil.

— Devons-nous construire une nouvelle maison ?

— Il faut partir dans le nord, répondit-elle sans hésiter. Trouver de la terre libre.

Lorsque Lukas et Rachel de Groot vinrent leur annoncer le triste état où se trouvait leur ferme, ils abondèrent aussitôt dans le sens de Jakoba.

— Nous n'avons pas le cœur à reconstruire. Nous partons.

— Où ?

— Nous traverserons l'Orange. Puis nous irons dans le Natal.

— Je crois que je resterai ici, répondit Tjaart d'un ton résolu. C'est une bonne ferme, dans une bonne région. Je crois que les Anglais nous gouverneront bien un jour.

Quand les de Groot lui proposèrent de rester quelque temps pour l'aider à reconstruire, il eut l'occasion de voir quel bon petit garçon leur fils Paulus était devenu. A quatre ans, c'était un drôle de bonhomme qui portait des pantalons longs comme son père. Ses cheveux blonds, très fournis, étaient coupés tout droit sur le front et, quand il courait, ils oscillaient d'un côté puis de l'autre. Ses membres robustes indiquaient qu'il était déjà très fort.

Pendant les réparations de la ferme, l'enfant participa à diverses tâches qu'auraient dû faire les hommes, comme débarrasser les chutes de bois et conduire le bétail où il fallait. Et, tout en le suivant des yeux, Tjaart songeait : « Comme ce serait magnifique s'il pouvait épouser la fille de Minna... » Mais, chaque fois que ses pensées divaguaient ainsi, elles dérivaient tôt ou tard jusqu'à l'image d'une jeune femme fascinante, là-bas dans le nord, Aletta Naudé, et il se demandait s'il la reverrait un jour. Il tenait Ryk Naudé pour un incapable et il imaginait sa disparition de cent manières différentes. Il se conduisait lâchement et les Xhosas l'abattaient ; il volait de l'argent et un officier anglais lui faisait sauter la cervelle ; il participait à une chasse et un éléphant l'écrasait. Toujours il disparaissait, laissant à Tjaart Van Doorn l'occasion de sauver Aletta. Les années passeraient, mais elle ne vieillirait jamais, jamais elle ne serait accablée par les corvées du ménage : elle serait toujours la fille nubile qu'il avait vue dans la boutique de son père à Graaff-Reinet...

Le nom de la petite ville revenait très souvent dans la conversation depuis quelque temps. Dès le début, Theunis Nel s'était senti gêné de vivre avec une femme sans être officiellement marié et, quand elle était devenue enceinte, il s'était senti parfaitement immoral. Mais, depuis qu'il était le père de la belle Sibylla, il ne cessait de supplier Tjaart d'emmener la famille au Natchmaal, « pour que nous puissions enfin devenir acceptables aux yeux du Seigneur ». Seulement, Tjaart n'avait pas de chariot et il ne tenait guère à en emprunter un à ses voisins. Mais le désir de Theunis de sanctifier son mariage était si insistant que Tjaart dut le respecter — n'avait-il pas ressenti la même émotion pour ses propres mariages ? Il n'était pas religieux à l'excès et ses deux épouses étaient de rudes femmes habituées aux exigences de la frontière, mais ils s'étaient toujours sentis vaguement mal à l'aise tant que leurs mariages n'avaient pas été consacrés ; il y avait, dans la vie avec une personne du sexe opposé, certains éléments de mystère : le passage du mois, les périodes de fertilité, la naissance d'un enfant, l'installation d'une maison, la bénédiction d'une grange pour la protéger de la foudre. Ces mystères méritaient attention et les hommes prudents organisaient leur vie en conséquence. Si Theunis Nel, un homme de Dieu, se sentait perdu dans ces complications humaines et avait besoin d'un rite, Tjaart Van Doorn se garderait bien de rire de lui, même si la sanctification en question se trouvait à cent quarante-sept kilomètres — sans chariot pour couvrir la distance.

Lentement, très lentement dans l'esprit fruste de ce Boer têtu, l'enthousiasme qu'il éprouvait à reconstruire De Kraal s'estompa et un autre calcul commença à se faire jour. Si nous allons au Nachtmaal, Theunis et Minna pourront se marier, Sibylla sera baptisée... et nous serons déjà bien avancés vers le nord. Trois jours de marche vers l'est nous mèneront sur la piste suivie par les autres. Les de Groot partiront dans leur bon chariot et je suis sûr qu'il m'aidera à arranger quelque chose d'utilisable avec les restes du mien.

Chaque fois qu'il songeait à ce beau chariot, incendié au moment du pillage de sa ferme, les larmes lui montaient aux yeux. Mais il pourrait construire quelque chose. Les moyeux des roues étaient intacts et il restait bien des éléments utilisables.

— Vous avez raison, dit-il à Theunis sans trop s'engager. Il nous faut célébrer un mariage et un baptême. A Graaff-Reinet.

Pas un mot de plus, mais tout le monde, entre les collines enveloppant De Kraal, comprit que les Van Doorn se préparaient à abandonner la ferme où ils avaient passé soixante années et qu'ils avaient améliorée au prix d'efforts incessants. Les femmes commencèrent à se débarrasser des choses qui leur prendraient trop de place. Les hommes vendirent le bétail le plus faible. Et le petit Paulus, qui allait sur ses cinq ans, avait toujours un marteau à la main et tapait de bon cœur sur n'importe quoi.

Personne ne parla de la date de leur départ, mais quelqu'un fit remarquer en passant que le Nachtmaal commencerait dans sept semaines. Nul ne releva l'observation, mais, chaque jour, le départ devint plus inévitable. Un matin, Tjaart, par hasard près de Jakoba au moment où elle ramassait les œufs, remarqua qu'elle était au bord des larmes.

— Quelle femme ! Tu me cries de partir dans le nord et, quand je me décide, tu te mets à pleurer...

Elle nia.

Il eut un moment de cafard, lui aussi, le jour où deux bergers « de couleur » lui crièrent :

— Baas ! Baas ! Regardez ce qui vient !

Entrant dans les terres labourées depuis les collines du sud-ouest, s'avançaient dix-sept antilopes noires, les plus belles créatures de toute l'Afrique, des animaux au pelage d'une belle teinte sombre avec des flammèches blanches sur la face et d'incroyables cornes en forme de cimeterre, recourbées vers l'arrière de leur tête et s'élevant à un mètre ou un mètre vingt de hauteur. On n'a jamais su expliquer la présence de ces cornes ; elles s'étendent trop loin vers l'arrière pour pouvoir être utilisées pendant les combats et leur seule fonction est peut-être la beauté...

Tous les Van Doorn sortirent de la maison pour assister à ce défilé magnifique.

— Ce sont sûrement les dernières au sud de l'Orange, dit Tjaart. Regardez avec quelle élégance elles lèvent les pattes.

Si belles qu'elles fussent, si majestueuses, ce n'était plus que le reste d'un grand troupeau décimé. Jamais on n'en avait vu à De Kraal et leur passage silencieux à travers la ferme semblait le signe avant-coureur du départ des Van Doorn.

Ce soir-là, tandis que la majesté des antilopes noires semblait s'attarder dans la vallée, Tjaart dit simplement :

« Nous les suivrons vers le nord. La vie ici n'est plus possible, pour nous comme pour elles.

Une fois ces paroles prononcées, Jakoba et Minna se sentirent libres de pleurer.

Si jamais une famille partit en exil le cœur gros et avec maints regrets, ce fut bien les Van Doorn. Ils passèrent une nuit à rédiger une lettre de justification à leurs voisins anglais de Grahamstown et à leurs amis boers de Graaff-Reinet.

— Nous avons tous entendu parler de la déclaration des Américains quand ils ont rompu avec l'Angleterre, dit Tjaart. Je suis certain que nous devons faire de même.

Guidé par Theunis, avec de temps en temps le bénéfice d'une remarque bien sentie de Lukas de Groot, Tjaart mit ses opinions sur le papier, et les journaux de chaque communauté les publièrent.

> Quand, au cours des événements humains, un groupe de personnes décide de quitter ses demeures, il doit, par respect pour ses voisins, expliquer pourquoi il se conduit ainsi. Nous abandonnons nos fermes avec tristesse, nos voisins avec un profond regret, mais nous ne pouvons pas faire autrement. Tout homme honnête reconnaîtra que nos raisons de partir sont justes et raisonnables.
>
> Les ravages de la dernière guerre montrent à tout le monde que ce gouvernement est incapable de protéger nos fermiers contre les invasions des Cafres et il a supprimé le dernier espoir d'une barrière efficace pour maintenir ces hordes hors de la colonie.
>
> Le gouvernement nous a pris nos esclaves sans nous dédommager de façon adéquate ou simplement honnête. Il

a tourné en ridicule la façon traditionnelle dont nous nous occupions de nos esclaves et il n'a écouté que les calomnies de nos adversaires, qui paradent d'un bout à l'autre de l'Angleterre en prêchant des mensonges diffamatoires. Personne n'a écouté les citoyens honnêtes de ce pays, qui vivent en présence du problème.

Le gouvernement a placé dans les chaires de notre Église des prédikants parlant à peine notre langue. Il nous a envoyé, pour juger nos procès, des magistrats qui ne comprennent pas ce que nous disons pour notre défense. Il a empli nos écoles de maîtres qui effacent ce que nos enfants savent déjà de leur langue maternelle.

Nous quittons le sol placé sous la souveraineté du gouvernement anglais sans rancœur ni menaces, sans mauvaise volonté. Nous rendons hommage à toutes les bonnes gens d'origine anglaise qui se sont liées d'amitié avec nous et nous leur souhaitons, ainsi qu'à leur nation, beaucoup de bien. Mais nous avons décidé dans nos cœurs que nous sommes désormais libres de toute obligation à l'égard de l'Angleterre et nous sommes certains que le gouvernement nous permettra de partir en paix, car notre seul objectif est d'établir dans le nord une nation qui obéira davantage à la loi de Dieu.

A minuit passé, alors que cinq des six participants jugeaient en toute sincérité que leur déclaration était terminée, Jakoba les stupéfia en faisant observer qu'ils avaient oublié le grief le plus important.

— Lequel ? demanda Tjaart.

Jakoba s'expliqua et, après une discussion pieuse, son mari s'empressa d'ajouter ce paragraphe, qui approchait de la vérité encore plus que les autres — et, pour cette raison, il serait très souvent cité dans le monde entier :

Par une série de lois malheureuses, le gouvernement a essayé d'altérer les relations naturelles entre les races, exaltant le sauvage et rabaissant le chrétien. Il nous a demandé de constituer une société où n'est plus respectée la distance qui convient entre le maître et le serviteur. Cela est contraire à l'enseignement de Dieu Lui-même et nous ne pouvons pas nous y soumettre. Dieu a dit qu'il y aura un maître et un serviteur et que chacun restera à la place qui convient, et nous nous proposons de constituer une nouvelle nation qui respectera cette loi, une nation où les hommes de toutes couleurs resteront à la place qui leur convient, sous la conduite de ceux que Dieu a élus pour les diriger.

A quatre heures du matin ce jour-là, les Van Doorn et les de Groot, groupe tout à fait insignifiant au sein des grands mouvements de l'humanité, confirmèrent dans leurs prières qu'ils ne partaient pas seulement au Nachtmaal de Graaff-Reinet, mais vers un monde qu'ils étaient incapables d'imaginer. Le Grand Trek commençait. Les *Voortrekkers* se mettaient en branle.

L'après-midi où la lettre de Tjaart parut dans le *Graham's Town Journal*, le major Richard Saltwood et Thomas Carleton sellèrent leurs chevaux, lancèrent une série d'ordres à leurs serviteurs et galopèrent vers l'ouest pour intercepter les Voortrekkers avant qu'ils ne quittent De Kraal.

Quand ils arrivèrent, les chariots étaient déjà chargés. La carriole avec laquelle Van Doorn se proposait d'emporter tous ses biens matériels en exil était vraiment pitoyable. « Jamais ces roues ne tiendront jusqu'à Graaff-Reinet », pensèrent-ils, mais ils se gardèrent bien d'en parler.

— Nous ne vous laisserons pas partir ainsi, dit Saltwood. Vous avez été nos frères d'armes.

D'un geste de la main, Van Doorn montra les bâtiments en ruine.

— Voilà tout ce qui reste de plusieurs générations de Van Doorn.

— Je sais, dit Saltwood.

— Et l'argent des esclaves ? Toucherons-nous notre dû un jour ?

— Je n'ai pas de nouvelles de Londres, Tjaart. Ce genre de démarche prend du temps.

— Nous n'avons plus de temps.

— Tjaart, quel âge avez-vous ?

— Quarante-sept ans.

— C'est ce que je pensais. Nous sommes de la même année. Vous êtes mon frère et je veux acheter votre ferme, parce que je crois en elle.

— Ça ?

Les deux hommes regardèrent autour d'eux.

— Oui. Je peux finir de la reconstruire. J'ai envie de m'établir ici.

— Et vous paieriez pour *ça ?*

— Oui. Nous avions fait un marché l'an dernier. Ce n'est pas de votre faute si la situation a changé.

Ils passèrent la journée à discuter d'un prix équitable pour la ferme, de l'endroit où la piste du nord les conduirait et des possibilités de retour. Le soir, on dit les prières et Theunis paraphrasa la Bible à sa manière inspirée : un tiers Bible et deux tiers Theunis.

Le matin, il devint manifeste que, pour une raison ou une autre, les Anglais ne voulaient pas partir. Ils s'attardaient si longtemps que Jakoba finit par leur demander carrément :

— Quand partez-vous ?

— Nous avons un cadeau pour vous, répondit Carleton.

Une autre heure s'écoula, puis sur la crête des collines de l'est apparurent douze bœufs attelés à un chariot Carleton tout neuf, avec un *disselboom** magnifique, de beaux freins recouverts de cuir et une bâche de toile double, contre la pluie et la chaleur. Sur une traverse du corps était brûlée au fer la marque TC-43.

— J'ai besoin de mes moutons pour mon voyage, dit Tjaart.

— Vous ne nous devez pas de moutons, répliqua Carleton. Vous nous avez aidés à lancer notre colonie. Nous vous aidons à lancer la vôtre.

— Je crois que nous devrions prier, dit Theunis.

Et il tira de l'Exode quatre textes de circonstance, sur les Israélites franchissant la mer Rouge pour gagner leur Terre promise.

— Nous sommes les nouveaux Israélites, dit-il.

Puis ces hommes qui avaient si souvent combattu ensemble se firent leurs adieux...

Quand le chariot neuf fut chargé et les cinq hommes sur le point de se séparer — les deux Anglais sur la piste de Grahamstown, les trois familles boers vers les terres inconnues du nord —, un incident se produisit. Il parut sans importance sur le moment, mais toute l'histoire de l'Afrique du Sud en fut modifiée.

Un prophète xhosa, hardi et rusé, du nom de Mhlakasa (il avait sur le front le bourrelet d'une vilaine cicatrice), avait profité de la confusion consécutive à la guerre pour se glisser dans la région afin de constater l'importance des dégâts occasionnés aux Blancs par les différentes razzias. Ne s'attendant pas à trouver cinq hommes armés à cheval, il apparut soudain à l'horizon, silhouette bien visible que n'importe qui aurait pu abattre d'un coup de fusil.

Instinctivement, Tjaart Van Doorn épaula. Mais son gendre Theunis lui saisit le bras et cria :

— Non ! Il n'a rien fait !

Tjaart baissa son arme et le Xhosa disparut avec un rire de mépris.

Si Tjaart l'avait tué, et en présence de deux Anglais, la nouvelle aurait probablement filtré jusqu'à Londres. Le Dr Keer aurait harcelé le Parlement de questions ; le scandale aurait éclaté, démontrant une fois de plus l'absence de cœur des Boers ; et Tjaart aurait peut-être même été pendu. Ce fut donc une chance que Theunis s'interpose.

D'un autre côté, si Tjaart avait tué Mhlakaza, plusieurs milliers de Xhosas seraient restés en vie, un peuple noble aurait survécu dans toute sa force et l'histoire de cette région aurait été modifiée de façon radicale.

Le 15 mars 1836, le groupe Van Doorn, comme on commençait à l'appeler, traversa le fleuve Orange — géant capricieux entre ses berges de sable —, quitta la juridiction de l'Angleterre et se dirigea vers les vastes terres que Mal Adriaan avait explorées soixante-dix ans plus tôt.

Par additions successives, le groupe comprenait maintenant dix-neuf familles, avec dix-sept chariots. Ce dernier nombre avait une grande importance, car c'était le plus petit nombre de chariots permettant de former dans de bonnes conditions un cordon — ou *laager* — à l'intérieur duquel on pouvait protéger les femmes, les enfants et même le bétail.

Le groupe d'émigrants comprenait dix-neuf hommes adultes, mais en comptant Theunis Nel, jugé à peu près inutile malgré son exploit héroïque le jour où les Xhosas avaient attaqué De Kraal. Les femmes étaient également dix-neuf, ce qui faisait trente-huit adultes, tous aguerris. Quatre-vingt-dix-huit enfants les accompagnaient : certains, comme la fille de Theunis et de Minna, étaient en bas âge, d'autres, comme les fils aînés de certaines familles, déjà des hommes ou presque, capables en tout cas de tenir un fusil.

Il y avait donc cent trente-six Blancs. Mais deux cents Noirs et « hommes de couleur » les accompagnaient. Dans la plupart des cas, ces serviteurs, bien traités dans les fermes, considéraient qu'ils appartenaient aux Boers, non point comme un esclave appartient à son propriétaire, mais dans un état d'esprit paternaliste : ils faisaient partie de la famille blanche au même titre que les enfants.

Ces serviteurs étaient restés loyaux quand les autres avaient fui et ils ne voyaient aucune raison de quitter le baas. Sa vie était la leur, ils ne trouveraient jamais de travail qui leur plaise davantage et ils étaient aussi excités que le maître par cette aventure à la découverte de terres inexplorées. Ils acceptaient une vieille paire de chaussures ou une veste déchirée avec le sourire et *Dankie, baas !*, une réprimande avec de grandes démonstrations de chagrin. Ils faisaient la part du bon et du mauvais et, s'ils rencontraient d'autres Noirs ou « hommes de couleur », ils affirmaient que leur baas était le meilleur du pays. Pour prouver qu'ils le pensaient vraiment, la plupart d'entre eux étaient prêts à mourir pour « leurs » Blancs.

Chaque chariot avait un attelage de douze à seize bœufs, plus six bœufs de réserve ; tous les hommes, la plupart des garçons et beaucoup d'« hommes de couleur » avaient des chevaux. Le bétail du groupe se composait de deux mille bovins et onze cents moutons, ce qui expliquait pourquoi les Voortrekkers, avec un peu de chance, parcouraient dix kilomètres par jour.

Sur les cent trente-six Boers, seuls deux hommes savaient lire — Tjaart Van Doorn et Theunis Nel —, mais tous pouvaient réciter de longs passages de la Bible et, comme ils se préparaient à pénétrer dans un nouveau pays, ils se comparaient constamment aux anciens Hébreux du Livre de Josué. Tous les soirs, quand les chariots étaient réunis — non en laager, car il n'y avait pas encore d'ennemis —, Theunis Nel, à la manière d'un prédikant, lisait quelques versets et appliquait les leçons de cette noble épopée aux situations qu'affrontaient les Voortrekkers. Inévitablement, les Boers en vinrent à croire qu'ils étaient une réincarnation de l'armée de Josué et que Dieu veillait également sur eux.

> Maintenant donc, lève-toi, traverse ce Jourdain, toi et tout ce peuple, jusqu'à la terre que je leur donne ainsi qu'à tous les enfants d'Israël : chaque endroit que la plante de votre pied foulera, je vous l'aurai donné. [...] Il n'y aura pas d'homme capable de prendre le pas sur toi pendant tous les jours de ta vie. [...] Je ne t'abandonnerai pas ni ne te ferai faux bond. [...] Sois fort et très courageux, et veille à agir en tout selon la loi [...] ne te détourne d'elle ni à droite ni à gauche et tu connaîtras la prospérité où que tu ailles.

Un autre trait remarquable des Voortrekkers se trouvait également dans le groupe Van Doorn : tous les adultes, sauf le malheureux Theunis Nel, avaient eu plus d'une épouse. Prenons le cas de sept chefs de groupe représentatifs, le nombre de leurs épouses était 2-2-3-3-3-4-5. Et quant aux âges des épouses au moment de leur mariage : 13-13-14-15, 29-31-34 ; la première série démontrait que les Boers aimaient les femmes très jeunes, la seconde indiquait qu'aucune femme ne restait veuve longtemps. Ces hommes étaient bien comme les patriarches de l'Ancien Testament : ils usaient leurs compagnes.

De manière générale, il s'agissait d'un groupe de Hollandais intransigeants et obstinés : dans leur isolement, ils avaient tourné le dos aux influences libéralisatrices du XVIIIe siècle — même si Tjaart lui-même avait fait allusion à la déclaration d'Indépendance des États-Unis quand il avait évoqué ses raisons d'émigrer. Ils n'avaient nul besoin de Rousseau, de Locke, de Kant ou des théologiens allemands qui commençaient à exposer les éléments mythologiques de l'Ancien Testament. Ils se contentaient des principes que leurs ancêtres hollandais et huguenots avaient emportés dans leurs bagages au milieu du XVIIe siècle et ils rejetaient toutes les idées nouvelles importées par les Anglais. Avant toute chose, ils avaient confiance en eux-mêmes : chaque fois qu'un Voortrekker tombait sur un petit ruisseau courant droit vers le nord, il annonçait sans hésitation : « C'est le début du

Nil », bien que le Nil prît sa source à plus de trois mille kilomètres de là, et il baptisait aussitôt le ruisseau Nylstroom.

Les chariots dans lesquels ils allaient vivre pendant les deux ou trois années suivantes étaient très particuliers, nullement semblables aux énormes chariots très lourds qui sillonnaient à la même époque les grandes prairies américaines. Ils étaient petits, pas plus de quatre à cinq mètres de long, et assez bas par rapport au sol, mais, quand l'on tendait la toile de bâche sur les arceaux, ils paraissaient plus hauts. Ils étaient extrêmement étroits et, quand on y avait entassé tous les biens de la famille, il ne restait plus de place pour dormir à l'intérieur, sauf pour la mère, qui se faisait un lit grossier par-dessus les bagages. Les roues cerclées de fer étaient toutes les mêmes : à l'avant, petites avec dix rayons; à l'arrière, plus grandes avec quatorze rayons.

Une des supériorités du chariot des Voortrekkers était son disselboom, le timon principal fixé à l'essieu avant orientable de façon à offrir le maximum de souplesse, aussi bien pour diriger le chariot que pour avaler les cahots de la piste grossière. Mais seule la dernière paire de bœufs était attelée au disselboom, toutes les autres tiraient par l'intermédiaire de chaînes et de harnais fixés au chariot de diverses manières.

Près de deux mille chariots participèrent à ce premier mouvement de population vers le nord et des pistes se tracèrent; mais de nombreux groupes comme celui de Van Doorn s'enfonçaient dans le veld sans suivre de piste établie, d'une colline à l'autre.

Les Voortrekkers avaient pour habitude de s'attarder dans les endroits favorables, parfois une semaine, parfois un mois. On rapprochait alors les chariots, sans former le laager, et les hommes partaient au loin pour chasser, tandis que les femmes s'occupaient de la couture, fabriquaient les ustensiles nécessaires et préparaient des plats particuliers. Jakoba était ravie chaque fois que les chariots s'arrêtaient dans un coin où les fourmilières étaient nombreuses, car elle avait appris, étant fillette, à utiliser ces constructions remarquables qui s'élevaient parfois à un mètre au-dessus du veld, éclatantes comme des montagnes de grès rouge.

Elle en choisissait une de belle taille et à l'écart des autres, puis elle prenait un gourdin et elle creusait un trou à l'endroit où le bord du dôme touchait le sol; elle veillait à ne pas bousculer la partie supérieure de la fourmilière, car c'était ce dôme qui permettait une utilisation efficace. Une fois le trou creusé, une nuée de petites fourmis noires se déversait et disparaissait aussitôt dans la nature. Jakoba garnissait ensuite le trou de bouts de bois, de feuilles et de débris inflammables, et elle allumait. Pendant une heure le feu brûlait, les braises chauffaient : c'était un four excellent, pratique, qui permettait de préparer toutes sortes de plats.

Jakoba aimait faire cuire son pain dans ces fours-là, mais elle savait aussi préparer un délicieux curry rissolé, à base de filets d'antilope marinés dans une sauce parfumée aux oignons séchés. Les hommes raffolaient de ce plat et, tout en avançant, ils surveillaient les fourmilières du coin de l'œil — les femmes apprirent vite que, s'il y en avait beaucoup, on prendrait quelques jours de repos. Et quand il n'y avait pas de fourmilières, elles préparaient un bobotie.

L'avancée résolue de ces Voortrekkers ne doit pas être considérée comme un galop à travers le pays vers une destination précise, connue par avance. Elle ressemblait davantage au déplacement lent d'un petit village — avec tout son outillage, les voitures d'enfants et le bétail qui suivait sans hâte.

Mais, sur un point saisissant, le trek n'avait rien de commun avec le déplacement lent d'une ville : parmi les quatorze mille Boers qui partirent vers le nord, il n'y avait pas un seul pasteur. L'Église hollandaise réformée, qui avait joué et qui devait jouer un rôle crucial dans l'histoire des Boers, refusa de s'associer à cet exode de masse — et pour des raisons bien compréhensibles : elle considérait que les exilés représentaient un esprit révolutionnaire et le calvinisme ne pouvait le tolérer ; elle craignait que les fermiers ne se libèrent de l'influence de l'Église et il fallait s'y opposer ; et elle voyait d'un mauvais œil un mouvement non autorisé par le gouvernement légal dans un territoire inexploré, redoutant que, dans un environnement aussi nouveau, l'influence de l'Église ne diminue. L'Église tourna résolument le dos aux émigrants, les traita de révolutionnaires et fit la sourde oreille à toutes leurs demandes d'assistance.

Plus remarquable encore, au cours de l'événement le plus important de l'histoire sud-africaine, les prédikants eux-mêmes se coupèrent du peuple ; de nombreux dominees refusèrent purement et simplement d'accompagner les émigrants. Les Voortrekkers, un des peuples les plus religieux de la terre, marqué par sa confiance profonde en la Bible, fut donc rejeté par sa propre Église. Il ne pourrait y avoir ni baptêmes, ni mariages, ni enterrements sanctifiés, ni même des services religieux hebdomadaires. Et, cependant, au terme de leur épreuve, les Voortrekkers soutiendraient leur Église plus résolument encore que dans le passé. Après avoir refusé aux exilés les services de la religion, l'Église hollandaise réformée rassemblerait toute la nouvelle nation en une théocratie.

L'homme qui souffrit le plus de cet étrange avatar fut Theunis Nel. Il avait une conscience aiguë des besoins spirituels des Voortrekkers et il était ulcéré par le refus de son Église. A plusieurs reprises, il proposa de jouer le rôle de prédikant intérimaire, mais, invariablement, la majorité rejeta son offre, à cause de son œil taré et de son dos tordu.

Il ne se plaignait jamais. Il supportait avec patience les risées de sa femme, les quolibets de ses compagnons de voyage et l'absence de soutien de la part des chefs comme Van Doorn et de Groot. Il soignait les malades, essayait d'éduquer les enfants et récitait des prières sur les tombes de ceux qui mouraient. Lors d'un enterrement — un vieillard venait de mourir sans avoir vu la nouvelle demeure qu'il avait espéré atteindre —, Theunis, au comble de l'émotion, se lança dans une homélie funèbre, une sorte de sermon improvisé sur la nature éphémère de la vie humaine. Quand on quitta les alentours de la tombe, Balthazar Bronk, qui prenait la religion très au sérieux, demanda à Theunis et à Tjaart de rester en arrière. Dès que les autres furent partis, il invectiva le consolateur des malades.

— Vous ne devez pas prêcher. Vous n'êtes pas prédikant.

— Nous enterrons un pauvre vieillard...

— Enterrez-le. Et n'ouvrez pas la bouche.

— Mais, Mijnheer Bronk...

— Tjaart, dites à ce simplet de se conformer aux règles.

Quand deux jeunes gens d'un autre groupe, désireux de se marier, vinrent solliciter la bénédiction de Nel, il accepta de grand cœur, mais, une fois de plus, Bronk s'interposa :

— Malédiction ! Voilà cinq fois que je vous avertis de ne pas faire le prédikant.

— Mais ces jeunes gens veulent se lancer dans leur nouvelle vie et...

— Qu'ils attendent la venue d'un vrai pasteur.

Il se montra si catégorique que le jeune couple dut repartir sans que leur union soit sanctifiée. Mais, à l'insu de Bronk, Theunis les rattrapa et leur dit :

— Dieu veut que Ses enfants se marient et se multiplient. Je vous fais mari et femme. Et quand un vrai prédikant arrivera, demandez-lui de bénir votre mariage dans les règles.

Trois ans plus tard, quand le premier pasteur se présenta, il put également baptiser deux enfants.

Vers où se dirigeait cet exode ? Nul ne s'en souciait. Les familles se préoccupaient davantage de fuir l'autorité anglaise que de leur destination : certains se proposaient de couper vers l'est, à travers les monts Drakensberg, qui avaient couronné l'empire de Shaka ; d'autres, comme Tjaart Van Doorn, étaient résolus à continuer vers le nord, à franchir le fleuve Vaal et à s'installer dans des vallées reculées.

Mais où exactement dans le nord ? Parmi ses premiers souvenirs, Tjaart conservait présents les récits de son grand-père Adriaan, qui avait pénétré dans ces contrées avec un Hottentot du nom de Dikkop et une hyène apprivoisée nommée Swarts :

— Il disait qu'il avait eu peur en arrivant près du Limpopo et qu'il avait fait demi-tour. Ensuite, il avait découvert un lac qu'il avait appelé Vrijmeer. C'est sur les rives de ce lac qu'il a enterré Dikkop.

Tjaart se croyait destiné à atteindre ce lac.

Mais qu'un Voortrekker ait choisi pour destination le Natal ou bien le nord inexploré, toutes les pistes convergeaient au pied d'une montagne au nom étrange, Thaba Nchu. Les Voortrekkers l'appelèrent *Ta-ban'choo* et le nombre de voyageurs qui y fit halte fut si grand que pendant quelques années subsista un village important.

Ce fut là qu'ils rencontrèrent la première tribu noire importante au nord de l'Orange. Pendant les premières journées de leur trek, ils avaient croisé plusieurs petits groupes de Noirs et quelques « hommes de couleur », mais, à Thaba Nchu, une tribu de cinq mille personnes les accueillit comme des alliés contre leur ennemi mortel du nord : Mzilikazi, le Grand Éléphant mâle des Matabélés, l'un des architectes du Mfécané.

Le 13 juin 1836, les chariots du groupe Van Doorn arrivèrent à Thaba Nchu, où cinq ou six cents émigrants qui les avaient précédés attendaient que leurs chefs prennent une décision. Ils se reposaient et de nouvelles amitiés se formaient. Le jeune Paulus de Groot se montrait particulièrement turbulent : il courait et luttait avec des gamins deux fois plus âgés que lui. Il parlait peu, défendait âprement ses droits et semblait préférer la compagnie de Tjaart Van Doorn à toute autre, même celle de son père. Et c'était compréhensible, car le jeune garçon paraissait destiné à devenir le même genre d'homme que Tjaart : solide, prudent, dévot. Quand le petit Paulus disait ses prières, son gros visage carré s'illuminait de ferveur religieuse, car il avait le sentiment que Dieu l'écoutait.

Malgré cette inclination naturelle à la dévotion, Paulus n'aimait pas Theunis Nel, le représentant de la religion (désigné par lui-même), car l'enfant était sensible au ridicule dont le consolateur des malades faisait l'objet. Un matin, quand Tjaart proposa que Paulus commençât à apprendre l'alphabet sous la férule de Theunis, le parrainage de Tjaart fut complètement détruit par l'arrivée de Minna : elle accabla son mari de reproches et le traita de noms irrespectueux, ce qui confirma devant l'enfant la réaction de la communauté à l'égard du « louchard ». Aucun homme ne pourrait discipliner une forte tête comme Paulus de Groot, si cet homme n'était même pas capable de discipliner sa propre femme.

Tjaart, qui espérait voir ce garçon plein de promesses devenir un meneur d'hommes, se décida à lui enseigner l'alphabet lui-même et à lui apprendre à compter. Un matin où il faisait travailler l'enfant, assis sur un tronc d'arbre, Lukas de Groot survint et se vexa de voir un autre homme instruire son fils.

— Il n'a pas besoin de savoir lire. Je ne sais pas lire et je ne m'en porte pas plus mal.

— Tous les garçons devraient apprendre à lire.

— Vos fils ne savaient pas.

— C'est vrai. Ils devaient rester à De Kraal toute leur vie et cela n'avait pas de sens.

— Et maintenant, cela a un sens ?

— Oui. Nous entrons dans un monde nouveau. Votre fils devra peut-être prendre la tête d'une communauté nombreuse. S'il ne sait pas lire, c'est un autre qui sera le chef.

La discussion se serait peut-être envenimée si Minna n'était pas venue dire à son père qu'il devait aller chasser une antilope — la provision de biltong s'épuisait. Et, tandis qu'elle leur parlait, les deux hommes virent son visage changer soudain : son expression morose habituelle avait disparu et ses sourcils froncés faisaient place à un large sourire éclatant. Tjaart et de Groot se retournèrent pour connaître la raison de cette métamorphose.

— Regardez qui vient se joindre à nous ! dit de Groot.

Parmi les nouveaux venus à Thaba Nchu se trouvaient seize familles qui avaient rejoint le flot principal des Voortrekkers juste au sud de l'Orange. A leur tête s'avançait Ryk Naudé, le beau fermier, avec sa ravissante épouse, Aletta. Pour Minna Nel, le retour du seul homme qu'elle pouvait aimer était prophétique : Dieu avait profité de cet exode pour les réunir de nouveau. Et, pour Tjaart, l'arrivée d'Aletta signifiait que ses rêveries tourmentées prenaient vie. Elle était encore plus aguichante que dans son souvenir, plus âgée et plus femme. Il avait toujours du mal à la quitter des yeux.

Partout où Aletta Naudé se rendait, au cours de ces journées où les chefs tentaient de parvenir à des décisions, Tjaart s'efforçait d'être là pour qu'elle le rencontre et, au bout d'un certain temps, elle prit conscience de son manège. Cela l'irrita. Elle avait dix-neuf ans et son mariage était heureux — alors qu'il avait quarante-sept ans, une deuxième femme et une petite-fille. Il se conduisait de façon stupide et, une après-midi où il avait réussi à s'interposer entre Aletta et la tente des Naudé, elle lui dit d'un ton vif :

— Mijnheer Van Doorn, vous vous rendez ridicule.

Cela le mit dans un tel embarras qu'il se tint à l'écart pendant plusieurs jours. Mais la fascination se manifesta de nouveau et Aletta dut recommencer à éviter Van Doorn.

L'arrivée d'un aussi grand nombre de nouveaux émigrants à Thaba Nchu provoqua d'autres troubles. Ryk Naudé et sa femme annoncèrent qu'ils avaient décidé de traverser les monts Drakensberg et de descendre au Natal, et cela encouragea Lukas de Groot à prendre la même option — Tjaart allait donc être séparé à la fois de la fille qu'il aimait et de son plus ancien compagnon. Il envisagea sérieusement de renoncer à son idée de s'installer dans le nord pour rester avec des gens à qui il tenait et il aurait peut-être succombé à cette tentation si l'affaire de la peau de lion ne lui avait ouvert les yeux sur les périls qui menaçaient sa famille.

Minna s'était montrée moins discrète que son père... Transportée de joie par la présence de Ryk, elle n'avait pas honte de lui témoigner son affection. Elle faisait tout, sauf l'embrasser en public, et, quand il apprit aux émigrants rassemblés qu'il partait dans l'est avec quelques amis pour tenter de tuer des lions, elle courut vers lui et le supplia de prendre garde à lui. Après son départ, elle sombra dans la mélancolie. Cela mit Jakoba dans tous ses états et elle dit à Tjaart :

— Il faut que tu lui parles. Elle est en train de devenir une Jézabel.

Tjaart prit sa fille à part et lui donna un avertissement sévère :

— Tu es mariée à un homme bon. Il t'aime, ainsi que la petite Sibylla. Tu lui dois le respect qui convient. Conduis-toi honnêtement, Minna.

— Mais Ryk m'a promis. Dans le nouveau pays, il se rendra libre.

— Tu es mariée pour toujours. Aux yeux de Dieu. Devant le prédikant, à Graaff-Reinet. Obéis à tes vœux.

En larmes, mais avec une détermination têtue, elle répondit :

— Père, si Ryk et Aletta étaient séparés... Je ne sais comment... Par Dieu, dans sa sagesse... Comme nous serions heureux toi et moi !

Tjaart fut piqué au vif : non seulement Minna connaissait son secret, mais elle le mettait en avant pour établir entre eux une connivence coupable. Il répondit :

— Ils partent vers l'est, à travers les montagnes, et nous irons dans le nord, de l'autre côté du Vaal — jamais nous ne les rencontrerons.

Mais, quand Ryk rentra au camp avec quatre peaux de lions et en donna une à Minna, elle fut certaine que c'était une preuve de la dévotion du jeune homme pour elle. Elle se persuada qu'il était aussi avide d'elle qu'elle l'était de lui et, la nuit, quand tout le monde fut endormi, elle se glissa jusqu'à la tente de Ryk et l'appela à mi-voix sans qu'Aletta l'entende. Elle l'entraîna entre les chariots, lui fit l'aveu de son amour, l'aida à se dévêtir et l'encouragea à s'unir avec elle trois fois. Ce fut une explosion d'amour comme le jeune homme n'en avait jamais connue avec Aletta, si belle qu'elle fût — et une invitation à recommencer sans fin.

Dans les jours qui suivirent, même Tjaart, pourtant lent à percevoir les nuances, se rendit compte que quelque chose de très mal se passait dans sa famille. Un soir, il suivit Minna et constata de loin la conduite dégradante de sa fille. La honte l'empêcha de surprendre les amants, mais, le lendemain matin, après les soins au bétail, il entra dans la tente de sa fille, dit à Theunis d'aller faire sa classe, puis affronta Minna.

— Je sais ce que tu fais. Je t'ai vue derrière les chariots.

— Je ne peux pas vivre sans lui, père. J'irai dans le Natal.

La possibilité que l'un de ses enfants se rende coupable d'insoumission était plus que Tjaart ne pouvait supporter ; il eut l'impression qu'une brume rouge lui brouillait la vue et il se souvint des commandements de la Bible : « Si un enfant est insoumis, il sera tué. Si une femme commet l'adultère, elle sera lapidée à mort. » D'un revers de main, il la jeta à terre, puis se précipita vers elle, la traita de tous les noms infâmes de l'Ancien Testament et menaça de la traîner devant tout le monde pour être humiliée.

Quand sa fureur se calma et qu'un peu de raison lui revint, il la souleva de terre et la maintint ainsi, encore tremblante de la violence du coup qu'elle avait reçu.

— Minna, Dieu nous a tentés tous les deux. Nous avons tous les deux commis un grand péché. Demain, nous partirons vers le nord pour éviter la destruction de nos âmes. Et ce soir tu dormiras sous ma tente, parce que tu es précieuse pour moi et je ne peux pas me permettre de te perdre.

Le lendemain matin, 6 juillet 1836, Tjaart Van Doorn, Theunis Nel, Balthazar Bronk et quatre autres familles qui ne faisaient pas partie du groupe à l'origine formèrent une nouvelle communauté, fidèle à la loi de Dieu, aux relations naturelles entre le maître et l'esclave, et à la stricte séparation des races. Il leur fallut dix-huit jours pour atteindre le fleuve et, chaque fois que les sabots de leurs bœufs frappaient le sol, Minna Nel et son père se sentaient de plus en plus malheureux, car ils ne reverraient jamais les êtres qu'ils aimaient.

Une seule fois ils firent allusion à cette douloureuse séparation. Minna marchait près de son père.

— Je sens mon cœur se briser à chaque pas, dit-elle. Je n'arrive pas à imaginer qu'il n'est plus là. Je me souviens d'un trekker qui parlait du Drakensberg ; une fois qu'un homme a franchi ces montagnes, il ne revient jamais.

Tjaart, rongé par le désir de parler à quelqu'un de cette grande crise de sa vie, avoua à sa fille :

— Tu auras peut-être du mal à le croire, étant donné ce que tu sais, mais mon cœur regrette trois personnes. Avant tout, le petit Paulus de Groot, j'aurais aimé le voir devenir un homme. Il a des possibilités infinies. Lukas me manquera aussi. Et, après eux, Aletta, d'une manière différente.

— On ne sait jamais, dit-elle.

Et ce fut tout. Ils continuèrent leur longue marche vers le Vaal.

Quand ils atteignirent le fleuve, une crue imprévue avait fait monter les eaux et ils furent contraints de camper sur la rive sud, avec plusieurs autres groupes qui attendaient eux aussi que la crue se retire. Au début, ce retard forcé contraria Tjaart, mais, un jour, les Voortrekkers rassemblés aperçurent un gros nuage de poussière du côté du sud et, quand le nuage se rapprocha, ils distinguèrent quatre chariots accompagnés par la suite habituelle d'« hommes de couleur », de Noirs et de bétail.

C'était Lukas de Groot qui se hâtait pour rattraper son ami. Quand les deux hommes se retrouvèrent, il y eut des excuses muettes, acceptées sans un mot. Puis de Groot parla :

— Quand j'y ai réfléchi, j'ai compris que mon destin était dans le nord.

Il n'ajouta pas « avec vous », mais la joie qu'exprimait son fils Paulus d'être de nouveau avec Tjaart parlait pour toute la famille. Ce fut une réunion joyeuse et émouvante, et, même lorsque de Groot cita les Naudé par mégarde (« Ils s'en vont vers le Natal, un beau couple... »), aucun nuage ne vint troubler la soirée.

Dès que le niveau du fleuve baissa, les soixante-dix et quelques Voortrekkers qui attendaient commencèrent la traversée. Et chaque fois que le petit Paulus demandait à son père : « Je peux rester avec Tjaart ce soir ? », Lukas consentait volontiers.

Les Van Doorn campaient beaucoup plus à l'ouest que les de Groot et, quand deux messagers arrivèrent du nord-est au galop, très tard dans la soirée, ils rencontrèrent les de Groot en premier.

— D'où venez-vous ? demandèrent les deux hommes épuisés, couverts de poussière, prenant à peine le temps de laisser souffler leurs chevaux.

— De Thaba Nchu, répliqua de Groot.

— Formez le laager immédiatement. Les Cafres sont en campagne.

Avant que Lukas n'ait pu interroger les deux hommes, ils avaient disparu au galop vers l'ouest, laissant de Groot avec une décision difficile à prendre. Le groupe se composait de neuf chariots, pas assez pour former un laager convenable, et ils étaient très dispersés. Les rassembler exigerait beaucoup de manœuvres et il n'était pas du tout certain que les Noirs se dirigeraient vers eux. D'un autre côté, la marche forcée depuis Thaba Nchu avait fatigué les hommes et l'on décida d'attendre jusqu'au matin.

Quand les messagers, jetant un dernier regard en arrière, s'aperçurent que les Voortrekkers ne se protégeaient pas, ils furent épouvantés ; ils firent demi-tour et crièrent :

— Bon sang, formez le laager ! Tout de suite !

Mais, de nouveau, les Voortrekkers ne tinrent pas compte de l'avertissement. Comme Lukas de Groot le fit observer :

— Ces hommes ne sont pas nos amis. Ce sont des Anglais. Ils essaient de nous faire peur pour que nous rebroussions chemin.

Écœurés, les messagers galopèrent vers l'ouest le long du Vaal jusqu'au campement des Van Doorn.

— Formez le laager tout de suite. Les Cafres arrivent !

— Quels Cafres ? leur cria Tjaart.

— Mzilikazi.

C'était un nom qui frappait de terreur tous ceux qui connaissaient un peu le nord. Les Van Doorn n'avaient rencontré personne qui se fût trouvé au contact avec l'Éléphant mâle (comme on l'appelait maintenant), mais, autour des feux de camp de Thaba Nchu, ils avaient entendu parler de ses ravages. Un chasseur qui connaissait bien la région au nord du Vaal avait dit :

— Mzilikazi est plus malin que les Zoulous. Trois fois ils

l'ont attaqué et trois fois il les a battus. Pour se protéger, il a fait le vide dans toute une région, peut-être plus de cinq mille kilomètres carrés. Il a tué tout. Les hommes, les femmes, le bétail, les bêtes sauvages. En quatorze jours de voyage, je n'ai vu que des hyènes, des chacals et quelques petits oiseaux. J'ai repéré ses éclaireurs au sud du Vaal, non loin d'ici. Il nous observe tous les jours, le Grand Éléphant mâle.

Tjaart demanda aux messagers :

— Est-ce le Mzilikazi contre qui on nous a prévenus ?

— Lui-même. Il a vingt mille guerriers.

— Grand Dieu ! S'ils se jettent sur nous...

— Ils sont dispersés dans toute la région. Il n'y aura qu'un petit détachement.

Les deux Anglais, qui chassaient dans le nord, acceptèrent un verre d'eau et demandèrent :

« D'autres groupes de Hollandais par ici ?

— Oui, trois, plus à l'ouest.

Et ils éperonnèrent leurs chevaux.

Avant même leur départ, Tjaart avait commencé à former, avec ses onze chariots, un laager sommaire : l'avant de chaque chariot était coincé contre l'arrière du chariot précédent, le disselboom enfoncé presque entièrement sous le chariot et immobilisé avec les chaînes de trait. Ensuite, on attachait les roues l'une à l'autre et on envoyait les enfants ramasser des buissons épineux : les garçons les coupaient et les filles les apportaient à leurs mères, qui les entrelaçaient avec les rayons des roues et dans chaque espace dégagé du périmètre extérieur. Quand elles avaient terminé, aucun ennemi ne pouvait se glisser dans le laager entre les chariots ou par-dessous : il avait devant lui une muraille de bois, de toile et d'épines. On laissait une ouverture étroite pour laquelle on confectionnait à la hâte une porte d'épines.

Sur les seize serviteurs « de couleur », on en envoya neuf vers la rivière avec tout le bétail et les moutons. Les sept autres combattraient avec leurs maîtres.

Deux personnes surveillaient la construction du laager avec un vif intérêt : Tjaart Van Doorn et le petit Paulus de Groot, trop jeune pour aider à couper les épines ou pour rassembler le bétail. Il se tenait sur les talons de Tjaart et faisait les courses que celui-ci lui indiquait. Plus tard, il apporterait le plomb pour que les femmes puissent recharger les fusils sans perte de temps. Chaque homme adulte avait besoin de trois fusils, parce qu'une fois le premier coup de feu tiré l'arme devenait inutile. De la main gauche, il la faisait passer à sa fille, tout en tendant la main droite vide vers sa femme.

— Donne ! disait-il simplement.

Et sa femme posait dans sa main le deuxième fusil, pour le coup de feu. Jakoba et Minna pouvaient nettoyer et charger les fusils juste assez vite pour que Tjaart en ait toujours un prêt à tirer et le petit Paulus courait chercher les sacs de poudre.

L'aube se leva sans le moindre signe des hommes de Mzilikazi, mais, vers neuf heures, Tjaart entendit un sifflement effrayant du côté de l'est, puis le bruit menaçant de pas lourds sur la terre, enfin un cri assourdissant : « Mzilikazi ! », suivi par l'assaut titanesque de soldats presque nus, armés de lances mortelles.

— Ne tirez pas ! ordonna-t-il aux treize trekkers et aux sept « hommes de couleur ». Laissez-les venir plus près... Plus près...

Et, de nouveau, le même son sifflant, le même trépignement et le même cri :

— Mzilikazi !

Mais il entendit aussi une voix isolée, qui priait dans le laager :

— Dieu tout-puissant, nous sommes peu nombreux, mais nous avons revêtu Ton armure. Nous n'avons pas peur, car nous avons essayé d'être vertueux. Dieu tout-puissant, ils sont nombreux, mais Tu es avec nous. Guide-nous en cette bataille.

C'était Theunis Nel, le fusil à la main, qui attendait la charge.

— Mzilikazi ! crièrent les guerriers, sûrs de leur victoire, en se lançant à l'assaut du petit groupe de chariots.

— Feu ! ordonna Tjaart.

Vingt fusils tonnèrent, à quelques mètres des hommes de Mzilikazi.

Le carnage était effroyable, mais chaque fois que le premier rang tombait une autre vague de guerriers s'avançait.

« Feu ! criait Tjaart, puis les Voortrekkers se débarrassaient de leur arme vide et tendaient la main pour recevoir une autre arme chargée.

« Feu ! criait Tjaart sans cesse, mais l'ennemi intrépide continuait de se jeter sur le laager.

— Tjaart, cria une voix d'enfant. Sous le chariot !

Mais, avant que Paulus ait pu attirer l'attention de son capitaine, Jakoba, d'un coup de crosse, avait brisé le crâne d'un Noir qui tentait de ramper dans le laager.

L'assaut continua pendant quatre-vingt-dix effroyables minutes — tous les hommes en position entre les roues des chariots et tirant sans arrêt, tandis que les femmes rechargeaient les armes.

Quand les guerriers matabélés commencèrent à battre en retraite, quelques vétérans d'autres batailles, furieux, refusèrent de croire que cette poignée de trekkers avait pu les tenir en échec. Mis en rage par leur défaite, ils se regroupèrent hors de portée des Blancs, crièrent une dernière fois « Mzilikazi ! », puis se jetèrent tout droit dans la gueule des fusils. Ils moururent avec les mains crispées sur les plats-bords des chariots, mais aucun ne passa.

Au crépuscule, Tjaart sortit avec le petit Paulus pour compter les morts.

— Cent soixante-sept. Dans notre camp, personne.

En entendant ce chiffre, Theunis Nel invita tout le groupe à se mettre à genoux. Il récita une prière passionnée, en se balançant d'avant en arrière, frottant son œil gauche de temps en temps avec le bout de ses doigts. Il passa en revue la piété des Voortrekkers, la foi loyale de leurs ancêtres, leur héroïsme au seuil d'un pays inconnu, et il conclut :

> Dieu tout-puissant, quand nous avons regardé du côté du veld et que nous avons vu ces silhouettes sombres et redoutables, plus nombreuses que l'esprit ne saurait compter, en face de nous treize, nous avons compris que la victoire ne serait possible que si Tu étais avec nous. Cette victoire n'est pas la nôtre mais la Tienne.

Tous les hommes, toutes les femmes et tous les enfants écoutaient. Même les sept serviteurs qui n'étaient pas inclus dans la prière savaient que ce que disait Theunis ne pouvait être que la vérité.

Mais, quand on fit le bilan définitif, on s'aperçut que les Voortrekkers n'avaient pas obtenu de victoire, au contraire.

Sur les deux groupes qui campaient à l'ouest, l'un avait été écrasé, l'autre n'avait pas été complètement détruit, mais avait perdu quatre hommes. Et, au campement de De Groot, qui s'était refusé à former le laager, les cinquante-deux personnes étaient mortes — enfants, « hommes de couleur », anciens esclaves — et tous étaient affreusement mutilés.

— Il ne faut pas aller là-bas, Paulus, dit Tjaart (l'horreur du massacre lui faisait monter les larmes aux yeux). Ton père, ta mère et tes sœurs sont morts.

— Je veux y aller, répondit le petit survivant.

Il y retourna avec Tjaart et les fossoyeurs, pour voir ce qui restait de sa famille. Il les reconnut et il ne vomit pas à leur vue, comme certains adultes. Il marcha lentement le long de leurs huit pieds nus (car ils avaient été dépouillés de tous vêtements) et il constata la façon dont ils étaient morts. Pas une seule larme ne lui monta aux yeux et, quand l'on eut creusé les tombes — peu profondes, juste ce qu'il fallait pour écarter les hyènes —, il posa une pierre sur la poitrine de chaque personne qu'il avait aimée.

Cette campagne des régiments de Mzilikazi força tous les Voortrekkers à changer leurs plans. Les rares groupes qui s'étaient aventurés au nord du Vaal, comme Tjaart, durent battre en retraite très au sud du fleuve. Sur toute la ligne de progression, les émigrants prirent conscience de leur situation précaire — et attendirent le mouvement suivant du Grand Éléphant mâle.

Deux membres d'une tribu noire détruite par Mzilikazi parvinrent dans le sud et racontèrent que les Matabélés réunissaient une armée puissante pour écraser les Boers. Le rapport de forces serait de cent cinquante Noirs contre un Voortrekker.

Le gouvernement anglais choisit ce moment de danger pour annoncer, par l'intermédiaire des derniers arrivants dans le camp, sa toute récente proclamation contre les Voortrekkers. Elle déclarait que, même s'ils avaient quitté le sol anglais, les fugitifs ne devaient pas croire qu'ils échappaient à la loi anglaise, parce que tout méfait commis au sud du vingt-cinquième parallèle serait considéré comme ayant eu lieu dans le cadre de la juridiction britannique et serait puni en conséquence. Comme le Vaal se trouvait très au sud de ce parallèle, la bataille au cours de laquelle les Van Doorn s'étaient défendus pouvait être interprétée comme une agression injustifiée et Tjaart risquait la corde.

Le document était, bien entendu, imprimé en anglais, mais, quand il fut traduit devant les Voortrekkers stupéfaits, Tjaart demanda de le voir. Bien que son anglais fût sommaire, il put reconnaître les mots insultants et, tandis que ses lèvres les murmuraient, une violente amertume s'empara de lui, car il avait encore sous les yeux les cadavres mutilés de Lukas de Groot et de sa famille.

Pendant deux jours — et c'est bien caractéristique de la façon lente et butée dont il s'éveillait à tous les problèmes —, Tjaart ne dit rien. Il avait la proclamation sur lui et il s'arrêtait parfois pour lire de nouveau les lignes offensantes. Mais, le troisième jour, il rassembla tous les membres de son groupe et les autres hommes qu'il rencontra et il rendit son jugement.

> Nous savons, d'après le Livre de Josué, que nous accomplissons l'œuvre de Dieu, en soumission à Ses commandements. Mais à chaque occasion les Anglais nous font obstacle. Mon père, que vous avez connu, Lodevicus le Marteau, a été traîné devant le Circuit noir et accusé de meurtre par des missionnaires anglais. Bezuidenhout, que voici : toute sa famille a été pendue à Slagter's Nek après que Dieu Lui-même eut rompu les cordes pour leur accorder grâce. Les Anglais nous ont volé notre langue, les chaires de nos églises, nos esclaves. Et maintenant, ils nous pourchassent avec ces lois, pour nous avertir que nous ne pourrons jamais leur échapper.
>
> Je dis : « Au diable les Anglais ! » et je dis à mon fils Paulus : « Souviens-toi de ce jour où les Voortrekkers, menacés de mort par les guerriers de Mzilikazi, ont prononcé le serment solennel de demeurer des hommes libres. »

D'une voix sombre, tous les membres de l'assemblée murmurèrent : « Je le jure ! » Et ils savaient que tout nouveau compromis avec les Anglais était devenu impossible. De ce jour-là, la rupture devait être totale.

Mais le lendemain même, un smous arriva de Thaba Nchu et Tjaart fut plongé dans une étrange confusion. Le colporteur n'apportait pas uniquement des provisions, mais de petits paquets adressés à Tjaart Van Doorn et à Lukas de Groot.

— Le major Saltwood de Grahamstown m'a demandé de vous remettre ceci, dit le petit homme nerveux.

— De Groot est mort.

— Oh, mon Dieu ! Mzilikazi ?

Le smous était terrifié.

— Oui. Qu'allons-nous en faire ?

— Un membre de sa famille est-il vivant ?

— Son fils, Paulus.

— Alors il faut le lui donner. Parce que j'ai fait la promesse solennelle de remettre ces paquets.

Ils appelèrent Paulus et lui tendirent le dernier message adressé à son père. L'enfant ouvrit l'enveloppe, c'était une belle liasse de livres anglaises. Toutes les sommes dues pour les esclaves de De Groot avaient été payées en entier, sans aucune retenue pour la commission.

Tjaart ouvrit son paquet, il en était de même. Cela le troubla. Ses amis anglais s'étaient révélés dignes de confiance et il leur avait juré une hostilité absolue. Il ne savait plus que dire. Quand il eut remis les deux liasses d'argent à Jakoba pour qu'elle les place en lieu sûr, il marcha seul pendant de longues heures, puis il alla trouver le smous et lui demanda :

— Est-ce que le major Saltwood vous a payé pour m'apporter l'argent.

— Oui, répondit le colporteur. Deux livres.

Tant bien que mal, Tjaart convertit la somme en rix-thalers et s'étonna : Saltwood avait dépensé vraiment beaucoup de son propre argent pour lui envoyer les fonds.

Tjaart n'était pas au bout de ses incertitudes, car, pendant cette période d'attente angoissée où personne ne savait quand Mzilikazi frapperait de nouveau, il apprit, écœuré, que Ryk Naudé n'avait pas traversé le Drakensberg, mais campait à quelques kilomètres de son propre camp. Plusieurs nuits, Tjaart avait constaté l'absence de Minna et, de nouveau, il avait surpris les deux jeunes gens en train de faire l'amour. Il ne comprenait pas : pourquoi un homme marié à une épouse merveilleuse comme Aletta courait-il le guilledou avec une femme comme Minna ? Tjaart aimait sa fille et il avait fait tout son possible pour lui trouver un bon mari, mais il ne pouvait se résoudre à la juger, sur aucun plan, l'égale d'Aletta. Et pourtant ce jeune vaurien compromettait son mariage en se faufilant la nuit pour faire l'amour avec une femme quelconque, mariée de surcroît.

Les écarts de conduite de sa fille — qu'il rapprochait malgré lui de son faible, toujours très vif, pour Aletta — le troublèrent tellement qu'un jour il décida d'affronter Ryk et de lui reprocher son adultère.

— Ryk, nous sommes sur le point de livrer à Mzilikazi une bataille où nous risquons tous de mourir. Si Dieu se retourne contre nous, par suite de nos péchés, nous périrons. Vous n'éprouvez donc aucun sentiment de responsabilité ?

— J'éprouve un sentiment d'amour pour votre fille.

— D'amour ?

— Oui. J'aurais dû l'épouser, comme elle le disait.

— Mais vous avez une épouse très belle...

— Mon vieux, occupez-vous de votre bataille. Ce sont les fusils qui la gagneront, pas les commandements de Dieu.

C'était si blasphématoire que Tjaart ne sut que répondre, mais Ryk le devança.

« Dans deux jours, nous marcherons vers le nord, pour affronter Mzilikazi. Nous serons peut-être tous tués, mais je serai heureux de savoir que Minna...

Sans achever cette phrase extraordinaire, il s'éloigna à grands pas pour préparer ses chevaux.

Tjaart était furieux de l'insolence du jeune homme, mais surtout surpris, car il n'aurait jamais cru Ryk assez brave pour tenir tête à un aîné. Plus séduisantes encore étaient les perspectives nouvelles qui s'offraient à lui après les déclarations du jeune homme : puisque Ryk n'appréciait pas beaucoup son épouse, puisqu'il ne la désirait pas, quel mal y aurait-il si un autre homme lui faisait des avances ? Aucun, conclut-il. Et, quant à l'adultère qu'il commettrait, il évita d'y songer en effaçant purement et simplement Jakoba de son esprit.

Il reprit donc sa vieille habitude de se placer en travers du chemin d'Aletta. Comme un imbécile bedonnant, avec sa ceinture et ses bretelles, il s'offrait à la plus belle jeune femme parmi les trekkers. Il était ridicule et il le savait, mais il ne pouvait s'en empêcher. Une après-midi, il attendit qu'elle soit à l'écart des autres, puis il la saisit, l'entraîna derrière des chariots et se mit à l'embrasser avec passion.

A sa vive surprise, elle ne résista pas. Elle ne participa pas non plus. Elle demeura simplement appuyée contre lui, plus adorable encore que dans les rêves de Tjaart, souriant entre les baisers, puis murmurant :

— Après tout, vous n'êtes pas un si vieil idiot que ça.

Et sur ces mots, elle s'éloigna lentement, absolument insensible à ses effusions.

Cette rencontre fut un calvaire pour Tjaart. Il se mit à pester en silence contre son gendre. Pourquoi ce maudit imbécile de Theunis ne tient-il pas sa femme ? Où avais-je la tête quand j'ai laissé un homme comme ça entrer dans ma famille ? Et, pendant plus d'une heure, il débita des insultes à l'adresse du pauvre consolateur des malades, comme s'il était responsable de son propre malheur...

Puis il songea à la bataille imminente contre Mzilikazi et, en se souvenant de l'audace avec laquelle les premiers Matabélés s'étaient lancés à l'assaut du laager, il prit peur. S'ils viennent sur nous deux fois ou trois fois plus nombreux, que ferons-nous ? Mais il se rappela les cadavres mutilés du groupe de De Groot et une rage froide s'empara de lui : « Nous devons les massacrer, les massacrer tous ! Aucun Voortrekker n'avait jamais levé le petit doigt contre Mzilikazi et il nous a fait ça ! Nous devons le détruire. »

Puis il s'arrêta et, comme tous les Boers, il songea que la simple survie, et à plus forte raison la victoire, serait impossible sans l'aide de Dieu. Plein de contrition, il prit sur ses épaules le fardeau du péché d'adultère dont il avait voulu charger Ryk Naudé. Il alluma une lampe à huile, ouvrit sa Bible et parcourut les Proverbes jusqu'à ce qu'il tombe sur le passage qui évoquait sa transgression en termes sans ambiguïté :

> Car le commandement est une lampe ; et la loi est lumière ; et les réprimandes de l'éducation sont le chemin de la vie : pour te garder de [...] la flatterie, de la langue d'une femme inconnue. Ne désire pas sa beauté du fond du cœur ; ne la laisse pas te séduire avec ses paupières. [...] Un homme peut-il prendre feu sans que ses vêtements soient incendiés ? Peut-on marcher sur des charbons ardents sans se brûler la plante des pieds ? Il en est de même de celui qui se tourne vers l'épouse de son voisin ; nul ne peut la toucher et demeurer innocent.

A l'instant où il s'apprêtait à refermer le Livre, il se rendit compte qu'il avait besoin de davantage d'aide qu'il n'en pouvait trouver par lui-même et il alla chercher Theunis Nel, qui dormait seul, car son épouse était dehors, en train de pécher.

— Venez lire la Bible avec moi et m'instruire, dit-il au consolateur des malades.

Toujours prêt à répondre à un appel de ce genre, Theunis se leva, s'enveloppa dans une couverture et accompagna Tjaart jusqu'à l'endroit où se trouvait la Bible, encore ouverte sous la lampe. Il comprit aussitôt pourquoi Tjaart était en train de lire Proverbes VI. Mais il ne parla ni de l'adultère ni des désirs du cœur.

— Theunis, cette fois-ci, nous allons affronter un adversaire terrible.

— La dernière fois aussi.

— Mais nous ne le savions pas. Maintenant, de Groot est mort et nous savons.

— Dieu combat avec nous.

— En êtes-vous sûr ?

Le petit homme tourna rapidement les pages des Proverbes, referma le Livre, puis posa ses mains à plat sur la reliure et dit :

— Je sais que Dieu veut que notre peuple établisse une nouvelle nation à Son image. Puisqu'Il nous a chargés de cette mission, Il nous protégera sûrement.

— Alors pourquoi n'a-t-Il pas envoyé Ses prédikants pour nous accompagner ? Pour nous guider à travers Sa parole ?

— Je me suis posé la question, Tjaart. Je crois qu'Il a envoyé des gens ordinaires comme vous et moi, parce qu'Il voulait que Sa parole monte lentement de la terre, au lieu de tomber d'en haut sous forme de sermons écrits par des prédikants écossais cultivés.

— Est-ce possible ?

— Si nous avions avec nous un dominee érudit, répondit le consolateur des malades au milieu des ombres mouvantes, nous nous déchargerions sur lui de tous nos fardeaux, nous le laisserions nous dire quelles sont les intentions de Dieu. Au contraire, tout repose maintenant sur des gens simples comme vous et moi. Et, quand nous forgeons des solutions, elles viennent du cœur même des Voortrekkers, non de l'extérieur.

Il se leva et arpenta la tente à grands pas (si tant est qu'un homme aussi petit pût faire de grands pas) et il dit à Tjaart :

« Vous remporterez la victoire. Vous abattrez les Cananéens. Vous nous guiderez de l'autre côté du Jourdain jusqu'à notre héritage.

Et ces deux hommes malheureux — le plus fort déchiré par son péché et ses doutes, le plus faible ulcéré par la mauvaise conduite de sa femme — s'agenouillèrent et se mirent à prier.

A l'époque, Mzilikazi était à la tête de cinquante-six régiments d'infanterie très bien entraînés et, s'il l'avait désiré, il aurait pu envoyer vingt mille hommes contre les Voortrekkers. Mais, malgré les pertes subies devant le laager des Van Doorn, il ne parvenait pas à croire qu'une poignée de Blancs avec des fusils, des chevaux et des chariots rassemblés puisse résister à sa puissance. Il n'envoya donc vers le sud que six mille hommes environ, dont tous d'ailleurs ne seraient pas en position pour attaquer le laager principal quand la bataille s'engagerait.

Un détachement de Voortrekkers résolus, constitué d'une quarantaine d'hommes, d'un nombre égal de femmes, d'environ soixante-cinq enfants et de la proportion habituelle d'« hommes de couleur », s'était avancé pour établir un laager puissant de cinquante et un chariots solidement reliés les uns aux autres et protégés par de gros buissons d'épines entrelacés avec soin. Trait particulier de ce laager, dont tous les participants savaient qu'ils devaient vaincre ou mourir hideusement mutilés, on avait laissé au centre quatre chariots recouverts de planches et de grosse toile. C'était là que les femmes et les enfants se réfugieraient pendant la bataille, mais on se doutait bien que des femmes résolues comme Jakoba Van Doorn et Minna Nel resteraient au-dehors pour participer aux combats, tandis que plus d'un enfant, comme Paulus de Groot, serait aux barricades, faisant le coup de feu comme des hommes ou allant chercher de la poudre pour leurs mères.

Les chefs avaient choisi un terrain presque plat au pied d'une petite colline, ce qui obligerait les régiments de Mzilikazi à attaquer soit en remontant une légère pente, soit en descendant une pente plus raide. Dans les deux cas, c'était un désavantage. A la surprise des Boers, l'ennemi préféra la pente raide du sud-ouest et établit un camp immense pour préparer méthodiquement l'assaut qui détruirait le laager et tout ce qui s'y trouvait.

Pendant deux jours, les régiments aiguisèrent leurs sagaies et perfectionnèrent leurs signaux en vue de la grande attaque. Les Voortrekkers pouvaient voir et entendre les ennemis vaquer à leurs occupations ; le soir, les feux de camp des Matabélés crépitaient et les hommes se demandaient : « Nous attaqueront-ils à l'aube ? »

Le 16 octobre 1836, les Matabélés étaient prêts. Ils prirent position lentement en face du laager. Aussitôt Tjaart demanda à Theunis de diriger la prière des défenseurs, mais de nouveau Balthazar Bronk s'y opposa : la défense risquait d'être compromise si l'on permettait à une personne non autorisée d'improviser une prière.

— L'ennemi est à dix minutes de nous et nous avons besoin de l'aide de Dieu, répondit Tjaart.

— Dieu est parfait, insista Bronk. Son Église est parfaite. Ni Dieu ni l'Église ne peuvent tolérer un homme taré.

Theunis dut se taire, mais l'on invita Tjaart lui-même à diriger la prière. Elle fut brève, passionnée et elle apporta un grand soulagement à tous ceux qui épiaient du coin de l'œil l'avancée impitoyable de quelque six mille Matabélés endurcis par plus d'un combat.

Les chefs résolurent d'aborder les Matabélés d'une manière étonnante. Un patriarche sans peur, du nom d'Hendrik Potgieter, célèbre pour avoir épousé quatre femmes coup sur coup, proposa une sortie de vingt ou trente hommes — plus de la moitié de toutes les forces des Voortrekkers. Ils se dirigeraient à cheval au milieu des commandants noirs et essaieraient de leur faire entendre raison. C'était le genre d'action que seul pouvait concevoir un imbécile ou un homme qui sentait la main de Dieu sur son épaule.

— J'irai ! dit Tjaart.

— J'irai ! répondit Theunis Nel en écho.

Bientôt, Potgieter avait vingt-quatre volontaires à ses côtés. Puis un vingt-cinquième : Balthazar Bronk, à qui Jakoba avait fait honte.

— Auriez-vous peur de mourir ?

Acceptant à regret le fusil qu'elle lui lançait, il se joignit à la patrouille suicide.

Au signal de Potgieter, ces hommes audacieux abandonnèrent la sécurité de leur laager, éperonnèrent leurs chevaux et s'élancèrent à bride abattue au cœur des lignes ennemies. L'un des « hommes de couleur » du laager avait accompagné un chasseur en pays matabélé et, par son truchement, Potgieter s'adressa aux guerriers.

— Pourquoi voulez-vous nous attaquer ? Nous venons en amis.

— Vous venez voler nos terres, cria un chef.

— Non ! Nous venons vivre en paix.

— Mzilikazi, le Grand Éléphant mâle, est en colère. Il a dit que vous deviez mourir.

Un des commandants leva sa sagaie et lança le cri de guerre.

— Mzilikazi !

A ce signal, les régiments se mirent à courir vers les Voortrekkers, qui se hâtèrent de regagner la sécurité de leur laager. S'ils y parvinrent, ce fut uniquement grâce à la providence de Dieu, car leurs chances étaient infimes. Mais ils réussirent, en tirant derrière eux sur les Matabélés qui les chargeaient.

Tous ne rentrèrent pas dans le laager. Cinq hommes complètement épouvantés par les hordes de guerriers noirs et glacés de peur par les sagaies qui volaient autour d'eux atteignirent l'entrée en même temps que les autres, mais ils aperçurent devant eux une piste qui les mènerait à Thaba Nchu et à la sécurité. Sans même prendre conscience de la lâcheté de leur geste, ils acceptèrent cette invitation si alléchante : ils prirent la fuite.

Le jeune Paulus de Groot, posté à l'entrée pour accueillir les Voortrekkers à leur retour, les vit abandonner le combat.

— Ils s'enfuient ! cria-t-il stupéfait.

Dans l'histoire des Voortrekkers, ces cinq hommes allaient être connus sous le nom du commando de la Peur. A leur tête fuyait Balthazar Bronk, le visage gris de frayeur.

— Que Dieu prenne pitié de nos enfants, murmura Jakoba.

Aucune autre prière ne fut dite, car, dans un unique hurlement terrifiant, les guerriers noirs se précipitèrent sur le laager.

Pendant plus d'une heure on put croire à tout instant que la chaîne de chariots était sur le point de s'écrouler. Un si grand nombre de sagaies s'abattit sur les quatre chariots du centre que Paulus put en ramasser plus de vingt. Choisissant celle qui lui parut la plus résistante, il prit position au point où les chariots semblaient le plus en danger de s'effondrer et il frappa tout Matabélé qui tentait de s'infiltrer.

Le laager tint bon. Les canons des fusils étaient brûlants d'avoir trop tiré, mais les femmes courageuses qui participaient au combat continuaient de charger — épuisées, en sueur, pleines de crainte. Et les chariots résistèrent. Un groupe de six chariots recula de soixante centimètres sous le choc des puissants Matabélés, mais, en fin de compte, même ces chariots ébranlés tinrent bon, leurs disselbooms brisés, leurs flancs couverts de sagaies, leurs bâches déchirées.

On appela cette bataille Veg Kop, la Colline du combat. Moins de cinquante Voortrekkers résolus, aidés par leurs femmes remarquables et par leurs serviteurs « de couleur » restés fidèles, vainquirent plus de six mille assaillants. Quand Tjaart parcourut à cheval le champ de bataille, il compta quatre cent trente et un Matabélés morts et il savait que deux Voortrekkers seulement avaient été tués. Mais il savait aussi que presque tous les membres du laager avaient des blessures. Paulus de Groot arborait deux estafilades de sagaie et il en était très fier; mais, quand une fillette lui fit observer qu'il s'était donné lui-même une de ces blessures par sa maladresse, en essayant d'arracher une lance ennemie qui s'était fichée dans un chariot, il fut bien forcé d'en convenir.

Jakoba avait une coupure douloureuse à la main gauche, mais cela ne l'avait pas empêchée de s'occuper des munitions, et Minna avait reçu à la jambe une entaille qui nécessitait un pansement. Tjaart était indemne, mais il découvrit avec horreur que pendant le combat Theunis Nel avait été blessé gravement par deux fois. Il fallut aliter l'homme qui réconfortait les malades et, pendant la période d'attente où les Matabélés avaient cessé de combattre sans pour autant abandonner le champ de bataille, plus d'un émigrant vint lui rendre visite et lui assurer qu'en tant qu'homme de courage et de piété il méritait bien d'être proclamé le dominee des Voortrekkers. Mais certains autres, aussi nombreux et plus obstinés, refusèrent de soutenir cette proposition, répétant : « Dieu Lui-même a interdit une ordination de ce genre. »

Les Voortrekkers avaient gagné la bataille de Veg Kop, mais, quand ils firent le bilan, ils découvrirent que les Matabélés avaient abattu tous les pâtres « de couleur » et emmené tout le bétail. Pendant dix-huit jours de famine, ils furent incapables de quitter le laager et leur sort serait devenu encore plus désespéré s'ils n'avaient pas reçu une aide tout à fait inattendue : le chef noir de Thaba Nchu, apprenant leur situation, décida qu'il devait aider ces hommes braves qui venaient de défaire son ennemi. Il envoya un convoi de bœufs vers le nord, avec de la nourriture pour les Boers, des attelages pour leurs chariots et une invitation à regagner le refuge de Thaba Nchu. Les Voortrekkers acceptèrent.

Malgré la perte de leur cheptel, ils se sentaient l'esprit si joyeux que les fêtes durèrent plusieurs jours. La tristesse des lendemains de bataille fit place à la boisson et aux chansons gaillardes.

— Je voudrais bien mettre la main sur Balthazar Bronk et les autres qui ont fui, ronchonna Tjaart Van Doorn.

Mais on lui conseilla de les oublier.

— Ils sont arrivés ici au galop en posant aux héros. Et ils ont filé de l'autre côté des montagnes où ils pourront encore se vanter de leur héroïsme.

Le smous, soulagé d'avoir échappé aux Matabélés, sortit un accordéon français, qu'il espérait vendre à l'une des familles errantes, et se mit à jouer une série de vieilles ballades du Cap. Pendant que les autres dansaient, Tjaart prit dans le chariot du colporteur une bonne provision de sucre, de raisins, de fruits secs et d'épices, auxquels il ajouta tous les restes de pain et de biscuits que Jakoba put trouver. Dans son moule de terre cuite dorée, il prépara un gâteau de pain, dont il fit présent, non sans fierté, à la foule joyeuse.

Parmi ceux qui se servirent généreusement se trouvait Aletta Naudé. Elle ajouta, avec précaution, une tombée de lait, saupoudra sa part de sucre, porta le bol à ses lèvres, mais sans manger, puis, la main droite crispée sur sa petite cuillère, elle regarda Tjaart par-dessus le rebord du bol — et sourit. Lentement, d'un geste provocant, elle abaissa le bol, prit une cuillerée de gâteau et la porta à ses lèvres ; elle goûta délicatement et sourit de nouveau.

Grisé par Aletta, paralysé par le charme de son sourire, Tjaart en oublia de se servir du gâteau. Quand il tendit la main, il n'y en avait plus. Mais il pouvait en sentir la saveur chaque fois qu'Aletta en prenait une cuillerée et, quand elle eut presque fini sa part, il s'avança près d'elle et, sans un mot, lui fit signe de l'accompagner.

Après avoir quitté la fête, il l'entraîna derrière un groupe de chariots et, tandis que l'accordéon donnait à la nuit un air de bacchanale, il l'attira sur le sol et écarta avidement ses vêtements. Jamais auparavant il n'avait senti à quel point le sexe peut s'emparer d'un être et il était si préoccupé par la violence de l'instant qu'il ne s'aperçut pas qu'Aletta souriait — rien de plus — de son exploit ridicule.

Quand ce fut fini, allongé sur le dos, il la regarda remettre de l'ordre dans ses vêtements — elle était impassible. Il ne tenta pas de concilier son acte adultère — il venait de prendre la femme d'un autre — avec sa profonde gratitude à l'égard de Dieu, qui avait protégé les Voortrekkers dans leur laager. C'étaient deux choses sans rapport et il n'était pas obligé de les mettre en harmonie — comme il le dit en lui-même, le roi David avait vécu le même problème.

En avril 1837, Tjaart rencontra de nouveau l'homme qui devait devenir l'un des personnages les plus mémorables du trek, Piet Retief, fermier de la frontière avec qui il avait si souvent combattu en commando. Ils parlèrent de cette époque héroïque.

— Vous vous souvenez comme c'était, Tjaart ? Cinquante d'entre nous, deux cents Xhosas, une escarmouche, une retraite. Si je comprends bien, avec les Matabélés, ce fut très différent.

Tjaart frissonna.

— Cinq mille attaquants à la fois. Six mille, peut-être. Et tous prêts à mourir. Pendant quatre heures, nous leur avons tiré à bout portant dans la figure.

— C'est terminé, lui dit Retief. Il faut que vous veniez au Natal avec moi. Les Zoulous nous laisseront tranquilles.

— Je n'ai pas envie de quitter le plateau. Mzilikazi

demeure une menace, mais je veux quand même aller dans le nord.

— Ceux qui l'on fait s'en sont très mal sortis. Je crois qu'ils sont tous morts.

Retief avait raison. Le tribut payé par les Voortrekkers du nord avait été très lourd. Et il avança tant d'autres raisons valables en faveur du Natal que Tjaart hésita. Mais Jakoba s'entêtait dans sa résolution de traverser le Vaal.

— Tu as toujours voulu chercher le lac dont parlait ton grand-père. Fais-le. Le Natal est bon pour les faiblards comme Bronk et Naudé.

C'était la première fois qu'elle prononçait le nom de ces gens avec lesquels sa famille était si douloureusement empêtrée. Elle n'ajouta rien de plus.

Il suivit son conseil et informa Retief que le groupe Van Doorn ne descendrait pas au Natal. Mais, ce soir-là, alors qu'il rentrait vers sa tente, Aletta Naudé apparut mystérieusement de derrière une rangée de chariots de transport et, presque sans savoir ce qui lui arrivait, Tjaart la prit dans ses bras et roula avec elle dans la paille. Quand il s'allongea, épuisé, elle glissa les doigts dans sa barbe et lui murmura :

— Nous allons traverser les montagnes. Descendez au Natal avec nous.

Le soir même, il déclara à Jakoba que Retief l'avait convaincu. Ils partiraient vers l'est.

— C'est une erreur, dit-elle.

Le lendemain matin, elle apprit que Ryk Naudé et sa femme partaient eux aussi.

Ce fut un voyage à travers le printemps et à travers l'une des régions les plus difficiles que les Van Doorn traverseraient. Dans leur lente migration depuis De Kraal, ils avaient grimpé imperceptiblement depuis le niveau de la mer, ou presque, jusqu'à plus de mille cinq cents mètres, et ils se trouvaient depuis longtemps sur ce que l'on appelait « le plateau ». C'étaient de hautes terres qui s'enfonçaient brusquement pour laisser passer les rivières. Mais, maintenant, ils allaient être obligés de monter à deux mille cinq cents mètres, puis de plonger brutalement jusqu'au niveau de la mer. La montée serait facile, la descente effrayante.

Onze chariots se réunirent pour tenter la traversée et, tandis qu'ils escaladaient les pentes occidentales, assez douces, des monts Drakensberg, personne ne prévoyait les problèmes qui les attendaient au-delà.

— Retief est parti en éclaireur pour trouver une piste sûre, assurait Ryk Naudé. C'est faisable.

Mais, quand ils atteignirent la crête et qu'ils virent pour la première fois par où il leur faudrait passer, même Tjaart blêmit. Faire descendre un chariot de Voortrekkers le long de ces pentes abruptes serait impossible, quel que soit le nombre de bœufs attelés à l'arrière pour le freiner. Et, quand les bêtes virent les à-pics, elles refusèrent de les descendre, même sans les chariots. Par cet itinéraire, Tjaart dut en convenir, la descente était impossible.

Il partit avec Theunis à la recherche d'autres pistes. Ils en trouvèrent. Des quantités ! Ils descendaient facilement, suivaient un terrain relativement plat, puis soudain, *crac !* une falaise vive de soixante mètres de haut.

Et à la piste suivante… Une belle descente, une belle étendue de terre en pente douce, puis une déclivité abrupte de terre mais tout de même négociable… qui s'achevait sur une autre falaise infranchissable.

Pendant trois semaines, tandis que le printemps continuait de fleurir — éventail fabuleux de fleurs de montagne, de jeunes animaux et d'oiseaux partout autour d'eux —, les Voortrekkers tentèrent en vain de découvrir à travers les crêtes une passe leur permettant d'atteindre les prairies luxuriantes qui, ils le savaient, les attendaient tout en bas. Toujours un départ alléchant, toujours la falaise à pic.

Au cours de la quatrième semaine, Tjaart découvrit une piste plus modeste qui se dirigeait, semblait-il, vers le nord. Elle était manifestement très différente des autres, car en aucun point elle n'était alléchante ou facile. Cela le rassura. Le défilé était très raide et Tjaart s'écorcha les jarrets, mais il le franchit et poussa bientôt un cri de triomphe : la passe continuait tout droit jusqu'à la plaine. Des chariots pourraient-ils la suivre ? Il le crut.

Il se hâta donc de rejoindre son groupe désemparé.

— Nous pourrons franchir la majeure partie du trajet comme nous sommes, leur dit-il. Mais, sur plus de trois kilomètres, il nous faudra démonter les chariots et les transporter morceau par morceau à dos d'homme.

Ryk Naudé déclara la chose impossible et Jakoba, méprisante, tendit le bras vers la piste par laquelle ils étaient arrivés.

— Dans ce cas, faites demi-tour !

Naudé ronchonna et renâcla, mais se décida tout de même à tenter sa chance avec les autres.

Pendant deux journées difficiles, les onze chariots glissèrent et patinèrent sur des pentes herbeuses, puis cahotèrent sur des pierres. Theunis eut l'idée excellente d'inverser les roues : on mit les grandes roues à l'avant du chariot pour compenser la pente, ce qui permettait de mieux contrôler la descente sur les raidillons. Un homme parvint à supprimer carrément les roues arrière en leur substituant de grosses branches qui traînaient sur le sol au-dessous de l'essieu, constituant un frein efficace. Les bœufs n'apprécièrent pas cette modification et, quand ils virent que l'on installait ces lourdes branches, ils commencèrent à s'agiter; les « hommes de couleur » leur parlèrent, les appelant par leur nom et les cajolant, chacun avec son propre catalogue de prières. Il était étonnant de voir à quel point quelques paroles rassurantes pouvaient donner à ces rudes bêtes l'encouragement dont elles avaient besoin.

Mais chaque mètre franchi avec succès rapprochait les Voortrekkers des falaises basses qu'aucun chariot ne pourrait jamais négocier. La procession s'arrêta et Tjaart montra à tous la piste large et facile qui les attendait quand ils auraient dépassé ces falaises. Il les réconforta de son mieux, puis les conduisit vers le nord jusqu'à un surplomb d'où l'on percevait les vastes pâturages s'étendant jusqu'à l'océan Indien. Il leur offrait une patrie comme il n'y en avait pas de plus belle, une promesse de grandeur et de fécondité.

— Voici le Natal. Voici ce qui sera votre foyer.

Jakoba remarqua qu'il n'avait pas dit *notre* foyer et elle lui en fut reconnaissante, car elle n'avait pas oublié la terre plus propre, plus dure, du Transvaal.

Ce furent dix-neuf jours d'enfer. Theunis découvrit un sentier qui lui permit de conduire les bœufs dans les pâturages d'en bas, où ils ne manqueraient de rien. Puis tous les hommes, toutes les femmes et tous les enfants, Boers comme serviteurs, entreprirent la descente terrible du *berg*.

Un travail harassant. Décharger un lourd chariot, puis le démonter, était déjà pénible, mais porter tout le chargement à dos d'homme sur des pentes où les pieds glissaient sur les cailloux était épuisant ; réassembler les chariots ensuite, et les recharger, semblait un jeu en comparaison. Les Voortrekkers acceptèrent le défi ; même Paulus de Groot, pas plus haut qu'une roue, voulut se charger de guider jusqu'en bas l'une de celles du chariot. Tjaart le prévint de ne pas la laisser prendre de la vitesse, mais l'enfant ne l'écouta pas. Bientôt les Van Doorn, consternés, virent une de leurs précieuses roues filer sur la pente avec un bruit de tonnerre. Elle se serait brisée si des broussailles ne l'avaient pas arrêtée et ils ne purent s'empêcher de rire en voyant les efforts du petit Paulus pour la remettre sur le sentier.

Ryk Naudé était moins dynamique. Il se plaignait de l'itinéraire choisi par Tjaart, prétendant qu'il existait une meilleure piste plus au sud. Quand il portait, non sans ronchonner, un paquet en bas de la falaise, il tardait toujours à remonter pour en prendre un autre et, au cours d'un de ses trajets, Tjaart aperçut Ryk et Minna en train de s'embrasser derrière des rochers. Le jeune homme s'avérait exactement comme Jakoba l'avait prédit, égoïste et sans égards. Tous les Voortrekkers plus âgés le méprisaient.

Jakoba était infatigable. Elle dérapait quand elle descendait avec ses paniers, elle haletait, mais ne ralentissait pas pour remonter la pente. Pendant toutes ces journées, elle travailla comme un bœuf, surveillant non seulement le passage de son chariot, mais ceux de ses voisines. Voyant qu'Aletta tirait au flanc, elle se mit à l'invectiver :

— Vous n'avez pas besoin de traîner si longtemps en bas. Le travail doit être fait.

Mais Aletta se contenta de la regarder avec le sourire entendu d'une femme jeune qui a séduit l'homme d'une femme plus âgée.

Quand cette partie de la descente fut achevée, les Voortrekkers étaient si épuisés qu'ils se reposèrent pendant cinq jours, au cours desquels Tjaart fit une heureuse découverte. Tandis qu'il vérifiait le dernier tronçon de la piste, pour s'assurer qu'il serait aussi facile qu'il l'avait estimé au départ, il tomba par hasard sur un lieu si majestueux que Dieu Lui-même semblait l'avoir réservé à Ses voyageurs fatigués. Comme l'endroit évoquait une cathédrale, il l'appela Kerkenberg (l'Église dans la montagne) et il y conduisit tout son monde.

C'était une série de grottes peu profondes avec de belles zones plates bordées de hauts blocs de granit. Du dehors, on eût dit un groupe de rochers puissants rassemblés selon un plan précis. De l'intérieur, c'était une cathédrale, avec les rochers s'inclinant légèrement vers le centre, mais laissant le ciel ouvert. Par toutes les ouvertures, les fidèles pouvaient voir à leurs pieds les belles plaines du Natal.

Quand les Voortrekkers pénétrèrent en ce lieu sanctifié, ils furent émerveillés par sa majesté sauvage. Presque en même temps, ils s'agenouillèrent en prière, pour remercier Dieu de Ses nombreux bienfaits. Et, tandis qu'ils étaient à genoux, Tjaart appela Theunis Nel et prononça les paroles que le petit homme avait si longtemps attendues :

— Theunis, par votre courage et votre piété, vous avez mérité le titre de prédikant. Vous êtes désormais notre dominee et c'est vous qui dirigerez la prière.

Cette fois, nul ne tenta de s'y opposer.

Nel, âgé de cinquante-deux ans, se leva et tourna vers la nef son visage maudit. C'était une église comme jamais il n'avait osé en espérer et une ordination plus noble qu'il ne l'avait rêvée, car elle lui venait d'hommes et de femmes écrasés par leurs efforts. Sa prière fut brève, elle constata simplement que ces Boers n'auraient pas pu survivre aux régiments de Mzilikazi, aux dangers du veld et à la descente de ces montagnes sans l'assistance de Dieu. La joie qu'ils ressentaient à l'heure de la délivrance, c'était à Lui qu'ils la devaient et ils Le remerciaient d'avance, car ils savaient qu'Il les guiderait dans cette terre de paix et de prospérité.

— Amen ! répondit Tjaart.

Et, quand tout le monde se leva, il ajouta :

« Nous avons sauté beaucoup de dimanches. Theunis, vous allez prêcher pour nous.

Le petit homme au dos tordu lança à l'assemblée un regard craintif et il perdit contenance un instant quand deux hommes âgés entraînèrent leurs familles hors de l'église de rocher — le fait qu'un homme aussi marqué physiquement puisse servir de dominee était contraire à leur foi. Mais, dès que le bruit de leur départ se dissipa, Tjaart fit un signe de tête à son ami et Theunis, enfin libre, se lança dans un sermon d'une puissance étonnante. Quand il eut terminé, il quitta les fidèles et se rendit à l'endroit où les familles dissidentes se trouvaient, près des hauts rochers.

— Joignez-vous à nous, maintenant, je vous en prie, dit-il. Le sermon est terminé.

En novembre, la controverse théologique prit fin pour Van Doorn : on lui demanda de quitter Kerkenberg et de partir seul vers les plaines, afin de trouver une demeure permanente pour son peuple. Il n'était pas satisfait de partir, car Balthazar Bronk, le héros poltron du commando de la Peur, était revenu. En l'absence de Tjaart, ce serait lui qui prendrait le commandement et ce n'était pas un homme à qui l'on pouvait se fier. Mais Tjaart avait une mission à accomplir et il descendit jusqu'à la Tugela, dont les rives avaient vu tant de batailles de Shaka. Il y rencontra de nouveau Piet Retief.

— Quelle effroyable descente nous avons faite.

— Une fois en bas, on ne remonte jamais.

— Le roi a accepté de nous donner des terres ?

— Non. Et c'est pourquoi je suis si content de votre présence ici, avec moi. Nous irons voir Dingané ensemble.

Retief avait maintenant cinquante-sept ans, il était mince comme un fouet, barbu et impatient de mener à bon terme l'œuvre de sa vie : installer les Voortrekkers dans une patrie solide et fertile, puis faire venir des prédikants du Cap et regarder naître une nouvelle nation soumise aux préceptes de Dieu. Pour y parvenir, il ne lui manquait plus que l'approbation finale du roi des Zoulous, qui avait déjà accepté en principe la proposition des Boers.

Les deux hommes, accompagnés par une escorte, se dirigèrent au nord de la Tugela en direction de l'Umfolozi, le fleuve historique des Zoulous. Près de ses rives méridionales, ils trouvèrent Kraal-de-Dingané, la capitale fixe du pays zoulou.

Dingané n'était pas un Napoléon noir, comme son demi-frère Shaka ; c'était un Néron, un despote tyrannique se souciant davantage de plaisirs et d'intrigues que de gouvernement réel. Sa ville était vaste : quarante mille personnes y habitaient. Elle se composait de rangées interminables de cases en forme de ruche, avec de vastes terrains de parade, une case royale avec des plafonds de six mètres et une salle de réception dont le toit en forme de dôme était supporté par plus de vingt colonnes, entièrement recouvertes de garnitures de perles.

On conduisit Retief et Van Doorn au kraal du bétail, centre de la vie des Zoulous, mais, avant de pouvoir entrer et paraître en présence du roi, il leur fallut déposer toutes leurs armes et se présenter en suppliants. L'étendue de la ville les stupéfia et ils remarquèrent le désir manifeste du roi de faire impression sur ses visiteurs.

— Quand le roi apparaîtra, il vous faudra vous prosterner à plat ventre et ramper à ses pieds comme des serpents, expliqua un chambellan en bon anglais, appris dans une des missions.

— Nous ne le ferons pas, dit Retief.

— Vous serez tués.

— Non. Parce que vous expliquerez au roi que les Boers ne rampent pas.

— Mais jamais je ne pourrai m'adresser au roi s'il ne me parle pas en premier. Il me tuerait.

— Et si tu ne le fais pas, c'est nous qui te tuerons.

L'homme se mit à transpirer de tous ses pores et Tjaart comprit que jamais il ne pourrait se résoudre à adresser la parole au roi. Il le renvoya et les deux hommes reprirent leur attente.

Comme un tourbillon, une vingtaine de serviteurs surgirent à l'autre bout du kraal. Aussitôt, tous les Zoulous présents tombèrent à genoux et Dingané entra. Il sourit aux Boers, qu'il s'attendait à trouver debout, puis il prit place sur son trône — un objet étonnant : un fauteuil sculpté à Grahamstown et offert au roi des Zoulous par un marchand anglais.

Cela faisait maintenant neuf ans que Dingané avait assassiné son demi-frère Shaka, puis son frère Mhlangana qui avait conspiré avec lui, et ensuite son oncle, son autre frère Ngwadi, et dix-neuf autres proches parents et conseillers. Ces années lui avaient réussi : il pesait plus de cent trente kilos et avait plus de trois cents femmes. Il possédait une intuition très fine, il avait le sens de ce qui allait se produire, ce qui compensait dans une certaine mesure ses méthodes pleines de duplicité. Il fallait de toute évidence qu'il règle le problème des Blancs qui ne cessaient de descendre du Drakensberg.

Il était déjà passé maître dans l'art de négocier avec les

Anglais qui se pressaient le long de la côte. Comme ils avaient des bateaux qui les maintenaient en contact avec Londres et Le Cap, il fallait les traiter d'un côté avec respect et de l'autre avec une indifférence grossière. Comme il l'expliquait à Dambuza, un de ses principaux conseillers, avec qui il partageait souvent les responsabilités du pouvoir :

— Les Anglais, on peut toujours leur donner des coups de pied, du moment qu'on salue leur drapeau et qu'on ne dit pas de mal de leur nouvelle reine.

Les Boers constituaient un problème très différent. Ils ne devaient aucune allégeance à tel ou tel souverain d'Europe et même pas, apparemment, au gouvernement du Cap. Ils étaient indépendants et obstinés. Ils ne portaient pas des galons et des insignes comme les Anglais et ils ne faisaient pas venir des bateaux de l'autre bout de l'océan pour leur prêter main-forte quand ils étaient en difficulté. Comme il le dit à Dambuza :

— Ils sont comme leurs bœufs, patients et puissants. Je peux vivre avec les Anglais, car je sais ce qu'ils vont faire ensuite. Mais j'ai peur de ces Boers qui viennent des montagnes — ne m'as-tu pas affirmé que personne ne pouvait les franchir ?

Une fois installé dans son grand fauteuil, Dingané fit un signe et seize de ses épouses vinrent s'installer à ses pieds. Douze de ces femmes avaient très belle allure dans leurs robes de soie que le roi avait créées lui-même ; mais les quatre autres étaient à faire peur : elles avaient à peu de chose près le même poids que leur roi et sur elles les robes semblaient ridicules.

Le roi fit signe qu'il était prêt à ouvrir la séance de négociation. Aussitôt, six hommes âgés surgirent à ses côtés et, tandis que Dingané souriait aux Voortrekkers, ces flatteurs officiels, comme on les appelait, se lancèrent dans leur litanie de louanges :

— Ô Grand et Puissant Vainqueur des Matabélés, Sage Maître Éléphant des Jungles Profondes, Toi dont le Pas fait trembler la Terre, Sage entre tous les Sages, Toi qui condamnes au Pal les Sorciers...

L'interprète, d'un ton monocorde ennuyé, enchaîna une bonne douzaine d'autres épithètes, puis Dingané fit taire les flatteurs (ils étaient prêts à continuer toute la journée s'il le fallait : ils savaient comment on maintient un souverain heureux).

Quand Dingané parla enfin, Retief comprit, non sans déception, qu'aucune négociation réelle ne se produirait ce jour-là. Le roi avait prévu une parade grandiose destinée à convaincre ses visiteurs de son pouvoir et de leur insignifiance. Pour lancer le spectacle, il se servit d'un stratagème qui avait stupéfié plus d'un de ses hôtes dans le passé. D'une voix impérieuse, il cria :

— Dites aux guerriers d'apparaître.

Puis il leva la main gauche à la hauteur de sa bouche et cracha sur son poignet.

« Et que tout soit fait avant que la salive ne sèche sur mon poignet, dit-il.

— Que se passe-t-il si la salive sèche ? demanda Tjaart à l'interprète.

— Le messager qui a reçu l'ordre est étranglé.

Les guerriers étaient prêts. Par toutes les ouvertures du kraal, plus de deux mille combattants zoulous se précipitèrent avec de hauts boucliers blancs qu'ils lançaient à gauche et à droite avec une précision étonnante. Puis, après avoir frappé la terre de leur pied droit par trois fois, ils crièrent : « Bayete ! » et la terre renvoya leur cri en écho. Ils commencèrent aussitôt une danse de guerre. Tantôt ils se balançaient doucement, tantôt ils bondissaient en l'air. C'était un spectacle à la fois merveilleux et redoutable, avec un synchronisme si parfait que Retief murmura :

— Aucune armée européenne ne pourrait en faire autant.

La première journée se passa ainsi et, quand elle s'acheva, Retief dit, par l'entremise de l'interprète :

— Demain nous parlerons.

Mais tel n'était pas le plan de Dingané, car, le matin venu, il s'installa avec ses hôtes dans le kraal du bétail royal, puis, tel un monaque oriental montrant ses joyaux pour impressionner ses hôtes (ou un banquier européen faisant étalage de sa collection de tableaux), il procéda à une présentation de ses richesses visibles. De nouveau, il cracha sur son poignet et les serviteurs firent défiler sans un mot d'énormes troupeaux de bovins. Un troupeau de plus de deux mille têtes était constitué par des rangées alternées de bêtes noires et de bêtes rousses ; un autre, moins nombreux, était entièrement brun.

Les beaux animaux s'en allèrent et une nuée d'hommes se mit à nettoyer les bouses. Dingané fit un nouveau signe et ce qui suivit fut incroyable : en file à l'entrée du kraal parurent deux cents bœufs blancs comme neige, magnifiquement décorés de guirlandes et de caparaçons — tous sans cornes. Chacun d'eux était escorté par un guerrier couleur d'ébène, qui demeurait à la hauteur de la tête de l'animal mais ne le touchait jamais.

Tjaart supposa que c'était un autre défilé et, impressionné par la beauté de ces animaux assortis, il adressa au roi un signe de tête approbateur. Dingané lui répondit en levant une main, pour indiquer que le spectacle allait *maintenant* commencer.

Lentement, devant les Boers stupéfaits, les deux cents bœufs se mirent à danser avec les guerriers, dessinant une série de pas assez compliqués, formant de larges figures puis se regroupant, sans jamais un seul ordre que Tjaart puisse entendre. Peu à peu, comme Dingané l'avait prévu, l'effet devint hypnotique et merveilleusement africain : les énormes bêtes se dégageaient délicatement de la figure de ballet qu'elles formaient, se tournaient avec majesté puis revenaient en arrière, hésitaient, pivotaient, puis s'avançaient de leur pas lent et décidé. Chaque animal donnait l'impression qu'il était le seul à danser, comme si les yeux de tous les spectateurs étaient rivés sur lui. Et tous semblaient manifestement heureux de danser aussi bien.

Ce soir-là, Retief dit à Tjaart :

— Nous parlerons demain.

Cette fois, il ne se trompait pas. Ils parlèrent, mais pas de l'attribution de terres. Dingané, qui ne perdait pas un mot de tout ce que disait l'interprète, demanda :

— Qu'est-il arrivé quand votre peuple a rencontré Mzilikazi ?

Ravi de cette occasion de parader devant un roi païen, Retief évoqua avec enthousiasme les triomphes des Boers :

— Nous étions une poignée. Van Doorn en faisait partie. Il vous racontera...

— Il me racontera quoi ? coupa le roi.

Tjaart comprit instinctivement qu'il ne devait pas se vanter de ses victoires sur le Grand Éléphant mâle, bien que Mzilikazi fût l'ennemi de Dingané : ce serait inviter le roi à se poser des questions.

— Nous l'avons combattu deux fois, répliqua-t-il modestement, et il était puissant.

— Ce n'est pas la vérité ! protesta Retief.

Et, tandis que Dingané demeurait avec ses gros doigts pressés sur ses lèvres, le chef boer s'écria :

« Quarante de nos hommes ont repoussé cinq mille des siens. Chaque fois qu'une vague de guerriers nous attaquait, nous les abattions, comme des citrouilles mûres sur le veld.

— Vous étiez si peu et ils étaient si nombreux ?

— Oui, Roi puissant, parce que si un souverain désobéit aux commandements de notre Dieu il est écrasé. Souvenez-vous-en.

L'expression de Dingané ne varia pas, mais Tjaart remarqua que le bout de ses doigts appuyait très fort sur les lèvres comme s'il cherchait à se maîtriser pour ne pas parler trop. Et, quand les deux Voortrekkers prirent place pour le spectacle de la journée, Tjaart dit à Retief :

— J'aurais mieux aimé que vous ne vous montriez pas si téméraire.

— De temps en temps, il faut donner une leçon à ces rois païens, répondit Retief en riant.

Et, quand Tjaart voulut lui expliquer sa pensée, Retief le coupa :

« Regardez !

Plus de deux mille guerriers zoulous en costume de guerre, avec des queues de bœufs (différentes selon leur bravoure) fixées en haut des bras et sous leurs genoux, venaient d'entrer sur le terrain de parade. Ils prirent position, frappèrent du pied et crièrent : « Bayete ! », puis ils représentèrent une bataille stylisée, avec cris de combat, exercices du glaive et attaques feintes. Tjaart, qui avait vécu tout cela dans la réalité, fut pris de nausées, mais Retief semblait fasciné par le spectacle.

— Vos hommes sont des guerriers puissants, dit-il au roi.

Dingané hocha la tête, puis répondit :

— Ils vivent à mes ordres. Ils tuent à mes ordres.

Le quatrième jour, le roi consentit enfin à parler sérieusement avec les Boers. Il leur assura qu'il envisageait favorablement leur requête d'une vaste concession de terres au sud de ses domaines. Il demanda à Retief de prouver qu'il était un allié responsable, en récupérant du bétail que lui avait volé un chef éloigné. Dès que cette mission serait accomplie, lui assura-t-il vaguement, la cession de terres serait mise au point — au cours de la visite suivante de Retief. Après un long discours d'adieu, beaucoup de talons frappant le sol et une sortie pleine de grâce de ses douze épouses favorites, le roi hocha la tête et partit, laissant Retief et Van Doorn libres de retourner auprès des Voortrekkers qui les attendaient. Mais, avant leur départ de la capitale, un missionnaire anglais qui vivait près de Kraal-de-Dingané depuis plusieurs mois vint à leur rencontre et leur dit :

— Mes amis, je suis inquiet. Vos vies...

— Nous nous en inquiétons nous aussi, répliqua Retief d'un ton léger, car il était enchanté des résultats prometteurs de cette première visite officielle au roi.

— Vous a-t-il invités à revenir le voir ?

— Oui, en janvier, si nous pouvons régler un petit problème pour lui. Sinon en février.

— Mes amis, au nom de Dieu, ne revenez pas.

— Des bêtises. Il va nous accorder la concession que nous voulons.

— Croyez-moi, mes amis. Je vis avec ces gens. Tout ce que j'ai pu voir prouve qu'il a l'intention de vous tuer.

— Vous savez, nous, les Boers, nous ne faisons pas grand cas des missionnaires, dit Retief.

Et Tjaart hocha la tête. Les deux Voortrekkers ne pouvaient supporter les « philanthropes » et ils ne voyaient qu'un fauteur de troubles dans cet homme qui se mêlait de ce qui ne le regardait pas.

— Mes amis, peu importe ce que vous pensez de moi en tant que missionnaire. Ce n'est pas à ce titre que je vous préviens. Dingané a l'intention de vous tuer. Si vous revenez à son kraal, vous n'en ressortirez jamais.

Cette intrusion commençait à impatienter Retief. Il bouscula le missionnaire en disant :

— Ne dites pas de prières pour notre compte. Nous ne sommes pas anglais, nous sommes hollandais. Nous savons comment il faut traiter avec les Cafres.

Quand Tjaart retourna au Kerkenberg, il trouva l'endroit désert — seul un jeune garçon gardait des moutons, pour d'éventuels voyageurs de passage. Il lui apprit que Mijnheer Bronk avait convaincu le groupe d'achever la descente jusqu'à la vallée de la Blaauwkrantz.

Tjaart était furieux : Bronk n'aurait jamais dû prendre seul une décision aussi audacieuse ; mais, quand il vit le nouveau site, il dut admettre qu'il était beaucoup plus intéressant que leur aire dans les montagnes. Kerkenberg était bon pour un temps de repos ; Blaauwkrantz pour y vivre. Il y avait beaucoup d'eau, des terrains sains et de bons pâturages où les Voortrekkers pourraient demeurer jusqu'à la fin de leurs jours. Tjaart alla voir Bronk et lui dit :

— Vous avez bien choisi.

En décembre 1835, de nouveaux arrivants franchirent le Drakensberg et apportèrent aux Voortrekkers un cadeau de Noël inattendu.

— Nous avons vaincu Mzilikazi. Il s'est enfui au nord du Limpopo. Il est parti pour toujours.

Et trois hommes qui avaient participé à la dernière bataille précisèrent :

— Nous l'avons rejoint pendant sa retraite et nous lui avons tranché les talons. Nous l'avons écrasé. Il a perdu quatre mille guerriers. Nous n'avons eu que deux morts.

Braves plus que ne l'exige la guerre normale, ces soldats noirs, sans fusils et sans chevaux, avaient tenté de combattre une armée blanche dotée de ces deux avantages. Le jour était venu où le Grand Éléphant mâle avait dû regarder la vérité en face : ses régiments ne pouvaient plus dominer la vaste région qu'ils avaient délimitée. Ses kraals ne pouvaient plus résister aux cavaliers boers et « de couleur » qui se lançaient à l'assaut des cases dans le soleil levant. Un des nouveaux arrivants dit à Tjaart :

— Il a tout détruit dans le veld comme un éléphant enragé, puis il a battu lentement en retraite.

Mzilikazi avait traversé le Limpopo, dépassé la majestueuse et sinistre collection de ruines de Zimbabwe, puis avait établi le royaume permanent des Matabélés aux confins occidentaux de cet ancien empire. Pour Mzilikazi, la grande odyssée de son peuple — qui laissait derrière lui une longue traînée de sang — s'achevait enfin.

Dès qu'elle apprit cette victoire, Jakoba ne dissimula pas à Tjaart son appréhension sur le tour que prenaient les choses depuis que Balthazar Bronk avait conduit les Voortrekkers dans la plaine.

— Je ne me sens pas en sécurité. Nous avons eu tellement de peine à venir jusqu'ici et je crois que c'est une erreur.

— Que proposes-tu ?

— Nous devrions revenir sur des terres plus élevées.

— Nous ne pouvons pas demander à tous ces gens de repartir à Kerkenberg.

— Je pensais : tout à fait en haut, sur le plateau. C'est au plateau que nous appartenons.

Tjaart la regarda, stupéfait.

— Tu referais tout ce chemin dans la montagne ?

— Oui. Sans plus attendre.

— Jamais nous ne pourrons faire remonter notre chariot.

— Laissons-le. Retournons à Thaba Nchu et joignons-nous à un autre groupe partant vers le nord.

C'était une idée séduisante. Tjaart n'avait pas aimé ce qu'il avait vu à Kraal-de-Dingané : si le roi des Zoulous contrôlait un aussi grand nombre de soldats bien entraînés, qu'est-ce qui l'empêcherait d'agir comme Mzilikazi s'il se mettait en colère ? Et pourquoi s'était-il intéressé d'aussi près à la défaite de son rival de toujours au cours des premières escarmouches — sinon pour tirer parti de cette expérience à son profit ? Si les Voortrekkers avaient appris l'expulsion finale de l'Éléphant mâle, Dingané en avait sûrement entendu parler lui aussi et il devait se demander si cette poignée de Boers ne serait pas capable de lui faire subir le même sort.

— Je crois bien que le missionnaire anglais avait raison, confia-t-il à Jakoba. Retief ferait aussi bien d'éviter ce kraal.

— Préviens-le.

— Il n'écoute personne. Ce serait bien la première fois...

— Tjaart, je crois que nous devrions partir. Laisse Bronk prendre le commandement. Tu sais que pendant ton absence il a chassé Theunis du Kerkenberg ?

— Quoi ?

Un comportement aussi détestable, au nom de la religion, souleva le cœur de Tjaart et il chercha le consolateur des malades pour lui affirmer que la plupart des hommes du groupe, ceux qui avaient affronté la mort à plusieurs reprises au lieu de s'enfuir, appréciaient son assistance spirituelle.

— Theunis, quand un homme se bat à un contre mille,

quand son bétail a été volé et ses chevaux dispersés, il a besoin du réconfort de Dieu. Au cours de ce trek, vous avez été plus important que quatre fusils. Restez près de nous, car je crains que des journées difficiles ne nous attendent.

— Aussi difficiles que sur le Vaal ?

— Davantage, Mzilikazi était rusé et brillant. Dingané est cruel et changeant. Si jamais je m'absente, maintenez les chariots en formation de laager.

— Mais nous n'avons pas fait de laager depuis des mois.

— J'ai vu Dingané, répondit Tjaart. J'ai vu son kraal. Cet homme est un roi et les rois attaquent.

Trois fois au cours des jours suivants, il envisagea de suivre le conseil de sa femme et de quitter ce campement. Il alla même jusqu'à consulter son gendre.

— Theunis, que répondriez-vous à Jakoba ? Elle croit que nous devrions quitter cet endroit, escalader la montagne et partir vers le nord comme nous en avions l'intention.

— Je partirais dès demain.

— Pourquoi ?

— Balthazar Bronk est un tyran. Ce n'est pas un meneur d'hommes.

Tjaart éclata de rire.

— Vous êtes furieux contre lui parce qu'il vous a chassé.

— C'est une des raisons, avoua Theunis. Mais nous sommes dans un nouveau pays, avec de nouveaux problèmes. Les gens ont absolument besoin d'un prédikant. Notre Église nous a refusé son appui, nous devons établir nos propres lois.

— J'ai essayé. Vous l'avez vu. Mais nous avons été battus.

— J'aimerais partir dans le nord avec vous, Tjaart, et trouver un pays bien à nous. Croyez-moi, le Natal est pourri.

Il était pourri d'une manière que le consolateur des malades ignorait ou refusait de voir : Minna, qui craignait toujours une séparation du trek qui lui enlèverait Ryk Naudé à jamais, allait le retrouver en cachette à la moindre occasion. Il semblait désirer ces rendez-vous autant qu'elle et cela laissait Aletta libre. Pour des raisons que personne n'aurait pu expliquer — et sûrement pas les deux participants —, elle se jetait à la tête de Tjaart, sachant bien à quel point il avait envie d'elle. C'était une situation étrange et odieuse, d'autant plus laide que les deux personnes blessées — Jakoba et Theunis — comptaient parmi les plus solides des Voortrekkers et les meilleures. Ils ne se parlaient jamais de leurs chagrins personnels, mais, au cours des prières en famille, le petit Theunis, tout tordu d'un côté, devenait parfois éloquent lorsqu'il invoquait Dieu au nom des Voortrekkers, implorant pour eux une force surnaturelle, une dévotion surhumaine. Souvent à la fin de ces longues prières, des larmes coulaient de ses deux yeux et pas seulement de l'œil malade.

Les Van Doorn ne purent pas quitter Blaauwkrantz parce que Piet Retief arriva dans le camp avec une requête pressante :

— J'ai besoin de cent hommes pour m'accompagner à Kraal-de-Dinganè. Et il faut que ce soient de bons cavaliers.

— Pourquoi ? murmurèrent des voix.

— Tjaart sait pourquoi.

Il demanda à Van Doorn de décrire les démonstrations de force offertes par Dinganè à ses visiteurs au cours de leur précédente rencontre : les exercices militaires et la danse des bœufs.

« Je veux que nos cavaliers montrent à ce roi païen une chose qu'il n'a jamais imaginée : la force des Boers. Nos cavaliers dans leur exercice le plus rapide.

Il ne fut pas possible de réunir cent hommes, mais on trouva soixante et onze excellents cavaliers, y compris Retief et son fils. Bien entendu, trente et un « hommes de couleur » les accompagnaient, car jamais les Voortrekkers n'engageaient une seule opération, militaire ou pacifique, sans leur complément habituel d'assistants. Au demeurant, certains « hommes de couleur » étaient des cavaliers stupéfiants et Retief comptait sur eux pour illustrer la démonstration qu'il avait en tête.

A ce cortège se joignirent Tjaart et Paulus de Groot (il aurait six ans deux semaines plus tard et avait déjà très belle allure à cheval). Quand Tjaart fit ses adieux à Jakoba et aux Nel, il leur promit de veiller sur l'enfant et de rentrer très vite avec un accord assurant aux Voortrekkers des droits sur le Natal. Le projet d'aller dans le nord chercher un refuge plus sûr était abandonné.

Par une belle journée de l'été austral, ils longèrent la Tugela, puis la traversèrent pour pénétrer au cœur du pays zoulou. Mais cet attrait était trompeur — et dangereux, car les Voortrekkers s'étaient convaincus qu'aucun mal ne pourrait leur advenir. Même Tjaart, prévenu par le missionnaire et mis en garde par sa femme, oublia ses appréhensions.

— Que pourrait-il nous arriver ? demanda-t-il à ses amis. Dingané avait envie de récupérer son bétail volé et il est là, à notre suite. Il nous accueillera à bras ouverts et signera tous les papiers que nous voudrons.

Ils arrivèrent au grand kraal le samedi matin, 3 février 1838, et les festivités commencèrent aussitôt. Paulus eut une chance inespérée, un plaisir dont personne ne lui avait parlé : en effet, il y avait depuis quelque temps dans la ville royale un jeune garçon anglais de douze ans, nommé William Wood, que le roi Dingané traitait comme une sorte d'animal familier, de curiosité précieuse. Il vivait avec les missionnaires du voisinage mais était libre de courir à son gré dans la capitale. Ce garçon prit Paulus sous sa protection et lui montra tous les détours du sérail royal, et même les immenses quartiers interdits où étaient séquestrées les épouses.

A la fin de la première journée, Paulus était épuisé mais ravi.

— Père Tjaart, dit-il, c'est magnifique.

Et les souvenirs de la mutilation de ses parents par les régiments d'un autre roi comme Dingané s'estompèrent.

Le deuxième jour, Retief offrit au roi une surprise : il invita ses cavaliers à manœuvrer devant lui. Sur le vaste terrain de parade, peuplé par au moins quatre mille guerriers zoulous, les cavaliers boers s'élancèrent en rangs par deux, fusils en travers de la selle, cartouches à blanc chargées. Lentement, les chevaux firent le tour de la piste, vinrent au milieu, puis évoluèrent dans un tonnerre de sabots. Les guerriers étaient en transe. Ils avaient dansé avec leurs bœufs et c'étaient de belles bêtes, mais elles demeuraient lentes et lourdes. Ces chevaux volaient comme par magie, sautaient et pivotaient au commandement.

Ensuite, sur un signal de Retief — que Dingané ne manqua pas d'observer —, les cavaliers se lancèrent au galop, formèrent une phalange, foncèrent tout droit vers le fauteuil-trône d'ébène et déchargèrent leurs fusils. L'effet était saisissant et Dingané, tout étourdi et surpris, murmura à un de ses courtisans :

— Ces hommes sont vraiment des sorciers.

William Wood entendit cette remarque et, dès que l'assemblée se dispersa, il chercha Tjaart et lui répéta les paroles du roi.

— Il a murmuré que vous étiez vraiment des sorciers.

— En un sens nous le sommes, répondit Tjaart.

— Non ! Cela veut dire qu'il va vous tuer.

Tjaart fronça les sourcils.

— Comment t'appelles-tu, déjà ?

— William Wood. Je connais Dingané. Mister Van Doorn, il va vous tuer tous.

Le visage de l'enfant était si bouleversé que Tjaart crut devoir parler de l'incident à Retief, mais le commandant ne fit qu'en rire :

— Un des missionnaires anglais prétend la même chose, mais n'oubliez pas que ce sont des Anglais. Ils ont peur des Cafres.

Mais Tjaart était si impressionné par l'avertissement de William qu'il proposa de partir le soir même. Il se montra si convaincant que Retief aurait peut-être ordonné à tout le monde de rentrer si le roi Dingané en personne n'était arrivé soudain.

— Je veux poser deux questions. Tout d'abord, est-il vrai que votre peuple a vaincu Mzilikazi de façon définitive ?

— Oui, répondit Retief, toujours enclin à trop parler. Nous avons tué cinq mille de ses guerriers. Nous l'avons repoussé de l'autre côté du Limpopo.

Il adressa à Dingané un regard menaçant et ajouta :

« Une défaite semblable attend tout roi qui voudra s'opposer à la volonté de Dieu.

— Qui décide de ce qui est opposé à la volonté de votre Dieu ? demanda l'interprète.

— Nous savons ces choses-là, dit Retief.

— Voici ma deuxième question : est-il exact que vos « hommes de couleur » peuvent monter à cheval comme vous ?

— Vous le verrez demain, répondit Retief. Et, en les regardant, souvenez-vous que vous pourrez recevoir des chevaux vous aussi, quand nous serons installés sur nos terres.

Dingané hocha la tête.

Le spectacle eut lieu le lundi 5 février et, bien que les « hommes de couleur » n'eussent point la précision militaire des Boers, ils montaient avec une telle joie décontractée que cela compensait leurs défauts. William Wood, assis près du roi, l'entendit dire à ses conseillers :

— Si ces « hommes de couleur » peuvent monter à cheval, les Zoulous le peuvent aussi. Nous devons nous occuper de ces sorciers comme il convient.

A la fin de la démonstration, William se hâta de rejoindre les Voortrekkers et les avertit pour la deuxième fois.

— Dingané a l'intention de vous tuer ce soir ou demain.

Mais, de nouveau, Retief refusa d'écouter ce conseil.

— Le traité doit être signé demain matin. Nous partirons aussitôt après.

— Ce sera trop tard, insista l'enfant.

Mais Retief le repoussa et se tourna vers Tjaart.

— Ce que nous pouvons faire, Tjaart, c'est vous envoyer à Blaauwkrantz en toute hâte. Dites à nos amis que l'on nous a concédé les terres. Qu'ils se préparent à en prendre possession avant que Dingané ne change d'avis.

D'un petit sac de cuir, il retira le précieux document et le montra à Tjaart d'un air de triomphe.

« Dites-leur que vous avez vu ceci. Dites-leur que les Cafres le signeront demain et que la terre nous appartiendra sans coup férir.

Tjaart et Paulus sellèrent donc leurs chevaux et se préparèrent à apporter la bonne nouvelle. Enfin, les Voortrekkers auraient un pays à eux. Mais, avant que Paulus ne monte à cheval, William Wood se glissa vers lui, lui saisit la main et murmura :

— Je suis heureux que vous partiez. Parce que demain les autres seront tous morts.

Le mardi matin 6 février 1838, Piet Retief, accompagné par soixante-dix cavaliers Boers, franchit les portes de Kraal-de-Dingané. Les commandants zoulous leur demandèrent de mettre pied à terre, d'entraver leurs chevaux et de déposer leurs armes en tas. Elles seraient gardées par l'un des régiments.

— Par respect pour le roi. Il a eu peur de ce tonnerre soudain, l'autre jour.

En bon gentilhomme, Retief accepta ces arrangements.

Les soixante et onze Blancs, y compris Retief, pénétrèrent

sur le vaste terrain de parade, suivis par leurs trente et un « hommes de couleur » — cent deux au total. Comme la journée était extrêmement chaude, on donna aux visiteurs l'endroit où l'on croyait qu'il y aurait le plus de brise. Ils s'assirent et acceptèrent les gourdes de bière de sorgho que leur offrit Dambuza, le principal conseiller du roi. On présenta à Dinganė l'acte de cession des terres ; d'un geste plein de panache, il y apposa sa marque, puis le fit remettre à Retief. Ensuite, la danse commença : deux régiments noirs sans armes, des hommes merveilleusement musclés, exécutèrent des pas et des manœuvres complexes.

C'était une danse aussi peu guerrière que les Zoulous fussent capables de présenter et Retief et ses hommes l'apprécièrent beaucoup ; mais le jeune William Wood, voyant que, derrière les danseurs, d'autres régiments prenaient position sans bruit, partit en courant avertir les gens de la mission.

— Ils vont tous être tués.

— Voyons ! dit une femme. On t'a déjà puni pour avoir fait courir des faux bruits.

Le roi, qui observait attentivement les diverses phases de la danse, décida que le moment désigné était arrivé. Tandis que les danseurs poursuivaient, il proposa un toast, en vers zoulous, qu'il improvisa sur le moment :

Que les lèvres blanches assoiffées
N'aient plus soif !
Que les yeux qui désirent tout
Ne voient plus !
Que les cœurs blancs qui battent...
Demeurent immobiles !

Retief, qui ne comprit pas un seul mot, hocha aimablement la tête à l'adresse du roi et souleva sa gourde. A cet instant, Dinganė cria :

— Saisissez-vous d'eux, mes guerriers ! Massacrez ces sorciers !

Mille voix répétèrent l'ordre du roi. Les régiments qui dansaient s'écartèrent, permettant aux vrais guerriers de s'élancer, sagaie au poing. En voyant ces fers brandis vers leurs gorges, les Boers stupéfaits se relevèrent tant bien que mal, sortirent leurs couteaux et tentèrent de se défendre. Ce fut inutile. Quatre, six, dix Zoulous saisirent chaque Boer, le plaquèrent au sol, puis le traînèrent par les pieds depuis le kraal jusqu'au lieu des exécutions, le long d'un sentier abrupt. En haut de la colline, sous les yeux de William Wood et des femmes missionnaires sorties sur le pas de leurs portes, les Boers furent assommés à mort, l'un après l'autre. Les knobkerries se levaient et s'abaissaient sans cesse...

Les « hommes de couleur » furent également abattus jusqu'au dernier. Piet Retief, ligoté, vit de ses yeux son propre fils torturé à mort avant d'avoir lui-même le crâne écrasé sans pitié. On jeta son corps sur le tas de cadavres de ses camarades.

Le commandant zoulou qui avait dirigé le massacre cria :

— Arrachez le foie et le cœur de cet homme. Enterrez-les au milieu du chemin par où il est venu.

Telle fut la fin de Piet Retief. Il avait conduit son peuple dans le désert pour construire un pays bien à lui. C'était un homme qui faisait confiance à tous ceux qu'il rencontrait et qui plaçait sa foi en Dieu. Son laager fut détruit ; son fils fut massacré ; ses grands desseins restèrent inaccomplis. Il avait échoué dans presque tout ce qu'il avait entrepris et connu une fin horrible — mais cette fin même allait devenir un noble commencement, car sa légende devait inspirer toute une nation.

Dix mois plus tard, le jour où d'autres Boers retrouvèrent son corps, ils découvrirent dans le petit sac de cuir, près de ses ossements, un document portant la marque de Dingané, roi des Zoulous, qui concédait à Retief :

> [...] l'Endroit appelé Port-Natal ensemble avec toute la Terre annexée, c'est-à-dire depuis Dogeela jusqu'au Fleuve vers l'ouest ; et vers le nord, de la Mer aussi loin que la Terre peut être utile et en ma possession, pour qu'elle soit leur propriété Permanente.
>
> De merk + + van de Koning Dingané.

Tjaart et Paulus, qui chevauchaient sur les rives de la Tugela, ne pouvaient pas savoir que leurs amis voortrekkers avaient été massacrés, mais l'enfant devait avoir des pressentiments, car il dit :

— Père, je crois vraiment que le roi va tuer tous nos hommes. Ne devrions- nous pas rebrousser chemin pour les avertir ?

— Personne n'oserait faire une chose pareille.

— Mais William connaît le roi. Il l'a entendu deux fois dire que nous sommes des sorciers.

— Il voulait dire des hommes sages. Parce que nous avons battu Mzilikazi.

— Mais William a vu que tous les sorciers sont exécutés. Des hommes les tuent à coups de bâton.

L'enfant insistait tant que Tjaart prêta attention ; il se mit sur ses gardes et bien lui en prit, car, vers midi, il aperçut à l'arrière une colonne de poussière sur la piste qu'ils venaient de suivre. Ils se cachèrent et ils virent avec horreur l'essentiel de deux régiments, sagaies scintillant sous le soleil, les dépasser rapidement et se diriger vers Blaauwkrantz.

Aussitôt, Tjaart comprit que d'une manière ou d'une autre il devait dépasser la colonne qui courait et alerter les campements et les centaines de Voortrekkers qui ne seraient pas en laager. Mais quelle que fût la vitesse avec laquelle ils lançaient leurs chevaux sur les pistes latérales, ils étaient invariablement devancés par des détachements de Zoulous qui ratissaient la campagne en massacrant tous les Boers sur leur passage.

Dans quatre camps isolés, Tjaart et Paulus ne trouvèrent que des ruines fumantes et des Boers éventrés. Au comble du désespoir et de l'effroi, ils tentèrent de contourner les lignes zoulous pour sonner l'alarme, mais ils échouèrent à tous coups. Une fois, à l'instant où ils croyaient pouvoir se glisser dans un canyon, ils assistèrent horrifiés à l'arrivée d'un troisième régiment de Dingané, qui attaqua un chariot isolé et tua tout le monde.

Malheureusement trop tard, Tjaart dut avouer à voix haute que Retief et ses hommes étaient probablement morts. Il fixa Paulus. L'enfant hocha la tête. Il savait depuis le début que le désastre serait immense, car William Wood le lui avait dit.

— Avant notre départ, murmura-t-il, bouleversé, William m'a dit que tous les Boers en pays zoulou seraient tués. Il faut gagner Blaauwkrantz au plus vite.

— C'est ce que j'essaie de faire ! s'écria Tjaart.

De nouveau, il tenta de contourner les lignes des Zoulous et de nouveau il échoua.

Le vendredi 16 février 1838 au coucher du soleil, ils étaient encore très loin de Blaauwkrantz et ils n'avaient pas encore pu donner l'alarme. Ce soir-là, les chariots des Voortrekkers étaient dispersés au petit bonheur, sans protection, sur une distance de plus de dix-sept kilomètres. Près d'eux, les femmes et les enfants d'hommes déjà massacrés se préparaient sans méfiance pour la nuit. Plusieurs familles, tout juste arrivées de Thaba Nchu, passaient leurs premières soirées dans leur terre promise et contemplaient les étoiles qui les avaient dirigées jusqu'à la sécurité de leur nouvelle patrie. C'était un instant de paix ; seuls quelques chiens aboyaient de temps en temps.

A une heure du matin, trois régiments entiers de Zoulous lancèrent une attaque surprise et atteignirent les chariots et les tentes endormis avant que l'alerte ne puisse être donnée. La première vague d'assaut massacra tout le monde du côté est de la ligne, à l'exception de deux membres de la famille Bezuidenhout. Le plus jeune des deux, à peine capable de comprendre que tous les siens sauf un venaient de mourir, permit à ceux qui se trouvaient plus à l'ouest de survivre à l'assaut ; il sauta à cheval dans la nuit et traversa par miracle, l'une après l'autre, toutes les concentrations de guerriers zoulous.

Parmi les groupes qu'il réveilla se trouvait le campement Van Doorn : Jakoba, Minna et Theunis, la petite Sibylla, âgée de trois ans, et leurs cinq serviteurs. Ils eurent à peine le temps de prendre des précautions hâtives avant que les Zoulous ne tombent sur eux en hurlant. En cet instant de terreur, Theunis Nel fit une chose remarquable : il saisit Sibylla et la cacha derrière un arbre à l'écart des chariots. Quand il l'abandonna, en tremblant d'une frayeur qu'il était incapable de maîtriser, il lui chuchota :

— Sibylla, tu te souviens de notre jeu ? Tu ne dois pas faire un seul bruit.

Revenant aux chariots, il contrôla la répartition des fusils, des couteaux et des planches, et, avec ces armes futiles — et un héroïsme sans pareil —, les Voortrekkers se défendirent. Les femmes tirèrent jusqu'à ce qu'elles n'aient plus de poudre, puis, au coude à coude avec leurs servantes « de couleur », elles frappèrent l'ennemi avec tout ce qui leur tombait sous la main. Minna s'écroula la première, déchiquetée par les sagaies. L'un après l'autre les serviteurs fidèles tombèrent, sans connaître la peur. Puis Jakoba et Theunis se prirent un instant la main, en signe d'amour et d'adieu, avant de se remettre à combattre. Enfin Theunis resta seul, pathétique petit homme brandissant une massue.

Quand il vit de nouvelles hordes se précipiter sur lui, il comprit qu'ils risquaient de tomber sur la cachette précaire de sa fille. Il se mit à courir devant eux pour les éloigner de l'arbre. Les guerriers le rattrapèrent. Chacun lança sa sagaie. Mais il continua de courir pour les entraîner le plus loin possible, tout en criant pour avertir les autres chariots. Quand il sentit ses genoux faiblir et le sang étouffer ses poumons, il se retourna face à ses assaillants, arracha leurs sagaies de son corps et mourut de trente blessures.

Balthazar Bronk, qui s'était opposé avec tant d'acharnement à son ordination, se trouvait comme par hasard — c'est souvent le cas pour ce genre de personnes — tout à l'autre bout du camp, à l'endroit que les Zoulous n'attaquèrent pas.

Tjaart arriva à Blaauwkrantz avant l'aurore et, dans la lumière fantomatique, il découvrit l'horreur et la désolation : des hommes déchiquetés, des femmes et des enfants dépecés, des serviteurs, bruns et noirs, qui avaient perdu la vie en défendant les maîtres pour qui ils travaillaient.

— Père ! cria Paulus. Nos chariots !

Reconnaissant les carcasses brûlées des chariots, Tjaart se précipita — et trouva sa famille massacrée : Jakoba gisait avec six Zoulous morts à ses pieds, Minna avec trois. Tous les serviteurs avaient le corps percé de sagaies. Mais pas de Sibylla. Et pas de Theunis.

— Sibylla ! hurla Tjaart, espérant que d'une manière ou d'une autre elle ait pu s'échapper.

Pas de réponse. Et il se mit à appeler Theunis, en l'insultant pour avoir fui en abandonnant les femmes.

« Sois maudit, Nel ! cria-t-il.

Et soudain il fut entouré par les femmes d'autres chariots, qui lui assurèrent que Theunis leur avait sauvé la vie.

— Il était à l'agonie, mais il a couru presque huit cents mètres en criant, pour nous prévenir.

— Il avait reçu tellement de blessures !...

— Sibylla était avec lui ?

— Il était seul, avec les sagaies.

Elles le conduisirent à l'endroit où gisait le consolateur des malades au dos contrefait. Tjaart tomba à genoux près de lui et cria :

— Theunis, où est ta fille ?

Paulus de Groot, âgé de six ans, regarda le cadavre de sa deuxième mère, puis celui de Tante Minna, et il allait se diriger vers l'endroit où se trouvait Oncle Theunis quand il devina un léger mouvement au milieu des arbres. Quoique terrifié par les événements horribles de la nuit, il s'avança vers le petit bruit. Là, sous un arbre, se trouvait Sibylla. Elle avait vu tout ce qui s'était passé, mais elle savait, après ce que lui avait dit son père, qu'elle ne devait pas faire le moindre mouvement.

Elle gardait toujours le silence et, même quand Paulus se pencha pour lui prendre les mains, elle le suivit sans rien dire. Paulus la guida en marchant à reculons et ils quittèrent la cachette pour rejoindre Tjaart qui priait près du cadavre du père de la fillette. Mais, quand Paulus l'eut ramenée sur le chemin, Sibylla s'arrêta brusquement, lâcha les mains de Paulus et, une fois libre, s'avança d'un pas décidé vers l'endroit où gisaient sa mère et Ouma Jakoba. En face d'elles, elle ne pleura pas. Elle ne s'agenouilla pas pour les embrasser. Simplement, elle les regarda et, au bout de quelques instants, elle se tourna vers son ami Paulus et replaça sa main dans celle du garçon. Vaguement, elle savait depuis toujours que le père et la mère de Paulus avaient été tués et maintenant elle comprenait que ses propres parents étaient morts eux aussi. Elle pouvait faire confiance à Paulus ; elle savait qu'il comprenait.

Ils étaient là, sans bouger, puis quelqu'un apprit à Tjaart que sa petite-fille était en vie.

— Sibylla ! cria-t-il.

Mais quand il courut la prendre dans ses bras en remerciant Dieu, elle se borna à le regarder. Son père lui avait ordonné de ne pas parler et, pendant plusieurs jours encore, elle se tut.

Dès que Jakoba et les Nel furent enterrés, Tjaart se dirigea à l'autre bout de la ligne de chariots pour s'informer de ce qui était arrivé aux Naudé. En chemin, des dizaines de Voortrekkers l'arrêtèrent pour lui demander :

— Quelles nouvelles de Retief ?

Il eut peur de leur parler de la conviction de Paulus et de leur avouer que tout le groupe avait certainement été massacré.

Quand il trouva le chariot des Naudé, les gens de ce groupe étaient occupés à enterrer treize des leurs. Parmi eux se trouvait Ryk ; ce jeune écervelé avait refusé de mettre ses chariots en laager. Il était parti courir le guilledou avec une nouvelle fille et, quand il était revenu, au moment de l'alarme, il était tombé sur un cercle de Zoulous qui l'avaient massacré.

Au bout de la fosse commune, Tjaart aperçut Aletta, le bras en écharpe, le visage traversé par une longue estafilade. Comme toujours, son regard ne trahissait aucune émotion et, même quand Tjaart lui fit signe par-dessus les cadavres, elle se borna à hocher la tête. Comme les Voortrekkers étaient toujours sans ministre de Dieu, il fallut qu'un laïc lise un passage de la Bible. Balthazar Bronk se proposa. Il dit une belle prière et l'on combla la tombe collective.

Puis, comme si une main puissante le poussait dans le dos, Tjaart contourna la tombe, s'avança gravement vers Aletta et s'adressa à elle avant qu'un autre homme sans femme ne fasse sa demande.

— Vous ne pouvez pas vivre seule, Aletta.

— Ce serait impossible.

Son mari était mort. Son chariot calciné. Elle n'avait aucun endroit pour dormir, aucun vêtement en dehors de ceux qu'elle portait. Elle n'avait ni argent, ni nourriture, ni famille. Elle était seule en un pays hostile où les Zoulous pouvaient survenir à tout instant. Après un dernier regard sans larmes à la tombe, elle leva sa main valide, encourageant Tjaart à la prendre et à l'entraîner le long de la longue file des chariots.

Quand ils atteignirent le chariot Van Doorn, elle se rendit compte que Tjaart n'avait plus rien lui non plus, ni un lit, ni le coffre de vêtements de Jakoba, ni un chariot prêt à prendre la route. Rien en dehors d'un moule de terre cuite aux reflets d'or et d'une vieille Bible. Il n'y avait pas de ministre de Dieu pour les marier, mais cette veuve et ce veuf s'épousèrent de leur propre consentement. Ils étaient en train de récupérer leurs quelques possession éparses quand des messagers survinrent en criant :

— Retief et tous ses hommes ont été massacrés.

Il était évident que Dieu avait frappé Son peuple élu d'une série de châtiments. Pour leur arrogance et pour leurs péchés, Il les avait punis et, tandis qu'ils se rassemblaient dans leurs laagers ravagés, attendant le nouvel assaut des Zoulous, ils tentaient de sonder le mystère de leurs mauvaises actions.

Tous les hommes qui avaient trouvé la mort à Kraal-de-Dingané aimaient Dieu et s'efforçaient de vivre selon Ses lois — et pourtant ils avaient tous péri. Toutes les femmes et tous les enfants assassinés à Blaauwkrantz étaient fidèles à la Bible — et pourtant ils avaient été massacrés. Si jamais un peuple eut une bonne raison de se révolter contre sa divinité, ce furent bien les Voortrekkers pendant cet été 1838. Mais ils réagirent de façon très différente.

Sur le plan spirituel, ils recherchèrent en eux-mêmes les raisons de leurs revers et ils décidèrent qu'ils avaient fait preuve de relâchement dans leur participation au culte et dans l'observation des commandements. Par exemple, Tjaart Van Doorn savait au fond de son cœur que les adultères de sa famille étaient la cause du châtiment sauvage dont il souffrait maintemant — mais pourtant, pourquoi avait-il été épargné et l'irréprochable Jakoba punie ?

Aletta continuait de l'intriguer. Pendant les jours qui suivirent le massacre, son principal souci avait été l'entaille de sa joue.

— Est-ce qu'il restera une cicatrice ?

Les femmes lui montrèrent comment stériliser la blessure avec de l'urine de vache, avant de l'enduire de beurre. Dès qu'elle comprit que la plaie ne lui laisserait pas de trace visible, elle fut heureuse. Dans ses relations avec Tjaart, elle continua comme par le passé : complètement passive. Elle ne s'intéressait à rien et se laissait entièrement absorber par elle-même. Un jour, lorsqu'il revint à leur tente, épuisé à force de creuser des tranchées, il eut envie de discuter avec elle du chef à désigner pour diriger l'attaque contre les Zoulous, mais elle n'avait aucune opinion sur les différents hommes du campement. Exaspéré, il lui demanda :

— Pourquoi pas Balthazar Bronk ?

Elle porta la main à son menton, étudia la question et répondit :

— Ce serait peut-être bien.

Or elle savait qu'il avait fui comme un lâche à Veg Kop...

Au cours de la construction de leur ligne de défense, Tjaart remarqua très vite que le petit Paulus peinait comme un homme, alors que sa femme Aletta se conduisait comme une enfant. Il ne pouvait s'empêcher de la comparer à Jakoba, qui aurait été à ses côtés pendant qu'on construisait les nouvelles barricades. Il commença à comprendre pourquoi Ryk Naudé, marié à cette fille extrêmement belle, avait néanmoins préféré Minna.

Ce fut grâce au travail obstiné de Tjaart que bientôt les Voortrekkers purent se sentir un peu plus en sécurité en cas d'attaque des Zoulous. Ils sondèrent alors le Livre de Josué pour revoir par quelles étapes les Hébreux avaient triomphé de leurs ennemis cananéens, sous les murailles de Jéricho. La perte de Theunis Nel commença à se faire sentir, car il aurait été enchanté d'expliquer ces questions. En son absence, Tjaart dut servir de guide. Il se pencha sur la reliure calcinée de sa Bible pour lire les versets décisifs :

> Et il se passa [...] que le peuple entra dans la ville, chaque homme droit devant lui, et ils prirent la ville. Ensuite ils détruisirent complètement tout ce qui se trouvait dans la ville, hommes et femmes, jeunes et vieux, bœufs, moutons et ânes, ils les passèrent au fil de l'épée.

Puis il jura :

— C'est ce que nous ferons à Kraal-de-Dingané. Destruction totale.

Par quelle stratégie ils y parviendraient ? Il l'ignorait, car il se considérait incapable de prendre la tête des Voortrekkers. Mais ce qu'il pouvait faire, c'était exprimer la détermination têtue de ce peuple à voir cette destruction menée à bonne fin. Un seul d'entre eux hésitait-il encore ? Tjaart exposa le bilan effroyable :

— A Kraal-de-Dingané, cent deux de nos hommes tués. Ici, à Blaauwkrantz, deux cent quatre-vingt-deux personnes.

Dans la campagne, au moins soixante-dix de plus, massacrés dans leur sommeil. Nous exigeons un châtiment.

— Comment y parvenir ? demanda Balthazar Bronk. Nous sommes si peu et ils sont si nombreux.

— Je ne sais pas, répondit Tjaart, mais je suis sûr que Dieu nous montrera un moyen.

Et bientôt arriva dans le camp l'homme qui devait accomplir des miracles : Andries Prétorius, rasé, plus jeune que les autres chefs, un homme d'importance à Graaff-Reinet. Il était extrêmement grand et fort, lent à prendre des décisions, mais résolu une fois les décisions prises. Comme la plupart des chefs, il avait été marié plus d'une fois, avec huit enfants de sa première femme et trois de la seconde. Cet homme grave, réfléchi, arrivait dans le nord à la requête de l'assemblée des Voortrekkers. Il entra dans le camp le 22 novembre 1838, avec un fusil, une paire de pistolets et un coutelas à large lame.

— Je suis venu vous aider, dit-il simplement. Dans une semaine, nous partirons détruire Dingané.

La première chose qu'il fit fut de suivre le précepte prudent de Josué : « Je veux deux hommes pour surveiller l'ennemi », et il désigna un tandem étrange — Tjaart Van Doorn, en qui il avait confiance à cause de la détermination de ses commandos contre les Xhosas, et Balthazar Bronk, qui s'était si mal conduit au cours de précédentes batailles. Il voulait Tjaart parce qu'il savait se battre et Bronk parce que c'était un homme intelligent et rusé.

Les deux hommes quittèrent donc Blaauwkrantz et se glissèrent avec mille précautions vers le nord. A leur retour, ils rapportèrent une sombre nouvelle : Dingané avait commencé à rassembler ses régiments pour frapper un grand coup.

— Il aura douze mille hommes à lancer contre nous. Combien sommes-nous ?

Prétorius, comme Josué, avait rassemblé tous les soldats disponibles.

« Nous combattrons à trente contre un, leur dit-il. Mais c'est nous qui attaquerons. Nous choisirons le champ de bataille.

Pas plus de cinq jours après l'arrivée de cet homme dynamique, le commando était en mouvement. Il était constitué par quatre cent soixante-quatre hommes, avec le complément habituel d'« hommes de couleur » et de Noirs. Environ la moitié avait combattu contre les Zoulous à une occasion ou une autre ; l'autre moitié n'avait jamais affronté un seul régiment noir. Avec eux, soixante-quatre chariots, absolument essentiels pour le plan que Prétorius avait mis au point. En tête venait le TC-43 reconstruit, transformé en un véritable véhicule de guerre aux flancs renforcés, tiré par quatorze bœufs très bien dressés qui semblaient fiers de déterminer le rythme de marche du convoi — si un autre chariot menaçait de prendre la tête, ces bœufs allongeaient aussitôt le pas pour rester les premiers.

Par ce mouvement imprévu, le général Prétorius s'adjugeait un avantage tactique : la bataille serait livrée là où il le déciderait et sur un terrain favorable à ses desseins. Dans un éclair de génie, il choisit un coin aux pentes abruptes, au confluent d'une gorge encaissée et d'une petite rivière. A cet endroit providentiel, il établit son laager près d'un bassin profond dans lequel des hippopotames s'étaient baignés peu de temps avant (les Boers l'appelèrent Seekoei Gat, le Trou de la vache d'eau). Il était donc protégé au sud par la gorge, à l'est par la mare des hippos et au nord et à l'ouest par la chaîne des soixante-quatre chariots, qu'il attacha l'un à l'autre avec d'énormes câbles, des chaînes de trek et des quantités d'arbustes épineux. En quatre points du périmètre, situés de façon à couvrir le plus grand nombre possible de Zoulous se lançant à l'attaque du camp, il plaça quatre petits obusiers capables de tirer d'énormes charges de grenaille de plomb, de bouts de fer, de maillons de chaîne et de cailloux.

— Nous sommes prêts, dit-il le samedi 15 décembre 1838 au coucher du soleil.

Ce fut la plus longue nuit que connaîtraient jamais ces combattants boers. Ils étaient peu nombreux et les régiments zoulous se rassemblaient de tous côtés sur les crêtes environnantes. Les Zoulous ! Des hommes qui avaient combattu dans toute l'Afrique en balayant tout devant eux ! A l'intérieur du laager, les neuf cents bœufs de trait s'étaient couchés, les centaines de chevaux s'agitaient, énervés par les feux que les Zoulous allumaient non loin, effrayés par les sons qui ricochaient de toute part. Prétorius alla trouver ses lieutenants et leur dit :

— Nous devons placer nos hommes tout autour du périmètre, car si nous ne tirons que dans une seule direction, les animaux, et surtout nos chevaux, essaieront de fuir le bruit. Ils risquent de s'échapper en renversant des chariots. Sans chevaux, nous serions perdus demain.

Quand tous les détails furent au point, les Boers vécurent un moment crucial de leur histoire. Depuis la mort de Theunis Nel, les Voortrekkers n'avaient même plus un homme qui se croyait prédikant, mais un grand nombre d'entre eux savaient l'Ancien Testament presque par cœur — Sarel Cilliers, par exemple, paysan cultivé dont les convictions religieuses étaient profondes. Ce fut lui que l'on chargea de rappeler à ses amis voortrekkers la mission sacrée dans laquelle ils s'étaient engagés. Il récita les passages éclatants du Livre de Josué qui semblaient le présage de la bataille imminente :

> Et le Seigneur dit à Josué : « N'aie pas peur d'eux, car demain à la même heure je les livrerai tous à Israël — morts. Tu couperas les jarrets de leurs chevaux et tu brûleras leurs chariots dans le feu. [...] Chacun d'entre vous en chassera mille, car le Seigneur votre Dieu combattra pour vous, comme il vous l'a promis.

Ensuite, Cilliers monta sur l'affût d'un obusier nommé Ou Grietjie (Vieille Marguerite) que tout le monde aimait bien et répéta pour la dernière fois l'Alliance sur laquelle les Voortrekkers s'étaient accordés :

> Dieu tout-puissant, en cette heure sombre nous voici devant Toi et nous promettons que, si Tu nous protèges et livres notre ennemi entre nos mains, nous vivrons à jamais soumis à Ta loi divine. Si Tu nous permets de vaincre, nous célébrerons chaque année l'anniversaire de cette bataille comme une journée d'action de grâces et de souvenir pour toute notre postérité. Et si quelqu'un fait objection, qu'il se retire du champ de bataille.

Dans le noir, les Voortrekkers murmurèrent leurs *amen*. Ils étaient désormais une nation constituée par Dieu, à la poursuite de Ses desseins, et tous ceux qui furent capables de dormir quelques heures avant l'aurore le firent avec la conscience tranquille, car ils savaient que Dieu Lui-même les avait conduits sur les berges de cette rivière pour affronter un ennemi dont le nombre seul aurait terrifié n'importe quels hommes ordinaires.

La bataille du Fleuve-de-Sang, comme on l'appela à juste titre, n'a eu aucun équivalent dans l'histoire mondiale récente. Douze mille cinq cents Zoulous, valeureux, compétents et hautement entraînés, se jetèrent pendant deux heures sur un ennemi intelligemment retranché. Et, sans aucune arme moderne, ils tentèrent de submerger un groupe d'hommes résolus et aguerris, armés de fusils, de pistolets et d'obusiers. Ce fut un engagement horrible. Les guerriers zoulous tapèrent du pied, lancèrent leurs cris de guerre et s'élancèrent droit sur le laager. Les Voortrekkers attendirent sans broncher que l'ennemi parvienne à deux mètres des chariots, puis tirèrent sur leurs poitrines. Les guerriers tombèrent, d'autres les remplacèrent, comptant sur leurs boucliers de peau de vache pour se protéger, et eux aussi se jetèrent sur les canons des fusils et tombèrent.

Mille Zoulous moururent ainsi, puis deux mille, sans cesser d'attaquer. Au bout d'une heure, les généraux zoulous, supposant que les Blancs à l'intérieur du laager devaient être décimés, décidèrent de lancer sur eux leurs deux meilleurs régiments, ceux qui avaient le droit de porter des boucliers tout blancs et des décorations blanches aux bras et sous les genoux. Ce fut un spectacle effrayant : des hommes excellents, tous du même âge et de la même taille, défilèrent sans peur par-dessus les cadavres de leurs camarades, droit sur le laager.

A l'intérieur, le général Prétorius dit à ses hommes :

— C'est probablement la grande ruée. Cessez le feu.

Les hommes attendirent que les canonniers chargent Ou Grietjie de grenaille de plomb meurtrière et, lorsque ces régiments d'élite arrivèrent en face des gueules des obusiers, Prétorius donna le signal. Ou Grietjie et ses trois sœurs, plus laides les unes que les autres, crachèrent leurs charges mortelles au visage des Zoulous, tandis que les fusiliers blancs, sur les flancs, déversaient un feu fourni.

Comment les Boucliers blancs allaient-ils réagir à un

châtiment comme celui-là ? Ils ne bronchèrent pas, ne s'enfuirent pas. Tout simplement, ils avancèrent. Et moururent.

Aussitôt, Prétorius prit une décision stupéfiante :

— Montez à cheval ! Nous allons les chasser du champ de bataille.

Une centaine de Voortrekkers sautèrent en selle, attendirent que les fusiliers leur ouvrent une brèche dans le laager et se lancèrent au galop en une sortie éclair qui stupéfia les Zoulous. Les Voortrekkers, sur un seul rang, tuaient à un rythme fantastique, puis ils se retournaient, sabraient et tiraient. Enfin, ils se lancèrent au cœur de la concentration ennemie, en galopant comme une horde sauvage. Demi-tour aussitôt, nouvel élan, nouvel assaut. La manœuvre se répéta trois fois. On avait l'impression qu'ils étaient immortels.

Après avoir abattu des centaines d'ennemis, ils rentrèrent dans le laager au galop. Le seul cavalier blessé au cours de cette stupéfiante sortie fut le général Prétorius : une sagaie lui avait tailladé la main.

Aussitôt, on déplaça Ou Grietjie de sa position près de l'arc des chariots et on la traîna à la main vers l'un des angles. De là elle pourrait tirer dans l'enfilade de la gorge où quatre cents Zoulous s'étaient glissés, dans l'espoir de s'infiltrer derrière les chariots par cette voie. On chargea le canon de clous et de mitraille, et on fit feu. Avant que les Zoulous cachés n'aient le temps de grimper sur les parois de la gorge, la troisième salve tua les derniers.

Et pourtant, les Zoulous chargeaient toujours ; le sol était jonché de cadavres déchiquetés, mais ils continuaient d'attaquer, se jetant contre les chariots, essayant mais en vain de se rapprocher assez pour utiliser leurs sagaies-dagues, ne s'écroulant qu'une fois morts.

Au bout de deux heures, les généraux noirs voulurent rallier leurs régiments en rassemblant en un même point tous les Boucliers blancs survivants, à qui ils donnèrent un ordre simple :

— Entrez dans le laager et tuez ces sorciers.

Sans hésiter, ces guerriers splendides ajustèrent leurs boucliers, empruntèrent des sagaies supplémentaires et marchèrent vers l'endroit où Ou Grietjie venait d'être remise en batterie. Ils avancèrent avec panache et combattirent avec gloire. Vague après vague, ils parvenaient presque jusqu'aux chariots, puis tombaient sous le feu des fusils. Mais ils continuaient sans cesse, en hommes entraînés toute leur vie à obéir. Les derniers rangs atteignirent les chariots, mais il ne se passa rien : les généraux venaient de donner le signal de la retraite et les régiments décimés se retirèrent, vaincus mais toujours soumis aux ordres. Une nouvelle puissance les avait remplacés en pays zoulou et elle était déterminée à rester.

Avant la tombée du jour, les Voortrekkers sortirent de leur laager pour inspecter le champ de bataille. Ils comptèrent plus de trois mille morts. Sept cents autres Zoulous environ devaient être morts de blessures loin des lieux du combat et ne purent pas être recensés avec précision. D'autres mourraient dans les semaines suivantes.

Que dire d'une bataille dont le bilan se chiffrait par plus de quatre mille morts d'un côté et une main tailladée de l'autre ? Pas un seul mort dans le laager des Voortrekkers, pas un seul blessé grave ; même en comptant les égratignures, pas plus de trois Blancs touchés au cours de cette bataille incroyable. Quatre mille contre rien. Quel genre de guerre était-ce donc ? Un ministre de l'Église hollandaise réformée, troublé par ce combat, devait répondre à cette question, bien des années plus tard :

— Ce ne fut pas une bataille. Ce fut une exécution.

Pourtant, la bataille du Fleuve-de-Sang, si terrible qu'elle fût, ne doit pas être envisagée isolément, mais plutôt comme le point culminant d'une campagne qui comprenait les massacres de Kraal-de-Dingané et de Blaauwkrantz. Il faut tenir compte de ces morts injustifiables et des nombreuses pertes subies par les fermiers sans protection pour pouvoir comprendre la nature de cette longue bataille échelonnée dans le temps : au début, victoires écrasantes des Zoulous ; à la fin, triomphe des Voortrekkers si déséquilibré qu'il en paraît grotesque ; mais, au total, une bataille féroce avec de nombreuses pertes dans chaque camp.

Le vainqueur réel du Fleuve-de-Sang ne fut pas le commando des Voortrekkers, mais l'esprit de l'Alliance qui assura leur triomphe. Comme le dit Tjaart lorsqu'il dirigea les prières après la bataille :

— Dieu tout-puissant, Toi seul nous as permis de vaincre. Nous avons été fidèles à Tes commandements et Tu as combattu à nos côtés. En soumission à l'Alliance que Tu nous a offerte et que Tu as honorée, nous demeurerons désormais Ton peuple, dans le pays que Tu nous as donné.

Ce que les Voortrekkers ne percevaient pas, dans l'enthousiasme de leur victoire, c'était qu'ils avaient, *eux*, offert l'Alliance à Dieu, et non l'inverse. N'importe quel groupe d'hommes, partout dans le monde, était libre de proposer à Dieu, lui aussi, une Alliance dans les termes qui lui convenaient, mais cela n'obligeait nullement Dieu à accepter cette Alliance, surtout si ces conditions unilatérales s'opposaient à Ses enseignements fondamentaux, au détriment d'une autre race qu'Il aimait tout autant. Quoi qu'il en fût, en soumission à l'Alliance telle qu'ils la comprenaient, ils avaient remporté une victoire marquante, qui confirmait leur conviction : Dieu avait accepté leur offre puisqu'Il était intervenu personnellement en leur faveur. Quoi qu'il ait pu se passer par la suite, des hommes comme Tjaart Van Doorn étaient convaincus que tout ce qu'ils faisaient était accompli en harmonie avec les désirs de Dieu. La nation boer était devenue une théocratie et elle le resterait.

Le général Prétorius savait qu'il ne devait pas laisser au roi Dingané la moindre chance de regrouper ses régiments ; il se rendait compte que les Zoulous apprenaient vite les leçons et qu'au cours de la grande bataille suivante ils l'affronteraient avec des tactiques plus élaborées. Il se mit donc en campagne à travers le pays, à la recherche du souverain fourbe qui avait commis tant de meurtres. Il ne put s'emparer de lui. Et, avant de s'enfuir, Dingané incendia son célèbre kraal, détruisant les trésors accumulés depuis le règne de Shaka. Parmi les objets trouvés par les Boers dans le kraal se trouvaient deux canons, cadeau d'une personne désirant obtenir un traité. On les avait laissés se rouiller sans les utiliser. S'ils avaient été en batterie au Fleuve-de-Sang, ils auraient sûrement réduit au silence Ou Grietjie et ses trois sœurs.

Dingané s'enfuit très loin dans le nord, où il établit un nouveau kraal et attendit dans la crainte que les Boers viennent prendre leur vengeance. Un de ses jeunes frères, Mpandé, profita de l'occasion pour s'allier avec les Boers et proposa une expédition conjointe contre les régiments décimés du roi vaincu. Mais, avant que l'on engage cette campagne, le roi envoya aux Voortrekkers son principal conseiller, Dambuza, avec un de ses collaborateurs, pour leur offrir deux cents de ses plus belles têtes de bétail.

— Dingané désire la paix, affirma Dambuza. Les terres que voulait Retief sont à vous.

Mpandé, qui assistait à cette réunion, cherchant toutes les occasions d'accroître sa crédibilité auprès des Blancs, cria à Dambuza :

— Tu mens ! Il n'y aura pas de paix si Dingané reste en vie. De quel droit parles-tu, Dambuza ? N'étais-tu pas aux côtés de ton roi quand il a tué Retief et ses hommes ? Ne criais-tu pas : « Ce sont des sorciers » ?

L'accusation de Mpandé était si violente que Prétorius ordonna que les émissaires soient dépouillés de leurs vêtements et mis aux fers. Peu après, ils passèrent en jugement devant une cour martiale dont le principal témoin fut Mpandé. Sur son témoignage, les deux ambassadeurs de Dingané furent condamnés à mort, malgré leur statut de diplomates en visite officielle.

Dambuza ne demanda rien pour lui-même, mais implora la clémence en faveur de son collaborateur.

— Épargnez-le. C'est un jeune homme, il n'est coupable de rien.

Il n'y eut pas de grâce. Tjaart Van Doorn, présent tout au long de l'audience, vit Balthazar Bronk préparer son fusil, impatient de participer au peloton d'exécution. Les deux Noirs condamnés furent traînés en terrain découvert et les tireurs d'élite de Bronk se mirent en ligne.

— Attendez ! cria Prétorius.

Il s'avança vers les ambassadeurs.

« Dambuza, dit-il, vous devez demander pardon à Dieu. Dites-Lui que vous regrettez et Il vous écoutera.

Le grand Noir à la carrure puissante répondit lentement :

— Je ne connais pas ton Dieu, Boer. Le roi Dingané est mon chef. J'ai fait ce qu'il m'a ordonné. Mais je t'implore pour mon assistant. Libère-le.

— Tuez-le, aboya Prétorius en se détournant de la scène de l'exécution.

Bronk et ses hommes prirent position. La fusillade crépita et les deux Noirs tombèrent. Puis le miracle se produisit. Le conseiller Dambuza, légèrement blessé, se releva.

— Il est sauvé, cria une voix. Dieu l'a épargné à cause de son courage.

— Rechargez, dit Bronk.

Tjaart Van Doorn ne dit rien lorsque Dambuza fit face au peloton une seconde fois, mais il songea à une journée sinistre, enfouie dans le passé, en un lieu qui se nommait Slagter's Nek, et, dans son esprit, il vit un missionnaire anglais décharné, le frère de son ami de Grahamstown, implorant la grâce d'hommes que Dieu avait déjà graciés quand les cordes autour de leurs cous s'étaient rompues...

« Feu, cria Bronk.

Cette fois, le peloton visa juste.

Quelques mois plus tard, Dingané mourut à son tour, assassiné — peut-être à l'instigation de son frère Mpandé, qui monta sur le trône avec l'aide de ses alliés boers. Le destin de Dingané avait voulu qu'il s'empare du royaume de son demi-frère Shaka à un moment de l'histoire où la confrontation avec un nouvel ennemi puissant était inévitable. Jamais il n'avait eu l'intuition des adaptations nécessaires. C'était aussi un intrigant, puissant, avisé et matois. La meilleure chose que l'on puisse dire de lui, c'est que ses erreurs ne détruisirent pas le peuple zoulou. Des cendres de Kraal-de-Dingané renaîtrait une nation puissante, assez forte pour défier l'Empire britannique quelques années plus tard — et, en moins de cent ans, lutter avec la nation boer pour le pouvoir en Afrique australe.

Une fois la victoire acquise, Tjaart étudia la situation avec soin. Comme il aurait aimé que Lukas de Groot soit encore vivant pour comparer ses propres conclusions avec celles de ce sage fermier ! Car il avait besoin d'aide. Jakoba lui manquait aussi, ses conseils obstinés avaient toujours été si raisonnables... Elle aurait été un bon interlocuteur pour lui, mais la femme qui lui succédait, Aletta, n'était d'aucune utilité. Tout ce que Tjaart pouvait décider lui convenait. Son principal souci était de trouver assez de tissu et d'amidon pour se confectionner un bonnet permettant de protéger son visage du soleil, car elle voulait demeurer aussi pâle que possible.

Un jour, désorienté, Tjaart lui dit :

— Aletta, je crois que nous devrions revenir au-delà des

montagnes, sur une terre que nous connaissons. Je n'aime pas ce pays. Les Anglais y viendront tôt ou tard...

— C'est une bonne idée, convint Aletta.

Mais, quand il prit les premières mesures pour exécuter son projet, elle pleurnicha :

« Je n'ai pas envie de transporter encore une fois notre chariot par-dessus ces falaises.

Il ne lui rappela pas qu'elle avait en réalité porté très peu de chose, mais ses hésitations le troublèrent et, un jour, il lui demanda :

— Aletta, où aimerais-tu passer le reste de ta vie ?

La précision de la question l'étonna, car elle n'avait pas encore atteint l'âge où l'expression « le reste de ta vie » a un sens ; ce fut à cet instant-là qu'elle prit pleinement conscience d'être mariée à un homme de plus de cinquante ans, à qui il ne restait qu'un nombre limité d'années. Mais où donc aimerait-elle vivre ?

— Au Cap, répondit-elle en toute sincérité.

Sur quoi Tjaart mit fin à la discussion.

Il s'était presque décidé à rester au Natal avec le général Prétorius, quand deux choses banales se produisirent : un marchand anglais vint de Port-Natal avec la nouvelle qu'un détachement anglais débarquerait bientôt dans ce port pour prendre officiellement possession ; et le jeune Paulus déjà adolescent, grand et vigoureux, dit tout à fait par hasard :

— J'aimerais aller à la chasse aux lions.

Et la vision d'un veld sans contraintes revint hanter Tjaart. Il appréciait le Natal, surtout les bons champs le long de la Tugela, mais il était comme la plupart des Voortrekkers : quand on a connu les vastes étendues découvertes du Transvaal, tous les autres décors semblent étriqués. Il avait envie lui aussi de voir des lions, des rhinocéros et peut-être aussi des antilopes noires. Il avait la nostalgie de la solitude, et la présence d'un si grand nombre de Boers en train de bâtir des villages et des villes l'oppressait.

Malgré tout cela, la préférence manifeste d'Aletta pour l'existence en train de prendre forme au Natal l'aurait peut-être retenu, sans une série de coïncidences. Un matin, le claquement des sabots d'un cheval près de sa tente l'éveilla en sursaut. C'était Balthazar Bronk, un homme qu'il méprisait.

— Van Doorn, lui dit celui-ci sitôt que Tjaart eut chassé le sommeil de ses yeux, ce qu'on dit est vrai : « Partout où un bateau peut accoster, un Anglais débarque. » Je crois que nous devrions partir d'ici.

— Pour aller où ?

— Sur le plateau.

Du fond de la tente, le jeune Paulus cria :

— Bravo, repartons chasser les lions.

Plus Balthazar parlait et plus son opinion prenait un sens. Quand Aletta sortit de son lit, les deux hommes s'étaient mutuellement convaincus de la nécessité de partir rapidement de l'autre côté des montagnes : le Natal n'était pas pour eux. Mais, quand Aletta entendit la discussion, elle fit la moue. Elle n'avait pas l'intention de s'échiner à remonter le chariot là-haut.

— Inutile, lui affirma Bronk. Il y a une bonne piste, à présent. Le général Prétorius a traversé la montagne en trois jours.

— Pourquoi ne l'avons-nous pas utilisée pour venir ? demanda-t-elle.

— Personne ne la connaissait à l'époque.

Pendant trois jours, tout se passa comme si Aletta allait quitter Tjaart. Elle n'était pas mariée légalement à lui et il y avait dans la colonie d'autres hommes qui avaient besoin de femmes. Elle désirait intensément demeurer au Natal avec les autres femmes au lieu de remonter sur le haut veld où sa vie serait plus solitaire et plus courte. Mais un missionnaire américain — un jeune baptiste dégingandé originaire de l'Indiana — se déplaçait alors d'un campement à l'autre et le besoin qu'éprouvaient les Voortrekkers d'avoir un prédikant se manifesta. Tjaart participa à un comité de cinq Boers, désigné pour interroger le jeune homme. Accepterait-il de perfectionner son hollandais et de se placer sous la dépendance de l'Église hollandaise réformée ?

— Je ne suis pas très bon pour les langues, répondit-il en anglais.

— Vous avez suivi un séminaire ? lui demanda Tjaart en hollandais.

— Oui.

— Et vous avez été approuvé ?

— Oui.

— Alors vous pouvez apprendre la langue.

— Mais vous devriez avoir un pasteur hollandais.

— C'est vrai, dit Tjaart. Mais les pasteurs hollandais nous ont mis hors la loi.

Il montra au jeune homme le dernier exemplaire d'un journal du Cap, *The South African Commercial Advertiser*, où un porte-parole de l'Église renouvelait les accusations lancées contre les Voortrekkers : c'étaient des fugitifs refusant de se soumettre à la société organisée, sans aucun doute des dégénérés spirituels que tous les honnêtes gens devaient éviter.

« Bien entendu, nous préférerions avoir des prédikants hollandais, reprit Tjaart, mais, ce que nous voulons savoir, c'est s'il vous est possible d'accepter nos doctrines.

— Eh bien, répondit le jeune homme, il me semble bien que l'Église hollandaise réformée est un peu ce qu'en Amérique nous appelons des luthériens.

— Absolument pas ! rugit Tjaart. Ça, c'est Martin Luther. Nous, c'est Jean Calvin.

— N'est-ce pas la même chose ?

— Dieu du ciel ! grommela Tjaart.

Et il cessa de prendre part à l'interrogatoire. Mais, quand les quatre autres Boers eurent posé toutes leurs questions, il devint manifeste que ce jeune Américain était vraiment un homme de Dieu, appelé de très loin vers cette frontière, un pasteur dont n'importe quelle communauté aurait pu être fière. Sans consulter Tjaart, ils lui firent une offre précise, qu'il finit par accepter.

Mais ce fut Tjaart qui le chargea de ses deux premières missions.

— Voulez-vous célébrer un mariage ?

— J'en serais très fier, Mister Van Doorn.

— Je ne serai jamais un *mister*, ronchonna Tjaart.

Et le jeune pasteur lui répondit :

— Mais vous êtes un homme aux convictions fortes et cela me plaît.

Les deux hommes se dirigèrent vers le chariot de Tjaart. En apprenant que cet inconnu était un pasteur, Aletta pâlit, car depuis plusieurs nuits elle rencontrait en secret un jeune homme avec qui elle aimait faire l'amour et elle était sur le point de révéler ses préférences à Tjaart. Voyant la pâleur d'Aletta, il devina ce qui se passait. Il l'avait, lui aussi, fréquentée alors qu'elle était mariée à un autre et il savait qu'elle n'avait aucun sens de ses devoirs. Mais il n'ignorait pas non plus que partir dans le nord sans femme était impossible — et il était encore sous le charme de sa beauté. Il tendit la main, saisit le poignet d'Aletta et la traîna devant le nouveau prédikant.

— Mariez-nous, dit-il.

Et, sous le soleil du Natal, le nouveau pasteur célébra son premier rite, parfaitement conscient qu'il s'agissait d'une imposture et que ce n'était pas une bonne union.

Le second rite qu'il célébra fut plus étrange encore. Tjaart, avec l'approbation d'un groupe de voisins, demanda au missionnaire :

— Monsieur, pouvez-vous nous faire l'honneur d'ordonner un mort ?

— C'est assez inouï !

Mais, quand Van Doorn eut conduit le petit groupe vers une tombe étroite, marquée par quelques pierres, et expliqué au nouveau prédikant quel homme avait été Theunis Nel, comment il était mort et pourquoi il avait toujours désiré être ordonné pasteur, le jeune Américain répondit :

— Il a mérité d'être ordonné par Dieu. Il ne m'appartient pas de le priver de ce rite.

Et, au pied de la tombe, il pria pour l'âme de...

« Comment s'appelait-il déjà ?

— Theunis Nel, murmura Tjaart.

— ... l'âme de Ton serviteur Theunis Nel. Je suis devenu pasteur en étudiant au séminaire de Pennsylvanie. Theunis l'est devenu en sacrifiant sa vie pour les autres.

— Savez-vous une prière en hollandais ? demanda Tjaart.

— Je suis en train d'apprendre.

— Eh bien, dites quelques mots. Theunis parlait hollandais.

En phrases hachées, le jeune prédikant demanda que toutes les bénédictions soient accordées à cet homme qui avait servi Dieu si fidèlement, en authentique ministre de la foi.

« Maintenant, il est prédikant, dit Tjaart d'une voix pleine de défi.

Mais Balthazar Bronk, qui suivait de loin cette cérémonie insensée, murmura à ses bons amis :

— C'était le gendre de Tjaart, vous comprenez : tout s'explique.

Pourtant, quand Tjaart et son épouse légale attelèrent leurs bœufs et préparèrent leur chariot reconstruit pour leur voyage vers l'ouest, Bronk était avec eux, ainsi que six autres familles. Ils sentaient déjà l'haleine des Anglais sur leurs nuques — cette fois au Natal — et ils savaient qu'ils n'avaient pas encore trouvé la Terre promise qu'ils cherchaient.

Le 26 mars 1841, ils atteignirent le pied du Drakensberg, où ils se reposèrent avant l'assaut. Bronk ne s'était pas trompé en affirmant qu'une nouvelle passe avait été découverte, mais, même sur cette piste, les chariots mirent plus d'un mois à remonter lentement jusqu'à Thaba Nchu, où des centaines de Voortrekkers étaient rassemblés. Ils passèrent là les mois frais de juin et juillet ; ils achetèrent des provisions et écoutèrent tout ce que l'on racontait sur le pays de l'autre côté du Vaal.

Deux familles du groupe les quittèrent, mais quatre autres se joignirent à eux et ce fut une caravane de dix chariots qui se lança à la conquête du veld. De vastes régions dépeuplées par les premières déprédations de Mzilikazi avaient, lentement, recommencé à vivre, mais le voyage, à la fin de l'hiver cette année-là, demeurait effrayant : ils tombaient sur les cendres de villages entièrement détruits. Pas une case ne restait debout, pas un animal — uniquement des ossements blanchis.

— C'est comme si une des plaies de la Bible avait dévasté ce pays et son peuple, s'écria Tjaart.

Un matin, alors que les chariots s'avançaient dans le veld désert, Tjaart et Paulus en tête, Aletta éclata de rire. Les autres lui en demandèrent la raison.

— On dirait deux collines à la cime plate se déplaçant dans le paysage, dit-elle en montrant les deux silhouettes.

Les autres en convinrent : ils ressemblaient vraiment à des collines en mouvement — gros souliers, pantalons de toile rude, épaules massives et chapeaux plats aux bords immenses — Tjaart pesant et lent, Paulus comme un vrai fils du veld qu'il était. Ils étaient les montagnes qui marchent, sur lesquelles une société nouvelle allait se construire.

En octobre, ils arrivèrent à la hauteur du Pienaars, fleuve dans lequel Paulus tua un énorme hippopotame, qui fournit de la viande pour les deux semaines de leur séjour dans cet endroit accueillant. Cela faisait trois mois maintenant qu'ils avançaient dans un territoire dont il n'existait pas de carte, sans la moindre idée de l'endroit où ils se fixeraient. Personne ne se plaignait. Tout allait tellement mieux qu'aux premiers jours de la terreur de Mzilikazi, ou à l'époque des massacres, au Natal. Là, il n'y avait que solitude — et une mort rapide quand la maladie vous prenait. La nourriture abondait, on était en sécurité la nuit et le veld devenait d'une incroyable beauté.

Le 17 novembre 1841, Tjaart prit une grande décision :

— Nous monterons jusqu'au Limpopo. On m'a toujours dit que c'est le meilleur endroit de toute l'Afrique.

Cela leur prendrait peut-être six à huit mois. Mais il n'y avait rien d'autre à faire et les dix chariots se hâtèrent lentement vers le nord, vers le pays des baobabs et des immenses troupeaux d'antilopes. Sur la rive sud du fleuve, Paulus de Groot tua son lion. Bien entendu, Tjaart et Balthazar étaient derrière lui et tirèrent au même instant pour éviter de laisser une bête estropiée ravager la région, mais ils n'en dirent rien à Paulus et tout le monde convint que le jeune homme avait abattu la bête.

De janvier à septembre 1842, le groupe de Voortrekkers explora le nord du Limpopo, avançant toujours prudemment pour s'assurer que ce pays, en apparence si paisible, ne contenait pas de tribus hostiles. A la fin de la quatrième exploration, Tjaart dit :

— Tous les Cafres que nous avons rencontrés parlent d'une grande ville au nord, Zimbabwe. Je crois que nous devrions aller voir.

Les autres familles, y compris Aletta, le déconseillèrent.

— Mzilikazi se trouve par là-bas, aux aguets.

Mais, à la surprise de Tjaart, Balthazar Bronk se rangea à son avis — il avait entendu dire que Zimbabwe était pavée d'or.

— J'ai parlé aux Cafres. Ils disent que Mzilikazi est parti beaucoup plus à l'ouest.

Tjaart, Balthazar, Paulus et deux Noirs partirent donc vers le nord avec six chevaux, à la découverte de Zimbabwe. En traversant la savane arbustive basse, décorée d'euphorbiacées ressemblant à des arbres de Noël avec des milliers de bougies dressées, ils ressentirent toute la grandeur de cette région ; c'était un pays très différent des terres du sud du Limpopo. Ils remarquèrent aussi que leurs chevaux s'affaiblissaient, comme si une maladie inconnue les frappait, et ils se hâtèrent, car ils étaient impatients de voir Zimbabwe et ses rues d'or.

Ils découvrirent enfin à l'horizon les grands contreforts de granit où des couches de pierre lisse se détachaient et ils comprirent qu'ils étaient dans la région de la ville. Leurs chevaux devenaient de plus en plus faibles et ils sentirent qu'il leur fallait rebrousser chemin. On tint conseil : Balthazar voulait rentrer, Tjaart continuer encore un peu. Paulus aussi désirait aller de l'avant et sa voix emporta la décision. Bronk resterait avec les chevaux malades, tandis que les deux autres avanceraient à pied pendant trois jours.

— Si vous ne voyez rien après ce délai, revenez.

— Entendu.

Tjaart, Paulus et les deux serviteurs parcoururent les derniers kilomètres et, du haut d'une colline, ils virent Zimbabwe — non point une ville florissante pavée d'or, mais les ruines d'un site remarquable, rongées par les arbres, emprisonnées par les lianes, et peuplées par une tribu qui ne connaissait rien des gloires passées. Sur les ruines où de grands rois s'étaient agenouillés et le long de rues envahies de végétation que les marchands arabes avaient foulées avec des sacs d'or, des babouins jouaient et des phacochères grognaient en fouissant parmi les pierres tombées.

C'était un endroit sinistre et Tjaart s'écria :

— Pauvre Balthazar. Pas d'or ici...

Quand ils rejoignirent Bronk, celui-ci leur apprit que deux des chevaux étaient morts.

— Je crois que c'est une mouche qui les pique.

— Elle ne nous pique pas, dit Tjaart.

— Ce voyage n'a rien prouvé du tout, se plaignit Bronk.

— Si, il a prouvé que nous n'avons pas envie de vivre par ici. Et qu'il n'y a pas d'or.

Ils repartirent vers le sud, trois Voortrekkers conduisant quatre chevaux malades. Deux autres montures moururent avant d'atteindre le Limpopo. Quelque chose au voisinage de cette rivière était hostile aux chevaux. Et, quand ils arrivèrent près de leurs familles, ils découvrirent que leurs bovins souffraient également.

— Il faut s'en aller d'ici, dit Tjaart.

Le 20 septembre 1842, ils partirent lentement vers le sud, oppressés par un sentiment de défaite — exacerbé d'ailleurs, dans le cas de Tjaart, par le fait qu'Aletta s'était mise à détester sa petite-fille Sibylla. Parce que la fillette, âgée de sept ans maintenant, était d'une beauté extraordinaire, gracile et attachante, Aletta voyait en elle un rappel des années qui passaient. Elle avait vingt-cinq ans à peine, mais la vie de la frontière, qu'elle détestait, avait attaqué sa beauté et sa silhouette ; parfois, elle se trouvait vraiment laide.

— Ne nous installerons-nous jamais dans une ville, Tjaart ? Je veux vivre avec d'autres gens.

Quand il la rappelait à l'ordre, elle se libérait de ses contrariétés sur la petite Sibylla — qui s'avérait, d'ailleurs, tout à fait agaçante : chaque fois qu'Aletta la réprimandait pour une faute imaginaire, la fillette se bornait à regarder sa grand-mère, écoutait d'un air soumis, puis s'en allait chercher Paulus, qui la consolait de toutes les injustices.

Aletta ne pouvait supporter de voir les deux enfants ensemble, car, de toute évidence, ils vivaient dans un monde à eux, dont elle serait toujours exclue. L'habitude qu'avait Sibylla de s'accrocher sans cesse à la main de Paulus comme elle l'avait fait au matin de l'horrible nuit irritait profondément la jeune femme et, chaque fois qu'elle s'en apercevait, elle criait :

— Sibylla, viens ici ! Les filles ne jouent pas avec les garçons comme ça !

Et la fillette la regardait avec ses grands yeux sans rien dire...

Au cours de leur voyage vers le sud, Tjaart conduisit son groupe assez loin à l'est et, au milieu de novembre 1842, ils atteignirent une vallée abritée, à environ cent cinquante kilomètres du Limpopo. Ils campèrent là pendant trois mois, réunissant de l'ivoire que leur fournirent les vastes troupeaux d'éléphants qui sillonnaient, à l'est, les forêts denses s'étendant probablement jusqu'à l'océan. Ils étaient très satisfaits de demeurer loin de ces terres riches.

— Nous ne voulons plus de basses terres. Les Boers sont faits pour vivre sur le haut veld, avec les gazelles.

Le 10 février 1843, au milieu d'un été plein de promesses, les dix chariots chargés d'ivoire reprirent leur errance vers le sud et, au bout de quatre semaines de voyage facile, Paulus cria soudain, un matin à l'aurore :

— Les voilà ! Regardez !

Surpris, encore à moitié endormis, les voyageurs ne pouvaient deviner ce dont l'enfant parlait. Cela faisait si longtemps qu'ils n'avaient pas vu de tribus hostiles qu'ils n'étaient pas du tout prêts à former le laager. Mais c'était bien inutile, car s'avançaient de l'ouest, en file, les plus belles antilopes noires que ces hommes du veld aient jamais vues. Elles étaient plus hautes et plus fières que celles qui avaient traversé De Kraal juste avant le début du trek et leurs robes semblaient d'une teinte plus chaude. Le blanc de leur ventre luisait dans la lumière du matin, ainsi que les taches distinctives sur leur tête. Mais c'étaient surtout leurs cornes que l'on remarquait — un mètre, un mètre vingt-cinq de longueur, courbées vers l'arrière avec grâce, merveilleuses.

— Regardez-les, dit Tjaart, saisi par le même ravissement que l'enfant.

Même Aletta montra un certain intérêt pour ces bêtes splendides lorsqu'elles passèrent, élégantes et indifférentes, à la hauteur des chariots.

— Où vont-elles ? demanda Bronk.

Et Tjaart répondit :

— Je crois qu'elles nous conduisent chez nous.

Il fit tourner les chariots vers l'est, sans essayer de suivre les antilopes noires, car elles risquaient de prendre le galop à tout instant. Mais, pour Dieu sait quelle raison, les animaux n'eurent pas peur des chariots et, pendant une partie de la matinée, les deux groupes se déplacèrent ensemble : les antilopes, majestueuses, à l'avant, avec leurs cornes brillantes à contre-jour, les hommes et les femmes derrière, priant le Seigneur d'atteindre enfin le terme de leur errance.

Et bientôt, depuis les terres plates et basses qui bordaient le lac vers l'ouest, les Voortrekkers aperçurent pour la première fois la beauté calme de Vrijmeer, avec ses montagnes protectrices et ses deux collines si particulières. Après sept longues années de pérégrinations, ils allaient établir leur demeure près de ce que la nouvelle langue en train de se constituer appellerait dès lors Vrymeer.

Ils n'étaient pas seuls. Quand ils arrivèrent près du lac, ils virent sur les rives orientales le groupe de cases et d'appentis qu'occupait Nxumalo avec sa famille composite.

— Ennemi ! cria Bronk en prenant son fusil.

— Attendez ! conseilla Tjaart.

Il s'avança avec précaution, l'arme chargée, prêt à se défendre en cas de besoin, mais également disposé à accepter l'amitié des Noirs s'ils la lui proposaient.

Nxumalo vit les Blancs approcher. Par prudence, il prit sa sagaie dans sa case et, presque nu, s'avança à la rencontre des nouveaux venus.

Lentement, prudemment, les deux hommes se rapprochèrent. Au fond de son cœur, chacun était las de tuer. Tjaart ne voulait plus de deuils et de fleuves de sang ; Nxumalo avait fui les excès du roi Shaka et la violence mauvaise de Mzilikazi. Ils avaient pris de l'âge. Tjaart avait cinquante-quatre ans, Nxumalo un an de plus, et ils désiraient avant tout le repos, près d'un lac... Le destin, au terme de guerres et de tribulations, les avait conduits au même endroit, et se battre pour cet endroit aurait été une folie.

Tjaart remit son fusil à Paulus et tendit les mains en avant pour montrer qu'il n'avait pas d'armes. Répondant à ce geste d'amitié, Nxumalo donna sa sagaie à son fils. Paulus et l'enfant noir attendirent. Les deux hommes aux cheveux blancs s'avancèrent, s'arrêtèrent à une longueur de bras l'un de l'autre et se regardèrent. Enfin, Nxumalo (n'était-ce pas sur ses terres qu'avait lieu la rencontre ?) tendit le bras vers le lac et dit que c'était un endroit sûr et riche. Tjaart, avec les quelques mots de zoulou qu'il savait, répondit tant bien que mal qu'il portait cet endroit dans son cœur depuis le début de sa vie, car son grand-père l'avait découvert et lui avait transmis ses souvenirs. Il montra les cases de Nxumalo et il dit que son peuple construirait aussi ses demeures en ce lieu. Nxumalo le comprit.

— Il y a de la place, dit-il.

Avant les années de folie du roi Shaka, il avait vu de nombreuses tribus vivre en paix côte à côte et cela pouvait se renouveler.

Mais Tjaart, dont les dix chariots représentaient à peu près la même population que le clan de Nxumalo, jugea nécessaire de démontrer que les Blancs avaient certains avantages que les

Noirs seraient bien avisés de respecter. Il se tourna vers Paulus et dit à l'enfant :

— Tue-nous un oiseau. Ou une antilope.

Au même moment, les antilopes noires se décidèrent à avancer et parvinrent à portée de fusil du jeune homme. Il visa avec soin, tira et la dernière antilope de la file tomba. Nxumalo fut fortement impressionné par deux choses : les Blancs pouvaient tuer à grande distance et ils pouvaient avoir envie de détruire des animaux aussi splendides que les antilopes noires...

Quand les « cabanes-bubales » furent terminées, identiques aux abris grossiers occupés par Hendrik Van Doorn cent quarante-neuf ans plus tôt, il se produisit un événement heureux que Balthazar Bronk put exploiter au profit de la communauté blanche dans son ensemble.

Les relations avec la tribu de Nxumalo avaient fait du chemin et, de toute évidence, les Blancs et les Noirs pourraient partager Vrymeer en harmonie. Il n'existait aucun conflit pour les terres, les droits de chasse ou tout autre sujet. Nxumalo, dès qu'il apprit un peu de hollandais, indiqua clairement que ses Zoulous ne deviendraient en aucun cas les vassaux des Blancs ni ne travailleraient pour eux dans les conditions des serviteurs « de couleur ». Ils étaient libres, eux aussi, et fiers de l'être. Pourtant, au cours de la construction des cabanes, les Noirs apportèrent spontanément leur aide, qui fut considérable, et montrèrent aux nouveaux venus comment utiliser le terrain au mieux pour le drainage.

— Ils travailleront bientôt pour nous, dit Tjaart plein de confiance.

Les relations entre les deux communautés étaient heureuses et prospères. Les Voortrekkers fournissaient de temps en temps une antilope pour les cuisines de Nxumalo et certaines femmes de la tribu se proposaient pour garder les bébés blancs pendant que leurs mères vaquaient à d'autres tâches.

La situation ne plaisait pas à Bronk et à son groupe : ils voulaient que les Noirs deviennent esclaves, comme l'ordonnait la Bible, et l'on parla même d'éliminer la tribu de Nxumalo, conformément aux principes de Josué, que Balthazar citait à tout bout de champ :

> Et ils passèrent au fil de l'épée toutes les âmes qui se trouvaient là, et ils les détruisirent ; et il ne resta personne en vie : il brûla Hazor par le feu [...]. Et toutes les dépouilles de ces villes, ainsi que le bétail, les enfants d'Israël les prirent.

A la surprise de tous, Tjaart s'opposa à cette solution draconienne et Bronk répliqua en proposant que les Noirs deviennent leurs serviteurs, comme la Bible l'ordonnait en maints endroits. Mais Tjaart repoussa également cette idée.

— Nous avons longtemps cherché un endroit où vivre en paix, vivons en paix ici.

Et comme il était le chef incontesté du groupe, son conseil fut suivi.

Mais le coup du sort se produisit et tout le problème fut réglé. Une nuit, des voleurs de bétail se glissèrent dans le kraal Van Doorn et emmenèrent une vingtaine de bêtes, dont la moitié appartenait à Balthazar, qui menaça aussitôt de détruire le village des Noirs. Mais Tjaart et Paulus firent une enquête et il s'avéra qu'aucun des hommes de Nxumalo n'avait touché au bétail.

— C'est le village de l'autre côté des collines. Ils nous ont également volé du bétail.

On rassembla un commando de représailles sous les ordres de Balthazar Bronk et il se lança sur les traces du bétail dérobé. La piste s'achevait près d'un pauvre village d'environ quarante personnes. Le bétail Van Doorn se trouvait dans les kraals et les cavaliers se précipitèrent au cœur du village en massacrant tout le monde.

— Pas les enfants ! cria Bronk. Épargnez les enfants !

A la suite de son ordre, onze enfants noirs furent sauvés. On les ramena au campement blanc et on les distribua entre les familles. Ils travailleraient pour elles jusqu'à la fin de leurs jours. Ils n'étaient pas des esclaves ; la loi interdisait désormais l'esclavage, et toutes les constitutions des nouvelles républiques des Voortrekkers condamnaient l'esclavage. Mais la Bible avait expressément autorisé les Israélites à prendre des enfants des Cananéens et à les élever comme serviteurs :

En outre, les enfants des étrangers qui séjournent parmi vous, ou ceux que vous achèterez, et ceux des familles vivant avec vous qu'elles ont engendrés sur votre terre : ils seront votre possession. Et vous les considérerez comme un héritage pour vos enfants après vous, pour qu'ils les reçoivent en possession ; ils seront vos serfs à jamais.

Les Voortrekkers concilièrent habilement cette injonction biblique avec la nouvelle loi anglaise : pas d'esclaves, mais, si un enfant noir demeure orphelin au cours d'une bataille, c'est un acte de charité de le prendre dans une maison de Blanc, où il aidera à toutes les tâches jusqu'à l'âge de vingt et un ans, sans salaire, mais avec une éducation chrétienne et de la nourriture cafre en abondance. Après quoi, bien entendu, ce jeune Noir n'aura vraiment aucun endroit où aller, aussi sera-t-il logique pour lui de rester, quelle que soit la rétribution que le maître juge bon de lui offrir.

Ainsi donc, pour un commando, rien n'était plus intéressant que de faire des orphelins — et Balthazar Bronk s'en était chargé. Tjaart s'éleva contre ce qu'il jugeait une interprétation abusive de la loi, mais sa femme était ravie de recevoir les deux enfants qui lui étaient attribués et il n'insista pas. Il aurait aimé demander à Aletta de les refuser, mais la Bible ordonnait clairement de garder les enfants et d'en accepter d'autres s'ils se présentaient.

Depuis que les grandes batailles rangées étaient terminées, Tjaart songeait souvent aux Noirs contre lesquels il avait combattu sans cesse : les Xhosas, les Matabélés, les Zoulous. C'étaient des hommes d'un courage étonnant. Tjaart avait été émerveillé de les voir continuer d'avancer alors qu'ils étaient certains de mourir. Il priait pour que vienne le jour où Noirs et Voortrekkers pourraient partager la paix. La religion et les traditions lui avaient enseigné qu'aucun Noir ne pourrait jamais atteindre le niveau culturel ou moral des Blancs les plus ordinaires et il ne contestait pas que leur destinée soit d'être serviteurs. Les chefs des Boers les traitaient de « race inférieure » et il ne voyait aucune raison de s'inscrire en faux contre ce jugement. Mais il savait aussi qu'ils étaient parfois des amis merveilleux et des partenaires de confiance. Au cours de sa vie, il avait été forcé de tuer, personnellement, plus de cent soixante Noirs et, en aucun cas, il n'avait éprouvé le moindre sentiment de culpabilité. Chose étrange, jamais il n'avait tiré sur un Noir sans avoir à ses côtés un de ses serviteurs, Hottentot ou Xhosa, qui l'avait aidé à dépister l'ennemi et lui avait préparé ses fusils. En de nombreuses occasions, il avait risqué sa vie pour sauvegarder sa liberté personnelle, mais, si quelqu'un lui avait dit que les Noirs faisaient de même, il serait resté bouche bée, car il croyait sincèrement qu'ils désiraient la venue des Blancs et préféraient le progrès et l'ordre dans la servitude, à peu près comme les bœufs attelés à son chariot aimaient qu'on leur dise où aller.

Aletta ne pouvait plus supporter Tjaart. C'était à ses yeux un homme sans attrait, aux vues étroites et dont les attitudes rigoureuses devant la vie l'ennuyaient de plus en plus. Il avait constitué une diversion excitante du vivant du pusillanime Ryk Naudé, mais, en tant que mari légal, il devenait assommant. Un homme comme Balthazar Bronk était beaucoup plus à son goût — plus jeune, plus vivant, plus drôle depuis qu'on était arrivé près du lac. Très vite, elle se mit à fréquenter ce beau monsieur assez régulièrement.

Paulus attira l'attention de Tjaart sur ce qui se passait.

— Aletta va dans les champs.

— Avec qui ?

— Balthazar.

Comme toujours, Tjaart étudia le problème avec soin et, quand il fut convaincu que sa femme avait repris ses habitudes adultères, il s'enferma dans la solitude pendant plusieurs jours, pour réfléchir sur ce que serait selon toute probabilité le reste de sa vie : « Je suis un vieil homme à présent et tous mes enfants sont morts. Mes deux fils massacrés à De Kraal. Minna assassinée à Blaauwkrantz. Si je perds Aletta, je n'aurai jamais d'autres fils. Ce Paulus est un vrai homme, le meilleur garçon que j'aie jamais connu. Je veillerai sur lui et je l'aiderai à se lancer dans la vie, mais, bon Dieu, il n'est pas à moi ! »

Il s'interrompit, car depuis sa fenêtre il pouvait voir Paulus et sa petite-fille Sibylla, douze ans et neuf ans, qui marchaient près du lac. Comme toujours, elle tenait Paulus par la main. Impulsivement, Tjaart écarta ses propres malheurs et pria :

« Dieu, protège ces deux enfants. Ils sont la semence de notre nation. »

Puis il revint à son problème : « Les années passent si vite et nous sommes si loin des familles que nous connaissions à De Kraal et à Graaff-Reinet. Je suis seul et j'ai besoin de cette femme, quel que soit son comportement. Je la garderai. »

Fort de sa décision, il retourna dans la vie de la communauté — tout feu tout flamme. Saisissant son fusil, il s'élança vers la cabane de Balthazar Bronk, l'appela, braqua le fusil sur sa poitrine et cria :

— Balthazar, chargez votre chariot et partez d'ici une heure. Sinon je vous tue.

— Mais pourquoi...

C'était la femme de Bronk qui passait la tête à la porte de la cabane.

— Il le sait.

Tjaart n'ajouta pas un mot. Il resta là, tandis que la famille Bronk rangeait ses affaires et rassemblait ses bêtes qui paissaient avec le troupeau commun.

— Où allons-nous partir ? demanda Bronk d'une voix suppliante.

— Peu importe, répliqua Tjaart.

Il demanda à Paulus d'aller chercher un autre fusil et de monter la garde avec lui jusqu'à ce que le chariot s'en aille.

« Donne-leur notre biltong, dit Tjaart à l'enfant.

Paulus alla chercher les provisions des Van Doorn. Quand le chariot s'ébranla, Tjaart attendit qu'il soit assez loin, puis tira plusieurs coups de feu au-dessus de lui pour avertir les Bronk qu'ils n'avaient pas intérêt à rebrousser chemin. Au second coup de fusil, Aletta parut, en criant qu'elle allait les rejoindre.

De nouveau, Tjaart se mit dans une fureur noire. Il savait manœuvrer les hommes, mais il était incapable de raisonner une femme. Il lança son fusil à Paulus, prit Aletta par le bras, la secoua en tous sens et utilisa la seule logique qu'il connaissait : il la gifla trois fois en pleine figure. Quand elle tomba dans la poussière, il se baissa pour la relever et la frappa de nouveau.

« Dans la maison, ordonna-t-il.

Toute la journée, les voisins le regardèrent, assis sur le seuil, le fusil à la main, immobile et muet.

Au coucher du soleil, il entra dans la cabane et se déshabilla pour se coucher. Quand il arriva devant sa femme, elle éclata en sanglots impossibles à réprimer.

— Tu es vieux et gras et tu as un gros ventre. Ryk était si jeune et si fort. Je te méprise.

D'un revers de main, il la jeta de nouveau à terre. Elle courut en hurlant hors de la hutte et il la poursuivit en caleçon.

« Je les rattraperai, gémit-elle.

— Oui ! répliqua-t-il. Va-t'en dans le noir. Les lions t'attendent.

A peine avait-elle fait quelques pas qu'elle aperçut les yeux des bêtes sauvages qui venaient près du lac après la tombée du jour. Elle entendit des bruits étranges et le rugissement étouffé d'un lion au loin, si effrayant qu'elle se hâta de rentrer à l'abri du village, puis, au bout d'un moment, dans sa propre hutte.

Tjaart l'attendait. Avec compassion, avec un amour aussi profond qu'inexpliquable, il la prit dans ses bras.

— Ryk était jeune et beau, mais il est mort. Je suis vieux et gros, mais je suis vivant. C'est la vie.

Et, cette nuit-là, Aletta conçut un garçon, que l'on prénomma Jakob, en souvenir de la deuxième femme de Tjaart, qu'il avait vénérée.

Glossaire

Lorsqu'on écrit sur un peuple ayant une langue aussi évocatrice que l'afrikaans, on est tenté de truffer le récit d'une foison de vocables brefs et colorés comme *kloof* (ravin) ou de mots composés stupéfiants comme *onderwyskollegesportsterreine* (éducation-collège-sports-terrains). J'ai essayé d'éviter ce travers : ce ne serait que pédantisme, sans utilité pour le lecteur. Cependant, parler des Afrikaners sans ajouter une pincée de leur langue serait une injustice. J'ai donc utilisé quelques mots sans lesquels le récit manquerait de vraisemblance ; on trouvera ci-dessous le sens exact et l'origine de ces mots lorsqu'elle n'est pas hollandaise.

BAAS : maître ; *boss*.

BAOBAB : arbre au tronc énorme (*bantou*).

BAYETE : salut royal (*zoulou*).

BILTONG : lanières de viande salée et séchée au soleil (*pemmican*).

BOBOTIE : plat de viande hachée, curry, œufs et lait (*malais*).

BOER : litt. fermier ; Sud-Africain d'ascendance hollandaise ou huguenote.

COMMANDO : unité militaire des Boers.

DAGGA : marijuana (*hottentot*).

DANKIE : merci.

DISSELBOOM : timon principal des chariots à bœufs.

DOMINEE : pasteur de l'Église afrikaner.

FONTEIN : source naturelle.

HARTEBEEST HUT : « cabane-bubale » de torchis ; murs bas, sans fenêtres.

IMPI : régiment de guerriers zoulous (*bantou*).

JA : oui.

KNOBKERRIE : massue à tête bombée (*hottentot*).

KOPJE : petite colline, souvent à cime plate.

KRAAL : village africain ; enclos à bétail (*portugais*).

LAAGER : camp défensif entouré de chariots.

LOBOLA : dot payée en bétail (*bantou*).

MEERKAT : petit mammifère ressemblant au chien de prairie américain.

MEJUFFROUW : mademoiselle ; jeune fille non mariée.

MEVROUW : madame ; est devenu MEVROU.

MFÉCANÉ : l'écrasement (migration forcée à la suite de l'expansion des Zoulous) (*bantou*).

MIJNHEER : monsieur ; est devenu MYNHEER, puis MENEER.

MORGEN : mesure agraire, environ 80 ares.

NACHTMAAL : litt. repas de nuit ; Sainte Communion ; est devenu NAGMAAL en afrikaans.

OUBAAS : vieux baas ; vieillard, grand-père.

OUMA : grand-mère.

PRÉDIKANT : ecclésiastique (notamment de l'Église hollandaise réformée).

RAND : unité de monnaie valant un peu plus d'un dollar américain (abréviation de Witwatersrand).

SJAMBOK : fouet court en cuir de rhinocéros ou d'hippopotame (*malais*, d'origine *persane*).

SKOLLIE : voyou (surtout parmi les « hommes de couleur » du Cap).

SLIM : malin, rusé, perspicace, fourbe.

SMOUS : marchand itinérant (colporteur) (*allemand*).

STOEP : porche.

TREK : migration (en particulier en chariots à bœufs).

TREKBOER : éleveur nomade.

TSOTSI : membre d'une bande de voyous (*bantou*).

UITLANDER : étranger ; notamment sur les mines d'or.

VELD : savane arbustive (VELDT est archaïque).

VELDKORNET : fonctionnaire de district ; dans l'armée : lieutenant.

VELDSKOEN : chaussures fabriquées avec des peaux brutes.

VERDOMDE : maudit.

VOC : Vereerrigde Oostindische Compagnie, la Jan Compagnie.

VOLK : nation, peuple.

VOORTREKKER : membre du Grand Trek de 1834-1837.

VRYMEER (en hollandais : VRIJMEER) : lac de la Liberté.

Prononciation : En général, les mots se prononcent comme ils s'écrivent, sauf que J = Y, V = F, OE = OU, U = OU, OU = O-OU. Par exemple, le nom Van Wyck = Fan Vyke; Vrymeer = Fraïmer.

Table

IMPRIMERIE BUSSIÈRE À SAINT-AMAND (CHER)
DÉPÔT LÉGAL JUIN 1986. N° 9262 (795)

Collection Points

SÉRIE ROMAN

DERNIERS TITRES PARUS

R205. Le Sourire du Chat, *par François Maspero*
R206. L'Inquisiteur, *par Henri Gougaud*
R207. La Nuit américaine, *par Christopher Frank*
R208. Jeunesse dans une ville normande
par Jacques-Pierre Amette
R209. Fantôme d'une puce, *par Michel Braudeau*
R210. L'Avenir radieux, *par Alexandre Zinoviev*
R211. Constance D., *par Christian Combaz*
R212. Épaves, *par Julien Green*
R213. La Leçon du maître, *par Henry James*
R214. Récit des temps perdus, *par Aris Fakinos*
R215. La Fosse aux chiens, *par John Cowper Powys*
R216. Les Portes de la forêt, *par Élie Wiesel*
R217. L'Affaire Deltchev, *par Eric Ambler*
R218. Les amandiers sont morts de leurs blessures
par Tahar Ben Jelloun
R219. L'Admiroir, *par Anny Duperey*
R220. Les Grands Cimetières sous la lune
par Georges Bernanos
R221. La Créature, *par Étienne Barilier*
R222. Un Anglais sous les tropiques, *par William Boyd*
R223. La Gloire de Dina, *par Michel del Castillo*
R224. Poisson d'amour, *par Didier van Cauwelaert*
R225. Les Yeux fermés, *par Marie Susini*
R226. Cobra, *par Severo Sarduy*
R227. Cavalerie rouge, *par Isaac Babel*
R228. Tous les soleils, *par Bertrand Visage*
R229. Pétersbourg, *par Andréi Biély*
R230. Récits d'un jeune médecin, *par Mikhaïl Boulgakov*
R231. La Maison des prophètes, *par Nicolas Saudray*
R232. Trois Heures du matin à New York, *par Herbert Lieberman*
R233. La Mère du printemps, *par Driss Chraïbi*
R234. Adrienne Mesurat, *par Julien Green*
R235. Jusqu'à la mort, *par Amos Oz*
R236. Les Envoûtés, *par Witold Gombrowicz*
R237. Frontière des ténèbres, *par Eric Ambler*
R238. Les Deux Sacrements, *par Heinrich Böll*
R239. Cherchant qui dévorer, *par Luc Estang*
R240. Le Tournant, histoire d'une vie, *par Klaus Mann*
R241. Aurélia, *par France Huser*
R242. Le Sixième Hiver, *par Douglas Orgill et John Gribbin*
R243. Naissance d'un spectre, *par Frédérick Tristan*
R244. Lorelei, *par Maurice Genevoix*
R245. Le Bois de la nuit, *par Djuna Barnes*
R246. La Caverne céleste, *par Patrick Grainville*
R247. L'Alliance, tome 1, *par James A. Michener*
R248. L'Alliance, tome 2, *par James A. Michener*
R249. Juliette, chemin des Cerisiers, *par Marie Chaix*
R250. Le Baiser de la femme-araignée, *par Manuel Puig*
R251. Le Vésuve, *par Emmanuel Roblès*
R252. Comme neige au soleil, *par William Boyd*